18582A

Gerhard Höhn   Heine-Handbuch

Gerhard Höhn

Heine-Handbuch

Zeit, Person, Werk

J. B. Metzlersche
Verlagsbuchhandlung
Stuttgart

CIP-Kurztitelaufnahme der Deutschen Bibliothek

Höhn, Gerhard:
Heine-Handbuch: Zeit, Person, Werk /
Gerhard Höhn. – Stuttgart: Metzler, 1987.
 ISBN 3-476-00562-3

ISBN 3 476 00562 3

© 1987 J. B. Metzlersche Verlagsbuchhandlung
und Carl Ernst Poeschel Verlag GmbH in Stuttgart
Satz: Utesch Satztechnik GmbH, Hamburg
Druck: Gulde Druck GmbH, Tübingen
Printed in Germany

Inhalt

Prosaschriften

Anhang und Register

Einleitung

Um keinen anderen Großen der deutschen Literatur ist so erbittert und so lange gestritten worden wie um Heinrich Heine. An keinem anderen haben sich die Geister so geschieden wie an dem deutschen Juden aus dem Pariser Exil. Und kein anderer wurde in seinem Heimatland so abgelehnt und so verfolgt wie dieser frankophile Störenfried und skandalöse »Nestbeschmutzer«. Wenn die Auseinandersetzung mit Heine immer schon ein Gradmesser der Demokratie in Deutschland gewesen ist, dann sprechen die vergeblichen Versuche, ihn zu ehren, und die erfolgreichen Versuche, ihn zu entehren, eine deutliche Sprache. So scheiterten am Widerstand deutschnationaler Kräfte in den Jahren 1887–93 die ersten Initiativen, dem in der Welt nach Goethe bekanntesten deutschen Lyriker in Düsseldorf ein Denkmal zu errichten. Während im Ausland, auf Korfu (heute Toulon), in New York und in Paris längst Denkmäler und Büsten an den Dichter erinnerten, gelang es auch 1932 einer neuen Denkmalbewegung nicht, die vorgesehene Plastik am Rhein aufzustellen. Bereits im Wilhelminischen Deutschland hatten sich auch jene moralischen und religiösen Vorurteile radikalisiert, die mit dem Erscheinen der ganz frühen Werke Heines aufgekommen waren: Ein Franz Sandfoß schmähte 1888 den Dichter sogar sehr genau als »Pfahl in unserm Fleische«, welcher eine »Operation« erfordert, und Adolf Bartels blies 1906 zum offenen Kampf gegen den frivolen »Dekadencejuden« Heine (*Heinrich Heine. Auch ein Denkmal*). Daran konnte dann die rassistische Kulturpolitik des Dritten Reiches anknüpfen, um Heine-Denkmäler in Frankfurt und Hamburg zu zerstören und Heines Namen und Werk vollends auszulöschen. Die negative Wirkungsgeschichte, in der sich auch ein Stück deutscher Nationalgeschichte spiegelt, sollte in der jüngsten Vergangenheit noch ein tragikomisches Nachspiel erleben. Nach 17jährigem Ringen scheiterten 1982 endgültig alle Versuche, die 1965 gegründete Universität Düsseldorf in Heinrich-Heine-Universität umzubenennen: der Konvent einer Lehranstalt, die über keine juristische Fakultät verfügt, wollte sich eben nicht zu einem ausgebildeten Juristen bekennen. Wie man weiß, hat Heine in *Ideen. Das Buch Le Grand* Vorsorge getroffen, daß

sich nach seinem Tode neben Düsseldorf nicht sieben andere Städte, mit Namen »Schilda, Krähwinkel, Polkwitz, Bockum, Dülken, Göttingen und Schöppenstädt« um die »Ehre streiten« können, seine »Vaterstadt zu sein«. Zu Unrecht, denn wahrscheinlich wäre er z. B. mit dem närrischen Schöppenstedt viel besser gefahren als mit seiner Vaterstadt, die erst an seinem 125. Todestag nicht verhindern konnte, daß ihr auf dem Schweinemarkt das Heine-Monument von Bert Gerresheim übergeben wurde. Sicher wäre er anderswo auch viel früher zu einem Heine-Preis und zu einem international angesehenen Heine-Institut gekommen.

Ende der 80er Jahre hat sich der inzwischen sprichwörtlich gewordene ›Streit um Heine‹ längst ins Gegenteil verkehrt. Der Kämpfer für Freiheit und Fortschritt wird heute nicht mehr verleumdet, sondern überall gefeiert und geehrt. Kaum ein anderer der älteren Klassiker scheint so populär zu sein und wird in den Medien so oft zitiert wie Heinrich Heine. Zwei historisch-kritische Werkausgaben, die parallel im Osten und Westen entstehen, errichten sogar das »Monument« eines neuen, gesamtdeutschen Klassikers, dem allerdings die »durchschlagende Wirkungslosigkeit« droht, wie Max Frisch seinerzeit dem kommenden »Klassiker« Brecht vorausgesagt hat. Wohl erstmals seit anderthalb Jahrhunderten herrscht jetzt Konsens über den künstlerischen Rang des Lyrikers und Prosaschriftstellers.

Wenn aber auch die wissenschaftlichen Schlachten, die mit der Ende der 60er Jahre einsetzenden Heine-Renaissance aufgekommen sind, geschlagen scheinen, so ist es doch keinem der verschiedenen Lager gelungen, ein, oder besser, ihr Heine-Bild durchzusetzen. Während die DDR-Germanistik bereits in den 50er und 60er Jahren ein progressives und geschlossenes, aber nicht problemfreies Bild vom Vorläufer des Sozialismus entwickelt hatte, konnte die westdeutsche Diskussion erst im Zuge der Studentenbewegung, als man die verschütteten Traditionen des Jungen Deutschland und des Vormärz wiederentdeckte, die alten Vorstellungen vom unpolitischen Dichter und ambivalenten Schriftsteller revidieren. So konkurrieren heute marxistische und liberale, progressive und konservative Heine-Deutungen, denen sich noch die judaistischen und positivistischen Interpretationen hinzugesellen.

In einer Zeit, die sich mangels theoretischer Erneuerung als enzyklopädische darbietet und in der sich die verschiedenen wissenschaftlichen Disziplinen verstärkt ihrer Geschichte zuwenden, scheint der Augenblick günstig, die wichtigsten Ergebnisse einer Auseinandersetzung mit Heine zusammenzufassen, um am Werk eine Bilanz aufzustellen. Mit detaillierten Einzelanalysen sämtlicher, auch kleiner und kleinster Schriften, versucht mein Handbuch, einen Überblick über das vorhandene Wissen zu geben und den Weg zu Texten zu ebnen, die zum größten Teil einem breiteren Leserkreis immer noch unbekannt sein dürften. Das auf Vollständigkeit zielende Unternehmen geht von der Überzeugung aus, daß eine Konfrontation mit diesem Werk weiter lohnend ist, weil wichtige Teile der Kämpfe, die Heine wie kaum ein anderer europäischer Schriftsteller seiner Zeit angezettelt hat, auch in der Gegenwart noch nicht ausgekämpft sind. Das Handbuch, das sich nicht als reine Bestandsaufnahme versteht, folgt dem Werk in seine Verästelungen, um einen Autor zu zeigen, wie er in seine Zeit ›eingebettet‹ liegt, – von ihren Widersprüchen ständig um seine Ruhe gebracht und zerrissen von ihren Kämpfen. Heines konfliktgeladener Situation zu seiner Zeit verdankt nun die ›moderne Schule‹ in Prosa und Lyrik ihre Entstehung: Aus ihr sind die Jungdeutschen und die Vormärzdichter hervorgegangen; sie hat Georg Herwegh und Georg Weerth beeinflußt; zu ihr haben sich Baudelaire und Nietzsche bekannt; in ihrer Tradition stehen Wedekind und Tucholsky, Brecht und Thomas Mann; und ihre Nachwirkungen reichen bis auf Enzensberger und Rühmkorf, Biermann und Kunert. Außerdem war der Schüler Hegels und der Anhänger Saint-Simons durch seine Nähe zu den Zeitkämpfen imstande, die ›Schule‹ des modernen Denkens zu eröffnen: Mit Heine beginnt der Junghegelianismus; seine Religionskritik hat Marx zur »Opium«-Metapher inspiriert und Nietzsche zur These vom »Tod Gottes«; sein zensurbedingter Witzstil lieferte Freud, dem Analytiker der Zensur des Unbewußten, bevorzugt Anschauungsmaterial. Ferner hat Heines Kritik am aufkommenden Warencharakter aller Dinge Phänomene wie Fetischismus und Verdinglichung entdeckt; seine Psychologie des Ressentiments weist auf die *Genealogie der Moral* voraus; seine Kulturkritik kün-

digt das *Unbehagen in der Kultur* an, und seine dialektische Auffassung vom ökonomischen Fortschritt muß gerade im Lichte gegenwärtiger Diskussionen besonderes Interesse erregen.

Das Handbuch widmet sich auch eingehend solchen Texten, die von der wissenschaftlichen Diskussion bisher wenig beachtet worden sind oder die von den Herausgebern oft als Restposten ediert werden (als Nachlese oder als »Aufsätze zu«). Dadurch wird der Kanon der ›klassischen‹ Werke durchbrochen und wohl zum ersten Mal die außerordentliche ästhetische Vielfalt des Heineschen Oeuvre erkennbar. So gewinnt neben dem Deutschland-Kritiker der Mythologe, der auf die Wiederkehr des Dionysischen gestoßen ist, ebenso an Gestalt wie der Erzähler, der mit Strukturen experimentiert hat, die zur Tradition des modernen Romans gehören. In der *Reisebilder*-Zeit gilt es einen Dramatiker zu würdigen, der 1823 die »große Suppenfrage« auf die Bühnen gebracht hat, und einen Rezensenten, der 1828 das Ende der »Kunstperiode« erklärte. Und im Schatten des großen Pariser Korrespondenten, der die ›Schule‹ der politischen Essayistik unseres Jahrhunderts nachhaltig beeinflußt hat, durfte der Kunst- und Theaterkritiker nicht übersehen werden: Seine Gemäldeberichte von 1831 haben eine Ästhetik entwickelt, auf die sich Baudelaire im *Salon de 1846* berufen konnte, während seine Bühnenberichte von 1837 Ideen enthalten, die auf eine Soziologie des Theaters hinauslaufen.

Da es der Aufbau des Handbuches unumgänglich machte, Heines schriftstellerischer Tätigkeit bis in alle Winkel nachzuspüren, drängte sich der Eindruck immer stärker auf, daß es an der Zeit ist, endlich einen Dichter beim Wort zu nehmen, der in der *Vorrede* zur Neuausgabe des *Buchs der Lieder* 1837 ausdrücklich erklärt hat: »Bemerken muß ich jedoch, daß meine poetischen, ebenso gut wie meine politischen, theologischen und philosophischen Schriften, einem und demselben Gedanken entsprossen sind«. Will man nun angesichts der Vielfalt des Werkes so etwas wie eine Einheit hervorkehren, dann kann es nicht darum gehen, Widersprüche und Spannungen, Zwiespältigkeiten und Schwankungen zuzudecken oder gar zu leugnen, denn sie sind nun einmal grundlegend für Heines künstlerische Existenz geworden und haben seine moderne Schreibweise geprägt. Wer das, was sich als ambivalent darbietet, verstehen will, muß nicht nur die unreifen deutschen Verhältnisse berücksichtigen, sondern auch bedenken, »wie die Strategie eines Autors, der für die Sache der europäischen Freiheit kämpft, wunderlich verwickelt ist, wie seine Taktik allen möglichen Veränderungen unterworfen« sein kann (*Der Schwabenspiegel*).

Entscheidend für das Heine-Bild, das im Handbuch vertreten wird, ist die Erkenntnis der kontinuierlichen, unversöhnlichen Gegenstellung des Dichters und Schriftstellers zur gesellschaftlichen Wirklichkeit seiner Zeit, – eine Opposition, die auf allen Stufen des Werkes, auch denen der Lyrik, angefangen mit der frühen, in unterschiedlicher Intensität zutage tritt. Wenn deshalb von Einheit gesprochen werden kann, dann nicht im Sinne einer verlogenen Harmonie, die Heine selbst in jeder Form bekämpft hat, sondern im Sinne eines Engagements, dessen unwandelbares Ziel gesellschaftliche Veränderung am Maßstab sozialer Emanzipation gewesen ist. Der historische Ort, dem Heines »Gedanke« verpflichtet bleibt, ist in der Zwischenstellung – wenn es denn ein »Zwischen« sein soll – von Spätaufklärung und Frühsozialismus zu suchen, d. h. im Anknüpfen an aufklärerische Ideologiekritik und im Einklang mit der zeitgenössischen Bourgeoisiekritik, die in *Lutezia* mit der Ankündigung der »Weltrevolution«, dem »großen Zweikampf der Besitzlosen mit der Aristokratie des Besitzes«, gipfelt. Diese Stellung zwischen dem 18. und 20. Jahrhundert ist schließlich die Voraussetzung der These, daß die Entstehung des modernen, oppositionellen Intellektuellen in eine Zeit fällt, deren herrschende Tendenz genau darin besteht, radikale, auf die Grundlagen zielende Kritik zu verhindern, – wozu sich aber jene Schriftsteller und Gelehrte mißbrauchen ließen, die Heine als seinen Gegentyp, als »Verräter« bloßgestellt hat. Die Gesamtdarstellung bietet den unbestreitbaren Vorteil, auch an kleinen, abgelegenen Kampftexten der 30er Jahre zeigen zu können, in welchem Maße, nämlich bis zum Ersticken, der engagierte Intellektuelle Heine in die Auseinandersetzungen seines Jahrhunderts verwickelt war.

Das Paradoxe meines ganzen Unternehmens liegt auf der Hand und läßt sich in der Frage fassen: Kann man den sowohl spitz- wie doppelzüngigsten Schriftsteller deutscher Sprache in ein Handbuch pressen, ohne ihn wie ein moderner Prokrustes bis zur Unkenntlichkeit zurechtzustutzen? Bedenken dieser Art zerstreut Heine überraschenderweise selber, denn er hat keineswegs negativ über Handbücher geurteilt und einige sogar ausgiebig benutzt. So empfiehlt er im Neunten Brief der Schrift *Über die französische Bühne* diesen Buchtypus au-

genzwinkernd als willkommenes Mittel, um sich in kürzester Zeit in einen Kunstkenner zu verwandeln. Das zweite Buch der Philosophiegeschichte ist weitgehend einem damals verbreiteten Handbuch verpflichtet. Und der Autor der *Romantischen Schule* war sich nicht zu schade, die Schrift seinem Verleger als »Handbuch« von bleibendem Wert anzupreisen (Brief an Campe vom 2. Juli 1835).

Aus Gründen der Übersichtlichkeit gliedert das Handbuch nur in Werke mit gebundener und ungebundener Rede und verfolgt dann jeweils eine chronologische Ordnung, die sich nach dem Erstdruck, in Journal- oder Buchform, richtet. Bruchstücke aus dem Nachlaß werden mit den eingeführten Titeln nach ihrer vermutlichen Entstehungszeit eingereiht. Reihentitel wie *Reisebilder* und *Der Salon* werden als selbständige Werkkomplexe speziell dargestellt, ebenso wie die eigens komponierten Sammelbände *De la France* und *De L'Allemagne*.

Die Werkanalysen folgen im Aufbau einer dreiteiligen Systematik. Eingangs wird die Entstehungs- und Druckgeschichte (so weit belegt, auch die der französischen Übersetzungen) mit Überblick über die Textfassungen dargestellt und durch Angaben zu den maßgeblichen Originaldrucken sowie zu aktuellen, deutschen und französischen Textausgaben ergänzt. Der zweite und Hauptteil widmet sich Analyse und Deutung, wobei der Zugang zu den wichtigsten Aspekten und Fragestellungen stets über Textstrukturen gesucht wird. Der dritte Teil umfaßt die zeitgenössische Aufnahme und Wirkung in Deutschland und Frankreich, insofern diese dokumentiert und erforscht sind (die weitere Wirkung von Heines Oeuvre im 19. und 20. Jahrhundert in den beiden Ländern greift der Anhang bibliographisch auf). Modifikationen der Systematik können sich im Anschluß an den ersten Teil ergeben, um bestimmte Voraussetzungen oder Traditionen gesondert darzulegen. Die Werkanalysen sind so weit wie möglich in sich geschlossen angelegt und können deshalb einzeln gelesen werden. Wiederholungen von Schlüsselzitaten, Themen oder Grundbegriffen wurden ebenso in Kauf genommen wie die jeweils erneuerte Analyse formaler Mittel, zumeist der Kontrastästhetik und der Komik.

Ein Einzelautor ist bei einem derartigen Unternehmen in entscheidendem Maße von den Ergebnissen der bisherigen Forscher- und Herausgebertätigkeit abhängig; ja, wenn er es wagt, sich auf die Schultern seiner Vorgänger zu stellen, dann um gemeinsam einen längeren Schatten zu werfen. Für den Zeitraum von 1954 bis 1982 verzeichnen zwei maßgebliche Bibliographien fast 5700 Texte von und über Heine: Aus der Masse der heute für einen Laien kaum noch überschaubaren Beiträge wurden nur Arbeiten berücksichtigt, welche die Analyse fördern und mit denen sich eine Auseinandersetzung lohnt; ferner solche, die bestimmte Deutungen oder weiterführende Informationen enthalten; und schließlich jene, die bei der Arbeit benutzt worden sind. Was den Heine-Interessierten als »Rattenschwanz« erscheint (und überlesen werden kann), soll einen aktuellen Forschungsstand dokumentieren und denen, die einen wissenschaftlichen Einstieg suchen, die Möglichkeit zu selbständiger Weiterarbeit geben. Ältere, nicht »überholte« Arbeiten wurden aufgrund ihrer Sachhaltigkeit aufgenommen. Außerdem sollte die Germanistik des westlichen Auslandes mit wichtigen Beiträgen vertreten sein. Die werkbezogene Anlage des Handbuches, das sonst von einem Einzelautor kaum zu schreiben gewesen wäre, erforderte bei intensiv bearbeiteten Werken eine Auswahl aus der oft bemerkenswerten Forschungsliteratur; andererseits konnten Gesamtdarstellungen, thematisch orientierte Abhandlungen oder Essays nicht in dem gebührenden Maß berücksichtigt werden.

Ein Handbuch, das den aktuellen Stand der Forschung erfassen und festschreiben will, stößt zwangsläufig auch auf Defizite und Lücken, von denen hier einige kurz erwähnt werden sollen. Trotz der gewaltigen Masse an Literatur fehlen z. B. systematische und erschöpfende Darstellungen der politischen, ästhetischen oder geschichtlichen Theorie. Ebenso vermißt man eine umfassende Analyse von Heines Stellung zur europäischen Aufklärung oder eine alle Aspekte berührende Untersuchung zu seinem Sprachstil. Lücken wären angesichts des französischen Kontextes bei Entstehung und Aufnahme von Werken der mittleren und späten Zeit zu schließen, z. B. bei der Entstehung der Pariser Lyrik oder der Rezeption von *Lutèce*.

Die Wirkung seiner ersten mythologischen Schrift hat Heine zufrieden konstatiert – aber bisher kein Forscher untersucht. Ferner liegen bei einer Reihe von Prosawerken keine befriedigenden Spezialuntersuchungen vor. Auffallend ist weiter, in welchem Maße die jüngste Heine-Renaissance die frühe Liebeslyrik vernachlässigt hat, – so, als lägen Welten zwischen dem *Buch der Lieder* und z. B. den *Neuen Gedichten*. Zufriedenstellende monographische Darlegungen fehlen schließlich auch zur Lyrik der 40er und 50er Jahre, die doch immer als vorbildlich zitiert wird.

Meine Danksagungen fallen umständehalber kurz, aber um so herzlicher aus. Von allen Instituten und Bibliotheken in Frankreich und Deutschland, die mir bei der Beschaffung des voluminösen, oft entlegenen Materials behilflich gewesen sind, möchte ich hier nur dem von Joseph A. Kruse geleiteten Düsseldorfer Heinrich-Heine-Institut danken: dort, wo »fröhliche Wissenschaft« möglich ist, haben mir Heike von Berkholz und Günter Grätsch jahrelang stets jeden Wunsch erfüllt. In der Literaturhandlung Niepel, Düsseldorf, hat Guni Tillmanns immer für den nötigen ›Nachschub‹ gesorgt. Unter den Freunden, die mir bei dem Alleingang den Rücken gestärkt haben, danke ich Gabi und Jan Knopf, Karlsruhe, die ›alles‹ initiiert und mit dem *Brecht-Handbuch* den Weg gewiesen haben; Bodo Morawe, Paris, der mich in ständigen Heine-Dialogen davor bewahrt hat, den Überblick zu verlieren; ferner Bernd Lutz, Stuttgart, der mit Geduld das Manuskript betreut und lektoriert hat; und schließlich Alfred Keicher, Tübingen, der Korrektur gelesen hat. Vor allem und vor allen aber danke ich Anne Höhn, die dafür gesorgt hat, daß mir bei der Arbeit das Lachen über Heines Texte nicht vergangen ist.

Dieses Buch widme ich meiner achtzigjährigen Mutter.

Paris und Düsseldorf,
Ostern 1987   *Gerhard Höhn*

Siglen, Abkürzungen und praktische Hinweise

B   = *Heinrich Heine: Sämtliche Schriften in zwölf Bänden*, hrsg. von Klaus Briegleb, München 1976; die Konkordanz mit der 7-bändigen Ausgabe München 1968 ff. lautet:

      1, 2   = Bd. I (1968)
      3, 4   = Bd. II (1969)
      5, 6   = Bd. III (1971)
      7, 8   = Bd. IV (1971)
      9, 10 = Bd. V (1974)
      11   = Bd. VI/1 (1975)
      12   = Bd. VI/2 (1976)

DHA   = *Heinrich Heine: Sämtliche Werke. Düsseldorfer Ausgabe*, hrsg. von Manfred Windfuhr, Hamburg 1973 ff.

HSA   = *Heinrich Heine: Werke, Briefwechsel, Lebenszeugnisse. Säkularausgabe.* Hrsg. von den Nationalen Forschungs- und Gedenkstätten der klassischen deutschen Literatur in Weimar und dem Centre National de la Recherche Scientifique in Paris. Berlin und Paris 1970 ff.

HJb   = *Heine-Jahrbuch*. Hrsg. vom Heinrich-Heine-Institut Düsseldorf. Hamburg 1962 ff.

IHK 1972 = *Internationaler Heine-Kongreß 1972. Referate und Diskussionen*, hrsg. von Manfred Windfuhr. Hamburg 1973 (=Heine-Studien)

IWK 1972 = *Heinrich Heine. Streitbarer Humanist und volksverbundener Dichter*. Internationale wissenschaftliche Konferenz Weimar 1972. Nationale Forschungs- und Gedenkstätten der klassischen deutschen Literatur. Weimar 1973

Werner   = Michael Werner (Hrsg.): *Begegnungen mit Heine. Berichte der Zeitgenossen*, Hamburg 1973, 2 Bde. (I: 1797–1846; II: 1847–1856)

Galley/Ester-mann   = Eberhard Galley und Alfred Estermann (Hrsg.): *Heinrich Heines Werk im Urteil seiner Zeitgenossen*. Hamburg 1981 ff. (=Heine-Studien) (I: 1821 bis 1831; II: 1830 bis 1834)

Alle Werkzitate entstammen der in Taschenbuchform verbreiteten Ausgabe von Klaus Briegleb (B plus Band und Seitenzahl). Die bibliographischen Angaben zu Textausgaben erfassen auch, soweit vorhanden, die Düsseldorfer Ausgabe, die den authentischeren Text bietet (die Ausgaben werden an anderer Stelle genauer charakterisiert). Bei Zitaten werden Fälle gebeugt. Briefzeugnisse sind durch Angabe von Adressat und Datum belegt und deshalb auch in anderen Ausgaben auffindbar. Im einzelnen verzeichnen die Literaturangaben jeweils eines Kapitels einmal vollständig alle Titel, die in der Darstellung genannt werden; darauf beziehen sich die Verweise »s. o.«. Ferner belegen genaue Seitenangaben alle Aussagen und Thesen der Autoren, auf die sich die Darstellung beruft und die zitiert werden. In einigen Fällen nennt die Analyse mehrere Forschernamen, um die Entstehung eines Urteils zu dokumentieren. Die chronologisch angelegten Literaturverzeichnisse können sich, zusätzlich zu den Titeln, die das jeweilige Werk betreffen, in weitere Sachgebiete unterteilen.

Erster Teil:
Zeit und Person

Der Zeitschriftsteller

In der Übergangszeit von der feudalen Ständegesellschaft zur bürgerlichen Klassengesellschaft erscheint in Deutschland ein neuer Schriftstellerty-
pus, der alle wesentlichen Züge des modernen kritischen Intellektuellen in sich vereinigt. Während
sein Begriff in den Gründerjahren der neuen Epoche entstanden ist, hat er seine erste Bewährungs-
probe im Kampf gegen die etablierten Gewalten
der Restauration bestanden, bevor er nach der Julirevolution von 1830 seine wahre Feuertaufe erleben sollte. Verdankt er seine Existenz den modernen Bedingungen eines expandierenden Literaturmarktes, so wird sein Bild durch den Funktions-
wandel geprägt, der sich im Selbstverständnis der
Dichter über ihre neue Rolle in der sich verändern-
den Wirklichkeit vollzogen hat. Das Ergebnis dieser politisch-sozialen Neubestimmung hat sich in
literarischen Praktiken niedergeschlagen, die den
Bruch mit der klassisch-romantischen Epoche und
den Beginn einer neuen Literatur sichtbar werden
lassen.

Begriff und Funktion des »Zeitschriftstellers«
wurden zuerst von Ludwig Börne 1818 aus bezeich-
nendem Anlaß festgelegt. In der Ankündigung der
geplanten Zeit-Schrift *Wage* entwirft Börne das
Portrait des praktisch engagierten Schriftstellers in
der neuen bürgerlichen Gesellschaft. Die Geburts-
urkunde des »Zeitschriftstellers« enthält gleichzeitig sein »Dienst«-Programm, das lautet: die »Aussagen der Zeit zu erlauschen, ihr Mienenspiel zu
deuten und beides niederzuschreiben«, und noch
genauer: »als das Triebwerk selbst [zu dienen], welches die Gänge der Zeit regelmäßig erhält und ihre
Fortschritte abmißt« (*Sämtliche Schriften*, hrsg.
von Inge und Peter Rippmann, Dreieich 1977, Bd.
1, 670 u. 667).

Börnes Portrait, das den Bruch mit der klassisch-romantischen Vorstellung vom »Dichter«
eingeleitet hat, wurde von keinem anderen zeitgenössischen Schriftsteller so ausgefüllt und eingelöst
wie von Heinrich Heine. Wenn das Programm des
»Zeitschriftstellers« denn lautete: Deuten und an-
treiben, so hat dieser Typus vor allem in Heine
exemplarische Gestalt angenommen. Wenn sein
Dienst hieß: Die »Zeitinteressen« zu erkennen und
den Fortschritt zu befördern, so ist er in Heines
Existenz als Berufsschriftsteller zur vollen Reife
und zur epochalen Repräsentation gekommen.
Kurz, wenn seine Aufgabe darin bestand: Das Ver-

gangene zu bekämpfen und Geburtshelfer des Neu-
en zu sein, so steht Heines kritisches Dichtertum
beispielhaft am Anfang einer Entwicklung, deren
ungebrochene Aktualität sich in der bis heute kontroversen Diskussion um politisch engagierte Dichtung bezeugt.

Heines Zeitschriftstellertum läßt sich jedoch
nicht allein mit den Vorstellungen Börnes definieren, – er hat ihm schließlich sein eigenes Siegel
aufgeprägt, als er nach 1830 seinen Status und seine
Funktion mit »Amt«, »Sprechamt«, »öffentliches
Tribunat« oder »Prophetenamt« bezeichnete (B 5,
91 und 10). In dieses »Amt« hatte ihn niemand
eingeführt, und niemand hatte ihn dafür kompe-
tent erklärt: Allein durch die Freiheitsappelle von
1789 und 1830 sowie, in Opposition dazu, durch die
antiliberale Restaurationspolitik fühlte sich Heine
aufgerufen, das »Sprechamt« im Namen der unterdrückten und (noch) stummen Völker zu verwal-
ten. Die Amtsbefugnis, die von der Gegenseite seit
jeher der ›Anmaßung‹ bezichtigt wird, rührte deshalb nicht von Vermessenheit oder persönlichen
Ambitionen her, sondern im Gegenteil von Ideen
und Bedürfnissen, die an der Zeit waren und die
zur Verwirklichung drängten, so daß Engagiert-
werden als vorrangig gegenüber subjektivem Sich-
engagieren erscheinen mußte. Diese für Heines
Schriftstellertum zentrale, spannungsvolle Vorstellung kommt immer wieder zur Sprache, in Briefen
(z. B. an den befreundeten Moses Moser vom 1. Juli 1825), in den *Ideen. Das Buch Le Grand* oder in
Buch II der *Börne*-Schrift, bevor sie in der bekenntnishaften *Vorrede* zum 1. *Salon*-Band 1833 im Bild
des in die Arena gepeitschten und geknechteten
Schriftstellers ihre gültige Formulierung fand (B 5,
10). Wird der Auftrag des Amtes – um hier kurz
vorzugreifen – unterschiedlich bestimmt: Einmal,
politisch gesehen, als Tribun auf die Gegenwart
einzuwirken, zum andern, religiös gesehen, als
Apostel in die Zukunft schauend die »Freiheits«-
Religion zu verkünden, so ist der Modus der Ausübung eindeutig militant-kriegerisch festgelegt;
daran erinnert immer wieder die im ganzen Werk
zahlreich vertretene agonal-militärische Metaphorik und Symbolik, die alle Gefahren bewußt einkal-
kuliert. So lautet nach 1830 der Appell des Zeitschriftstellers, ob Tribun oder Apostel, noch entschiedener als vorher: »Aux armes citoyens!
[...] Aux armes citoyens!«, und sein Credo heißt
pathetisch: »Ich bin ganz Freude und Gesang, ganz
Schwert und Flamme!« (B 3, 529 u. B 7, 53; vgl.
Brief an Christiani von Mitte November 1826).

Der bevorzugte Kampfplatz des Zeitschriftstellers sind Zeitungen und Zeitschriften, die gleichzeitig seine Existenz sichern. Die Entwicklung des Literaturmarktes (s. S. 24 ff.) hat, zusammen mit dem Aufschwung und der Erneuerung des Pressewesens, die Vormärzzeit in eine neue, nach der Aufklärung »zweite Blütezeit« der Journalistik verwandelt (Windfuhr 1970, 455). Die neuen beruflichen Möglichkeiten ließen viele deutsche Schriftsteller »von den Dachkammern in die Redaktionsstuben« umziehen (Stein, 162), wenn sie nicht als Herausgeber oder als freie Mitarbeiter tätig waren. Die Schriftsteller des Jungen Deutschland, die zahlreiche, aber durch die Repressionspolitik des Deutschen Bundes oft nur kurzlebige Zeitschriften gründeten und herausgaben, sprachen sogar emphatisch von »Zeitschrift«, weil sie eine Verbindung zu »Zeit« herstellten, wobei »Zeit« nach 1830 als das »positive Gegenstück« zum negativ besetzten Schlagwort »Vergangenheit« gebraucht wurde (Wülfing).

Die bevorzugte Gattung des Zeitschriftstellers ist die Prosa, mit der sich die neuen, bürgerlichen Wirklichkeiten besser und angemessener erfassen ließen als in gebundener Rede. Die Jungdeutschen sprachen von einer »Emancipation der Prosa« (Theodor Mundt, *Die Kunst der deutschen Prosa,* Berlin 1837, 49) oder begrüßten den Übergang zu einer poetischen Prosa, »weil Prosa unsere gewöhnliche Sprache und gleichsam unser tägliches Brot ist, weil unsere Landstände in Prosa sprechen, weil wir unsere Person und Rechte nachdrücklicher in Prosa vertheidigen können, als in Versen« (Ludolf Wienbarg, *Aesthetische Feldzüge. Dem jungen Deutschland gewidmet,* Hamburg 1834, 135). Dieser Prozeß, in dem sich die Abkehr von der klassisch-romantischen Tradition der lyrischen Dichtung ausdrückt, vollzog sich für die neue Generation auf maßgebliche Weise in der innovatorischen und experimentellen Prosa Heines und Börnes. Neben Börnes zeitkritischer Prosa aus den 20er Jahren wirkten Heines *Reisebilder,* die ein neues Genre begründeten, form- und stilbildend auf die jungen Schriftsteller, weil durch die Mischung verschiedener Formelemente, die in der klassischen Ästhetik nicht erlaubt war, ein genaueres Bild der Zeit möglich wurde. Heines (und Börnes) Berichte und Reportagen aus Paris, in denen der Zeitschriftsteller zum Historiker seiner Zeit wurde, fanden als neue Prosagattung zahlreiche Nachahmungen, denn sie erfaßten bisher unbekannte Aspekte einer sich immer komplexer gestaltenden Wirklichkeit. Schließlich beeinflußten Heines literarisch-philosophische Abhandlungen die moderne Essayistik. Ihre Modernität wurde schon von den Jungdeutschen anerkannt, ihre Vorbildlichkeit gilt bis heute unbestritten (wenn auch dieser »Feuilletonismus« von Karl Kraus schärfstens kritisiert worden ist).

In seinem publizistischen Kampf gegen historisch überholte Zustände und Ideen hat Heine von Anfang an die neuen »Waffen« konsequent eingesetzt, um in der Öffentlichkeit größeres Terrain zu gewinnen und mehr Köpfe zu erreichen. In seiner Berliner Studienzeit wurde er schon als Korrespondent tätig, bei ihrem Abschluß hatte er bereits mehr als fünfzig Beiträge in Zeitschriften veröffentlicht. Auch danach veröffentlichte er publizitätsbewußt fast alle seine Werke zuerst in der periodischen Presse. 1831 ging er, erster deutscher Dichter seines Ranges, als politischer Korrespondent einer großen deutschen Zeitung nach Paris – etwas, das es bis dahin nicht gegeben hatte (Windfuhr 1970).

Diese durch Heine entscheidend mit geförderte Wandlung »vom Poeten und Dichter klassisch-romantischer Provenienz zum Schriftsteller und Literaten« der Moderne (Koopmann, 72) bringt die Grundprinzipien der Goethezeit, mit dem Primat der moralisch-ästhetischen Welt gegenüber der empirischen Wirklichkeit, ins Wanken. Kunst und Realität, Poesie und Politik, Artistik und Engagement lassen sich nicht weiter in der bekannten Weise trennen, sondern verlangen eine Vermittlung, die Heine theoretisch gefordert und praktisch eingelöst hat. In einer für die neuere Forschung maßgeblichen Analyse hat das Wolfgang Preisendanz unter dem Gesichtspunkt »Funktionsübergang von Dichtung und Publizistik« eingehend behandelt. Nach der These des Autors besteht nun die Modernität von Heines Schreibweise darin, daß die von der Ästhetik der »Kunstperiode« (Heine) grundsätzlich getrennten Phänomene vermittels eines »ideologischen Bezugsrahmens« in ein »Funktionsverhältnis« treten, in dem sich politische oder philosophische Ideen und »poetische Imagination« gegenseitig fordern und bestimmen (Preisendanz, 47). Diese These ermöglicht in der Tat einen fruchtbaren Zugang zu dem, was Heine mit einem seiner Lieblingsbegriffe »Signatur« (oder »Repräsentant«) genannt hat.

Läßt der »Funktionsübergang« den Gegensatz von Dichter und (Zeit-)Schriftsteller »hinfällig« werden (Preisendanz, 66), so darf man nicht vergessen, daß Heine den neuen Typus nicht als aus einem Stück gegossen darstellt. Er, der als Autor des *Buchs der Lieder* seinen größten Erfolg und seinen bleibenden Ruhm erzielt hat, versteht sich selber durchaus weiter in der klassisch-romantischen Tradition als lyrischer Dichter und bekennt kurz vor seinem Tode: »Es ist nichts aus mir geworden, nichts als ein Dichter. – Nein, ich will keiner heuchlerischen Demut mich hingebend, diesen Namen geringschätzen. Man ist viel, wenn man ein Dichter ist, und gar wenn man ein großer lyrischer Dichter ist in Deutschland [. . .]« (*Geständnisse*, B 11, 498). Diese Aussage steht offenbar in deutlichem Widerspruch zu den Zweifeln an der Zeitgemäßheit lyrischer Dichtung, die sich bereits während der *Reisebilder*-Zeit bemerkbar machen, bevor sie in den 30er Jahren, als die Ausübung des demokratischen »Sprechamtes« das immer wieder sehnsuchtsvoll angestrebte Zurückschleichen »in das Land der Poesie« (B 5, 11) vorübergehend stört, zu grundsätzlicher Kritik führten; am 11. Oktober 1839 schrieb Heine dem Jungdeutschen Gustav Kühne: »unsere ganze Zeit ist den Versen nicht mehr günstig und verlangt Prosa.« In Wirklichkeit stehen Lyrik- und Prosaproduktion in einem gespannten Verhältnis, das jedoch nie dem Erklügeln »metrischen Wortzaubers« ein Ende bereitet hat (*Ludwig Börne*, B 7, 36). Im Gegenteil, in den 40er Jahren, in einer Zeit verschärfter Kämpfe zwischen deutschem Bürgertum und Feudalsystem, trat Heine sein »öffentliches Tribunat« auch als lyrischer Dichter an, der die Versepik erneuerte und mit einer neuen Gedichtform, den »Zeitgedichten«, in die Auseinandersetzungen eingriff. Politische Poesie, entschieden antiklassisch und bis heute als problematisch empfunden, hat keineswegs das Ende von Poesie und Künstlertum zur Folge (gehabt), sondern diese neu begründet (vgl. Stein, 184). Durch seine neue, engagierte Schreibweise konnte der Zeitschriftsteller Heine zu einem – wie es die Diskussion nennt – »Beiträger der ›Urgeschichte der Moderne‹« werden, »in der von Anfang an Revolutionierung der ästhetischen Mittel (Technik) und politische Parteilichkeit (Tendenz)« ein spannungsvolles Verhältnis eingegangen sind (Stein, 186).

Lit.: Walter Dietze: *Junges Deutschland und deutsche Klassik*, Berlin (Ost), 1957; Wulf Wülfing: *Schlagworte des Jungen Deutschland* (Fortsetzung), B. »Zeit«, in: Zeitschrift für deutsche Sprache, Bd. 22, N. F. Bd. 7, 1966, 154–178; Helmut Koopmann: *Das Junge Deutschland*, Stuttgart 1970; Hans J. Haferkorn: *Zur Entstehung der bürgerlich-literarischen Intelli-* genz und des Schriftstellers in Deutschland zwischen 1750 und 1800, in: Deutsches Bürgertum und literarische Intelligenz 1750–1800, hrsg. von Bernd Lutz, Stuttgart 1974 (Literaturwissenschaft und Sozialwissenschaften, 3); Rainer Rosenberg: *Literaturverhältnisse im deutschen Vormärz*, Berlin (Ost) u. München 1975; Walter Hömberg: *Zeitgeist und Ideenschmuggel. Die Kommunikationsstrategie des Jungen Deutschland*, Stuttgart 1975; Peter Stein: *Vormärz*, in: *Deutsche Literaturgeschichte*, Wolfgang Beutin u. a., Stuttgart 1979, 159–202; Wolfgang Labuhn: *Literatur und Öffentlichkeit im Vormärz. Das Beispiel Ludwig Börne*, Königstein/Ts. 1980; Robert Darnton: *Literaten im Untergrund. Lesen, Schreiben und Publizieren im vorrevolutionären Frankreich*, München 1985 (engl. zuerst 1982).
– Paul Konrad Kurz: *Künstler Tribun Apostel. Heinrich Heines Auffassung vom Beruf des Dichters*, München 1967, 101–153; Eberhard Galley: *Heine als politischer Journalist*, in: *Heinrich Heine Werke*, Bd. 3, Frankfurt a.M. 1968, 613–621; Manfred Windfuhr: *Heinrich Heines Modernität*, in: *Zur Literatur der Restaurationsepoche 1815–1848*, hrsg. von Jost Hermand und Manfred Windfuhr, Stuttgart 1970, 441–459; Wolfgang Preisendanz: *Der Funktionsübergang von Dichtung und Publizistik* (zuerst 1968), in: ders.: *Heinrich Heine*, München 1973, 21–68; Helmut Heißenbüttel: *Materialismus und Phantasmagorie im Gedicht. Anmerkungen zur Lyrik Heinrich Heines*, in: ders.: *Zur Tradition der Moderne*, Berlin u. Neuwied 1972, 56–69; Hans Kaufmann: *Poesie und Prosa bei Heine*, in: zeitschrift für germanistik 1/1981, 69–87; Walter Grab: *Heinrich Heine als politischer Dichter*, Heidelberg 1982; Fritz Mende: *Heinrich Heine. Studien zu seinem Leben und Werk*, Berlin (Ost) 1983, 11–32: Heinrich Heine – Künstler und Tribun (zuerst 1972); Bodo Morawe: *List und Gegenlist. Heinrich Heine als politischer Schriftsteller*, in: Jörg Schönert/Harro Segeberg (Hrsg.): *Zur Theorie, Geschichte und Wirkung der Literatur*, Frankfurt a.M. 1987, im Erscheinen.

Stillstand und Wandel: Deutschland während des Aufbruchs in die Industrielle Revolution, 1815–1848

Heines schriftstellerische Tätigkeit fällt im wesentlichen in eine Epoche, die durch zwei Ereignisse eingegrenzt und zugleich charakterisiert wird: die Restauration der partikularen deutschen Fürstenstaaten durch den Wiener Kongreß 1814/1815 und die bürgerliche Revolution 1848/1849.

Mit *Restauration*, das heißt: Rückkehr zu vorrevolutionären Zuständen, und *Revolution*, das heißt: politische Machtübernahme durch das Bürgertum, sind die beiden Hauptphänomene benannt, die den Übergangscharakter dieser Zeit prägen. Während das alte, traditionelle Deutschland, »das ländliche Deutschland, vorindustriell und noch so poetisch«, weiter existiert, treten mit dem

Beginn der industriellen Revolution »tiefgreifen-de, politische und soziale Strukturveränderungen« ein (Stein 1979). Neben den Bildern von der »gu-ten, alten Zeit«, die sich unwillkürlich in der Erin-nerung an diese Epoche einstellen, wird der mecha-nische Rhythmus der nicht mehr guten, modernen Zeit unüberhörbar. Zur Signatur der Epoche ge-hört die gediegene, häusliche Welt mit gepflegtem Blumengarten und geselligen Soiréen ebenso wie die nackte Fabrikwelt mit Dampfmaschinen und ersten Klassenkämpfen. Das Nebeneinander von politischem Stillstand und sozialem Wandel durch-dringt beim Anbruch der bürgerlich-kapitalisti-schen Zeit das gesamte gesellschaftliche Leben.

Die Schriftsteller, welche diese neue Wirklich-keit bewußt erleben, reagieren auf sehr unter-schiedliche Art: je nach Grad der Orientierung in die eine oder die andere Richtung, d. h. in die konservative oder fortschrittliche, entwickeln sie eine mehr negative oder eine mehr positive Krisen-theorie bzw. nehmen eine eher skeptische oder eine eher bejahende Stellung ein. In den Werken schlägt sich dieser Widerspruch »als Neben- und Gegeneinander von engagierter und ästhetizisti-scher, von inhaltlich oder formal konservativer und inhaltlich oder formal progressiver Literatur nie-der« (Witte). Zu dem »Doppeljahrgang« 1796/97 gehören zum Beispiel neben Heine: Karl Immer-mann, August Graf von Platen-Hallermünde, An-nette von Droste-Hülshoff und Jeremias Gotthelf; Joseph Freiherr von Eichendorff wurde 1788, Franz Grillparzer 1791 geboren, Eduard Mörike dagegen 1804.

Die Gleichzeitigkeit so widersprüchlicher Ent-wicklungen, heterogener Strömungen und unter-schiedlicher Erfahrungen hat die Einheitlichkeit und Eigenständigkeit dieser Umbruchzeit lange in-fragegestellt, was sich in der Vielfalt der Bezeich-nungen, die in Literaturgeschichten benutzt wer-den, widerspiegelt: »Goethezeit«, »Romantik« bzw. »Spätromantik«, »Junges Deutschland«, »Biedermeierzeit«, »Vormärz«, »Realismus« rük-ken jeweils verschiedene Teilaspekte ins Zentrum. Eine umfangreiche Diskussion hat die Bezeich-nung »Biedermeier« bzw. »Biedermeierzeit« aus-gelöst (dazu Stein 1974). Die mangelnde Einheit dieser »Zwischenepoche« wird in der Forschung durch eine Reihe von Arbeiten mit »und«-Titeln bezeugt (Beispiele: Stein 1974, 33). In der jüngsten literaturgeschichtlichen Forschung scheint sich jetzt, in Analogie zur Geschichtswissenschaft, der Begriff »Vormärz« durchzusetzen (Witte).

Heine hat die Widersprüche dieser Umbruch- und Krisenzeit bewußter erfahren, reflektiert und ausgedrückt als andere Schriftsteller seiner Zeit. Trifft seine begründete Kritik den *politischen Still-stand* mit aller Schärfe, so vermag er jedoch im Gegensatz dazu die *neue wirtschaftliche und soziale Dynamik* nicht uneingeschränkt zu begrüßen. Trotz grundsätzlicher Zustimmung zum Fortschritt erkennt er in der Tat als einer der ersten den Preis, der dafür gezahlt werden muß. Ein Überblick in zwei Teilen soll dies verdeutlichen.

a) Der Stillstand. – In Heines eindringlicher Phä-nomenologie der deutschen Gegenwart herrschen durchgehend Bilder und Metaphern von Stillstand und Lethargie vor, von Schlafen und Träumen, von Ruhe und Schweigen, von Schutt und Fäulnis. Nach seinen Erfahrungen hat sich das offizielle, das altgewordene, philisterhafte Deutschland im An-schluß an die Kriege gegen Napoleon erschöpft und ermüdet ins Bett gelegt. Nichts vermochte den deutschen Michel mehr »aus seinem gesunden Rie-senschlaf« zu erwecken (B 7, 36). Rein physiogno-misch dominieren lautes Schnarchen und mächti-ges Gähnen. Die 20er Jahre waren für den *Reisebil-der*-Autor »eine niedergedrückte, arretierte Zeit in Deutschland«, es herrschte »eine bleierne Lange-weile« – überall nichts als »Stagnation, Lethargie und Gähnen« (B 3, 602; B 7, 39; B 3, 678, vgl. 683). Der Kanonendonner von 1830 sollte den schlafen-den Riesen nur kurz aus den Kissen hochschrek-ken, bevor er sich erneut die Nachtmütze tief ins Gesicht zog. Achtzehn Jahre lang herrschte wieder platte Ruhe – »die allgemeine Lethargie, die Stag-nation« (B 8, 1046). Das soll jedoch nicht heißen, daß die Ruhe total gewesen wäre; daß sich in Deutschland, dem »stillen Traumland« (B 5, 209), gar nichts mehr bewegt hätte. Denn der deutsche Geist, der war nicht vollständig in Ruhestellung gegangen – der war vielmehr nur »ins Gebiete der Wissenschaft, der Philosophie und Poesie geflüch-tet, er war gleichsam ins Traumreich des Gedan-kens und der Romantik emigriert« (Vorredenent-wurf zu den *Reisebildern* aus den 50er Jahren, B 3, 680). Träumend partizipierten deshalb die Deut-schen an der heraufziehenden modernen Zeit; in ihren »philosophischen Träumen«, immerhin dort, vollzogen die geruhsamen Deutschen, was die re-volutionären Franzosen in der Wirklichkeit durch-setzen konnten. In Deutschland hieß es dagegen bezeichnenderweise: *Ruhe ist die erste Bürger-pflicht:* Man ist erstaunt, daß nicht Heine, sondern

Willibald Alexis diesen Jahrhundert-Titel 1852 aufgegriffen.

Gleichzeitig hat Heine, der entschiedenste Kritiker der restaurativen Friedhofsruhe Deutschlands, unaufhörlich das Herrschaftssystem angeklagt, das auf dem Wiener Kongreß unter der Führung des österreichischen Staatskanzlers, Clemens Lothar Wenzel Fürst von Metternich (1773–1859), dem eigentlichen Haupt der Restauration, entstanden war (dazu Faber, 13 ff. u. 82 ff.). Das System des Deutschen Bundes, dessen Verfassung in der Bundesakte vom 8. Juni 1815 und in der Wiener Schlußakte vom 15. Mai 1820 festgelegt worden war und das Deutschlands Politik bis 1866 bestimmt hat, bestand aus einer lockeren, staatenbündischen Ordnung, die 41 Mitglieder umfaßte, nämlich 37 in ihrer Eigenstaatlichkeit anerkannte Fürsten und vier freie Städte (die Angaben zur Mitgliederzahl schwanken in der Forschung; Faber zählt zuverlässig 41 Mitglieder). Als institutioneller Rahmen diente lediglich der in Frankfurt unter der Vorherrschaft des Kaiserreichs Österreich und des Königreichs Preußen tagende Bundestag. Der Bund besaß weder ein Bundeshaupt noch ein Bundesgericht und entwickelte keine eigene Staatssymbolik. Durch diese Neuordnung Deutschlands beherrschte laut Geschichtsschreibung der »monarchische Verwaltungsstaat spätabsolutistischer Prägung mit einem alt- oder neuständischen Unterbau das Feld« (Faber, 24). Wichtig für seine Beurteilung durch die Zeitgenossen war zunächst die in Artikel 13 der Bundesakte angekündigte landständische Verfassung, die aber am altständischen Widerstand scheiterte. Artikel 57 der Schlußakte von 1820 erneuerte dann das »Monarchische Prinzip«, nach dem die gesamte Staatsgewalt in monarchischen Staaten im Staatsoberhaupt vereinigt bleiben sollte. Zur Abwehr aller künftigen demokratisch-revolutionären Bewegungen hatten sich – dritter Punkt – bereits am 26. September 1815 Österreich und Preußen mit Rußland und England zur Heiligen Allianz zusammengeschlossen, einer theokratischen Verbindung von Religion und Politik – für die liberalen Kritiker die unheilige Allianz von »Thron und Altar«.

Wurde zwar durch die Sicherung des Prinzips der »dynastischen Legitimität«, d. h. des ursprünglichen Rechts aller geschichtlich überkommenen Staatsformen, die europäische Restauration eingeleitet, so bedeuten die Entscheidungen des Wiener Kongresses kein Zurück auf den Stand von 1789. Auch erkennt die Geschichtsschreibung dem bis 1866 intakten System des Deutschen Bundes gewisse Verdienste zu. Aber durch die Erneuerung des Partikularismus wurde es für die junge nationale Einheitsbewegung, die sich in den Befreiungskriegen in Deutschland gebildet hatte, zu einer bitteren, folgenreichen Enttäuschung. Deutsche Patrioten reagierten mit schärfster Kritik, wie z. B. Joseph Görres und Ernst Moritz Arndt. Für die liberalen Kräfte verblieb zur Verwirklichung von Verfassungen nur noch die einzelstaatliche Betätigung. Aber als entscheidender Maßstab zur Verurteilung des Systems, das ohne Vertreter des deutschen Volkes entstanden war, diente die Innenpolitik des Bundes, die unter der Führung Österreichs und Preußens zum bevorzugten Instrument bürokratischer Repression gegen jegliche politische Opposition wurde. Die Ermordung des als russischer Agent entlarvten Schriftstellers August von Kotzebue durch den national eingestellten Burschenschafter Karl Ludwig Sand am 23. März 1819 (der ein Anschlag Karl Lönigs auf den nassauischen Regierungspräsidenten von Ibell folgte) bot Metternich den geeigneten Anlaß, der Epoche ihren wahren Stempel aufzudrücken. Die sogenannten »Karlsbader Beschlüsse«, die im August 1819 auf Betreiben des Staatskanzlers zustande gekommen waren, legten die nationale Einheitsbewegung endgültig lahm, wenn sie nicht in den »Untergrund« gedrängt wurde (während die liberale Bewegung, davon abgespalten und ebenfalls behindert, in den Einzelstaaten überlebte; Faber, 66). Zu den berüchtigten Beschlüssen gehörten: 1) strenge Überwachung der Universitäten durch Kommissare und Verbot der Burschenschaften; 2) Vorzensur für Zeitungen und Zeitschriften sowie für alle Druckschriften unter 20 Bogen (s. u. S. 20 ff.); 3) Einsetzung einer Zentraluntersuchungskommission in Mainz zur Überwachung – so der Beschluß – aller »revolutionären Umtriebe und demagogischen Verbindungen« (Faber, 88 ff.). Weitere Beschlüsse ergänzten 1824, 1832, 1833 und 1834 diese repressiven Instrumente, mit denen der Deutsche Bund, wahres Vollzugsorgan der restaurativen Ideen und Interessen, alle fortschrittlichen Kräfte wirkungsvoll verfolgen konnte. Zu den personellen Opfern der »Demagogenverfolgungen« gehörten z. B. die bekannten Professoren Arndt, der suspendiert, Fries, Oken und de Wette, die entlassen wurden (zu Karlsbad und den Folgen s. Franz Schneider, 243–274).

Es waren nun die verheerenden Auswirkungen dieser Politik, die Heine präzise als allgemeine

Lähmung, Lethargie und Stagnation immer wieder angeprangert hat. Der »Geist von Karlsbad«, das Werk Metternichs, drückt für ihn den Geist der Epoche aus, der in seiner deformierenden Wirkung seine Schriften entscheidend geprägt und ihn selber zum entschiedensten Widerspruch gegen dessen Urheber getrieben hat. In einer großen Anklageschrift, in der *Vorrede* zu den *Französischen Zuständen*, sollte er dann 1832 die in Wien, »in den alten Werkstätten der Aristokratie« geschmiedete Bundesakte, die »zu jedem despotischen Gelüste die legalsten Befugnisse enthält«, als »Meisterwerk der edlen Junkerschaft« angreifen (B 5, 98 f.). In scharfer Rede geißelte er die Verantwortlichkeit der deutschen Fürsten, die das deutsche Volk nach den Napoleonischen Kriegen in Wien um eine moderne, freiheitliche Verfassung betrogen hatten.

Heine klagte jedoch nicht nur die nach seiner Meinung für den Stillstand und die Versteinerung der überholten deutschen Zustände verantwortlichen Kräfte: Adel und katholische Geistlichkeit, an. In Wirklichkeit stand er auch deren Gegnern, den Kräften von Bewegung und partiellem Fortschritt, distanziert gegenüber. Dadurch ist seine ungewöhnliche, seine isolierte Stellung im Vormärz entstanden, die es im folgenden kurz zu unterstreichen gilt.

Das Bündnis von »Thron und Altar« gehörte zu den wesentlichen Stützen der restaurierten, erblichen Dynastien, denn dem Adel gelang es nach 1815, seine ökonomischen und politischen Schlüsselpositionen nicht nur zu behaupten, sondern auch noch zu stärken (Conze 1962; Faber, 34, 47). Die katholische Kirche konnte sich nach dem Verlust ihrer weltlichen Stellung religiös erneuern und institutionell umorganisieren. Heines vehemente Kritik an Rittern und »Pfäffelein«, vor allem an letzteren, richtet sich deshalb grundsätzlich gegen Ungleichheit durch Geburt und gegen Unterdrückung von Geistesfreiheit, gegen feudale Privilegien und gegen jesuitische Lüge, gegen adlige Volksverhetzung und gegen religiösen Obskurantismus – alles Prinzipien des Ancien régime, die mit der Französischen Revolution von 1789 untergegangen waren, aber in Deutschland den fürstlichen Despotismus weiter aktiv unterstützten. Fortschritt zu bürgerlichen Verhältnissen, zu Freiheit, Gleichheit und Menschenrechten, setzte nach Heines Meinung die vollkommene Vernichtung dieser Grundlagen einer zum Untergang verurteilten Zeit voraus. Wenn sich in den 20er Jahren der Befreiungskampf nach dem französischen Modell taktisch

hauptsächlich gegen »Pfaffentum und Aristokratie« richtete, dann, weil die deutschen Verhältnisse erst einmal ein 1789 mit einem Napoleon als Vollstrecker notwendig machten, um die zentralen Institutionen des Feudalsystems zu vernichten (Pariser Vorrede zu den *Reisebildern*, B 4, 956 u. 3, 677). Das war gleichzeitig die Voraussetzung zur Begründung einer modernen, d. h. einer vom Einfluß durch Adel und Klerus befreiten Monarchie.

Heines politische Überzeugungen aus seiner deutschen Zeit, die eine revolutionäre Befreiung des Volkes verlangten, hatten andererseits auch eine distanzierte Einstellung gegenüber Teilen der antifeudalen Bewegung zur Folge. Er kritisierte zunächst die Kräfte, die durch einen Kompromiß mit den Monarchien eine gesellschaftliche und politische Modernisierung eingeleitet haben, wie die süddeutschen Konstitutionalisten (Faber, 101 ff.: Das »konstitutionelle Deutschland« umfaßte damals Bayern, Baden, Württemberg und Hessen-Darmstadt). Die »öden, ausgestopften, löschpapiernen Reden« der süddeutschen Kammer-Liberalen wurden vor 1830 ebenso abgespeist wie die nach 1830 hervortretende politische Ohnmacht der »kleinen Hündchen, die in einer Arena umherspringen und sich einander beißen« (*Reisebilder*, B 3, 587 u. 674; vgl. B 5, 93). Die satirische Kritik Heines verschweigt jedoch die Sitzungen der süddeutschen Landtage mit den liberalen Kämpfen um Pressefreiheit und um politische Mitsprache der bürgerlichen Schichten, welche die Nach-Karlsbader Stille geräuschvoll durchbrachen. Nach 1830 verschärften die Debatten sich noch. Die preußischen Landtage verwandelten sich dann nach 1840 in das »Forum« (Faber, 185), auf dem die Forderungen der Zeit artikuliert wurden. Für Heine war dagegen entscheidend, daß Verfassungsfragen und -änderungen, ob im liberalen oder im republikanischen Sinn, *allein* nicht ausreichten, um Freiheit und Gleichheit zu verwirklichen. – Ebensowenig zählte zweitens die administrative und ökonomische Modernisierung Preußens, die unter diesem Gesichtspunkt das Königreich zum liberalsten Land des Bundes gemacht hatte. Die liberale Reformbewegung, die in der Stein-Hardenbergschen Ära seit 1806 als »Revolution von oben« begonnen worden, aber nach 1815 erlahmt war, hatte durch Bauernbefreiung, Städteordnung, Heeresreform, Gewerbefreiheit und Bildungsreform in den betreffenden Bereichen den Übergang zu modernen Verhältnissen eingeleitet. Das Kernstück jedoch, die Verfassungspolitik, d. h. die Integration von Staat und Gesellschaft durch Repräsentation und politische Mitwirkung, war 1822 am Widerstand konservativer Kräfte endgültig gescheitert – mit den schwerwiegendsten Folgen für die deutsche Entwicklung im 19. Jahrhundert. Heine, der als Rheinländer in der Napoleonischen Zeit bürgerliche Freiheiten als ›von außen‹ importiert kennengelernt hatte, verurteilte diese Modernisierung ›von oben‹ deshalb so scharf, weil sie zwar *Freiheiten* auf reformerisch-administrativem Wege verwirklicht, aber durch das Nichteinhalten des königlichen Verfassungsversprechens mit Volksrepräsentation vom 22. Mai 1815 die Verwirklichung *der* Freiheit, der staatsbürgerlichen nämlich, verweigert hat. An diesem letzten entscheidenden Problem entzündet sich immer wieder seine Preußen-Kritik, die 1832 ihre begründetste Form und Formulierung erhalten sollte. »Widerwärtig, tief widerwärtig war mir dieses Preußen, dieses steife, heuchlerische, scheinheilige Preußen, dieser Tartüff unter den Staaten«: So denunzierte Heine von Paris aus die preußische Politik in der *Vorrede* zu den *Französischen Zuständen* (B 5, 95).

Heine, die Ein-Mann-Opposition, neben Börne der »einzige laute Volkssprecher« im stillen Deutschland, der damals nichts hörte »als das Echo [s]einer eigenen Worte« (B 3, 673 und 5, 209), vermag dann auch drittens dem nationalen Protest nicht zuzustimmen, der sich zunächst auf die Burschenschaften konzentrierte. Unter dem Wahlspruch »Ehre, Freiheit, Vaterland« und unter den schwarz-rot-goldenen Farben des Lützower Freikorps hatten sich die Burschenschaften seit 1815 organisiert, bevor sie – schon seit 1819 – in Preußen als »Demagogen« verfolgt und in Karlsbad verboten wurden. Heine, der in Bonn und Göttingen kurze Zeit Mitglied war, verurteilte die gegenüber der Verfassungswirklichkeit revolutionäre Bewegung wegen ihrer fremden-, und das heißt franzosenfeindlichen, christlich-»teutschen« Einstellung. In einem *Reisebilder*-Bruchstück griff er »Deutschheit, Volkstum und Ureichelfraßtum« der »deutschen Demagogen« an (B 3, 634). In Anspielung auf das Wartburgfest vom 18. Oktober 1817, auf dem Studenten »undeutsche« Schriften (darunter sogar den Code Napoléon) verbrannt hatten, war in dem 1820/21 entstandenen Trauerspiel *Almansor* das völlig verblüffende, für heutige Leser prophetische Wort gefallen: »das war ein Vorspiel nur, dort wo man Bücher / Verbrennt, verbrennt man auch am Ende Menschen« (B 1, 284; das läßt Heine treue spanische Moslems über konvertierte sagen,

nachdem ein inquisitionsfreudiger Kardinal den Koran auf einen Scheiterhaufen geworfen hat).

Schließlich – viertens – beurteilte Heine auch die Auswirkungen der Julirevolution von 1830 auf Deutschland, die zu einer vorübergehenden Erstarkung der liberalen Opposition führten, sehr kritisch (eine zweite Welle des Konstitutionalismus setzte 1831 in Sachsen und Kurhessen, 1832 in Braunschweig und 1833 in Hannover Verfassungen durch; davon abgespalten, entstand eine bedeutende außerparlamentarische, radikal-demokratische Protestbewegung; s. Faber, 148 ff. und Obermann, 69 ff.). Heine interessierte sich zunächst für die von militanten Publizisten und radikalen Advokaten organisierte oppositionelle Bewegung, wovon die *Börne*-Schrift historisch und persönlich Rechenschaft ablegt. Aber mit Ausnahme einer kurzen Zeitspanne schätzte er die deutschen Verhältnisse als unreif für eine demokratische Umwälzung ein. Die politischen Vorstellungen der deutschen Republikaner, die sich in Paris um Ludwig Börne gesammelt hatten, erschienen ihm deshalb als völlig illusorisch. Nach Heines Meinung reichten nämlich die sozialen Unruhen der Jahre 1830 bis 1834 keineswegs aus, die versteinerten deutschen Zustände grundsätzlich erschüttern zu können (die von Georg Büchner beförderte revolutionäre Bewegung in den unteren Klassen der Gesellschaft war ihm nicht bekannt geworden). – Aus ähnlichen Gründen wird Heine auch nach 1840 die allerdings ganz anders geartete nationale Bewegung, die im Anschluß an die Rheinkrise und an den preußischen Thronwechsel aufgekommen war, kritisieren.

Inzwischen hatten sich unter der politisch ruhigen Oberfläche tiefgreifende Veränderungen vollzogen, die den Beginn einer neuen Epoche unaufhaltsam werden ließen und eine wahrhaft revolutionäre Situation hervorriefen.

b) Der Wandel. – Die staatliche Repressionspolitik vermochte zwar, die emanzipatorischen Machtansprüche des erstarkten Bürgertums bis 1848 zu verhindern, konnte aber die sozio-ökonomische Dynamik nicht aufhalten, die in den 30er und 40er Jahren die Überreste der Ständegesellschaft allmählich aufzulösen begann. Der Übergang zur Industriegesellschaft war jedoch mit neuen, schweren Leiden verbunden, die das liberale Fortschrittsmodell zunehmend infrage stellen mußten und die in weiten Kreisen der deutschen Gesellschaft zu einer lange unversöhnlichen Einstellung gegenüber der wirtschaftlichen Modernisierung getrieben haben –

eine Erscheinung, die die deutsche Politik bis ins 20. Jahrhundert bestimmt hat. Die Bedeutung von Heines Zeitkritik zeigt sich nicht zuletzt daran, daß er aus seiner Übersicht über die westeuropäische Entwicklung das Janusgesicht des Fortschritts deutlich erkennen konnte.

In der Geschichtswissenschaft bilden drei untereinander verbundene Prozesse die Grundlage der Wandlungen: Bevölkerungsexplosion mit Massenelend, Veränderungen in der Agrarstruktur und Industrialisierung (Faber, 192 ff.; Nipperdey, 102 ff.).

Das Deutschland, das Heine bis 1831 kennengelernt hatte und dann auf seinen beiden Reisen 1843, 1844 wiedersah, war, mit Ausnahme des Rheinlandes, immer noch das traditionelle Agrarland ohne nennenswertes Wachstum, in dem der weitaus größte Teil der Bevölkerung auf dem Lande und von der Landwirtschaft lebte. Von den drei Großstädten mit mehr als einhunderttausend Einwohnern um 1800 kannte er Hamburg und Berlin, nicht Wien. Doch begann der demographische Prozeß den Rahmen der Agrargesellschaft mit den beschränkten Ernährungsmöglichkeiten allmählich zu sprengen. Wohnten auf dem Gebiet des Deutschen Bundes 1815 ca. 28 Millionen Menschen, so waren es gegen 1848 schon ungefähr 46 Millionen. Dieser Druck erzeugte Ernährungskrisen, die sich nach Mißernten von 1816/17 und 1846/47 zu Hungerkrisen ausweiteten. Daneben drängte sich zunächst das Problem des Pauperismus nicht allzusehr ins Bewußtsein der Zeitgenossen, mit dem die massenhafte, vorindustrielle Verelendung einer sich verbreiternden Unterschicht eigentumsloser Menschen gemeint war, das heißt ehemaliger Leibeigener und unzünftiger Handwerker in der Stadt, Gesinde und Tagelöhner auf dem Lande sowie Gesellen, Dienstboten und unständiger Arbeiter in verschlechterter Situation. Zerfall des Heimgewerbes, Krise des Handwerks, Auflösung des Familienverbandes, unterbezahlte und gesundheitszerstörende Frauen- und Kinderarbeit gehörten zu den Erscheinungen dieses Verelendungsprozesses, der Millionen Deutsche in die Auswanderung trieb (die Gesamtzahl der Auswanderer stieg von etwa zwanzigtausend pro Jahr vor 1845 auf über einhunderttausend pro Jahr im Zeitraum von 1846 bis 1855). Dieser für Deutschland so schmerzliche Auflösungsprozeß der Ständegesellschaft, aus dem die »Reservearmee« des Kapitals hervorging, wurde erst Mitte der 50er Jahre durch die verstärkte Industrialisierung aufgefangen.

Die strukturellen Veränderungen in der Landwirtschaft waren eng verflochten mit den Auswirkungen der demographischen Entwicklung. In Preußen, dem Land mit der Agrarreform, gingen durch die »Bauernbefreiung« nicht die Bauern, die schließlich schutz- und mittellos dastanden, sondern die Gutsherren und Junker, die sich zu Unternehmern entwickelten, als Sieger hervor. Unterhalb der bäuerlichen Schicht wuchs, was die Reformer weder eingeplant noch vorausgesehen hatten (Koselleck 1962, 97), die Masse der Landlosen, des späteren Landproletariats, besonders stark an und konnte gesellschaftlich nicht endgültig integriert werden.

Die industrielle Revolution, die alle Lebensverhältnisse des alten Deutschlands entscheidend verändern sollte, setzte dann, mit großer Verspätung gegenüber Westeuropa, Mitte der 30er Jahre ein, nachdem die ökonomische Zersplitterung durch den Deutschen Zollverein unter preußischer Führung zuerst überwunden werden konnte. Technische Umwälzungen der Produktion und massenhafte Anlage von fixem Kapital (Mottek, 74) lösten zum erstenmal eine sprunghafte Entwicklung aus, die der überkommenen agrarfeudalen Ordnung den Todesstoß versetzen mußte. Die vorindustriellen gewerblichen Betriebsformen des Handwerks, des Verlags- und Manufaktursystems wurden jedoch erst allmählich durch die sich vergrößernden Fabrikanlagen, mit arbeitsteiliger und zentralisierter Produktion, verdrängt – bedeutsam eigentlich erst in den 50er Jahren. Überdurchschnittliches Wachstum verzeichneten vor allem die in Sachsen, in den preußischen Rheinlanden, Westfalen und Schlesien angesiedelten Industrien von Textil (durch Mechanisierung der Baumwollproduktion), Bergbau mit Hüttenwesen, Maschinenbau und Transportwesen mit Eisenbahn und Dampfschiff.

Die Eisenbahn, stampfender Motor der Entwicklung, erhielt als technisches und soziales Ereignis schnell säkulare Bedeutung. Der Übergang von der Postkutsche zur dampfgetriebenen Maschine bestärkte das Gefühl eines Epochenwandels. Heine erkannte darin die eiserne Signatur des neuen Maschinenzeitalters.

Die bisher unbekannten Möglichkeiten zu großen privaten Kapitalanlagen durch Banken und Aktiengesellschaften versetzten das deutsche Bürgertum in ein regelrechtes »Eisenbahnfieber«. In zeitlicher Verzögerung gegenüber England, Belgien und Frankreich (1833 wurde die Linie St. Etienne – Lyon erbaut) nahm die deutsche Entwicklung (1835 wurde die Strecke zwischen Nürnberg und Fürth, 1838 die zwischen Berlin und Potsdam eröffnet) in den 40er Jahren einen solchen Aufschwung, daß bis 1848 das größte zusammenhängende Netz auf dem Kontinent entstanden war.

Heine, der noch zumeist in alter ›Technik‹ per Pferdewagen und Schiff, wenn nicht sogar ›lokomotif‹ gereist ist, hat von Paris aus die sozialen Erschütterungen beobachtet, die der französische Eisenbahnbau Anfang der 40er Jahre hervorrief. Bei der Eröffnung einer neuen Linie bezeichnet er 1843 die Eisenbahnen als »providencielles Ereignis, das der Menschheit einen neuen Umschwung gibt«, als »neuer Abschnitt in der Weltgeschichte«, der sogar die menschliche »Anschauungsweise« und Vorstellung verändert, denn »die Elementarbegriffe von Zeit und Raum sind schwankend geworden. Durch die Eisenbahnen wird der Raum getötet, und es bleibt uns nur noch die Zeit übrig.« (*Lutezia*, LVII; B 9, 449) Religiöse Erwartungen säkularisieren sich für ihn in der saint-simonistischen Vorstellung vom industriellen Fortschritt, wenn es heißt: »Der Messias wird nicht auf einem Esel, sondern auf einem Dampfwagen den segensreichen Einzug halten« (B 9, 430; vgl. Aufzeichnungen B 11, 652).

Für Heine rollt der industrielle Fortschritt zwar unaufhaltsam und rasch, aber nicht eingleisig und einbahnig in »das goldene Zeitalter«. Ihn als Denker erfaßt vielmehr »ein unheimliches Grauen« vor den unabsehbaren Folgen des Neuen. Wie viele Zeitgenossen empfindet er bezeichnenderweise als »verlockend und zugleich beängstigend«, »daß unsre ganze Existenz in neue Gleise fortgerissen, fortgeschleudert wird« (B 9, 448 f.). Mit Angst und Trauer sieht er als Dichter voraus, daß schrilles Pfeifen und dicker Qualm des bürgerlichen Maschinenzeitalters nicht nur die romantische, sondern alle Poesie bedroht (»der Kohlendampf verscheucht die Sangesvögel«, B 11, 649). Gleichzeitig warnt er als Kritiker der kapitalistischen Entwicklung davor, daß die vom Eisenbahnbau profitierende französische »Geldaristokratie«, trotz ihrer alles umwälzenden Rolle, durch ihre gestärkte wirtschaftliche Macht zu einer gesamt-gesellschaftlichen Bedrohung wird (B 9, 449 ff.). Die enthumanisierenden Auswirkungen der neuen Entwicklung zeigten sich ihm schon bei einem der ersten Unglücke der jungen Eisenbahn, das 1842 in Versailles 350 Menschen das Leben kostete: Gegen Kursverluste der neuen Millionäre, das machten die Reaktionen deutlich, wogen Menschenleben wenig (B 9, 424)!

In den 40er Jahren wurde die Dialektik des Fortschritts auch in Deutschland offenbar. In der Zeit der verschärften, schließlich vorrevolutionären Auseinandersetzungen zwischen liberaler Bewegung und feudaler Bürokratie ereigneten sich die ersten Konflikte, die gerade auf den negativen Auswirkungen der ökonomischen Modernisierung beruhten und den Widerstand der proletarisierten Schichten hervorriefen. Während das Massenelend weiter anwuchs und sich erster sozial-revolutionärer Protest in schwach organisierten Streiks, Hungeraufständen und Maschinenstürmen Bahn brach, mußte der militärisch unterdrückte Aufstand der schlesischen Weber von 1844 signalhaft wirken. In diesem ersten proletarischen Aufstand gegen das alte *und* das neue Deutschland hat Heine in einem seiner berühmtesten Gedichte Partei ergriffen. Für ihn ist die soziale Frage zum alles entscheidenden Maßstab des gesellschaftlichen Fortschritts geworden, und der wird durch diese Opfer grundsätzlich infrage gestellt. Es gehört zu seiner dialektischen Auffassung der bürgerlichen Entwicklung, daß er, der in den sozialen Kämpfen des modernen Frankreichs den antagonistischen Widersacher der Finanzaristokratie erlebt hat, ihre Notwendigkeit anerkennt, aber ihre Grenzen angesichts der zukünftigen Klassenkonflikte in der industriellen Gesellschaft kritisch herausstellt.

Lit.: Neuere, allgemeine geschichtliche und sozialgeschichtliche Darstellungen: Werner Conze (Hrsg.): *Staat und Gesellschaft im deutschen Vormärz*, Stuttgart 1962, dort: Reinhart Koselleck: *Staat und Gesellschaft in Preußen 1815–1848*, 79–112, und: Werner Conze: *Das Spannungsfeld zwischen Staat und Gesellschaft im Vormärz*, 207–269; Theodor Schieder: *Vom Deutschen Bund zum Deutschen Reich 1815–1871*, Stuttgart 1970 (München 1978); Hans Mottek: *Wirtschaftsgeschichte Deutschlands. Ein Grundriss*, Bd. II: *Von der Französischen Revolution bis zur Zeit der Bismarckschen Reichsgründung*, 2. Aufl., Berlin (Ost) 1976; Karl Obermann: *Deutschland von 1815 bis 1849*, 4. Aufl., Berlin (Ost) 1976; Werner Conze: *Sozialgeschichte 1800–1850*, in: *Handbuch der deutschen Wirtschafts- und Sozialgeschichte*, hrsg. von Hermann Aubin und Wolfgang Zorn, Bd. 2, Stuttgart 1976, 426–494; Karl Georg Faber: *Deutsche Geschichte im 19. Jahrhundert. Restauration und Revolution*, Wiesbaden 1979 (Handbuch der Deutschen Geschichte, Bd. 3/I, 2. Teil); Thomas Nipperdey: *Deutsche Geschichte 1800–1866*, München 1983 [enthält wie Faber ausführliche, gegliederte Literaturhinweise]; Wolfgang Hardtwig: *Vormärz. Der monarchische Staat und das Bürgertum*, München 1985 (Deutsche Geschichte der neuesten Zeit).
– Epoche Vormärz: Friedrich Sengle: *Biedermeierzeit*, Bd.e I–III, Stuttgart 1971, 1972 und 1980; Peter Stein: *Epochenproblem »Vormärz« (1815–1848)*, Stuttgart 1974 [mit ausführlichen Literaturangaben zu den verschiedenen Aspekten]; Rainer Rosenberg: *Literaturverhältnisse im deutschen Vormärz*, Berlin (Ost) u. München 1975; Helmut Bock: *»Vormärz« oder »Restauration«?*, in: *Streitpunkt Vormärz*, Berlin

(Ost) 1977; Peter Stein: *Vormärz*, in: *Deutsche Literaturgeschichte*, Wolfgang Beutin u. a., Stuttgart 1979, 159–202; *Vormärz: Biedermeier, Junges Deutschland, Demokraten*, hrsg. von Bernd Witte (*Deutsche Literatur. Eine Sozialgeschichte*, Bd. 6), Reinbek bei Hamburg 1980 (dort 7 ff.: *Einleitung* von Bernd Witte).

– einzelne Aspekte: Jürgen Habermas: *Strukturwandel der Öffentlichkeit*, Neuwied u. Berlin 1962, 4. Aufl. 1969; Franz Schneider: *Pressefreiheit und politische Öffentlichkeit*, Neuwied u. Berlin 1966; Eberhard Galley: *Heine und die Burschenschaft*, in: HJb 1972, 66–95; Konrad H. Jarausch: *The Sources of German Student Unrest 1815–1848*, in: The University in Society, Vol. II, Princeton, New Jersey 1974, 533–569 (Edited by Lawrence Stone); Wolfgang Schivelbusch: *Geschichte der Eisenbahnreise*, München 1977; Jost Hermand: *Eine Jugend in Deutschland. Heinrich Heine und die Burschenschaft*, in: Jahrbuch des Instituts für deutsche Geschichte, Beiheft 4, hrsg. von Walter Grab, Tel Aviv 1982, 111–135; Konrad H. Jarausch: *Deutsche Studenten 1800–1970*, Frankfurt a.M. 1984, 13–58.

Paris, Foyer der politischen und sozialen Revolution

Paris, »die Hauptstadt des XIX. Jahrhunderts« (Walter Benjamin), wird in der Vormärzzeit immer wieder verheißungsvoll als Inbegriff für Freiheit und Fortschritt beschworen. Mit Grund: Schauplatz zweier siegreicher Revolutionen, Ort der Erklärung unveräußerlicher Menschenrechte, Hauptquartier und Ausgangspunkt von Napoleons Armeen, die strahlenförmig bürgerliche Verhältnisse über Europa ausgebreitet haben, übt die französische Metropole auf Generationen von deutschen Schriftstellern, Publizisten und Gelehrten eine außerordentliche Faszination aus. Wie die deutschen Jakobiner in den 90er Jahren des 18. Jahrhunderts brechen nach 1830 erneut deutsche Intellektuelle nach Paris auf, um an der Geschichte teilzunehmen, dort, wo sie wirklich gemacht wird, um »die Weltgeschichte mit eignen Augen« anzusehen (Heine an Friedrich Merckel vom 24. August 1832). In Paris entsteht sogar eine spezifische Literatur, von der Forschung »Juliliteratur« genannt (Booß). Aber Paris ist schließlich nicht der Ort, an dem die zugereisten Liberalen und Radikalen alle ihre Hoffnungen erfüllt sehen: In Wirklichkeit erleben sie eine Gesellschaft, die schnell in (zunächst unterdrückte) neue polare Gegensätze auseinanderfällt, in denen sich eine andere, nicht mehr politische, sondern soziale Revolution ankündigt.

In Paris, das 1830 ca. 860 Tausend Einwohner zählte und damit die größte Stadt auf dem Kontinent war, trafen sich nicht nur deutsche »Revolutionstouristen«, die sich für die Ideen der französischen Sozialisten und die Theorien der Saint-Simonisten begeisterten. Dort lebte ebenfalls eine große Zahl deutscher Handwerker und politischer Flüchtlinge, aus deren Vereinen und Organisationen die deutsche Arbeiterbewegung hervorgehen sollte. 1830 hielten sich ca. siebentausend Deutsche in Paris auf; 1841, als Paris die Millionengrenze überschritt, waren es schon ca. dreißigtausend und 1848 sogar zweiundsechzigtausend (Grandjonc, 166).

Heines Übersiedlung nach Paris, die als kulturelle Mission schon länger geplant war und durch die Julirevolution ihren entscheidenden Anstoß erhielt, bedeutet einen tiefen Einschnitt in sein Leben und Werk. Bei seiner begeistert erlebten »Ankunft in der Hauptstadt der Revolution« (B 7, 60) hat er das Gefühl, von den Dingen »auf die Spitze gestellt« zu werden, nämlich »auf die Spitze der Welt, auf Paris« (Brief an Karl August Varnhagen v. Ense vom 27. Juni 1831). Dieser Sprung auf die Spitze moderner Verhältnisse macht Erfahrungen möglich, in denen die französische Gegenwart wie die ferne Zukunft des Traum- und (Winter-)Märchenlandes jenseits des Rheins erscheinen muß. Als schriftstellerische Verarbeitung dieser Erfahrungen könnte man aus jungdeutscher Sicht Heines Berichte und Essays, neben der Julirevolution und neben Börnes *Briefen aus Paris*, zu den »größten Tendenzen des Zeitalters« erklären, wie Friedrich Schlegel 1798 tatsächlich aus der Sicht der Romantiker die »Französische Revolution, Fichtes Wissenschaftslehre und Goethes Meister« bezeichnet hat (Athenäums-Fragment Nr. 216).

Aber Paris, die Bühne seines europäischen Wirkens, auf der er zum seiner Zeit größten dichterischen Propagator und Kritiker moderner Zustände wurde, bedeutet für Heine zunächst auch jahrelange Trennung von Familie, Freunden und deutscher Heimat, die dann ungewollt und aus echter Liebe zum Vaterland in die bitteren Erfahrungen des Exils mündete (vgl. *Vorwort* zu *Deutschland. Ein Wintermärchen*). Was so verheißungsvoll begann, endete 1848 in strenger Isolation und achtjährigem Krankenlager.

In Heines Frankreich-Bild nimmt Paris eine nichtkritisierte Sonderstellung ein. 1830 war die Zahl der Paris-Mythen in der französischen Literatur bereits Legion (Citron). Die jüngste Revolution erneuerte dann auch in der deutschen »Juliliteratur« die bereits von deutschen Jakobinern gepflegte mythische Einstellung zu Paris (deren Wirkung bis heute in Deutschland spürbar geblieben ist). Das geschah zu einem Zeitpunkt, an dem die französischen Schriftsteller, ganz im Gegensatz zu den deutschen »Revolutionstouristen«, der blendenden Metropole den Rücken kehrten und als »Rheintouristen« deutsche Folklore und Vergangenheit entdeckten und mythisierten!

Vier Aspekte des Mythos dominieren im wesentlichen Heines zahlreiche, oft exaltierte Lobeshymnen auf die Wahlheimat. Aus *politischer* Sicht erscheint Paris zunächst als »Schauplatz«, »wo alle Tage ein Stück Weltgeschichte tragiert wird« (B 1, 596 f. und 9, 11). Diese Sicht wird jedoch durch die religiös-saint-simonistische Einstellung modifiziert, denn Paris, »das neue Jerusalem« (B 3, 601), ist wesentlich der säkularisierte Ort, an dem die neue »Religion« der Freiheit verkündet wird. Nicht weniger fasziniert dann aus *kultureller* Sicht, daß Paris »nicht bloß die Hauptstadt von Frankreich, sondern der ganzen zivilisierten Welt« ist (B 5, 133 f.), mit dem glanzvollen intellektuellen und gesellschaftlichen Leben, »Foyer der europäischen Gesellschaft« (B 5, 463). Drittens wird immer wieder aus *moderner,* fortschrittlicher Sicht die »französische Urbanität« (B 11, 461) beschworen, die auch das wimmelndste Straßenleben auf den Boulevards in ein gesittetes Spektakel verwandelt, – untrügliches Zeichen einer Metropole. In Verbindung damit läßt sich Heine aus *mondäner* Sicht schließlich unaufhörlich von den Vergnügen und Genüssen verführen, die Paris zu bieten hat, wie Austern und Champagner, schöne Frauen und Grisetten. Der einzige Wermuthstropfen: Paris kostet viel Geld, vor allem, wenn man dort stirbt!

Der Kern dieser Mythen besteht aus der ungebrochen revolutionären Dynamik des »peuple de Paris«, das Frankreich, zuungunsten Englands, an die Spitze der europäischen Nationen gestellt hat. »Les Trois Glorieuses«, der 27., 28. und 29. Juli 1830, haben auf Heine so faszinierend gewirkt wie kein anderes Ereignis seiner Zeit. Für ihn bedeutet 1830 eine Wiederkehr und Fortsetzung von 1789 – und keine Kontinuität der Restauration von 1814, 1815 (mit Louis-Philippe d'Orléans kam die jüngere Linie der Bourbonen bis 1848 auf den Thron). Als Revolutionstheoretiker verteidigt er gegen die Ansicht der »Doktrinären«, einer Gruppe von Intellektuellen, die nach 1830 das Selbstverständnis des neuen Regimes formulierten, die säkulare Bedeutung der »Trois Glorieuses«, indem er in den *Französischen Zuständen* 1832 erklärte: »Die Re-

volution ist eine und dieselbe; nicht, wie uns die Doktrinäre einreden möchten, nicht für die Charte schlug man sich in der großen Woche, sondern für dieselben Revolutionsinteressen, denen man seit vierzig Jahren das beste Blut Frankreichs geopfert hatte.« (B 5, 166) Die Julirevolution nimmt für Heine schon allein deshalb einen wichtigen Platz im Befreiungskampf der Zeit ein, weil Trikolore und Bürgerkönigtum das Prinzip der monarchischen Legitimität durchbrochen haben: Ludwig Philipp, »le roi des barricades, le roi par la grâce du peuple souverain« (B 5, 33), verdankte seinen Thron nicht seiner Geburt, sondern der Volkssouveränität. Zu den weiteren liberalen Erfolgen von 1830, die Deutsche beeindrucken mußten, gehören Abschaffung des Katholizismus als Staatsreligion, Ende der Pressezensur, Erweiterung des Wahlrechts und Kommunalreform.

Eine politische Krise des Regimes, wirtschaftliche Schwierigkeiten und soziale Not hatten die Julirevolution vorbereitet, die dann durch vier Ordonnanzen, die der König veröffentlichen ließ und die man als Verfassungsbruch ansah, ausgelöst wurde. Die Aufhebung der Pressefreiheit mobilisierte vor allem den Widerstand der Druckereiarbeiter und der bedrohten Presse, die zusammen mit Handwerkern, Boutiquiers, Angestellten, Arbeitern und Studenten in dreitägigen Straßen- und Barrikadenkämpfen die königstreuen Truppen besiegten und die bourbonische Herrschaft vertrieben. Jedoch wurde nicht General Lafayette, der mit seiner Nationalgarde die Straße beherrschte, zum Präsident einer Republik ausgerufen, sondern es gelang den oppositionellen liberalen Abgeordneten, die keine Republik wollten, Ludwig Philipp durch Annahme der revidierten Verfassung zum »König der Franzosen« zu machen. Als eigentlicher Sieger ging aber aus der Revolution das liberale Großbürgertum hervor, die »aristocratie financière« (Karl Marx); das heißt, Bankiers, Aktionäre und Großindustrielle wurden unter der Juli-Monarchie zur herrschenden Klasse. In den vor der Macht ferngehaltenen und später unterdrückten kleinbürgerlichen, populären Schichten bereitete sich dann der Übergang von der politischen zur sozialen Revolution vor. Deshalb bedeutet 1830 schließlich auch den Anfang der Arbeiterbewegung.

Revolution oder nur Widerstand gegen einen Staatsstreich – über die wahre Bedeutung war man sich 1830 schon innerhalb des orleanistischen Systems uneins. In der französischen Geschichtsschreibung wird die Julirevolution nicht sehr positiv beurteilt. Noch heute fragt man sich, ob es sich um ein Jahrhundertereignis oder nur um eine »péripétie« gehandelt hat (Agulhon).

Einigkeit besteht jedoch über den bürgerlichen Klassencharakter des neuen Regimes, den kritische Zeitgenossen schnell und richtig erkannt haben. Denn auf die Begeisterung von 1830 folgte bald die Enttäuschung, auf die Illusionen die Rückkehr zur Realität, weil die Sieger der Barrikaden die Niederlagen der nächsten Jahre erleiden mußten. Die in der Julirevolution enthaltenen Widersprüche traten bald soweit auseinander, daß der ernüchterte Börne schon Ende 1830 beobachten konnte, wie das jetzt herrschende Großbürgertum »eine neue Aristokratie bilden« will, die er »Geldaristokratie« und »Glücksritterstand« nennt (14. der *Briefe aus Paris*, 17. November 1830). In völliger Übereinstimmung dazu offenbart Heine Varnhagen in seinem wichtigen Hamburger Brief vom 19. November 1830, daß er »die aristocratie bourgeoise noch weit mehr« hasse als Adel und Kirche. In Paris verdichtet sich dieser Affekt zu einer begründeten Erkenntnis, und der ebenfalls ernüchterte Heine versteht 1834 unter »Aristokratie« alle diejenigen, »die auf Kosten des Volkes leben«, »welche Namen sie auch tragen mögen« (französische Vorrede zu den *Reisebildern*, B 4, 956 u. B 3, 677). Drei Jahre später, in den Theater-Briefen, erscheint ihm dann die »neue Aristokratie«, »diese betriebsame Geldritterschaft« (konnotiert ›Raubritterschaft‹) im Vergleich mit der alten als »noch viel fataler« (B 6, 824). In die gründlich enttäuschte Bilanz, die er neun Jahre nach dem »Freiheitsrausch« von 1830 in der Börne-Schrift zieht, mischt sich dann bereits die Hoffnung auf eine revolutionäre Überwindung der mit dem »neuen Regiment« heraufgekommenen Widersprüche, wenn er die »schon ältliche Geschichte« erzählt: »Nicht für sich, seit undenklicher Zeit, nicht für sich hat das Volk geblutet und gelitten, sondern für andre. Im Juli 1830 erfocht es den Sieg für jene Bourgeoisie, die eben so wenig taugt wie jene Noblesse, an deren Stelle sie trat, mit demselben Egoismus... Das Volk hat nichts gewonnen durch seinen Sieg, als Reue und größere Not. Aber seid überzeugt, wenn wieder die Sturmglocke geläutet wird und das Volk zur Flinte greift, diesmal kämpft es für sich selber und verlangt den wohlverdienten Lohn« (B 7, 60). Diese für Heines dialektische Auffassung von der modernen Gesellschaft wesentliche Einsicht konnte erst durch die Erfahrung der entwickelteren französischen Zustände zur vollen Reife gelangen.

Seine großen Reportagen zu Anfang der 40er Jahre werden eingehend nachweisen, daß der entscheidende Gegensatz nicht mehr, wie in Deutschland, derjenige zwischen Fürst und Volk ist, sondern derjenige zwischen der »Aristokratie des Besitzes« und den Besitzlosen (*Lutezia*, B 9, 406). (Heines Reaktion auf die Revolution von 1848 wird im Zusammenhang mit den Korrespondenzen, die er im Februar und März 1848 geschrieben hat, dargestellt.)

Lit.: Zu Paris im 19. Jahrhundert: Walter Benjamin: *Das Passagen-Werk*, Gesammelte Schriften, Bd. V. 1. u. 2., hrsg. von Rolf Tiedemann, Frankfurt a.M. 1982.
– Julirevolution und französische Geschichte: Philippe Vigier: *La monarchie de Juillet*, Paris 1962 (weitere Auflagen, Reihe: Que sais-je); Guillaume de Bertier de Sauvigny: *La révolution de 1830 en France*, Paris 1970; David H. Pinkney: *The French Revolution of 1830*, New Jersey 1972 [gilt als eine der besten Darstellungen]; André Jardin/André-Jean Tudesq: *La France des notables, 1. L'évolution générale 1815–1848*, Paris 1973 (Nouvelle histoire de la France contemporaine, 6); Gilbert Ziebura: *Frankreich 1789–1870*, Frankfurt a.M./New York 1979 [ausführliche Bibliographie]; *Mille huit cent trente*, romantisme 28–29/1980 (15–27: Maurice Agulhon: *1830 dans l'histoire du XIXème siècle français*).
– einzelne Aspekte: Pierre Citron: *La poésie de Paris dans la littérature française de Rousseau à Baudelaire*, Paris 1961, 2 Bde.; Jacques Grandjonc: *Die deutschen Emigranten in Paris*, in: IHK 1972, 165–177; Rutger Booß: *Ansichten der Revolution*, Köln 1977; Herbert Günther: *Deutsche Dichter erleben Paris*, Pfullingen 1979; Dolf Oehler: *Pariser Bilder 1 (1830–1848), Antibourgeoise Ästhetik bei Baudelaire, Daumier und Heine*, Frankfurt a.M. 1979; Helmut Bock: *Die Illusion der Freiheit. Deutsche Klassenkämpfe zur Zeit der französischen Julirevolution 1830 bis 1831*, Berlin(Ost) 1980; *Paris. Deutsche Republikaner reisen*, hrsg. von Karsten Witte, Frankfurt a.M. 1980 [Textdokumentation]; *Heine in Paris: 1831–1856*, hrsg. von Joseph A. Kruse und Michael Werner, Düsseldorf 1981; *Paris au XIXe siècle. Aspects d'un mythe littéraire*, Lyon 1984 (Littérature et idéologies); Heinz Brüggemann: *»Aber schickt keinen Poeten nach London!« Großstadt und literarische Wahrnehmung im 18. und 19. Jahrhundert*, Texte und Interpretation, Reinbek bei Hamburg 1985.

»Der große Weltriß«: Die neue Zeit und das neue Prinzip

Zerrissenheit gehört zur Signatur einer Übergangszeit, in der das Alte noch besteht, während das Neue sich noch nicht vollständig durchgesetzt hat. Zerrissenheit ist Symptom einer Gesellschaft, in der sich die harmoniestiftenden Formen und Institutionen aufgelöst, während sich die Voraussetzungen zu neuen integralen Ganzheiten noch nicht gebildet haben. Geschichtlich gesehen geht das Phänomen auf die sich arbeitsteilig organisierende moderne Gesellschaft zurück, in der das Ideal des allseitig und harmonisch ausgebildeten Menschen zerstört wird. Deshalb ist Zerrissenheit auch Ausdruck *von* und zugleich Protest *gegen* die unvermeidliche Aufspaltung des modernen Menschen und seiner Fähigkeiten.

Heine ist immer wieder als Prototyp des zerrissenen Menschen und Dichter angesehen und abgeurteilt worden. Man glaubte nämlich, mit diesem Phänomen ein Argument zu haben, um seine offenbaren Widersprüche (zwischen Gefühl und Intellekt) und vermeintlichen Ambivalenzen (Schwanken zwischen den Parteien) psychologisch als Schwäche, künstlerisch als Ohnmacht und politisch als Opportunismus angreifen zu können. Durch Heine selber ist der Begriff »Zerrissenheit« zu einem »Modewort« der jungdeutschen Bewegung geworden (Hermand). Als er den Ausdruck, der schon im Sturm und Drang, in Klassik und Romantik eine gewisse Rolle gespielt hat, auf bestimmte Weise verwandte, war die »byronische Zerrissenheit« bereits selber ein Schlagwort bzw. ein »Lied«, das ihm »schon seit zehn Jahren, in allen Weisen, vorgepfiffen und vorgezwitschert worden« ist (*Reisebilder* III, B 3, 405; Beispiele zu diesem Thema aus der Rezeption der 20er und 30er Jahre (B 4, 868, 838, 921). In Wirklichkeit bezeichnet »Zerrissenheit« das zerrissene Bewußtsein des »wahren Dichters«, der sich immer stärker in einen unversöhnlichen Gegensatz zu der als kunst- und poesiefeindlich aufgefaßten modernen Zeit gedrängt sieht, was Karl Immermann schon 1822 in seiner Rezension von Heines erster Gedichtsammlung feststellte (*Werke in fünf Bänden*, hrsg. von Benno von Wiese, Frankfurt a.M. 1971, Bd. 1, 514 ff.). Die durch und mit Lord Byron gemeineuropäisch verbreiteten literarischen Haltungen des »Weltschmerzes« und der »Zerrissenheit« hat Peter Stein als eine charakteristische Verbindung »von radikaler Subjektivität und reflexiv gebrochenem Gefühl« gedeutet, die nach seiner Meinung als Ausdruck einer »ersten fundamentalen Krise der sozialen Identität oppositioneller Intellektueller« in der Vormärzzeit gelten kann (Stein 1979). Darüber hinaus, und nunmehr als Modetitel, erschien der Begriff dann 1832 in der Novelle *Die Zerrissenen* von Alexander v. Ungern-Sternberg und 1844 in der Posse *Der Zerrissene* von Johann Nestroy.

Heine, der angeblich so Zerrissene, sieht in der Zerrissenheit keine individual-psychologische Ei-

genschaft, sondern ein geschichtlich-gesellschaftliches Phänomen. Für ihn ist es die »Zerrissenheit« seiner Zeit und Deutschlands (*Reisebilder* II, B 3, 215 und 240), die allen menschlichen Tätigkeiten ihren notwendigen Stempel aufdrückt, so daß nachempfundene, dichterische Ganzheit und Harmonie zur »Lüge« werden müssen (B 3, 406). Heines Begriff liegt die geschichtsphilosophische Auffassung zugrunde, nach der Altertum und Mittelalter eine organische »Welteinheit« gebildet und »ganze Dichter« hervorgebracht haben, für die in der modernen Welt kein Platz mehr ist. In diese Auffassung sind Elemente von Hegels *Phänomenologie des Geistes* (1807) und möglicherweise von Friedrich Schlegels *Über das Studium der griechischen Poesie* (1797) eingegangen, in denen moderne Bildung und Kultur als zerrissen und zerstückelt dargestellt werden (in seiner Frühschrift *Differenz des Fichteschen und Schellingschen Systems der Philosophie* hatte Hegel 1801 erklärt: »Entzweiung ist der Quell des Bedürfnisses der Philosophie, und als Bildung des Zeitalters die unfreie gegebene Seite der Gestalt«). Hier wäre besonders an Hegels Dialektik des »unglücklichen Bewußtseins« zu erinnern. Aber nicht metaphysisch, sondern zeitsymptomatisch definiert Heine die moderne Zerrissenheit, wenn er an zentraler Stelle behauptet, »daß die Welt selbst mitten entzwei gerissen ist. Denn da das Herz des Dichters der Mittelpunkt der Welt ist, so mußte es wohl in jetziger Zeit jämmerlich zerrissen werden. Wer von seinem Herzen rühmt, es sei ganz geblieben, der gesteht nur, daß er ein prosaisches weitabgelegenes Winkelherz hat. Durch das meinige ging aber der große Weltriß« (B 3, 405). Damit wird gleichzeitig das Leiden des nicht-prosaischen Herzens an der modernen Welt ausgesprochen, und das »Dichtermärtyrtum« (B 3, 406), das Heine schon 1822 als unvermeidliches Schicksal des »wahren Dichters« erkannt hat (Brief an Karl Immermann vom 24. Dezember 1822), ist Ausdruck des Leidens. Schriftstellerisch nimmt die moderne Zerrissenheit Gestalt an, indem Heines Schreibweise kontinuierlich heterogene, unvereinbare Phänomene in assoziativer und kontrastiver Weise verbindet, um die zersplitterte Wirklichkeit der Übergangszeit provokativ zum Ausdruck zu bringen (*Ideen* und Cervantes-Essay skizzieren in großen Zügen das Programm einer Kontrastästhetik bzw. Kontrastkomik). Deshalb weisen auch extreme Subjektivität und permanente Betonung der eigenen Zerrissenheit signaturhaft über sich hinaus (vgl. B 3, 215) – sie müssen, so die Forschung, nicht einfach »als Faktum, sondern als Funktion und Ausdruck einer allgemeinen Bewußtseinskrise verstanden werden« (Preisendanz, Nachwort, 866; vgl. Preisendanz 1973, 60 ff.).

Der »Weltriß«, auf den die subjektive Zerrissenheit funktional schließlich verweist, hat die gesellschaftliche Wirklichkeit auf dreifache Art auseinandergerissen, was sich in Heines politischen, sozialen und ideologischen Ansichten zur Krise seiner Zeit niedergeschlagen hat. Zunächst wird betont, daß die moderne Entwicklung die europäischen Nationen auflösend durchzieht und die Gesellschaft politisch in zwei antagonistische Blöcke (Parteien) aufsprengt: »es gibt jetzt in Europa keine Nationen mehr, sondern nur Parteien«, erkennt Heine in *Reisebilder III,* das heißt, es stehen sich nicht mehr Nationen mit ihren Besonderheiten gegenüber, sondern überall nur noch »zwei große Parteimassen«: die aristokratische und die bürgerliche Partei (B 3, 376). In einer anderen Phase, nach 1830, wird die letztere Partei als die der »Demokratie« definiert, die »ihre unveräußerlichen Menschenrechte vindiziert und jedes Geburtsprivilegium abgeschafft haben will, im Namen der Vernunft« (Vorreden zu *Französische Zustände,* B 9, 11; vgl. B 6, 772). – Der industrielle Fortschritt bewirkt nicht allein kulturelle Nivellierung und politische Polarisierung, sondern er erzeugt auch den grundsätzlicheren, den sozialen Riß. Seit Beginn der 20er Jahre, in seiner Tragödie *William Ratcliff,* betont Heine den Gegensatz, der arme und reiche Nationen trennt: Hier, in Toms Nachtasyl für Diebe brodelt bereits das, was der Vormärz als »soziale Frage« bewußt machen und was Heine 1851 die »große Suppenfrage« nennen wird (B 1, 353 und 340). Ende der 20er Jahre vertiefen die *Englischen Fragmente* diese Anschauung, indem sie den Antagonismus zwischen elenden und wohlhabenden Schichten bzw. Klassen herausstellen (B 3, 542). Die Julirevolution, die nach der markanten Aussage der Börne-Schrift »unsere Zeit gleichsam in zwei Hälften auseinander« gesprengt hat (B 7, 59), macht den Weltriß dann zu einer Tatsache, die jeder weiteren Entwicklung ihren Stempel unweigerlich aufdrücken wird: Nach 1830 konnte das an die Macht gelangte Bürgertum nicht länger »im Namen der Vernunft« und *gegen* die Interessen des Volkes als Träger des gesamt-gesellschaftlichen Fortschrittes gelten. Für Heine steht seit 1830 fest, daß die Revolution jetzt nicht mehr nur politische, sondern »alle sozialen Interessen umfaßt« (Brief an Varnhagen vom 19. November 1830).

Wie ein Signal der neuen Klassenkämpfe hat auf die Zeitgenossen deshalb der erste Aufstand der Lyoner Seidenweber vom November 1831 gewirkt, den die Regierung mit Waffengewalt niederschlagen ließ. Im Juni 1832 folgte dann der blutig unterdrückte Aufstand der Pariser Republikaner. Die Repression des großen Lyoner Streiks von 1834, bei dem zum ersten Mal soziale Forderungen aufgestellt wurden, forderte nach tagelangen Barrikadenkämpfen ca. 600 Tote. Während der Kämpfe in Paris kam es im April 1834 zu dem grauenhaften Massaker in der Rue Transnonain. Zusammen mit den gerichtlichen Verfolgungen der Republikaner und Saint-Simonisten (1832) sowie mit den zahllosen Prozessen und Verurteilungen der Oppositionspresse begruben diese Kämpfe endgültig alle liberalen Hoffnungen deutscher Oppositioneller wie Börne und Heine und erklären ihre tiefe, nachrevolutionäre Enttäuschung in Paris. (Ein weiterer aufmerksamer deutscher Zeuge dieser Entwicklung, der junge Revolutionär Georg Büchner, schrieb 1835 auf der Flucht in Straßburg, als ihm die Aufspaltung der Revolution in »Liberale und Absolutisten« bewußt geworden war, in einem undatierten Brief an Karl Gutzkow: »Das Verhältnis zwischen Armen und Reichen ist das einzige revolutionäre Element der Welt«.)

Diesen alles durchdringenden »Weltriß« hat Heine schließlich auf philosophischer Ebene in den für sein Denken charakteristischen Begriffen zu erfassen gesucht. Nach seiner Ansicht besteht der Grund der Entwicklung, die die Zeit in eine historische Krise geführt hat, in dem unversöhnlichen Dualismus von »Geist« und »Materie« (welche die elementaren sozialen Bedürfnisse umfaßt): Durch ihre »gewaltsame Trennung«, so lautet die saint-simonistisch beeinflußte These in der Philosophie-Schrift, »entstand die große Weltzerrissenheit, das Übel« (B 5, 568), deren Ende Heine auf dem Stand des aktuellen Fortschritts als prinzipiell möglich und praktisch geboten erkennt.

Lit.: Zu Zerrissenheit: *Heinrich Heine Werke* Bd. 2, hrsg. von Wolfgang Preisendanz, Frankfurt a.M. 1968, 859–875; Albrecht Betz: *Ästhetik und Politik,* München 1971, 22 ff.; Wolfgang Preisendanz: *Heinrich Heine,* München 1973, 60 ff.; Jost Hermand: *Der frühe Heine,* München 1976, 81–101; Peter Stein: *Vormärz,* in: *Deutsche Literaturgeschichte,* Wolfgang Beutin u. a., Stuttgart 1979, 159–202 [dort 172 ff.].
 – zur sozialen Problematik bei Heine: Wolfgang Košek: *Begriff und Bild der Revolution bei Heinrich Heine,* Frankfurt a.M. 1982, 71–117 u. 227 ff.; Su-Yong Kim: *Heinrich Heines soziale Begriffe,* Hamburg 1984 (=Heine-Studien), 24–42 u. 135–165.
 – allgemein: Hans Adler: *Soziale Romane im Vormärz,* München 1980, 39–76 (»Die soziale Frage«).

Der literarische Markt

Das zeittypische Hervortreten des Berufsschriftstellers wird heute allgemein mit der Entwicklung
der bürgerlichen Gesellschaft in Verbindung gebracht (vgl. Werner, 17). Als maßgeblich für diese
Entwicklung im Vormärz gelten, wie bereits erwähnt, die strukturellen Wandlungen des Buchhandels, die sich nach dem Ende der napoleonischen Kriege durchsetzten und die noch heute, allerdings in stark verschärfter Form, die literarische
Produktion bestimmen. Aber mit der Ausdehnung
des literarischen Marktes, der in der zweiten Hälfte
des 18. Jahrhunderts entstanden war und gegen
1800 seine erste Blütezeit erlebt hatte, stellt sich ein
grundsätzlicher Widerspruch ein, dessen Folgen
ebenfalls heute noch spürbar sind. Der freie Markt
bietet einerseits neue berufliche Möglichkeiten und
garantiert den professionalisierten Schriftstellern
ein bisher unbekanntes Wirkungsfeld; andererseits
übt er als anonyme Macht eine erneut fesselnde
Funktion aus. Der Markt mit seinen Bedingungen
vermag nicht zu befreien, ohne zu fesseln. – Für die
Vormärzzeit kommen noch zwei weitere typische
Widersprüche hinzu. Die Literaturproduzenten
setzten auf ihrem Gebiet das liberale Modell, das
heißt den freien Verkehr gleichberechtigter Wa-
renproduzenten, stärker durch als in anderen Bereichen der Gesellschaft und trafen deshalb auf den
erbitterten Widerstand der feudalen Bürokratien.
Weiter: In dieser Phase kämpften oppositionelle
Autoren und liberale Verleger erfolgreich gegen
denselben Gegner, weshalb das »Profitinteresse
des bürgerlichen Kapitals« im Vormärz mit dem
»Wirkungsinteresse der oppositionellen Schriftsteller« und Journalisten weitgehend zusammenfiel
(Stein, 163). Während jedoch die Verleger, die
ihrerseits bestimmte Risiken eingingen, an der bedrohten Literatur gut verdienten (und die Ware
Literatur von dem risikofreudigen Engagement der
Verleger wiederum profitierte), zögerten sie als
Unternehmer nicht, die Marktgesetze gegen die
Ansprüche und Interessen der Autoren geltend zu
machen – eine Erfahrung, die Heine in den 30er
Jahren in einen immer schärferen Konflikt mit sei-
nem Verleger Campe trieb.

Die für die Expansion des Literaturmarktes
markanten Daten lassen sich den drei Bereichen
der Produktion, Distribution und Veränderung der
Lesegewohnheiten entnehmen. – Technische
Neuerungen wie das Verfahren der Stereotypie

und die Einführung der Schnellpresse ermöglichten
in den 20er und 30er Jahren den rapiden Anstieg
der Titelproduktion, die zwischen 1821 und 1838,
das heißt in den Jahren vor dem eigentlichen Beginn der Industriellen Revolution, um ca. 150 v. H.
wuchs und 1843 einen Höchststand erreichte, dem
eine Krise folgte. Ein ähnliches Wachstum läßt sich
nur für die Jahre 1770–1805 und 1868–1901 nachweisen (Goldfriedrich, 199; Obenaus). Neben der
Romanproduktion, wichtigster Faktor innerhalb
des Bereichs der Schönen Künste und Wissenschaften, ist das prozentuale Anwachsen der sogenannten »Realien« erwähnenswert, die das gesteigerte
Bedürfnis nach Allgemeinbildung und Fachwissen
der aufstrebenden bürgerlichen Schichten abdek-
ken. – Der ebenfalls sprunghafte Anstieg buch-
händlerischer Firmen in dieser Zeit sorgte für eine
wesentlich verbesserte und verbreitete Distribution, wobei sich der Kommissionsbuchhandel als
»Vermittlungsinstanz« zwischen Verleger und Sor-
timenter (Reisner, 11) zu einer unentbehrlichen
Organisation entwickelte. 1825 entstand in Leipzig
der »Börsenverein der Deutschen Buchhändler«,
eine gesamtdeutsche Interessenvertretung; seit
1834 erschien das »Börsenblatt«. – Die Expansion
des Marktes beruht drittens auf einer Verbreite-
rung der Käuferschicht, die nicht mehr auf das rein
bürgerliche und rein männliche Publikum beschränkt blieb. Konkurrenz und Rationalisierung
der Produktion ließen die Preise sinken und garan-
tierten den Massenabsatz bestimmter Waren, wovon billige Klassikerausgaben, die jetzt in Klassi-
ker-Bibliotheken erschienen, besonders profitierten (»Bildung macht frei«). Die veränderten Lek-
türe- und Bildungsbedürfnisse machten aus dem
Brockhausschen Konversationslexikon einen
»Bestseller« der Epoche (1823 sind die 32 000 Exemplare der fünften Auflage verkauft). Neue Le-
serschichten erschloß die erste illustrierte Wochen-
schrift, das 1833 in Leipzig gegründete »Pfennig-
magazin«, das bald in einer Auflage von 100 000
Exemplaren vertrieben wurde (Goldfriedrich,
210).

Dieser ökonomische Prozeß mit nationaler
Funktion vollzog sich jedoch auf einer für Verleger
und Autoren rechtlich nicht geklärten bzw. uneinheitlichen Grundlage, in der sich die deutsche Zersplitterung widerspiegelte. Das nutzten, wie im
18. Jahrhundert, billige Nachdrucker aus, die
durch die fehlende, einheitliche Sicherung der Eigentumsrechte die Interessen der Verleger, bei denen die Rechte lagen, straffrei verletzen konnten.

Erst 1835 wurde durch Bundesbeschluß der Nachdruck untersagt. Die Schutzfrist wurde 1845 bundesweit auf dreißig Jahre festgesetzt (Goldfriedrich, 231; Obenaus, 47 ff.). Damit war aber die Frage des Urheberschutzes nicht gelöst, und Heine wünschte bezeichnenderweise in *Lutezia LVI* 1854: »Möge auch einmal für Deutschland die Stunde schlagen, wo das geistige Eigentum des Schriftstellers ebenso ernsthaft anerkannt werde, wie das baumwollene Eigentum des Nachtmützenfabrikanten« (B 9, 447). Eine berufsständische Interessenvertretung der Autoren blieb in den 40er Jahren Sache einer Minderheit.

Die fortschreitende Kommerzialisierung der Buchproduktion und die Professionalisierung der Schriftsteller verschärften indessen die Konflikte, in die oppositionelle Berufsschriftsteller unweigerlich geraten mußten. Sie, die wegen ihrer sozialen Rolle von der Freiheit und Unabhängigkeit ihres kritischen Vermögens ausgehen, sahen sich jetzt einem »noch unbeugsameren Meister« als früher dem ständischen Herren (Werner, 20) unterworfen, der nun in Form von anonymen Gesetzen seinen Willen diktierte. Der neue »Despot«, der die freie Zirkulation der Ware Literatur ermöglichte, verlangte jedoch einen hohen Preis. In wachsender Konkurrenzsituation müssen sich die Autoren auf die Bedingungen des Marktes einstellen: Sie mußten sich profilieren, sich neuen Bedürfnissen und wechselndem Publikumsgeschmack anpassen, sich den neuen Werbepraktiken und sogar schon der »Imagepflege« (Werner, 149) beugen, wenn sie nicht schließlich noch mit ihren Einkünften ganz von einem kapitalistischen Unternehmer abhängig waren, für den der Erfolg seines Geschäftes letztlich wichtiger sein mußte als das Geschäft seiner Autoren. Zu den strukturellen Bedingungen kam hinzu, daß die relativ hohen Buchpreise in keinem direkten Verhältnis zu den Honoraren (die gering waren) standen. Von den freien, oppositionellen Berufsschriftstellern vermochte kaum einer allein von seinen literarischen Einkünften leben. Die letztlich doch »relative Begrenztheit« des deutschen Marktes brachte es mit sich, daß viele Autoren gleichzeitig als Redakteure/Publizisten arbeiteten (Werner, 18). Aus dem gleichen Grund wurden publizistische Genres bevorzugt (Obenaus) bzw. man bediente sich bestimmter Kurzformen, die einzeln bzw. als Serie in Zeitschriften oder zusammengestellt als Buch mehrfach veröffentlicht werden konnten (vgl. Hömberg).

Heine, der als der erste bedeutende ›freie‹ Berufsschriftsteller Deutschlands, ja, sogar als der Berufsschriftsteller par excellence gilt, hat den Widerspruch zwischen dichterischer Mission und Marktmechanismen in seiner ganzen Schärfe erfahren. Ein Testamentsentwurf aus dem Jahre 1851 macht deutlich, in welche Konflikte er gestürzt wurde, weil er einen doppelten Anspruch gleichzeitig zu verwirklichen suchte: »ein wahrer Dichter« und auch »ein guter Geschäftsmann« zu sein (B 11, 547). Wollte er seinen geschichtlichen Auftrag verwirklichen, sah er sich schließlich als Dichter gezwungen, den Widerstand gegen die ständige Bedrohung seiner dichterischen Autonomie in seine Schreibweise hineinzunehmen. Wollte er andererseits seine Marktstellung sichern, mußte er sich mit seinem Verleger Campe auf zähe Honorarverhandlungen einlassen, die mehrmals zu schweren Verstimmungen und Krisen führten.

Dennoch hat Heine, ebensowenig wie die meisten Schriftsteller der Zeit, seinen Lebensstil nicht von seinen literarischen Einkünften bestreiten können (mit Ausnahme der Einkünfte durch den *Romanzero,* den *Vermischten Schriften* und den *Œuvres complètes* aus den Jahren 1851 und 1854/1855; Werner, 144). Die umfassende Bilanz, die Michael Werner aufgestellt hat, verdeutlicht, daß Heines Einnahmen aus seinen literarischen Tätigkeiten nur etwas mehr als ein Drittel seiner Gesamteinnahmen betrugen (Werner, 139). Zu den letzteren gehörten Unterstützung durch die Familie, die französische Staatspension 1840–1848, Einnahmen durch Mäzene (in erster Linie die Pariser Rothschilds und der Komponist Giacomo Meyerbeer) und schließlich Einnahmen durch Börsenspekulationen. Die finanzielle Situation zwang Heine, der nicht regelmäßig und genügend Werke für den Markt produzierte, wie es für einen Berufsschriftsteller nötig gewesen wäre, alle Möglichkeiten zur Einnahmensteigerung zu nutzen, die der deutsche und französische Buch- und Pressemarkt boten (Werner, 72–111), z. B. Mehrfachverkauf einzelner Texte. Auftragsarbeiten zu guten Honoraren hat er nicht verschmäht. Während sich »die materielle Motivation« sogar bis in die Struktur einzelner Werke hinein verfolgen läßt (Werner, 152), d. h. bis in umfangsteigernde Kompositionstechniken, hat der »Dichter«-Anspruch keine Konzessionen an Qualität erlaubt.

Lit.: Johann Goldfriedrich: *Geschichte des Deutschen Buchhandels /.../ (1805–1889),* Leipzig 1913 (Gesch. d. Dt. Buchhandels, Bd. 4); Lutz Winckler: *Entstehung und Funktion des literarischen Marktes,* in: ders.: *Kulturwarenproduktion,*

Frankfurt a.M. 1973, 12–75; Bernd Jürgen Warneken: *Autonomie und Indienstnahme*, in: *Rhetorik, Ästhetik, Ideologie*, Stuttgart 1973, 79–115; Rainer Rosenberg: *Literaturverhältnisse im deutschen Vormärz*, Berlin (Ost) u. München 1975; Walter Hömberg: *Zeitgeist und Ideenschmuggel*, Stuttgart 1975, 51–98; Hanns-Peter Reisner: *Literatur unter der Zensur*, Stuttgart 1975, 7–27; Michael Werner: *Genius und Geldsack*, Hamburg 1978 (= Heine-Studien); Peter Stein: *Vormärz*, in: Wolfgang Beutin u. a., *Deutsche Literaturgeschichte*, Stuttgart 1979, 159–202 [dort 162 ff.]; Sibylle Obenaus: *Buchmarkt, Verlagswesen und Zeitschriften*, in: *Deutsche Literatur. Eine Sozialgeschichte*, hrsg. von Horst Albert Glaser, Bd. 6: *Vormärz*, Reinbek bei Hamburg 1980, 44–62; Reinhard Wittmann: *Buchmarkt und Lektüre im 18. und 19. Jahrhundert*, Tübingen 1982, 111–231 [mit 232 ff. Forschungsbericht zum literarischen Leben im 19. Jahrhundert]; Lutz Winckler: *Autor-Markt-Publikum. Zur Geschichte der Literaturproduktion in Deutschland*, Berlin 1986 (= Argument-Sonderband, LHP 15).

Emanzipation

Die staatsbürgerliche Gleichstellung bisher rechtloser Gruppen und Unterschichten gehört zu den wesentlichen Forderungen des liberalen Vormärz – wenn nicht zur Moderne schlechthin. Denn die Legalisierung vieler Forderungen hat das Verlangen nach Emanzipation im 20. Jahrhundert keineswegs erschöpft – man braucht zum Beispiel nur auf die Diskussionen über die Stellung der Schwarzen in den Vereinigten Staaten, der arbeitenden Klassen und der Frauen verweisen (Grass/Koselleck, 197), wie auf die Bewegungen um Anerkennung, die von kulturellen und sexuellen Minderheiten ausgehen.

Emanzipation wurde zuerst um 1830 zu einem entscheidenden Schlagwort der Opposition, und Heine, das zeigt die Begriffsgeschichte, hat wesentlich zur Durchsetzung des Begriffs beigetragen. In den *Reisebildern* konnte die junge Generation von 1830 mit der Emanzipationsforderung »die große Aufgabe« der Zeit ausgedrückt sehen: Wie »ein Magnet« richtete laut Forschung der Ausdruck damals den »politisch-sozialen Sprachraum« aus (Grass/Koselleck, 167). Das epochale »Signal« hatte Heine gegeben, als er in der *Reise von München nach Genua* (1829 mit dem Datum 1830 erschienen) mitten in der Restaurationszeit die grundsätzliche Frage stellte: »Was ist aber diese große Aufgabe unserer Zeit? Es ist die Emanzipation. Nicht bloß die der Irländer, Griechen, Frankfurter Juden, westindischen Schwarzen und dergleichen gedrückten Volkes, sondern es ist die Emanzipation der ganzen Welt, absonderlich Europas, das mün-

dig geworden ist« (B 3, 376). Diese zentrale Forderung nach Freiheit und Gleichheit politisch-sozial unterdrückter Gruppen, Völker bzw. des Menschengeschlechts durchzieht Heines ganzes Denken, vom Ende der deutschen Phase bis zum Ende seines Lebens. In seiner rückblickenden Bilanz schreibt er dann 1854: »die Emanzipation des Volkes war die große Aufgabe unseres Lebens« (*Geständnisse*, B 11, 468).

Begriffsgeschichtlich legt der Ausdruck »Emanzipation« nahe, verschiedene Aspekte zu beachten.

Ursprünglich, im römischen Recht, bezeichnete »Emanzipation« »den Übergang aus väterlicher Gewalt in zivilrechtliche Selbständigkeit« (Grass/Koselleck). Abgelöst von der juristischen Bedeutung weitete sich der Begriff in der Neuzeit, zunächst über den reflexiven (und sinnverkehrenden) Gebrauch der »Selbstbefreiung«, auf soziale, politische und geschichtsphilosophische Bereiche aus, um im Zeitraum der Französischen Revolution dann Gruppen, Klassen und Völker zu umfassen, »die als Subjekt und/oder als Objekt der Emanzipation begriffen wurden, wobei die ›sich emanzipierende Zeit‹ alle diese Positionen bündelte« (Grass/Koselleck, 166). Emanzipation lieferte »einen justiziablen Nenner für alle Forderungen, die auf die Beseitigung rechtlicher, sozialer, politischer oder ökonomischer Ungleichheit zielten. Damit wurde ›Emanzipation‹ in jedem Fall zu einem antiständischen Begriff, der sowohl liberal wie demokratisch und später sozialistisch auslegbar war«. Auf die Geschichte übertragen bezeichnete Emanzipation die utopische Vorstellung eines herrschaftsfreien Reiches der Freiheit jenseits aller Formen von Abhängigkeit. Gegen 1840 wurde Emanzipation schließlich nach geschichtsphilosophischer Vertiefung »als regulatives Prinzip der Politik und der gesamten Weltgeschichte *zum wichtigsten aller Begriffe* erklärt« (Grass/Koselleck, 170). Die Linkshegelianer näherten den Begriff dem der Revolution; Marx, der 1844 die Rolle des Proletariats als des »Emanzipators« entdeckte, verschmolz beide.

Seit Heines Zeit bedeutet der Begriff nun, zuerst als »Bewegungs- und Zielbegriff«, entweder den punktuellen Akt der Befreiung oder die Freiheit selber, wobei außerdem noch je nach dem Vollstrecker zwischen Gewähren und Erkämpfen (Selbstbefreiung) zu unterscheiden ist. Dann bezeichnet er, zweitens, als »Erfüllungsbegriff«, das Ende der Geschichte (Grass/Koselleck).

Heine verwendet in den *Reisebildern* vor allem den geschichtlich-prozessualen »Bewegungs- und Zielbegriff« (aber auch den »Erfüllungsbegriff«, der sich in der Forderung nach der »Emanzipation der Könige« von Klerus und Adel wiederfindet, B 3, 520). Die zentrale Erklärung von 1829 stützt die universelle und historische Dimension des Begriffs, denn als »die große Aufgabe unserer Zeit« wird »nicht bloß« die Emanzipation einzelner Gruppen und Völker, sondern bezeichnenderweise die »der ganzen Welt« definiert. Emanzipation, das ist das im aufklärerischen Geist ausgesprochene Bekenntnis zur Freiheit und Gleichheit des Menschengeschlechts. Diese gattungsgeschichtliche Auffassung kehrt auch in dem Geständnis von 1854 wieder, in dem ebenfalls das Volk als Subjekt und/oder als Objekt der Befreiung bezeichnet wird. Die als Prozeß und Ziel aufgefaßte Emanzipation ist umfassend gemeint: Sie bedeutet neben der legalen Gleichstellung die allgemeine, politisch-soziale Befreiung des Gattungswesens Mensch.

Rein begriffsgeschichtlich ist jedoch die Forderung nach Emanzipation einzelner Schichten, immerhin als »dergleichen gedrückten Volkes« zusammengefaßt, weniger eindeutig. Denn im Vormärz wurde der Begriff »Emanzipation« vornehmlich auf unterdrückte »Randgruppen« angewandt (und von diesen selber aufgegriffen). Bei den Forderungen dieser Gruppen pflegten sich daher »soziale, ökonomische, religiöse oder ›natürliche‹ Hindernisse aufzutürmen, die rein legal nicht zu beseitigen waren. Deshalb mußte der Emanzipationsbegriff als Schlagwort zwischen staatlich einlösbaren rechtlichen Forderungen und zwischen gesellschaftspolitischen Zukunftsprogrammen schillern« (Grass/Koselleck, 176 f.).

Die *Reisebilder* nennen zwar die im Vormärz stark diskutierten, »staatlich einlösbaren« Emanzipationsforderungen verschiedener Gruppen und Völker, aber die Anwendung des Begriffs »Emanzipation« auf Juden und Sklaven muß 1829 als ungewöhnlich gelten (Grass/Koselleck). Die Emanzipation der irischen Katholiken, die Heine bereits 1828 unter ausdrücklicher Berufung auf das »Völkerrecht der religiösen und politischen Freiheit« erörtert hatte (B 3, 590), wurde 1829 von London gewährt. Der nationale Freiheitskampf der Griechen gegen die Türken (1821–1829) endete mit der Anerkennung staatlicher Souveränität. Dagegen blieb die für Heines Selbstverständnis und gesellschaftliche Stellung zentrale Forderung nach staatsbürgerlicher Gleichstellung der deutschen Ju-

den, Paradigma der Emanzipation, im Vormärz uneingelöst, nachdem Preußen 1812 zunächst weitgehende Rechte gewährt hatte. Das Ende (»abolition«) der Sklaverei kam 1793 in Frankreich und 1833 in England, während der Sklavenhandel schon 1807 in England abgeschafft worden war (vgl. B 7, 38 über die »befreiten« Sklaven in Amerika). – Aber in die andere, utopische Richtung weisen dagegen schon 1830 Heines Auffassung vom »Befreiungskriege der Menschheit« (B 3, 382) und sein Bekenntnis zur sozialen Revolution. Die zeitgeschichtlich spezifischen Forderungen treten hier hinter dem allgemeinen, revolutionären Aspekt der Emanzipation zurück.

Diese Seite wird dann in der Pariser Zeit, vor allem unter dem Einfluß des Frühsozialismus, philosophisch und sozial tiefer begründet und vervollständigt. Mit den Saint-Simonisten verlangt Heine die Emanzipation der Frau sowie die Befreiung der Sexualität, indem er aus weltanschaulicher Perspektive die Forderung nach »Rehabilitation der Materie« (B 5, 568 ff.) ins Zentrum rückt, das heißt aus praktischer Sicht: Wiederherstellung der verdrängten Rechte des »Fleisches« und der Sinnlichkeit bzw. der sinnlichen Genüsse. Nach dem Urteil von Karl Rosenkranz aus dem Jahre 1837 hat Heine als erster das »Evangelium von der Emanzipation des Fleisches« ausgesprochen (Grass/Koselleck, 187). Ebenfalls im Anschluß an die Saint-Simonisten stellt sich die grundsätzliche Frage nach dem Ende der »exploitation de l'homme par l'homme« (B 3, 677) – als Voraussetzung der wirklichen und umfassenden Emanzipation des sowohl rechtlosen wie »gedrückten Volkes«, nicht nur vom »eisernen Gängelbande der Bevorrechteten, der Aristokratie« (B 3, 376), sondern jetzt auch zunehmend von dem der »aristocratie bourgeoise« (Brief an Karl August Varnhagen v. Ense vom 19. November 1830). Dieser Emanzipation galt schließlich Heines wegweisendes Engagement, dieser Befreiung hat er sein Leben gewidmet und für sie hat er »gerungen und namenloses Elend ertragen, in der Heimat wie im Exile« (B 11, 468).

Lit.: Dolf Sternberger: *Gerechtigkeit für das neunzehnte Jahrhundert. Zehn historische Studien,* Frankfurt a.M. 1975, 11–63; Karl Martin Grass, Reinhart Koselleck: *Emanzipation* (Art.) in: *Geschichtliche Grundbegriffe. Historisches Lexikon zur politisch-sozialen Sprache in Deutschland,* hrsg. von Otto Brunner, Werner Conze, Reinhart Koselleck, Nachdruck 1979 [zuerst Stuttgart 1975], Bd. 2: E–G, 153–197.

Gedankenschmuggel (Zensur und Selbstzensur)

Die zentrale Bedeutung des liberalen Literaturmarktes, über den sich moderne Verhältnisse, in grundsätzlich befreiender, aber zugleich auch in erneut fesselnder Weise durchsetzten, wird dadurch bekräftigt, daß auf ihm ein persönlich sehr »verlustreicher«, fast 30jähriger Krieg geführt wurde, in dem sich das Schicksal der Pressefreiheit und damit der bürgerlichen Öffentlichkeit entschied. Denn dieser Krieg ging schließlich für die feudalstaatlichen Bürokratien verloren; die Front der Schriftsteller, Journalisten und Wissenschaftler war am Ende stärker. Im Kampf um die »Freiheit der Presse«, einer ständigen, weil strategisch zentralen Forderung der jungen liberalen Bewegung, war es den Regierungen mit ihrer überholten Zensurpolitik nicht gelungen, die Ausdehnung des freien Warenverkehrs auf den »Bereich der geistigen Warenproduktion« zu verhindern (Reisner, 28).

Was der staatlichen Literaturpolitik jedoch gelungen war, war eine jahrelange Lähmung und Entpolitisierung der fortschrittlichen Kräfte – wenn nicht eine »Kriminalisierung der literarischen Opposition durch Gesinnungsschnüffelei« (Stein, 166). Die Folge: eine tiefgehende Deformierung der jungen deutschen Literatur in der Vormärzzeit.

Heine gehört ohne Zweifel zu den bedeutendsten Opfern staatlicher Abwehrmaßnahmen; sein Werk gilt als »Paradebeispiel« für Zensur gegen liberale Geister (Radlik). Aber zugleich ist es ein Paradebeispiel für den Widerstand gegen die Zensur: Die Dynamik von staatlichem Druck und schriftstellerischem Gegendruck ist konstitutiv für die Struktur seines Witzstils und seiner Schreibweise geworden, die sich umgekehrt als Sublimierung dieses Druckes verstehen lassen. Die Verinnerlichung der Zensur ging schließlich so weit, daß sich Heine 1848 zusammen mit seinem staatlichen ›Gegenspieler‹ erledigt fühlen konnte und aufstöhnte: »ach! ich kann nicht mehr schreiben, ich kann nicht, denn wir haben keine Censur! Wie soll ein Mensch ohne Censur schreiben, der immer unter Censur gelebt hat? Aller Styl wird aufhören, die ganze Grammatik, die guten Sitten« (Werner II, 108).

Heines erste dichterische Versuche fallen zeitlich in der Tat mit den Karlsbader Zensurbeschlüssen zur strengen Überwachung der Pressefreiheit

zusammen. Das Ergebnis der Beratungen, die, wie oben erwähnt, auf Österreichs und Preußens Bestrebungen unter Metternichs Führung mit Vertretern einiger deutscher Staaten vom 6. bis 31. August 1819 in Karlsbad stattgefunden hatten, wurde am 20. September 1819 auf rechtlich »fragwürdige Weise« zum Bundesgesetz erhoben (Faber, 88). Die sogenannten »Karlsbader Beschlüsse« (s. S. 6 f.) errichteten eine bundeseinheitliche Vorzensur für alle Druckwerke (Bücher, Broschüren, Zeitschriften und Zeitungen) von weniger als 20 Bogen Umfang (pro Bogen mit 16 Seiten im Oktavformat, heißt das 320 Seiten). Druckwerke größeren Umfangs – und damit auch teure –, die vornehmlich von dem gebildeten, bürgerlichen Publikum gelesen wurden, galten offensichtlich als weniger gefährlich und wurden mit Nachzensur (Konfiskation und Verbot) bedroht. Umgekehrt war die periodische Presse aufgrund des geringeren Umfangs das designierte Opfer dieser Beschlüsse. Zusammen mit dem staatlichen Bespitzelungsapparat ermöglichten diese Beschlüsse die Überwachung des ganzen gesellschaftlichen Lebens und der Öffentlichkeit (Radlik, 460). Verboten – und damit tabuisiert – waren Kritik an »Herrscherhaus und Regierung, an Adel und Militär, Christentum und Moral« (Stein, 165; den Text der Karlsbader Beschlüsse druckt Ziegler 1983, 8 ff.).

Weitere Maßnahmen vervollständigten die Beschlüsse von 1819. Die durch Zensurstriche ». . .« kenntlich gemachten Eingriffe, die Heine im zweiten Band der *Reisebilder,* Kapitel 12, der Lächerlichkeit preisgab, waren seit 1826 in Preußen nicht mehr erlaubt, bevor die geheimen Wiener Beschlüsse vom 12. Juni 1834 sie bundesweit verboten (Text bei Ziegler 1983, 11 ff.). Gegen die nach 1830 erstarkenden liberalen Kräfte wurden weitere Einschränkungen der Pressefreiheit notwendig (Radlik). 1835 verbot die Bundesversammlung die ganze Produktion einer literarischen Gruppe (Text bei Ziegler 1983, 13 f. u. DHA 11, 794 f.).

Nach 1840, als der Thronwechsel in Preußen zunächst Hoffnungen auf Erleichterungen für die Tagespresse aufkommen ließ (1842/43 erscheint die *Rheinische Zeitung* mit Karl Marx als bekanntestem Redakteur), stieg die Anzahl der Zeitungsverbote und wurde sogar die ganze Produktion von Heines Verleger Campe verboten (1841/42 in Preußen, 1846 in Österreich). 1843 organisiert Preußen außerdem sein Zensurwesen zentralistisch um.

Trotz des lückenlos anmutenden Systems waren der staatlichen Zensurpolitik durch die uneinheitlichen Praktiken der kleineren Mitglieder des Bundes, die auf ihre Unabhängigkeit bedacht waren, Grenzen gesetzt. Fortschrittliche Verleger wie Campe nutzten die regional unterschiedlichen Gesetzgebungen zur legalen Umgehung der Zensur aus, indem sie z. B. den Druck an Orte mit toleranter Praxis verlegten (zu Campes Manövern und Listen siehe Ziegler 1976, 25–49, 273–305).

Dennoch wurde Heine sein Leben lang, und auf verschiedenste Weise, Opfer der Zensurpolitik, und schließlich sogar Campes eigenes Opfer. Einige Etappen des permanenten Zensurkrieges seien kurz angeführt. Der zeitliche Rahmen sieht folgendermaßen aus: Bereits 1820 beschwert sich der junge Dichter über Selbstzensur bei Gedichten politischen Inhalts (Brief an den Buchhändler Brockhaus vom 7. November 1820); die erste Streichung läßt sich 1822 an einem Gedicht nachweisen; 1851 wird der *Romanzero* in Preußen, Bayern und Österreich verboten. Seit 1820 wird die Vorzensur gegen den Journalisten Heine wirksam (Radlik, 468 ff.). 1822 erscheinen die *Briefe aus Berlin* zensiert. 1832 muß Heine mit seinen Zeitungsbeiträgen erleben, daß nicht nur einzelne, anstößige Stellen, wie schon zuvor, gestrichen werden, sondern ein ganzer Artikel ungedruckt bleibt (*Französische Zustände*). – 1827 erfolgen die ersten offiziellen Maßnahmen gegen den Buchautor; der zweite Band der *Reisebilder* wird regional verboten, obwohl er mehr als den zensurfreien Umfang von 20 Bogen aufweist. Nach 1831 erreichen die Maßnahmen gegen den Exilautor eine neue Dimension: Durch das staatliche Vorgehen gegen die *Vorrede* zu den *Französischen Zuständen* wird Heine »ein bundesweiter Pressefall« (Radlik), der in den 30er Jahren nicht zur Ruhe kommen sollte. 1844 wird gegen das *Wintermärchen* eine Konfiskation angeordnet. – Neben diese offizielle Zensur tritt seit Beginn der 20er Jahre noch die »literaturinterne« Zensur. 1824 nennt Heine das Zusammenspiel von Redakteur und Zensor nach dem Herausgeber des Berliner »Gesellschafter«, Friedrich Wilhelm Gubitz, »Gubitzen«. 1840 will er die Veröffentlichung seiner Beiträge für die »Augsburger Allgemeine Zeitung« durch Einwilligung in redaktionsinterne Streichungen sichern und muß erleben, daß sie verstümmelt erscheinen, wenn sie nicht zurückgewiesen werden. Grundsätzlich lassen Vergleiche der Handschrift (soweit vorhanden), der Zeitschriften- und Buchfassungen die meisten Streichungen rückgängig machen, doch sind bei einzelnen Werken bis heute noch Lücken offen (Radlik, 470, 484).

Schließlich sieht sich Heine auch gegenüber seinem Verleger und Freund zur äußersten Wachsamkeit gezwungen, denn Campe, nach schlechten Erfahrungen auf den möglichst problemlosen Absatz seiner progressiven Waren bedacht, hat sich sozusagen zum verlängerten Arm der Zensur gemacht. Nicht nur, daß er seinen Autor vor allzu radikalen Tönen warnt, sondern auch beim Druck selbst von umfänglich zensurfreien Manuskripten drängt er gegen Heines Willen auf Vorzensur, um weitere Maßnahmen zu verhindern. Nach schweren persönlichen Krisen und öffentlichen Protesten gegen die »Buchhändlerwillkür« (1835) macht sich Heine schließlich mit den anklägerischen *Schriftstellernöten* (1839) Luft, als er den – nicht unberechtigten – Verdacht hat, Campe habe selber eigenmächtige Eingriffe in seine Texte vorgenommen bzw. vornehmen lassen (Campe entlasten: Radlik, 477 f. und Ziegler 1976, 209–221, 267 ff.).

Ihre wirkliche Grenze fand die Zensur schließlich – wenn es denn so etwas angesichts ihrer deformierenden Wirkung geben kann – nicht so sehr durch die List der Verleger als durch die List der Autoren. Heine, das exemplarische Opfer, ist auch zum exemplarischen Strategen im Kampf gegen die Zensur aufgestiegen. Unter Vorwegnahme der diversen, offiziellen wie inoffiziellen Verstümmelungen hat er das »Censurschwert«, das immer »an einem Haare über [s]einem Kopfe hängt« (wie er Campe am 20. Dezember 1836 klagte), umgedreht und die Klinge gegen deren eigentliche Handhaber gerichtet. Heines Waffe, das war seine »Schreibart«, sein »Stil« – und seine »Schreibart«, das war das »Verbrechen«, das die staatlichen Verfolger auf seine Spur gesetzt hat: Das haben *Die Götter im Exil* in den vielzitierten, klarsichtigen Worten festgehalten: »Nein, ich gestehe bescheiden, mein Verbrechen war nicht der Gedanke, sondern die Schreibart, der Stil« (B 12, 123).

Mit dieser Waffe ist Heine nun auf verschiedene Weise »tätlich« geworden. Maske, Tarnung und Verstellung gehören zu den ironischen Mitteln, mit denen er auf den politischen Druck der Zensur sowie auf die geschäftsbedingten Mäßigungsappelle des Verlegers reagiert hat. Falsche Flagge, vertauschte Meinung und indifferente Tonart (*Lutezia*, – s. d. – *Vorrede*, B 9, 230 f.) gehören zur literarischen Strategie, mit der er seinen publizistischen »Schmuggelhandel der Freiheit« (Gutzkow) im Dienst der öffentlichen Meinung betrieben hat (Brief Gutzkows an Georg Büchner vom 17. März 1835). Knebel, Mäßigung und Selbstzensur haben sich endlich so zu einer ›zweiten Natur‹ verwoben und verwandelt, daß sie sich von der ursprünglichen kaum noch unterscheiden läßt (und sich den Gegnern zu jeder Art von Mißverständnissen anbot). Selbstzensur bezeichnet schließlich den Raum, in dem der »freie« Schriftsteller seine Freiheit und Unabhängigkeit gegen die alten politischen und neuen strukturellen Formen von Repression verteidigen muß.

Die Grundlage von Heines Kommunikationsstrategie lautet deshalb ›Sklavensprache‹: Das ist die Sprache, die Freiheit beim Anbruch der Moderne zu sprechen gezwungen war; ihre Einübung wurde durch Heine zum Elementarkurs für kritisches Engagement, und seitdem ist Sklavensprache die Muttersprache der Freiheit unter unfreien Verhältnissen geblieben.

Lit.: Jürgen Habermas: *Strukturwandel der Öffentlichkeit,* Neuwied und Berlin, 1962 (4. Aufl. 1969); Heinrich Hubert Houben: *Verbotene Literatur von der klassischen Zeit bis zur Gegenwart,* 2 Bd.e, Hildesheim 1965 (zuerst Berlin 1924 u. 1928); Franz Schneider: *Pressefreiheit und politische Öffentlichkeit,* Neuwied u. Berlin 1966; Ute Radlik: *Heine in der Zensur der Restaurationsepoche,* in: *Zur Literatur der Restaurationsepoche 1815–1848,* hrsg. von Jost Hermand und Manfred Windfuhr, Stuttgart 1970, 460–489; Hanns-Peter Reisner: *Literatur unter der Zensur,* Stuttgart 1975, 28–50, 71 ff. u. 106 ff.; Edda Ziegler: *Julius Campe – Der Verleger Heinrich Heines,* Hamburg 1976 (= Heine-Studien), 22–49, 209–221 u. 264–272; Walter Hömberg: *Zeitgeist und Ideenschmuggel,* Stuttgart 1975, 32 f.; Peter Stein: *Vormärz,* in: *Deutsche Literaturgeschichte,* Wolfgang Beutin u. a., Stuttgart 1979, 159–202 (dort 162 ff.); Edda Ziegler: *Literarische Zensur in Deutschland 1819–1848. Materialien, Kommentare,* München 1983;
– zum geschichtlichen Kontext: Karl-Georg Faber: *Deutsche Geschichte im 19. Jahrhundert,* Wiesbaden 1979, 87 ff. (Handbuch der Deutschen Geschichte, Bd. 3/I, 2. Teil).

Ideenkampf und »pacifike Mission«

Der Vormärz war eine Zeit zahlreicher weltanschaulicher Richtungs- und Meinungskämpfe, die mit Glaubenseifer geführt wurden und nicht allein die gelehrte Welt erfaßten. Sie entstanden, als die Interessenkonflikte zwischen den restaurativen Kräften des Feudalsystems und den emanzipatorischen Kräften der bürgerlichen Ordnung in ein schärferes Stadium traten. Diese publizistischen Debatten haben die Entstehung einer politischen Öffentlichkeit entscheidend gefördert, in der sich das liberale Bürgertum mit seinen Anhängern erst

Klarheit über seine historische Aufgabe verschaffen konnte. Gleichzeitig lieferten sie, als Tribunal der Anklage gegen die feudal-bürokratische Ordnung, die notwendigen Hebel, mit denen man das überkommene System beseitigen zu können glaubte. Schließlich haben die Kämpfe zur Spaltung der anti-feudalen Bewegung geführt, aus der dann das fünfteilige deutsche Parteiensystem hervorgegangen ist, das, wie die Geschichtsschreibung betont, bis zum Ende des Ersten Weltkriegs die politische Geschichte Deutschlands im wesentlichen bestimmen sollte (Faber). Die für die deutsche Entwicklung typischen weltanschaulich-doktrinären Voraussetzungen dazu boten seit etwa 1835 der Konservatismus, der Liberalismus, der politische Katholizismus, der demokratische Radikalismus und der Sozialismus, wobei die beiden letzteren sich als revolutionär verstanden.

Das Gebot der Stunde lautete im Vormärz deshalb nicht Versöhnung, sondern Kampf, nicht Frieden, sondern Krieg, und der Frieden, den man auch meinte, den Heine meinte, mußte auf einer neuen Grundlage gesucht werden. Das notwendige Podium dazu bildete die Presse: In diesen Tendenzkämpfen fiel dem Zeitschriftsteller, der sein öffentliches »Sprechamt« ausüben wollte, eine Schlüsselrolle zu. Für den Tribun und Propheten Heine bedeutete das, wie er es 1832 sah, Eingreifen auf Seiten der »Partei« der »Demokratie« im Kampf gegen die »Partei« der »Aristokratie« (Vorreden zu *Französische Zustände,* B 9, 10 f.).

Heine hat sehr früh die große Aufgabe erkannt, die den publizistischen Kämpfen unter den Bedingungen des Vormärz zugefallen war. Der von Judenverfolgungen Betroffene teilte bereits 1822 mit: »die Presse ist eine Waffe« (Werner I, 59; vgl. dazu aus der Sicht Börnes: Labuhn, 128 ff.). Die eminent strategische Bedeutung der Presse hat dann der Redakteur der »Neuen allgemeinen politischen Annalen« sechs Jahre später voll erfaßt und ins Bild gesetzt, als er ein Organ für die »liberale Gesinnung« mit der bekannten Erklärung erhalten wollte: »Es ist die Zeit des Ideenkampfes, und Journale sind unsre Festungen« (Brief an Kolb vom 11. November 1828). Von diesen Bastionen aus hat Heine in strenger militärischer Pflichtauffassung und -erfüllung seinen Lebenskampf gekämpft – als »braver Soldat« in den 20er und schließlich, in den 50er Jahren, als »Verlorner Posten in dem Freiheitskriege«, schwer verwundet, aber »unbesiegt« (*Reisebilder* III, B 3, 382 und *Romanzero,* B 11, 120). Von denselben Bastionen aus hat er, als der ›Krieg‹

nach 1830 in eine neue Phase trat und alle Lebens-
bereiche erfaßte, seine Kriegserklärungen gegeben, zu Waffengängen aufgerufen und die Trommel zum Aufruhr geschlagen. Auf diesen Bastionen ist er selber mit dem Schwert in der Hand
vorangeschritten, als die Kunde vom großen französischen Sieg nach Deutschland hinübertönte,
und hat auf seine Fahne geschrieben: »Ich bin der
Sohn der Revolution und greife wieder zu den ge-
feiten Waffen« (*Ludwig Börne*, B 7, 53).

Neben der *militärischen* Mission haben Schriftsteller nach Heines Ansicht, die auf das Beispiel
der französischen Philosophen des 18. Jahrhunderts zurückgeht, eine entscheidende Rolle gerade
in der Vorbereitung der Revolution zu spielen, indem sie die notwendige Aufklärung und Erziehung
des Volkes fördern. Die Mittel der *pädagogischen*
Mission mußte nun ein allgemein verständlicher,
populärer, witziger Angriffsstil liefern. Mit der
»Waffe der Kritik« hat Heine in den 30er und 40er
Jahren Wesentliches zur Aufklärung über die kulturelle und politische Vergangenheit und Gegenwart Deutschlands geleistet, ohne zu vergessen,
daß die politische Zukunft nicht auf die »Kritik der
Waffen« verzichten konnte (vgl. Karl Marx, *Zur
Kritik der Hegelschen Rechtsphilosophie. Einleitung*, 1844).

Heines »Ideenkampf« fordert im zurückgebliebenen Deutschland die Einlösung der Ideale von
Aufklärung und Französischer Revolution: Freiheit und Gleichheit, Menschen- und Völkerrechte,
Demokratie und Kosmopolitismus. Seine staats-
theoretischen Vorstellungen laufen in den *Reisebildern* auf eine konstitutionelle, bürgerliche Monarchie hinaus, die auf Volkssouveränität beruht und
nach demokratischen Prinzipien aufgebaut werden
soll (B 3, 520, 600 u. 604; vgl. *Zustände*, B 5, 237 f.).
Die Frankreich-Berichte postulieren den Sieg des
»demokratischen Prinzips«, das die Frage der
Staatsform offen läßt, als vorrangiges Ziel (B 5,
207 f.; vgl. dazu Rotteck und Artikel *Demokratie*,
Abschnitt V u. VI, der *Grundbegriffe*). Die Frage
der Staatsform steht außerden in Heines Ideen
grundsätzlich an Bedeutung hinter der sozialen
Frage zurück. Damit lassen sich seine politischen
Vorstellungen insgesamt nicht eindeutig mit einer
der Hauptströmungen der Zeit identifizieren; sie
können nicht in das fünfgliedrige Parteienschema
eingepaßt werden. Ihre Eigenständigkeit, die wiederholt zu diskutieren sein wird, macht eine der
größten Schwierigkeiten in der deshalb bis heute
kontroversen Beurteilung aus, weil sie nahezu

zwangsläufig Mißverständnissen ausgesetzt ist (vgl.
Mende 1968, 200 ff. und 1983).

Die pro-französische Parteinahme führt konsequent zu einer permanenten kritischen Konfrontation der ungleichen Verhältnisse Deutschlands und
Frankreichs, so daß sich das Eintreten für den Sieg
des »demokratischen Prinzips« über jeden nationalstaatlichen Rahmen zu einem wahrhaft europäischen Engagement geweitet hat. Auch hier hat sich
Heines Denken früh ausgeprägt, denn bereits in
den 20er Jahren denkt er europäisch, z. B. an ein
»europäisches Buch« (Briefe an die Freunde Varnhagen v. Ense und Merckel vom 24. Oktober und
16. November 1826). In den 30er Jahren kämpft er
dann ausdrücklich für »die Sache der europäischen
Freiheit« (B 9, 65; vgl. Brief an Gutzkow vom
23. August 1838). In den 50er Jahren wendet sich
schließlich die französische Werkausgabe an ein
europäisches Publikum. Diese Dimension in Heines Werk hat wohl zuerst Friedrich Nietzsche erkannt, der Heine, neben Goethe, Hegel und Scho-
penhauer, als einen »für Europa *mitzählenden*
Geist« ansah (*Götzen-Dämmerung*, 1888, »Was
den Deutschen abgeht«, Nr. 4). In dieselbe Richtung zielt die Äußerung Heinrich Manns, nach der
Heine als »vorweggenommener Ausdruck und Typ
des deutschen Europäers« gilt (*Ausgewählte Werke
in Einzelausgaben*, hrsg. von Alfred Kantorowicz,
Bd. XI, Berlin 1954; *Essays, Erster Band*, 461).

Wenn Heine allseitig in europäische Verhältnisse eingegriffen hat (u. a. in England, Italien und
Polen), so galt sein Einsatz hauptsächlich dem
deutsch-französischen Ausgleich, dem seine
Frankreich- und Deutschlandschriften gewidmet
waren. Hat er einerseits unaufhörlich Krieg erklärt: »Krieg den Palästen!«, so hat er andererseits
unaufhörlich Frieden gepredigt, nämlich: »Friede
den Hütten!« (Die Losung aus Georg Büchners
Der Hessische Landbote, 1834, findet sich in anderer Weise in den Helgoland-Briefen der Börne-
Schrift, B 7, 53). Ganz in diesem Sinne definierte
Heine 1833, als er den Deutschen französische Zustände und den Franzosen deutsche Philosophie
und Poesie als Lehr- und Lernstoff nahezubringen
versuchte, seine Aufgabe mit den berühmten Worten: »dieses ist meine jetzige Lebensaufgabe, und
ich habe vielleicht überhaupt die pacifike Mission,
die Völker einander näher zu bringen« (Brief an
einen Freund von April 1833, während der Arbeit
an der *Romantischen Schule*). Der Friede, der hier
gemeint ist, zielt auf die Heilige Allianz der Völker,
im scharfen Gegensatz zu derjenigen der Monar-

chen, ab; die Mission will das »große Völkerbündnis« (wie es die _Vorrede_ zu den _Zuständen_ formuliert, B 5, 91) und nicht das Fürstenbündnis; sie will
Frieden für die Hütten der einen und Krieg gegen
die Paläste der andern. Zur Taktik des Kampfes
gehört deshalb die »Zerstörung der nationalen
Vorurtheile«, das »Vernichten der patriotischen
Engsinnigkeit« (so der erwähnte Brief), die bisher
nur den kriegerischen Volksverhetzungen im aristokratischen Interesse gedient haben. Das in _De la
France_ und _De l'Allemagne_ in revolutionärem
Geist entwickelte Programm einer französisch-
deutschen Synthese grenzt antithetisch Weltbürgertum und Humanität von Nationalismus und
Fremdenhaß ab, was identisch mit Franzosenhaß
war. Die »pacifike Mission« bedeutet deshalb
zwangsläufig permanenten Kreuzzug gegen den
aufkommenden deutschen Nationalismus und
Chauvinismus, den Heine in seinem ganzen Werk
entschieden bekämpft hat. Hier liegt schließlich
auch der Grund zu der äußerst scharfen, lebenslangen Auseinandersetzung mit denjenigen deutschen
Dichtern und Denkern, die statt der Emanzipation
des Volkes die Stärkung der Paläste gefordert haben (S. 26 f.). Die kosmopolitische Mission schließt
nun in Heines Denken Patriotismus keineswegs
aus, zieht sie doch eine klare Trennlinie zwischen
falschem und echtem Patriotismus. Deshalb
braucht der Dichter des _Wintermärchens_ seinen Patriotismus, weil er ein revolutionärer ist, nicht zu
verbergen. Ja, er konnte sogar, als die von ihm
angestrebte Vermittlung zwischen revolutionärer
französischer Politik und revolutionärer _deutscher_
Philosophie im Sozialismus und Kommunismus der
40er Jahre Gestalt anzunehmen begann, von einer
»Sendung und Universalherrschaft Deutschlands«
träumen, weil er nicht von einem servilen und er-
oberungssüchtigen, sondern von einem befreiten
Deutschland träumte (B 7, 575). Zu Recht konnte
er schließlich in seinem Testament die demokratische »entente cordiale entre l'Allemagne et la
France« die (zweite) »grande affaire« seines Lebens nennen (B 11, 542; vgl. B 11, 468). Welcher
andere Schriftsteller seiner Zeit hätte denn von sich
behaupten können: »Je crois avoir bien mérité autant de mes compatriotes que des Français«?

Militante Bekenntnisse und militärische Metaphorik bzw. Symbolik bekräftigen Heines Glauben
an die Kraft des öffentlichen Wortes (»Mein
Schwert ist meine Feder«, schrieb er am 6. Februar
1846 an Campe), und er hat an diesem Glauben
nicht gezweifelt. Dennoch dürfen die Bekenntnisse

nicht ganz vergessen lassen, daß aufgrund von Zensur und Repression der Ideenkampf im Vormärz
allgemein ein Ersatzkampf und der publizistische
Krieg im wesentlichen ein Stellvertreterkrieg bleiben mußten. Angesichts der staatlich kontrollierten Öffentlichkeit und der lange politisch ohnmächtigen, liberalen Bewegung waren allzu politische Angriffe tabuisiert, mit der Konsequenz, daß
die philosophisch-ästhetisch-religiöse Kritik politi-
siert wurde. Diesen für den ganzen Vormärz typischen Vorgang hat die Literaturwissenschaft eine
»Verschiebung von der politischen zur ideologischen Auseinandersetzung« genannt (Stein, 31 u.
55). Heines Kritik der »deutschen Literaturmisere«
(s. u.) hat diesen Vorgang offensichtlich bereits erfaßt (_Nordsee III_, B 3, 241). Die Ersatzfunktion
wird in der _Romantischen Schule_ im Hinblick auf
die Auswirkungen der Zensur sogar klar herausgestellt, wenn es heißt, daß das unfreie Deutschland
»fast gar keine räsonierenden politischen Journale«
besitzt, aber gesegnet ist »mit einer Unzahl ästhetischer Blätter« (B 5, 423). Gleichzeitig ist es Heine
jedoch gelungen, und das hat seine politische Wirksamkeit ausgemacht, diese Ersatzfunktion zu
durchbrechen, indem er in seiner Schreibweise
»Ersatz« und »Ersetztes« signalisierte und auf diese
Weise dazu beitragen konnte, die Entpolitisierung
der literarischen Öffentlichkeit rückgängig zu machen. Die staatlichen Abwehrmaßnahmen haben
die Gefahr, die ihnen durch den ›verbrecherischen‹
Stil drohte, nur noch einmal bestätigt.

Lit.: Zum politischen Denken der Zeit: Carl von Rotteck: _Das
demokratische Prinzip_, in: _Staats-Lexikon oder Enzyklopädie
der Staatswissenschaften_, hrsg. von C. v. Rotteck und C. [Th.]
Welcker, Bd. 4, Altona o. J. [1836, 1837], 252–263 [Neudruck:
Lothar Gall/Rainer Koch (Hrsg.): _Der europäische Liberalismus im 19. Jahrhundert. Texte zu seiner Entwicklung_, Frankfurt a. M. etc. 1981, 2. Bd., 145–157] [dort weitere Dokumente
zum Thema »Liberalismus und Demokratie«]; _Geschichtliche
Grundbegriffe_, hrsg. von Otto Brunner, Werner Conze, Reinhart Koselleck, Stuttgart 1972 ff., Art.: Demokratie V, VI;
Freiheit VII; Liberalismus V, VI, VII; Monarchie V; _Restau-
ration und Frühliberalismus 1814–1840_, hrsg. von Hartwig
Brandt, Darmstadt 1979 (Quellen zum politischen Denken
der Deutschen im 19. und 20. Jahrhundert Bd. 3); Karl-Georg
Faber: _Deutsche Geschichte im 19. Jahrhundert_, Wiesbaden
1979 (Handbuch der Deutschen Geschichte, Bd. 3/I, 2. Teil),
155 ff., 164 ff.; Thomas Nipperdey: _Deutsche Geschichte
1800–1866_, München 1983, 286 ff.
– Frankreich, Deutschland und Heine: Henri Roger Pau-
cker: _Heinrich Heine. Mensch und Dichter zwischen Deutschland und Frankreich_, Bern 1970, 60–84; Hans Wolffheim: _Hei-
ne und das deutsch-französische Verhältnis_, in: Text + Kritik
18/19: _Heinrich Heine_, München 1971, 14–30; Raymond Poi-
devin/Jacques Bariéty: _Frankreich und Deutschland. Die Geschichte ihrer Beziehungen 1815–1975_, München 1982, 29 ff.,

44 ff.; Lucienne Netter: *Heine et les Français. Histoire d'une amitié,* in: Recherches Germaniques 15, 1985, S. 63–86.
– Fritz Mende: *Heinrich Heine und die Folgen der Julirevolution (1968),* in: ders.: *Heinrich Heine. Studien zu seinem Leben und Werk,* Berlin (Ost) 1983, 44 ff.; Heinz Hengst: *Idee und Ideologieverdacht,* München 1973, 85 ff.: Zur Gesellschaftlichen Entwicklung Frankreichs; Peter Stein: *Epochenproblem »Vormärz« (1815–1848),* Stuttgart 1974; Benno von Wiese: *Goethe und Heine als Europäer (1975),* in: ders.: *Signaturen,* Berlin 1976, 196–220; Wolfgang Labuhn: *Literatur und Öffentlichkeit im Vormärz: Das Beispiel Ludwig Börne,* Königstein/Ts. 1980, 128 ff.; Wolfgang Koßek: *Begriff und Bild der Revolution bei Heinrich Heine,* Frankfurt a. M. 1982; Fritz Mende: *Heinrich Heines antijakobinisches Demokratieverständnis,* in: Weimarer Beiträge 29, 1983/I, 115–139; Su-Yong Kim: *Heinrich Heines soziale Begriffe,* Hamburg 1984 (= Heine-Studien).

Die deutsche Misere und der ›Verrat‹ der Intelligenz

An der politischen Stagnation im Vormärz entzündete sich eine Deutschland-Kritik, deren Schärfe angesichts der deutschen Geschichte im 20. Jahrhundert nichts an ihrer Berechtigung verloren hat. In dieselbe Kerbe schlugen zum Beispiel Heinrich Mann (*Der Untertan,* 1916), George Grosz mit seinen Bildbänden (*Das Gesicht der herrschenden Klasse,* 1921, und *Spießer-Spiegel,* 1924), Kurt Tucholsky und John Heartfield (*Deutschland, Deutschland über alles,* 1929), Bertolt Brecht (*Furcht und Elend des Dritten Reiches,* 1938) und zuletzt Wolf Biermann (*Deutschland. Ein Wintermärchen,* 1972) (Hermand, 239 ff.). Die liberale und sozialistische Opposition des Vormärz nahm als erste die »deutsche Misère« aufs Korn, die alles Leben lähmend durchzog. Ihr Protest machte sich in »Michelliedern« Luft – in satirischen Anklagen oder in ironischen Lobliedern auf den schlafmützigen, knechtseeligen deutschen Untertan, den fürstentreuen, frommen und so gemütlichen. Das Unbehagen an den deutschen Zuständen beruhte auf der Erfahrung der zeitlichen Verschiedenheit, mit der sich moderne, kapitalistische Verhältnisse in Westeuropa durchsetzten. Deshalb richtete sich die Kritik gegen die politische Ohnmacht und Passivität des nur wirtschaftlich erstarkten deutschen Bürgertums, das als Zaungast der Geschichte für die ›Ungleichzeitigkeit‹ von feudaler Herrschaftsstruktur und modernen Wirtschafts- und Lebensformen verantwortlich war. – Die jüngste Sozialgeschichte leitet die folgenschwere deutsche Zurückgebliebenheit aus der gegenüber England, Belgien und Frankreich um Jahrzehnte verspäteten Modernisierung des ökonomisch zersplitterten, partikularistischen Deutschlands ab. Als Hauptursache gilt, daß sich die ökonomische Befreiung von den feudalen Fesseln nicht durch ein politisch revolutionäres Bürgertum vollzog, sondern daß umgekehrt erst durch die kapitalistische Entwicklung, die von außen (durch französische Fremdherrschaft) und von oben (durch preußische Reformen) ausgelöst worden war, der für die verspätete Revolution notwendige politische Druck entstand.

Der Begriff »deutsche Misère« findet sich in den Schriften von Marx und Engels aus dem Jahre 1845, in denen er »in auffälliger Ähnlichkeit« mit den Heineschen Absichten verwendet wird (Hermand). 1847 gibt Engels bei seiner Analyse der ausweglosen Lage, in der sich deutsche Poeten befinden, eine Definition der »deutschen Misère«, die eine der besten ist: »Einerseits ist es ihm [einem deutschen Poeten] in der deutschen Gesellschaft unmöglich, revolutionär aufzutreten, weil die revolutionären Elemente selbst noch zu unentwickelt sind, andererseits wirkt die ihn von allen Seiten umgebende chronische Misère zu erschlaffend, als daß er sich darüber erheben, sich frei zu ihr verhalten und sie verspotten könnte, ohne selbst wieder in sie zurückzufallen. Einstweilen kann man allen deutschen Poeten, die noch einiges Talent haben, nichts raten, als auszuwandern in zivilisierte Länder« (*Deutscher Sozialismus in Versen und Prosa,* in: MEW 4, 222). Bereits 1832, von seinem zivilisierten Exil aus, hat Heine, der schon in der *Nordsee III* die »deutsche Literaturmisere« angegriffen hatte (B 3, 241), im Vergleich mit dem fortschrittlichen Frankreich ausdrücklich auf »unsere heimische Misère« (in französischer Schreibweise) hingedeutet (B 9, 11). Gut ein Jahrzehnt später, während seines Umgangs mit Marx, sollte er seine poetisch schärfste Abrechnung mit der »deutschen Misère« vornehmen: Es blieb bezeichnenderweise der jüngsten Gegenwart vorbehalten, die klassische Aktualität des *Wintermärchens* zu entdecken, in dem der deutsche Chauvinismus ziemlich genau ein Jahrhundert lang nichts als Nestbeschmutzung gesehen hatte.

Heine kritisiert die »deutsche Misère«, die sich nicht nur auf Politik und Gesellschaft, sondern auch auf Literatur und Philosophie erstreckt, im Lichte der Modernität Englands und Frankreichs, vor allem Frankreichs, das die Stellung des Adels und der Kirche mit einem Schlag gebrochen hat. In den 20er Jahren werden gegen die »deutsche Literaturmisere« noch beide Modelle verwendet, um die Bedeutungslosigkeit des deutschen »Bagatell-Lebens« zu verdeutlichen, das eben nur eine »Bagatell-Literatur« hervorzubringen vermag (B 3, 240). Als Gründe für diesen Zustand gelten einmal die Kleinstaaterei, die »blutende Zerrissenheit« des Vaterlandes, zum anderen die Entpolitisierung der Öffentlichkeit nach 1819. Im Vergleich mit englischen Zeitungen findet man in deutschen Blättern »nichts als literarische Fraubasereien und Theatergeklätsche«, »Bücherrennen« statt »Pferderennen«, »die löschpapiernen, sächsischen Literaturzeitungen« statt »öffentliche Assisen« (B 4, 802 f.).

Aber die politische Verantwortung für den Anachronismus der deutschen Zustände trägt voll und ganz die Herrschaft von Adel und Klerus. Ein Vergleich mit dem französischen Modell bringt die deutsche Zurückgebliebenheit historisch auf den Begriff: Das Deutschland der 20er und 30er Jahre befindet sich nach Heines Auffassung dort, wo sich das vorrevolutionäre Frankreich im 18. Jahrhundert befand, und wie Frankreich vor 1789 die Herrschaft von Adel und Kirche kritisch aushöhlte, muß jetzt in Deutschland im Kampf gegen den gleichen Gegner eine »Periode der Verneinung« beginnen (B 3, 677 u. B 4, 956). Dieser Gedankengang liegt der Religions- und Herrschaftskritik in den *Reisebildern* und in den Deutschland-Schriften zugrunde. So fordert z. B. die Philosophie-Schrift aufgrund der unterentwickelten deutschen Verhältnisse, »die Macht der Religion« »zu neutralisieren« (B 5, 515). Daran konnte Marx 10 Jahre später anknüpfen, als er schrieb: »Wenn ich die deutschen Zustände von 1843 verneine, stehe ich, nach französischer Zeitrechnung, kaum im Jahre 1789, noch weniger im Brennpunkt der Gegenwart« (*Zur Kritik der Hegelschen Rechtsphilosophie. Einleitung,* 1844, MEW 1, 379). – Auf der Höhe der Gegenwart steht jedoch nach Heines originaler Einsicht die deutsche Philosophie, die parallel zur Französischen eine »geistige Revolution« vollzogen hat, deren praktische Verwirklichung jetzt auf der Tagesordnung steht (B 5, 590). Auch diese These konnte Marx im selben Text aufgreifen und erklären: »wir Deutsche [haben] unsre Nachgeschichte im Gedanken erlebt, in der *Philosophie.* Wir sind *philosophische* Zeitgenossen der Gegenwart, ohne ihre *historischen* Zeitgenossen zu sein« (MEW 1, 383). – Heines These, nach der den deutschen Philosophen eine »geistige Revolution« und den deutschen Schriftstellern eine kosmopolitische »Mission« zugefallen ist, bildet die Grundlage, auf der sein Pro-

sa- und Lyrikwerk immer wieder das angeprangert hat, was das Handbuch ›Verrat der deutschen Intellektuellen‹ nennt und an den entsprechenden Schriften näher zur Diskussion stellt. Wenn das 20. Jahrhundert die Verantwortung und, als deren Kehrseite, *La trahison des clercs* (so Julien Benda 1927), zu einem grundlegenden Problem gemacht hat; wenn weiter *Der Verrat im 20. Jahrhundert* (Margret Boveri, 1956 ff.) zu einem unumgänglichen Konfliktstoff geworden ist, der sich in der jüngsten Gegenwart wieder auffallend belebt hat, dann sollte man nicht vergessen, daß Heines lebenslange Auseinandersetzung mit der Gesinnung der deutschen Intellektuellen seiner Zeit einen wesentlichen Beitrag zur Vorgeschichte dieses Phänomens geliefert hat. Heine denunziert die Haltung der deutschen Schriftsteller in einer Epoche, die allgemein von Betrug, Verrat und Abfall geprägt ist; seine Kritik geht von den Machthabern, die das Volk täuschen, zu denen über, die sich ihnen zur Verfügung stellen. Heines einzigartige Stellung ergibt sich daraus, daß er den Betrug als Machtmittel sowohl des *Ancien* régime wie der *neuen* Staatsordnung erlebt und aufgedeckt hat: Der preußische König hat für ihn das deutsche Volk mit seinem Verfassungsversprechen sträflich betrogen; Napoleon hat am 18. Brumaire die Freiheit verraten; Zar Nikolaus hat seine früheren liberalen Prinzipien aufgegeben und – das ist wesentlich – Bürgerkönig Ludwig Philipp ist von den modernen Prinzipien abgefallen, denen er seinen Thron verdankt (was jeweils die *Vorrede* zu den *Französischen Zuständen, Reisebilder* III, *Einleitung* zu *Kahldorf* und *Zustände* angeprangert haben).

Heine hat Verrat und Verräter bloßgestellt, wo er sie getroffen hat, aber den schwerwiegendsten Verrat haben nach seiner Überzeugung die deutschen Dichter und Schriftsteller begangen, die sich in den sogenannten »Freiheitskriegen« nicht gegen die deutschen Fürsten, sondern gegen Napoleon engagierten, so als wenn Freiheit und Einheit ohne Befreiung von den feudalen Machthabern möglich gewesen wären. Für den Kritiker der deutschen Misère bedeutet der Sieg über Frankreich eine folgenschwere Niederlage Deutschlands, denn auf Leipzig und Waterloo folgten Wien und Karlsbad. Die Schärfe, mit der Heine den ›Sündenfall‹ der deutschen Intelligentsia gegeißelt hat, erklärt sich näher aus seiner Ansicht, nach der die Schriftsteller zugleich Ursache und Symptom der »deutschen Misère« sind. Zu den designierten Opfern der Kritik gehören nun nicht allein die deutschen Romantiker und deren Schule nahestehende nationalistische Dichter, die immer wieder angeklagt werden, 1813/15 die fortschrittlichen Ideale ihrer humanistischen Vorgänger verraten zu haben, sondern auch Gelehrte wie die Historiker Ranke und Raumer, die sich von reaktionären Regierungen zu propagandistischen Zwecken benutzen ließen (*Romantische Schule, Kahldorf*-Einleitung, *Vorrede* und *Zustände,* Art. IX). Opfer sind auch Philosophen, die wie Schelling und Hegel trotz ihrer bahnbrechenden Leistungen in den Dienst der offenen bzw. der versteckten Restauration getreten sind. In die Schußlinie geraten nach 1830 weiter jene »Lohnlakaien«, die erneut den aristokratischen, und nach 1840 jene Dichter, die den nationalistischen Interessen zur Verfügung standen, allesamt Beispiele der deutschen Servilität und der deutschen Ideologie, d. h. dessen, was Heine den »Nationalservilismus« genannt hat (Brief an Varnhagen vom 4. Februar 1830).

Die Auseinandersetzung beschränkt sich jedoch nicht allein auf Polemik, sie leistet auch einen typologischen Beitrag zur Verratssymptomatik. Heine, der nach seiner Taufe in den typisch selbstquälerischen Konflikt eines Konvertiten geraten war, hat die Figur des »Renegaten« oder »Abtrünnigen« aus dem persönlich-religiösen Kontext herausgelöst und in einen allgemein politischen gestellt. Sein wohl bekanntester Beitrag ist aus der Konfrontation mit einem Liberalen, der die Fronten gewechselt hat, hervorgegangen und den er als »Denunzianten« brandmarken sollte. Aber – auch das gehört zu den typischen Phänomenen der Zeit – er war nicht nur der Ankläger, sondern auch der Angeklagte, der diese Polemik am eigenen Leibe erfahren mußte: In den 30er Jahren wurde auch ihm immer wieder vorgeworfen, ein »Abtrünniger« und Verräter zu sein, so daß er sich ununterbrochen zu Rechtfertigungen gezwungen sah und seinen Verfolgern schließlich eine seiner größten Prosaschriften ›gewidmet‹ hat.

Alle Schärfe dieser beispielhaften Kritik der »deutschen Misère« vermag letztlich doch nicht Leiden und Sympathie zu verbergen, denn Heine weiß, daß er selber ein Teil dieser Misère ist. »Deutschland, das sind wir selber«, schreibt er 1833, krank vor Mitgefühl angesichts des Elends deutscher Auswanderer in Frankreich (B 5, 15). Seine vielgeschmähte Frankophilie kann seine unheilbare, »große Vorliebe für Deutschland«, die in seinem Herzen »grassirt«, nicht tilgen (Brief an Julius Campe vom 29. Dezember 1843). Seine Va-

terlandsliebe steht schließlich dicht neben seinem Vaterlandshaß, wenn es denn einer war. Leidend gehaßt hat er die winterlich-erstarrte deutsche Gegenwart, nicht die ganz andere deutsche Zukunft. Sein Haß richtet sich gegen »das alte, offizielle Deutschland, das verschimmelte Philisterland« – was die Vorrede zur Philosophie-Schrift 1852 gesteht –, seine verborgene Liebe gilt »dem wirklichen Deutschland, dem großen, geheimnisvollen, sozusagen anonymen Deutschland des deutschen Volkes, des schlafenden Souveränen« (B 5, 508). Heine hat Deutschland so leidend geliebt, daß seine »heißen Tränen fließen«, wenn er in der Nacht an dieses Land denkt (*Neue Gedichte,* B 7, 432 f.).

»Leiden an Deutschland« (Thomas Mann) gehört seitdem zu den unleugbaren, konstanten und bitteren Erfahrungen deutscher Intellektueller, ob sie im ›äußeren‹ oder nur im ›inneren‹ Exil lebten, ob ihre Augen nächtens feucht wurden oder nicht. Seit Heine ist ›le mal allemand‹ eine offene Wunde.

Lit.: Paolo Chiarini: *Heine e le radici storiche della ›miseria tedesca‹,* in: Rivista di letterature moderne e comparate 11, 1958, 231–244 [geht vom Beispiel Luther aus]; Ulrich Geisler: *Die sozialen Anschauungen des revolutionären Demokraten Heinrich Heine,* in: Wissenschaftliche Zeitschrift der Karl-Marx-Universität Leipzig, 14. Jg., 1965, 7–15; Jost Hermand: *Heines »Wintermärchen« – Zum Topos der ›deutschen Misere‹,* in: Diskussion Deutsch, H. 35 1977, 234–249.

Der Außenseiter: Jude, Emigrant, Intellektueller

Heines Wirkungsgeschichte in Deutschland hat, als wenn es noch weiterer Beweise bedurft hätte, immer wieder seine Stellung als Außenseiter bestätigt. Bis in die jüngste Zeit wiederholte sich an seiner Person das Schicksal, das ihm die Gesellschaft der Restaurationszeit, mit dem ökonomisch sich entfaltenden, aber politisch noch unterdrückten Bürgertum an der Spitze, als Antwort auf seine kritische Haltung bereitet hat. Nach dem Scheitern seiner sozialen Integration mußte Heine erfahren, daß ihm die persönliche gesellschaftliche Anerkennung aus Gründen versagt geblieben war, die einerseits wesentlich mit seiner jüdischen Herkunft und andererseits mit seinem kritischen Intellekt zusammenhingen. Ohne die Möglichkeit, einen bürgerlichen Beruf ausüben zu können, und unter dem Zwang, sein kritisches Dichteramt als ›freier‹ Schriftsteller gegen die Marktgesetze verteidigen zu müssen, wurde er in der arbeitsteilig sich organisierenden bürgerlichen Gesellschaft in eine Außenseiterexistenz abgedrängt, die ihn, der nichts so sehr als ein großer deutscher Dichter sein wollte (*Geständnisse*, B 11, 498), das »malheur d'être poète«, wie es Franz Grillparzer genannt hat, in der Vormärz-Gesellschaft auf nahezu exemplarische Weise erleiden ließ. Soziale und politische Isolation, inneres und ›äußeres‹ Exil gehörten zu den bitteren Erfahrungen Heines; Denunziation und Diffamierung des frivolen Juden und frankophilen Intellektuellen sorgten immer wieder für Ausbürgerung – bis zur Auslöschung seines Namens nach 1933.

Diese Tendenz hat in jüngster Zeit durch die »Heimholung« Heines aus dem Exil einer grundsätzlichen Neubewertung seines Außenseitertums Platz gemacht: Sein Judentum und sein kritischer Geist gelten jetzt gerade als Maßstab seiner Aktualität und Modernität. Die Voraussetzung für seine nun bewunderte stilistische Brillanz hat Theodor W. Adorno 1956, allerdings in kritischer Absicht, in einem gerade herkunftbedingten Mangel an »heimatlicher Geborgenheit in der Sprache« erkannt (*Noten zur Literatur*, Frankfurt a.M. 1958, 148 f.). Das Pariser Exil bot als vorgeschobener Posten, so wurde jetzt bewußt, gleichsam die »institutionelle« Möglichkeit, die deutsche »Misère« von außen her, aus der notwendigen Distanz heraus, kritisieren sowie einen fortschrittlichen literaturpolitischen Kampf führen zu können (den biographischen und gesellschaftlichen Verlust der ›Heimat‹ reflektieren vor dem Exil bereits *Ideen. Das Buch Le Grand*, s. unten S. 183 »Lebensweg«). Denkt man nun heute an den Typus des kritischen Intellektuellen, wird man auch den Namen Heine nennen. Stellt man weiter die Frage nach seinem Platz in der Genealogie des modernen Intellektuellen, wird man vielleicht seinen Namen zuallererst nennen müssen. – Seine mehrfach begründete Außenseiterstellung hat die Voraussetzungen zu dieser Entwicklung geschaffen.

Ökonomisch zeichnet sich Heines Sonderstellung mit dem Scheitern seiner beruflichen Integration in den 20er Jahren ab (vgl. dazu Werner 1978). 1819 wird zunächst das Manufakturwarengeschäft »Harry Heine & Comp.«, das Salomon Heine seinem kaufmännisch ausgebildeten Neffen in Hamburg, als Filiale zum väterlichen Geschäft in Düsseldorf, eingerichtet hatte, aufgelöst. Vier Jahre später teilt dann der umgesattelte Jurastudent brieflich mit, daß er »auf das Advoziren hinziele«,

um sich, wie er nachdrücklich schreibt, »à tout prix« »eine feste und lükrative Stellung« zu verschaffen (an Moses Moser vom 6. November 1823). Aber die akademischen Voraussetzungen ermöglichen in der Folge weder eine Anstellung im Staatsdienst noch eine Advokatur in Hamburg (1825), ebensowenig eine philosophische Lehrtätigkeit in Berlin (1825) wie eine außerordentliche Professur in München, wo Heine 1828 eine zeitlang als Mitredakteur der »Neuen allgemeinen politischen Annalen« fest angestellt ist und ein sicheres Einkommen hat. Tiefe Depressionen und schwere Kränkungen gehören zu den unweigerlichen Begleiterscheinungen dieser vergeblichen Versuche. Die Verlagsbeziehungen zu Campe, die sich seit ihrem Beginn 1826 intensivieren, eröffnen allenfalls die Perspektive eines ›Feierabenddichters‹. 1830 läßt dann das fruchtlose Bemühen um eine städtische Anstellung als Syndikus in Hamburg den letzten Versuch um bürgerliche Integration scheitern. Ohne Aussicht auf »eine sichere Stellung« (bekräftigend fügt er hinzu: »*ohne solche kann ich ja doch nichts leisten*«) fällt der Entschluß, in der ganz unsicheren Stellung eines freien Berufsschriftstellers nach Paris zu gehen. Es ist bemerkenswert, daß Heine schon 1831 klar die Konsequenzen vor sich sieht, die da heißen: »Bruch mit den heimischen Machthabern«, und das sollte dann bald heißen: Bruch mit der Heimat (Brief an Varnhagen vom 4. Januar 1831).

Aus sozialer Sicht wurde Heines Außenseiterexistenz in der Restaurationsgesellschaft durch seine Stellung als Jude und durch seine Einstellung zum Judentum geprägt (Klaus Briegleb hat 1986 seine umfassende Deutung von Denk- und Schreibweise des exilierten Heine an der Leitfigur des ewigen Juden festgemacht). Schon in seiner Düsseldorfer Schulzeit muß der jugendliche Freigeist, der in seiner Kindheit jüdischen Religionsunterricht genossen hat (Rosenthal, 62 ff. und Kircher, 93 ff.), Anzüglichkeiten durch Kameraden hinnehmen. Der Bonner Student duelliert sich dann 1820 wahrscheinlich wegen einer antisemitischen Beleidigung – wenige Monate nach den judenfeindlichen Ausschreitungen vom Sommer und Herbst 1819, der sogenannten »Hep-Hep-Bewegung« (»Hep-Hep, Jud' verreck!«). Er lernt als Student den virulenten Antisemitismus deutschtümelnder Burschenschafter kennen und wird als Jude in Göttingen Ende 1820 unter dubiosem Vorwand aus der Burschenschaft wegen ihres »christlich-teutschen Charakters« ausgeschlossen. Bereits Mitte der 20er Jahre wird der Dichter, den, wie er Immermann in einem

Brief vom 10. Juni 1823 mitgeteilt hat, nichts so sehr verletzen konnte wie die Erklärung des Geistes seiner Dichtungen »aus der Geschichte des Verfassers«, mit Anspielungen auf seine jüdische Herkunft konfrontiert, z. B. in der Rezension seiner ersten Tragödie durch den Romanschriftsteller und Kritiker Willibald Alexis (Galley/Estermann I, 198). August Graf von Platens Denunziation des Juden Heine in seinem Lustspiel *Der romantische Oedipus* (1829) wird in den 30er Jahren notorisch, z. B. durch den ehemaligen liberalen Burschenschafter Wolfgang Menzel, um nur ihn zu nennen.

Diese Kritik trifft einen, der seine Stellung zum Judentum in seiner frühen und mittleren Zeit weniger religiös als emanzipatorisch verstand. Der in jüdischen Traditionen aufgewachsene, aber früh durch irreligiöse Spöttereien auffallende Heine, der 1815 die bedrückende Enge des Frankfurter Ghettos kennengelernt hat, nimmt eine kritischdistanzierte Haltung zur jüdischen Reformbewegung ein (Rosenthal, 105 ff.; Kircher, 46 ff. u. 112 ff.). Das eingetragene Mitglied des neu-israelitischen Tempelvereins in Hamburg gesteht später dem jüdischen Pädagogen Immanuel Wohlwill in einem Brief vom 7. April 1823: »Wir haben nicht mehr die Kraft einen Bart zu tragen, zu fasten, zu Hassen, und aus Haß zu dulden.« Die Arbeit an dem Romanprojekt *Der Rabbi von Bacherach,* die ca. ein Jahr später beginnt, läßt dagegen an der Hauptgestalt eher Sympathien für das konservative Rabbinertum erkennen. Als er den Brief an Wohlwill schreibt, ist Heine seit einem Dreivierteljahr Mitglied des 1819 unter dem Eindruck der Antisemitismus-Welle von jüdischen Intellektuellen begründeten »Vereins für Cultur und Wissenschaft der Juden« (zu den Gründern gehören u. a. der Rechtsgelehrte Hegelianer Eduard Gans, der Begründer der Wissenschaft vom Judentum, Leopold Zunz, sowie Heines engster Vertrauter und Sekretär des Vereins, Moses Moser; dazu Rosenthal, 118 ff. und Kircher, 54 ff. u. 106 ff.). Der Verein hatte sich zum Ziel gesetzt, den Juden durch Akkulturation, d. h. durch Hinführung ihrer »Bildung und Lebensbestimmung« »auf denjenigen Standpunkt, zu welchem die übrige europäische Welt gelangt ist«, die Assimilierung an die christlichdeutsche Gesellschaft zu erleichtern. Neben der Aufklärungsarbeit über Geschichte und Traditionen des Judentums trat der religiöse Aspekt zurück, den Heine nicht geteilt hat. Als aktives Mitglied wird Heine im August 1822 zum Vizesekretär des »Wissenschaftlichen Instituts« gewählt, wo er

sich um die Stiftung eines Frauenvereins bemüht (Sitzungsprotokolle gibt Werner I, 64 u. ff. verstreut), ist an der »Unterrichtsanstalt« in den Fächern Deutsch, Geschichte und Französisch pädagogisch tätig und plant einen Beitrag für die Zeitschrift des Vereins. Aber er versteht sich nicht als Wissenschaftler, sondern als Dichter, der im Kreise seiner Freunde seine spannungsvolle, ambivalente deutsch-jüdische Doppel-Identität entwickeln kann – ein unlöslicher Konflikt, zu dem Martin Walser bemerkt hat: »Aber zwei Identitäten, das ist weniger als eine« (Walser, 16). In religiösen Fragen bezeichnet sich Heine als »Indifferentist« (Brief an Moritz Embden vom 3. Mai 1823); was ihn aber jetzt und später nicht indifferent läßt und was jetzt und später den »großen Judenschmerz« des deutschen Dichters auslöst, das sind die politischen Verfolgungen der jüdischen Minderheit (Brief an Moser vom 18. Juni 1823). Seinem Freund gegenüber definiert er brieflich am 23. August 1823 das zentrale Anliegen seines sozialen Engagements damit, daß er »für die Rechte der Juden und ihre bürgerliche Gleichstellung enthusiastisch sein werde«. Dieser Einstellung ist er auch nach dem Scheitern des Vereins (1825 aufgelöst) und nach dem Abschwächen seiner kämpferischen Begeisterung für das Judentum, mit dem er sich 1824 bei der Arbeit am *Rabbi* in umfangreichem Chronikenstudium vertraut gemacht hat, treu geblieben. Die radikale Religionskritik der mittleren Jahre mindert keineswegs seine tiefe Betroffenheit angesichts der jüdischen Leidensgeschichte in christlicher Gesellschaft, die sich 1840 in der *Lutezia* und bei der Fertigstellung des *Rabbi* Ausdruck verschafft hat.

Aus praktischen Gesichtspunkten heraus ist Heine dennoch bereit, seine bürgerliche Integration um den Preis der Selbstverleugnung zu betreiben: 1825, drei Jahre nach der Rücknahme des Edikts, das den Juden 1812 das Recht auf Übernahme von Lehrämtern an preußischen Universitäten zugestanden hat, entschließt sich Heine, zum Protestantismus überzutreten und sich taufen zu lassen – ein Schritt, den er sehr bald bereuen sollte. Was als »Entréebillett zur europäischen Kultur« (B 11, 622) gelten konnte, bessert keineswegs seine Situation und läßt ihn seine Außenseiterstellung nur noch quälender bewußt werden: Im Sommer 1826 muß er einsehen, daß »der nie abzuwaschende Jude« seiner vollen Einbürgerung in Deutschland immer im Weg stehen wird (der Brief an Moser vom 8. Aug. wurde am 14. Okt. 1826 abgeschickt).

Die Maßnahmen, die die staatlichen Bürokratien zur Abwehr von Heines Werk und Person ergreifen, machen schließlich seine Sonderstellung aus politischer Sicht perfekt. Gewähren die neuen Marktbedingungen liberale Freiheiten bereits zum Preis tiefgehender Abhängigkeiten, so bedrohen die politischen Repressionen seine schriftstellerische Existenz wirklich direkt und lassen seine neue ›Vogelfreiheit‹ erst recht hervortreten. Heine, der sich schon als unbotmäßiger Student zweimal vor einem Universitätsgericht verantworten mußte (1819 in Bonn und 1820/21 in Göttingen, jeweils wegen verbotener Duelle) und der nach frühen Zensureingriffen 1827 das erste Buchverbot erlebt hat, wurde durch das Bundestagsverbot von 1835 in der ökonomischen Nutzung der grundsätzlich zugestandenen freien Ausübung seiner schriftstellerischen Fähigkeiten aufs schwerste gehindert. Diese Maßnahme hat er präzise als einen Anschlag auf sein ganz persönliches »Vermögen« aufgefaßt, »welches in der Exploitation meiner Schriften und meiner literarischen Tätigkeit besteht« (so in den *Erörterungen* vom April 1836, B 9, 24). Knapp zehn Jahre später bedrohten kollektive Maßnahmen der preußischen Regierung sogar seine persönliche Sicherheit: so 1844 die Anweisung des Innenministers, die Mitarbeiter der in Paris erscheinenden *Deutsch-Französischen Jahrbücher* beim Überschreiten der Grenze zu verhaften; so weiter die 1844/45 wiederholten Haftbefehle gegen die Mitarbeiter des »Vorwärts!« (die im Januar 1845 angeordnete Ausweisung hatte gegen Karl Marx Erfolg). Ebenfalls 1844 ordnete der preußische König gegen den Autor der *Neuen Gedichte* und des *Wintermärchens* persönlich die Verhaftung beim Überschreiten der Grenze an.

Geht man nun von Jean-Paul Sartres *Plaidoyer pour les intellectuels* aus, um Heines Außenseiterexistenz abschließend zu beurteilen, dann drängt sich eine chronologische Korrektur an der bekannten Genealogie des modernen Intellektuellen auf: Der radikale, emigrierte, jüdische Zeitschriftsteller und Dichter Heine muß nicht nur als Vorläufer, Vorbild oder Prototyp, sondern als der erste moderne Intellektuelle überhaupt angesehen werden. In Übereinstimmung mit der verbreiteten Ansicht bezeichnet Sartre 1965 den Protest Zolas gegen die Verurteilung des jüdischen Hauptmanns Alfred Dreyfus als die eigentliche Geburtsstunde des Intellektuellen (in diesem Zusammenhang taucht auch 1898 der Begriff »intellectuel« auf, s. dazu Bering). Historisch geht Sartre ausdrücklich nicht

auf die französischen Aufklärer des 18. Jahrhunderts zurück, denn er faßt »les ›philosophes‹« in Übereinstimmung mit Gramsci als »intellectuels *organiques*« des Bürgertums auf, so daß erst ihre »Enkel«, die die an die Macht gelangte Bourgeoisie nicht mehr als »universelle Klasse« ansehen, Intellektuelle werden konnten. Sartre, der den Begriff wesentlich mit »contestation permanente« verbindet, definiert den Intellektuellen nun folgendermaßen: »L'intellectuel est donc l'homme qui prend conscience de l'opposition, en lui et dans la société, entre la recherche de la vérité pratique (avec toutes les normes qu'elle implique) et l'idéologie dominante (avec son système de valeurs traditionnelles). [...] Produit de sociétés déchirées, l'intellectuel témoigne d'elles parce qu'il a intériorisé leur déchirure« (*Situations* VIII, 399 f.).

Dieser Widerspruch und dieser »Riß« (déchirure), von denen Sartre genealogisch ausgeht, traten jedoch spätestens 1830 offen zu Tage, als die französische Bourgeoisie ihre Macht mit Gewalt gegen den wachsenden Widerstand der unteren Klassen sichern mußte und in den Augen ihrer Kritiker nicht mehr als »universelle Klasse« angesehen wurde. Heine, der skeptische Sohn der Aufklärung und der begeisterte Anhänger des Saint-Simonismus, der »Zerrissene« und der Emigrant hat diese »déchirure« nicht nur in seinem Werk reflektiert und ästhetisch manifest gemacht, er hat sie auch, und in erster Linie, in seiner Außenseiterexistenz auf bedrückend exemplarische Weise erlitten. Jude in Deutschland, Deutscher in Frankreich, hat er die »Verinnerlichung« des Risses, von der Sartre spricht, durch den Bruch bzw. die Entfremdung von allen organischen Bindungen zur alten *und* neuen Gesellschaft ›bezahlen‹ müssen: zu seiner »Geldsack«-Familie, zu seiner Glaubensgemeinschaft, zur bürgerlichen Gesellschaft (Karriere), zum rückständigen Vaterland und (auch schon) zum bourgeoisen Gastland, bis hin zum Exil aus der deutschen Sprache. Hat er nicht 1840 in *Ludwig Börne* bitter geklagt: »Auch meine Gedanken sind exiliert, exiliert in eine fremde Sprache«? (B 7, 124).

Jürgen Habermas hat in seinem Essay über die Rolle, die Intellektuelle in Deutschland gespielt haben, Heine als »potentiellen Intellektuellen« und »Protointellektuellen« bezeichnet, weil ihn die kontrollierte öffentliche Meinung daran gehindert habe, eine spezifische Rolle auszuüben. Habermas geht von der allgemein akzeptierten genealogischen Auffassung aus und schreibt: »Heine kann noch kein Intellektueller im Sinne der Dreyfus-Partei sein, weil er von der politischen Meinungs-bildung in den deutschen Bundesstaaten auf dop-pelte Weise ferngehalten wird: physisch durch sein Exil und geistig durch die Zensur« (Habermas, 454). Im Unterschied dazu wird hier die These vertreten, daß ein Schriftsteller, der sowohl aufklä-rerisches wie frühsozialistisches Gedankengut trotz Exil und Zensur zu einem aufsehenerregenden »J'accuse« verbinden konnte, zur modernen Pro-test-Partei gehört. Ohne einen Ortswechsel vor-nehmen zu müssen, aber mit einer deutlichen chro-nologischen Verschiebung kann man deshalb Paris 1832 und nicht erst Paris 1898 als die eigentliche Geburtsstunde des modernen Intellektuellen anse-hen – mit der »contestation permanente« der alten deutschen und mit der radikalen Kritik der moder-nen französischen Gesellschaft, mit, kurz, der *Vor-rede* und den *Französischen Zuständen* als doku-mentarischem Akt.

Text: Jean-Paul Sartre: *Plaidoyer pour les intellectuels (1965),* in: *Situations VIII,* Paris 1972, 375–455.

Lit.: Zu Heines Judentum: Ludwig Rosenthal: *Heinrich Heine als Jude,* Frankfurt a.M. etc. 1973; Hartmut Kircher: *Heinrich Heine und das Judentum,* Bonn 1973; Martin Walser: *Heines Tränen. Essay,* Düsseldorf 1981 (u. HJb 1982); Jürgen Voigt: *Ritter, Harlekin und Henker. Der junge Heine als ro-mantischer Patriot und als Jude,* Frankfurt a.M. 1982; Michael Werner: *Heinrich Heine – Über die Interdependenz von jüdi-scher, deutscher und europäischer Identität in seinem Werk,* in: *Juden im Vormärz und in der Revolution von 1848,* hrsg. von Walter Grab und Julius H. Schoeps, Stuttgart-Bonn 1983, 9–28; Klaus Briegleb: *Opfer Heine? Versuche über Schriftzüge der Revolution,* Frankfurt a.M. 1986.

– zur Situation und Rolle des Intellektuellen Heine: Mi-chael Werner: *Genius und Geldsack. Zum Problem des Schriftstellerberufs bei Heinrich Heine,* Hamburg 1978 (= Hei-ne-Studien), S. 22–38; Peter Stein, *Vormärz,* in: *Deutsche Li-teraturgeschichte,* Wolfgang Beutin u. a., Stuttgart 1979, 159–202, bes. 169 ff.; Luciano Zagari/Paolo Chiarini (Hrsg.): *Zu Heinrich Heine,* Stuttgart 1981 (= LGW), 5–21 Einlei-tung; Jürgen Habermas: *Heinrich Heine und die Rolle des Intellektuellen in Deutschland,* in: Merkur Nr. 448, 6/1986, 453–468; Gerhard Höhn: *Heinrich Heine, premier intellectuel moderne,* in: Revue de Métaphysique et de Morale, 1987 im Erscheinen.

– allgemein: Art. »Intelligenz, Intelligentsia, Intellektu-eller«, in: *Historisches Wörterbuch der Philosophie,* hrsg. von Joachim Ritter und Karlfried Gründer, Basel 1976 und Darm-stadt, Bd. 4, Sp. 445 ff.; Dietz Bering: *Die Intellektuellen. Ge-schichte eines Schimpfwortes,* Stuttgart 1978.

– zur Biographie: Wolfgang Hädecke: *Heinrich Heine. Eine Biographie,* München 1985; Franz Futterknecht: *Hein-rich Heine. Ein Versuch,* Tübingen 1985.

Zweiter Teil: Das Werk

Ausgaben

Gut 130 Jahre nach Heines Tod liegt immer noch keine Gesamtausgabe seiner Werke vor, die aktuellen wissenschaftlichen Ansprüchen genügen würde. Die ca. 80 bisher erschienenen deutschen Gesamt- und größeren Auswahlausgaben sind schon allein deshalb unzulänglich, weil sie die Masse des inzwischen bekannten handschriftlichen Materials nicht verwerten konnten und dadurch nicht in der Lage waren, alle äußeren, mehrfach bedingten Texteingriffe rückgängig zu machen und alle vom Haupttext abweichenden Varianten zu erfassen. Bevor die beiden seit 1970 bzw. 1973 erscheinenden historisch-kritischen Ausgaben charakterisiert werden, soll ein Überblick über jene Ausgaben aus dem 19. und 20. Jahrhundert, die ihre Funktion gehabt haben, mit den Problemen der Heine-Edition bekannt machen. – Vorab sei auf die Fragen hingewiesen, mit denen jeder Herausgeber konfrontiert wird und deren Lösung über den Wert einer Ausgabe entscheidet: 1) die werkgerechte Gliederung; 2) die gesicherte Textfassung und 3) der Apparat; hinzu kommen noch die Editionsprobleme der Briefe, Lebenszeugnisse sowie der französischen Werke. Die Gliederung kann nach unterschiedlichen Modellen, die sich alle rechtfertigen lassen, vorgenommen werden (nach Gattungen und/oder chronologisch); Text und Apparat gehören zu den schwierigsten, immer (noch) umstrittenen Fragen; »Ideallösungen« wird es nicht geben.

Die Ausgaben des 19. und 20. Jahrhunderts

Trotz aller Bemühungen, die auf das Jahr 1837 zurückgehen, haben Zeitumstände und Campes jahrelanges Zögern das Erscheinen einer autorisierten Gesamtausgabe, zu der Heine im November 1846, Juni 1848 und März 1852 in Briefen nach Hamburg genaue Pläne aufgestellt hat (B 2, 624 ff.), zu Lebzeiten des Dichters verhindert (zwei unautorisierte Ausgaben erschienen in Amsterdam und Rotterdam 1854–1861 sowie in Philadelphia 1855). Zuerst hat Adolf Strodtmann in Heines Verlag Hoffmann und Campe eine rechtmäßige Originalausgabe in 21 Bänden herausgebracht (1861–1866; Bd.e 19–21 enthalten Briefe). 1869 und 1884 folgten zwei Supplementbände mit *Letz-*

ten Gedichten und Gedanken sowie *Memoiren.* Strodtmann hat sich nicht an Heines Pläne gehalten, die 1846 im wesentlichen eine chronologische Gliederung vorsahen, 1848 ebenfalls chronologisch vorgingen, aber Lyrik und Versepen auffallend an den Schluß stellten, was 1852 beibehalten wurde, während die chronologisch geordnete Prosa die Ausgabe eröffnen sollte. Die *Sämmtlichen Werke* gliedern thematisch, bringen zuerst die Prosa und dann die Versdichtungen. Der immer noch lesenswerte erste Heine-Biograph ging freizügig mit Heines Werkordnung und Titelgebung um (er schaffte neue Werkkomplexe mit fremden deutschen Titeln). Die Textfassungen, die heute verlorengegangene Handschriften verwerten konnten, beruhen auf z. T. unklaren Druckvorlagen. Dem willkürlichen Druck der »Gedanken und Einfälle« aus dem Nachlaß hat Erich Loewenthal mit einer eigenen Ausgabe (*Der Prosanachlaß von H. Heine,* 1925) abgeholfen. – Die kritische Werkausgabe in sieben Bänden *(Sämtliche Werke),* die Ernst Elster 1887–1890 beim Bibliographischen Institut Leipzig und Wien herausgegeben hat (Neudruck 1893), wird aufgrund der Textqualität noch heute benutzt. Elster hat seine Druckvorlagen genau verzeichnet. Die französischen Übersetzungen sind in den umfangreichen Varianten-Apparat eingefügt. Die Ausgabe stellt erstmals die ursprünglich von Heine verwendeten Sammeltitel wie *Salon* I–IV, die er selber in seinen Ausgabenplänen aufgelöst hatte, wieder zusammen (mit Ausnahme der Lyrikteile). In den beiden ersten Bänden bringt Elster die Versdichtung mit Nachlese. Die Ausgabe ist unvollständig. – Die von Oskar Walzel geleitete, ebenfalls unvollständige Werkausgabe, die zwischen 1910 und 1920 in zehn Bänden und mit einem heute noch hilfreichen Registerband im Insel-Verlag erschien, unterteilt auch in Werke mit gebundener und ungebundener Rede, geht aber dann chronologisch ohne weitere Unterscheidung zwischen Textsorten vor. Absicht war, »ein deutlicheres Bild seines [Heines] Werdens und Schaffens zu geben« *(Vorbemerkung).* Sammelbände wie *Der Salon* und *Vermischte Schriften* werden dadurch aufgelöst; andererseits kommt erstmals die Selbständigkeit der *Gedichte. 1853 und 1854* heraus. Der Text dieser Ausgabe, die, neben dem erwähnten Register, durch die Kommentare der einzelnen Bandbearbeiter wichtig geworden ist, gilt als verbesserungsfähig (sie hat sich aber durch die Respektierung von Heines Interpunktion verdient gemacht). Die *Sämtlichen Werke* in elf Bänden, die Fritz Strich 1925–30 bei Georg Müller, München, herausgab, haben dann auf Unterscheidungen nach Gattungen ganz verzichtet und verfahren nach rein chronologischen Gesichtspunkten, so daß z. B. *Reisebilder IV* zusammen mit dem *Buch der Lieder* in einem Band stehen. Strich druckt die Werke in ihrer ursprünglichen Form, Lyrik z. B. dadurch zweimal (in Sammelbänden und in Einzelausgaben).

Durch die nationalsozialistische Herrschaft wurde die Herausgebertätigkeit für lange Zeit unterbrochen. Erst 1956, auf dem internationalen Kolloquium anläßlich des 100. Todestages von Heine, zu dem die Nationalen Forschungs- und Gedenkstätten der klassischen deutschen Literatur eingeladen hatten, wurde in Weimar eine wissenschaftliche Herausgabe der Werke, die Säkularausgabe, beschlossen. Die Arbeit sollte gemeinsam von den Weimarer Forschungsstätten und dem Düsseldorfer Heine-Archiv, das neben anderen Handschriften die große Nachlaß-»Sammlung Strauß« zur Verfügung stellen konnte (die andere große »Sammlung Schocken« wurde 1967 vom französischen Staat für die Pariser Bibliothèque Nationale erworben), vorgenommen werden. Aber das Gemeinschaftsprojekt zerschlug sich. 1962 begann in Düsseldorf die Planung einer eigenen Ausgabe. In der DDR erschien 1961–1964 die erste relevante deutsche Ausgabe nach dem Krieg und die bis dahin vollständigste Heine-Ausgabe: die von Hans Kaufmann herausgegebenen *Werke und Briefe* in zehn Bänden (Aufbau-Verlag, Berlin; der Kindler-Verlag, München, druckte diese Ausgabe 1964 ohne Briefe vierzehnbändig in Taschenbuchform lizensiert nach). Der Text der kommentierten Ausgabe geht auf Oskar Walzels *Sämtliche Werke* zurück. – Zu dieser Druckvorlage hat sich auch Klaus Briegleb entschieden, der 1968–1976 im Münchener Hanser-Verlag in sieben Bänden die inzwischen weiter verbreiteten *Sämtlichen Schriften* herausgab (das Handbuch benutzt, wie erwähnt, die 1976 seitengleich gedruckten *Sämtlichen Schriften* in zwölf Bänden). Die Gliederung ließ sich, wie bei Strich, vom »Prinzip der Gesamtchronologie« und, im Anschluß an die französischen Werke, von der »natürlichen Zusammengehörigkeit der Texte« leiten (s. Vor- und Nachworte des Herausgebers, B 2, 619 ff. und B 12, 862 ff.). Lyrik und Prosa – jeder Qualität – werden gemischt ediert. Die Sammelbände sind aufgelöst.

Band I (im Handbuch B 1 und B 2) bringt die frühe Lyrik, die Tragödien, Aufsätze und Erzählprosa, die bis 1840 erschienen ist (so daß sich das chronologische Prinzip nicht strikt durchhalten ließ). Band II (hier B 3 und B 4), den Günter Häntzschel herausgegeben hat, umfaßt die *Reisebilder*-Prosa mit Aufsätzen aus ihrem Umkreis. Der von Karl Pörnbacher herausgegebene Band III (hier B 5 und B 6) druckt die Frankreich- und Deutschland-Schriften aus den frühen und mittleren 30er Jahren. Band IV (hier B 7 und B 8) enthält die *Börne*-Schrift, die Cervantes- und Shakespeare-Essays aus den späten 30er Jahren sowie die Versdichtung aus den frühen 40er Jahren, wie *Neue Gedichte*, *Atta Troll* und das *Wintermärchen*. Band V (hier B 9 und B 10) stellt erstmals unter dem Titel *Schriftstellernöte 1832–1855* alle publizistischen Kampfschriften in einen chronologischen Textzusammenhang; es folgen Korrespondenzartikel 1831 bis 1852 und Prosatexte bzw. Bruchstücke aus den 40er Jahren bis 1848; den Abschluß bilden die Pariser Korrespondenzartikel von 1840–1843, *Lutezia,* die Karl Heinz Stahl herausgegeben hat. Der zweigeteilte Band VI (hier B 11 und B 12) bringt einmal die späte Lyrik (von Walter Klaar herausgegeben), die Ballettszenarios sowie die Erinnerungsprosa; zum andern, neben umfangreichen Dokumentationen zum zeitgeschichtlichen Hintergrund der »Schriftstellernöte«, ein gegliedertes Register zur Gesamtausgabe, das inzwischen unentbehrlich geworden ist. Einzelne Bände sind in zweiter Auflage erschienen, Bd. V (B 9 und 10) und VI (1) (B 11) in revidierter Form. Die Anhänge stellen Entstehung und Aufnahme der Werke dar und geben nur die wichtigsten Varianten; sie bieten reichhaltige Materialien sowie Kommentare, die den Mut zur politischen Neubewertung zeigen und über das rein Informative hinausgehen (einzig Bd. III ist kärglich kommentiert).

Abschließend seien zwei der zahlreichen neueren Werk- und Auswahlausgaben erwähnt. Der Frankfurter Insel-Verlag brachte 1968 *Heinrich Heine Werke* in vier Bänden heraus, die Titel der französischen Werke übernehmen (Über Frankreich, Über Deutschland) und die jeweils von Christoph Siegrist, Wolfgang Preisendanz, Eberhard Galley und Helmut Schanze bearbeitet wurden (Bd. 1 *Gedichte* krankt allerdings an seinem Auswahlprinzip, von dem vor allem das *Buch der Lieder* betroffen ist). – Stuart Atkins hat im Münchner Verlag C. H. Beck in zwei Auswahlbänden *Heine Werke* kommentiert herausgegeben (1973 und

1979, unter Mitwirkung jeweils von Oswald Schönberg und Oliver Boeck). Historisch und kunsttheoretisch orientierte Einführungen sowie ökonomisch sachliche Kommentare berücksichtigen zuerst im Überblick und dann speziell den neuesten Forschungsstand.

Eine Darstellung bisheriger Ausgaben sollte Verleger nicht vergessen, die zu Heines Lebzeiten Werkausgaben in französischer Sprache herausbrachten, welche dem Dichter im Exil Gelegenheit boten, seinem Denken gemäß Bände nach thematischen Schwerpunkten zusammenzustellen. Schon 1834, 1835 druckte Eugène Renduel, Paris, *Œuvres de Henri Heine* in fünf Bänden (der erste der geplanten sechs Bände, die Lyrik, kam nicht zustande). Auf zwei Bände *Reisebilder, Tableaux de voyage* folgten die Originalausgaben *De la France* (1834) und *De l'Allemagne* (1835, 2 Bd.e.). – In den 50er Jahren plante Michel Lévy, Paris, eine vollständige Werkausgabe, die *Œuvres complètes,* die zwischen 1855 und 1885 herauskamen. Durch Heines Mitarbeit sind noch sieben Bände als autorisierte Textausgaben anzusehen: *Poëmes et Légendes* (1855), *De l'Allemagne* (1855, 2 Bd.e) *Lutèce* (1855), *Reisebilder. Tableaux de voyage* (1856, 2 Bd. e) und *De la France* (1857). Ferner erschienen, neben drei Bänden *Correspondance inédite,* die unautorisierten Sammelbände *Drames et fantaisies* (1864), *De l'Angleterre* (1867), *De tout un peu* (1867), *Satires et portraits* (1868), *Allemands et Français* (1868), *Mémoires* (1884) und *Poésies inédites* (1885).

Nachzutragen ist hier einmal noch die erste Gesamtausgabe von Heines Briefen, die Friedrich Hirth nach den Handschriften in sechs Bänden 1950/57 bewerkstelligen konnte (bei Florian Kupferberg in Mainz; 3 Bd.e Briefe und 3 Bd.e Kommentar; fotomechanischer Nachdruck 1965 in 2 Bd. n), und zum andern die Edition von Gesprächszeugnissen. Im Anschluß an die *Gespräche mit Heine,* die 1926 von Heinrich Hubert Houben herausgegeben worden sind, hat Michael Werner eine vermehrte und auf den neuesten Stand gebrachte Ausgabe *Begegnungen mit Heine. Berichte der Zeitgenossen* besorgt (2 Bd.e: 1797–1846, 1847–1856, bei Hoffmann und Campe, Hamburg 1973).

Säkularausgabe und Düsseldorfer Ausgabe

Die beiden großen Gesamtausgaben, die von den konkurrierenden Forscherteams in Weimar und Paris sowie in Düsseldorf erarbeitet werden, weichen in Umfang, Aufbau, Textfassung und Apparat z. T. erheblich voneinander ab. Die *Heinrich Heine Säkularausgabe,* die im Akademie-Verlag, Berlin, und bei den Editions du CNRS, Paris, seit 1970 erscheint, ist auf über fünfzig Bände geplant. Sie gliedert sich in vier Abteilungen. Die erste bringt in zwölf Bänden das deutsche Werk: Auf die nach Sammlungen chronologisch gegliederte Lyrik und Versepik folgt ein Mischband mit Tragödien und früher Prosa 1820–1831. Die anschließende, wiederum chronologische Folge der Prosabände beachtet in Bd. 5–8 und 11 thematische Schwerpunkte, die auf Heines französische Werkausgaben zurückgehen (*Reisebilder,* Über Frankreich, Über Deutschland und *Lutezia*). Die Kommentarbände erscheinen gesondert. Eine wesentliche Neuigkeit besteht darin, daß HSA in der zweiten Abteilung in sieben Bänden die autorisierten französischen Werkausgaben druckt, die bei Michel Lévy frères 1855 ff. erschienen sind. Die dritte Abteilung umfaßt mit den Bänden 20–27 die inzwischen vollständig und mit Kommentarbänden vorliegende Korrespondenz von und an Heine sowie einen Registerband, wodurch diese Ausgabe schon jetzt unentbehrlich geworden ist. Als vierte Abteilung sind zwei Bände Lebenszeugnisse und ein Gesamtregister vorgesehen.

Manfred Windfuhr, der die *Historisch-kritische Gesamtausgabe der Werke* seit 1973 bei Hoffmann und Campe, Hamburg, herausgibt, hat dagegen sechzehn Bände geplant (Herausgeberbericht DHA I/2, 1257 ff.). Nach längeren Diskussionen hat er sich für eine Gliederung nach Schwerpunkten entschieden, die folgendermaßen aussieht:

Bd. I/1, I/2	*Buch der Lieder* (Bearbeiter Pierre Grappin), 1975 erschienen
Bd. II	*Neue Gedichte* (Elisabeth Genton), 1983
Bd. III	*Romanzero, Gedichte. 1853 und 1854* (Alberto Destro/Frauke Bartelt)
Bd. IV	*Atta Troll, Deutschland. Ein Wintermärchen* (Winfried Woesler) 1985
Bd. V	Tragödien und Erzählprosa (Manfred Windfuhr)
Bd. VI	Frühe Prosa, *Reisebilder* I und II (Jost Hermand), 1973
Bd. VII/1, VII/2	*Reisebilder* III und IV (Alfred Opitz) 1986

Bd. VIII/1, VIII/2	*Die Romantische Schule, Zur Geschichte der Religion und Philosophie* (Manfred Windfuhr) 1979, 1981
Bd. IX	Mythologische Schriften (Ariane Neuhaus-Koch)
Bd. X	*Shakespeare*-Essay und kleinere literarische Schriften (Jan-Christoph Hauschild)
Bd. XI	*Ludwig Börne* und kleinere politische Schriften (Helmut Koopmann) 1978
Bd. XII/1, XII/2	Frankreich-Schriften (Jean-René Derré/Christiane Giesen) 1980, 1984
Bd. XIII/XIV	*Lutezia* I, *Lutezia* II (Volkmar Hansen)
Bd. XV	*Geständnisse, Memoiren* und kleinere autobiographische Schriften (Gerd Heinemann) 1982
Bd. XVI	Gesamtregister (Arbeitsstelle)

Die Ausgabe gliedert in die beiden Blöcke Vers- und Prosawerk, berücksichtigt – ebenfalls wie HSA – thematische, z. T. auf Heine zurückgehende Gruppierungen, ordnet aber dann die kleineren Schriften unter genetischen oder inhaltlichen Gesichtspunkten den jeweiligen Hauptwerken zu (die geplante Sachzusammengehörigkeit läßt sich auch hier nicht immer, wie z. B. Bd. X zeigt, optimal erreichen). Die autorisierten französischen Übersetzungen werden im Anhang zum jeweiligen Werk in demselben Band gedruckt. Ist der Kommentar der Säkularausgabe z. B. bei den Briefen eher sparsam ausgefallen, so nimmt der Apparat der Düsseldorfer Ausgabe soviel Platz ein, daß er in mehreren Fällen gesondert gedruckt wird (Verhältnis Text/Apparat z. B. in Bd. XV: 219 S./1143 S. mit Register). DHA wird keine Briefe enthalten.

Gravierender sind nun die Unterschiede in Text und Apparat, der »crux« jeder Ausgabe. HSA sieht ihre Aufgabe darin, die Texte so darzubieten, wie sie dem Leser der Zeit bekannt geworden sind (*Vorwort* von Karl-Heinz Hahn und Pierre Grappin, 1 K I, 17 f.). Als Prinzip für die Druckvorlage von Texten, die an anderem Ort erschienen sind, dient die jeweils spätere Buchveröffentlichung, bei mehreren Auflagen die letzte, die Heine nachweislich selbst betreut hat. Differieren Zeitschriftendruck und Buchtext stark, wie z. B. bei *Atta Troll* und *Lutezia,* werden beide Fassungen gedruckt. Das für Heine-Herausgeber zentrale Problem der Textverstümmelungen, die auf Zensur, Eingriffe von Redakteuren oder von dritten Händen sowie auf Drucker- oder Korrektorfehler zurückgehen, will HSA so lösen, daß die durch Zensur beeinträchtigten Stellen dem Text als Fußnote zugefügt werden. – Durch das ihr eigene Restitutionsprinzip verfährt DHA, die sämtliche Überlieferungsträger

– Handschriften, Journal- und Buchdrucke sowie Übersetzungen – berücksichtigt, ganz anders; Absicht ist die »möglichste Wiederherstellung« des entstellten originalen Textes und der originalen Schreibweise (DHA I/2, 1263). Dazu wurde auf dem Wege der EDV ein Heine-Index hergestellt, mit dessen Hilfe »eine durchgehende oder fast durchgehende (mindestens 90-prozentige) Tendenz der Heineschen Schreibungen auszumachen ist«. Jeder Texteingriff wird in dem Apparat-Abschnitt »Restitutionen« verzeichnet. Als Druckvorlage diente der letzte autorisiert veröffentlichte Text; bei Inedita die letzte handschriftliche Stufe. Der Apparatteil von DHA gliedert sich in die vier Abteilungen Entstehung und Aufnahme, Überlieferung, Lesarten sowie Erläuterungen. In der ersten Abteilung konnten neue Quellen und eine Fülle bisher unbekannter Besprechungen berücksichtigt werden. Die 3. Abteilung, der Lesartenapparat, erfaßt *alle* Autorvarianten und verwendet einen Schichtenapparat, um die wahrscheinliche Chronologie der Textgenese darstellen zu können (die aufeinanderfolgenden Textstufen werden durch römische und arabische Ziffern sowie durch lateinische Buchstaben etc. bezeichnet und im Druckbild kenntlich gemacht). Die Vorwürfe, die gegen vollständige Lesartenapparate erhoben werden (können), nimmt der Herausgeber auf sich, denn die andere Möglichkeit, der Auswahlapparat, zu dem sich die Herausgeber der HSA entschieden haben, ist nicht weniger angreifbar. In den ähnlich vierteilig gegliederten Kommentarbänden werden hier in der Abteilung »Mitteilungen zum Text« *ausgewählte* Varianten geboten, wobei folgendes Kriterium gelten soll: »Eindeutig unerhebliche, die Qualität des Textes nicht beeinträchtigende oder modifizierende Varianten und Textansätze werden dabei nicht berücksichtigt.« (HSA 1 K I, 21). Die Mitteilungen zum Text erfolgen in mutmaßlicher chronologischer Folge und in Gestalt eines »negativen Apparates«.

Beide Ausgaben verstehen sich als Arbeitsinstrumente für die wissenschaftliche Forschung. Trotz ihrer bisher unvollständigen Form haben sie ihre Unentbehrlichkeit bereits durchgesetzt, wenn auch auf unterschiedliche Weise: die eine mehr wegen der abgeschlossenen Edition der Briefe und der französischen Werke; die andere wegen ihrer Texte, Kommentare und vollständiger Lesarten (zusätzlich zu der Ausgabe von Klaus Briegleb bibliographiert das Handbuch die Werke nach DHA – gelegentlich auch nach HSA – und die Übertra-

gungen nach HSA; als ›Sekundärliteratur‹ verzeichnet es, neben den Kommentaren der Hanser-
Ausgabe, die von DHA sowie die von HSA, wenn
es sich um französische Werke handelt).

Lit. zusätzlich zu den Herausgeberberichten: Manfred Windfuhr: *Zu einer kritischen Gesamtausgabe von Heines Werken,*
in: HJb 1962, 70–95; Fritz Mende: *Der gegenwärtige Stand der
Arbeiten an der Heine-Säkularausgabe,* in: *Forschungen und
Fortschritte,* 41. Jg., H. 5, 1967, 153–156; Manfred Windfuhr,

Ute Radlik und Helga Weidmann: *Die Düsseldorfer Heine-
Ausgabe,* in: HJb 1970, 3–40; Eberhard Galley: *Problematik
der zwei historisch-kritischen Heineausgaben,* in: Zeitschrift
für deutsche Philologie, Bd. 91, Sonderheft 1972, 205–216;
Pierre Grappin: *Comment seront éditées les œuvres complètes
de Henri Heine,* in: Oxford German Studies, Vol. 7, 1972–3,
34–43; Karl-Heinz Hahn: *Die Heine-Säkularausgabe,* in: IWK
1972, 277–299.
   – zur Heine-Edition und zu Handschriften: Jochen Zinke: *Autortext und Fremdeingriff,* Hamburg 1974; Erhard
Weidl: *Heinrich Heines Arbeitsweise,* Hamburg 1974 (beide =
Heine-Studien).

Versdichtungen

Almansor. Eine Tragödie

»In diesem Stücke habe ich mein eignes Selbst hineingeworfen, mit sammt meinen Paradoxen, meiner Weisheit, meiner Liebe, meinem Hasse und meiner ganzen Verrücktheit«: Das schrieb am 29. Oktober 1820 ein Debütant, der an sein dramaturgisches Talent glaubte, einer, der in kurzer Folge zwei Tragödien dichten würde und der 1823, 1824 an einer »venetianischen Tragödie« arbeitete sowie 1824 einen »Faust« in Angriff nahm, einer schließlich, der sich ausgiebig als Theaterkritiker beschäftigte und der Ende der 40er Jahre zwei Ballettszenarios schreiben sollte (Mutzenbecher und Sammons, 88 ff.). Aber der Jungdramatiker Heine hatte nicht den geringsten Erfolg. Seine beiden Tragödien gelten als gründlich mißlungen und werden in der Forschung nur am Rande beachtet. Dennoch scheint die briefliche Äußerung an den Studienfreund Friedrich Steinmann gewichtig genug, *Almansor* und *Ratcliff* zumindest als Dokumente seiner geistigen Entwicklung ernstzunehmen.

Entstehung, Quellen, Einflüsse, Druck, Text

Almansor ist in wenigen Monaten entstanden. Die Arbeit begann in den Sommerferien, die Heine in Beuel bei Bonn verbrachte und wurde im Winter in Göttingen fortgesetzt. Am 4. Februar 1821 konnte Heine Steinmann mitteilen, daß er die Tragödie mit großer Kraftanstrengung »bis auf einen halben Akt« beendet habe. Der Schluß wurde dann wahrscheinlich in Berlin, spätestens vor Ende Januar 1822, geschrieben (B 2, 784). Bereits zwischen dem 9. und 21. November 1821 hatte der Berliner »Gesellschafter«, Nr. 179–186, in acht Fortsetzungen Fragmente des ursprünglich in fünf Akte eingeteilten Stückes gedruckt *(Almansor, Fragmente aus einem dramatischen Gedicht)*. Anfang 1823, bei den Umarbeitungen zum Buchdruck, fiel die Einteilung in Akte weg, wurden die szenischen Angaben überarbeitet und inhaltliche Änderungen vorgenommen. Die Buchausgabe erfolgte Anfang April 1823. August Klingemanns Aufführung in Braunschweig am 20. August 1823 war ein glatter Mißerfolg.

Unter den Gesichtspunkten »Spanien«, »Mauren« und »Inquisition« hat Heine 1820, 1821 ein beeindruckendes Quellenstudium in deutscher, französischer und englischer Sprache betrieben, darunter eine verdeutschte Arbeit arabischen Ursprungs (Kanowsky und Fendri, 42 ff.). Auffallend sind Heines Lektüren zum Thema Inquisition und sein Interesse an dem Erneuerer der Inquisition, Kardinal Ximenes (bzw. Jiménes), der den christlichen Glauben mit Bücher- und Menschenverbrennungen durchgesetzt hat. Dieses Interesse am Schicksal der Mauren sollte Heine angekreidet werden. Als wichtigste Quelle des Liebesmotivs hat Klaus Briegleb (B 2, 786) die Geschichte von »Medschnun und Leila« des Persers Dschami ausgemacht (Mounir Fendri, 96 ff., hat die Quelle, die von Liebeswahnsinn erzählt, näher erforscht). Die Bedeutung von Fouqués Romanze von Donna Clara und Don Gayferos (*Zauberring*, Teil 1, 1813), die die Liebe zwischen einer Christin und einem Mohrenkönig behandelt, hat Heine in seinem Brief vom 10. Juni 1823 dem Autor selber bestätigt.

Heine, der in seinem Drama »romantischen Geist mit streng plastischer Form« verbinden wollte (Steinmann-Brief von 1821, vgl. Vorspann B 1, 276), hat Einflüsse ganz unterschiedlicher Art verarbeitet; dazu gehören August Wilhelm Schlegel, sein Bonner Lehrer, und Shakespeare *(Hamlet; Romeo und Julia)*, französische Klassizisten (Racine, Voltaire) und Lessing, auch Lord Byron wird genannt. In dem zitierten Brief an Steinmann betont Heine, wie genau er sich an Aristoteles' Regel der drei Einheiten gehalten hat: In der Tat spielt das Stück bis auf den Anfang und den Schluß am und im selben Schloß und dauert kaum 24 Stunden. Danilo Bianchis Untersuchungen zum Sprachstil haben neuerlich Übereinstimmungen mit Calderon, der als Heines Vorbild erscheint, herausgefunden.

Druck: Almansor. Eine Tragödie erschien als 3. Text in: *Tragödien, nebst einem lyrischen Intermezzo, von H. Heine. Berlin 1823. Bei Ferdinand Dümmler.* 129–247. Ein 2. Druck fand zu Heines Lebzeiten nicht statt.

Text: B 1, 275–337.

Lit.: B 2, 784 ff.; Heinrich Mutzenbecher: *Heine und das Drama,* Hamburg 1914, 13–31 u. 53 ff.; Jeffrey L. Sammons: *Heinrich Heine, The Elusive Poet,* New Haven und London 1969, 88 ff.; Walter Kanowsky: *Heine als Benutzer der Bibliotheken in Bonn und Göttingen,* in: HJb 1973, 129–153; Mounir Fendri: *Halbmond, Kreuz und Schibboleth. Heinrich Heine und der islamische Orient,* Hamburg 1980 (= Heine-Studien); Danilo Bianchi: *Die unmögliche Synthese. Heines Frühwerk im Spannungsfeld von petrarkistischer Tradition und frühromantischer Dichtungstheorie,* Bern 1983 (= Europäische Hochschulschriften, I. 716), 61 ff. u. 131 ff.

– zur Biographie: Franz Futterknecht: *Heinrich Heine. Ein Versuch,* Tübingen 1985, 188–228 u. 229 ff.; Wolfgang Hädecke: *Heinrich Heine. Eine Biographie,* München 1985, 107–137; s. im Handbuch *Die Romantik* (1820).

Analyse und Deutung

Heimkehr in die Fremde

Es scheint wenig sinnvoll, die von Heine selber als mißlungen bezeichnete Tragödie unter formal-ästhetischen Gesichtspunkten zu analysieren; das hieße, die bekannte dramaturgische Mängelliste aufzufrischen (vgl. z. B. Beyer und Mutzenbecher; Heine schrieb Steinmann in dem zitierten Brief, daß sein Stück »gar nicht mal den Namen einer Tragödie verdient«). Lohnender erscheint dagegen, das Drama aus der Perspektive eines assimilationsbereiten jüdischen Studenten zu sehen, der aber mit dem Antisemitismus seiner Zeit in Gesellschaft und an der Universität konfrontiert wurde und deshalb in Auseinandersetzung mit der herrschenden Religion gedrängt worden ist. Es gilt zu beachten, daß Heines dramatischer Erstling der Biedermeiergesellschaft einen Helden zumutet, der kein Christ, sondern Moslem ist, und daß die Tragödie nicht die Partei der christlichen Sieger, sondern der Besiegten ergreift, so daß sich Analogien zwischen der Wiederkehr der Glaubenskämpfe im Spanien der Reconquista und im Deutschland der Restauration aufdrängen. Heine hat in Briefen nicht nur mehrfach seine »polemischen Absichten« ausgesprochen (an Steinmann und an den Verleger Dümmler vom 5. Januar 1823), sondern auch betont, daß »ein ächtes Gedicht auch immer der Spiegel jeder Gegenwart« ist (an seinen Schwager Moritz Embden vom 3. Mai 1823). Der ferne Schauplatz des Ambivalenzkonfliktes zwischen Assimilation an eine fremde Gesellschaft und Treue zur eigenen Herkunft, den die Juden in der Gegenwart wie die Mauren in der Vergangenheit durchlitten, darf als Reaktion auf die Karlsbader Zensurpolitik angesehen werden (vgl. dazu Kircher, der als weiteren Gesichtspunkt noch Heines Stellungnahme zu Strömungen innerhalb des deutschen Judentums seiner Zeit eingeführt hat).

Wenn Almansor, der Held, in der ersten Szene wieder den Boden seiner glücklich verbrachten Kindheit betritt, ist er aus dem Exil in ein Land zurückgekehrt, in dem sich alles verändert hat und das ihm fremd geworden ist. Folgendes, das in langen Erzählungen erst allmählich mitgeteilt wird, ist geschehen: Nach dem Fall von Granada im Jahre 1492 haben sich im Lager der besiegten Mauren zwei seit langem befreundete Familien verfeindet, die zu ihrer engeren Verbindung schon früh die Heirat ihrer Kinder Almansor und Zuleima beschlossen hatten und diese jeweils an Kindes Statt erzogen haben: Almansor war nun mit seinen Pflegeeltern, die dem »alten Glauben« treu bleiben wollten, ins Exil geflohen, während Aly mit seiner Pflegetochter Zuleima zum Christentum übergetreten ist. Dadurch kann das Stück seine Personen über ihre religiöse Einstellung definieren bzw. den Konflikt zwischen Glaubenstreue und Abtrünnigkeit personal diskutieren. Unter den Mauren verkörpert Almansor den Bekenner des traditionellen Glaubens, der aber zur Taufe bereit wäre, um seine Liebe zu einer Christin verwirklichen zu können; der treue Diener Hassan, ein »alter Eiferer«, repräsentiert den orthodoxen, fanatischen Moslem, der vor den Gefahren der Assimilation warnt. Aly und Zuleima vertreten den Typus des Konvertiten aus Überzeugung (ein Chor würdigt diese Haltung als kulturellen Fortschritt), aber das Stück führt nun deutlich vor Augen, welchen Preis sie für ihre neue Identität zahlen müssen. Aly muß sich jetzt unter dem Spott spanischer Ritter ängstlich darum bemühen, seine alte Glaubenszugehörigkeit zu verbergen. Zuleima hat sich zu einer spiritualistischen Liebeskonzeption verurteilt, die ihr kein irdisches Glück mehr erlaubt (diesen Aspekt des *Almansor,* die Übereinstimmung mit der »romantischen Lebens- und Liebesphilosophie«, hat Franz Futterknecht, 221 ff., in den Vordergrund gestellt). Und der Diener Pedrillo läßt auf komische Weise spürbar werden, daß Konversion aus Opportunismus zu Doppelzüngigkeit führt: Er verwechselt die maurischen mit den christlichen Namen, d. h. Freund mit Feind und schwört bei den falschen Heiligen.

Das Stück, das Glaubenstreue untergehen läßt und Abtrünnigkeit, die spätere Verrats-Thematik antizipierend, mit Spott behandelt, vergegenwärtigt einen Konflikt, den auch Heine ähnlich durchlebt und dessen Lösung er mit dem gleichen Preis bezahlt hat. Wie sein Held wird er verschärft vor einer geschlossenen Gesellschaft stehen, die ihm keinen Eintritt gewährt (Almansor versucht vergeblich, in das Schloß seines Vaters eingelassen zu werden und muß einsehen: »jetzt steh ich, wie'n Bettler, vor der Türe«, die dann auch zugeschlagen wird); wie zwei seiner dramatis personae wird er sich taufen lassen und diesen Schritt in einer erneuten Behandlung des Stoffes, in der Romanze *Almansor,* die 1825 nach der Taufe entstanden ist, mit spürbarer Aggressivität gegenüber dem Christentum reflektieren.

Letztere Haltung tritt in der Tragödie als »polemische Absichten« wohl schärfer hervor als in Versen oder Prosatexten zu Beginn der 20er Jahre, so sehr, daß Heine bei der Überarbeitung für den Buchdruck an zwei Stellen den Text durch Ersetzung der Wörter »Christentum« und »Christenschädel« abmilderte (Vers 678 und 1439, jetzt »Moral« und »Spanierschädel«). So verherrlicht der Chor die Maurenzeit und erinnert das Christentum an das gebrochene Versprechen der »Glaubensfreiheit«; die grausame Inquisition und Kardinal Ximenes werden mehrmals angeprangert, zuletzt so, daß der Abt von einem »herrlichen Auto-da-fe« schwärmt (»So etwas labt das Herz des frommen Christen«, B 1, 326); Don Enrique und Don Diego, die das katholische Spanien repräsentieren, kennen sich aus gemeinsamer Zuchthauszeit und erweisen sich als skrupellose Glücksritter, die mit Betrug und durch Heirat an Geld kommen wollen (der zukünftige Schwiegersohn gibt offen zu, daß er »des Vaters Schätze« freit). Die Polemik teilt sich weiter metaphorisch dadurch mit, daß das christliche Spanien als Welt der Falschheit erscheint, in der es nur so von Schlangen wimmelt, die das Gift des Glaubensverrates verbreiten. In dem Religionsgespräch mit Zuleima gibt Almansor schließlich das Erlebnis einer Messe als das eines bedrükkenden, düsteren Totenkultus wieder, bei dem auch Blut getrunken wird; und wenn im Kontrast dazu an den »heitern Schimmer«, der »alte Heidentempel« durchgaukelt, erinnert wird, erhält man einen Vorgeschmack auf die Lucceser Religionsgespräche und auf das weltanschauliche Widerspiel von ›blutigem‹ und heiterem Glauben.

Abschließend sei noch daran erinnert, daß Spanien für Heine das Land der Glaubenskämpfe, in denen sich das Schicksal Andersgläubiger besiegelt, bleiben wird: Im *Buch der Lieder* greift neben der erwähnten Romanze die von *Donna Clara* den Almansorstoff auf; in *Rabbi von Bacherach* trifft der orthodoxe Rabbi auf einen spanischen Konvertiten und im *Romanzero* wird die Erinnerung an Glanz und Elend der besiegten Mauren (*Der Mohrenkönig*) und der unterdrückten Juden erneuert (*Jehuda ben Halevy*), während der Glaubenskrieg in *Disputation* auflebt.

Lit.: Paul Beyer: *Der junge Heine,* Berlin 1911 [Reprint Hildesheim 1974], 137 ff.; Heinrich Mutzenbecher (s. o.); Hartmut Kircher: *Heinrich Heine und das Judentum,* Bonn 1973, 185 ff.; *Heinrich Heine Werke,* hrsg. von Stuart Atkins, München 1973, Bd. I, 691 ff.; Manfred Windfuhr: *Heinrich Heine,* Stuttgart 1976, 2. Aufl., 38 ff.; Franz Futterknecht (s. o.).

Vereitelte Liebe im Frühwerk

Alys Schloß – die unerreichbare bzw. nur in Wahn und Illusion erreichbare Geliebte – der opportunistische Rivale: Diese Konstellation legt autobiographische Bezüge zu Hamburger Familienerlebnissen nahe (man ist sogar soweit gegangen, das ganze Drama als Reflex der unglücklichen Amalien-Liebe zu sehen; William Rose hat die Bedeutung dieses Erlebnisses für die frühe Lyrik zurechtgerückt in *The early love poetry of Heinrich Heine,* Oxford 1962). Auffallend sind aber nun Parallelen der Liebessituation, die Almansor mit dem Ich der Liederdichtung teilt: In beiden Fällen manifestiert sich ein gleich ambivalentes Bild der Geliebten, während zusätzlich die Unmöglichkeit erfüllter Liebe unter den jeweils herrschenden Verhältnissen Gestalt annimmt.

Almansor steht nicht allein draußen vor der Schloßtür, er muß auch noch erleben, wie seine Geliebte mit Don Enrique, seinem christlichen Rivalen, Polterabend feiert. Später sieht er Zuleima wieder, die auf den Balkon heraustritt und ihren früheren Geliebten wiedererkennt, der unten im Dunkeln steht. Der unterlegene Rivale, der die Hochzeit seiner Geliebten erlebt, nennt nun das Hauptmotiv der Liebeskonzeption, die im *Buch der Lieder* dominieren wird (z. B. in »klassischer« Einfachheit in *Intermezzo* XXXIX); die Figur des Ausgeschlossenen kehrt mit stärkerer sozialer Konnotation in *Heimkehr* LX wieder, in dem »oben« im Haus die Frau eine »Gesellschaft« gibt, während der Sprecher »unten«, und ungesehen, mit brechendem Herzen verharrt. Bemerkenswerte Übereinstimmungen weist dann das Frauenbild auf, das die Anklagen offenbaren, in die der zur Konversion bereite Almansor ausbricht, als er sich von Zuleima, die ihr Eheversprechen nicht rückgängig machen will, verraten fühlt: Wenn er Zuleima als giftzischende »Schlangenkönigin«, als »Falsche«, als täuschende, lockende »schlimme Fee« beschimpft, die ihren Geliebten hinauflockt, um ihn »herabzuschleudern«, dann beschwört er ein Bild, das dem ambivalenten Porträt der Geliebten im System des *Buch der Lieder* unbedingt gleichkommt. Abgesehen vom Liebestod im Wahn (Almansor stürzt sich angesichts vermeintlich feindlicher Verfolgung schließlich mit Zuleima in den Tod) wird in beiden Fällen eine Absage an klassisch-romantische Vorstellungen von Geschlechterliebe erteilt. Das ›kalte‹ Frauenbild, das sich in *Almansor* (B 1, 314 f.), abzeichnet und das in der oxymoralen Liebeskonzeption der Lyrik wiederkehrt, ist nicht mehr das der vorhergehenden Generation (und steht etwas quer zu der von Franz Futterknecht, s. o., als grundlegend betonten »romantischen Lebens- und Liebesphilosophie«).

Aufnahme

Wenn sich Heine über die Pfiffe bei der Braunschweiger Aufführung geärgert hat, dann mußten ihm die Rezensionen, die zwischen 1823 und 1826 erschienen, eher als Aufmunterung zu weiteren Dramen in den Ohren klingen, denn die Reaktionen auf den Debütanten sind z. T. überraschend umfangreich und positiv ausgefallen. Unter den zahlreichen Rezensionen findet sich kaum ein Verriß, und die schließlich negativen Stimmen sparen nicht mit Lobessprüchen. Ein in der Zeit tonangebender Kritiker wie Varnhagen v. Ense spricht sich positiv aus; die ebenfalls mit Heine befreundeten Moses Moser und Johann Baptist Rousseau sowie der Schriftsteller Willibald Alexis veröffentlichen ellenlange Besprechungen; Moser und Rousseau geben dem Dramatiker Heine eindeutig den Vorzug vor dem Lyriker (sie behandeln das *Intermezzo* nur am Rande); Heine wird immer wieder mit Dramatikern wie Zacharias Werner, Franz Grillparzer (wegen des *Ratcliff*) und Karl Immermann verglichen; der Literaturprofessor Oskar Ludwig Bernhard Wolff und Ludwig Robert, der Bruder Rahels, bescheinigen Heine sogar »Genialität«, der eine für den *Almansor,* der andere für den *Ratcliff*; die immer wieder angestellten Vergleiche zwischen den beiden Tragödien fallen insgesamt zugunsten des *Almansor* aus, der von den Schriftstellern Elise von Hohenhausen und Adolf Müllner in langen Zitaten bekanntgemacht wird. Zwei ausführliche Rezensionen verdienen besondere Beachtung, einmal die des Hegelianers Moser, der von philoso-

phischen Prinzipien und Ideen ausgeht, um die Struktur der Dramen zu untersuchen; zum andern die Alexis, der zwar Heines Talent, Phantasie und Sprachkraft anerkennt, aber den handlungsarmen und undramatischen *Almansor* kritisiert. Alexis setzt sich 1825 sehr viel ausführlicher als andere mit der antichristlichen »Polemik«, die er auch »Unmuth« und »verhaltenen Ingrimm« nennt, auseinander; er beschwert sich über die kritische Funktion einer Gestalt wie der des Don Enrique und läßt sich als einziger zu der Anspielung hinreißen, daß sich Heine »nicht zum christlichen Glauben« bekennt. Bekanntlich war Heine nur Monate vorher konvertiert!

Lit.: Galley/Estermann I, 94 ff., 105 ff. [Einzelrezension zum *Almansor*], 111–150, 151–169, 171 f., 173 ff., 177–202 [Alexis] und 205 ff.

William Ratcliff. Tragödie

Entstehung, Quellen, Druck, Text

Heine hat an seiner zweiten Tragödie, von deren Wert er überzeugt war, stärker festgehalten als an seiner ersten, und nur der Mißerfolg der *Almansor-*Aufführung hat wohl den handlungsreichen *Ratcliff* um seine Bühnen-Probe gebracht. Bis 1850 hat der Dramatiker seinen Freund Laube, seit 1849 Direktor des Wiener Burgtheaters, mit Anfragen genervt, ob die Tragödie nicht doch aufführbar wäre. Parallel dazu wollte Heine den Plan nicht aufgeben, das Stück mit Gedichten neu zu drucken, was dann 1852 gelang; in der *Vorrede* heißt es: »Dieser Tragödie oder dramatisierten Ballade gewähre ich mit gutem Fug jetzt einen Platz in der Sammlung meiner Gedichte, weil sie als eine bedeutsame Urkunde zu den Prozeßakten meines Dichterlebens gehört« (B 1, 340).

Am selben Ort gibt Heine die einzig vorhandene genauere Auskunft über die Umstände der Entstehung des Stückes: »Ich schrieb den William Ratcliff zu Berlin unter den Linden, in den letzten drei Tagen des Januars 1821 [...]. Ich schrieb in einem Zuge und ohne Brouillon.« Es war allerdings nicht 1821, sondern 1822. Ein Jahr später, bei dem Kontakt mit dem Verleger Dümmler, am 5. Januar 1823, schlug Heine den Druck einer »kleinen Tragödie« vor, »deren Grundidee ein Surrogat für das gewöhnliche Fatum sein soll und die Lesewelt gewiß vielfach beschäftigen wird«. Das Stück erschien im April 1823. – Im Herbst 1851 wurde das geringfügig veränderte Drama (B 2, 797) anstelle des *Wintermärchens* in die 3. Auflage der *Neuen Gedichte* aufgenommen.

Die gegenüber dem ersten Drama gänzlich veränderte Stoffwahl, die auf des Bonner Lehrers August Wilhelm Schlegel Unterscheidung von südlicher Romanze und nordischer Ballade zurückgehen kann, machte die Verarbeitung neuer Quellen notwendig (für das Liebesmotiv behauptet Klaus Briegleb, B 2, 798, die durchgängige Bedeutung der Geschichte von »Medschnun und Leila«). Zuerst ist die schottische »Edward«-Ballade zu nennen, deren Kernstück leitmotivisch die Handlung untermauert (B 2, 797 f. und Bianchi, 173 und f.). Als zweiter Quellenbereich kommen Werke Walter Scotts in Frage, besonders sein Roman *The Black Dwark*. – Die Bedeutung der damaligen Modegattung Schicksalstragödie (Zacharias Werner, Franz Grillparzer, Adolf Müllner), der sich Heine anschloß, wird unterschiedlich beurteilt. Die üblicherweise angenommene Nähe zu Werners *Der Vierundzwanzigste Februar* (Druck 1815) bestreitet Danilo Bianchi jetzt mit der These, daß Heine eine andere Schicksalsidee, die nicht mit dem antiken Fatum übereinstimme, vorgeschwebt hat. Diesen Gedanken hat Heine in seiner ausführlichen Besprechung zu *Tassos Tod* von Wilhelm Smets (B 1, 401–421) diskutiert, in der er die Schicksalsidee der neueren Tragödien als ein »unerquickliches, schädliches Surrogat« des griechischen Urbildes bezeichnet. Bianchis Ansatz führt zu einem gewinnbringenden Vergleich mit Shakespeares *Macbeth*.

Druck: William Ratcliff. Tragödie in einem Akt. eröffnet den Band: *Tragödien, nebst einem lyrischen Intermezzo, von H. Heine. Berlin 1823. Bei Ferdinand Dümmler.* – Der Zweitdruck beschließt das Buch: *Neue Gedichte von Heinrich Heine. Dritte, veränderte Auflage. Hamburg. Hoffmann und Campe. 1852* (265–332).

Text: B 1, 339–375 (mit *Vorrede* zu *Neue Gedichte* 1852).

Lit.: B 2, 784 ff.; Heinrich Mutzenbecher: *Heine und das Drama,* Hamburg 1914, 35–49; Danilo Bianchi: *Die unmögliche Synthese. Heines Frühwerk im Spannungsfeld von petrarkistischer Tradition und frühromantischer Dichtungstheorie,* Bern 1983, 170–188 (= Europäische Hochschulschriften).
– zu Heines Berliner Zeit: Franz Futterknecht: *Heinrich Heine. Ein Versuch,* Tübingen 1985, 229–252; Wolfgang Hädecke: *Heinrich Heine. Eine Biographie,* München 1985, 137–175; s. im Handbuch *Briefe aus Berlin.*

Analyse und Deutung

Ratcliff oder der Wiederholungszwang

Heine hat die antithetische Komplementarität seiner beiden Dramen, die lokal, formal und inhaltlich bedingt ist, mehrfach betont. In seinem Brief an Immermann vom 24. Dezember 1822 stellt er »ein bildervolles südliches Romanzendrama« einer »sehr kleinen nordisch düstren Tragödie« gegenüber. Bei aller Gegensätzlichkeit (nebliges, gespenstisches Schottland statt sonnigem, heiterem Spanien) drängen sich aussagekräftige Parallelen auf: Wieder ist Hochzeitstag auf einem Schloß, das bei zwei Unterbrechungen Zentrum der erneut zeitlich gerafften und erneut in fünffüßigen Jamben dargestellten Handlung ist; wieder stehen sich zwei Adelsfamilien gegenüber, die MacGregors und die Ratcliffs; wieder ist der Held ein Außenseiter, dieses Mal ein studierter Bandit und echter Out-law; wieder wird eine Ehe aus Opportunität geschlossen, jetzt aus »Konvenienz«; wieder ist der Held der ausgeschlossene Dritte, der seinen Rivalen erneut vergeblich beseitigen will; und wieder umgibt Wahnsinn den ebenfalls mit seiner Geliebten untergehenden Helden, aber dieses Mal von Anfang an: Ratcliff ist Psychotiker; »dunkle Mächte gibt,/ Die [s]einen Willen lenken«; er hört fremde Stimmen; sieht seit Kindheit immer wieder »zwei neblichte Gestalten«; sein Ich ist gespalten; er hat einen »Doppelgänger«, den er für den Mord an seiner Geliebten verantwortlich macht (»Du bleiches Nachtgespenst, du hasts getan«; vgl. Futterknecht). In einer gesprächsweise überlieferten Äußerung hat Heine seinen Helden als »Wahnsinnigen« mit einer »fixen Idee« bezeichnet, als »unfreie Person«, die so handeln »muß« (Werner I, 93). Was das Stück als personenenthobenen Schicksalszwang darstellt, besteht aus einer Reihe narzißtischer Kränkungen. »Schön-Betty« weist Edward Ratcliff, Williams Vater, entsetzt ab, als dieser auf die leitmotivische Frage: »Was ist von Blut dein Schwert so rot, Edward? Edward?« antwortet: »Ich habe geschlagen mein Liebchen tot, – Mein Liebchen war so schön, o!« Edward, »toll vor Wut«, tröstet sich mit einer anderen, die Williams Mutter wird, kann aber »Schön-Betty« nicht vergessen, so daß er von dem eifersüchtigen Mac-Gregor erschlagen wird, worauf Betty stirbt. Jahre später kommt Ratcliff, dem die Eltern als »Nebelmenschen« erscheinen, auf das Schloß von Mac-Gregor, verliebt sich in dessen und »Schön-Bettys« Tochter Maria, die ihn ihrerseits »frostig« und als »lästig« abweist. Ratcliff schwört, daß kein anderer Maria besitzen soll und tötet zwei Anwärter, unterliegt aber jetzt dem dritten, Douglas, wodurch der Schwur durchbrochen und sein Leben sinnlos geworden ist. Er dringt in das Hochzeitsschloß ein, tötet Maria, Mac-Gregor, den Mörder seines Vaters, und schließlich sich selbst (mit ihm zusammen gehen fünf Leichen des Einakters auf das Konto des Wahnsinnigen).

Manfred Windfuhr und Franz Futterknecht haben die Verarbeitung autobiographischer Motive besonders in diesem Drama betont. Die Konstellation Mac-Gregor-Maria-Ratcliff-Douglas entspräche dann den Personen Onkel Salomon-Amalie-Heine-Jonathan Friedländer (Futterknecht, übersetzt die für ihn »symbolischen Morde« der Tragödie folgendermaßen: »Amalie und Onkel Salomon sind für mich [Heine] tot« und auch ich, Heine, bin »tot: tot für die Liebe zumindest«). Wenn auch die unglückliche Cousinenliebe im *Ratcliff* stärker als in anderen Werken hervortritt, so ist bemerkenswert, daß der abgewiesene und gekränkte Ratcliff in Anklagen an die Geliebte ausbricht, die er einerseits mit Almansor teilt und andererseits mit dem Sprecher der frühen Liebeslyrik, für deren Entstehung die Bedeutung der Kränkungen im Hause des Onkel Salomon untergraben worden ist. »Verfluchte Schlang«, »höhnisch« und »frostig« (B 1, 357, vgl. *Almansor* B 1, 314 f.), paßt in das Liebessystem des Liederbuches. Außerdem ist festzuhalten, daß Heine wohl an keiner anderen Stelle seines Werkes Zerrissenheit, Symptom und Signatur der Moderne, so radikal wie hier dargestellt hat: nämlich als Gespaltenheit im klinischen Sinn. Nicht ›Ich handle‹, sagt Ratcliff, sondern ›Es handelt‹ (in mir). Dadurch läßt die blutige Nebeltragödie des jungen Heine zumindest in Umrissen einen Menschentyp erkennbar werden, der seine Freiheit und Autonomie an personenenthobene Kräfte verloren hat, die keine harmonische Humanität mehr erlauben.

Lit.: Manfred Windfuhr: *Heinrich Heine*, Stuttgart 1976, 2. Auflage, 45 ff.; Rolf Hosfeld: *Die Welt als Füllhorn: Heine*, Berlin 1984, 43–57; Franz Futterknecht (s. o.), 250 ff.

Die »große Suppenfrage«

Was vom *Ratcliff* bleibt, hat Heine nach dreißig Jahren so festgehalten: »Am Herde des ehrlichen Tom im Ratcliff brodelt schon die große Suppenfrage, worin jetzt tausend verdorbene Köche herumlöffeln, und die täglich schäumender überkocht« (B 1, 340). In der Räuber- und Banditenabsteige Toms, eines Ehemaligen, der abgeschworen hat, »brodelt« tatsächlich erstmals in Heines Werk so vernehmlich der Gegensatz von arm und reich, der allerdings weder die herumlagernden Gauner zur sozialen Revolution treibt (im Gegenteil, sie kämpfen ums eigene nackte Überleben) noch aus Ratcliff einen Revolutionär macht, der er auch gar nicht sein kann, denn ihn treibt persönlicher Rache- und Mordwahn (dadurch fällt der soziale Konflikt als Movens der Tragödie aus, sicherlich eine große Schwächung).

Aber in dem Lande, in dem die damals fortschrittlichsten Verhältnisse herrschten, haben Tom und Ratcliff das Bewußtsein der sozialen Antagonismen entwickelt. Tom ist allerdings ein müde gewordener Kämpfer, der früher die Menschen ausdrücklich einteilte »In zwei Nationen, die sich wild bekriegen; / Nämlich in Satte und in Hungerleider« (B 1, 353) und der jetzt als guter Katholik die Vertreter der »letzteren Partei« verurteilt. Ratcliff, der sich lange in London herumgetrieben hat, kennt die Partei der »Satten« sehr gut, ja, ihn ergreift der »Zorn«, wenn er die »Pfennigseelen« sieht, die »im Überflusse schwelgen, / In Samt und Seide schimmern, Austern schlürfen, / Sich in Champagner baden«. Den sozialen Gegensatz von oben und unten erfaßt er sogar gestisch genau, wenn er die denunziert, die

> In goldnen Wagen durch die Straßen rasseln,
> Und stolz herabsehen auf den Hungerleider,
> Der, mit dem letzten Hemde unterm Arm,
> Langsam und seufzend nach dem Leihhaus wandert.

Und im Ton eines sozialen ›révolté‹ verteidigt er diejenigen, die den Henker nicht fürchten, um den »Wall« von Gesetzen zu durchbrechen, mit dem sich die »klugen, satten Leute« »gegen allen Andrang / Der schreiend überlästgen Hungerleider« schützen. Jahre vor der London-Prosa (*Reisebilder* IV) zeichnet sich in diesen eindringlichen Bildern das ab, was zur unlösbaren Frage, eben der »Suppenfrage«, der heraufziehenden kapitalistischen Gesellschaftsordnung werden sollte: die Verelendung der Massen. Ausbeutung ist sogar szenisch ein bißchen präsent, wenn ausgerechnet Tom, der seinen Sohn das Vaterunser aufsagen läßt, zwei schlafenden Gaunern das Geld aus der Tasche stiehlt!

Aufnahme

Gegenüber dem, was bei der Aufnahme des *Almansor* gesagt wurde, ist hinzuzufügen, daß *Ratcliff,* der in keiner Einzelrezension gewürdigt worden ist, die Meinungen der Kritiker stärker polarisiert hat. Der Lyriker Wilhelm Müller und der Dramatiker und Kritiker Adolf Müllner lehnen das Drama als zu gräßlich bzw. als zu spukhaft ab. Mit Heine befreundete Kritiker gehen dagegen über die Bestätigung der Bühnentauglichkeit weit hinaus. Moses Moser hält den Schluß des Stückes für ein »Meisterstück der tragischen Kunst« (Galley/ Estermann I, 139). Johann Baptist Rousseau nennt die Tragödie »eine der vortrefflichsten, welche die dramatische Literatur der jüngsten Jahre aufzuweisen hat« und erwartet von ihrem Autor große Wirkung auf die matte Literatur der Zeit (Galley/ Estermann I, 165). Allgemein wird *Ratcliff* an den Charakteristika des Genres Schicksalstragödie gemessen. Die kritischen Aspekte kommen kaum in den Blick.

Buch der Lieder

Vorbemerkung

Es gibt den Streit um Heine. Und es gibt den Streit um die frühe Lyrik Heines, die seinen Weltruhm als Lyriker begründet hat. Während ersterer allmählich abflaut, scheint letzterer, der erstaunliche Paradoxien aufweist, immer noch nachzuwirken. Zusammen mit der grundsätzlichen Skepsis am Wahrheitsgehalt von Lyrik in gebundener Form vermochte Heines eigenes »Unbehagen« an seinen frühen Liedern den einzigartigen Siegeszug der Sammlung im 19. Jahrhundert, sowohl im In- wie im Ausland, nicht aufzuhalten (*Vorrede* von 1837). Aber proportional mit dem Erfolg wuchs schließlich die Ablehnung der angeblich klimpernden Lieder mit dem einen und einzigen Thema. Je volkstümlicher die vertonten Lieder wurden, um so stärker wurde ihr Autor als bloßer Virtuose verdächtigt und als Dichter infrage gestellt. Karl Kraus machte sich 1910 zum Anwalt der Anklage und schmetterte Heines Liebeslyrik als »skandierten Journalismus« und »Operettenlyrik« ab (*Heine und die Folgen*). Aber wer die frühe Lyrik als Kinderkrankheit empfand, der konnte sich – weiteres Paradox – an die späte Dichtung halten. Zum hundertsten Geburtstag des Dichters sollte dann Theodor W. Adorno

Karl Kraus bestätigen und behaupten, Heine habe im *Buch der Lieder* die Lyrik an »die Gewalt einer fertigen, präparierten Sprache«, der »Sprache von Zeitung und Kommerz« ausgeliefert (*Die Wunde Heine*). Das Verdikt von 1956, das dieses Mal den Prosaisten Heine verschonte, hat in der Folge, als man den engagierten Schriftsteller entdeckte, zu einer relativen Vernachlässigung der frühen Liedersammlung, wenn nicht zu einer »Malaise« in der Konfrontation mit ihr geführt, die bis in die jüngste Zeit spürbar geblieben ist. – Diese rezeptionsgeschichtliche Situation muß mitbedenken, wer sich mit der Frühlyrik eines Dichters auseinandersetzen will, der an der gedanklichen Einheit seines Werkes keinen Zweifel aufkommen gelassen hat (s. *Vorrede* 1837, B 1, 11). Das mag außerdem den Umfang der folgenden Darstellungen rechtfertigen.

Entstehung, Druck, Text

Das *Buch der Lieder*

Nach dem Erfolg des ersten Reisebildes hielt Heine den Zeitpunkt für günstig, mit einer Sammlung seiner Gedichte auch als Lyriker den ersehnten Durchbruch zu suchen und die neuen Wirkungsmöglichkeiten in Deutschland zu nutzen. Der Plan einer Sammlung, der, wie er Varnhagen am 24. Oktober 1826 aus Lüneburg mitteilte, die Lyrik aus *Gedichte, Lyrisches Intermezzo* und *Reisebilder* I inhaltlich umfassen sollte, nahm schnell feste Gestalt an. Drei Wochen später erwähnte er die chronologische Ordnung und die strenge Auswahl seiner Sammlung, die nichts weniger als sein »Hauptbuch« sein würde und so populär werden sollte wie Gedichtausgaben von Bürger, Goethe und Uhland (Brief an seinen Freund Merckel). Der zukünftige Autor des Lieder-Buches, das Campe zunächst ohne Honorar überlassen wurde, verstand sich als Volksdichter, der auch für Ungebildete schrieb, und nicht als Esoteriker, der nur für Eingeweihte dichtete. Das bekräftigt auch der einfache und einprägsame, erst im Sommer 1827 im Briefwechsel mit Campe erwähnte Titel, der an das Gliederungsprinzip von Goethes *Divan* (z. B. »Buch der Liebe«) erinnert, und der zuerst in den 1826/27 entstandenen *Ideen. Das Buch Le Grand* verwendet worden war, hier allerdings mit Anlehnung an die Bibel. Die Arbeit, an der der Hamburger Friedrich Merckel teilnahm, begann in der Hansestadt Anfang 1827, d. h. vor der Veröffentlichung von *Reisebilder* II und vor der Englandreise. Zu diesem Zeitpunkt war die Auswahl der Gedichte abgeschlossen. Der Druck erfolgte während der Reise, so daß Campe Ende August die fertigen Exemplare, aber ohne die geplante größere Vorrede besaß. Die Druckvorlage zur Erstausgabe hat sich nicht erhalten, bestand aber, soweit sie die Lyrik betraf, aus aufgetrennten Exemplaren der *Gedichte, Tragödien* und den beiden ersten *Reisebilder*-Bänden, ferner aus eingelegten Handschriften für neu aufgenommene Gedichte (DHA I/2, 583). Die Ausgabe enthält Widmungen an Onkel Salomon Heine, Rahel Varnhagen v. Ense und Friedrich Merckel. Die Höhe der später mehrfach umstrittenen Auflage betrug 2000 Exemplare. – Die Sammlung umfaßt nur bereits in Buchform gedruckte Gedichte in chronologischer Folge (s. u. zum Prinzip zyklischer Komposition der einzelnen Abteilungen); lediglich sieben Gedichte sind bisher ungedruckt. Die Abteilung *Junge Leiden* ist durch Umformung der *Gedichte* (1822) entstanden und hat die meiste Korrekturarbeit erfordert, während die anderen Zyklen nur unwesentlich verändert worden sind. Aus der *Heimkehr* wurden sechs meist erotische Stücke entfernt (B 1, 236 f.) und durch sechs ungedruckte Gedichte ersetzt (*Heimkehr* LVI, LVII, LXVII, LXXVI, LXXVII u. LXXXI). Dem Zyklus sind fünf epische Gedichte angeschlossen worden. *Aus der Harzreise* enthält fünf Gedichte, die zuerst in *Reisebilder* I erschienen waren. Den beiden ersten Bänden dieser Reihe entstammen auch die zwei *Nordsee*-Abteilungen (zur Übersicht vgl. Zyklen-Tabellen B 2, 686 f., 703 f., 715 ff., 741 u. 746 f.).

Gut zehn Jahre segelte das *Buch der Lieder* nach Heines eigener Prognose »wie ein harmloses Kauffahrtheyschiff [. . .] ruhig ins Meer der Vergessenheit« hinab (Brief an Moser vom 30. Oktober 1827). Erst Mitte der 30er Jahre wurde es dank der gesteigerten Wertschätzung durch die studentische Jugend (»jeder rechtschaffene Bursch muß seinen Heine haben«, schrieb Campe 1839 an Immermann, DHA I/2, 611), durch liberale Beamte und Unternehmer populär, nicht als politisches Buch, sondern als Ausdruck romantisch-freiheitlicher Gesinnung (DHA I/2, 605). Die seit 1834 erwogene zweite Auflage wurde zwischen März und Oktober 1837 vorbereitet. Heine schrieb im Frühjahr eine Vorrede, verbesserte über Druckfehler hinaus manchmal ganze Strophen – am meisten wieder in der Abteilung *Junge Leiden* – und strich in drei Fällen erotische bzw. zeitkritische Passagen. Der Druck erfolgte mit Zensureingriffen, die Heine erst zwei Jahre später bemerkte. Die Komposition

blieb wegen der steigenden Popularität unangetastet (die Pläne zu den Werkausgaben von 1846, 1848 und 1852 sehen jedoch die Abtrennung der Nordsee-Zyklen vor). Parallel zu dem scheiternden Projekt einer zweiten Gedichtesammlung kam bereits 1839 eine 3. Auflage (mit der versifizierten Vorrede) zustande, in der Heine zahlreiche Interpunktionsänderungen vorgenommen hat. Dieser Auflage entspricht die 4. von 1841. Die sorgfältig gedruckte 5. Auflage von 1844, auf die Heine während seines Hamburger Aufenthaltes unmittelbaren und abschließenden Einfluß ausgeübt hat, wird aufgrund dieser Textverbesserungen als »Ausgabe letzter Hand« angesehen und von heutigen Ausgaben übernommen. Diese Auflage wurde zu den sieben weiteren, die zu Heines Lebzeiten, aber ohne seine Beteiligung erschienen, herangezogen. Mit der 5. Auflage war die Textgeschichte zum Abschluß gekommen.

Zu den einzelnen Zyklen

Der erste Zyklus *Junge Leiden* gruppiert in vier Abteilungen fast alle Gedichte, die ab 1815/1816 entstanden sind und Ende 1821 (mit Jahreszahl 1822) erschienen waren (*Gedichte von H. Heine. Berlin, in der Maurerschen Buchhandlung*) (Einzelheiten zur Entstehung, Zusammen- und Umstellungen oder Änderungen der Zyklen gibt DHA I/2, 635 ff., 646 ff., 677, 690 ff., 727 ff., 748 ff., 856 ff., 981 f. u. 994 ff.; ebenso B 2, 635 ff.; 1827 ausgeschiedene Gedichte B 1, 216–240). Die Abteilungen der *Jungen Leiden* unterscheiden sich nach Gattungsmerkmalen, wobei die *Traumbilder,* die die ältesten, noch vorwiegend phantastischen und schauerlichen Gedichte enthalten, gleich eine neue Gattungsform mit bestimmter, desillusionistischer Struktur einführen. In den *Liedern* stellt sich der das ganze Buch prägende Gedichttypus vor, freilich in noch unvollendeter Weise. Die *Romanzen,* die mit *Die Grenadiere* und *Belsatzar* zwei der bekanntesten Gedichte Heines enthalten (deren zeitkritischer Gehalt soll weiter unten analysiert werden), eignen sich eine volkstümliche Tradition an, der Heines ganze Lyrik verpflichtet bleiben wird. Das drastische Stück *Gespräch auf der Paderborner Heide* läßt frühem Spott über romantische Idealisierungen freien Lauf. Die vierte Abteilung, *Sonette,* die ab 1820 unter dem Einfluß des Bonner Lehrers August Wilhelm Schlegel entstanden sind, nimmt mit dem in burschenschaftlichem Geist verfaßten Gedicht *Die Nacht auf dem Drachenfels*

(1827 ausgeschieden; dazu s. u.) nicht nur zu aktuellen Themen ironisch Stellung, sondern übt mit den *Fresko-Sonetten* auch bereits satirische Gesellschaftskritik. Das frühe Zeitgedicht *Bamberg und Würzburg* fehlt sowohl 1822 wie 1827 (B 1, 246); das antimilitaristische *Berlin*-Gedicht wurde auch nur verstreut gedruckt (B 1, 248). – Der zweite Großzyklus, das besonders einheitliche, nach eigener Gesetzmäßigkeit zusammengestellte *Lyrische Intermezzo*, umfaßt bis auf fünf Ausnahmen Gedichte, die zwischen 1821/22 entstanden sind, zuerst in Zeitschriften und dann ebenfalls in Buchform gedruckt worden waren *(Tragödien, nebst einem lyrischen Intermezzo, von H. Heine. Berlin 1823. Bei Ferdinand Dümmler)* (Überblick zu den einzelnen Drucken: DHA I/2, 753). Dieser für die frühe Lyrik besonders typische Zyklus enthält zusammen mit dem nächsten ein gut Teil der populärsten Lieder Heines (z. B. Nr. 1, 2, 6, 7, 9, 10, 22, 33, 49, 55, 59; Nr. 50 wird infra untersucht). Der einem gattungspoetischen Begriff entnommene Titel »Lyrisches Intermezzo« korrespondiert offenbar einmal Heines Absicht, »humoristische Lieder im Volkstone« zu veröffentlichen (Brief an den Verleger Dümmler vom 5. Januar 1823), und zum anderen der epigrammatischen Form der kleinen neuartigen, meist zweistrophigen Lieder. – *Reisebilder von H. Heine. Erster Theil* veröffentlichte 1826 zuerst die 88 durchnumerierten, 1823/1824 entstandenen und zum größten Teil zwischen 1824 und Januar 1826 gedruckten Gedichte des dritten Großzyklus, *Die Heimkehr*, die inhaltlich aufgrund der geschlossenen Liebesthematik das *Intermezzo* noch übertreffen (zu den verbreitetsten gehören z. B. Nr. 2 – hier analysiert–, 8, 47 und 87). Der Titel »Heimkehr« ist als Rückkehr an Orte, die, wie Hamburg und Göttingen, für den Dichter Fremde bedeuten, zu verstehen, also *nicht* als Rückkehr in eine heimatliche Geborgenheit (DHA I/2, 864 f.). Heine, der in diesem Zyklus den Volkston hinter sich läßt, hat seine unverwechselbare Originalität treffend als »lyrisch maliziöse zweistrophige Manier« bezeichnet (Brief an Moser vom 19. Dezember 1825). Inhaltlich erweitert sich die Liebesthematik, die auch wie im *Intermezzo* Gesellschafts- bzw. Gelehrtensatire nicht ausschließt (*Intermezzo* Nr. 37, 47 u. 50, *Heimkehr* 58 u. 79), durch See- und Reisebilder, während die angefügten Gedichte *Götterdämmerung, Donna Clara* und *Almansor* philosophische und religiöse Themen, letztere unter Einbezug der jüdisch-christlichen Gespaltenheit Heines, diskutieren. Dieser Zyklus

bietet sich ebenso wie die beiden folgenden *Aus der Harzreise. 1824.* und *Die Nordsee* durch die doppelte Überlieferung *Reisebilder/Buch der Lieder* in leicht unterschiedlicher Textgestalt dar. Im zweiten Teil des 5. und letzten Zyklus, *Die Nordsee*, fehlt z. B. das Deutschland-kritische Gedicht *Seekrankheit* (s. B 3, 201 f.). Aus den von Heine zu Recht als epochemachend angesehenen, hymnisch-mythologischen *Nordsee*-Gedichten, die auf die Psyche und Physis so belebenden Norderneyer Sommeraufenthalte 1826 und 1827 zurückgehen, sollen *Die Götter Griechenlands* näher dargestellt werden.

Zu den französischen Übersetzungsversuchen

Die spezifischen Schwierigkeiten der Lyrikübertragungen haben dafür gesorgt, daß Heine in Frankreich als Dichter des *Livre des chants* zu Lebzeiten eine Berühmtheit vom Hörensagen blieb. Erst 1847 erschienen nennenswerte Lieder-Übertragungen (Überblick DHA I/2, 1071 f.), bevor der mit Heine befreundete Gérard de Nerval 1848 seine den Bann brechende Übersetzung von sechzehn *Nordsee*- und 58 *Intermezzo*-Stücken in Prosaform veröffentlichte (auf diese Fassungen griff Heine 1855 zurück). 1854 folgte Saint-René Taillandier mit 79 *Heimkehr*-Übersetzungen. Bei der autorisierten Auswahl, die Heine 1855 in dem Band *Poëmes et Légendes* zusammen mit einer neuen *Préface* (Text B 11, 519 ff. und DHA I/1, 568 ff.) bei Michel Lévy frères herausbrachte, handelt es sich um einen Querschnitt in Prosa durch seine Lyrikproduktion. *Die Heimkehr (le retour)* fehlt. Von den neugebildeten Zyklen *Nocturnes (Traumbilder)* und *Feuilles Volantes,* die Gedichte aus verschiedenen Zyklen und Phasen enthalten, dokumentiert der erste die frühe Lyrik.

Druck: Heines Lyriksammlung erschien im Oktober 1827 unter dem Titel *Buch der Lieder von H. Heine. Hamburg bei Hoffmann und Campe. 1827.* und enthält die 5 Zyklen: *Junge Leiden* (3–103), *Lyrisches Intermezzo* (105–171), *Die Heimkehr* (173–283), *Aus der Harzreise* (285–304) und *Die Nordsee* (305–372); 2. Aufl. mit *Vorrede* (V–XVI) 1837; 3. Aufl. mit neuer *Vorrede* (XV–XVIII) 1839; 4. Aufl. 1841 nach der 3.; 5. endgültige Aufl. mit ebenfalls neuer *Vorrede* (XIX–XX) 1844; danach 6.–13. Aufl. 1847, 1849, 1851, 1852, 1853, 1854, 1855 ohne Autorbeteiligung. Übersicht zu Nachdrucken von Gedichten aus dem *Buch der Lieder* sowie zu Vertonungen: DHA I/2, 626 ff.

– französische Drucküberlieferung: DHA I/2, 1070 ff.

Text: B 1, 7–212 (Text nach der Ausgabe von Oskar Walzel, die die letzte von Heine autorisierte Fassung bietet) u. 213–272 (Nachgelesene Gedichte 1812–1827); DHA I/1, 9–427 (Paralleldruck vorn, auf der rechten Seite, Ausgabe

letzter Hand, d. h. 5. Aufl. 1844, und, auf der linken Seite, Erstdruck der Gedichte aus Zeitschriften- bzw. Buchveröffentlichungen bis 1827 in restituierter Form, zusammen mit Über- und Unterschriften sowie Fußnoten); 429–571 (Anhang; faßt die bis 1827 entstandenen, im *Buch der Lieder* nicht aufgenommenen Gedichte zusammen sowie die Byron-Übersetzungen, die Vorreden und die französischen Übersetzungen).
  – französische Übersetzungen aus *Poëmes et Légendes*, Paris 1855: DHA I/1, 445 ff., 463 ff., 490 ff., 499 ff. (530 ff. von Heine bearbeitete Übersetzungen); HSA 13, 69–138 (275 ff. u. 309 ff. – *Le retour* – gedruckte Übersetzungen außerhalb von *Poëmes et Légendes;* 365 ff. handschriftlich überlieferte Übersetzungen).

Lit.: B 2, 629 ff.; DHA I/2, 575 ff. u. 605 ff. [ferner bei den einzelnen Zyklen; zur franz. Übersetzung: 1061 ff., 1131 f. u. 1163 f.]; HSA 1 K I u. II [bietet ähnlich gegliederte Informationen zur Entstehung; zusätzlich ein chronologisches Druckverzeichnis der ganzen frühen Lyrik]; HSA 13 K; – Joseph A. Kruse: *Heines Hamburger Zeit,* Hamburg 1972 (= Heine-Studien); Jochen Zinke: *Autortext und Fremdeingriff,* Hamburg 1974 (= Heine-Studien); Gerd Heinemann: *Die Beziehungen des jungen Heine zu Zeitschriften im Rheinland und in Westfalen,* Münster 1974.
  – zur Übersetzung: Béatrice Lamiroy: *Questions de traduction. Le ›Lyrisches Intermezzo‹ de H. Heine et ses versions françaises,* Kortrijk 1979 (Paper nr. 11).
  – zur Biographie: Wolfgang Hädecke: *Heinrich Heine. Eine Biographie,* München 1985, 499 ff.; Franz Futterknecht: *Heinrich Heine. Ein Versuch,* Tübingen 1985, 129 ff. [zur Bonner, Göttinger und Berliner Studienzeit s. Handbuch-Darstellungen zur frühen Prosa].

Tradition und Vorbilder (Volkslied, Liebeslyrik)

Die zunächst relative (*Gedichte*), dann aber unbestreitbare Originalität der frühen Gedichte (*Lyrisches Intermezzo*) setzt die produktive Aneignung verschiedener Traditionen voraus: die klassisch-romantische Lied- und Balladendichtung ebenso wie das petrarkische Modell der Liebesdichtung (was erst die neuere Forschung herausgestellt hat). – Von grundlegender Bedeutung für den Dichter der *Jungen Leiden* war die Rezeption der volkstümlichen Tradition der Goethezeit, sei es in Form von Volksliedern, volkstümlichen Liedern oder in Form der um 1820 modischen, spätromantischen Volkstondichtung. Die neuartigen *Traumbilder,* die noch auf die Düsseldorfer (1815/16) und Göttinger Zeit (1820/21) zurückgehen, übernehmen wesentliche Elemente der populären Gespensterballade; mit den in der vierzeiligen Volksliedstrophe abgefaßten *Liedern* tritt erstmals jene Gattung hervor, die der ganzen Sammlung den Titel gegeben hat, während sich die *Romanzen* der Bonner »Volkstonmode« anschließen, die dort in der

Nachfolge der Heidelberger Romantik gepflegt wurde (DHA I/2, 691).
  Zur begrifflichen Klärung der unscharfen Phänomene sei mit Ernst Klusen festgehalten, daß man unter »Volkslied« damals das »in der romantischen Herder-Nachfolge aus möglichst alter Überlieferung übernommene Lied unbekannter Verfasser« verstand und als Gegensatz zum Kunstlied auffaßte. Als »volkstümliches Lied« bezeichnete man »literarisch-musikalische Hervorbringungen bekannter Autoren aus jüngerer Zeit, die sich bewußt der Ausdrucks- und Stilmittel des ›Volksliedes‹« bedienten. Unter »Volkston« versteht Klusen die Gesamtheit dessen, »was an Liedern in Laiengruppen umlief«. – Heine ist mit dieser Tradition sehr früh in Berührung gekommen. Haben Ammen dem Kind Sagen, Märchen und Gespenstergeschichten erzählt, so hat sich der Gymnasiast bereits 1813/14 für das Volkslied interessiert. Nur wenig später sollte das volksliederkundige »rote ›Sefchen‹«, wie die *Memoiren* berichten, als Vermittlerin des Sinns dieser Gattung wirken und den »erwachenden Poeten« zu seinen ersten düsteren *Traumbildern* inspirieren (B 11, 601). Volkslieder lernte dann der Dichter, der in den 20er Jahren per pedes reiste, direkt von ihren unbekannten Verfassern kennen. Heine, der viele Volkslieder kannte, hat in seinem Lyrik- und Prosawerk eine ganze Reihe erwähnt und zitiert (oft ohne Quellenangabe; Klusen, 45 ff., gibt eine Übersicht mit Quellenangabe; zu allen Quellen, s. B 2, 658 ff.). Neben zahlreichen motivlichen Entlehnungen war nun die Volksliedstrophe mit ihrer variablen Metrik formal prägend für das *Buch der Lieder:* Das Grundmodell besteht aus dem zweimaligen Wechsel von Viertaktern und Dreitaktern mit abwechselnd männlichen und weiblichen Versschlüssen. Daneben hat Heine die Freiheiten des Volksliedes bei der Taktfüllung ausgiebig genutzt. – Als literarische Vorbilder bei der Rezeption dieser Gattung gelten in erster Linie drei romantische Dichter. Fouqué hat mit seinem dreibändigen *Zauberring* den Düsseldorfer Gymnasiasten, der das Werk um 1815 gelesen haben dürfte, tief beeindruckt, sind doch Abschriften der Romanze von Donna Clara und Don Gayferos erhalten (Fouqué hat formal und inhaltlich die Romanzen *Don Ramiro* und *Donna Clara* beeinflußt, DHA I/2, 708 u. 972 f.). Nachhaltigen Eindruck haben dann Uhlands Balladen mit ihren volkstümlichen, aber altertümlichen Stoffen hinterlassen (*Gedichte,* 1815; zur späteren Uhland-Rezeption s. *Romantische Schule,* B 5, 483 ff.). Die zentrale Be-

deutung der »lieben Müller'schen Lieder« für Metrum und Ton des *Intermezzo* hat Heine selber in seinem Brief vom 7. Juni 1826 einbekannt, denn er schrieb dem populären Dichter der *Sieben und siebenzig Gedichte aus den hinterlassenen Papieren eines reisenden Waldhornisten* (1821): »Ich habe sehr früh schon das deutsche Volkslied auf mich einwirken lassen, [...] aber ich glaube erst in Ihren Liedern den reinen Klang und die wahre Einfachheit, wonach ich immer strebte, gefunden zu haben. Wie rein, wie klar sind Ihre Lieder und sämmtlich sind es Volkslieder.« Diese irrtümliche und schließlich gespaltene Einstellung zu einem der wichtigsten Vorbilder wirft die Frage nach Heines theoretischer Rezeption des Volksliedes auf (Nigel Reeves, 44 ff., hat sowohl nachgewiesen, daß Müllers Lieder weder spontane noch naive Produkte waren, als auch, daß Heine Müller parodiert hat; vgl. DHA I/2, 866).

Heine urteilt ganz in der romantischen Herdernachfolge, wenn er den Zauber des Volksliedes im Reinen, Natürlichen, im »organisch Hervorgegangenen« und im »Stempel der Wahrheit« erkennt (Methfessel-Rezension, B 1, 429), oder wenn er die wandernden Handwerksburschen als die eigentlichen Verfasser ansieht (Rousseau-Rezension, B 1, 427, vgl. B 5, 454). Die ganze theoretische Faszination durch diese Gattung kommt dann in der *Romantischen Schule* zum Ausdruck, die Arnims und Brentanos repräsentative Liedersammlung *Des Knaben Wunderhorn* vor französischem Publikum ausführlich rühmt und mit sechs Textbeispielen würdigt. Wesentlich ist nun jedoch, daß Bewunderung und gebrochene Einstellung zusammengehen. Heine sieht das Volkslied historisch und weiß, daß am Ende der großen, traditionsreichen »Kunstperiode« bzw. bei Beginn der Moderne kein unreflektierter Rückgriff auf diese Gattung mehr möglich ist. So warnt er bereits in bürgerlichem Geist während seiner intensivsten praktischen Rezeption vor naiver Bewahrung des Volksliedes (B 1, 427 f.) und spottet dann in der *Romantischen Schule*: »Die Kunstpoeten wollen diese Naturerzeugnisse nachahmen, in derselben Weise, wie man künstliche Mineralwässer verfertigt« (B 5, 450). Seine gebrochene Haltung teilt sich ebenfalls schon brieflich gegenüber Wilhelm Müller, dem vermeintlich authentischen, d. h. nicht altertümelnden Erneuerer des Volksliedes, mit, wenn es heißt: »In meinen Gedichten hingegen ist nur die Form einigermaßen volksthümlich, der Inhalt gehört der conventionnellen Gesellschaft« (Juni-Brief von 1826). Heine

wurde nun aus bewußter Distanz heraus schöpferisch und konnte deshalb, was Max Kommerell gesehen hat, »als Nachahmer vollkommener als die andern« sein (als Brentano und Eichendorff). Er vermag Müller zu übertreffen, weil er den Gegensatz von traditioneller Form und »konventioneller«, bürgerlicher Gesellschaft in der Struktur seiner Lieder produktiv gemacht hat. Zusammenfassend gilt festzuhalten, daß angesichts des Beginns der industriellen Revolution für den Liederdichter Heine die Zeit des Liedes eigentlich vorbei ist (vgl. nachgelassene Aufzeichnung B 11, 649). Wenn man, wie Reeves, die Volkslieder als »a conscious response to the cultural and social alienation which he [Heine] felt dominated his age« ansieht, muß man mitreflektieren, daß diese Antwort zugleich im vorbürgerlichen Geist erfolgt ist.

Aus der klassisch-romantischen Tradition ist weiter zunächst die überragende Bedeutung der Goetheschen Lieder- und Balladendichtung sowie seiner Liebeslyrik zu erwähnen. Heines ambivalente Einstellung zu Goethe (s. *Romantische Schule*) hat nie die Bewunderung der Lyrik des »Wolfgang Apollo« berührt. Der *West-östliche Divan* (1819), der nicht nur kompositionell das *Buch der Lieder* beeinflußt hat, erscheint dem jüngeren Dichterkollegen wie ein Wunder der deutschen Sprache (vgl. B 5, 402 f. u. B 5, 620; dazu Peters). Dann hat der nur zeitweilig als Dichter, aber durchgängig als großer Metriker verehrte August Wilhelm Schlegel nachhaltigen, stilbildenden Einfluß auf den jungen Balladen- und Minneliederdichter ausgeübt (Kanowsky, 26 ff. u. DHA I/2, 727 ff.). Von dem Aufenthalt in der Bonner Werkstatt, in der Heine sein dichterisches Handwerk erlernt hat, zeugt nicht nur die Tendenz zu Konzentration und logischer Strenge, die die allesamt in diesen Jahren entstandenen Sonette verraten, sondern auch das nie abgebrochene Ringen um die metrische Meisterschaft, das seine Handschriften allgemein belegen.

Einen Grundzug von Heines Lyrik, den bereits Immermann in seiner Rezension von 1822 erkannte, hat erst Manfred Windfuhr voll hervorgehoben: die Verwandtschaft mit dem Petrarkismus. Windfuhr, der den Blick über den deutschen Rahmen hinaus auf die europäische Tradition der Liebeslyrik und Liebeskonzeption gerichtet hat, betont, daß Heines Vorstellung unerfüllter, zwischen entgegengesetzten Zuständen schwankender (»oxymorischer«) und auch formelhafter Liebe in engster Beziehung zum petrarkischen Modell steht. Heines Nähe zu dieser Tradition zeichnet sich wiederum durch produktive Weiter- und Umbildung aus, was detailliert, vor allem an den ironischen Brechungen, gezeigt wird.

Als letztes Vorbild verdient Lord Byron, der Dichter des zum Modephänomen gewordenen Weltschmerzes, Beachtung. Heine hat sich, wahrscheinlich auf Schlegels Anregung hin, als Byron-Übersetzer versucht (B 1, 377 ff.). Er hat sich in Berlin als ›deutscher Byron‹ bewundern lassen und den Toten von Missolunghi 1824 als seinen geistigen Verwandten bezeichnet (»mein Vetter«; in dem Brief an Rudolf Christiani vom 24. Mai 1824 heißt es: »Ja dieser Mann war groß, er hat im Schmerze neue Welten entdeckt«, eine Einschätzung, die Heines Jugendlyrik ebenso charakterisieren könnte). Außerdem hat das Vorbild Byrons, neben der Rolle Schlegels, wesentlich dazu beigetragen, Heines dichterisches Selbstverständnis zu fördern, d. h. seine Berufung zum Dichter, seinen »Dichterstolz« (Grappin).

Lit.: Zum Volkslied: Günther Müller: *Geschichte des deutschen Liedes vom Zeitalter des Barock bis zur Gegenwart*, München 1925, 293–300; Max Kommerell: *Das Volkslied und das deutsche Lied*, in: Jahrbuch des Freien Deutschen Hochstifts 1932/33, 3–51, speziell 40 ff.; Hermann Bausinger: *Formen der ›Volkspoesie‹*, Berlin 1968 (Grundlagen der Germanistik 6), 9–17; Ernst Klusen: *Heinrich Heine und der Volkston*, in: Zeitschrift für Volkskunde, 69. Jg. 1973, 43–60; Nigel Reeves: *Heinrich Heine. Poetry and Politics*, Oxford 1974, 37 ff. [in anderer Form zuerst 1970: *The Art of Simplicity. Heinrich Heine and Wilhelm Müller*].

– Felix Melchior: *Heinrich Heines Verhältnis zu Lord Byron*, Berlin 1903 [Reprint 1976 Nendeln/Lichtenstein]; Wilhelm Ochsenbein: *Die Aufnahme Lord Byrons in Deutschland und sein Einfluß auf den jungen Heine*, Berlin 1905; Paul Beyer: *Der junge Heine*, Berlin 1911 [Nachdruck Hildesheim 1974]; Jürgen Brummack: *Heines Entwicklung zum satirischen Dichter*, in: Deutsche Vierteljahrsschrift für Literaturwissenschaft und Geistesgeschichte, 1967, XLI. Bd., 98–116 [analysiert Stellung zum Volkslied]; Pierre Grappin: *Heines lyrische Anfänge*, in: IHK 1972, 50–78; Paul Gerhard Klussmann: *Die Deformation des romantischen Traummotivs in Heines früher Lyrik* [untersucht detailliert die Beziehungen zum Volkslied, zur Romantik und zu Goethe], in: *Untersuchungen zur Literatur als Geschichte. Festschrift für Benno von Wiese*, hrsg. von Vincent J. Günther u. a., Berlin 1973, 259–285; Walter Kanowsky: *Vernunft und Geschichte. Heinrich Heines Studium als Grundlage seiner Welt- und Kunstanschauung*, Bonn 1975; Manfred Windfuhr: *Heine und der Petrarkismus*, in: *Heinrich Heine*, hrsg. von Helmut Koopmann, Darmstadt 1975 (Wege der Forschung), 207–231 [zuerst 1966 in: Jb. d. dt. Schillergesellschaft]; Danilo Bianchi: *Die unmögliche Synthese. Heines Frühwerk im Spannungsfeld von petrarkistischer Tradition und frühromantischer Dichtungstheorie*, Bern 1983; George F. Peters: *»So glücklich, so hingehaucht, so ätherisch«. Heines Beurteilung des »West-östlichen Divan«*, in: HJb 1983, 30–46.

– zur Lyrik in der Biedermeierzeit: Friedrich Sengle: *Biedermeierzeit*, Bd. II: *Die Formenwelt*, Stuttgart 1972, 467–625.

– zur Einführung in den Petrarkismus: Gerhart Hoffmeister: *Petrarkistische Lyrik*, Stuttgart 1973.

Analyse und Deutung

Zyklische Komposition und psychische Funktion

Der bei weitem größte Teil der Lyriksammlung, rund 140 der 237 Gedichte, wenn nicht mehr, handelt von ›unglücklicher‹, ›unerwiderter‹ oder ›hoffnungsloser‹ Liebe. In drei Fünfteln der Gedichte erlebt und erleidet der Sprecher den frustrierenden, unlösbaren Konflikt zwischen erotischem Verlangen und bitterem Verzicht, zwischen ununterdrückbarem Bedürfnis nach sinnlichem Genuß und fortwährendem Schmerz über die aussichtslose Verwirklichung. Dem grab- und todessüchtigen Liebhaber, der ständig zwischen imaginärem Glück und echter Verzweiflung hin- und hergerissen wird, vermischen sich aber schließlich Liebesschmerz und Schmerzliebe auf so subtile Weise, daß der Schmerz als Verstärker der Lust fungiert. – Heine war sich dieser eingeschränkten und einseitigen thematischen Fixierung vollauf bewußt, schrieb er doch in dem für seine Selbstauffassung wichtigen Brief an Immermann vom 10. Juni 1823, alle seine Dichtungen seien »nur Variazionen desselben kleinen Themas«, und fügte angesichts neuer Projekte entschuldigend hinzu, er habe »bisher nur die Historie von Amor und Psyche in allerley Grouppirungen gemalt«. Was Kritiker immer wieder als Monotonie und Serienproduktion angeprangert haben (ein Eindruck, der sich auch durch die titellosen, numerisch aufgereihten *Intermezzo*- und *Heimkehr*-Gedichte aufdrängt), entspringt in Wirklichkeit einem kunstvollen, ästhetischen Arrangement, das die Liedersammlung zu einem durchkomponierten Ganzen gemacht hat, in dem der Sinn eines jeden Einzelgedichts letztlich durch seine Stellung im Gesamtgefüge bestimmt wird.

Die Zusammenstellung aller Gedichtbände Heines, der den »ordnenden Geist« zu seinen »Haupt Eigenschaften« gerechnet hat, erfolgte nach bestimmten kompositorischen Prinzipien (Brief an Campe vom 22. März 1852). Die für Heines Editionspraxis typisch zyklische Komposition, die bereits bei den Einzelveröffentlichungen bzw. bei den Erstdrucken hervorsticht, hat sich 1827 so vervollkommnet, daß das Lieder-Buch aus Zyklen von Zyklen von Zyklen besteht. Die fünf Abteilungen der Sammlung setzen sich aus Großzyklen zusammen, die sich entweder mehr in formal unterschiedene Gruppen *(Junge Leiden)* oder mehr in thematisch strukturierte Subzyklen gliedern *(Intermezzo* und *Heimkehr)*. In den Subzyklen können die einzelnen Gedichte wiederum thematisch in assoziativer, kontrastiver oder komplementärer Verbindung stehen (die Ansichten über den Aufbau des *Intermezzo* und der *Heimkehr* weichen in der Forschung stark voneinander ab; allgemein wird beim *Intermezzo* eine zweiteilige Gliederung angenommen – Andler, nimmt eine weitere Unterteilung nach dem Schema These-Antithese-Synthese vor; vgl. DHA I/2, 756 –; bei der *Heimkehr* unterscheidet Legras zwischen 7 Untergruppen). Zyklen können auch untereinander in Kontrast stehen, wie z. B. *Intermezzo* und *Nordsee* I. Der »ordnende Geist« läßt sich bei dem Arrangement der Zyklen ferner auch daran erkennen, daß Heine während der Arbeit am *Buch der Lieder* zur kompositorischen Abrundung von Subzyklen neue Stücke hinzugedichtet und alte Stücke aus dem vorhandenen Material ausgeschlossen hat (und aus denselben kompositorischen Gründen auch schwächere Gedichte beibehielt). Die sorgfältige Komposition, die 1827 noch nicht ganz abgeschlossen war, hat in einzelnen Fällen den Sinn der Gedichte stark verändert (dazu Waseem, 18 ff.).

Dieser kunstvolle zyklische Aufbau bedeutet nun für die Interpretation, daß ›der‹ Sinn der einzelnen Gedichte funktionell aus ihrer Stellung im Gesamtgefüge erschlossen werden muß, aus ihrer Stellung zur Umgebung, zum Subzyklus und dann zum Hauptzyklus, – etwa nach dem Bilde sich ausweitender, konzentrischer Kreise, wobei jeder Kreis theoretisch eine neue Sinnschicht darstellt. Zyklen wie *Traumbilder, Lieder, Intermezzo* und *Heimkehr* werden wiederum von poetologischen Gedichten eingerahmt, die eine bestimmte hermeneutische Funktion erfüllen. Gedichte mit Prolog- und Epilogcharakter lassen sich bei fast allen Zyklen beobachten (in seiner eindringlichen Untersuchung zu Heines »Ästhetik des Arrangements« betont Norbert Altenhofer, der Dichter habe »den Zyklus als dialektische Form lyrischen Sprechens ausgebildet«; vgl. Teichgräber, 79 ff., Prawer, 46 ff. u. Lüdi, 16 ff.; zu *Traumbilder* speziell: Siegrist, Klussmann, Wagner).

Heines Vorliebe für Gedichtzyklen ist nun nicht innovativ, sondern durchaus epochentypisch: Sie steht in der Nachfolge von Goethes *West-östlichen Divan* (1819, erweitert 1827). Das in zwölf Bücher mit Prolog- und Epiloggedichten eingeteilte Werk,

das vielfältige Motive, Themen und Töne kombiniert, hat das zyklische Dichten der 20er Jahre wesentlich geprägt. Als Modell für das *Intermezzo* und die *Heimkehr* gilt die Liebeslyrik des zentralen *Buch Suleika,* das außerdem den Typus des poetologischen Gedichts enthält (Altenhofer). Heines *Intermezzo* war Wilhelm Müller 1821 mit dem Liederzyklus »Die schöne Müllerin« (in: *Sieben und siebenzig Gedichte*) vorausgegangen; 1823 folgte der Zyklus *Die Winterreise* (vollständig 1824). Nach 1830 dichteten ferner Chamisso, Platen und Lenau größere Liederzyklen. Aufschlußreich wäre u. a. ein Kompositionsvergleich des *Buch der Lieder* mit dem am strengsten aufgebauten Buch der modernen Lyrik, mit Baudelaires *Fleurs du Mal.*

Neben dem ästhetischen Interesse verfolgte Heine bei seiner zyklischen Kompositionsweise ein psychologisches: Die Sammlung sollte seine dichterische Jugendphase als abgeschlossen und überwunden dokumentieren. Diese sehr persönliche Funktion, die die frühe Lyrik ausüben soll, hat sich bereits auf intensivere, nämlich selbsttherapeutisch zu nennende Weise bemerkbar gemacht, als Heine gegenüber Immermann das Intermezzo »den Paßpartout zu meinem Gemüthslazarethe« bezeichnete (Brief vom 24. Dezember 1822). Eine solche Diagnose legt nun in Verbindung mit der erotisch determinierten Grundstruktur des Buches die Auffassung nahe, die virtuosen, obendrein numerierten Variationen als »Distanzierungsmittel« (Brummack, 100) eines nicht frei gewählten, sondern obsessiven Themas, »desselben kleinen Themas«, zu begreifen. 1826 schwebt Heine ein chronologisches Selbstporträt, »ein psychologisches Bild von mir«, vor, das offenbar einem entwicklungsgeschichtlichen Grundriß folgen sollte (von den »trüb-ernsten Jugendgedichten« zu »reinen blühenden Gedichten«, Brief an Merckel vom 16. November 1826). Heines Intentionen hat Norbert Altenhofer zutreffend als »lyrische Dialektik« von psychologischer Selbstdarstellung und distanzierender Artistik bezeichnet. Näher verhält es sich so, daß die vom Dichter hervorgehobene ästhetische *Progression* (vom Trüben zum Blühenden) in Spannung mit einer ständigen psychologischen *Regression* steht, die das Überwundene dauernd wiederkehren läßt und den Fortschritt konterkariert.

Die psychische Entlastungsfunktion von Sprechen allgemein, und von lyrischem Sprechen insbesondere, bringt der Prolog der *Heimkehr* am Beispiel von Kindern, die im Dunkeln »ein lautes Lied« singen, »um ihre Angst zu bannen«, symptomatisch zum Ausdruck (»Klingt das Lied auch nicht ergötzlich«, stellt der ebenfalls im Dunkeln singende Sprecher fest, »Hats mich doch von Angst befreit«). Die Spannung von Befreiung und Mißlingen sprachen bereits die Rahmengedichte der *Traumbilder* aus. Weiter wird das singende Bannen an zentraler Stelle durch die Begräbnismetaphorik der poetologischen Gedichte in *Lieder, Intermezzo* und *Heimkehr* thematisiert, in denen der Sprecher sich vom ›Einsargen‹ der Lieder zusammen mit seinen Schmerzen eine befreiende Wirkung verspricht. In derselben Erwartung fordert er an der Schaltstelle der *Heimkehr* entschlossen einen Themawechsel (»Teuer Freund! Was soll es nützen, / Stets das alte Lied zu leiern?«, Nr. XLII). Das folgende Gedicht verspricht, ein »neuer Liederfrühling« soll aus dem »geheilten Herzen« sprießen, bevor Nr. 44, genau in der Mitte des aus 88 Liedern bestehenden Zyklus, die als Pose und Spiel durchschaute eigene »Torheit« zusammen mit einer als anachronistisch und artifiziell empfundenen Literaturepoche verabschiedet. Aber der doppelte Befreiungsakt mißlingt. Der Epilog muß noch einmal die in den alten Tönen wiedergekehrten alten Leiden und alten Torheiten ›beisetzen‹. Eine Stimmungsänderung und ein künstlerischer Neuansatz erfolgen dann tatsächlich in den Harz- und Seebildern. Die epigrammatische Kurzlyrik wird überwunden, die hymnischen Gedichte sprengen schließlich die Volksliedstrophe. Das Berg- und Meererlebnis erweitert in der Tat das Liebesgefühl des Sprechers (»Mein Herz und das Meer und der Himmel«, *Nordsee* I, 7), aber das »kaum geheilte Herz« wird erneut rückfällig (*Nordsee* I, 10), und es bedarf einer beschwörenden Abwehrgeste (»Bleib du in deiner Meerestiefe, / Wahnsinniger Traum«), um die thematisch allerdings erweiterte Schmerzgefahr endgültig zu bannen. Das zeigt dann erst der *Epilog* des zweiten Zyklus in einem versöhnlichen Bild.

Die zyklische Komposition des *Buch der Lieder* enthält eine fiktive Handlungsstruktur, durch die sich eine bestimmte »Historie« zusammen mit den von ihr verursachten Schmerzliedern als abgeschlossen darstellen und verabschieden läßt (eine verwandte therapeutische Funktion besitzt auch die Rahmenhandlung im *Buch Le Grand* und in den *Florentinischen Nächten*). Bereits dieser psychologische Aspekt am Aufbau des *Buch der Lieder* hebt die für Heines Werk charakteristische Distanzierungsstrategie hervor, die weiter unten aus ästhetischer Sicht erörtert werden soll.

Lit.: Jules Legras: *Henri Heine Poète,* Paris 1897, 1–85; Urs Wilhelm Belart: *Gehalt und Aufbau von Heinrich Heines Gedichtsammlungen,* Diss. Bern 1925 [Neudruck Nendeln 1970]; Charles Andler: *La poésie de Heine,* Lyon-Paris 1948, 31–108; S. S. Prawer: *Heine: Buch der Lieder,* London 1960; Susanne Teichgräber: *Bild und Komposition in Heines Buch der Lieder,* Diss. Freiburg i. Br., München 1964, 79 ff.; Christoph Siegrist: *Heines Traumbilder,* in: HJb 1965, 17–25; Walter A. Berendsohn: *Die künstlerische Entwicklung Heines im Buch der Lieder,* Stockholm 1970; Paul Gerhard Klussmann (s. o.); Gertrud Waseem: *Das kontrollierte Herz. Die Darstellung der Liebe in Heinrich Heines »Buch der Lieder«,* Bonn 1976; Rolf Lüdi: *Heinrich Heines Buch der Lieder,* Bern etc. 1979; Jürgen Brummack: *Lyrik nach der Romantik: Das Buch der Lieder,* in: *Heinrich Heine. Epoche-Werk-Wirkung,* hrsg. von Jürgen Brummack, München 1980, 80–112, spez. 94 ff.; Norbert Altenhofer: *Ästhetik des Arrangements. Zu Heines »Buch der Lieder«,* in: Text + Kritik, H. 18/19, 4. Aufl., 1982, 16–32; Martina Wagner: *»Ein Traum, gar seltsam schauerlich…«. Heines Traumbilder als Medium poetischer Selbstreflexion,* in: HJb 1983, 179–187; Rolf Hosfeld: *Die Welt als Füllhorn: Heine. Das neunzehnte Jahrhundert zwischen Romantik und Moderne,* Berlin 1984, 59–94 [untersucht De-Zentrierung des lyrischen Ichs in den Zyklen].

Die Sphinx und ihr Opfer: Die Liebeskonzeption

»Ich weiß nicht, war Liebe größer als Leid? / Ich weiß nur, sie waren groß alle beid!« Die übermächtige Einheit konträrer Gefühle, an die sich der Sprecher in *Intermezzo* XXI erinnert, macht die Liebeskonzeption, die dem *Buch der Lieder* zugrunde liegt, offenbar. In seiner eingehenden Untersuchung zum Liebessystem des Buches betont Rolf Lüdi zutreffend, daß »die antithetische Setzung von Lust und Schmerz« deren Zentrum bildet (Lüdi, 46 u. ff.). Besonders charakteristisch ist nun, daß diese Konzeption sich nur auf widersprüchliche, d. h. oxymorische Weise aussprechen kann. In der Vorrede zur 3. Auflage läßt der Dichter, trotz zeitlichen Abstandes, die Nachtigall wieder auf typische Art »von Lieb und Liebesweh, / Von Tränen und von Lachen« singen; er hört den Liebessänger »traurig« jubeln und »froh« schluchzen (B 1, 14; vgl. B 1, 36 u. 79). Die Liebe ist im *Buch der Lieder* immer zugleich süß und bitter (*Traumbilder* I). Bildet nun Schmerz letztlich die thematische Grundstruktur, die in allen Transformationen des Liederbuches vorhanden ist (nach Lüdi die »eigentliche Konstante im gesamten Variationssystem« des Buches), so müssen dafür Gründe auffindbar sein.

Die Voraussetzungen der erotischen Passionsgeschichte lassen sich nun zumindest ansatzweise aus den imaginären Momenten, die in dem Bild von der Natur sowohl der Geliebten wie des Liebhabers spürbar vorhanden sind, rekonstruieren. – Das Bild der namenlosen, nicht individuell-lebendig gezeichneten Geliebten – mal als Mädchen, mal als Dame, mal als Liebste, mal als Maid angeredet – setzt sich ganz typisch aus konträren Eigenschaften zusammen. Die immer wieder besungene außerordentliche körperliche Schönheit der Holden, Süßen und Milden ist alles andere als ein Spiegelbild ihrer Seele. Die Geliebte erscheint nicht nur als kalt und herzlos (*Intermezzo* XIV u. XXX), sondern auch noch als indifferent (sie »hat mich nie gehasset, / Und hat mich nie geliebt«, *Intermezzo* XLVII), und schließlich gilt sie sogar als falsch und treulos. Die Doppelnatur der verführerisch-betrügerischen Frau läßt sich wieder nicht anders als antithetisch oder oxymorisch erfassen (s. Windfuhr zur Tradition der petrarkistischen Liebeslyrik). Immer wieder wird die tückisch-holde, falsch-fromme bzw. süß-falsche Natur der schlangenhaften Geliebten beklagt (*Romanzen* XV, *Lieder* VII, *Intermezzo* XVI u. XXI). Das Hauptmotiv der (An-)Klagen tritt dabei deutlich hervor: Die Geliebte hat den Sprecher verraten und dessen Rivalen geheiratet. In ständig neuen Situationen muß der gedemütigte und verlassene Sprecher erleben, wie seine Geliebte Hochzeit feiert bzw. bereits verheiratet ist (*Traumbilder* III, *Romanzen* IV u. IX, *Intermezzo* XVII, XX, XXVIII, XXIX, XXXIX u. *Heimkehr* VI). Zuletzt verdichten sich diese Motive zu einem Bild der Geliebten als eines gefährlichen und grausamen Wesens, das ihr Opfer nicht nur elend macht, sondern auch verletzt, zerreißt und regelrecht zugrunde richtet – als einer ›femme fatale‹, die ihre zerstörerische Kraft noch genießt (*Intermezzo* XXII, LII, LXIV u. *Heimkehr* LXII). Sie wird als Nixe und Meerfrau dämonisiert (*Intermezzo, Prolog* u. *Heimkehr* XII) und erscheint dann in der Vorrede von 1839 als Sphinx, ein »Zwitter von Schrecken und Lüsten«, der wie ein Vampir sein Opfer »zerfleischend« umschlingt, um ihm sein Leben auszusaugen (B 1, 14 f.).

Dem Zwitter mit Brüsten und Tatzen ist der Sprecher-Dichter macht- und widerstandslos ausgeliefert: Als er das »holde Gesicht« der Sphinx küßt, »Da wars um mich geschehen«. Seine spezifische, d. h. masochistische Natur wird nun als zweiter Grund seiner Leiden klar erkennbar, wenn er seine Opferstellung auf typisch oxymorische Weise genußvoll feiert:

Entzückende Marter und wonniges Weh!
Der Schmerz wie die Lust unermeßlich!

Das Ich der Lieder ist in der Tat eines, das »Marter« verinnerlicht hat und dem Leiden zur zweiten Natur geworden ist. Es ist nicht aktiv, sondern passiv; es will nicht verführen, sondern verführt werden (B 1, 114 u. 230 »Umschling mich mit Armen und Füßen«); es spricht nicht, sondern schweigt (*Heimkehr* XXX u. LIII); es klagt nicht die verräterische Geliebte, sondern sich selber an (*Intermezzo* XVII u. ff. – »Ich grolle nicht« – u. XXIX); vor allem: Es haßt nicht, sondern phantasiert (gebrochen) Erniedrigung und Quälerei (*Intermezzo* XXXIV), wenn nicht (metaphorisch) körperliche Zerstückelung mit typisch masochistischer Geste und schließlich sogar den Tod durch ein kaltlächelndes Mädchen (*Fresko-Sonette* Nr. 7 u. B 1, 224). Weiter: Das Ich haßt auch nicht den siegreichen Nebenbuhler (Eifersucht kommt fast nicht vor), sondern sich selber: Es geht zuletzt über die erlösenden Todes- und Grabphantasien, zu denen es ständig Zuflucht nimmt, hinaus und ist am Ende des *Intermezzo* bereit, Gewalt zerstörerisch gegen sich selber anzuwenden.

Der Eindruck einer rationalen Kontrolle nicht zugänglichen masochistischen Fixierung auf ein letztlich negatives ›Liebesobjekt‹ wird nicht allein durch die unwirksamen Beerdigungswünsche bekräftigt, sondern vor allem dadurch, daß alle Erinnerungen, Träume und Visionen, die immer wieder aus großer Tiefe auftauchend das Ich des Sprechers überschwemmen, in dieselbe Vergangenheit zurückführen; und daß sich der Sprecher immer wieder gedrängt sieht, an die Orte seiner Leidens-Liebe zurückzukehren (in *Heimkehr* XX in der Gestalt des »Doppelgängers«, s. dazu Prawer, 36 ff.: »Divided Self«). Die wesentlich *apersonale* Kraft dieses ambivalent erlebten Verfallenseins teilt sich in ständig wiederkehrenden, typischen Wendungen mit wie: »Mir träumte einst«; »Es treibt« bzw. »ergreift« mich; es »quillt«, »leuchtet«, flüstert; ein Bild »steigt auf«, »taucht« empor etc. – Auffallend ist ferner, daß in den ersten Zyklen beglückende Liebe eigentlich nur als Mutter- oder Madonnenliebe vorkommt (B 1, 65 f. u. 220), während sinnlicher Genuß in *Intermezzo* IV und VI in Leiden mündet und der ›glücklich‹ liebende Sprecher sogar gegen Ende der *Heimkehr* gesteht, er liege »Dumpfen Sinnes und verdrossen« am Herzen der Geliebten! Das alles verhält sich so, als wenn der Sprecher auf ein Idealbild fixiert wäre (als Reaktion auf ein früher verlorenes Liebesobjekt? vgl. dazu Peters), dem in der Wirklichkeit nichts mehr zu entsprechen vermag, schon gar nicht eine Serie von Reiseabenteuern. (Hier wäre noch zu fragen, ob das virtuose Durchspielen aller Aspekte der Leidensthematik nicht das erfassen soll, was Sigmund Freud mit dem Begriff »Durcharbeiten« bezeichnet hat, d. i. ein Prozeß, in dem ein zwanghaft wiederkehrendes Erlebnis angeeignet wird.)

Leiden läßt sich jedoch im *Buch der Lieder* nicht gänzlich psycho-genetisch und individuell auflösen, denn Gesellschaftliches klingt in den *Fresko-Sonetten* 2 und 3 und in *Intermezzo* XLVII an (»Sie haben mich gequälet«), während die reimlosen Verse von *Heimkehr* XXIV den damals modischen ›Weltschmerz‹ mythologisch verarbeiten (»Ich unglückselger Atlas!«). In zwei der bekanntesten Gedichte wird das Grundmotiv der Trennung durch Projektion auf die Natur als ewig und absolut dargestellt: in der unerfüllbaren Liebe zwischen der Lotosblume und dem Mond (*Intermezzo* X) und in der unerfüllbaren Sehnsucht des nordischen Fichtenbaums nach der morgenländischen Palme (XXXIII): Das offenbar schlichte, aber formal und motivlich vollkommen antithetisch aufgebaute, personifizierte Naturbild läßt Einsamkeit (»einsam« wird in Vers 1 und 7 wiederholt) als unüberbrückbar bis in alle Ewigkeit erscheinen.

Das imaginäre Liebessystem des *Buchs der Lieder* läßt, darauf läuft alles, was intersubjektiv beobachtet werden kann, hinaus, historisch einen grundlegenden Wandel offenbar werden: Liebe besitzt nichts Sittlich-Veredelndes mehr; die Geliebte hat Humanität zugunsten von Dämonie verloren; der Sprecher hat unter dem Zwang apersonaler Kräfte seine Autonomie gegen Abhängigkeit und seine Identität gegen Zerrissenheit eingetauscht. Dieser Erfahrungsgehalt verlangt weitere Interpretation.

Lit.: S. S. Prawer (s. o.); Manfred Windfuhr (s. o.); Gertrud Waseem (s. o.), 36–116; Rolf Lüdi (s. o.); George F. Peters: *Heines Spiel mit dem Erlebnismuster. Liebeslyrik im Schatten Goethes,* in: Neophilologus Bd. 68 1984, 232–264 [stellt durch den Begriff »verlorenes Erlebnis« eine Beziehung zwischen Text und Heines Biographie her]; Elisabeth Frenzel: *Motive der Weltliteratur,* 2. Aufl. Stuttgart 1980, 737 ff. (Die dämonische Verführerin).

Wie Gedichte (nicht) ›entjungfert‹ werden

Die konstante Variation einer bestimmten thematischen Grundstruktur wurde nun von der älteren Heineforschung nach dem Modell der Goetheschen Erlebnislyrik mit ›echten‹, unglücklichen Liebeserlebnissen des jungen Heine zu erklären versucht. Der Rückgriff auf die Wahrheit hinter

der Dichtung sollte zugleich die Kritik abwehren, nach der der Liebeslyriker Heine keiner ›tiefen‹ und ›wahren‹ Empfindung fähig gewesen sei. Ernst Elster hat 1887 mit seiner Textausgabe des *Buchs der Lieder* (Heilbronn und Stuttgart) wesentlich zur Begründung des biographischen Positivismus beigetragen, der die Lieder als Niederschlag der ersten, in der Tat tiefgehenden und nachhaltigen Liebesbeziehung des Dichters zu seiner Cousine Amalie versteht (vgl. dazu Mayser, 217 ff. u. Peters, 233 f.). Heine hatte die schöne, reiche und zwei Jahre jüngere Tochter seines Onkels Salomon wahrscheinlich 1814 in Düsseldorf kennengelernt und dann im Sommer 1816 in Hamburg wiedergesehen. In seinem Bekenntnisbrief vom 20. November 1816 weiht der erschütterte 19jährige Heine seinen Freund Christian Sethe mit den bitteren Worten in seine Liebeskatastrophe ein: »Sie liebt mich *nicht'* Mußt lieber Christian dieses *letzte* Wörtchen ganz leise, leise aussprechen. In den ersten Wörtchen liegt der ewig lebendige Himmel, aber auch in dem letzten die ewig lebendige Hölle.« Amalie sollte 1821 ganz standesgemäß den ostpreußischen Gutsbesitzer Jonathan Friedländer heiraten. Eine derartige Erfahrung wird offensichtlich in *Intermezzo* XVII ff. und vor allem XXXIX verarbeitet, die das Hauptthema des Zyklus distanziert festhalten (»Ein Jüngling liebt ein Mädchen,/Die hat einen andern erwählt«). Ein weiteres enttäuschendes Erlebnis hat man während des Hamburger Aufenthaltes im Sommer 1823 zur Cousine Therese vermutet (dazu Rose, 51 ff.). Die 1807 geborene Schwester von Amalie hat sich 1828 mit dem Präsidenten des Hamburger Handelsgerichts, Adolf Halle, verheiratet. Auf Therese verweist »Schwesterchen« in *Heimkehr* VI; sie soll aber den Erlebnishintergrund des neuen Liebesverhältnisses, das den Sprecher in XLIII und XLVI ff. inspiriert, abgegeben haben (was zuerst Elster angenommen hat).

Heine selber scheint tatsächlich derartig reduzierende, biographische Rückgriffe durchaus gefördert zu haben. In einer Reihe zentraler, poetologischer Gedichte erklärt der Sprecher ›authentische‹ Erlebnisse zum genetischen Ursprung seiner Liebes- und Leidenslyrik. *Intermezzo* II und XXXVI geben sich ganz als Konfession zu verstehen:

Aus meinen Tränen sprießen
Viel blühende Blumen hervor
Und meine Seufzer werden
Ein Nachtigallenchor.

[...]

Aus meinen großen Schmerzen
Mach ich die kleinen Lieder.

Dieses Verständnis bestärken die Epiloge zu *Lieder* und *Intermezzo* sowie die Nr. XXXIV, XLII und XLIII der *Heimkehr*. Die direkte Verbindung zur empirischen Person legt dann die *Zueignung* zum *Intermezzo* (1823) nahe, in der Heine seinem Onkel Salomon gestand:

Meine Qual und meine Klagen
Hab ich in dies Buch gegossen,
Und wenn du es aufgeschlagen,
Hat sich dir mein Herz erschlossen.   (B 1, 229)

Der englische Heineforscher William Rose hat jedoch bereits 1962 alle Versuche, Heines frühe Gedichte aus angenommenen Erlebnissen erklären zu wollen, durch eingehende Detailarbeit gründlich ruiniert. Wenn auch der biographische Zusammenhang, z. B. bei der Entstehung der Lieder, was der Kommentarband von DHA zeigt, nicht vernachlässigt werden darf, geht die neuere Forschung davon aus, daß das *Buch der Lieder* wesentlich Rollenlyrik enthält (Windfuhr; Lüdi, 112; Brummack, 93 f.; vgl. dagegen Storz, 28). Statt um ›wahre‹ Erlebnisse handelt es sich um ein Spiel mit fiktiven Erlebnissen, Visionen, Phantasien oder Wunschträumen, das sich als solches zu erkennen gibt (vgl. Sammons, 28 ff., der »the growth of the fictive persona« untersucht). Statt Konfessionslyrik im überkommenen Sinn zu bieten, betritt die Liedersammlung neue Wege, indem sie den Abstand deutlich macht, der das Herz und die Tränen des »Ich«-Sprechers von denjenigen des empirischen Autor-Ichs trennt. Das wird zu den Grundvoraussetzungen der modernen, mit Baudelaire einsetzenden Lyrik gehören. In diese Richtung weisen Untersuchungen von Karl-Heinz Fingerhut und George F. Peters, die das künstlerische Spiel mit dem Erlebnismuster Goetheschen Ursprungs betonen, das den Leser orientieren soll (Peters spricht von »vorgetäuschtem Erlebnis«; zur Funktion der poetologischen Gedichte vgl. neben der Analyse von Fingerhut noch Lüdi, 54 ff. u. 111 ff.). Dieser Entwicklung hat Heine wiederum selber vorgearbeitet, als er sich entschieden dagegen verwahrte, aus der Geschichte eines Dichters »Aufschluß« über seine Gedichte gewinnen zu wollen; gegenüber Immermann beharrte er darauf: »Man entjungfert gleichsam das Gedicht, man zerreist den geheimnisvollen Schleyer desselben, wenn jener Einfluß der Geschichte [eines Dichters] den man nachweist wirklich vorhanden ist« (Brief vom 10. Juni 1823). Nach seiner Erfahrung paßt nämlich »das äußere Gerüste unserer Geschichte« meistens nicht mit der »inneren Geschichte« zusammen, und das heißt in seinem Fall: »Bey mir wenigstens paste es nie.« Deshalb sollte der Artist Heine später, was die Auseinandersetzung mit Börne zeigt, das Stilistische grundsätzlich vom Persönlichen abgrenzen (B 7, 130).

Lit.: William Rose: *The early love poetry of Heinrich Heine*, Oxford 1962; Jeffrey L. Sammons: *Heinrich Heine, The Elusive Poet*, New Haven and London 1969, 26–87; Karl-Heinz Fingerhut: *Standortbestimmungen. Vier Untersuchungen zu Heinrich Heine*, Heidenheim 1971, 9–34, speziell 12 ff. u. 25 ff.; Gerhard Storz: *Heinrich Heines lyrische Dichtung*, Stuttgart 1971; Manfred Windfuhr (s. o.); Erich Mayser: *H. Heines ›Buch der Lieder‹ im 19. Jahrhundert*, Stuttgart 1978, 41 ff.; Rolf Lüdi (s. o.); Jürgen Brummack (s. o.); Norbert Altenhofer (s. o.), 18 f., 26 f. u. 31; George F. Peters 1984 (s. o.).

Die neuen Leiden des jungen Heine

Der historisch neue Erfahrungsgehalt, der im Liebessystem der frühen Lyrik symptomatisch zu Tage tritt, läßt sich, trotz rollenbedingter Leidensthematik und Auseinanderfallens von äußerer und »innerer Geschichte« des Autors, gut im Vergleich mit einem literarisch verwandten Prosawerk aus einem anderen Jahrhundert darstellen. An Goethes *Werther* scheint nicht nur der Zyklentitel *Junge Leiden* zu erinnern (Lüdi, 64), sondern Heine bezieht sich auch auf Goethes Helden, als er 1821 bei seiner Wiederkehr nach Hamburg wie betäubt sein Leben zur Disposition gestellt sieht (Brief an Straube von Anfang März 1821). Aber nicht der Pistolenknall interessiert ihn letztlich an dieser Gestalt, sondern vielmehr, was er 1828 in seiner Rezension von Michael Beers *Struensee* festgehalten hat, »wie der junge Werther aus der hochadeligen Gesellschaft höflichst hinausgewiesen wird« (B 1, 431). Heines Empfänglichkeit für dieses Thema lohnt, danach zu fragen, was seine frühe Lyrik trotz aller Gegensätze mit dem geschichtlichen Gehalt verbindet, den Goethes Roman bei der Morgenröte der bürgerlichen Zeit erstmals und auf epochale Weise bewußt gemacht hat (zum Verhältnis *Buch der Lieder* und *Werther*, vgl. Andler, 69 f. und Mayser, 33 ff.).

Die zwitterhafte Geliebte des Liederbuches, welche die kalte moderne (Hamburger) Welt verkörpert, ist nun ebensowenig eine neue Lotte, die die noch harmonische traditionelle Wahlheimer Welt inkarniert, wie der Sprecher ein neuer Werther ist: Einerseits ist der seelische Gleichklang zwischen den Liebenden zutiefst gestört, und andererseits wird das Selbstmordmotiv im *Buch der Lieder* ganz unterschiedlich behandelt, einmal pathetisch mit mythologischem Grundzug (»Abgrund gähnt zu meinen Füßen – / Nimm mich auf, uralte Nacht!«, *Intermezzo* LXII u. ff.), zum andern selbstironisch und spöttisch (*Heimkehr* LV). Aber Werthers Leiden an der konventionellen, poesiefeindlichen Gesellschaft kehrt im *Buch der Lieder* als dasjenige eines bürgerlichen Intellektuellen wieder, dem die soziale Integration mißlungen ist und der sich als Außenseiter empfindet. Fremdheit in der Welt charakterisiert den Sprecher, der im vielzitierten dritten *Heimkehr*-Gedicht in scharfem Kontrast zu seiner unbestimmten Traurigkeit die offenbar intakte und friedliche Normalität einer Kleinstadt ›erlebt‹, bevor er den Wunsch an den Wachtposten richtet: »Ich wollt', er schösse mich tot«. Ausgeschlossenheit durchzuckt den Liebhaber in den Versen von *Heimkehr* LX, in denen die Geliebte eine blendende Soiree gibt, während er selber ungesehen und unerkannt bezeichnenderweise draußen vor der Tür steht. Der soziale Abstand kommt hier in dem Gegensatz von »oben« und »unten« zur Sprache, verstärkt durch die Kontraste »Gesellschaft« – »allein«, »lichterfüllt« – »im Dunkeln«, »hellen Fenster« – »dunkles Herz«. Die konfliktreiche Stellung zur modernen Gesellschaft, die sich in philistersatirischen Gedichten Bahn bricht, muß in der Übergangszeit um so schärfer empfunden werden, als Werthers trostspendende Allnatur zu einer Kulisse zusammengeschrumpft ist. Und am Ende der klassisch-romantischen Zeit ist die harmonische Geschlechterliebe in der bisherigen Form aller humanen und sittlichen Kraft beraubt: Liebe, von *Heimkehr* XXXIX als einziger »Halt« in gottloser und kalter Welt besungen (»Gestorben ist der Herrgott oben«), ist in der prosaischen Wirklichkeit zum Scheitern verurteilt (und findet deshalb im Traum statt; vgl. Waseem, 86 ff.); sie vermag die gesellschaftlichen Risse nicht mehr zu überwinden, sondern nur noch zu bestätigen; die Kommunikation zwischen den Liebenden bleibt gestört (was sich daran zeigt, daß der eine mit »bittren Worten« verletzt, während der andere stumm bleibt). Schlüsselworte im *Buch der Lieder* sind denn auch: »kalt«, »frostig«, »krank«, »bleich«, »still und stumm«, »elend«, »trostlos«, »zerrissen«, »zerschnitten«, »zerstochen« und »zerfleischen«. Diesen desillusionierten Gehalt hat Hans Kaufmann im Anschluß an Karl Marx, nach dem sich aus dem Verhältnis der Geschlechter zueinander

»die ganze Bildungsstufe des Menschen beurteilen« läßt, gesellschaftskritisch zu erfassen versucht; laut Kaufmann, 179, »zeigt das Barometer der ›lieblosen‹ erotischen Dichtung Heines den geringen Grad wirklich realisierter Humanität an, der die bürgerliche Gesellschaft kennzeichnet«. Die etwas später entstandene Satire auf die bürgerliche Ehe (»O, die Liebe macht uns selig, / O, die Liebe macht uns reich!«, B 7, 468 f.) wird diesen »Grad« in aller Deutlichkeit aufzeigen.

Die Konzentration auf das Rein-Persönliche im *Buch der Lieder* spiegelt schließlich etwas Allgemeines wider. Das Thema ›unglückliche Liebe‹ kristallisiert auf fiktionaler Ebene eine Reihe von realen Erfahrungen, die auf der progressiven Entfremdung von jener Gesellschaft beruhen, in die Heine sich integrieren wollte (das ist hier an anderer Stelle unter dem Stichwort »Der Außenseiter« dargestellt worden). Der Dichter der *Jungen Leiden* spricht als einer, der zwischen 1816 und 1819 in Hamburg, dem musenlosen, aber hurenvollen, »verluderten Kaufmannsnest« ein isoliertes Leben geführt und sich als Sonderling empfunden hat (Briefe an Christian Sethe vom 6. Juli und 20. November 1816). Der großbourgeoise Lebensstil im Hause seines Onkels Salomon Heine stieß den Banklehrling ab. Ein Jahr lang führte er das Doppelleben eines Kaufmanns *und* Musensohns, der aber seine ersten Verse unter dem Pseudonym »Sy. Freudhold Riesenharf« veröffentlichte, um seinem bürgerlichen Ansehen nicht zu schaden. Die Cousine Amalie, die, wie Heine im November an Sethe schrieb, die für sie gedichteten Lieder »so bitter und schnöde gedemüthigt« hat, ließ den Banklehrling aus Düsseldorf das Gewicht sozialer Abstände, das »oben« und das »unten«, schmerzlich bewußt werden. Der Ausschluß des jüdischen Studenten aus der Burschenschaft in Göttingen (1820) setzte die Reihe der Entfremdungserfahrungen Ende 1820 fort, bevor die Taufe 1825 den Dichter der *Heimkehr* in einen schweren Identitätskonflikt stürzen sollte.

Kein geringerer als Karl Immermann hat 1822 den nicht-individuellen, sondern zeitsymptomatischen Charakter der frühen Lyrik erkannt, als er deren mangelnde Harmonie mit der zwangsläufig oppositionellen Haltung des echten Dichters zur Zeit, mit dem »Bewußtsein eines tiefern Zwiespalts in seiner Seele«, in Verbindung brachte (*Brief statt einer Rezension* zu: *Gedichte*). »Tief ergriffen« von dieser Analyse und fasziniert hat Heine in dem bereits zitierten Dezember-Brief an Immermann mit einem Bekenntnis zum Außenseitertum des modernen Dichters geantwortet: »Aber wo der wahre Dichter auch sey, er wird gehaßt und angefeindet, die Pfennigsmenschen verzeihen es ihm nicht daß er etwas mehr seyn will als sie, und das höchste was er erreichen kann ist doch nur ein Martyrthum.«

Lit.: Charles Andler (s. o.); Hans Kaufmann: *Heinrich Heine*, 1967, 3. Aufl. Berlin und Weimar 1976, 164–188 [leicht verändert zuerst 1963 in »Sinn und Form« 914ff. u. 1964 in Heine-Ausgabe – *Werke und Briefe* – Bd. 10, 103ff.]; Gertrud Waseem (s. o.); Erich Mayser (s. o.); Rolf Lüdi (s. o.); Jürgen Brummack (s. o.), 93 u. 94f.

Märchen und Moderne *(Loreley)*

Das »Märchen« von der verführerisch-fatalen rheinischen Sagengestalt ist noch immer das bekannteste Gedicht Heines. Zusammen mit dem angeblich fernen Ursprung (»aus alten Zeiten«) bewirkte die populäre Vertonung Friedrich Silchers (1838), daß die *Loreley* im 19. Jahrhundert als Volkslied gesungen wurde – und noch heute im Ausland als *das* deutsche Volkslied zitiert wird (nachdem die NS-Zeit den Autor zwar neutralisieren – ›Dichter unbekannt‹ –, aber nicht totkriegen konnte). Das wahrscheinlich Ende 1823 entstandene Gedicht, das zu Heines Lebzeiten titellos gedruckt wurde (nur eine eigenhändige Abschrift von 1838 trägt den Titel *Loreley*), eröffnet den Zyklus *Die Heimkehr* und lautet:

Ich weiß nicht, was soll es bedeuten,
Daß ich so traurig bin;
Ein Märchen aus alten Zeiten,
Das kommt mir nicht aus dem Sinn.

Die Luft ist kühl und es dunkelt,
Und ruhig fließt der Rhein;
Der Gipfel des Berges funkelt
Im Abendsonnenschein.

Die schönste Jungfrau sitzet
Dort oben wunderbar;
Ihr goldnes Geschmeide blitzet,
Sie kämmt ihr goldenes Haar.

Sie kämmt es mit goldenem Kamme
Und singt ein Lied dabei;
Das hat eine wundersame,
Gewaltige Melodei.

Den Schiffer im kleinen Schiffe
Ergreift es mit wildem Weh;
Er schaut nicht die Felsenriffe,
Er schaut nur hinauf in die Höh.

Ich glaube, die Wellen verschlingen
Am Ende Schiffer und Kahn;
Und das hat mit ihrem Singen
Die Lore-Ley getan.   (B 1, 107 mit Komma in Vers 1)

Das Gedicht besteht aus einem Rahmen mit einem melancholisch gestimmten Sprecher, der sich an ein altes Märchen erinnert, und einem Binnenteil mit balladesker Handlung, die im Präsens erzählt wird. Nach dem Auftakt mit einem funkelnden Landschaftsbild konzentriert sich die Erinnerung schnell und schlaglichtartig auf eine erotisch anziehende, feenhafte Gestalt, die durch ihre überreich goldene Ausstattung wie eine Märchenprinzessin erscheint. Die »gewaltige Melodei« des Liedes, das sie beim Kämmen singt, kündigt eine offenbar verhängnisvolle Handlung an, deren prädestiniertes Opfer ein von »wildem Weh« ergriffener Rheinschiffer sein wird (Ulrike Brunotte deutet »Es« und dreimaliges »Das« als Auftreten eines »Schicksalszwanges«; s. o. zu dem für Heines frühe Lyrik typischen, in der Tat zwanghaften »Es«). Auf dem Höhepunkt der Handlung (der tragisch gebannte Blick des Opfers wird durch die Wiederholung von »Er schaut« noch weiter dramatisiert) greift aber der Sprecher wieder ein, dessen »Ich glaube« den Ausgang der zu erwartenden Katastrophe offenläßt. Durch Tempuswechsel wird jedoch das Schifferschicksal als vollzogen dargestellt und zu allerletzt der Name der Gestalt genannt, deren Singen den Bann ausgelöst hat.

Das sechsstrophige, balladeske Gedicht (Jürgen Brummack spricht von einer »sentimentalischen Volksballade«) zeigt auf charakteristische Weise Heines Nähe *und* Distanz zur Volkslied- und zur romantischen Tradition. Die vierzeiligen Strophen aus dreihebigen, unregelmäßig gefüllten Versen mit wechselnden, kreuzweise gebundenen, weiblichen und männlichen Reimen stehen ganz in der Tradition des Volksliedes, was noch der unreine Reim »Weh«/»Höh« betont. Weiter paßt dazu der syntaktisch einfache, parallele und deshalb einprägsame Bau (zwei Verse umfassen regelmäßig einen Satz, der immer mit derselben Interpunktion beendet wird). Die Inversion in Vers 1 entspricht schließlich ebenso dem Volkston wie das altertümliche »wundersame« und »Melodei«. Aber der Eindruck der Schlichtheit verdankt sich auch bewußt kunstvollen Bezügen wie der Übergang von »Ich weiß nicht« zu »Ich glaube« oder den mehrfachen Wiederholungen (Kämmen, Singen, Schauen). Von Artistik zeugen ferner die Alliterationen ebenso wie die lautliche Qualität (in den ›ruhigen‹ Strophen des Binnenteils dominieren die dunklen oder langen Vokale ›u‹ und ›o‹, während die dramatische Handlung in Strophe 5 durch helles ›i‹ unterstrichen wird). Distanz kündigt sich allerdings in der übertriebenen Wiederholung des »goldenen« an (zusammen mit der klischeehaften Abendstimmung s. u. zur Natureinstellung); Distanz zur Naivität des Volksliedes tritt aber vor allem durch den Rahmen und durch das moderne, reflexive »Ich« des Sprechers auf, das sein subjektives Empfinden mitteilt, die Handlung wider Erwarten offenläßt und damit auch seine Stellung zum Schiffer, mit dem es sich doch identifiziert, unbestimmt läßt (Brunotte erkennt die »ironische Brechung« des balladesken Zwanges nicht in der Haltung des Sprechers, sondern – was ist daran ironisch? – in dem unpassenden »Und« des vorletzten Verses). Eine Analyse der Funktion des Gedichts im Gesamtzyklus, wie sie Winfried Woesler vorgenommen hat, ergibt jedoch, daß der Sprecher am Anfang des Zyklus seine Liebesbeziehung nicht in der *Loreley*-Sage spiegeln soll und darf.

Die Behandlung des Stoffs, der nicht, wie die *Wunderhorn*-Sammlung, auf volkstümliche Quellen, sondern auf die jüngste literarische Tradition zurückgeht, weist eine ähnliche Haltung zur Tradition auf (Heine dürfte den Stoff Aloys Schreibers *Handbuch für Reisende am Rhein*, 2. Aufl. 1818, entnommen haben; dazu und zu den Bearbeitungen s. DHA I/2, 879 ff., Buck u. Kolbe; Arendt hat Heines Märchenbegriff untersucht). Bei Clemens Brentano, der die von Rheinschiffern überlieferte Sage zuerst aufgegriffen hat (*Zu Bacharach am Rheine*, in: *Godwi*, 1802), stirbt eine betörende, schöne Zauberin einen christlichen Liebestod – angesichts eines Bischofs. In Eichendorffs Roman *Ahnung und Gegenwart* (1815) tritt die »Hexe Lorelei« als unheilvoller Waldgeist auf, während Loebens Version (*Der Lureleyfels*, 1821 erschienen; es ist nicht erwiesen, ob Heine sie gekannt hat) ein »Zauberfräulein« besingt, das seine verderbliche Kraft aus dem Wasser bezieht. Heines Loreley besitzt nun im Unterschied zu ihren Vorgängerinnen keine numinosen, zauberischen Kräfte; mehr griechische Sirene als Wald- oder Wassergeist bezaubert sie durch die Macht ihres Gesanges (damit hält sich Heine näher an die ursprüngliche Sage, wenn sich der Name ›Lurelei‹ von ›Lei‹ = Fels und ›lauern‹, d. h. auf ein Echo lauern, ableitet; vgl. dagegen Feuerlicht, 84). Ferner ist Heines Loreley im Gegensatz zu Brentanos lebensmüder Sünderin ein Elementarwesen, das bezeichnenderweise nicht mehr durch Liebe, sondern allein durch seinen sinnlich erotischen Schein verhängnisvoll wirkt (im späteren Werk Heines werden Elementarwesen zu Symbolen verdrängter Glücksansprüche). Neu an

der »schönsten Jungfrau« ist, was Prawer herausgestellt hat, ihre »malign indifference«. Ihr mitleidloses Wesen wird durch die selbstverliebte oder narzißtische Geste des anaphorisch betonten Kämmens suggeriert. Als besonders typisch für Heine muß schließlich die Einführung des Rahmens gelten, der den Abstand zu dem rheinromantischen Stoff deutlich werden läßt, d. h. zu dem traurig stimmenden Märchen von der unerfüllbaren Liebe zwischen Mensch und Elementargeist (Arendt interpretiert die Märchen-Chiffre als metaphorische Darstellung des Verhältnisses zur Romantik; ähnlich führt Kolbe die Traurigkeit auf das Bewußtsein über das Ende der »alten Zeiten« und der romantischen Poesie zurück; vgl. Wetzel, 52 ff.).

Distanz oder historische Zäsur vermögen zuletzt nicht darüber hinwegzutäuschen, daß das Märchen von der unerreichbaren seelenlosen Verführerin und dem in »wildem Weh« schicksalhaft entbrannten Opfer an das Liebesleiden des ebenfalls aussichtslos verliebten und gefährdeten Sprechers im *Buch der Lieder* erinnert (reduzierend erkennt Ursula Jaspersen in Heines Loreley glatt »die archetypisch verwandelte Amalie«). Daran gemahnt ebenfalls die fatale Fee vom Rhein, Bild zerstörerischer Weiblichkeit und deshumanisierter Liebe, insofern, als sie, wie Prawer bemerkt, nur die jüngere Inkarnation einer älteren, von Heine beschworenen mythologischen Gestalt ist, der Sphinx. Wenn auch die eine Gestalt lustvoll und die andere tragisch zerstört, so verkörpern sie beide, das steinerne Marmor- und das kalte Felsenbild, die Doppelnatur der im Buch der Lieder vertretenen Liebeskonzeption.

Lit.: Rudolf Buck: *Die Lorelei*, in: Der Deutschunterricht 1950, H. 3, 24–33 [vergleicht die romantischen Fassungen, darunter Heines Gedicht]; Ursula Jaspersen: *Heinrich Heine. »Ich weiß nicht, was soll es bedeuten...«*, in: *Die deutsche Lyrik* II, hrsg. von Benno von Wiese, Düsseldorf 1956, 128–133; S. S. Prawer (s. o., 23 ff.); Ernst Beutler: *»Der König in Thule und die Dichtungen von der Lorelay«*, in: ders.: *Essays um Goethe*, 6. Aufl., Bremen 1962 [zuerst 1947], 379 ff.; Heinz Politzer: *Das Schweigen der Sirenen*, in: Deutsche Vierteljahresschrift [...], 41. Jg., 1967, 444–467; Dieter Arendt: *Heinrich Heine: »...Ein Märchen aus alten Zeiten...«*, in: HJb 1969, 3–20; Heinz Wetzel: *Heinrich Heines ›Lorelei‹*, in: Germanisch-romanische Monatsschrift N. S. 20 1970, 42–54; Winfried Woesler: *Die »Loreley«*, in: *Heine im Deutschunterricht*, hrsg. von Wilhelm Gössmann, Düsseldorf 1978, 133–148; Jürgen Kolbe: *Das hat mit ihrem Singen die Loreley getan*, in: *Balladenforschung*, hrsg. von Walter Müller-Seidel, Königstein/Ts. 1980, 204–215; Jürgen Brummack (s. o.), 102 f.; Ignace Feuerlicht: *Heines »Lorelei«: legend, literature, life*, in: The German Quarterly 53, 1980, 82–94; Ulrike Brunotte: *Zum Verhältnis von Schicksal und Ironie in der »Loreley« Heinrich Heines*, in: HJb 1985, 236–245.

Komik und Ironie, »der Wahrheit wegen« (Die ästhetische Strategie)

Ob Rollendichtung oder Maskenspiel, ob Virtuosität oder Einfachheit, ob Romanze oder Volksliedstrophe, ob Traum oder Mythos: Alles Bisherige deutet darauf hin, daß Heines ganzes dichterisches Verfahren den einen Zweck verfolgt, Distanz zu schaffen. Kontrastkomik und ironische Verstellung (der die meisten Distanzierungsmittel zugeordnet werden) haben im *Buch der Lieder* die Funktion, für Entlastung und Selbstschutz zu sorgen. Lachen und Lächeln gehören in Heines früher Lyrik zur Überlebensstrategie eines Verletzten und Zerrissenen, der seine Wunden im Wechselbad von Honig und Galle heilen will; die »lyrisch maliziöse« Manier (Brief an Moser vom 19. Dezember 1825) verrät die Abwehrhaltung eines Menschen, der nicht über seinen Gegenständen steht, sondern an sie gefesselt bleibt (das Zusammenspiel von ästhetischen und psychologischen Momenten hat Jürgen Brummack (100) richtig gesehen, wenn er schreibt: »Das Verfügen über die Sprache im geistreichen Sprechen bedeutet auch ein Verfügen über die Geliebte«). Ohne die Entlastungsfunktion der *Komik,* die in Kapitel XI der *Ideen* bekanntlich weltanschaulich begründet wird (B 3, 282, vgl. B 3, 586 u. 601), müßte das Liebessystem im *Buch der Lieder* scheitern. Ohne die relativierende Funktion der *Ironie,* »einem geistigern Elemente« (Brief an den befreundeten Karl Simrock vom 30. Dezember 1825), könnte nach des Dichters Erfahrung das »Lyrische« oder Sentimentale nicht Gestalt annehmen. Auf der anderen Seite, auf derjenigen des Rezipienten, sollen komische und ironische Distanzierung eine illusionszerstörende Funktion, die auf eine kritische Bewußtseinsbildung abzielt, ausfüllen (in ihrer Untersuchung zum Ironiebegriff bei Heine unterscheidet Ursula Lehmann zwischen den Ebenen der »Selbstbehauptung« – hier aus psychologischer Sicht angesprochen – und der publikumsorientierten Haltung, das ist die rhetorische Ironie).

Im *Buch der Lieder* tritt nun eine breite, »maliziöse« Strategie zur Desillusionierung, Distanzierung und Neutralisierung zu Tage, so daß Dichtertränen, die reichlich fließen, eben belächelt fließen, und Lesertränen, die nur allzu gerne fließen möchten, eben im Auge stecken bleiben (müßten). – So wird im einzelnen den Liebesliedern der poetische Schleier heruntergerissen, wenn ihr bloßer Rollen- und Fiktionalitätscharakter deutlich spür-bar hervortritt: *Heimkehr* XLIV bezeichnet alles Vorausgehende einfach als Maskenspiel und Komödie, wenn auch als bittere Komödie. Den Lesern der *Traumbilder* wird jeder Fiktionsgenuß verleidet, wenn alles immer im ernüchternden Aufwachen endet, oder wenn sich alles, was zum Nachträumen einlädt, artifizieller »Wortesmacht« und nicht authentischen Dichterträumen verdanken soll (*Traumbild* X; vgl. die allegorische Selbstverspottung im *Prolog* zum *Intermezzo*). Träume sind eben wie Schäume, die durch den Kontakt mit der Wirklichkeit zerfließen müssen (*Intermezzo* XLIII). Dem romantischen Verzaubern folgt hier, was Gerhard Klussmann detailliert nachgewiesen hat, das heinesche Entzaubern. Dafür sorgen ebenfalls die bereits erwähnten poetologischen Gedichte (s. dazu Fingerhut), die einerseits auf zeitlichen Kontrasten insistieren und andererseits den Leser orientieren, d. h. die Rezeption steuern wollen. – Noch deutlicher verschafft sich der Sprecher ›Luft‹ (und dem Leser Genußverlust), wenn er seine Produkte und sich selber direkt denunziert. Er kann z. B. einfach alles Liebe und Vertraute wie »Lieder und Sterne und Blümelein, / Und Äuglein und Mondglanz und Sonnenschein« einfach und salopp als »das Zeug« schmähen (*Romanze* XX; ursprünglich Parodie eines Dritten); er kann sogar seine ganze dichterische Manier als romantischen Kulissenzauber und »tollen Tand« runterputzen (»Die prächtgen Kulissen, sie waren bemalt / Im hochromantischen Stile«, *Heimkehr* XLIV). Vor allem aber kann er sich selbstironisch als einen vorführen, der ewig auf »den alten Liebes-Eiern« brütet, um das »alte Lied zu leiern« (*Heimkehr* XLII). Noch wirkungsvoller scheint, wenn er sich als lächerlich-schmachtenden Liebhaber ironisiert wie in *Heimkehr* XXV:

> Nur einmal noch möcht ich dich sehen,
> Und sinken vor dir aufs Knie,
> Und sterbend zu dir sprechen:
> Madame, ich liebe Sie!

Der Sprecher hebt in diesem für Heines Ironie typisch kontrastiv angelegten Gedicht als Aristokrat (»Geschlechter steigen ins Grab«) und mit »Brustton« an, um dann sehnsüchtig als sterbender Ritter in einer theatralischen Geste sein Leben mit einem parodistischen Zitat und mit Wechsel der Anrede zum konventionellen »Sie« auszuhauchen (Jean Pauls Klotilde kehrt als »Madame« verfremdet wieder, vgl. DHA I/2, 909 und ebenfalls Prawer, 41 f.). Und wie ernst der Sprecher seine »großen Schmerzen« nimmt, aus denen er die »kleinen

Lieder« macht, zeigt er daran, daß er zu deren Beerdigung einen Sarg braucht, der größer sein muß »Wies Heidelberger Faß« (*Intermezzo* XXXVI u. LXV). – Mehrere ausgefeilte, sprachliche Taktiken sorgen schließlich für ironische Neutralisierung ›echter Erlebnisse‹. So wirkt ein Wechsel der Sprachebenen ernüchternd (*Im Hafen* beginnt in homerischem Ton, um dann ganz banal in den »guten Ratskeller zu Bremen« überzuleiten; ebenso wechselt hier der Ton vom Pathetischen zum Trivialen bei der Beschwörung der Geliebten; vgl. auch *Heimkehr* XXXV: »Ich rief den Teufel und er kam«). Besonders depotenzierend wirken die zahlreich verwendeten umgangssprachlichen Wendungen (»Ja, Jung, ich bin der liebe Gott«, »du bist ja sonst kein Esel«); mehr noch, eine Reihe von Gedichten beginnt im Umgangston (z. B. *Heimkehr* LIX) und, was wohl erstmalig in der deutschen Lyrik gewesen sein dürfte, ganze Gedichte sind in dieser Sprachhaltung geschrieben (z. B. *Heimkehr* VI, XXXV, LXIV u. f., oder LXXXII). Andererseits kann aber auch konventionelle Sprache als Maske verwendet werden, um Betroffenheit zu verstecken (z. B. in *Traumbilder* III: »Sind Sie Braut? / Ei! ei! so gratulier ich, meine Beste!« und in *Heimkehr* VI). Das modern erscheinende Zitatverfahren kann sich wiederum auch des Volksliedes bedienen, um mit dem parodistischen Verszitat: »Wenn ich ein Vöglein wäre!«, das sentimental gestimmte Ich in *Intermezzo* LIII sofort von seinem hohen Standpunkt herunterzuholen. Unter den sprachlichen Taktiken fällt weiter neben der komischen oder ironischen Verwendung von Fremdwörtern die Sprachmischung auf (»Ma foi!« oder in Anrede »Madame«, »Donna«). Besonders typisch sind nun die alle poetischen Konventionen aufsprengenden Reime mit Fremdwörtern, wie der parodistische Einsatz von »spendabel«, »kapabel«, »miserabel«, »passabel« und »aimabel« in *Intermezzo* XXVIII (zum Reim s. Berendsohn). Tabuverletzende Komik entsteht aber auch durch Reimkontraste wie »Küh« und »Kammermusici«, »Schalmeie« und »Säue«. Und was bleibt vom »guten Charakter«, wenn er sich auf »abgeschmackter« reimt?

Kontrastkomik ist nun im *Buch der Lieder* ein weiteres Mittel, pathetische Aufschwünge auf den Boden der prosaischen Wirklichkeit zurückzuholen. Vorzugsweise werden hier (ebenso wie in der Prosa) körperliche Bedürfnisse wie Essen und Trinken als Stimmungsbrecher eingesetzt. So bleibt von der Göttlichkeit des Sprechers nicht viel übrig, wenn er nach »Tee mit Rum« verlangt, um »den göttlichsten Schnupfen, / Und einen unsterblichen Husten« zu bekämpfen (*Nordsee* I, *Die Nacht am Strande;* vgl. *Nordsee* II, *Der Gesang der Okeaniden* und *Im Hafen*). Komik entsteht ferner durch Aufzählung von Heterogenem (z. B. *Heimkehr* III und *Nordsee* II, 9). Die antispiritualistische Tendenz dieser Taktik tritt drastisch hervor, wenn sich ein Idealist und ein Realist auf der Paderborner Heide ein Wechselgespräch liefern (*Romanzen* XVIII).

Die bekannteste Art, Sentimentalität zu desavouieren, besteht schließlich in bestimmten, als ›Ironie‹- oder ›Heine-Effekt‹ sprichwörtlich gewordenen Schlußwendungen (von Alberto Destro, 1977, als Erwartungsenttäuschung eingehend untersucht). Die Gedichte dementieren sich nun auf unterschiedliche (nicht immer automatisch ironische) Weise, wie z. B. durch Pointen (*Intermezzo* XIV – mit humoristischem Reim –, LII u. *Heimkehr* XLV), durch Wortwitze (*Intermezzo* LIII u. *Heimkehr* XVII), durch kontrastive Aufzählung (*Heimkehr* XXXVII), durch Banalitäten (*Heimkehr* XXXVIII) oder durch Triviales (B 1, 225: Schnupfen und Husten als Ergebnis einer patriotischen Nacht). Parodie eines Topos vermag diese Wirkung ebenso zu erzeugen (*Heimkehr* LIV) wie ein parodistisches Zitat oder eine selbstironische Redewendung (*Heimkehr* LV: »Das alles, meine Süße, / Ist mir schon einmal geschehn«). Einen besonders ›Knalleffekt‹ reserviert, neben dem zitierten »Madame, ich liebe Sie!«, der Schluß von *Seegespenst:* Der Sprecher, der in Visionen regelrecht zu ertrinken droht, wird von einem Kapitän, der E. T. A. Hoffmann parodistisch zitiert, zurückgerissen: »Doktor, sind Sie des Teufels?« Die alles auflösende Schlußwendung kann auch durch Wiederholung erzielt werden (z. B. *Heimkehr* LXII). Immer handelt es sich um Relativierung, Rücknahme oder Einschränkung des Vorherigen (was als ›Stimmungsbruch‹ zu großen Ehren gekommen ist).

Wichtig scheint nun, hier abschließend festzuhalten, daß Heine sein dissonantes, anti-klassisches und anti-romantisches Verfahren, das in der Übergangszeit die kritische Funktion sowohl der Lyrik als auch der Prosa bestimmt, geschichtlich und erkenntnistheoretisch begründet hat. Im Vorwort zur 2. Auflage von *Reisebilder* II grenzt er die nunmehr verwehenden Töne einer spätromantischen Poesie deutlich (und typisch oxymorisch) ab von dem »scharfen Schmerzjubel jener modernen Lieder, die keine katholische Harmonie der Gefühle erlügen wollen und vielmehr, jakobinisch unerbittlich, die Gefühle zerschneiden, der Wahrheit wegen« (B 3, 209). Indem Heine Disharmonie und Zerschneiden in ein Funktionsverhältnis zur Wahrheit stellt, markiert er nicht nur die Trennlinie gegenüber jeglichem, idealisierendem Verfahren, sondern weist auch seiner ästhetischen Strategie ihre zeitgeschichtliche Signifikanz zu. Außerdem hat er, ebenfalls »der Wahrheit wegen«, seine antithetische, aus Kontrasten bestehende Dichtung epistemologisch abzusichern versucht, als er Immermann 1823 in dem zitierten Juni-Brief schrieb: »Alle Dinge sind uns ja nur durch ihren Gegensatz erkennbar, es gäbe für uns gar keine Poesie, wenn wir nicht überall auch das Gemeine und Triviale sehen könnten«.

Dieser modernen These scheinen nun viele frühe Gedichte, die, wie die Balladen oder eine Reihe von Liedern, offensichtlich ohne kontrastive Zusätze von Gemeinem und Trivialem auskommen, zu widersprechen, und dazu gehören die bekanntesten, wie »Du bist wie eine Blume«, »Ein Fichtenbaum«, »Im wunderschönen Monat Mai«, »Auf den Flügeln des Gesanges«, »Die Lotosblume«, *Die Wallfahrt nach Kevlaar* oder »Der Tod das ist die kühle Nacht«. Aber hier wäre zu fragen, ob nicht der spezifische Kontext, in dem sie stehen, auch ernstgemeinte, ›lyrische‹ Gedichte grundsätzlich in ein Zwielicht versetzt, das besser mit Ironie zu bezeichnen wäre als viele der spezifischen Effekte (Mayser, 50 ff., gibt ein Beispiel).

Der von Heine »der Wahrheit wegen« geforderte unkonventionelle *Doppel*blick hat jedoch seine Grenze an der jeweils *einseitig* faszinierten oder irritierten Rezeption gefunden (s. Destro 1981 zur »mißlungenen Rezeption«). Aber die theoretisch insistierend diskutierte und praktisch eingelöste Dialektik von Wahrheit und Lüge muß mit reflektieren, wer wie Karl Kraus und Adorno der frühen Lyrik, die zugleich Kommunikation fördert *und* vereitelt, den Prozeß machen will. Die sentimentale Aufnahme des Liederbuches zeigt auch gegen seine Kritiker, daß ironisches Sprechen aufgrund der Schwierigkeit seiner Vermittlung eine eigene, strukturelle ›Esoterik‹ besitzt.

Lit.: S. S. Prawer (s. o.); Walter A. Berendsohn (s. o.); Karl-Heinz Fingerhut (s. o.); Paul Gerhard Klussmann (s. o.); Hannelore Ederer: *Die literarische Mimesis entfremdeter Sprache. Zur sprachkritischen Literatur von Heinrich Heine bis Karl Kraus,* Köln 1979, 106 ff.; Jürgen Brummack (s. o.); Alberto Destro: *Das ›Buch der Lieder‹ und seine Leser,* in: *Zu Hein-* *rich Heine,* hrsg. von Luciano Zagari und Paolo Chiarini, Stuttgart 1981 (LGW 51), 59–73.
– zur Ironie bei Heine: Karl Heinz Brockerhoff: *Zu Heinrich Heines Ironie,* in: HJb 1964, 37–55 [extensive Auffassung von Ironie bei Heine]; Wolfgang Preisendanz: *Ironie bei Heine,* in: *Ironie und Dichtung, Sechs Essays,* hrsg. von Albert Schaefer, München 1970, 85–112; Vera Debluë: *Anima naturaliter ironica – Die Ironie im Wesen und Werk Heinrich Heines,* Bern 1970; Ursula Lehmann: *Popularisierung und Ironie im Werk Heinrich Heines,* Bern 1976, 86 ff. u. 141 ff.; Alberto Destro: *L'attesa contradetta,* in: Studi Tedeschi, 1977/ 1, 7–127; Erich Mayser (s. o.), 47 ff.

Geschichte und Gesellschaft im *Buch der Lieder* (Drei Beispiele)

Der »Troyanische Krieg«, den der Amor & Psyche-Sänger ebensogut »malen« wollte, findet im *Buch der Lieder* nicht statt (Juni-Brief an Immermann). Im Gegensatz zur frühen Prosa, die sofort politische Themen aufgegriffen hat, erscheint die frühe Lyrik, mit der unbedingten Dominanz des Liebes- und Leidensmotives, ganz unpolitisch. Es wäre auch verfehlt, wollte man in der Sammlung von 1827 nach politischer Lyrik im späteren Sinn von kritischer Auseinandersetzung mit den zurückgebliebenen deutschen Zuständen suchen. Nun hat der junge Heine aber Gedichte mit politischen Inhalten geschrieben, und gerade ihre Abwesenheit im *Buch der Lieder* ist das eigentliche Politikum, schrieb doch der junge Dichter unter dem unmittelbaren Druck der Karlsbader Zensurbeschlüsse am 7. November 1820 an den Verleger Brockhaus, als er diesem seine Gedichte – vergeblich – zur Veröffentlichung anbot: »Da mich leidige Verhältnisse zwingen jedes Gedicht, dem man nur irgend eine politische Deutung unterlegen könnte, zu unterdrücken, und meist nur erotische Sachen in dieser Sammlung aufzunehmen, so muste solche freylich ziemlich mager ausfallen«. So wurden zwei *Deutschland*-Gedichte, ein patriotisch-affirmatives von 1815 und ein polemisch-satirisches von 1819/ 20, nicht in die Sammlung von 1822 aufgenommen (B 1, 256 ff. u. 242 ff.). Das anfangs erwähnte zeitkritische Sonett *Die Nacht auf dem Drachenfels* erschien zwar in *Gedichte,* aber nicht mehr im *Buch der Lieder* (B 1, 224 f.); die scharfe Abrechnung mit dem »Hornvieh« des deutschen Vaterlandes befindet sich nur in der *Nordsee*-Fassung der *Reisebilder* (*Seekrankheit,* B 3, 201 f.). Dennoch enthält die selbstzensierte Sammlung von 1827, die auch historische, philosophische und religiöse Themen diskutiert, mit *Heimkehr LXXXIV* (»Zu Halle auf dem Markt«) ein Zeitgedicht, das die Verfolgung der

Burschenschaft reflektiert. Wenn nun das *Buch der Lieder* den deutschen »Troyanischen Krieg« nicht riskiert und seine Opposition zur Restaurationsgesellschaft vornehmlich ästhetisch gewagt hat, so greift es doch den herrschenden Geist in Politik, Moral und Religion an, freilich getarnt und versteckt und noch ohne tiefere soziale Begründung (zur kritischen Entwicklung der frühen Lyrik s. Brummack 1967). Das soll an drei formal und inhaltlich verschiedenen Beispielen aus den Bereichen Geschichte, Gegenwart und Mythologie gezeigt werden.

Die in gedrängten, zweizeiligen Strophen ehern und schicksalschwer vorwärtsschreitende Romanze *Belsatzar,* die durch starke Kontraste der Stimmung und Handlung geprägt ist, gilt zusammen mit *Die Grenadiere* zu den Meisterwerken der frühen Lyrik, in der beide einmal durch ihre gattungsbedingte objektive Form (kein Ich-Sprecher) und zum andern durch die Verarbeitung eines fernen, legendären bzw. eines nahen, zeitgeschichtlichen Stoffes auffallen (beide sind wahrscheinlich 1820, d. h. in einer Zeit wachsenden Antisemitismus bzw. zu Lebzeiten Napoleons entstanden und wurden 1822 zuerst gedruckt; s. DHA I/2, 690 ff. zur Unterscheidung von Romanze und Ballade in den *Jungen Leiden* sowie zu Heines freiem, der Volkstonmode verpflichtetem Umgang mit der Gattung Romanze). Die Romanze vom frevelnden König Babylons wurde wohl durch die Lektüre einer Übersetzung von Byrons *Vision of Belshazzar* veranlaßt; als Quelle diente das Kapitel V des Buches Daniel (DHA I/2, 710 f.); außerdem konnte Heine an eine hebräische Hymne zum Passahfest anknüpfen (s. Rose; zu Vergleichen der Vorlagen s. Berendsohn, 22 ff. und sehr eingehend Mommsen, 458 ff.). Die Abwandlungen, die Heine gegenüber der biblischen Erzählung vorgenommen hat, lassen nun seine Intention erkennen, ein zensurkonformes Revolutionsbild zu malen: Die Deutung der »Flammenschrift« (»Mene, Tekel, Peres«) durch den Propheten bleibt aus; der König wird nicht wie in der Bibel gemäß der göttlichen Verkündigung wahrscheinlich durch die Perser und Meder, sondern durch seine Knechte getötet (die in der Bibel noch die Gewaltigen waren). Man braucht aber jetzt nicht so weit zu gehen wie Katharina Mommsen, die die Flammenschrift mit dem »*zündenden Wort des politischen Dichters«,* den König mit dem wortbrüchigen Friedrich Wilhelm III. und die »Knechtenschar« mit dem deutschen Volk assoziiert, um den als Warnung an die deutsche Fürsten

gemeinten Hintersinn der Romanze zu erfassen (das betonen überzeugend Freund 1978 und 1981 und Rose, während Futterknecht, 215 f., den Akzent entschieden auf die »geschichtstheologische Dimension« legt). Es genügt, den Kontext, d. h. *Die Grenadiere* zu beachten: Beide Gedichte behandeln das Thema Herrscher/Gefolgschaft, sind aber kontrastiv aufeinander bezogen: Das eine entwirft das Bild eines tyrannischen Herrschers, dem die Untergebenen untreu werden, bevor sie den Tyrannenmord vollziehen; das andere dasjenige eines gefangenen Kaisers, dem ein Grenadier über den Tod hinaus in wahrer Liebe die Treue hält, so daß sich Belsazer und Napoleon wie schlechter und guter Herrscher aufeinander beziehen (der elfmaligen, trockenen Wiederholung von »König« entspricht die leitmotivische Beschwörung von »der Kaiser, der Kaiser«, einmal in der affektiven Doppelform »Mein Kaiser, mein Kaiser«, die wiederum alles Private aus dem Feld schlägt – »Was schert mich Weib, was schert mich Kind«). Mündet das eine Gedicht in versteckten Appell zu politischem Handeln (Mommsen, Freund 1981), so kündigt das andere Heines lebenslanges Engagement für die freiheitlichen Ideale der Französischen Revolution, als deren Repräsentanten er Napoleon feiern wird (*Ideen. Das Buch Le Grand*), an, – auch schon in der typischen Spannung zwischen Unterwerfung unter das Allgemeine und Behauptung individuellen Glücks (das die beiden Grenadiere verkörpern; vgl. *Reise von München nach Genua* und *Verschiedenartige Geschichtsauffassung*).

Gegenüber diesen pathetischen Balladen mit ihren historischen Gestalten nimmt das satirische *Intermezzo*-Lied 50, das die Volksliedstrophe noch beibehält, aber ganz andere Töne anschlägt (s. dazu Brummack 1967), die biedermeierliche Teetischgesellschaft aufs Korn, um an ihrem philiströsen Salonrede über Liebe, dem zentralen Thema des *Buchs der Lieder,* die herrschende Moral anzugreifen (»Sie saßen und tranken am Teetisch«). Die drei mittleren Strophen porträtieren drei Paare, welche die gesellschaftlich domierende Schicht repräsentieren: Hofrat und Hofrätin, Domherr und Fräulein, Baron und Gräfin. Die Herren gelten zunächst als Ästheten, die sich aber dann durch ihr sentenzenhaftes Reden als Sexualverdränger aus Angst selber entlarven (»Die Liebe muß sein platonisch«, »Die Liebe sei nicht zu roh«). Das relativieren nun die zartfühlenden Damen, die nur seufzen, lispeln oder »wehmütig« sprechen, durch matte, z. T. einsilbige Gegenrede, aus der aber abgewiesene Sehnsucht spricht (für die Gräfin ist die Liebe sogar »eine Passion«, sie gießt aber dann ihrem Partner »gütig« Tee ein). Läßt das Gedicht durch das als geschlechtsspezifisch hingestellte Verhalten Komik entstehen (die Männer ›können‹ bzw. ›wollen‹ gar nicht mehr), so gibt es durch die unkonventionellen, spöttischen Reime seine satirische Absicht zu verstehen: »Teetisch«/»ästhetisch«, »platonisch«/»ironisch« (komisch sind weiter die Reime »Mund weit«/»Gesundheit« und »roh«/»Wie so?«). Die sperrigen Reime, die gegen die falsche ästhetische Verfeinerung protestieren, sagen außerdem, daß in der höheren Gesellschaft tatsächlich etwas nicht zusammenpaßt (vgl. Prawer). Diese verdünnte Vorstellung von Liebe (der Hofrat ist typischerweise »dürr«) wird in der 5. Strophe aus vergangener bzw. hypothetischer Perspektive mit derjenigen des abwesenden »Liebchen« konfrontiert oder komplementiert, denn es bleibt unklar, ob das »Schätzchen« etwas über sinnliche Liebe zu erzählen gehabt und damit die Teerunde gesprengt hätte, oder ob es ebenfalls nur von reduzierter Liebe gesprochen hätte (auf Konvention lassen die gehäuften Diminutiva und das »hübsch« schließen). *Intermezzo* L läßt jedoch schließlich ex negativo die Hoffnung auf authentisches, individuelles Liebesglück aufkommen, wodurch die asketischen Züge der herrschenden Sexualmoral in einer Weise angeklagt werden, die auf die später in Lyrik und Prosa weltanschaulich begründet vorgetragene Kritik am Spiritualismus vorausweist. Das unterstreicht auch den Rang dieses Gedichtes gegenüber anderen, die ebenfalls, aber allgemein, Gesellschafts- oder Philistersatire betreiben (*Fresko-Sonette, Intermezzo* XXXVII – »Philister in Sonntagsröcklein« – oder *Götterdämmerung*).

Ein ähnlich utopisches Ziel: Befreite Sinnlichkeit, verfolgt auch – drittes Beispiel – das 99 Zeilen lange Gedicht *Nordsee* II, 6, das das für Heines ganze Lyrik- und Prosawerk zentrale Thema des Schicksals der olympischen Götter, Symbole sündelosen Lebensgenusses, behandelt. *Die Götter Griechenlands* sind nun keine Parodie der gleichnamigen Elegie Schillers, sondern vielmehr ihr deutlicher Gegenentwurf (zu Heines antiker Mythenrezeption s. Brummack, 110 ff., ferner Storz, 97 ff. u. von Wiese zum parodistischen Spiel in den *Nordsee*-Zyklen). Der wehmütig gestimmte, frühklassische Schiller tröstete sich 1793 (2. Fassung, Druck 1800) über die Entgöttlichung von Welt und Natur, für die er das Christentum verantwortlich macht, mit dem Glauben an die religiöse Mission der

Kunst (»Was unsterblich im Gesang soll leben, / Muß im Leben untergehen«). In Heines mitternächtlicher Vision dagegen (also zur Geisterstunde) erscheinen die einst freudigen Griechengötter als »ungeheure Gespenster«, die in Wirklichkeit »verdrängt«, »verstorben« und sogar verdorben sind (»Götterverderben«). Besonders makaber und abschreckend zieht Aphrodite als »Venus Libitina«, als Liebes- und Bestattungsgöttin, vorüber (Schiller beschwört eingangs die »Venus Amathusia«). Aber die antiklassische, sogar haßerfüllte Absage an die alten Götter (»Ich hab euch niemals geliebt, ihr Götter! / Denn widerwärtig sind mir die Griechen«) verkehrt sich angesichts der »neuen, herrschenden, tristen Götter« ins glatte Gegenteil. Der Abscheu vor deren Siegeszug durch Unterwerfung und Heuchelei (»Schafspelz der Demut«) mündet ausdrücklich in dem auflehnerischen Wunsch, »die neuen Tempel« einzureißen. Gut dreißig Jahre nach Schillers Gedicht wird also der kunstreligiöse Trost durch die Sprache des politischen Kampfes ersetzt: Der Götterwechsel erscheint einmal als Vatermord (»Jupiter Parricida«) und zum anderen dann als Machtkampf mit Siegern und Besiegten; der kampfbereite Sprecher läßt sein antispiritualistisches Engagement deutlich werden, wenn er ganz prosaisch (und völlig unhymnisch!), aber anspielungsreich erklärt: »Und in Götterkämpfen halt ich es jetzt / Mit der Partei der besiegten Götter«. Haben *Heimkehr* XXXIX und *Götterdämmerung* den Tod Gottes bzw. der Götter, d. h. den leeren Himmel verkündet (s. Prawer zur Religionskritik), so zeigen *Die Götter Griechenlands* eine geschichtliche Perspektive auf, indem sie die Überwindung des asketischen Christentums durch Rehabilitation dessen, was seinem Siegeszug zum Opfer fallen mußte, fordern: sinnlichen Genuß, »ambrosisches Recht« (vgl. *Die Stadt Lucca*). Dieser Ausdruck impliziert die für Heines Denken zentrale Vorstellung einer umfassenden Emanzipation, die seine philosophischen und mythologischen Schriften mit gleicher Symbolik postulieren werden (vgl. z. B. B 5, 570).

Die reimlosen, freirhythmischen und wortschöpferischen Verse der umfangreichen *Nordsee*-Gedichte begeben sich formal und thematisch auf völliges Neuland. Bei der Abkehr von der traditionellen Metrik beruft sich Heine auf Ludwig Tieck (*Reisegedichte eines Kranken, Rückkehr des Genesenden*, 1823 erschienen) und Ludwig Robert, den Bruder Rahel Varnhagens; die Hymnik des jungen Goethe dürfte ebenfalls wichtig gewesen sein

(DHA I/2, 1002 ff. u. Brummack, 1980). Das Zusammenspiel von grandiosem See-Erlebnis und Homer-Lektüre (s. dazu DHA I/2, 1018 ff.) führte zur Entdeckung des in der deutschen Literatur bisher unbekannten Meer-Themas (zur Überwindung von Heines lyrischer »Sprachnot«, die Walther Killy untersucht hat, bedurfte es nicht allein der Flucht an ferne, sondern auch des Besuchs der heimischen Gestade). Diese neuartige Naturdichtung, die nicht mehr wie vorher zumeist auf Requisiten und Kulissen, Klischees und Stereotypen zurückgreift (s. dazu z. B. Killy und Waseem, 117 ff.), wird nun in der Forschung als »Stilwandel«, d. h. als Hinwendung zu unmittelbar angeschauten und wirklich erlebten Naturbildern charakterisiert (Storz 109 ff. u. 81; Berendsohn, 74 ff. konstatiert diese Wende schon in der *Heimkehr*). Die Natureinstellung in der *Nordsee* ist jedoch sowohl unmittelbar als auch distanziert: In *Die Götter Griechenlands* z. B. dient Natur als Rahmen zu mythologischen Meditationen, während die Griechengötter am Nachthimmel personifizierte Naturgewalten sind. Wenn auch das Meer den Dichter zur Identifikation einlädt, so wird es ebenso, zusammen mit der Mythologie, als Mittel zur Darstellung des Hauptthemas benutzt (vgl. Prawer, 29 f.). Für das *Buch der Lieder* gilt insgesamt – um das abschließend zu erwähnen –, daß das in der »Kunstperiode« noch harmonische Verhältnis von Natur und Mensch grundsätzlich gestört ist. Wie in der Gesellschaft erfährt sich der Sprecher in der Natur immer wieder als Fremder und Ausgeschlossener: In einer typischen Geste schließt er sogar das Fenster, als er sieht, daß die philisterhaften Sonntagsausflügler oder Maispaziergänger blinzelnd betrachten, »Wie alles romantisch blüht«, bzw. »wie die Bäume fleißig wachsen« (*Intermezzo* XXXVII und *Götterdämmerung*). Die falsche Anbetung der Natur, die damals komplementär zu ihrer ökonomischen Nutzung aufkam, wird bekanntlich in der *Harzreise* am Verhalten der Brockentouristen mit ihren »verschimmelten Hochgefühlen« satirisiert (B 3, 155). Den völligen Verlust der die bisherige Lyrik noch bestimmenden Unmittelbarkeit führen dann *Die Bäder von Lucca*, die auch das entlarvende Wort von den »erlogenen Grünlichkeiten« prägen, mit der Frage vor: »Mutter, was gehn Ihnen die jrine Beeme an?« (B 3, 405) Damit hat Natur ihre Symbol- und Chiffrenkraft endgültig verloren. Heines Einstellung läßt sich am besten als funktionell bezeichnen (denn Natur wird nur in Ausnahmen um ihrer selbst willen dargestellt, und dann meistens

anthropomorphisch, wie z. B. in »Ein Fichtenbaum«). Einerseits Bilderlieferant für Stimmungen, dient sie andererseits als Folie zur Kritik von Entfremdungserscheinungen bzw. von falscher Natursentimentalität (vgl. dazu Kortländer, der die Landschaftsdarstellungen in der frühen Lyrik und Prosa sowie in *Atta Troll* untersucht hat).

Lit.: Walther Killy: *Wandlungen des lyrischen Bildes*, Göttingen 1956, 6. Aufl. 1971, 94–115; S. S. Prawer (s. o.), 15 ff., 19 ff. u. 27 ff.; Jürgen Brummack 1967 (s. o.); Walter Hinck: *Die deutsche Ballade von Bürger bis Brecht*, Göttingen 1968, 2. Aufl. 1972, 48 ff.; Walter A. Berendsohn (s. o.); Pierre Grappin (s. o.), 65 ff.; Gertrud Waseem (s. o.); Bernd Kortländer: *Natur als Kulisse?*, in: *Heinrich Heine 1797–1856*, Trier 1981 (Schriften aus dem Karl-Marx-Haus), 46–62.
Spezialliteratur, zu *Belsatzar:* Helmut Christmann: *Heinrich Heine: Belsazar*, in: *Wege zum Gedicht*, hrsg. von Rupert Hirschenauer und Albrecht Weber, München und Zürich 1963, Bd. II, 261–266; Katharina Mommsen: *Heines lyrische Anfänge im Schatten der Karlsbader Beschlüsse*, in: *Wissen aus Erfahrungen* (Festschrift für Herman Meyer), hrsg. von Alexander Bormann u. a., Tübingen 1976, 453–473; Winfried Freund: *Die Deutsche Ballade*, Paderborn 1978, 73–80; Winfried Freund: »*Allnächtlich zur Zeit der Gespenster«. Zur Rezeption der Gespensterballade bei Heinrich Heine*, in: HJb 1981, 55 ff.; Margaret A. Rose: *A Political Referent and Secular Source for Heine's »Belsatzar«*, in: HJb 1982, 186–190; Franz Futterknecht (s. o.); – zu *Intermezzo L:* Jürgen Brummack 1967 (s. o.); – zu *Die Nordsee* und *Die Götter Griechenlands:* Hermann Friedemann: *Die Götter Griechenlands. Von Schiller bis zu Heine*, Diss. Berlin 1905; Joachim Müller: *Heines Nordseegedichte*, in: ders.: *Von Schiller bis Heine*, Halle (Saale), 1972, 492–580 und dort 562 ff. [zuerst 1956/57]; Gerhard Storz (s. o.); Benno von Wiese: *Mythos und Mythentravestie in Heines Nordseegedichte und in seinem Gedicht »Unterwelt«*, in: *Mythos und Mythologie in der Literatur des 19. Jahrhunderts*, hrsg. von Helmut Koopmann, Frankfurt a. M. 1979, 123–140; Jürgen Brummack 1980 (s. o.).

Aufnahme und Wirkung

Der Lyriker Heine stand lange Zeit im Schatten des Prosaschriftstellers. Das *Buch der Lieder* fand 1827 kein großes Kritiker- und zunächst auch kein großes Publikumsinteresse. In der ersten Phase der Lyrikrezeption, von 1822–1829, läßt sich die gleiche Ambivalenz beobachten wie bei der Rezeption der *Reisebilder:* Die Kritiker fühlten sich sowohl hingerissen wie abgestoßen, sie schwankten oft zwischen begeisterter Zustimmung und scharfer Ablehnung (gegen die in DHA 6, 539, vertretene Ansicht behauptet Erich Mayser, 148, daß die Lyrik teilweise noch stärker abgelehnt wurde als die Prosa). Die meisten Kritiker besaßen keine Maßstäbe, um das Neuartige dieser Lyrik angemessen würdigen zu können (das untersucht Mayser, 171 ff.): Vom Standpunkt der klassisch-romantischen Ästhetik kreidete man Heine seine Verstöße gegen das Stimmungsgedicht, gegen das Postulat der organisch durchgebildeten Totalität an und rieb sich an der Hinwendung zur prosaischen Alltäglichkeit bzw. an dem Verlust der Stilhöhe durch Annäherung an die Umgangssprache (das gemeine Leben »siegt« über die Poesie). Mitte der 30er Jahre vollzog sich, wie bereits erwähnt, durch das Aufkommen einer neuen, liberalen Leserschicht ein grundlegender Wandel. Hinzu kam, was Mayser, 189 ff., nachgewiesen hat, daß die Verklärung des frühen, ›poetischen‹ Heine der deutschen Phase dazu diente, den ›prosaischen‹, politischen Schriftsteller des Pariser Exils bekämpfen zu können. Und als Heine dann beim Publikum zum legendären Sänger der *Loreley* aufstieg, da war's auch um ihn geschehen: Der Siegeszug des ›romantisch‹-sentimentalen Heine besiegelte den Schiffbruch des unkonventionell-maliziösen Heine! Für die einseitige Popularisierung der *Intermezzo-* und *Heimkehr*-Lieder, von Heine ausdrücklich in ihrem Doppelcharakter als »maliziös-sentimentale« bezeichnet, sorgten neben den kritischen Darstellungen und den Anthologien auch die Vertonungen (vgl. DHA I/2, 626 ff.). Hunderte von Komponisten, unter ihnen Schumann, Mendelssohn, Meyerbeer, Liszt, Brahms und Wagner, haben Lieder von Heine vertont; allein bis 1914 zählt Walter A. Berendsohn, 194 u. ff., etwa 2750 Kompositionen, mit eindeutiger Präferenz für die kleinen, liedhaften, (anscheinend) gefühlsunmittelbaren Gedichte wie »Du bist wie eine Blume« (222 Vertonungen), »Ein Fichtenbaum« (121) und »Ich hab im Traum geweinet« (99); »Loreley« und »Leise zieht durch mein Gemüt« (aus *Neuer Frühling*) sind durch eine einzige, sentimentale Vertonung populär geworden. Den rezeptionsästhetischen Mißerfolg des so erfolgreichen Liederbuchs führt Alberto Destro, der die Geschmacksvorstellungen des damaligen Publikums untersucht hat, darauf zurück, daß sich die neue, bürgerliche Leserschicht in den 30er Jahren als die »eigentlich falsche« herausstellte, weil sie »nur die spätromantische Sentimentalität, ohne deren radikale Infragestellung« rezipierte (Destro, 69 u. ff.; vgl. Mayser, 65 ff.). Heines auf Kommunikation abzielende ästhetische Strategie hat dieses Publikum offenbar überfordert (diese »systematische Entschärfung« Heines – Mayser, 200 – haben ein Karl Kraus und ein Adorno gar nicht bzw. einseitig berücksichtigt).

Aufgrund der Druckgeschichte vollzog sich die Aufnahme der frühen Lyrik in drei Schritten, die es

zu beachten gilt, wenn man die Reaktionen von 1827, die dadurch wesentlich vorgeprägt worden sind, verständlich machen will (DHA und Mayser, 107 ff., der den publizistischen Kontext mitbeachtet, verfahren in diesem Sinne; Weidl zählt bis 1827 71 Rezensionen in 43 verschiedenen Blättern). Zunächst wurde der Autor der *Gedichte* 1822 ausführlich besprochen und sofort von beiden Seiten, der lobenden und der kritischen, als origineller Dichter bzw. aufstrebendes Talent mit großer Zukunft begrüßt, wenn auch einige Kritiker eine geschmackliche Zähmung verlangten. Immer wieder wurde Heine mit Byron verglichen und von vielen als »der deutsche Byron« gefeiert (Rousseau hat 1822 zuerst seinen Studienfreund als »unser teutsche Byron« angeredet). Varnhagen v. Ense, der die öffentliche Diskussion im Berliner »Gesellschafter« eröffnete, betonte Heines Originalität, Selbständigkeit und Eigentümlichkeit. Sein Insistieren auf die Nähe zum Volkslied (allerdings, wie er zutreffend bemerkte, mehr in der Tonart als im Gehalt) findet sich bei fast allen anderen Rezensenten wieder, wie bei Johann Baptist Rousseau und den ebenfalls mit Heine bekannten Wilhelm Smets und Elise von Hohenhausen, die sich außerdem für die sehr positive Aufnahme im Rheinland und in Westfalen einsetzten. Ablehnung wegen mangelnden Geschmacks und zu toller Vorliebe für Gespenster erfolgte dagegen aus Berlin, während Karl Köchy im Leipziger »Literarischen Conversations-Blatt« einen Totalverriß startete, indem er die »trübsinnige und verkehrte Ansicht des Lebens« eines epigonalen Dichters herausstellte. Zwei weitere Rezensionen, die beide im »Rheinisch-Westfälischen Anzeiger« aus Hamm erschienen, verdienen besondere Beachtung, weil sie erstmals eine sozialgeschichtliche Einordnung bzw. eine ästhetische Würdigung von Heines Dichtung vornahmen (Texte bei Galley/Estermann, 34 ff.). Karl Immermann (*Ein Brief statt einer Rezension*) geht von dem geschichtlich bedingten Konflikt zwischen poetischem Talent und nüchterner, poesieloser Gegenwart, von jener »tiefen Feindschaft gegen die Zeit« aus, um den freudlosen Gehalt der 58 Gedichte zu erklären. Das Bild des gerüsteten Dichters, der von der Zeit gezwungen wird, »sein Schwerdt immer zum Ausfall bereit« zu halten, entsprach außerdem völlig Heines Selbstverständnis vom engagierten Schriftsteller. In seiner umfangreichen, scharfsinnigen Rezension lobt der bis heute nicht identifizierte »Schm« den »großen Dichter« Heine, den seit Bürger originalsten Dichter im Volkston, jenen, der »das ganze Wesen der Poesie« erkannt habe, – aber nicht ihren (für ihn religiös bestimmten) »*Zweck*«: Er vermißt das »versöhnende Prinzip«, die »Harmonie« und findet dagegen ein »feindliches Prinzip, eine schneidende Dissonanz, einen wilden Zerstörungsgeist«. Er grenzt Heine wiederum deutlich von der romantischen Schule ab und versucht eine moderne, politische Einordnung, indem er ihn als einen »Dichter für den dritten Stand *(tiers état)*« reklamiert. – Kurz darauf, bei der Veröffentlichung des *Intermezzo,* das mehr überregionales Interesse erregte, aber erneut keinen Publikumserfolg erzielte, wurden die kritischen Stimmen dann entschiedener (Galley/Estermann, 94 ff.; dazu DHA I/2, 759 ff. u. Mayser, 126 ff.). In ihren positiven Rezensionen hoben Varnhagen und der mit Heine gleichfalls befreundete Joseph Lehmann die Erneuerung des Volksliedtons und die Originalität hervor, meldeten aber auch moralisch-ästhetische Vorbehalte an (Varnhagen appelliert an ein »*ethisches Bewußtseyn*«, damit das Genie des Dichters vor »dem Abwege des Willkürlichen und Abstrusen« bewahrt bleibe). Schärfer, und ein späteres Stereotyp vorwegnehmend, gingen Adolf Müllner (1823 im Beiblatt zum »Morgenblatt«) und Willibald Alexis (1825 in den Wiener »Jahrbüchern der Literatur«) vor. Beide erkennen Heines Talent zwar an, reiben sich aber an seiner erotisch freizügigen Auffassung und mißbilligen einzelne Verse als »unzüchtig« bzw. »ruchlos«. Das wird sich bald zum Frivolitätsvorwurf verdichten. Der frömmelnd-romantische Rousseau »zensierte« 1824 in einem größeren Aufsatz über Heine das *Intermezzo* auf seine Weise, indem er den Liedern in extremis nur ein paar Zeilen widmete (aufgrund des moralischen und religiösen Anstoßes, den dieser Zyklus erregte, äußert Mayser, 145, die Ansicht, »daß der ›Streit um Heine‹ recht besehen 1823« einsetzt!). Das Ärgernis begann dann schließlich in der Tat mit den beiden ersten *Reisebilder*-Bänden (DHA 6, 539 ff.; zur Lyrikrezeption s. DHA I/2, 1004 ff. u. Mayser, 147 ff.). Varnhagen und Lehmann mißfielen einige *Heimkehr*-Gedichte (schätzten aber das Widerspiel von Ironie und Sentimentalität richtig ein), zeigten sich aber von den *Nordsee*-Zyklen beeindruckt (Varnhagen prägte die von Heine übernommene Bezeichnung »kolossale Epigramme«; dennoch fiel Heine weder 1826 noch 1827 als erster Nordsee-Dichter weiter auf). Unter den zahlreichen, sowohl aus ästhetischen als auch aus moralischen Gründen negativ urteilenden Kritikern sei nur der Verriß von Alexis erwähnt, der die *Heimkehr*-Gedichte als »der *Venus cloacina* mehr oder minder gewidmet« betrachtete.

Wenn nun das *Buch der Lieder* 1827 nur mäßige Beachtung fand, dann, weil es eine Sammlung von bekannten und bereits diskutierten Gedichten enthielt und neben den skandalösen und erfolgreichen Reisebildern als »ein Zusatz für Lyrik-Interessenten« erschien (DHA I/2, 600 u. ff.; ebenfalls Mayser, 161 ff.; Galley/Estermann drucken für die Zeit bis 1829 immerhin gut fünfzehn Rezensionen, davon neun längere). In seiner Rezension, die wiederum im »Gesellschafter« erschien, betonte Varnhagen u. a. – was nur wenige Zeitgenossen erkannten – die bedeutungsvolle, zyklische Komposition. Er unterstrich die »Einheit des Gefühls«, »die reine, ursprüngliche Quelle«, aber auch deren Zweiheit und Zerrissenheit, wenn er den allgemeinen Charakter der Gedichte als »tiefstes Gefühl mit höchster Ironie verbunden« bezeichnet (s. dazu Mayser). Neben weiteren Rezensenten, die Heine Eitelkeit, Leichtfertigkeit und Unebenheiten vorwarfen, lohnt es sich, Gustav Schwabs Charakterisierung von Heines dissonanter ästhetischer Verfahrensweise zu zitieren, weil sie negativ etwas Richtiges trifft; er schrieb 1828 im »Morgenblatt«: »Herr *Heine* aber ist der erste, in dessen Liederdichtungen jene weltverhöhnende Stimmung eines zerrissenen Gemüthes Grundton geworden ist, und zwar so, daß sein Humor nicht etwa auf eine geheime Versöhnung hindeutet, sondern den Kontrast zwischen Poesie und Leben fast immer ohne Milderung recht grell und mit kalter Bitterkeit zur Anschauung bringt« (Galley/Estermann, 314 ff.). Ferner warnte Schwab (wie zuvor schon Alexis) vor Heines »Manier«, wodurch jetzt gerade Originalität negativ beurteilt wird (s. Mayser, 88 ff., zum Heine-Epigonentum, der sog. ›Heinomanie in der Lyrik‹). Über die oftmals geäußerten Vorwürfe wegen einseitiger Themenwahl und unerlaubter Stilbrüche konnte sich Heine durch die Zustimmung eines Friedrich v. Gentz trösten, der 1830 Rahel Varnhagen aus Wien den »unbeschreiblichen Zauber« mitteilte, den Heines Lieder fortdauernd auf ihn ausübten.

Auch in den 30er Jahren, nach dem Umschwung mit der Aufwertung des Harzwanderers und Liebesliedlyrikers, war der Streit um das nunmehr vielzitierte und vielgesungene Liederbuch nicht beendet, wurde es doch weiter kontrovers beurteilt (Mayser, 202 ff.). Den positiven Auffassungen eines Hebbel, Storm oder David Friedrich Strauß standen die Klagen eines Eichendorff, Mörike oder Friedrich Theodor Vischer über das »Teufelchen frivoler Ironie« und die poetischen »Selbstmorde« der Lieder, über die »Lüge« von Heines Wesen oder über die leere Subjektivität und »perfide Ironie« seiner Dichtung entgegen. Entscheidend für die Rezeption war, daß in den verschiedenen Lagern weitgehend Einigkeit über die klassischen Wertmaßstäbe, an denen man Heines Lyrik beurteilte, herrschte, während die Auffassungen im wesentlichen nur durch die Einstellung zur Funktion von Komik und Ironie auseinandergingen, um über die Alternative echt / unecht, wahr / unwahr, poetisch / unpoetisch (prosaisch) und schließlich deutsch / französisch zu befinden.

Lit.: DHA I/2, 586 ff., 600 ff., 650 f., 759 ff., 1004 ff.; Galley/ Estermann I [umfangreichste Dokumentation]; B 3, 723 ff. u. 781 ff.; B 12, 603 ff. [Rez. zu späteren Auflagen]; Walter A. Berendsohn (s. o.); *Dichterliebe. Heinrich Heine im Lied. Ein Verzeichnis der Vertonungen und Gedichte,* Hamburg 1972, [Katalog zusammengestellt von Annemarie Eckhoff u. Lutz Lesle]; Gerd Heinemann (s. o.); Erhard Weidl: *Die zeitgenössische Rezeption des »Buchs der Lieder«,* in: HJb 1975, 3–23; Erich Mayser (s. o.), 107–229; Jochen Zinke: *Nachwort,* in: Heinrich Heine *Buch der Lieder,* München 1979, 252–282; Alberto Destro 1981 (s. o.).

Atta Troll.
Ein Sommernachtstraum

Entstehung, Druck, Text

»Rings umragt von dunklen Bergen, / Die sich trotzig übergipfeln, / Und von wilden Wasserstürzen / Eingelullet, wie ein Traumbild, / Liegt im Tal das elegante / Cauterets.« Der Ausgangspunkt des Epos ist zugleich der seiner Entstehung. Ende Juni 1841 war Heine zusammen mit seiner Frau zu einer Sommerreise in die Hochpyrenäen aufgebrochen und hielt sich bis Ende Juli in dem damals berühmten Schwefelbad Cauterets auf. Er beteiligte sich an dem Badebetrieb und unternahm mit Mathilde Ausflüge in die Umgebung. Gehörte eine Badereise in die Hautes Pyrénées im damaligen Paris »fast zu einer modischen Verpflichtung« (DHA 4, 358), so mußte diese Gebirgslandschaft, die Caput I sofort evoziert und die den geographischen Rahmen der Bärenjagd abgibt, auf deutsche Leser fremd, exotisch und sagenhaft wirken. Heine, der dort wahrscheinlich den Plan zu seinem Versepos faßte, gilt laut DHA als der erste deutsche Dichter, der diese Landschaft poetisch behandelt hat. Vor sei-

ner Abreise hatte Heine wohl seine alten Erinnerungen an die Tanzbärenfabel in der im Juni 1841 erschienenen Lieferung des Sammelbandes *Scènes de la vie privée et publique des animaux* mit Louis Baudes Bärengeschichte aus den Pyrenäen und Grandvilles Karikaturen auffrischen können. Während des Aufenthaltes, der durch die Duell-Affäre mit Strauß abgebrochen werden mußte (s. *Ludwig Börne*), sammelte er wahrscheinlich bereits Material und Motive für sein Werk (Winfried Woesler hat Heines Verhältnis zu literarischen Anregungen wie Führern und Reiseliteratur im Hinblick auf lokale Bezüge, auf Angaben zu Land und Leuten im Werk genau untersucht, Woesler 1978, 177 ff. und DHA 4, 357 ff.: »Versifizirte Reisebilder«). Die Hauptarbeit fiel dann aber nicht, wie Heine in der *Vorrede* von 1846 angegeben hat, in den Spätherbst 1841, sondern in die Zeit vom Februar bis Mai 1842. Insgesamt sollte Heine mit Unterbrechungen über sechs Jahre am *Troll* arbeiten. In der geplanten Form konnte das Werk nicht vollendet werden und ist Fragment geblieben. Lange vor dem letzten Arbeitsgang, der sich zeitlich nicht genau erfassen läßt, hatte der Dichter am 19. Dezember 1844 Campe mitgeteilt: »Epische Gedichte müssen überhaupt mehrfach umgearbeitet werden«.

In der ersten der vier Arbeitsstufen war ein »kleines humoristisches Epos« entstanden (Brief an Cotta vom 17. Oktober 1842), das dem Baron, nach Dingelstedts Vorarbeit, zum Druck für das »Morgenblatt« angeboten wurde. Heine plante jedoch schnell um, als sein Freund Laube, der von Ende 1842 bis 1844 erneut die »Zeitung für die elegante Welt« übernahm, um einen Beitrag für die Probenummer der damals sehr weit verbreiteten Zeitschrift bat. Heine erkannte die doppelte Möglichkeit, in Deutschland verlorenes Terrain zurückzugewinnen und die Leipziger »Elegante«, in Verbindung mit Ruges progressiven »Hallischen Jahrbüchern« und der von Marx redigierten »Rheinischen Zeitung«, zu einem entschiedenen Organ im Kampf gegen den neuen Zeitgeist (»Phrasenpatriotismus«) umzuwandeln. Am 7. November 1842 bot Heine Laube einen fast vollendeten Beitrag aus »etwa 400 vierzeiligen Strophen in 20 Abteilungen« an, der »Atta Troll von H. Heine« betitelt sein soll (»es ist nemlich unter uns gesagt, das Bedeutendste was ich in Versen geschrieben habe, Zeitbeziehungen in Fülle, kecker Humor [...] Ein toller Sommernachtstraum«). Am 20. November konnte die Reinschrift des in dieser Phase entstandenen, sogenannten »Laube-Manuskriptes« abgeschickt werden (s. dazu Tabelle DHA 4, 314). Diese Fassung enthält nur zwei Bärenreden, weiter fehlen Schwabencaput und Widmungs-Caput an Varnhagen. Vorherrschende Eindrücke gehen von Naturschilderungen und romantisch-imaginativen Partien aus. Laube las den Text zwar mit Vergnügen, hatte aber gewichtige Bedenken wegen der mangelhaften epischen Struktur und erhob ferner als Redakteur und Sachwalter deutscher Verhältnisse aus politischen, moralischen und religiösen Gründen Einspruch gegen einzelne Verse (Einzelheiten Woesler 1978 und DHA 4, 320 ff.). Zwischen Dezember 1842 und Januar 1843 – zweite Phase – ging Heine auf diese Einwände, die einer vorgezogenen Zensur gleichkamen, ein, so daß die neue Fassung, jetzt mit dem Schwabencaput, das den zeitkritischen Bezug verstärkt, erheblich von der ersten Fassung abwich (Tabelle DHA 4, 317 f.). Zwischen dem 4. Januar und dem 8. März 1843 erfolgte dann der Journaldruck, der am Schluß von Caput XXIV eine Zensurlücke aufweist (Text B 8, 998 f.). Noch während des Druckes hatte Heine weitere Manuskripte und zuletzt den neuen Schluß geschickt, die Widmung an Varnhagen, so daß sich die Zahl der Capita auf 24 erhöhte.

Mäßigung, Anpassung an die Bedürfnisse der »Eleganten«, d. h. Selbstzensur und der fragmentarische Charakter des Werkes ließen bereits im Februar 1843 Pläne zu einer überarbeiteten und erweiterten Buchausgabe aufkommen. Gut ein Jahr später schlug Campe vor, aus Zensurgründen den *Troll* nach der Journalfassung zusammen mit dem neuen Versepos, dem *Wintermärchen,* abzudrucken, während die erweiterte Fassung mit den *Neuen Gedichten* erscheinen könnte. Finanzielle Differenzen zwischen Verleger und Autor sowie dann der Erbschaftsstreit und der Gesundheitszustand bewirkten, daß die Hauptarbeit an der erweiterten Fassung erst in die Monate Oktober/November 1846 fiel (dritte Phase). Mitte Dezember konnte das auf 27 Capita erhöhte und stark variierte Manuskript nach Hamburg geschickt werden. Am 19. folgte die *Vorrede,* die auf die erneut unvollendete Gestalt hinweist (»leidlich aufgestutzt und nur äußerlich gerändet«, B 7, 493; Fassungsvergleiche mit Tabelle bei Woesler 1978 und DHA 4, 329 ff.). Die Erweiterungen betreffen das ganz neue Caput III sowie die Bärenreden mit dem neuen Caput VIII, das Religionscaput, und das Caput IX, wodurch die Zeitauseinandersetzung intensiviert wird. Die Reden bilden jetzt einen Block von sechs zusammenhängenden Capita. Das Vogelcaput fällt ganz weg

(B 8, 991 ff.), was den romantisierenden Charakter abschwächt. Ferner wurden strukturelle Umstellungen vorgenommen. Der vollständige Titel erinnert an Goethes *Reineke Fuchs* oder an E. T. A. Hoffmanns *Kater Murr,* während sich Atta vom jiddischen »Ätte« = Vater ableitet (DHA 4, 735). Der Untertitel, der auf Shakespeares Komödie *A Midsummer Night's Dream* zurückgeht, unterstreicht die antithetische Zusammengehörigkeit mit dem *Wintermärchen,* dessen Titel sich ebenfalls Heines Shakespeareverehrung verdankt. Die Ersetzung von »Bavarenkönig« und »Wittelsbacher« durch Sternchen in Caput XXIV, V. 37 und 39, ist auf Zensur zurückzuführen. Von der Buchausgabe, die Anfang Januar 1847 erschien, existieren drei Versionen mit insgesamt mindestens 5500 Exemplaren.

Damit ist jedoch die Entstehungsgeschichte des Werkes noch nicht abgeschlossen, denn Woesler hat Arbeitsmanuskripte zu einer weiteren Fassung entdeckt (vierte Phase) und erstmals ediert (Woesler 1976, 57–62 und 1978, 430–437). Danach muß im Sommer 1847 eine neue Überarbeitung angenommen werden, deren Tendenz eine Abschwächung der politischen (bis auf das Thema Nationalismus) und eine Verstärkung der romantischen Züge verrät. Von dieser Arbeit berichtete Heine Campe am 13. Oktober 1851, erklärte aber am 5. Oktober 1853 den Plan aus Honorargründen endgültig für aufgegeben.

Französische Übersetzungen. – Eine vollständige Übersetzung, die Edouard Grenier im wesentlichen nach dem Text der deutschen Buchfassung angefertigt hat, erschien 1847 als Journaldruck in der »Revue des Deux Mondes«. Heines Mitarbeit an der Übersetzung gilt als wahrscheinlich. Die Vorrede wurde mit Rücksicht auf das neue Publikum leicht verändert. – Der Band der *Œuvres complètes Poëmes et Légendes* (Paris 1855) enthielt dann eine stilistisch verbesserte Übersetzung mit einigen Präzisierungen (zum Vergleich der deutschen und französischen Fassungen, s. DHA 4, 790 ff.). Eine Anthologie druckte 1856 Versifizierungen zweier Capita dieser Prosaübertragung.

Druck: – die »Zeitung für die elegante Welt« druckte *Atta Troll, von Heinrich Heine* in den Nr. 1–10 vom 4. Januar bis 8. März 1843 als Fortsetzung (Text dieser Fassung: HSA 2, 161 ff.). – Der Buchdruck erfolgte unter dem Titel: *Atta Troll. Ein Sommernachtstraum. Von Heinrich Heine. Hamburg. Bei Hoffmann und Campe. 1847.* Die *Vorrede* befindet sich auf den S. VII–XIV, Caput I–XXVII S. 1–158 (weitere Einzelheiten zur Überlieferung DHA 4, 409 ff. und Woesler 1978, 379 ff.).

– die französische Journal-Übertragung erschien am 15. März 1847 in der »Revue des Deux Mondes« ([973]–1006) unter dem Titel *Atta Troll. Rêve d'une nuit d'été.* – In den *Poëmes et Légendes par Henri Heine, Paris, Michel Lévy frères, 1855,* folgt auf den *Avant-propos de l'auteur* (3–6) *Atta Troll. Rêve d'une nuit d'été. Ecrit en 1841* auf den S. 7–78.

Text: B 7, 491–570 (Varianten B 8, 989 ff. u. B 12, 706 f.); DHA 4, 7–87 (24 Bruchstücke 212–240; die Vorsatzsiglen machen die einzelnen Arbeitsphasen kenntlich); 1977 hat Winfried Woesler ebenfalls eine kritische Ausgabe mit Dokumentation und Nachwort bei Reclam, Stuttgart, herausgebracht. – französischer Text: DHA 4, 161–211 (Text nach Buchdruck von 1855); HSA 13 *Poëmes et Légendes,* 15–68 (früherer Versuch 359 ff., wie DHA 4, 225 ff.).

Lit.: B 8, 984 ff.; DHA 4, 307–340, 786–803; HSA 13 K, 112 ff.; Winfried Woesler: *Heines »köstliche« Trolliaden,* in: HJb 1976, 52–66; Winfried Woesler: *Heines Tanzbär,* Hamburg 1978 (= Heine-Studien), 17–47; Winfried Woesler: *Eine deutsche Verssatire in französischer Übersetzung,* in: Etudes Germaniques 33, 1978, 27–41 [Fassungsvergleich; die Angabe: Woesler 1978 bezieht sich auf den *Tanzbär*].

Voraussetzungen: Tierdichtung, Herkunft der Fabel, Quellen und Gattung

Gattungsgeschichtlich steht *Atta Troll* bewußt in der Tradition der europäischen Tierdichtung, die zur Zeit der Romantik ihren allegorischen Charakter verloren hat, ohne laut Winfried Woesler darauf zu verzichten, fast immer »eine dichterische Konkretisation menschlichen Fühlens und Tuns zu sein« (Woesler 1978, 141 u. ff.). Heines Held läßt jedoch wieder den Rückgriff auf das Allegorische erkennen. Allgemein gilt, daß sich in einer Zeit, in der sich die technisch-wissenschaftliche Einstellung zur Natur allmählich durchsetzt, diese Gattung etwas von der vorwissenschaftlich-mysteriösen Einstellung bewahrt hat.

Während Heine vermutlich romantische Tiermärchen wie Brentanos *Gockel, Hinkel und Gakkeleia* (entstanden 1811, erschienen 1838) und E. T. A. Hoffmanns Erzählung *Hund Berganza* (ersch. 1814) gekannt hat, betont Woesler den besonderen Einfluß zweier Tierdichtungen auf Heine: Tiecks *Gestiefelter Kater* (ersch. 1797) und Hoffmanns *Kater Murr* (1819 und 1821, 2 Bd.e). Die entscheidende Parallele zu *Murr* besteht darin, daß sich der Kater und der Bär als große Künstler ansehen.

Wesentlicher als romantische Märchen war für Heine jedoch die bekannte Fabel vom entlaufenen Tanzbären, die den Kern des *Troll* bildet. Ganz im Sinne der auf die Fabeldichtung des 18. Jahrhun-

derts zurückgehenden Tradition reißt sich Troll von der »Sklavenkette« los, flieht zu seiner Höhle ins Gebirge und tanzt dort vor seinen Jungen. Sein weiteres Schicksal steht jedoch bezeichnenderweise im Gegensatz zur traditionellen Moral der Fabel, die bei Gellert Anpassung bedeutet, während Lessing den freiwillig wiederholten Dressurakt sozialkritisch als Sklavengesinnung deutet. An Gellert und Lessing knüpfte Heine wahrscheinlich an, als er in *Reisebilder* II die Fabel vom Bären erwähnte, um den deutschen Adel zu kritisieren (B 3, 231, vgl. B 3, 33), aber anfangs der 40er Jahre greift er auf eine von Claude Joseph Dorat (*La Rancune de l'Ours,* 1772) und vor allem von Gottlieb Konrad Pfeffel (*Der Tanzbär,* 1789) ins Politische gewendete Version der Fabel zurück. Danach rächt sich nun der Bär an seinem früheren Unterdrücker, indem er ihn bei einem Wiedersehen im Walde seinerseits tanzen läßt und ihn dann erdrückt (Woesler druckt 1978 den Text Pfeffels 152 f. und in DHA 4, 343 ff.). Die Rache des Bären steht jetzt allegorisch für die Auflehnung des Bürgers gegen den Adel. Von dieser Version weicht Heine jedoch in einem entscheidenden Punkt ab, so daß *Troll* als »Kontrafaktur« (Woesler 1978, 156) dieser Fabelversion gelesen werden kann: Troll, Vertreter des deutschen Liberalismus, tötet keinen Zwingherrn, sondern wird selber getötet! Diese neue Ansicht spricht der ursprüngliche, aber verworfene Schluß von Cap. II aus, der lautet: »Die deutschen Bären / Werden stets wie Bären tanzen, / Aber nicht die Kette brechen« (B 8, 990; noch schärfer die allererste Version: »Deine [Deutschlands] Bären, / dumm wie Esel / Und wie Hunde unterthänig«, DHA 4, 212).

Im 19. Jahrhundert geht Gesellschaftskritik nicht mehr von der Fabel, sondern von der sich ablösenden Tierdichtung aus. Als wichtigste zeitgenössische Quelle zum Troll gilt eine Art Tierdichtung, die nach 1840 in Paris mit großem Erfolg erschien: *Scènes de la vie privée et publique des animaux* [...], 2 Bd.e, Paris 1842. Heine erwähnt das von P.-J. Stahl herausgegebene Werk, an dem u. a. Balzac, George Sand und Musset mitgearbeitet haben, an keiner Stelle, aber Louis Reynaud, der 1914 zuerst die *Scènes* etwas einseitig als wichtigsten literarischen Einfluß angesehen hat, und Woesler haben die zahlreichen Parallelen und Berührungspunkte in Motiven, Einfällen und Bildern zwischen *Scènes* und *Troll* herausgearbeitet. An erster Stelle sind die Illustrationen des damals berühmten Karikaturisten Grandville zu nennen, dessen Tiermenschgestalten die Plastizität des Troll beeinflußt haben, danach Louis Baudes Beitrag *L'ours,* dessen Bär mit Troll Familiensinn, Eitelkeit und andere Charakterzüge teilt. Ferner ist der tragikomisch endende Tieraufstand mit politischen Tierforderungen, den Stahl in seiner Rahmengeschichte erzählt hat, erwähnenswert, denn Großsprecher Troll scheitert ebenfalls unrühmlich.

Neben diesem doppelten Einfluß unter dem Gesichtspunkt Tierdichtung muß gattungsgeschichtlich beachtet werden, daß sich Heine mit seinem *Troll* unter die großen Ependichter eingereiht hat. Nach seinem Selbstverständnis handelt es sich wie erwähnt um ein »humoristisches Epos«, das den Bezug auf die großen Vorbilder keineswegs verleugnet und seine unabgeschlossene Form unter diesem Gesichtspunkt definiert. Dabei übersah Heine wohl, wie andere Dichter seines Jahrhunderts auch, daß die epische Dichtung einer früheren, von Kriegen und Kriegern geprägten aristokratischen Bewußtseinsstufe in der Geschichte der Völker angehört und deshalb der aufkommenden bürgerlichen Gesellschaft nicht mehr entspricht. Das haben Hegel und A. W. Schlegel in ihren Vorlesungen herausgestellt. Hinzu kommt, daß die vom Jungen Deutschland bevorzugte Gattung Prosa die Versdichtung als unpopulär erscheinen läßt. Wenn daher das Versepos eine absterbende Gattung ist, so darf man dennoch nicht übersehen, daß sie in der Biedermeierzeit beim Publikum weiter beliebt ist, wie alle Versdichtung allgemein hohes Ansehen genießt.

Heines eigener Gattungsbegriff, wenn man danach fragt, vermag an die zeitgenössische Diskussion über das Epos und das Epische anzuknüpfen; dieser Begriff wird vermutlich durch die Kenntnis der großen Ependichter geprägt, wie Homer, Vergil, die mittelalterlichen Dichter, Dante, Tasso, Ariost, Klopstock, Herder, Goethe und Immermann. Neben verstreuten Äußerungen enthalten zwei Texte seine eigenen Anschauungen: Die Besprechung des neuzeitlichen französischen »Epos« von P.-Ph. Ségur in den *Reisebildern* II (*Die Nordsee III,* B 3, 238–240) und die Briefe an Immermann aus dem Jahre 1830 über dessen komisches Epos *Tulifäntchen* (3. Februar, 14. März und 25. April 1830 – mit Änderungsvorschlägen).

Das Selbstverständnis Heines (»humoristisches Epos«) schließt dann nicht Affinitäten zu den traditionellen Formen aus, wie zum heroischen Epos (»erhabener Stil«, Requisiten des Heldenepos, Mythos), zum idyllischen Epos (Prinzip der Ein-

fachheit, Natürlichkeit, bürgerliches Selbstverständnis), zum romantischen Epos (Rückgriff auf mittelalterliche Sagen oder märchenhafte Überlieferungen) und schließlich zum komischen Epos, dem der Troll am nächsten steht (religiöse Parodie, Verspottung der Ritterromantik; aber keine erotischen Derbheiten, dafür jedoch Gesellschafts- und Religionskritik der Tierepen).

Innerhalb dieser Epen-Tradition sind drei Werke für Heine besonders wichtig: Herders Romanzenzyklus *Der Cid* (erschienen 1803, 1804), der in Deutschland den Typ des Romanzenepos begründet hat und als formales Vorbild der romantischen und biedermeierlichen Kleinepen gilt; Immermanns *Tulifäntchen* (1830), das wie *Troll* das romantische Rittergedicht parodiert und als komisches Epos, nach dem Vorbild des *Cid,* durch den vierhebigen Trochäus formal einen maßgeblichen Anstoß gegeben hat; und schließlich Goethes Tierepos *Reineke Fuchs* (1794), das trotz der entschärften Satire einen bestimmenden Einfluß ausgeübt hat.

Herder und Immermann haben somit die Wahl des im Deutschen schwierigen, achtsilbigen Kurzverses, mit regelmäßiger Betonung der ersten, dritten, fünften und siebten Silbe, beeinflußt. Die meisterhafte Beherrschung der Metrik verdankt sich ihrerseits wohl den Bonner Vorlesungen A. W. Schlegels. Im Gegensatz zu seinen Vorbildern hat Heine in den vierzeiligen Strophen auf Reime verzichtet, der nämlich witzige Effekte erlaubt hätte (Woesler, 1978, 263–268).

Lit.: L[ouis] Reynaud: *La source française d'›Atta Troll‹*, in: Revue Germanique, Tome X, 1914, 145–159; Woesler 1978, 97–213; Hellmut Thomke: *Heine und Grandville,* in: HJb 1978, 126–151; DHA 4, 340 ff.

Analyse und Deutung

Was das Versepos sein will, hat Heine in dem zitierten Oktober-Brief an Cotta eindeutig und unmißverständlich mitgeteilt: »das absichtliche Gegentheil von aller Tendenzpoesie«. Zusammen mit *Zeitgedichten* wie *Die Tendenz* und *Bei des Nachtwächters Ankunft zu Paris* gehört *Atta Troll* zu der frühesten, in diesem Fall aber verkleideten Auseinandersetzung mit der politischen Einstellung der nach 1840 erstarkenden liberalen Opposition in Deutschland, die in der sogenannten Tendenzdichtung ihren literarischen Ausdruck und auch eine publizistische Waffe gefunden hat. Nun erfolgt der Einspruch wesentlich im Namen ästhetischer Prinzipien wie Zwecklosigkeit der Kunst und beruft sich ausdrücklich auf Romantik bzw. auf die »grillenhafte Traumweise« der Romantischen Schule (Capita III und XXVII sowie *Vorrede*). Dadurch geraten aber politische Intention und ästhetischer Gegenentwurf in ein starkes Spannungsverhältnis, so daß eindeutige Positionsbestimmungen Heines schwierig werden. Dementsprechend weichen die Interpretationen oft weit von einander ab. So hat man immer wieder versucht, die romantisch-ästhetische Einstellung gegen die politischen Absichten auszuspielen, mit der Möglichkeit, Heines Position dann entweder als Rückschritt und Eskapismus oder gar im Gegenteil, und positiv, als ein »Bekenntnis des Dichters zum Grundsatz des ›l'art pour l'art‹« zu interpretieren (Paul, 268). Desengagement und Hinwendung zu L'art pour l'art scheinen sich gegenseitig zu bedingen. So konnte man wiederum das poetische Traumbild *Troll* in Gegensatz zum engagierten *Wintermärchen* stellen, als romantisches Gegenstück. – Eine Analyse von Titelfigur und Struktur wird diese Ansicht zunächst einmal unterstützen; zu entkräften vermag sie erst eine funktionelle Interpretation des »Sommernachtstraumes«.

Atta Troll, der Tendenz- und Tanzbär

Die Handlung des außerordentlich anspielungs- und auch schichtenreichen Werks (Tiergeschichte, Pyrenäenwanderung und Literaturpolemik) läßt sich folgendermaßen zusammenfassen: Ein Tanzbär reißt sich bei einer Vorführung in Cauterets von seiner »Sklavenfessel« los, läßt seine »Gattin«, die »schwarze Mumma«, zurück und flieht zu seinen Jungen ins Gebirge, wo er in der Familienhöhle agitatorische Reden hält; parallel dazu bricht der Erzähler mit dem Bärenjäger Laskaro auf, erreicht nach mehreren Stationen die Hütte Urakas und mit Hilfe der listigen Hexe gelingt es Laskaro, den Bären zu töten; dieser wird nach Cauterets zurücktransportiert, bevor er schließlich als Bettvorleger in Juliettes Pariser Schlafgemach landet. Aber was steckt in der so blamabel endenden Bärenhaut?

Atta Troll, der plumpe Tanzbär und bramarbasierende Weltverbesserer, ist eine Allegorie der vormärzlichen politischen Opposition unterschiedlicher Couleur: sowohl der bürgerlich-liberalen wie der radikal-demokratischen und sozialistischen (zu Beginn der 40er Jahre ließ sich zumindest in Deutschland die oppositionelle Bewegung nicht in klar getrennte politische Gruppierungen aufglie-

dern). Der mächtige und imposante Held steht deshalb sinnbildlich für die »menschlichen Liberalismus-Ideen überhaupt« (an die Mutter, 21. Februar 1843); in seiner zeitlichen Haut stecken »die Scheinhelden und Maulpatrioten und sonstigen Vaterlandsretter« (an Laube vom 7. November 1842), kurz, die beschränkte »Zeitgenossenschaft« (*Vorrede*). Außerdem ist in der Bärenhaut Platz für eine bestimmte literarische »Zeitgenossenschaft« vorgesehen: die politische Dichtung mit ihrem »nutzlosen Enthusiasmusdunst« (*Vorrede*).

Im ersten Hauptteil des Epos, der in sechs Tendenzreden die Identität des Bären eingehend vorstellt, vertritt der Held großsprecherisch und schwärmerisch wesentliche Ideen der Oppositionsbewegung. Durch Heines Kunstgriff erweist der Held der Opposition einen wahren Bärendienst: Denn durch seine feierliche Ernsthaftigkeit und sein Pathos, schließlich durch seine Bergpredigerpose gibt er diese Ideen der Lächerlichkeit preis. Die Rollenfiktion parodiert und führt nacheinander folgende Ideen und Ideale ad absurdum (was durch die desavouierende Haltung des Erzählers gegenüber seinem Helden, ein weiterer Kunstgriff, noch verstärkt wird): Aus republikanischer Sicht wird die Kritik an der Ungleichheit parodiert (Caput V); aus politischer Sicht der Kampf für Freiheit, Brüderlichkeit und nationale Einheit (Caput VI); aus moralischer Sicht die Ernsthaftigkeit und aus ästhetischer Sicht die Idee der Kunst als Kultus (Caput VII); aus religiöser Sicht der Deismus (Caput VIII: durch animalische Projektion ist der Bärengott natürlich ein »kolossaler Eisbär«); aus sozialrevolutionärer Sicht schließlich das Gemeineigentum (Caput X: Privateigentum ist »Diebstahl«). Gleichheit, Freiheit, Nationalität, Sittlichkeit, Religion und Gemeineigentum: Diese heterogenen, weil liberalen, christlichen und frühsozialistischen Ideen werden als leere Parolen bloßgestellt, indem ihre Erhabenheit durch die widersinnige Bärenlogik in komische Kontraste gerät, wie z. B. die Kritik der angemaßten Menschenrechte, die sich aus animalischer Perspektive so darbietet: »Gibt es nicht gelehrte Hunde? / Und auch Pferde, welche rechnen / Wie Kommerzienräte?« Oder: »Schreiben Esel nicht Kritiken? / Spielen Affen nicht Komödie?« Genauso absurd ist die Kritik der Ungleichheit, des Eigentums und des Atheismus oder die Idee der Judenemanzipation (die Juden dürfen alles, nur dem Tänzer keine Konkurrenz machen, Caput VI). Die verfremdende Fiktion eines gerechten, gleichen, freien etc. Animalreiches entlarvt zusammen mit der Bärenlogik alle fortschrittlichen Ideen als illusionistische Schlagworte. Hinzu kommt noch der Spott, den Troll durch den Erzähler erntet, der z. B. den »frechen Gleichheitsschwindel« zurückweist (Caput V). Die völlige Wirkungslosigkeit des eben redenden und nicht handelnden Troll wird schon dadurch vor Augen geführt, daß er in den Bergen – und nicht auf einem Marktplatz – vor seinen Kindern predigt (vgl. Woesler 1978, 363); zuletzt scheitert der Weltverbesserer kläglich und kommt erst als Bettvorleger zu einer gewissen Nützlichkeit. (Die Kritik an der Wirkungslosigkeit liberaler Ideen desavouiert diese aber nicht grundsätzlich, s. u.).

Troll ist nun nicht nur Politiker, sondern auch und ganz bewußt Künstler:»Steif und ernsthaft, mit Grandezza« pflegt er nämlich die Tanzkunst, in der er sich, eitel und prahlerisch, ein großer Meister wähnt (das Versmaß führt ihn dabei regelrecht vor, denn es läßt ihn »kolossal / Auf vierfüßigen Trochäen / Über diese Erde stelzen«, Caput XXIV). Die Wirklichkeit holt jedoch den dilettantischen Stümper ein, als er bei seinem (letzten) Auftritt vor den Seinen in der Höhle nicht bemerkt, daß er nur einen lächerlichen Dressurakt zum besten gibt. Hier hat der Tanz nicht, wie in anderen Werken Heines, etwas Sinnlich-Faszinierendes, im Gegenteil, seine Funktion ist satirisch (vgl. von Wiese). Die Bloßstellung der mageren Talente Trolls soll in Wirklichkeit das beschränkte und täppische Künstlertum der Tendenzdichter treffen: Als solcher zeichnet sich der Bär gleichfalls durch hohe Gesinnung und durch schlechte Kunst aus (er verspottet sich selber, wenn er in Caput V seine »Tanzkunst« mit der schlechten »Schreibkunst« eines Raumer vergleicht); er vertritt eine erhabene Kunstauffassung (die Tanzkunst soll in Caput VII etwas von ihrer ehemals religiösen Funktion bewahren) und scheitert an der Ausübung. Das berühmte Epitaph für den Helden faßt schließlich alle Züge des Tendenzredners und -künstlers in ihrer Widersprüchlichkeit zusammen den Moralismus und Radikalismus, die Amusität und die Charakterstärke; es lautet:

> Atta Troll, Tendenzbär; sittlich
> Religiös; als Gatte brünstig;
> Durch Verführtsein von dem Zeitgeist,
> Waldursprünglich Sanskülotte;
>
> Sehr schlecht tanzend, doch Gesinnung
> Tragend in der zottgen Hochbrust;
> Manchmal auch gestunken habend;
> Kein Talent, doch ein Charakter!

Und damit kein Beifall von der falschen, von der national-konservativen Seite kommt, wird das Epitaph dem ebenfalls stümpernden Bavarenkönig Ludwig I. in den Mund gelegt und als Standort die von ihm geförderte nationale Weihestätte Walhalla empfohlen.

Lit.: Adolf Paul: *Heinrich Heines »Atta Troll«*, in: Zeitschrift für deutsche Philologie 56, 1931, 244–269; S[iegbert] S. Prawer: *Heine The Tragic Satirist*, Cambridge 1961, 60–89; Jeffrey L. Sammons: *Heinrich Heine, The Elusive Poet*, New Haven und London 1969, 274–300 [gekürzt ebenfalls in: Wolfgang Kuttenkeuler (Hrsg.): *Heinrich Heine. Artistik und Engagement*, Stuttgart 1977]; Benno von Wiese: *Signaturen. Zu Heinrich Heine und seinem Werk*, Berlin 1976: Das tanzende Universum; Winfried Woesler 1978 (s. o.); Jürgen Brummack: *Satirische Dichtung. Studien zu Friedrich Schlegel, Tieck, Jean Paul und Heine*, München 1979, 166 ff.; Detlef Grumbach: *Heines »Atta Troll«*, in: Kürbiskern 3/1981, 54–72.

Wer ist Atta Troll?

Läßt sich das »Bärentum« Trolls problemlos als Abrechnung mit ideologisch widersprüchlichen und politisch unreifen Ideen deuten, so bereitet die genauere Zuordnung des Bären zu *einer* bestimmten Gruppe oder Person der deutschen Opposition Schwierigkeiten. Unzulänglich wirkt der Versuch Giorgio Tonellis, die ganze Symbolik des Epos, sowohl die Figuren wie die Gesamthandlung, so aufzulösen, daß z. B. Laskaro als »kommunistische Hydra« oder Hexe Uraka als »Symbol der *Revolution*« dastehen (Tonelli, 127–162). Sinnvoll scheint am ehesten, Troll als zusammengesetzte Figur aufzufassen, die mit Zügen unterschiedlicher, realer »Bären« und Gegner des Autors ausgestattet ist (so bei Gille sowie bei Woesler 1978, 228 f.). Trotz aller divergierenden Züge Trolls scheinen Börne und Ruge Pate gestanden zu haben: Das Epitaph verweist auf den kunstfeindlichen Jakobiner, der Börne für Heine war, und zitiert den in der Denkschrift diskutierten Gegensatz von Talent und Charakter, wobei letzterer, als Gegenbegriff zum Artistentum, sich gut mit Abhängigkeit, »Verführtsein« verträgt, was zuerst Börne und jetzt dem Tendenzbären angelastet wird (vgl. B 7, 130 f. und Vorrede B 7, 494 mit Blick auf politische Lyrik; zu Talent und Charakter s. Woesler 1978, 352 ff.). Aus den Kämpfen der späten 30er Jahre kämen noch die Züge deutscher »Bären«-Charaktere wie die der Gegenspieler Pfizer und Menzel infrage.

Aber an zwei Paten, an zwei Vormärzdichtern, deren Züge das Porträt Trolls, des Künstlers, parodistisch abrunden, besteht kein Zweifel: Freiligrath in erster Linie und Herwegh werden stellvertretend für ihre Zunft geprügelt. Die Parodie des Dichters der »Wüsten- und Löwenpoesie«, der mit seiner 1838 erschienenen Sammlung *Gedichte* allerdings noch keineswegs zur fortschrittlichen Opposition gehörte, zieht sich durch das ganze Epos. Als Motto des *Troll* dient die 5. Strophe des berühmten Gedichtes *Der Mohrenfürst*, das auf Heine, wie er 1846 zugibt, bei der Entstehung seines Epos durch seine unfreiwillige Komik so »belustigend« gewirkt hat (B 7, 496; Text: DHA 4, 375 f.). Freiligrath, der die Verletzung der Menschenrechte anklagen wollte, hatte als Beispiel ausgerechnet einen *Mohrenfürsten*, d. h. einen absoluten Herrscher gewählt, der eine mit Schädeln behangene Trommel schlägt. Belustigend wirkte ferner der ästhetische Mißgriff, der in dem komischen Schwarzweiß-Kontrast des Gedichtes besteht. Die unstimmige Farbigkeit verspottet der Anfang von Caput IX und vor allem Caput XXVI: Dort tritt der Mohrenfürst als Wärter im Jardin des Plantes auf, der sich mit einer »Blonden Köchin« vermählt und sich ein Bäuchlein angemästet hat, welches aus dem Hemd hervorschaut, »wie'n schwarzer Mond, / Der aus weißen Wolken tritt«; und im Bärenkäfig findet sich die *schwarze* Mumma wieder, die es jetzt mit einem *weißen* Wüstenbär treibt. Dieser Schluß steht außerdem in grellem Kontrast zum Pathos des Mottos (zur Parodie s. Woesler 1978, 300 ff., außerdem 341 ff. und DHA 4, 374 ff.). Als zweiter Dichter bekommt Herwegh sein Fett ab: Der Anfang von Caput XXI parodiert den Schluß des nationalen Sendungsgedichtes von 1841, *Die deutsche Flotte*. – Freiligraths spätere Entwicklung zum radikalen Dichter hat Heine eine Rehabilitierung abverlangt, erklärt er doch in der *Vorrede* 1846, er zähle ihn »zu den bedeutendsten Dichtern, die seit der Juliusrevolution in Deutschland aufgetreten sind«.

Trolls Grabinschrift verleiht dem Helden schließlich die Züge einer weiteren literarischen Gruppe, welche die apolitische, wertkonservative Richtung des deutschen Liberalismus darstellt, aber im Epos nicht in der Haut des Bären, sondern bezeichnenderweise in der »Hülle des Hundes« satirisiert wird. Nach Goethes bekannter Formulierung, die hier abgewandelt übernommen wird, ist »Sittlich/Religiös« der Geist, wenn nicht die Tendenz der Schwäbischen Schule, die in Caput XXII als tugendhafter Mops, den nichts Sinnlich-Frivoles anfechten kann, auftritt, eine besonders harmlose und verächtliche Gestalt (»Sittlichkeit ist unsre

Muse, / Und sie trägt vom dicksten Leder / Unterhosen!«; den Rückzug dieser Dichter in eine romantisierte heile Welt hat bereits *Der Schwabenspiegel* vernichtend kritisiert).

Lit.: Giorgio Tonelli: *Heinrich Heines politische Philosophie (1830–1845)*, New York 1975; Winfried Woesler 1978 (s. o.), 338 ff.; Klaus F. Gille: *Heines »Atta Troll«*, in: Neophilologus LXII 1978, 416–433; Bernd Kortländer: *Nachwort*, in: *Heinrich Heine: Atta Troll. Ein Sommernachtstraum*, Frankfurt/M. 1983, 169–213.

Das »letzte freie Waldlied der Romantik«: Zur Struktur

Neben den inhaltlichen hat Heine auch seine formalen Absichten genauso polemisch und eindeutig definiert, als er in der *Vorrede* 1846 betonte: »sowohl Tonart als Stoff desselben [des *Troll*] war ein Protest gegen die Plebiscita der Tagestribünen« (B 7, 495). Dieser »Protest« erfolgte im Einklang mit der romantischen Tradition, was sich auf mehrfache Weise niedergeschlagen hat.

Heines Bemühen um »artistische Ründung« (Brief an Laube vom 19. Dezember 1842) zeigt die kompositorische Anlage daran, daß Capita I und II sowie XXV und XXVI in Cauterets bzw. in Paris spielen und so den Hauptsträngen der Handlung einen Rahmen geben. Dieser Eindruck wird dadurch verstärkt, daß sich die poetologischen Capita III und XXVII am Anfang und am Ende kompositorisch entsprechen (zur Unterteilung der Handlung s. Woesler 1978, 214 ff. und Donnellan). Die schreibtechnische Grundstruktur des Epos besteht dann aus Episoden, die sich beliebig erweitern, kürzen oder umstellen lassen, ohne die Einheit der Gesamtkonzeption zu gefährden (das zeigt die Arbeit an der veränderten zweiten Fassung). Diese Kompositionsart erinnert nun an die spezifisch romantische Arabesken-Technik, die sich durch die lockere und offene Reihung von kunstvoll gerundeten und in sich geschlossenen Einheiten auszeichnet (dazu Schanze und Woesler 1978, 219 ff.). Von »Tolle Arabesken« ist auch in Caput XXII die Rede, und im Vorwort zur französischen Buchausgabe weist Heine auf die »arabesques« seines Gedichtes hin, das kein »sujet bien palpable« hat (B 12, 706; vgl. auch die »Lappenwerk«-Technik der *Reisebilder*). Den Zusammenhalt der Episodenfolge sichert die für das Genre Epos ungewöhnliche, weil subjektive und allmächtige Erzählhaltung, die eine spielerische Verknüpfung heterogener Elemente ermöglicht. Der Erzähler tritt also keineswegs hinter sein Werk zurück, sondern spielt, ganz untypisch für die Gattung, sogar die Hauptrolle. Einheitsstiftende Funktion haben weiter das durchgängige Versmaß der vierfüßigen Trochäen sowie die Wiederkehr bestimmter Motive (Tanzen, Traum, Lachen bzw. Lächeln und das Liebesmotiv; dazu Woesler 1978, 239–262). Außerdem haben Woeslers stilistische und rhetorische Analysen durchgehende Anschaulichkeit und Plastizität herausgearbeitet (Woesler 1978, 269–298). – Schließlich hat die »Tonart« noch eine wesentlich einheitsstiftende Funktion. Der Wechsel der Tonarten, von erhabener zu alltäglicher Sprechweise, erreicht in dem von Heine deshalb als »humoristisch« bezeichneten Epos eine solche Dichte, daß es dadurch anderen Werken und Werken anderer überlegen erscheint. Für die »komische Unterlage« *(Vorrede)* sorgt durchgängig die Freiligrath-Parodie (s. o.), wie denn der Kontrast zwischen Pathetischem und Gemeinem (hier oft derbe Körperlichkeit) die angemaßte Ernsthaftigkeit der Tendenzdichter bloßstellt. Das souveräne Erzähler-Ich läßt seiner Subjektivität freies Spiel, häuft Epos-Parodie auf literarische und politische Persiflagen, springt von Wortwitzen zu ironischen Anspielungen und verbindet schließlich satirischen Spott mit versöhnlichem Humor (Woesler 1978 hat Heines Witzstil und heiter-ironische Schreibweise eingehend untersucht; weitere Beispiele geben die Kommentare der verschiedenen Ausgaben).

Zuletzt wirft die in den poetologischen Capita behauptete Treue zur Romantik ebenfalls die Frage nach der praktischen Anverwandlung des romantischen Erbes, als eines konstitutiven Bestandteils, auf. Über die erwähnten gattungsgeschichtlichen und formalen Aspekte hinaus greift das »letzte freie Waldlied der Romantik« inhaltlich bekannte romantische Motive wie Traum, Nacht, bizarre Landschaft, Mythologie und Phantastik auf. Hinzu kommen sprachlich-bildhafte Anleihen. Figuren wie die Hexe Uraka und der Wiedergänger Laskaro stammen aus dem Arsenal der Schauerromantik (Woesler). Das phantastische Treiben in der Hexenhütte – in Caput XXIII als »Gespenster! Nachtgesichte! Luftgebilde! Fieberträume!« bezeichnet – mit dem Höhepunkt der »wilden Jagd« knüpft durch Figuren wie Fee Abunde und König Arthus an romantische Traditionen an (Woesler 1978, 118 ff. u. 234 ff.). Die lange Zeit von der Forschung mit unterschiedlicher Bewertung ins Zentrum der Analysen gerückten Capita XVIII–XX sind insofern traditionell als, wie Friedrich Sengle, 33, betont hat, zum komischen Epos »ein parodierter Götterapparat« gehört, höhere Wesen wie Feen und Geister eingeschlossen (als Quellen Heines gelten vornehmlich Dobenecks *Des deutschen Mittelalters Volksglauben und Heroensagen*, 1815, sowie Jacob Grimms *Deutsche Mythologie,* 1835). Der Gespensterzug besteht nun aus Figuren, die trotz des parodistischen Grundtons den weltanschaulichen Hintergrund von Heines Zeitkritik aufzeigen (die funktionelle Bedeutung hat Walter gut herausgearbeitet). Parodistische Kontrastfiguren reiten nur in der ersten Gruppe mit, wobei Goethe und Shakespeare neben ihren puritanischen Partnern heidnische Sinnenlust verkörpern. In der Mitte des Jagdheeres, und ohne Kontrastgestalt, reiten die drei erotisch stark anziehenden weiblichen Hauptfiguren Diana, Fee Abunde und Herodias: Die Heidengöttin repräsentiert die griechische Antike, die keltische Fee die nordische Romantik und Judäas Königin das Judentum (so mit leichten Varianten bei Veit, Sengle, Woesler 1978, 235 und Walter; abwegig ist dagegen die biographische Auflösung, die Tonelli, 148 ff., vorgenommen hat). Als Symbole der vorchristlichen und vorbürgerlichen Welt melden alle drei im Namen von Sinnlichkeit und Schönheit Protest gegen den modernen prosaischen Alltag an, dessen Ausweitung die Tendenzpoesie fördert. Die zeitkritische Funktion wird in Caput XX, welches das für Heines Werk zentrale Thema der Heiden-›Götter im Exil‹ erörtert, greifbar, wenn Fee Abunde auf einer Insel »in dem stillen Meere / Der Romantik, nur erreichbar / Auf des Fabelrosses Flügeln« überlebt, wo niemals ein »Dampfschiff« mit tabakrauchenden »neugierigen Philistern« landet und wohin ferner niemals dumpfes »Glockenläuten« dringt. Aber die Frauen verkörpern auch Gefahr. Das ist die andere, nicht mehr romantisch-idealistische Seite der im Liederbuch entwickelten Liebeskonzeption: Als wirkliches Sinnbild der ›femme fatale‹ würde Fee Abunde über den Untergang ihres Liebhabers ebenso lachen wie Herodias, die ja »kindisch lachend« mit dem Haupt des Täufers spielt. Dieses dämonisierte Frauenbild führt Woesler 1978, 237 f. und 253, auf den Einfluß von »Schwarzer Romantik« und von französischem »romantisme« zurück, ist aber z. B. in der *Loreley* durchaus schon vorhanden.

Lit.: S[iegbert] S. Prawer (s. o.), 66 ff.; Mario Praz: *Liebe, Tod und Teufel. Die schwarze Romantik*, München 1963 [ital. Orig. Florenz 1948]; Philipp F. Veit: *Heine's Imperfect Muses in »Atta Troll«,* in: The Germanic Review, Nov. 1964,

262–280; Helmut Schanze: *Noch einmal: Romantique défro-
qué*, in: HJb 1970, 87–98; Friedrich Sengle: *»Atta Troll«.
Heines schwierige Lage zwischen Revolution und Tradition*, in:
IHK 1972, 23–49; Giorgio Tonelli (s. o.); Nigel Reeves: *Atta
Troll And His Executioners*, in: Euphorion, 73. Bd. 1979,
388–409; Winfried Woesler 1978 (s. o.); Jürgen Walter: *Atta
Troll*, in: *Heinrich Heine. Epoche-Werk-Wirkung*, hrsg. von
Jürgen Brummack, München 1980, 221–238; Brendan Don-
nellan: *The Structure of »Atta Troll«*, in: HJb 1982, 78–88;
Bernd Kortländer (s. o.), 202 ff.; Irene Guy: *Sexualität im
Gedicht. Heinrich Heines Spätlyrik*, Bonn 1984, 8 ff. u. 62 ff.
[betont Parteiergreifen für »lyrischen Sensualismus«].

Ästhetische Autonomie und »höchste Freiheit« (*Trolls* andere Romantik)

Die Polemik gegen die zeitgenössische Literatur ist
getragen von einer ästhetischen Theorie, die Autonomie gegen jede Art von politischer Abhängigkeit
und Instrumentalisierung der Kunst durch außer-
künstlerische Zwecke und Tendenzen behauptet.
Damit wird jetzt ebensowenig ein desengagierter
Ästhetizismus vertreten wie zuvor in den späten
30er Jahren, in denen sich der Autor der Deutschland-Schriften und der Großstadtlyrik *Verschiedene (Neue Gedichte)*, der zunehmend als immoral
und frivol disqualifiziert wurde, zu reagieren gezwungen sah. *Mit* Goethe und *gegen* nationalistische, moralische oder religiöse Anforderungen
hatte Heine die Autonomie der Kunst verteidigt,
um sich in der Theater-Schrift mit dem Bekenntnis
neben Victor Hugo zu stellen: »ich bin für die Autonomie der Kunst; weder der Religion, noch der
Politik soll sie als Magd dienen, sie ist sich selber
letzter Zweck, wie die Welt selbst« (B 5, 317). Und
in dem auch andernorts erwähnten Brief an Gutzkow hatte Heine am 23. August 1838 seine neue
Lyrik gegen die »Moralbedürfnisse irgend eines
verheuratheten Bürgers in einem Winkel Deutschlands« mit dem bekannten, entschiedenen Wort
gerechtfertigt: »Mein Wahlspruch bleibt: Kunst ist
der Zweck der Kunst, wie Liebe der Zweck der
Liebe, und gar das Leben selbst der Zweck des
Lebens ist.« Es ist nun wieder die spezifische Freiheit, die durch Kunst hervorgebracht wird, die Heine in einer neuen Phase gegen Indienstnahme
durch Tages- und Parteikämpfe verteidigt. Die
Tendenzdichtung muß deshalb als Verrat an der
Dichtung erscheinen, weil sie sich, so das Hauptargument, in unreflektierte Abhängigkeiten begeben
hat, – nicht Widerstand, sondern »Verführtsein
durch den Zeitgeist« (vgl. *Vorrede:* »Die Musen
bekamen die strenge Weisung«). In scharfer Ab-
grenzung dazu singt der, der sich 1842 aufgerufen

fühlte, »die unveräußerlichen Rechte des Geistes
zu vertreten, zumal in der Poesie« *(Vorrede)*:

> Traum der Sommernacht! Phantastisch
> Zwecklos ist mein Lied. Ja, zwecklos
> Wie die Liebe, wie das Leben,
> Wie der Schöpfer samt der Schöpfung!
>
> (Caput III)

Das damals unzeitgemäße Bekenntnis lautet fast
noch deutlicher in der verworfenen Fassung: »Keinem Zeitbedürfnis dient es«, während die Journalfassung präzisierte: »Wittert nicht darin Tendenzen« (B 8, 989 f.). Gegen prosaische Zeittendenzen
protestiert plastisch und deutlich des Dichters gold-
beschlagener und perlengeschnürter »geliebter Pegasus«, der eben »kein nützlich tugendhafter / Kar-
rengaul des Bürgertums« ist, »Noch ein Schlacht-
pferd der Parteiwut, / Das pathetisch stampft und
wiehert!« Das »Flügelrößlein« tummelt sich »im
Fabelreiche« (Caput III) statt auf »der Zinne der
Partei« (B 8, 997), wie es in einer ausgeschiedenen
Fassung heißt, die auf die Grundsatzdebatte Bezug
nimmt, die sich Freiligrath und Herwegh 1841/42
lieferten (s. S. 90).

Woesler hat die Verankerung der für Heines
ästhetische Theorie zentralen Begriffe wie Zwecklosigkeit und Autonomie jeweils in der Philosophie
Kants und Hegels sowie in der französischen L'art
pour l'art-Richtung, die in den 30er Jahren vor
allem Gautier vertrat, herausgestellt (Woesler
1978, 345 ff., vgl. Sengle). Aber man ginge fehl,
wollte man Zwecklosigkeit als Absichtslosigkeit
und Autonomie als Gegenteil von Engagement
verstehen. Das Versepos, das eben nicht um seiner
selbst willen geschrieben worden ist, will erklär-
termaßen »das absichtliche Gegenteil von aller Tendenzpoesie« sein, und zwar so, daß es künstlerisch
Partei ergreift für Emanzipation, ohne diese gesellschaftliche Perspektive näher zu thematisieren.
Sensualistische Glücksansprüche, die mit rein politischer Befreiung nicht vereinbar sind, signalisieren
die Hauptgestalten der »Wilden Jagd« ebenso wie
die namenlosen »besonders schönen Nymphen«.
Ihr Widerspruch gegen die christliche Moral hat
das Exilschicksal von Diana und Abunde besiegelt
(ihnen sind »Kreuz und Qual verhaßt«). Ferner
erinnert Frankreich, »Vaterland der Freiheit« (Caput XI) kontrastiv an deutsche Unfreiheit. Außerdem lehnt sich Troll gegen Rechte auf, die dem
Erzähler/Autor heilig sind, wie die »Angebornen
Menschenrechte«, für die er »immer treulich
kämpfen« will und gekämpft hat (Caput V). Deshalb wehrt sich Heine 1846 gegen Kritiker, die

fälschlich behaupten, so die *Vorrede,* »mein Spott träfe jene Ideen, die eine kostbare Errungenschaft der Menschheit sind«, und das sind für ihn eindeutig die französischen Freiheitsideen, die sich nicht an eine Nation, sondern an die Menschen richten. Was seine »Lachlust« und damit seine Bärenallegorie heraufprovoziert hat, ist die national beschränkte und künstlerisch täppische Auffassung der Freiheit, wie sie sich in Deutschland hervorgetan hat, ob bärenhaft oder mopsig (den deutschen Nationalismus greift die Maßmann-Satire zusätzlich noch direkt an).

Der Hintergrund des Versepos läßt schließlich deutlich werden, was das im Text verwirklichte Bekenntnis zur Romantik *nicht* ist: eine Rehabilitation der Kunstperiode. Außerdem soll »das letzte/ Freie Waldlied der Romantik« eben ein *letztes* sein. 1842 gibt es ebensowenig ein Zurück wie 1833, sondern wehmütiges Abschiednehmen. In seinem Begleitbrief zur Manuskriptübersendung vertraute Heine Laube am 20. November an, im *Troll* »nimmt die Muse der Romantik auf immer Abschied von dem alten Deutschland!« (Heines ambivalente Stellung zur Romantik ist anderweitig diskutiert worden.) Für den *Kritiker* der Romantischen Schule und der Tendenzpoesie kann es schon deswegen kein Zurück geben, weil 1842 – was man mal beachten sollte – die mittlere und späte Romantik trotz ihrer höheren künstlerischen Qualität als eine Tendenzpoesie sehr viel schlimmerer Art erscheinen muß. Heine hatte den einzelnen Schulmitgliedern nämlich vorgeworfen, daß sie sich 1813 *für* die deutschen Fürsten und *gegen* Frankreich mobilisieren haben lassen, um danach ihre Muse in den Dienst von »Thron und Altar« zu stellen. Damit haben die Romantiker in den Augen ihres aufklärerischen Verfolgers die Autonomie der Kunst zugunsten von Tendenzen rückgängig gemacht, die er als verhängnisvoll für die deutsche Entwicklung ansah. – Andererseits kann es für den *Dichter* in einer Zeit, in der man die Romantik »mit Knüppeln todtschlagen will«, ein produktives Abschiednehmen geben, weil die modernisierte »Muse der Romantik« als Gegenentwurf oder als Mittel dienen kann, um dem prosaischen Zeitgeist einen poetischen Spiegel vorzuhalten. D. h., dem Dichter des *Troll* schwebt eine *andere,* nicht die alte Romantik vor, eine sensualistische und keine spiritualistische. In dem erwähnten Laube-Brief heißt es z. B., die alte Romantik soll nicht in der früheren »weichen Tonart«, »sondern in der keksten Weise des modernen Humors, der alle Elemente der Vergangen-

heit in sich aufgenommen hat«, wieder geltend gemacht werden (ebenso Caput XXVII: »moderne Triller/Gaukeln durch den alten Grundton«; die produktive Rezeption des romantischen Erbes hat Herbert Clasen untersucht, speziell 54 ff. zu *Troll*). Die »Klänge/Aus der längst verschollenen Traumzeit« können als Eskapismus oder Rückzug (miß-)verstanden werden, aber es sind Klänge von Poesie und Schönheit, deren Existenz gerade durch die moderne Entwicklung in Gefahr geraten ist und denen deshalb jetzt Widerstandsfunktion zufallen kann. Das Fabelreich, das nur auf des Pegasus Flügeln zu erreichen ist, liegt zwar abgehoben von der bürgerlichen Wirklichkeit, steht aber wesentlich in kritischem Gegensatz zu ihr (die vehikuläre Funktion des *Troll* betonen zutreffend Schanze, Gille und Walter). In diesem Reich vermag, bildlich gesprochen, die »höchste Freiheit«, um die es in der Kunst geht und ohne die es keine Kunst gibt, zu überleben; das spricht ein bereits zitiertes Bruchstück von Caput III, das eine genrehafte Aufgabenverteilung vornimmt, so aus:

Ja, in guter Prosa wollen
Wir das Joch der Knechtschaft brechen-
Doch in Versen, doch im Liede
Blüht uns längst die höchste Freiheit.   (B 8, 990)

Was sich in *Atta Troll* als ästhetischer Absolutismus darbietet, will eine höhere Form von Engagement sein. Das Versepos soll, wie Heine am 20. Februar 1844 über das *Wintermärchen* an Campe schrieb, »eine höhere Politik athmen als die bekannten Stänkerreime«, d. h. es soll nicht politischen Doktrinen oder parteipolitischen Nahzielen bzw. taktischen Interessen verpflichtet sein, sondern vielmehr eine umfassende Befreiung, die sich im Reich der zwecklosen und autonomen Poesie bereits als Schönheit zeigt, zum Ziel haben. Emanzipation ohne künstlerische Schönheit wäre keine für den Dichter des *Troll*.

Lit.: Helmut Schanze (s. o.); Friedrich Sengle (s. o.); Klaus F. Gille (s. o.); Winfried Woesler 1978 (s. o.); Herbert Clasen: *Heinrich Heines Romantikkritik,* Hamburg 1979 (= Heine-Studien); Jürgen Walter (s. o.)

Atta Troll,
ein Extremfall von politischer Dichtung

Steht *Atta Troll* links oder rechts? Hat sich Heine mit dem Versepos, das nichts verklärt und nichts verhüllt, das Illusionen zerstört und gängige Meinungen bekämpft, selber einen Bärendienst erwiesen? Insofern ja, als das Versepos den rezeptionsästhetischen Aspekt politischer Dichtung stark belastet, denn letztere ist auf Kommunikation angelegt und bedarf des kritischen Lesers, der das positiv Gemeinte hinter dem anspielungsreich, in Fabelform oder gegenbildlich Gesagten herausfindet. Nun erkennen die Leser von Tierepen hinter den dargestellten tierischen die mitgedachten menschlichen Zustände ohne weiteres wieder, aber der Leser des politischen Bestiariums *Atta Troll* wird auf eine harte Probe gestellt, weil das Werk in kritischer Negation verharrt. Heine kritisiert 1842/1843, wie in der anderen Versdichtung der frühen 40er Jahre, die herrschenden und die noch nicht herrschenden Ideen in Deutschland, ohne hier eine klare positive Gegenstellung erkennen zu lassen. So ist z. B. nicht eindeutig zu ermitteln, wer im Auftrag welcher Kräfte Troll stellvertretend besiegt. Deshalb ist es kein Wunder, daß die Interpretationen stark voneinander abweichen. Friedrich Sengle stellt z. B. eine klare Hinwendung zu einer »aristokratischen Position« fest. Winfried Woesler, der das Werk am eingehendsten untersucht hat, betont resignative und konservative Züge des Autors, mit Angst vor der Revolution (1978, 118, 339, 356 f., 365, 367 u. 377). Benno von Wiese konstatiert »eine bewußt vollzogene Rückkehr zur romantischen Poesie«. Dem widerspricht wiederum Hans Kaufmann aus marxistischer Sicht nicht, wenn er *Atta Troll* »mit all seinen Schönheiten ein Rückzugsgefecht« nennt. Alle diese Interpretationen setzen voraus, daß zwischen den Werken, die zur gleichen Zeit *(Lutezia)* bzw. kurz danach *(Neue Gedichte, Wintermärchen)* entstanden sind, und dem *Troll* eine deutliche Zäsur liegen muß, was sich gut bestreiten läßt (das hat z. B. Joachim Bark getan). Auf der anderen Seite sieht Klaus Briegleb Caput X in Übereinstimmung mit dem Linkshegelianismus und in Nähe des Frühkommunismus, fügt aber aufgrund der parodistischen Redeweise einschränkend hinzu, daß »eine Entscheidung über ein ›Bekenntnis‹ H[eine]s zum Frühkommunismus schwer« ist (B 8, 1005, vgl. 987). Das wird aus Heines Stellung zur französischen Wirklichkeit abgeleitet, und aus dieser Perspektive heraus, und nur aus dieser, bezieht *Atta Troll,* wie bereits erwähnt, tatsächlich eine positive Gegenposition. Angesichts der unreifen deutschen Verhältnisse soll hier nur die Frage aufgeworfen werden, welche reale Alternative, welches Programm oder welche Partei denn ein Kritiker wie Heine 1842/43 hätte aufzeigen oder nennen können. Utopischer Gegenentwurf (»Wilde Jagd«) und Absolutsetzung der

Kunst werden wohl zutreffender beurteilt, wenn man sie als Reflex der deutschen Misere auffaßt, an der die Tendenzdichtung auf ihre Weise partizipiert, während *Troll* ihr unversöhnlich gegenübersteht.

Der Sommernachtstraum ist weder ›poésie pure‹ (das zeigen schon die zahllosen Anspielungen auf die Zeitverhältnisse) noch politische Dichtung im engeren Sinn. Die Schwierigkeiten im Umgang mit *Atta Troll* hat Jürgen Walter sehr gut getroffen, der das Versepos als »Extremfall« in Heines politischem Œuvre und als »Extrembeispiel politischer Dichtung überhaupt« bezeichnet (Walter, 238). Die Stellung zwischen Kunst und bürgerlicher Wirklichkeit ist zwar im *Troll* nicht abgeschnitten, aber in der Tat doch bis zum äußersten gespannt, zu sehr, als daß der »Vermittlungsprozeß von ästhetischem Erlebnis und politischem Bewußtsein« (Walter) bei einem größeren Publikum hätte funktionieren können.

Lit.: Jeffrey L. Sammons (s. o.); Friedrich Sengle (s. o.); Rainer Rosenberg: *Literaturverhältnisse im deutschen Vormärz,* Berlin (Ost), München 1975, 165 ff.; Hans Kaufmann: *Heinrich Heine,* Berlin u. Weimar 1967, 1976 3. Auflage, 243 ff.; Benno von Wiese (s. o.), 134–166: Zum Problem der politischen Dichtung Heinrich Heines; Winfried Woesler 1978 (s. o.); Joachim Bark: *Heine im Vormärz: Radikalisierung oder Verweigerung?,* in: Der Deutschunterricht Jg. 31,2/1979, 48–60; Jürgen Walter (s. o.); Detlef Grumbach (s. o.); Bernd Kortländer (s. o.); Stefan Heym: *Atta Troll. Versuch einer Analyse,* München 1983 [Diss. Chicago 1936 unter dem Namen Helmut Flieg].

Aufnahme und Wirkung

Deutschland

Das öffentliche Interesse an *Atta Troll,* das sich zunächst nur abtastend und unsicher bemerkbar machte, blieb an die Erwartungen gekoppelt, die sich auf die neue Redaktion der »Eleganten« richteten, war aber von vornherein durch die negative Nachwirkung des Börne-Buches belastet. Der ungünstige Eindruck nach der Veröffentlichung der ersten Capita verbesserte sich nur langsam. Unabhängig von dem Streit um die Person Heines brachten einige Rezensenten wichtige Aspekte, wie das Widerspiel von Romantik und Zeitkritik, zur Sprache. Positive Stimmen hoben außerdem die ungebrochene Kraft des Dichters hervor, was die Gegenseite gerade bestritt (wie z. B. Alexander Jung, der, alle bekannten Argumente der Heine-Gegner zusammenfassend, das Epos als »die Ruine eines ruinirten Dichters« bezeichnete, DHA 4, 396). Unter den ersten Reaktionen ragt trotz ihrer Zwiespältigkeit die ausführliche Besprechung aus der »Rheinischen Zeitung« (März 1843) heraus, die laut DHA von Moses Heß stammt. Der mit Heine befreundete Junghegelianer begrüßt »freudig eine Produktion«, »die an die besten Zeiten Heine's erinnert« und den Beweis liefert, daß das Heer seiner Gegner ihn nicht hat totschlagen können. Heß hält aber Heines Zeitkritik für unzulänglich und erkennt des Dichters Zukunft vielmehr in den romantisierenden Teilen des *Troll* begründet (»Möchte der Dichter in der Folge noch viele solche, nur noch ›tendenzlosere‹ poetische Produktionen liefern!«). – Die Ablehnung des im Herbst 1844 mit den *Neuen Gedichten* erschienenen *Wintermärchens* führte dann zu einer Aufwertung des *Troll,* dessen Vollendung man jetzt lieber gesehen hätte als die Veröffentlichung des zweiten Versepos. – Ein Meinungsumschwung hat sich dann bis zum Erscheinen des Buchdruckes vollzogen (DHA 4, 398 ff.). Einige Stimmen zeigten sich 1847 wohlwollend, zustimmend und sogar begeistert. Heinrich Laube z. B. unterstrich in einer Besprechung in der »Allgemeinen Zeitung« den geistreichen und witzigen Charakter des Epos. Hatte der früher von Heines Feind Gutzkow redigierte Hamburger »Telegraph für Deutschland« 1843 giftig reagiert, so betonte er jetzt die artistischen Vorzüge des *Troll.* In einer gründlichen Kritik würdigte ferner der politische Schriftsteller Theodor Althaus die romantische Schicht des Werkes und stellte den Witz des *Troll* über denjenigen des *Wintermärchens,* wobei für ihn beide Versepen zum festen Bestand der deutschen Literatur gehören werden (»Blätter für literarische Unterhaltung«). Schließlich ergibt eine Untersuchung der zeitgenössischen Literaturgeschichten, daß das Echo des *Troll* nur sehr schwach war.

Im Gegensatz dazu reicht die literarische Nachwirkung des *Troll* bis ins 20. Jahrhundert (DHA 4, 403 ff.). An erster Stelle ist Adolf Glaßbrenners *Neuer Reineke Fuchs* (1846) zu nennen, dessen zeitsatirische Einstellung durch *Atta Troll,* den Glaßbrenner in der Journalfassung kannte, beeinflußt worden ist. Eduard von Bauernfeld, der ebenfalls 1846 einen Sketch *Die Reichsversammlung der Thiere* publizierte, war wiederum mit Heines Werken gut vertraut. Als direkte Fortsetzung erweist sich Alfred Meißners Epos *Der Sohn des Atta Troll* (1850), das an Vers 65 ff. in Caput X anknüpft. Ferner stellt die Forschung auch Wilhelm Buschs

Bildergeschichten in die Nachfolge des *Troll* (Woesler 1978, 70). – Auf einer anderen Ebene als der des Genre Tierepos hat Georg Weerth seine Personalsatire *Leben und Thaten des berühmten Ritters Schnapphanski,* die zunächst 1848/49 als Fortsetzungsroman in der »Neuen Rheinischen Zeitung« erschien, in unmittelbaren Zusammenhang mit *Atta Troll* gestellt (1849 auch in Buchausgabe). Den Spottnamen konnte Weerth Caput I und XXIII entnehmen. – Die späteste Nachwirkung zeigt sich schließlich in Kurt Tucholskys *Ein Pyrenäenbuch* (1928).

Frankreich

An dem zunächst geringen französischen Echo auf die Journalfassung änderte auch die Übersetzung von 1847 offensichtlich nur wenig (DHA 4, 803 ff.). Allerdings erschien in diesem Jahr im »Journal des Débats« die laut Woesler »beste zeitgenössische Würdigung des *Atta Troll* überhaupt«. Der Verfasser, Paul de Molènes, betont kenntnisreich die Verbindung von Engagement und Künstlertum, also das, was die meisten anderen Rezensenten nicht zusammenbringen konnten oder wollten. Obwohl die erneut geringen Reaktionen auf die Buchausgabe von 1855 das französische Desinteresse an Dichtungen aus der Romantischen Schule bestätigten, wurde *Atta Troll* seit dieser Zeit als eins der Hauptwerke Heines rezipiert. Der Höhepunkt der posthumen Aufnahme fiel in die Zeit des Symbolismus. In der zweiten Jahrhunderthälfte fand Atta Troll noch in zahlreichen Publikationen Erwähnung. – Bemerkenswert scheint schließlich die literarische Nachwirkung *Trolls* in Frankreich und England (Woesler 1978). Der Dichter Théodore Banville, der 1863 eine von der »Wilden Jagd« inspirierte Verskomödie *Diane au bois* schrieb, bekannte außerdem seine Hochschätzung Heines mit den Worten: »Je ne puis m'empêcher de rire en voyant qu'on cherche la formule du poème moderne, si complètement et absolument trouvée dans ›Atta Troll‹«. Diese Nachwirkung beruht dann maßgeblich auf dem Herodias-Motiv, das in spätere Salome-Dichtungen eingegangen ist und dessen Spuren im Werk von Mallarmé, Banville, Laforgue und Oscar Wilde nachweisbar sind. Weitere Dichter und Maler haben das Herodias-Salome-Motiv behandelt, allerdings ohne unmittelbar auf Heine zurückgegriffen haben zu müssen. Am bekanntesten ist heute die Vertonung von Oscar Wildes Tragödie *Salomé* (1893) durch Richard Strauss (1905).

Lit.: DHA 4, 389–406 u. 803 ff.; Winfried Woesler 1978 (s. o.), 49–88; Alfred Opitz/Ernst-Ullrich Pinkert: *Heine und das neue Geschlecht* (I.), Aalborg 1981, 169 ff.).

Neue Gedichte

Entstehung, Druck, Text

Siebzehn Jahre sollten vergehen, bevor eine zweite Lyriksammlung erschien. Läßt sich der Plan eines neuen, separaten Lyrikdruckes bis auf das Jahr 1832 zurückverfolgen, so war die Versdichtung, genährt von grundsätzlichen Zweifeln an der Zeitgemäßheit gebundener Rede, in dem Jahrzehnt, in dem die große Frankreich- und Deutschlandprosa entstand, auffällig zurückgegangen. Neben mangelnder Produktion durchkreuzten Verlegerinteressen und normative Kritik in der zweiten Hälfte der 30er Jahre das Vorhaben, eine Fortsetzung des *Buchs der Lieder* zustande zu bringen (noch 1844 betrachtet Heine die *Neuen Gedichte* »als den zweiten Teil des ›Buchs der Lieder‹«, B 1, 17). Die zweite Sammlung umfaßt dann Gedichte, die zwischen 1822/1824 und 1844 entstanden und ab 1829 gedruckt worden sind (abgesehen von den Zusätzen zur 3. Auflage). – Die wichtigsten Abschnitte der langen und umstrittenen Entstehungsgeschichte, die DHA detailliert rekonstruiert hat, sollen im folgenden skizziert werden.

Der gescheiterte Druck von 1838. – Im Zusammenhang mit der 1834 einsetzenden Diskussion über die 2. Auflage des *Buchs der Lieder* verdichtete sich 1837 der Plan, die vorliegende Lyrik entweder als Erweiterung oder als separaten Band erscheinen zu lassen. Im März 1838 konnte Heine den Inhalt eines separat geplanten Buches mit dem Titel *Nachtrag zum Buch der Lieder* mitteilen und im April ohne den Entwurf der Vorrede *(Schwabenspiegel)* abschicken (DHA 2, 221 ff. und Francke haben das Manuskript, das kaum die Hälfte der späteren Sammlung enthält, rekonstruiert). Zunächst verweigerte die hessische Behörde die Druckerlaubnis. Dann machte sich Gutzkow zum Sprachrohr der Kritik, die seit Erscheinen von Teilen der *Verschiedenen* (»Der Freimütige« 1833 und *Salon I* 1834) laut geworden war, und schrieb Heine im Auftrage Campes am 6. August 1838, er habe mit seinen Gedichten auf die »Pariser Boulevardschönheiten« bereits alle Welt gegen sich aufgebracht und werde sich mit dem *Nachtrag* auch noch

seine letzten Freunde entfremden; deshalb rate er dringend vom Druck ab (»Ich sehe, daß Sie an einem Abgrunde wandeln, den *Sie* nicht sehen. *Ich warne* Sie«, B 12, 469 ff.; vgl. DHA 2, 229 ff. bzw. *Schwabenspiegel,* der als Nachspiel zu den Plänen von 1838 entstanden ist). Heine gab das Projekt nicht sofort völlig auf, aber als er Anfang April 1839 das von der sächsischen Zensur (wohin Campe die Vorlage weitergeleitet hatte) stark verstümmelte Manuskript zurückerhielt, verzichtete er auf weitere Bearbeitung.

Die Erstausgabe von 1844. – Zwischen 1839 und 1844 entstand ein großer Teil der Romanzen und Zeitgedichte, deren Zeitschriften- und Buchdruck (»Zeitung für die elegante Welt« 1839 und 1842/43, »Vorwärts!« 1844 und *Salon IV* 1840) die Umrisse der beiden neuen Zyklen, neben den vorliegenden Abteilungen *Neuer Frühling* und *Verschiedene,* erkennen lassen (s. Zyklen-Tabelle B 8, 894 ff.). In dieser Phase wußte Campe, der seit 1840 die neue Konjunktur für politische Lyrik richtig erfaßte und förderte, den Autor der Börne-Schrift, der ökonomisch einen großen Mißerfolg erlitten hatte und politisch in völlige Isolierung geraten war, mit Erfolgsmeldungen seiner Lieder-Editionen von Hoffmann von Fallersleben und Dingelstedt aus der Reserve zu locken (die nach der Periode patriotischer Lyrik 1810–15 sowie nach den Griechen- und Polenliedern zu Beginn der 20er und 30er Jahre zusammen mit Herweghs Gedichten eine neue, breite Produktionsphase, mit schnellen Zweitauflagen, eröffneten). Campe mußte Rivalitätsgefühle schüren, als er nach Paris meldete, er habe von Hoffmanns *Unpolitischen Liedern* »binnen Jahresfrist« 12 000 Exemplare gedruckt (27. November 1842). Im Winter 1841/42 reagierte Heine mit der ersten Fassung des Versepos *Atta Troll* auf die neue Situation. Mit zurückgewonnenem dichterischen Selbstbewußtsein schrieb er seinem Verleger, mit dem er im Oktober 1841 den Plan zu einem zweiten, gänzlich neu gestalteten Lyrikband abgesprochen hatte, am 28. Februar 1842, er sei überzeugt, er könne jetzt seine »bedeutendsten lyrischen Produkte« geben. Aber erst Ende Dezember 1843, nach der Rückkehr von seiner Deutschlandreise, kündigte er die Arbeit zu dem Buch mit dem endgültigen Titel *Neue Gedichte* an (ein Titel, den er bereits 1838 und 1839 bei zyklischen Journaldrukken verwendet hatte). Die entscheidende Vorbereitung des Druckmanuskriptes begann im Frühjahr 1844 und war im Juni abgeschlossen, als das Manuskript nach Hamburg abging, zusammen mit dem gemilderten *Wintermärchen* als »Lückenbü-ßer«, um den nötigen, zensurfreien Umfang zu er-reichen. Campe war über die politische Radikalität der neuen Versproduktion erschrocken, konnte sich aber zugutehalten, daß er dazu beigetragen hatte, die Aufnahme einiger der schärfsten Zeitge-dichte verhindert zu haben (s. u.). Die Druckvorla-ge wird von DHA 2, 244 ff. genau rekonstruiert (Heine nutzte seinen zweiten Hamburgaufenthalt, um im August 1844 noch während des Druckpro-zesses Korrekturen anzubringen). Da die Drucker-laubnis vorlag, konnte die 1. Auflage zwar am 25. September 1844 ausgegeben werden, aber be-reits am 4. Oktober setzte eine außerordentliche Kette von Beschlagnahmen und Verboten in den Bundesstaaten ein (Übersicht DHA 2, 259 ff.).

Die 2. und 3. Auflage von 1844 und 1852. – Der sensationelle Vertrieb der neuen Lyrik sorgte da-für, daß nicht erst nach zehn Jahren (wie beim *Buch der Lieder*), sondern schon nach wenigen Wochen eine 2. Auflage fällig wurde (als Titelauflage im Oktober 1844 und danach im Neusatz teils mit, teils ohne Vorwort). Die beiden Editionen haben eine Gesamtauflage von mindestens 4500 Stück erreicht (DHA 2, 250 f.). – Die für die heutigen Textausga-ben verbindliche Fassung wurde im Sommer 1851 in Angriff genommen und 1852, mit einer neuen Vorrede, veröffentlicht. Neu kam nun der Zyklus *Zur Ollea* zusammen mit dem Subzyklus *Diana* und *Schöpfungslieder 7 (Verschiedene)* hinzu, während das *Wintermärchen*, was Heine bald als starke Schwächung empfinden sollte, gegen das Dramen-fragment *William Ratcliff* ausgetauscht wurde. Der Titel des neuen, für Heine typischen Misch-Zyklus, der im wesentlichen Gedichte umfaßt, die nicht in den *Romanzero* Eingang gefunden hatten, leitet sich (mit vokalischer Erweiterung) von dem Na-men eines spanischen Eintopfes ab (Olla podrida, franz. pot-pourri), dessen genrehafte Verwendung Heine bereits 1822 erwogen hat (Brief an Sethe vom 14. April).

Zur Entstehung der *Zeitgedichte*. – Die Düssel-dorfer Ausgabe hat ebenfalls Entstehung und Druck der einzelnen Zyklen äußerst detailliert dar-gestellt (306 ff., 391 ff., 543 ff., 626 ff. u. 653 ff.). Zu erwähnen wäre hier z. B. nur, daß der Zyklus *Neu-er Frühling,* der schon Ende 1831 vollständig vor-lag, im wesentlichen auf Anregung des Komponi-sten Methfessel Ende 1830/Anfang 1831 entstan-den ist (das musikalische Projekt scheiterte); oder daß sich der Widerstand gegen *Verschiedene* schon bei Teildrucken 1832 und 1835 bemerkbar machte.

Lohnender scheint dagegen, auf die Entstehung der neuen Zeitlyrik einzugehen, denn einige der engagiertesten Gedichte erschienen nicht in der Buchausgabe. Heine, der bereits im Hamburger Herbst 1843 persönliche Kontakte zu radikalen Zirkeln, die sich der inzwischen verbotenen »Rhei-nischen Zeitung« und Ruges Jahrbüchern verbun-den fühlten, hergestellt hatte, trat nach seiner Rückkehr in nähere Beziehung zu den Kreisen der im Exil lebenden Junghegelianer und Frühsozia-listen, und dazu gehörten Ruge, Marx, Heß, Börn-stein und Herwegh. Dadurch ergaben sich für Hei-ne, den vergeblichen Begründer einer deutschen Zeitung in Paris (vgl. B 9, 50 ff.), neue publizisti-sche Möglichkeiten in der zensurfreien Exilpresse. Marx und Ruge druckten Ende Februar in den von ihnen herausgegebenen »Deutsch-Französischen Jahrbüchern« das »sanglanteste«, was Heine nach eigener Aussage »je geschrieben« hat: die *Lobge-sänge auf König Ludwig* (Brief an Campe vom 16. Dezember 1843). Börnstein, Hauptherausge-ber des zuerst konstitutionellen »Vorwärts!«, der seit dem 2. Januar 1844 erschien, kritisierte die »Jahrbücher« (und Heine), trat aber nach deren Verbot ihre Nachfolge an und veröffentlichte zwi-schen Mai und Ende Juli die Zeitgedichte Nr. 17, 20, 19, 18, 21, 1 und 22, aber auch *Der neue Alexan-der,* eine dreiteilige Abrechnung mit dem preußi-schen König sowie das revolutionäre Gedicht *Die armen Weber.* Marx war maßgeblich an der Um-orientierung des »Vorwärts!« zu einer radikal-de-mokratischen Zeitung, in der später auch das *Win-termärchen* erschien, beteiligt. Heine hat die stimu-lierende Wirkung, die von den jüngeren Kampfge-fährten und Freunden ohne Zweifel ausging, in dem Gedicht *Lebensfahrt* festgehalten (»Ich hab ein neues Schiff bestiegen, / Mit neuen Genossen«). Aber DHA 2, 659 weist die zuerst von Ruge aufge-stellte Behauptung, Marx, zusammen mit ihm sel-ber, sei der eigentliche Anreger der Zeitgedichte gewesen, als »zählebige Legende« zurück. – Die Zusammenstellung des Druckmanuskriptes im Sommer 1844 durchlief dann noch mehrere Pha-sen. Bei der Auswahl der Gedichte dürften Campes Bedenken, aber auch Heines eigene, eine bestimm-te Rolle gespielt haben (ausgeschiedene Zeitge-dichte B 7, 485 ff.).

Französische Übersetzung. – Die bereits er-wähnten Schwierigkeiten der Lyrikübertragung ha-ben die *Neuen Gedichte* noch stärker getroffen als das *Buch der Lieder* (DHA 2, 825 ff.). Nur einzelne Gedichte wurden durch Besprechungen bekannt;

Nerval übersetzte 1848 vier Romanzen und ein Zeitgedicht, durch die Übertragung des nicht genannten Saint-René Taillandier erschien zu Heines Lebzeiten allein der Zyklus *Neuer Frühling* (1855 in der »Revue des Deux Mondes«). In die beiden neu zusammengestellten Zyklen *Nocturnes* und *Feuilles Volantes*, die 1855 mit einer neuen *Préface* (B 11, 519 ff.; DHA I/1, 568 ff.) in den *Poëmes et Légendes* erschienen (bei Michel Lévy frères), fanden weitere sieben Romanzen, ein *Verschiedene*-Gedicht und ein Zeitgedicht bzw. acht Zeitgedichte Aufnahme (DHA 2, 152 ff.; weitere eigenhändig korrigierte, aber nicht aufgenommene Gedichte 197 ff.). Zu dieser Zeit plante Heine einen zweiten Band mit Lyrikübertragungen, der u. a. den *Neuen Frühling* drucken sollte und von dem Vorreden-Entwürfe erhalten sind, in denen die Übersetzer Taillandier und François-Adolphe Loève-Veimars vorgestellt werden sollten (B 11, 522 ff.; DHA 2, 207 ff.).

Druck: Heines 2. Lyriksammlung erschien unter dem Titel *Neue Gedichte von H. Heine. Hamburg, bei Hoffmann und Campe. 1844.* und enthält die Teile: *Neuer Frühling* (1–55), *Verschiedene* (57–162), *Romanzen* (163–224), *Zeitgedichte* (225–276) und *Deutschland. Ein Wintermärchen. Geschrieben im Januar 1844* (277–421). – Mitte Oktober kam eine 2. Titelauflage heraus; eine Variante dieser Auflage enthält im Neusatz das *Vorwort zur zweiten Auflage.* – Die 3., veränderte Auflage erschien 1852 mit neuer *Vorrede*, dem zwischen *Romanzen* und *Zeitgedichte* eingefügten Zyklus *Zur Ollea* und am Schluß mit *William Ratcliff. Tragödie,* statt *Wintermärchen.* Die 4. Auflage von 1853 druckt den Text von 1852. – Die zahlreichen Nachdrucke verzeichnet DHA 2, 302 ff.; weiter dokumentiert dieser Band Druck und Überlieferung der einzelnen Zyklen.

Text: – B 7, 295–433 (Text nach der ergänzten 3. Auflage) u. 435–489 (Nachgelesene Gedichte); DHA 2, 9–130 (Textbestand nach der Ausgabe von 1844 und Ergänzungen von 1852; Anhang 131–212 enthält zeitgenössisch gedruckte und nicht gedruckte Gedichte zusammen mit französischen Übersetzungen sowie Vorworte, aber ohne die zur 2. u. 3. Auflage; Vorwort von 1844: B 8, 916 u. 7, 573 ff.).
– franz. Übersetzungen: HSA 13 *Poëmes et Légendes* (sowie im Anhang 342 ff.). *Nouveau Printemps* und weitere handschriftlich überlieferte Übersetzungen); DHA 2, 152 ff. u. 197 ff.

Lit.: B 8, 891 ff.; DHA 2, 215 ff. [ferner gesondert zu Zyklen und Übersetzung]; *Heinrich Heine: Buch der Lieder. Zweiter Band,* Aus dem Nachlaß rekonstruiert von Renate Francke, Leipzig 1982; Werner Bellmann: *Künstliches Manöver. Zur Druckgeschichte von Heines »Neuen Gedichten«,* in: Euphorion. 80. 1986, 104–109.
– zur Biographie: Wolfgang Hädecke: *Heinrich Heine. Eine Biographie,* München 1985, 389–430.
– zum »Vorwärts!« 1844: Jacques Grandjonc: *Marx et les communistes allemands à Paris,* Paris 1974; Werner Bellmann: *Heine und der Pariser »Vorwärts!«,* in: HJb 1983, 70–82.

Komposition, Zyklen

Das langjährige Ringen um die zyklische Ordnung, das die genetischen Darlegungen der einzelnen Abteilungen in DHA jeweils detailliert dokumentieren, zeigt, welche Bedeutung Heine der Komposition wiederum beimißt (als besonders eindrucksvolle Beispiele wären das acht-stufige, wandlungsreiche Arrangement des *Neuen Frühlings* und die komplizierte Zusammenstellung der *Verschiedenen,* speziell von *Seraphine,* zu nennen, DHA 2, 310 ff., 402 f. u. 439 f.). Dennoch erreicht die zweite Lyriksammlung als Ganzes nicht die Geschlossenheit des *Buchs der Lieder* oder des *Romanzero.* Zumindest den beiden mittleren Zyklen fehlt es an innerer Einheit; der erste und der vierte Zyklus, die noch am einheitlichsten arrangiert sind, gehören zwei ganz unterschiedlichen Werkphasen an, während der zweite Zyklus sehr unterschiedliche Gedichte gruppiert und der dritte keine einheitlichen Gattungsmerkmale aufweist (Wikoff, 75, spricht von »loose structure« innerhalb eines größeren Ganzen). – Der erste Zyklus nun, der trotz einzelner Weiterentwicklungen von der Forschung ästhetisch als Rückschritt beurteilt wird (z. B. von Prawer, mit den beiden Ausnahmen von Nr. VI »Leise zieht durch mein Gemüt« und Nr. XXIX), schließt sich thematisch und formal besonders eng an die frühe Lyrik an, um sie zugleich auch abzuschließen. Der Titel *Neuer Frühling* knüpft direkt an *Die Heimkehr* XLIII (»Und ein neuer Liederfrühling/ Sprießt aus dem geheilten Herzen«) und XLVI an (»Neuer Frühling«; den parallelen Gegensatz von naturhafter bzw. psychisch-schöpferischer Erstarrung und Frühlingserwachen thematisieren auch *Ideen. Das Buch Le Grand* und die Italienreise, B 3, 255 u. 325 f.). Die Liebeskonzeption ist wieder antithetisch und läßt sich nur oxymorisch darstellen (Nr. XII: »der Liebe süßes Elend/Und der Liebe bittre Lust«). Dekor und Kulissen: ›déjà vu‹; Metrum und einzelne Ausdrücke: ›déjà lu‹! Wie in *Intermezzo* und *Heimkehr* wird in den durchnumerierten 44 Gedichten (von denen genau 22 in der »zweystrophigen Manier« geschrieben sind) eine imaginäre Liebesgeschichte erkennbar, die dem auf- und absteigenden Rhythmus der Jahreszeiten folgt, aber dieses Mal in herbstlicher Trostlosigkeit und Resignation endet. Mit Nr. XXX setzen Welken und Absterben, Trennung und Tod ein, um nicht nur in einer »kalten Welt«, sondern auch in einer entfremdeten Welt (»Menschenkehricht«) zu enden. Der trostlosen Heimkehr an die Elbe steuert allein die ironisch eingesetzte Banalität des Wetters entgegen (»Nun kommt das Schlimmste noch, es regent«). Dieser nordische Winter der Gefühle bedeutet aber zugleich auch das endgültige Erstarren der als überlebt angesehenen frühen Lyrik. Der *Prolog* kündigt bereits an, daß nach der Julirevolution die Zeit für Liebes- und Naturlyrik abgelaufen ist (der kampfbereite, aber gespaltene Sprecher entscheidet sich noch einmal für den Liebesdienst, »Während Andre kämpfen müssen / In dem großen Kampf der Zeit«; den Konflikt von Engagement und Desengagement diskutieren außerdem zu Beginn der 30er Jahre entstandene Prosaschriften). In der 2. Auflage des zweiten *Reisebilder*-Bandes erschien der vollständige Zyklus 1831 mit dem Bewußtsein, angesichts der »neuesten Freiheitskämpfe« einer autobiographisch und geschichtlich überwundenen Epoche anzugehören (s. *Vorwort*, B 3, 209).

Den Geist einer neuen, der modernen Zeit bringt der zweite Zyklus, der zwar auch die Liebe und oftmals erneut zweistrophig besingt, aber eine entscheidende Akzentverlagerung vornimmt, zum Ausdruck. Was aus heutiger Sicht »als erste typisierende Großstadt-Dichtung« (DHA 2, 403) aufgefaßt wird, stieß im Biedermeier als vulgäre Grisettenlyrik eines Autors, der zum Sklaven seiner ausschweifenden Sinnlichkeit geworden sei, auf die einmütige Ablehnung sowohl der konservativen wie liberalen Kritiker. Lassalle z. B. sprach von der »Poesie der Hurerei« und charakterisierte Heine als »Dichter der *Unpoesie*, der *Frivolität*, des *Frevels*«; Ruge empörte sich ebenfalls über die »Hurerei« und witterte in den Gedichten »Bordelladressen« (zitiert nach DHA 2, 386, 424 u. 426; vgl. Hermand, 90 ff.) und bestätigte damit genau die erotische Misere, die diese unkonventionellen, sensualistischer Einstellung verpflichteten Gedichte eines Schülers des Saint-Simonismus anklagen. Wenn auch zwei der »Verschiedenen«, die zehn Subzyklen im Titel führen, laut Forschung aus dem Pariser Halbweltmilieu stammen, besteht kein Zweifel, daß Heine Liebeserlebnisse aus ganz verschiedenen Zeiten und Orten zu fiktiven Kunstfiguren verarbeitet hat (DHA 2, 388 f. erwägt, ob die Frauennamen nicht Parodien von literarischen Vorbildern sind). Dafür spricht die Kompositionsgeschichte der Unterzyklen ebenso (Katharina ist z. B. ein mixtum compositum) wie wohl die Feststellung, daß die Damen bis auf Diana (und das ausgeschiedene Gedicht B 7, 438 f. zu *Angelique*) physiognomisch oder individuell gar nicht in Er-

scheinung treten. Was in Erscheinung tritt, ist pantheistische Liebe (*Seraphine;* zum programmatischen Gedicht Nr. VII »Auf diesem Felsen bauen wir«, s. u.), unerträglich sanfte Liebe *(Angelique),* ein phantasmatisches Weib *(Diana),* Falschheit *(Hortense),* versäumte Liebe *(Clarisse),* »Qual der Wahl« *(Yolante und Marie),* postamouröse Liebesnöte *(Emma),* Exotik *(Friederike)* oder erotisches Gebanntsein *(Katharina).* Den vergeblichen Kampf gegen den erotischen Bann erzählen eindrucksvoll die 57 Strophen der *Tannhäuser*-Legende, in der der Held nach großem Aufbruch zu Frau Venus in den Venusberg zurückkehrt (dieses episch-balladeske Gedicht hat Wagner zu der Oper *Tannhäuser und der Sängerkrieg auf Wartburg,* 1845, angeregt, in der der Held von der Rückkehr in den unchristlichen Berg abgehalten und erlöst wird). Zentrales Thema in Heines *Tannhäuser,* der schon rein umfänglich den Zyklus sprengt und im dritten Teil das satirische Versepos eröffnet, ist dagegen – hier wie im ganzen Zyklus – die Verherrlichung freier Liebe ohne Sündenbewußtsein, was einen Angriff sowohl auf die bürgerliche Ehemoral wie auf die christliche Trostreligion bedeutet. Gegen letztere richtet sich auch *Katharina* VII, wo der Sprecher sich auf blasphemische Eifersucht gegen Jesus Christus versteigt, während die *Schöpfungslieder* den biblischen Bericht parodieren (dazu s. Rose). – Die lebensbejahende, optimistische Einstellung des Zyklus steht jedoch in Spannung zu seinem desillusionierten Grundzug, den auf ihre Weise die beiden letzten Subzyklen, die das Exilthema aufgreifen, hervortreten lassen. Unter diesen befindet sich das schlichte, aber kunst- und eindrucksvolle Deutschland-Gedicht *In der Fremde III* (»Ich hatte einst ein schönes Vaterland«), das hier kompositorisch ebenso herausgehoben ist wie die *Nachtgedanken* am Ende der *Zeitgedichte,* auf die es auch verweist.

In *Romanzen* greift Heine auf eine ihm seit der frühesten Lyrik vertraute Gattung zurück, ohne wiederum die bekannten Gattungsnormen zu respektieren: Dieser Zyklus umfaßt einerseits Ich-Gedichte mit subjektiven Erfahrungen, die, wie Nr. IX, XVI und XVII, in *Verschiedene* oder die, wie Nr. VII und VIII, in *Zeitgedichte* stehen könnten, während Nr. XX auch in *Neuer Frühling* seinen Platz gefunden hätte. Andererseits werden Romanzenstoffe in Ausdrucksmittel persönlicher Absichten umgewandelt. Dem herkömmlichen Romanzentyp, freilich mit nordischen Motiven, entsprechen am ehesten *Ritter Olaf, Die Nixen, Frau*

Mette, Begegnung oder *König Harald Harfagar.* Heine hat, wie im 18. und 19. Jahrhundert üblich, nicht zwischen Romanze und Ballade unterschieden (dazu DHA I/2, 690 ff. u. 2, 543 f.; über die unterschiedlichen Merkmale hinaus, die die Herkunft aus romanischer bzw. nordischer Welt und Geschichte betreffen, hat Joachim Müller mit Begriffen wie ›rührend-naiv‹ bzw. ›episch-dramatisch‹ oder ›magisch-mythisch‹ bzw. ›real-ereignishaft‹ zu differenzieren versucht). Auffallend an der sonst so uneinheitlichen Abteilung ist nun das Widerspiel von Rahmengedichten und Zyklus. Der Gaunerkomödie des Prologs *Ein Weib,* das den Schicksalsweg ihres Kumpanen vom Schelmenstreich bis zum Grab mit ihrem Lachen distanziert begleitet, antwortet die Götterkomödie *Unterwelt,* in der sich das Paar Pluto-Proserpine über die drückende »Ehstandsqual« bzw. das »Ehejoche« beschwert und sich nach Ungebundenheit sehnt (»Punsch mit Lethe will ich saufen, / Um die Gattin zu vergessen«; zur Mythentravestie durch Trivialisierung s. von Wiese). Im Gegensatz dazu erzählen dann viele der einzelnen Romanzen von der Macht und dem Bann des Eros, dem sich die Helden genießerisch (wie der Ritter in *Die Nixen* oder *Ali Bey,* »der Held des Glaubens«) oder resignativ unterwerfen (wie *König Harald Harfagar,* der von »Nixenzauber gebannt und gefeit« sein »seliges Verderben« hinnimmt), – wenn sie nicht bereit sind, ihr Leben dafür hinzugeben (Überdruß am ›Venusberg‹ meldet nur der Sprecher in *Anno 1839* an). Typisch dafür ist, daß das *Loreley*-Motiv jetzt in spiegelbildlicher Verkehrung wiederkehrt: Frau Mette wird von Herrn Peters Gesang »zaubergewaltsam« und »unaufhaltsam« dahingezogen und muß dafür sterben (zur Macht des Gesanges, vgl. *Bertrand de Born).* Tiefer begründet und aussagestärker ist das Schicksal Olafs. In der sofort als meisterhaft anerkannten Romanze wird der Ritter, der »eines Fürstenkinds / In freier Lust genossen«, vom König gleich nach der Hochzeit, die nur organisiert wird, um den »Fehltritt« zu legalisieren und die Konvention zu retten, im Zusammenspiel mit der geistlichen Macht zum Tode verurteilt (dazu Windfuhr, 95 ff.). Die Abschiedsrede nun, ein Hymnus auf das Recht individuellen, sinnlich erfüllten Lebens und damit ein Bild utopischer Sehnsucht, gerät zu einer unmißverständlichen Anklage der überkommenen Autoritäten.

In genauer kompositorischer und thematischer Entsprechung löst der Prolog zum vierten Hauptzyklus den Ambivalenz-Konflikt, den der *Prolog*

zum *Neuen Frühling* eingangs an einem in der Anakreontik beliebten Motiv diskutiert hat: *Doktrin* fegt die Amoretten, die den Helden neckend vom »großen Kampf der Zeit« fernhalten, mit dem programmatischen Appell zu politischem Handeln hinweg: »Schlage die Trommel und fürchte dich nicht«. Die *Zeitgedichte* geben in der Tat die subjektive zugunsten der gesellschaftskritischen Perspektive auf, indem sie in den »großen Kampf« eingreifen, der nach 1840 durch das Anwachsen der sozialen Spannungen und der Verschärfung der politischen Konflikte in eine neue Phase getreten war, in deren Verlauf sich eine breite, national-liberale Bewegung bilden konnte. Wichtige Anstöße gingen 1840 bekanntlich einmal von der französischen Forderung der Rheingrenze aus, die eine alle Schichten der Bevölkerung umfassende, nationale und antifranzösische Kampagne auslöste. Das sofort äußerst populäre Rheinland Nikolaus Beckers (»Sie sollen ihn nicht haben, / Den freien deutschen Rhein«) rief die patriotische Rheinlied-Bewegung ins Leben (Max Schneckenburger, Ernst Moritz Arndt und Robert Prutz dichteten Rheinlieder; Hoffmann von Fallerslebens *Das Lied der Deutschen* erschien 1841). Zum anderen bestärkte der preußische Thronwechsel 1840 die bürgerliche Bewegung in der Hoffnung auf einen liberalen innenpolitischen Kurswechsel, die der politischen Idealen aufgeschlossene Friedrich Wilhelm IV. durch einige Maßnahmen, wie z. B. Lockerung der Zensurpraxis, zunächst tatsächlich bestätigte (Karl Georg Faber: *Deutsche Geschichte im 19. Jahrhundert,* Wiesbaden 1979, 159 ff. und 181 ff.). In der jetzt parallel zum Aufschwung der politischen Journalistik ausbrechenden »Blütezeit der deutschen politischen Lyrik« (Christian Petzet 1903) fiel Dichtern wie Hoffmann von Fallersleben, Dingelstedt, Prutz, Herwegh und Freiligrath die progressive Aufgabe zu, liberales Bewußtsein zu fördern und zu popularisieren.

Die *Zeitgedichte* unterstützen nun die oppositionellen Forderungen nach Freiheit, Verfassung und freier Presse (Nr. II verlangt »volles Freiheitsrecht«). Das sofort bei Erscheinen 1842 stark diskutierte Nr. VI (*Bei des Nachtwächters Ankunft zu Paris)* vergreift sich nach dem typischen Reihenschema an der deutschen (Un-)Freiheit, an dem nationalen und romantischen Symbol Kölner Dom, an dem Verfassungsversprechen des preußischen Königs, am Rhein-Nationalismus, an den nationalen Flottenträumen und an dem Verbot des Campe'schen Verlages im Dezember 1841, – ein wahres

Sündenregister der Rückständigkeit. Im Kontrast zum fortschrittlichen Frankreich wird die deutsche Misere angeprangert, und weder die Repräsentanten der Reaktion (*Der Kaiser von China*) noch die der Opposition (Herwegh und Dingelstedt) bleiben von Kritik verschont. Die falsche Vertretung »Deutscher Freiheit«, die durch kompositorische Parallelität in *Verheißung* und *Die Tendenz* hervorgehoben ist, gelangt einmal dadurch ans Licht, daß sie mit der Forderung nach Respekt vor »den hohen Obrigkeiten« glatt annulliert wird (Friedrich Wilhelm IV. hat 1840 tatsächlich »Freiheit und Gehorsam« zusammen genannt, DHA 2, 739); zum anderen erscheint sie ausgerechnet als »Opfer« oppositionellen Optimismus (s. u.)! Die durchgehende Abrechnung mit Herrscherwillkür wird im Falle des preußischen Absolutismus und Militarismus satirisch konkret vorexerziert: In der Allegorie *Der Wechselbalg* erscheint Preußen als »Kind mit großem Kürbiskopf«, als »Mißgeburt«, die der »alte Sodomiter« mit seinem »geliebten Windspiel« gezeugt und die ein Korporal in die Wiege geschmuggelt hat; die Lösung lautet: »ersäufen oder verbrennen!« – Die Richtung der engagierten Kritik an den überholten deutschen Zuständen weist die zweite Strophe des Prolog-Gedichtes, das in der Übersetzung bezeichnenderweise *Le Reveil* heißt, auf; hier tritt das zentrale Motiv des Zyklus dynamisch und plastisch in Erscheinung:

> Trommle die Leute aus dem Schlaf,
> Trommle Reveille mit Jugendkraft,
> Marschiere trommelnd immer voran,
> Das ist die ganze Wissenschaft.

Diese Trommelschläge gelten dem schlafenden deutschen Bürgertum, das endlich aufwachen soll (zu der für Heines Deutschland-Kritik zentralen Schlaf-Metapher s. 5 f.). Den deutschen Quietismus hat der *Tannhäuser* gegeißelt (B 7, 354), ihn geißelt jetzt *Zur Beruhigung*; das biedermeierliche Ruhebedürfnis verspottet weiter der zweimalige Auftritt seiner typischsten Figur, des Nachtwächters. An den Gegensatz von Schlaf und Aufwachen rührt ferner die Anrede einer ebenfalls typischen Figur: »Michel! fallen dir die Schuppen/Von den Augen?« (*Erleuchtung*) Die Satire des deutschen Nationalcharakters läßt schließlich ebensowenig die »Tiefe des Gemütes«, die sich mit Unterwerfung verträgt, aus (Nr. VI), wie Servilität (Nr. VII u. XVII) oder religiöse Trostbereitschaft (XXII). Zuletzt zeigt sich jedoch der Trommler der *Zeitgedichte* als Patriot, der *nicht* verzweifelt. In dem großen, nicht satirischen Epilog des Zyklus, den

Nachtgedanken, die in der Ausgabe von 1844 zum *Wintermärchen* überleiteten, erscheint der Ich-Sprecher als einer, der *nicht* schläft, weil ihn die »deutschen Sorgen« nicht schlafen lassen. Das Gedicht mit dem sprichwörtlich gewordenen Auftakt (»Denk ich an Deutschland in der Nacht,/Dann bin ich um den Schlaf gebracht«) konzentriert sich, was Heines Originalität gegenüber der damaligen politischen Lyrik hervorhebt, ganz bewußt auf sehr subjektive Erfahrungen, um etwas Allgemeines zur Sprache zu bringen (ursprünglich waren die *Nachtgedanken* als unironisches Liebesgedicht an die Mutter geplant). Es nimmt den metaphorisch bestimmenden Kontrast von Nacht und Tag, von Schlafen und Aufwachen sowie den politischen Gegensatz von Deutschland und Frankreich in sich auf, um dem melancholischen Beginn die hoffnungsvollen Schlußverse entgegenzusetzen:

> Gottlob! durch mein Fenster bricht
> Französisch heitres Tageslicht;
> Es kommt mein Weib, schön wie der Morgen,
> Und lächelt fort die deutschen Sorgen.

Das »heitre Tageslicht«, das ist das Licht, das 1789 aufgegangen ist und 1830 von neuem zu leuchten begonnen hat. Das bestärken zuvor Zeitgedichte Nr. IV, VI und VII, die, wenn auch spöttisch, gegensinnig und indirekt, mit Mirabeau, wirklicher Freiheit und Napoleon die Erinnerung an die Große Revolution auffrischen. Hoffnungsvoll zeigt sich auch der Kurzbiograph in *Lebensfahrt,* der am »Seinestrand« zu neuen Ufern aufgebrochen ist, mit schwerem Herzen wegen der fernen Heimat! Und Hoffnung spricht aus dem verstreut gedruckten Zeitgedicht *Deutschland!,* das in dem allegorischen Bild »ein kleines Kind« unaufhaltsares Wachstum beschwört (B 7, 454). Diese Hoffnungen am Ende der *Neuen Gedichte* sind die eines exilierten Patrioten, der bereits in Liebesgedichten und Romanzen mehrfach seine heimliche Liebe zu seinem poetischen Vaterland einbekannt hat (B 7, 369 f. *In der Fremde,* 378 ff.). Der Dichter, der *Anno 1829* in der hanseatisch-engen »Krämerwelt« zu ersticken droht (eine Wortneuschöpfung Heines), sehnt sich *Anno 1839* nach »Veilchenduft und Mondenschein« seines Vaterlandes, das er Anno 1843/1844 mit revolutionären *französischen* Idealen, nicht mit »Deutscher Freiheit«, zu sich selber führen möchte.

Lit.: Urs Wilhelm Belart: *Gehalt und Aufbau von Heinrich Heines Gedichtsammlungen,* Bern 1925 [Reprint Nendeln/Liechtenstein 1970]; Stuart Atkins: *The Evaluation of Heine's »Neue Gedichte«,* in: *Wächter und Hüter.* Festschrift für Hermann J. Weigand, hrsg. von Curt von Faber du Faur u. a., New Haven 1957, 99–107; S[iegbert] S. Prawer: *Heine The Tragic Satirist. A Study of the Later Poetry 1827–1856,* Cambridge 1961, 12–140; Jeffrey L. Sammons: *Heinrich Heine, The Elusive Poet,* New Haven und London 1969, 175–219; Gerhard Storz: *Heinrich Heines lyrische Dichtung,* Stuttgart 1971, 112–168; Jerold Wikoff: *Heinrich Heine: A Study of »Neue Gedichte«,* Frankfurt a. M. 1975; George F. Peters: *»Neue Gedichte«: Heines »Buch des Unmuts«,* in: Monatshefte 68, 1976, 248–256.

Joachim Müller: *Von Schiller bis Heine,* Halle (Saale) 1972, 473–491: Romanze und Ballade in Heines Lyrik [zuerst 1959]; Margaret A. Rose: *Die Parodie: Eine Funktion der biblischen Sprache in Heines Lyrik,* Meisenheim am Glan 1976, 1–49; Jost Hermand: *Erotik im Juste Milieu,* in: Wolfgang Kuttenkeuler (Hrsg.): *Heinrich Heine. Artistik und Engagement,* Stuttgart 1977, 86–104; Manfred Windfuhr: *»Ritter Olaf«,* in: HJb 1978, 95–125; Benno von Wiese: *Mythos und Mythentravestie in Heines Nordseegedichten und in seinem Gedicht»Unterwelt«,* in: *Mythos und Mythologie in der Literatur des 19. Jahrhunderts,* hrsg. von Helmut Koopmann, Frankfurt a. M. 1979, 123–140; Jürgen Walter: *Poesie und Zeitkritik,* in: *Heinrich Heine. Epoche-Werk-Wirkung,* hrsg. von Jürgen Brummack, München 1980, 203–221; Günter Oesterle: *Heinrich Heines Tannhäusergedicht – eine erotische Legende aus Paris,* in: *Heinrich Heine und das neunzehnte Jahrhundert,* Berlin 1986 (Argument-Sonderband), 6–49, spez. 6 ff.

Analyse und Deutung

Emanzipatorische Sinnlichkeit und erotischer Katzenjammer

Was ist *neu* an den *Neuen Gedichten?* – Die mittlere Lyrik versucht, das in den Deutschland-Schriften entwickelte sozial-revolutionäre Programm auf unterschiedliche, aber sich ergänzende und schließlich zusammenfallende Weise zu verwirklichen. Entscheidend ist ihre Entstehung einmal in den windstillen 30er, zum andern in der Aufbruchsstimmung der 40er Jahre. Deshalb soll die neue *Liebeslyrik* die menschlichen *Leiber,* die neue *politische* Lyrik die menschlichen *Köpfe* befreien. Die erotisch-frivole Strategie ergänzt sich aber mit der ironisch-satirischen in dem gemeinsamen Ziel einer Umwälzung der Verhältnisse, die über die bürgerlichen Vorstellungen der Zeit grundsätzlich hinausgeht. Die Liebeslyrik, die einen einmütigen, moralischen Entrüstungsschrei der Zeitgenossen, und nicht nur dieser, hervorgerufen hat (s. Hermand), versteht sich durchaus nicht allein als individuell, schrieb Heine doch über den *Salon* I, der u. a. *Schnabelewopski* und *Verschiedene* druckte: »Viel Zoten. Dieses war politische Absicht. Ich wollte der öffentlichen Meinung eine gewisse Wendung geben« (Brief an die Mutter vom 4. März 1834). Andererseits versteht sich die politische Lyrik, die

nur die Ablehnung von einer Seite zu spüren bekam, nicht allein als kollektiv: Das gemahnt der Kuß der Marketenderin ebenso wie »mein Weib, schön wie der Morgen«, und die Aufforderung: »labe/Schon hienieden deinen Wanst« *(Erleuchtung)* spricht sich für eine sinnliche Genußreligion aus. Nichts anderes als die gedankliche Einheit seines Werkes hat Heine im Auge gehabt, als er in der *Vorrede* zu *Salon* I den Protest der »Scheinheiligen von allen Farben« mit dem Bekenntnis zurückwies: »Ein zweites, ›nachwachsendes Geschlecht‹ hat eingesehen, daß all mein Wort und Lied aus einer großen, gottfreudigen Frühlingsidee emporblühte« (B 5, 9).

Den *einen* Weg der Befreiung weist das pantheistische Gedicht *Seraphine VII (Verschiedene):*

> Auf diesem Felsen bauen wir
> Die Kirche von dem dritten,
> Dem dritten neuen Testament;
> Das Leid ist ausgelitten.
>
> Vernichtet ist das Zweierlei,
> Das uns so lang betöret;
> Die dumme Leiberquälerei
> Hat endlich aufgehöret.
>
> Hörst du den Gott im finstern Meer?
> Mit tausend Stimmen spricht er.
> Und siehst du überm Haupt
> Die tausend Gotteslichter?
>
> Der heilge Gott der ist im Licht
> Wie in den Finsternissen;
> Und Gott ist alles was da ist;
> Er ist in unsern Küssen. (B 7, 325)

Das hymnische, vierstrophige Gedicht verkündet eine religiöse und nicht, was die Kritiker und Zensoren herausgelesen haben, atheistische Überwindung des säkularen Gegensatzes von Geist und Materie, der für die Unterdrückung der menschlichen Sinnlichkeit verantwortlich gemacht wird (»dumme Leiberquälerei«). Mit direkter Anspielung auf die für das Papsttum zentrale Stelle Matthäus 16, 18 soll gemäß eines gänzlich unorthodoxen dritten Testaments eine neue Kirche gegründet und eine neue Gotteslehre, genauer: ein neuer Gottesdienst praktiziert werden, der sich im letzten Vers als Liebesdienst zu erkennen gibt – kein Wunder, daß diese Vermischung religiöser und erotischer Vorstellungen von den Zeitgenossen, auch von Freunden Heines, als Gotteslästerung abgelehnt wurde (DHA 2, 445 f.). Dolf Sternberger hat in einem ganzen Kapitel seines Buches eingehend festgehalten, was die seraphinische Utopie der saint-simonistischen Zeitalter-Philosophie, in der sich das dreistufige Geschichts-Schema des Abtes Joachim von Fiore aus dem 12. Jahrhundert durchsetzt, verdankt (Sternberger 79 ff.; ergänzend wäre noch die Bedeutung von Lessings trinitarischer Weltalterlehre aus *Die Erziehung des Menschengeschlechts* zu erwähnen, d. h. das theologisch-philosophische Werk eines Geistesverwandten, den die Philosophie-Schrift als »Prophet, der aus dem zweiten Testament ins dritte hinüberdeutete«, gefeiert hat; B 5, 589; dazu Rose, 7 ff.). Auf denselben frühsozialistischen Einfluß geht die Vorstellung einer neuen »Kirche« ebenso zurück wie die Aufhebung des Geist-Fleisch-Antagonismus (»Zweierlei«) und das pantheistische Glaubensbekenntnis der beiden letzten Strophen, wobei – von Sternberger, 85 ff. detailliert nachgewiesen – der vorletzte Vers wörtlich die Formel des Sektenführers Prosper Enfantin zitiert (»Dieu est tout ce qui est«), allerdings mit der eigenständigen Vorstellung, nach der sich Gott auch im Kuß, in der Liebesvereinigung manifestiert (weitere Belegstellen des von Heine oft zitierten Lehrsatzes: DHA 2, 448). Diese Auslegung der von den Saint-Simonisten geforderten »Réhabilitation de la Matière« (auch »de la Chair«) bedeutet letztlich nichts weniger als eine vollständige Umwertung der christlich-asketischen und die Begründung einer neuen sinnenfrohen Moral irdischen Glücks. ·

Ein Aspekt der seraphinischen Prophezeihung kann hier nicht näher behandelt werden: Die Relativierung ihres pathetischen Tons durch den Sub- und den Gesamtzyklus (z. B. wird der Petrus-Felsen von Nr. VII durch den Verführungs-Felsen von Nr. VI kontrastiv »entweiht«; blasphemischer Vergöttlichung von Natur (Meer) und All, die in Strophe 3 anklingt, schiebt Nr. X mit der Verspottung von Natursentimentalität einen ironischen Riegel vor; zu Parodie s. Sternberger; Rose, 10 ff., spricht von »Aktualisation« des Bibelwortes). Wichtiger erscheint, daß die Überwindung von Dualismus und »Leiberquälerei« nicht als zukünftig verkündet, sondern bereits als vollzogen vorausgesetzt wird (die Tempusformen sind Präsens und Perfekt). Damit tritt *Seraphine* VII, das sowohl durch die zentrale Stellung im Prologzyklus wie durch den hymnischen Ton Programmfunktion besitzt, in Spannung mit dem im Gesamtzyklus beobachtbaren Liebessystem. Denn der frühere Sänger des Liebesleidens stimmt jetzt zwar ein Loblied auf das Liebesglück an; er zeigt sich nicht länger als sehnsüchtig Schmachtender, sondern als ein in vollen Zügen Genießender, aber eben Unbefriedigter, als einer, der die Erfüllung eines dritten Testaments

nicht erlebt. Er, der sich vorher nach Küssen sehnte, küßt jetzt »mit leichtern Sinnen« und sogar »Glaubenlos im Überfluß« *(Hortense* I). Seine Liebe gilt auch keinem schmachtenden (deutschen) Seelchen mit Verzicht-Idealen wie »Liebe, Hoffnung und Glauben« *(Angelique* V), nein, seine Liebe gilt *Diana,* an die er sich allerdings nicht rantraut, ohne Gott seine Seele zu empfehlen, denn:

> Diese schönen Gliedermassen
> Kolossaler Weiblichkeit
> Sind jetzt, ohne Widerstreit,
> Meinen Wünschen überlassen.

Die Rehabilitation der Materie bzw. des von der herrschenden Moral Verdrängten – das ruft hier eine Männerphantasie schockartig ins Bewußtsein. Kurz, das neue Liebessystem unterscheidet sich von dem der 20er Jahre dadurch, daß der Sprecher nicht mehr nur der Abgewiesene, sondern auch der Abweisende, nicht allein der Verlassene, sondern sogar der Verlassende ist (er scheitert nicht mehr symptomatisch an einem Felsen, auf dem eine verführerische Frau singt, er verläßt jetzt sogar einen Venusberg, der alle Wünsche erfüllt!). Aber bis auf zwei Ausnahmen enden alle, wenn auch nur umrißhaft skizzierten Liebesgeschichten in Desillusion, Resignation oder Erkaltung (auf Fasching folgt Aschermittwoch, der Taumel geht zu Ende, »und ernüchtert/Gähnen wir einander an!« *Angelique* IX). Dafür ist erneut die ambivalente, zwischen Lust und Weh, zwischen Sehnsucht und Angst schwankende »Natur« des Sprechers ebenso verantwortlich *(Katharina* II) wie seine masochistische Einstellung (»Und je mehr du mich mißhandelst,/ Treuer bleib ich dir verbunden. // Denn mich fesselt holde Bosheit,/Wie mich Güte stets vertrieben;« *Clarisse* II; vgl. B 7, 440 f.). Das beruht auch wieder auf dem fatalen »Wesen« der Geliebten, die nichts Veredelndes mehr haben, sondern wie Seraphine, Angelique, Hortense und Katharina Treulosigkeit, Lüge, schlangenhafte Falschheit und Verrat verkörpern (»Das Weib wird mich verraten«, *Katharina* VI; zur Säkularisation biblischer Berichte s. Rose, 23 ff. u. 47 ff.). Entscheidend an den neuen Leiden ist jedoch, daß sie nicht mehr prä-, sondern postamourös sind, daß sie nicht auf unstillbares Verlangen, sondern auf Katzenjammer zurückgehen. Als neu erscheint nicht allein, wie Jost Hermand, 97, richtig betont, daß *Verschiedene* eine »sittigende« (im biedermeierlichen Sinne) mit einer »sättigenden Liebe« (im liberalen Sinne) konfrontieren, sondern vielmehr, daß die nur körperlich sättigende Liebe Überdruß erzeugt. Der früher selbstquälerische Genuß des Leidens hat sich jetzt in desillusioniertes Leiden am bloßen Genuß verkehrt. Das zeigt exemplarisch das Schicksal des *Tannhäuser*, den süßer Wein und Küsse krank gemacht haben, so daß er jetzt nach »Bitternissen« schmachtet; strafsüchtig, und alle Glücksvorstellungen auf den Kopf stellend, verlangt er nach dem, was die dämonisierte Frau Venus *nicht* zu geben vermag:

> Wir haben zuviel gescherzt und gelacht,
> Ich sehne mich nach Tränen,
> Und statt mit Rosen möcht ich mein Haupt
> Mit spitzigen Dornen krönen.

Tannhäuser, den der Papst von »der Höllenqual/ Und von der Macht des Bösen« erretten soll, stimmt dann vor dem Heiligen Vater aber typischerweise keine Beichte, sondern ein langes Loblied auf die körperliche Schönheit der Heidengöttin und auf die »Allgewalt« seiner Liebe an, daß der faszinierte Urban schließlich nichts mehr für sein Seelenheil zu tun vermag (im Volkslied *Der Tannhäuser*, das Heine kannte, kommt zwar Erlösung, aber zu spät, weshalb der Priester getadelt wird, der einem reuigen Menschen »Mißtrost« gewährt hat; zur Analyse des Gedichts s. Zinke u. Oesterle).

Die Erfahrung der *Verschiedenen* widerlegt die pantheistische Liebesreligion von *Seraphine* VII und erweist sie als utopisch. Aber für das Scheitern erfüllter Geschlechterbeziehungen in der Gegenwart, das sich hier manifestiert, ist nicht, wie in der Forschung behauptet wird, die Schwäche der saintsimonistischen Moral-Lehre verantwortlich zu machen (etwa Sammons, 191), sondern einmal die Stärke der bürgerlichen Sexualmoral, die keine »freie Liebe« zuläßt, und zum andern die unmündige Stellung der Frau, der die herrschende Doppelmoral nur eine Aufspaltung in die Rolle der enterotisierten Ehefrau und des Lustobjekts Dirne erlaubt, aber keine sexuelle Selbstbestimmung (Hermand schreibt: »Wo Weiber lediglich Weiber sind, kann sich im Verhältnis der Geschlechter zueinander keine wahre Emanzipation entfalten«). Das griffen die Saint-Simonisten, die »Réhabilitation de la Chair« und Befreiung der Frau miteinander verbanden, im Namen einer neuen Moral an, nach der galt: »Le couple sera l'association la plus intime, la plus religieuse« (Sternberger, 85 ff.). Das hatte Heine, der in erster Linie gegen Heuchelei und Sündenbewußtsein polemisierte, denunziert, als er in der Philosophie-Schrift verkündete: »Wir müssen unseren Weibern neue Hemden und neue Gedanken anziehen« (B 5, 568). In seinem dämoni-

sierten Frauenbild, das, wie an anderer Stelle bereits erwähnt, mit den sublimierten Vorstellungen der Kunstperiode bricht, vermischt sich allerdings die Forderung nach befreiter Sinnlichkeit mit Männerphantasien. Freie Liebe in den *Verschiedenen*, das ist vor allem die des emanzipierten Mannes, während Frauen noch als »bloße Naturwesen« erscheinen (Kaufmann).

Lit.: Charles Andler: *La poésie de Heine*, Lyon 1948, 109–126: La poésie saint-simonienne; S[iegbert] S. Prawer (s. o.), 22–46; Hans Kaufmann: *Heinrich Heine*, Berlin und Weimar 1967, 3. Aufl. 1976, 172 ff. u. 189 ff.; Jeffrey L. Sammons (s. o.), 188 ff.; Dolf Sternberger: *Heinrich Heine und die Abschaffung der Sünde*, Hamburg und Düsseldorf 1972, 79–112 u. 206 ff.; Margaret A. Rose (s. o.); Jost Hermand (s. o.); Jochen Zinke: *Tannhäuser im Exil. Zu Heines »Legende« Der Tannhäuser*, in: *Gedichte und Interpretationen* Bd. 4, hrsg. von Günter Häntzschel, Stuttgart 1983; Günter Oesterle (s. o.), 24 ff.

Zur Politik und Poetik des Zeitgedichtes

Das alte, aber immer noch aktuelle Ärgernis Politische Lyrik führte der Vormärzdichter und Historiker Robert Prutz schon 1845 auf die »bekannte Thatsache« zurück, »daß bei uns Deutschen Poesie und Politik als entschiedene und unversöhnbare Gegensätze betrachtet werden« und deshalb politische Poesie entweder als »unmöglich« oder als »unberechtigt« gilt. Eine Überwindung dieser von der Ästhetik der »Kunstperiode« als zentrale Maxime vertretenen Gegensätze haben bereits Heines politische Gedichte in den 20er Jahren in Angriff genommen (dazu Reuter, Brummack und Hasubeck, 25 ff.) Aber einer wirklichen Versöhnung der Gegensätze konnten sich erst Gedichte widmen, die ihre Entstehung einer neuen geschichtlichen Phase und dem erneuerten Glauben an die Gültigkeit »gebundener Rede« verdanken (in der *Vorrede* zur 2. Aufl. des *Buch der Lieder* schrieb Heine 1837 noch sehr skeptisch: »Es will mich bedünken, als sei in schönen Versen allzuviel gelogen worden, und die Wahrheit scheue sich in metrischen Gewanden zu erscheinen«).

Nun sind »Zeitgedichte« 1844 begrifflich keineswegs eine Neuerung, noch weniger eine klar definierbare ›Gattung‹. Jürgen Wilke hat in seiner problemorientierten Untersuchung die Herkunft des »Zeitgedichtes« aus dem späten 18. Jahrhundert nachgewiesen, speziell bei Gleim, dem Autor mehrerer, ab 1792 *Zeitgedichte* betitelter Bücher. Nach Wilke ist das »Zeitgedicht« in der ersten Hälfte des 19. Jahrhunderts ein »epochaltypisches literarisches Phänomen« (58 ff.; 1844 führt z. B. auch Freiligraths *Glaubensbekenntnis* im Untertitel den Zusatz »Zeitgedichte«). Zusammen mit den grundlegenden, gattungs- und entwicklungsgeschichtlichen Arbeiten von Hans-Georg Werner und Peter Stein zur politischen Lyrik zeigt Wilkes Studie die Schwierigkeiten, wenn nicht das Dilemma, die sich bei der begrifflichen Fixierung des untersuchten Gegenstandes ergeben: Weder poésie pure noch pure Propaganda, weder moralisch zwecklos noch ästhetisch wertlos, lassen sich Zeitgedichte bzw. Politische Lyrik einmal kaum stringent definieren, zum andern in ihrer Eigenart nicht allein von ästhetischen Kategorien ableiten. Angesichts der *Neuen Gedichte* verdient Wilkes Hinweis auf das historische Selbstverständnis der Epoche Beachtung, nach dem das »Zeitgedicht« gegenüber dem »politischen Gedicht« als umfassender, parteilich nicht einseitig festgelegt galt. Als grundlegend für das Zeitgedicht wird schließlich ein dialektisch zu nennendes Zusammenspiel von Entstehungs- und Wirkungszusammenhang angenommen, wenn es heißt: »Die ›Zeit‹ als eine Kategorie gesellschaftlicher Öffentlichkeit wird als Bedingungs- und Bestimmungsraum einer Dichtung begriffen, die funktional zu ihr steht« (Wilke, 73; ähnlich versteht Stein, 17 f., heute Politische Dichtung als den Versuch, eine Beziehung zwischen »politischem Bewußtsein« und »selbstbewußtem künstlerischen Gestaltungswillen« herzustellen).

Heine hat keine nähere Bestimmung dessen gegeben, was er unter »Zeitgedicht« versteht; er hat auch an keiner Stelle aus den insgesamt ca. 80 Zeitgedichten (spätere Werke und Nachlaß mitgerechnet) einen poetologischen Zyklus zusammengestellt; weiter läßt die thematische Vielfalt des Zyklus von 1844 ebensowenig eine einheitliche Struktur erkennen (der politische Zeitbezug ist in *Geheimnis, Entartung* und *Das neue Israelitische Hospital zu Hamburg* nicht evident) wie die unterschiedliche Sprechhaltung einen einheitlichen Ton (*Nachtgedanken* sind nicht ironisch). Aber der Prolog und die Anti-Tendenzgedichte skizzieren die funktionelle und ästhetische Konzeption dieses Gedichttypus.

Mit dem Trommler, der an der Spitze der *Zeitgedichte* marschiert und den Takt schlägt, tritt die »Revoluzion« sinnfällig in die Poesie ein (vgl. Brief an Varnhagen vom 4. Februar 1830). Die Figur des Revolutionssoldaten Le Grand, seit den 20er Jahren Bild engagierten Zeitschriftellertums, kehrt in *Doktrin* (und in *Der Tambourmajor*) wieder, um die kämpferische Auffassung der neuen Lyrik zu veranschaulichen. Militärischen Geist verrät unmittelbar der Vers »Marschiere trommelnd immer voran«; ihn bekräftigen sowohl der imperative Ton als auch die eindringlichen Wiederholungen. Wie die militärische Vorhut soll sich jetzt der Dichter an die Spitze der Zeit setzen und den Übergang vom revolutionären Gedanken zur politischen Tat vorbereiten helfen (vgl. dazu Kurz). Das ist der Kern der Hegelschen Philosophie, wie ihn die Philosophie-Schrift herausgestellt hat, das ist die »Doktrin«, die es zu popularisieren gilt (mit »Doktrin« wird zugleich auf die *Exposition de la Doctrine de Saint-Simon* angespielt). Nichts anderes verkündet das ebenfalls poetologische Gedicht *Wartet nur*, das des Sprechers Talent zum »Donnern« und »Donnerwort«, nicht nur zum Blitzen, betont (Gedanke / Tat – Dialektik).

Um ihre Doktrin einzuschärfen, verwenden die Zeitgedichte nun aber im wesentlichen nicht Pathos, sondern Spott und Satire, Komik und Ironie. Zu den Opfern dieser Strategie des Lächerlichmachens gehören die oppositionellen Vormärzlyriker, die zu Beginn der 40er Jahre in *Atta Troll* und in einer Reihe von Zeitgedichten so verspottet werden, daß sie »ex contrario« eine Poetik politischer Lyrik erkennen lassen (Fingerhut, 43 ff.). In der *Vorrede* zum *Troll* von 1846 setzt sich Heine im Rückblick noch einmal theoretisch mit der früher blühenden »sogenannten politischen Dichtkunst« auseinander, deren Schwächen er folgendermaßen aufspießt: »Es erhub sich im deutschen Bardenhain ganz besonders jener vage, unfruchtbare Pathos, jener nutzlose Enthusiasmusdunst, der sich mit Todesverachtung in einen Ozean von Allgemeinheiten stürzte« (B 7, 494). Bezeichnend ist nun sowohl für das Versepos wie für die *Zeitgedichte,* daß sie die Wirkungslosigkeit und Allgemeinheit der botmäßigen, »christlich-germanischen« Tendenzdichter nicht von einem überlegenen, *politischen* Standpunkt aus (etwa dem des Saint-Simonismus), sondern von einem überlegenen *ästhetischen* Programm aus entlarven. Die Poetik der *Zeitgedichte* tritt daran in Erscheinung, daß sie die mangelnde *politische* Durchschlagskraft der Tendenzpoesie an ihrer mangelnden *künstlerischen* Durcharbeitung aufzeigen. Was Heine der politischen Dichtung des Vormärz vorwirft, ist, daß vor lauter Politik die Dichtung auf der Strecke bleibt bzw. daß künstlerische Unfreiheit politische Abhängigkeit produziert hat. Die vor dem Hintergrund der Diskussion des vergangenen Jahrzehnts unseres Jahrhunderts unbestreitbare Aktualität dieser These erscheint besonders klar an der Formulierung, die sie in *Lutezia* LV erhalten hat: Als das Höchste in der Kunst gilt dort das »Selbstbewußtsein der Freiheit«, das sich ausdrücklich »durch die Form, in keinem Falle durch den Stoff« offenbart; Heine kann deshalb umgekehrt behaupten, »daß die Künstler, welche die Freiheit selbst und die Befreiung zu ihrem Stoffe gewählt, gewöhnlich von beschränktem, gefesseltem Geiste, wirklich Unfreie sind«. (B 9, 438) Deshalb fassen die »wahrhaft großen Dichter« die Zeitinteressen anders als »in gereimten Zeitungsartikeln« auf.

Lit.: Robert Prutz: *Die politische Poesie der Deutschen* (1845), in: Peter Stein (Hrsg.): *Theorie der politischen Dichtung*, München 1973, 66 ff.; Hans-Georg Werner: *Geschichte des politischen Gedichts in Deutschland von 1815 bis 1840*, Berlin (Ost) 1969; Peter Stein: *Politisches Bewußtsein und künstlerischer Gestaltungswille in der politischen Lyrik 1780–1848*, Hamburg 1971; Hans-Wolf Jäger: *Politische Metaphorik im Jakobinismus und im Vormärz*, Stuttgart 1971; Karl-Heinz Fingerhut/Norbert Hopster: *Politische Lyrik*, Frankfurt a. M. 1972; Walter Hinderer: *Probleme politischer Lyrik heute*, in: *Poesie und Politik*, hrsg. von Wolfgang Kuttenkeuler, Stuttgart etc. 1973, 91–136; Jürgen Wilke: *Das »Zeitgedicht«. Seine Herkunft und frühe Ausbildung*, Meisenheim am Glan 1974; Horst Denkler: *Zwischen Julirevolution (1830) und Märzrevolution (1848/49)*, in: *Geschichte der politischen Lyrik in Deutschland*, hrsg. von Walter Hinderer, Stuttgart 1978, 179–209.

Hans-Heinrich Reuter: *Heines politische Lyrik*, in: Deutschunterricht, H. 6 1957, 309–326, H. 7 1957, 371–378; Hans Kaufmann (s. o.); Jürgen Brummack: *Heines Entwicklung zum satirischen Dichter*, in: Deutsche Vierteljahrsschrift [...], 1967, 41. Bd., 98–116; Josef Schnell: *Realitätsbewußtsein und Lyrikstruktur. Heines Lyrik und ihre ästhetischen Voraussetzungen*, Diss. Konstanz 1970, 117 ff.; Karl-Heinz Fingerhut: *Standortbestimmungen*, Heidenheim 1971, 34–52; Peter Hasubeck: *Heinrich Heines Zeitgedichte* und Hans-Peter Bayerdörfer: *Fürstenpreis im Jahre 48. Heine und die Tradition der Vaterländischen Panegyrik*, beide in: Zeitschrift für deutsche Philologie, Bd. 91 1972, 23–46 u. 163–205; Benno von Wiese: *Signaturen*, Berlin 1976, 134–166: Zum Problem der politischen Dichtung Heinrich Heines; Winfried Freund: *Das Zeitgedicht bei Heinrich Heine*, in: Diskussion Deutsch, H. 35 1977, 271–280; Jeffrey L. Sammons (s. o.).

Hans Mayer: *Anmerkung zu einem Gedicht von Heinrich Heine*, in: Sinn und Form 3, 1951, 177–184 (zu *Doktrin*); Paul Konrad Kurz: *Künstler Tribun Apostel. Heinrich Heines Auffassung vom Beruf des Dichters*, München 1967, 108 ff.

Zeitgedicht vs. Tendenzgedicht

Was ein Zeitgedicht (nicht) ist, sagt ironisch-verstellt Nr. XIII, das zuerst im Januar 1842 publiziert wurde:

Die Tendenz

Deutscher Sänger! sing und preise
Deutsche Freiheit, daß dein Lied
Unsrer Seelen sich bemeistre
Und zu Taten uns begeistre,
In Marseillerhymnenweise.

Girre nicht mehr wie ein Werther,
Welcher nur für Lotten glüht –
Was die Glocke hat geschlagen,
Sollst du deinem Volke sagen,
Rede Dolche, rede Schwerter!

Sei nicht mehr die weiche Flöte,
Das idyllische Gemüt –
Sei des Vaterlands Posaune,
Sei Kanone, sei Kartaune,
Blase, schmettre, donnre, töte!

Blase, schmettre, donnre täglich,
Bis der letzte Dränger flieht –
Singe nur in dieser Richtung,
Aber halte deine Dichtung
Nur so allgemein als möglich.   (B 7, 422 f.)

In völlig übertriebener, feierlicher Rede, die sich deshalb als Rollenrede zu erkennen gibt (das analysiert Walter Hinck, 13 ff.), wird die leere Rhetorik der Tendenzpoesie noch rhetorisch übertroffen, so daß hinter der Kette von Appellen, die auf den patriotischen Adressaten niederprasseln, das patriotische Ziel, »Deutsche Freiheit«, zersungen und erschlagen auf der Strecke bleibt. Die Selbstinstrumentalisierung der »Sänger« wird zusammen mit ihrer objektiven Ohnmacht, im Widerspruch zur subjektiven Geste, verspottet, indem sie mit zumeist tödlichen Geräten in Verbindung und zu möglichst mörderischen Aktivitäten aufgefordert werden (in Wiederholung), wobei die Wunschphantasie unterstellt wird, mit diesem Waffenarsenal die Tyrannen wirklich verjagen zu können. Reimkontraste wie »Werther«/»Schwerter«, »Flöte«/»töte« spielen eine martialische gegen eine idyllische Kunstauffassung aus; Komik entsteht, wenn Reden und Handeln kurzgeschlossen werden (»Rede Schwerter«). Und die ganze superpatriotische Moralpredigt endet mit dem ebenso platten wie ironischen Ratschlag, die Dichtung »Nur so allgemein als möglich« zu halten (ohne»!«), d. h. nie konkret zu werden, nie Roß und Reiter zu nennen, nie den Herrschenden auf die Füße zu treten.

In der appellativen Rhetorik konnte sich Herwegh wiedererkennen, dessen Gedichte *An die deutschen Dichter* und *Frühlingslied* (*Gedichte eines Lebendigen*, 1841) in Vers 1 sowie 10 (Dolche) und 13 (Posaune) zitiert werden (DHA 2, 735). Vers 8 zitiert Dingelstedts *Nachtwächter*. Mit diesen Dichtern setzen sich nun weitere *Zeitgedichte* auseinander. Nr. VI verspottet Dingelstedt durch den doppelten Kunstgriff, sowohl in die Rolle des Nachtwächters zu schlüpfen als auch in dessen Tonlage »Nachtwächterliches« über Deutschland zu reden, d. h. Dingelstedt konservativ-liberalen Optimismus in den Mund zu legen (zum Verhältnis Heine – Dingelstedt s. Bayerdörfer 1976). Zwei Jahre nach dieser Attacke wird dem zum Hofrat avancierten und allgemein geächteten Dichter durch Wortkreuzung »Verhofräterei«, allerdings mit Nachsicht, angekreidet (_An den Nachtwächter_ ist einer der seltenen Fälle, in denen Heine einen Renegaten und »Verräter« schonend behandelt; später, im _Romanzero_, wird _Der Ex-Nachtwächter_ milde ermahnt, aufzuwachen). Der zuerst zwischen liberaler und radikaler Opposition schwankende Herwegh bekommt wegen seiner politisch naiven Marquis-Posa-Rolle, die er während seiner Audienz bei Friedrich Wilhelm IV. 1842 gespielt hat, erst später seinen satirischen Spott ab (vgl. _Georg Herwegh_ mit B 11, 231 ff., _Die Audienz_). – Ganz im Sinne von _Die Tendenz_ satirisieren einige Zeitgedichte aus dem Nachlaß die Realitätsblindheit (»Herwegh, du eiserne Lerche«) und die Wirkungslosigkeit der Oppositionsdichter: Hoffmann von Fallersleben wird als kühner »deutscher Brutus« hingestellt, der den Fürsten Läuse in den Pelz setzt, damit sie sich zu Tode kratzen; und über die durchschlagende Folgenlosigkeit des damals hochverehrten Autors der _Unpolitischen Lieder_ (1840/ 41), der als moderner »Tyrtäus« ausgelacht wird, heißt es plastisch und einprägsam: »Der Knecht singt gern ein Freiheitslied/Des Abends in der Schenke:/Das fördert die Verdauungskraft/Und würzet die Getränke.« (B 7, 485 f.; die tatsächlich gar nicht einseitig polemischen Beziehungen zu den Vormärzdichtern untersucht differenziert Richard Gary Hooton; die Auseinandersetzung mit Freiligrath erfolgte in _Atta Troll_).

Texte: Bei Reclam sind die beiden von Jost Hermand und Florian Vaßen herausgegebenen Textsammlungen _Der deutsche Vormärz_ und _Restauration, Vormärz und 48er Revolution_ 1967 und 1975 erschienen, neben Auswahlausgaben von Freiligrath (1964), Herwegh (1975) und Weerth (1976); weitere Anthologien: Walter Grab/Uwe Friesel: _Noch ist Deutschland nicht verloren_, München 1970 [mit Analysen]; Werner Feudel (Hrsg.): _Morgenruf. Vormärzlyrik 1840–1850_, Leipzig 1974; _Politische Lyrik des Vormärz (1840–1848)_, hrsg. von Valentin Merkelbach, Frankfurt a. M. etc. 1978 (Texte und Materialien zum Literaturunterricht); weiterer Textband: Franz Dingelstedt: _Lieder eines kosmopolitischen Nachtwächters_, hrsg. von Hans-Peter Bayerdörfer, Tübingen 1978.

Lit.: Hans-Peter Bayerdörfer: _Laudatio auf einen Nachtwächter_, in: HJb 1976, 75–95; Walter Hinck: _Von Heine zu Brecht_,

Frankfurt a. M. 1978, 9–36: Ironie im Zeitgedicht Heines [zuerst 1973 in IHK 1972]; Richard Gary Hooton: _Heinrich Heine und der Vormärz_, Meisenheim am Glan 1978; Jeffrey L. Sammons: »_Der prosaisch bombastischen Tendenzpoesie hoffentlich den Todesstoß geben«: Heine and the Political Poetry of the Vormärz,_ in: The Germanic Quarterly 51/1978, 150–158.

Satire, Ironie und tiefere Bedeutung

1841 und 1842 stritten Freiligrath und Herwegh darum, ob der Dichter »auf einer höheren Warte,/ Als auf den Zinnen der Partei« stehe _(Aus Spanien),_ oder aber doch auf »der Zinne der Partei« zu kämpfen habe _(Die Partei)._ Die _Zeitgedichte_ ergreifen Partei, indem sie sich auf die »Zinnen« der Kunst stellen.

Die Monarchensatiren, die nach dem in den _Zuständen_ entwickelten Verfahren Personen als Repräsentanten der Zeitverhältnisse auffassen, nennen Namen und Fakten, sie entlarven Mißstände und vernichten jetzt ihre Opfer erbarmungslos (im Gegensatz zu 1832, B 5, 165, 228 u. 278). Durch den Kunstgriff historischer Verfremdung kommt Friedrich Wilhelm IV., Verkörperung des romantischen Reaktionärs, einmal als _Der Kaiser von China_ und zum andern als _Der neue Alexander_ zu Wort, um sich durch Rollenmonologe – 2. Kunstgriff – selbst »hinzurichten« (dazu Hasubeck und Möller). Im zyklischen Gedicht tritt er als Schnaps trinkender, redseliger und impotenter absolutistischer Herrscher auf, der sich einen Obskuranten als »Hofweltweisen« hält (Schelling wird durch Wortspiel und Kontrast als »Confusius« verspottet, der »die klarsten Gedanken« »bekömmt«) und der zynisch auf die Verfassung pfeift: »Wir wollen keine Konstitution,/Wir wollen den Stock, den Kantschu!« Das außerzyklische Gedicht nimmt die imperialen Träume aufs Korn (als Champagner-Säufer lockt ihn natürlich das Land des Erzfeindes) und macht seine Doppelnatur und damit seinen Erzieher Ancillon zum Gespött (»Ein aufgeklärter Obskurant,/Und weder Hengst noch Stute!/Ja, ich begeistre mich zugleich/Für Sophokles und die Knute!« B 7, 458). Seinen Kollegen, den »angestammelten König« von Bayern, führen die _Lobgesänge_, die in Wirklichkeit zu Heines bissigsten Schmähgesängen gehören, wiederum in Rollenrede als deutsch-nationalen Kulturpolitiker und gläubigen Katholiken vor. Was davon zu halten ist, sagen schon Reime wie »daß man«/»Maßmann«, »Rückert«/»zurückkehrt«, »Madonne«/»Wonne«, »Mängel«/»Engel«. Der Kunstmäzen erscheint als »Kunst-Eunuch« und den Erbauer der Regensburger Walhalla verlacht der Reim »Walhall-Wisch«/

»Walfisch«. Und was der Autor über seinen Dichterkollegen denkt, verrät wiederum der Reim »Apollo«/»toll, o!«.

Was diese Gedichte von anderen der Zeit unterscheidet, sind nicht allein politische Schärfe und sprühende Reimkomik, die vage Allgemeinheit und leeres Pathos wirkungsvoll bekämpfen. Es ist vor allem ihre Plastizität und Anschaulichkeit, die durch konkrete Bilder *(Der Wechselbalg)* oder beispielhafte Gestalten aus Geschichte und Gegenwart oder durch drastische Details mit komischer Wirkung erzeugt wird. Die Satire auf die revolutionsuntaugliche deutsche Mentalität in *Zur Beruhigung* z. B. bedient sich eines provozierenden Schreckbildes, des Tyrannenmörders Brutus, um dann in ironischer Verstellung und in grellem Kontrast dazu die deutsche Schlafmützigkeit im pluralis majestatis, als Volkesstimme, anzupreisen. In dieser Rollenfiktion als Anti-Römer satirisiert sich das deutsche Volk nun selber:

> Wir sind Germanen, gemütlich und brav,
> Wir schlafen gesunden Pflanzenschlaf,
> Und wenn wir erwachen, pflegt uns zu dürsten,
> Doch nicht nach dem Blute unserer Fürsten.

Zum Beweis »unserer« Harmlosigkeit rauchen wir Tabak, »sind so treu wie Eichenholz« und sind in erster Linie ergebene Untertanen (unsere Fürsten nennen wir »Väter«, »und Vaterland / Benennen wir dasjenige Land, / Das erbeigentümlich gehört den Fürsten«). Aber damit nicht genug: Mit drastischer Kontrastkomik besiegelt die Satire endgültig das Schicksal unserer Gemütlichkeit. Waren die Römer »Tyrannenfresser«, sind wir Fresser besonderer Art, nämlich Liebhaber von »Klößen«, »Pfefferkuchen« und »Sauerkraut mit Würsten« (die Komik entsteht hier, wie Hinck, 24, betont, dadurch, daß »Moralisches ins Physische umgeleitet wird«). Zur Beruhigung der Fürsten reimt sich auch noch deutsche »Größe« eben auf »Klöße« und die Schlußverse spielen die fromme, deutsche »Kinderstube« gegen die »römische Mördergrube« aus. Aber alles andere als beruhigend wirkt dann, wenn »Fürsten« mit »Würsten« auf eine Reim-Stufe gestellt werden; wenn fast alle Strophen an den ominösen März des Jahres 44 v. Chr. rühren, als würde er wiederkehren; wenn das letzte, durch das vorhergehende auch klanglich hervorgehobene Wort wie ein Fanal dasteht: »Mördergrube«. Dennoch legt das Gedicht wiederum hinter dem Verneinten keine einsinnige, positive Parallelisierung Brutus = deutsches Bürgertum nahe, aber doch so etwas wie das Bedauern über das Ausbleiben des

geschichtlich fälligen Tyrannensturzes (Hinck konstatiert »Unentschiedenheit« des Sprechers aufgrund der sich überkreuzenden Rollenperspektiven, bedenkt aber nicht ausreichend mit, daß der »naive patriotische Stolz« selber ironisiert ist; vgl. dazu Walter).

Rang und Überlegenheit der Zeitgedichte beruhen schließlich wesentlich auf ihrer formalen Struktur: auf Verschlüsselung und ironischer Verstellung, d. h. auf historischen Parallelen, die das Aktuelle verfremdet zur Sprache bringen, sowie auf einem verwirrenden Spiel mit Rollen, Masken und Tarnungen. Dieses Spiel wird eigens von dem Gedicht *Verkehrte Welt* thematisiert und vorgeführt. Nr. XXI beginnt so:

> Das ist ja die verkehrte Welt,
> Wir gehen auf den Köpfen!
> Die Jäger werden dutzendweis
> Erschossen von den Schnepfen.

Die ganze Reihe von Kopfständen endet dann damit, daß der »wir«-Sprecher auf einen Berliner Berg steigen will, um genau das auszurufen, was nicht gemeint ist: »es lebe der König!« Diese Verfahrensweise, die der Zensur abgerungen ist und diese zugleich denunziert, bedarf nun in entscheidendem Maße der Fähigkeit des Lesers, das Gemeinte hinter dem Gesagten, nämlich die politische Dimension hinter dem verfremdenden Vexierspiel zu erkennen. Zeitgedichte sind auf Kommunikation hin angelegt (darauf zielen rhetorisch-dialogische Strukturen ab wie Anrede und Appell, oder wie Selbstgespräch und das Frage-Antwort-Schema im 1. Nachtwächter-Gedicht), aber sie verlangen in erster Linie den kritischen Leser, der in der Lage ist, die Verschlüsselungen rückgängig zu machen. Die formale Struktur der Zeitgedichte – dazu gehört auch noch der offene Schluß – betreibt Selbstdenken und Aufklärung an Stelle von Emotionalisierung (dazu gehören auch unbotmäßige Schockreime, die aufhorchen lassen statt einzuschläfern bzw. Distanz statt Einfühlung schaffen wollen, wie »kalter Dunstkreis«/»kluger Kunstgreis«, »Volkes Oberhoheit«/»Despoten Bundesroheit«, »Maulheld«/»Maul hält« – homophoner Reim mit antithetischer Bedeutung –; die anderen Zyklen enthalten übrigens auch zahlreiche unreine und komische, Fremdwort- und Mundartreime). Indem der Leser die Rollenfiktionen und Verrätselungen auflöst, oder indem er sich in seinem Lektüregenuß stören läßt, »erzieht« er sich *idealiter* zu kritischem Lesen. Die anvisierte Konsequenz betont Hinck genau, wenn er schreibt: »hier wird ein

Leseverhalten eingeübt, das zu politischem Verhalten erzieht« (Hinck, 34). _Realiter_ aber wird das ironische Zeitgedicht aufgrund des historisch bedingten Leseverhaltens aus rezeptionsästhetischer Sicht problematisch (problematischer als das ironische Liebesgedicht): Mehrdeutigkeit, Chiffrierung und Täuschung müssen quer zu den Wirkungsabsichten dieses Lyriktypus stehen (Gedichte, die sich distanz- und vorbehaltlos an die Affekte des Lesers wenden, kennen diese Schwierigkeiten nicht). Walter Hinck, der die fragwürdige Verwendung von Ironie in politischer Lyrik, speziell im satirischen Zeitgedicht Heines, untersucht hat, erklärt dazu: »So geht die ironische Satire, als die subtilste Form von Satire überhaupt, aus einem Widerspruch hervor, ist ein lebendiges Paradoxon: sie deckt auf, indem sie verbirgt« (Hinck, 12; deshalb verlangt er Ironie-Signale, die den immer schon mitgedachten Adressaten auf die richtige Fährte setzen sollen).

Dieser Widerspruch, der zwangsläufig Mißverständnisse mit sich führt, ist nun zugleich der Tribut, den das _Zeitgedicht_ den Kommunikationsmöglichkeiten unter einer überwachten Öffentlichkeit entrichtet, und die Voraussetzung, die sein Überleben sichert: Trotz ferngerückter Verhältnisse haben sie ihre subversive Lachkraft nicht eingebüßt, die z. B. gerade jene ihres Zensoramtes waltenden Gendarmen und Grenzboten 1844 erfaßte, als sie sich nach der Lektüre der _Lobgesänge auf König Ludwig_ »vor Lachen auf dem Boden wälzten«, wie Zeitgenossen beobachtet haben (DHA 2, 665). Diese Szene führt die anvisierte Mobilisierung der Untertanen plastisch vor Augen, ob sie sich abgespielt hat oder nicht. – Ein literatur-historischer Vergleich mag hier abschließend, über alles Trennende hinweg, die Originalität des _Zeitgedichts_ unterstreichen helfen, denn knapp 100 Jahre nach Heine hat Brecht gleichfalls auf »_schlechte_ Tendenzdichtung« geschimpft und zu »kritischer Haltung« erziehen wollen (_Gesammelte Werke_, Frankfurt a. M. 1967, Bd. 19, 393 f.). Auf anderer Ebene, aber genauer, stimmt die Poetik des _Zeitgedichts_ mit der Theorie des _Lehrstücks_ zumindest darin überein, daß ästhetische Erziehung politisches Verhalten einüben soll (vgl. Jacobs). In beiden Fällen geht es weniger ums (Be)Lehren als ums Lernen (z. B. GW 17, 1034; dazu: Jan Knopf: _Brecht-Handbuch Theater_, Stuttgart 1980, 417 ff.). Von »politischem Lehrwert« ließe sich bei den _Zeitgedichten_ sprechen, wenn man das »Trommle Reveille« so versteht, daß in erster Linie Menschen aus

ihrem ideologischen Schlaf aufgeschreckt werden und ihre kritische Vernunft zu gebrauchen lernen sollen. Das Medium, Trommel- und Theaterspiel, wäre die Botschaft: Die Lektion bestünde weniger aus handfesten Inhalten als aus kritischen Funktionen, d. h. Auslösen von Reflexion (vgl. Bayerdörfer 1972, 201 u. 204).

Lit.: Peter Hasubeck (s. o.); Hans-Peter Bayerdörfer 1972 (s. o.); Bernd Wetzel: _Das Motiv des Essens und seine Bedeutung für das Werk Heinrich Heines,_ Diss. München 1972; Jürgen Jacobs: _Nach dem Ende der ›Kunstperiode‹,_ in: Wolfgang Kuttenkeuler (Hrsg.): _Heinrich Heine. Artistik und Engagement,_ Stuttgart 1977, 242–255; Walter Hinck (s. o.); Irmgard Möller: _Historische Bezüge in Heines »Zeitgedichten«,_ in: _Impulse_ Folge 1, Berlin und Weimar 1978, 232–259; Jürgen Walter (s. o.), 214 ff.

Weberlied

Das bekannteste Zeitgedicht fällt völlig aus dem Rahmen des bisher skizzierten satirischen Typus. Sein »Wir« ist keine ironische Rollen-, sondern eine direkte Anklagerede. Es erzeugt nicht kritische Distanz, sondern unmittelbare Solidarität. Ferner wendet es sich nicht an das gebildete Bürgertum, den Adressaten der anderen Zeitgedichte. Seine »Sonderstellung« wird seit Hans Kaufmann immer wieder betont (Jürgen Walter läßt es bei seiner Darstellung des Zeitgedichtes unberücksichtigt). Aber das Lied kann schwerlich übergehen, wer nach der politischen Einstellung von vorwiegend verneinenden Gedichten fragt, die mangels Anknüpfungspunkt in der Gegenwart weder eine Strategie noch ein konkretes Ziel nennen (können), die deshalb an einer abstrakten, emanzipatorischen Position festhalten, so daß man dem Autor sogar »ein Ausweichen vor der klaren Parteinahme« anzulasten vermochte (Hinck, 27).

Das Weberlied ist zeitnaher als andere Zeitgedichte, weil es unmittelbar auf ein die Zeitgenossen aufrüttelndes, epochemachendes Ereignis reagiert hat. Auslösende Wirkung hatten publizistische Berichte über den Aufstand der völlig verelendeten Weber vom 4.–6. Juni 1844 im schlesischen Peterswaldau und Langenbielau: Bei der militärischen Niederschlagung des Sturms auf die Häuser der Fabrikanten und Handelsherren waren 11 Weber getötet, Dutzende verletzt (darunter Frauen und Kinder) und 100 verhaftet worden (zur wirtschaftlichen Situation s. Wehner 1980, 8 ff.; Autor druckt 72 ff. die bekannte sozialkritische Schilderung der Revolte durch Wilhelm Wolff). Bereits am 10. Juli 1844 druckte der »Vorwärts!« _Die armen Weber_ von »H. H.«, die ein Jahr später umgearbeitet wurden und mit Datum 1847 in der folgenden Fassung *Die schlesischen Weber* erschienen:

> Im düstern Auge keine Träne,
> Sie sitzen am Webstuhl und fletschen die Zähne:
> Deutschland, wir weben dein Leichentuch,
> Wir weben hinein den dreifachen Fluch –
>   Wir weben, wir weben!
>
> Ein Fluch dem Gotte, zu dem wir gebeten
> In Winterskälte und Hungersnöten;
> Wir haben vergebens gehofft und geharrt,
> Er hat uns geäfft und gefoppt und genarrt –
>   Wir weben, wir weben!
>
> Ein Fluch dem König, dem König der Reichen,
> Den unser Elend nicht konnte erweichen,
> Der den letzten Groschen von uns erpreßt
> Und uns wie Hunde erschießen läßt –
>   Wir weben, wir weben!
>
> Ein Fluch dem falschen Vaterlande,
> Wo nur gedeihen Schmach und Schande,
> Wo jede Blume früh geknickt,
> Wo Fäulnis und Moder den Wurm erquickt –
>   Wir weben, wir weben!
>
> Das Schiffchen fliegt, der Webstuhl kracht,
> Wir weben emsig Tag und Nacht –
> Altdeutschland, wir weben dein Leichentuch,
> Wir weben hinein den dreifachen Fluch,
>   Wir weben, wir weben!   (B 7, 455)

Die stark emotionale Wirkung dieses Liedes geht von seiner sowohl einfachen wie kunstvollen Struktur aus (Walter Wehner, 1980, 37 ff., hat die raffinierte Form analysiert). Auf die einführenden beiden epischen Verse folgt mit Wucht die im Chor vorgetragene Anklage, die als dreifacher Fluch in den drei folgenden Strophen argumentativ entrollt wird. Dabei wird die preußische Losung von 1813: »Mit Gott für König und Vaterland«, die zur Parole der königstreuen Partei geworden war, nacheinander als reaktionäre Lüge entlarvt, hinter der sich die Interessen von Altar und Thron im Kampf gegen diejenigen von Volk und Vaterland verstecken (Strophe drei mit »König der Reichen«, Steuererpressung und blutiger Repression bezieht sich direkt auf die Revolte). Syntaktischer Parallelismus von Reimzeilen, anaphorische Wiederholung von Strophen- (2-4) und Versanfängen (17–19), Alliterationen (Vers 16 z. B.) und Antithesen (»Reichen« – »Elend«, »König« – »Hunde«) sorgen für Einprägsamkeit, die Wiederkehr von Vers 3–5 in 23–25 für rahmenhafte Abrundung (letzteres hat die Umarbeitung von 1845 erreicht). Aber die agitatorische Kraft des Gedichts geht von seinem verbissenen Rhythmus, von dem 5mal im Refrain und insgesamt 15mal wiederholten, monotonen »Wir weben« aus, das die mechanische Bewegung des Webens nachahmt und zugleich die Auslöschung alles Menschlichen plastisch zum Ausdruck bringt: Diese Menschen verfügen nur noch über 2 einförmige Worte; sie sind allein auf ihr Tun reduziert (in dem nahezu bilderlosen Lied kommen außerdem noch 16 Verben vor). Diese leere Arbeitsbewegung kontrastiert nun um so stärker mit der zentralen Metapher des Leichentuchs, in der das Produkt der Arbeit zum Bild einer unaufhaltsamen Revolution anwächst (diesen Kunstgriff hat Hans Kaufmann hervorgehoben, zusammen mit der schicksalhaften, materialistisch umfunktionierten Semantik des Webens). In der Steigerung und Präzisierung von »Deutschland« zu »Altdeutschland« sagt das Lied zuletzt, wem Fluch und Haß gelten, so daß der Appell zur radikalen Veränderung, der von der ununterbrochenen Negation ausgeht, eine Richtung und ein Ziel erhält: ein anderes, neues Deutschland.

Heine, der in *Französische Zustände* die geschichtliche Rolle der Völker, Parteien und Massen (B 5, 219) und in *Lutezia* die gesellschaftliche Rolle der Handwerker und Arbeiter begriffen hat (B 9, 231 f.), kündigt 1844, vier Jahre vor der bürgerlichen Revolution, die proletarische an. Erst Heine, so faßt Wehner 1980, 63, seinen Vergleich mit anderen Weberliedern zusammen, »denkt die Weber als ein revolutionäres Proletariat, das den Untergang der alten Gesellschaftsordnung bewirken wird«. Das war 1844 zunächst das absterbende, feudale Staatensystem. In *Die schlesischen Weber* hat Heine zugleich, und so eindeutig wie sonst an keiner Stelle seines Werkes, dem realen Antagonisten des erst noch zu errichtenden bürgerlichen Staates kraftvoll Wort und Stimme gegeben.

Das Weberlied wurde als Flugblatt schnell in Deutschland verbreitet und etwa ein dutzendmal nachgedruckt. Es wurde sofort strafverfolgt und dennoch weiter gesungen und gelesen. Es hat auch tatsächlich bald Zugang zur sich formierenden Arbeiterschaft gefunden und wurde von der Arbeiterbewegung rezipiert (das haben Füllner/Hauschild/Kaukoreit detailliert nachgewiesen). Schon am 11. Juli 1847 schrieb der ungarische Schriftsteller Karl Maria Kertbény aus London an Heine: »Der deutsche Westend Comunisten Verein ließt jeden Freitag als Eröffnungsgebeth Ihr schlesisches Weberlied«. Im selben Jahr veröffentlichte Alexandre Weill in »La démocratie pacifique« eine Übersetzung mit einer Notiz, in der er von *les Tisserands, de Henri Heine*, kühn behauptete: »Cette chanson est devenue *la Marseillaise* des ouvriers allemands«.

Lit.: Hans-Heinrich Reuter (s. o.), 373 ff.; Hans Kaufmann: *Heines Weberlied,* in: Junge Kunst, 3. Jg., H. 7 1959, 72–77 [überarbeitet 1975 in: Dieter Kimpel/Beate Pinkerneil (Hrsg.): *Methodische Praxis der Literaturwissenschaft,* Kronberg/Ts., 159–177]; Walter Hinck (s. o.); Jürgen Walter (s. o.); Walter Wehner: *Heinrich Heine: »Die schlesischen Weber« und andere Texte zum Weberelend,* München 1980 [kürzere Fassung von: *Weberelend und Weberaufstände in der deutschen Lyrik des 19. Jahrhunderts,* München 1981]; Bernd Füllner/Jan-Christoph Hauschild/Volker Kaukoreit: *»Dieses Gedicht, in Deutschland hundertfach gelesen und gesungen...«. Zur Aufnahme von Heines »Weberlied« in der frühen deutschen Arbeiterbewegung,* in: HJb 1985, 123–142; außerdem: Lutz Kroneberg/Rolf Schloesser: *Weber-Revolte 1844. Eine Anthologie,* Köln 1979 [Dokumentation zum Echo in Presse und Literatur].

Aufnahme und Wirkung

Die breite Front staatlicher Verbotsmaßnahmen konnte zwar den kommerziellen Erfolg nicht verhindern, da Campe schnell ausgeliefert hatte, aber es gelang ihr, die Berichterstattung über die *Neuen Gedichte* in ein Tabuthema zu verwandeln. So war das publizistische Echo wider Erwarten gering: Es erschienen nur wenig verständnis- und gehaltvolle Rezensionen; eine intensive Diskussion fand in dieser Situation nicht statt; laut DHA, 254, ging die neue Sammlung »am breiten Publikum der 40er Jahre fast spurlos vorüber«. Die Rezensenten, die sich im Oktober, November 1844 zu Wort meldeten, spielen im Grunde den schematischen Gegensatz alt/neu im Vergleich von *Buch der Lieder* und *Neue Gedichte* in allen Variationen durch: Der »neue« Heine ist nicht neu bzw. nicht der »alte«; der »alte« Heine ist auch der neue oder, eingeschränkter, nur ein bißchen der neue. Laubes sehr positive Kritik aus der »Zeitung für die elegante Welt« verdient Beachtung, schrieb doch Heines Freund, der als erster reagierte: »Solch einer [ein wirklicher Poet] ist Heine redivivus, er kommt, der ach so oft todtgesagte! gepfiffen und gesungen gellend und verführerisch wie er nur je gesungen hat« (DHA 2, 270). Die einzige eingehende Kritik stammt von Adolf Stahr, der im Bremer »Sonntagsblatt zur Weser-Zeitung« sowohl Neuheit wie ästhetischen Wert der Gedichte ausführlich betonte. Für Stahr unterteilt sich das Buch inhaltlich und formal in eine poetische Partie (die ersten 3 Zyklen), in der der romantische, und eine zweite Partie (*Zeitgedichte* und *Wintermärchen*), in der der politische Heine dominiere. Am ersten Teil freut auch ihn als neu, »daß der Dichter nach so langem Schweigen noch ganz als der alte Alte« wieder erscheint (DHA 2, 274 f.). – Aufschlußreicher als die allgemeinen Urteile ist die von DHA jeweils zu den Zyklen einzeln dokumentierte Rezeption, die sich aufgrund der verschiedenen Buchdrucke (*Reisebilder* II, 2. Auflage, *Salon* I–IV über einen längeren Zeitraum erstreckt (DHA 2, 319 ff., 403 ff., 549 ff. u. 669 ff.). Von allen Zyklen wurde *Neuer Frühling* wegen seiner thematischen Nähe zum *Buch der Lieder* (und dessen ansteigender Hochschätzung) am positivsten rezipiert; 1844 wirkte sich wiederum die Irritation durch das Neue günstig für das Traditionelle aus, was die Aburteilung des Buches zu verhindern wußte. Nach Erscheinen 1831 hatten die Frühlingslieder Komponisten gereizt, aber nach Methfessels Scheitern konnte nur Ferdinand Hiller einen Zyklus von zwölf Liedern vertonen und 1834 veröffentlichen. – In Stahrs Rezension wurden noch Romanzen wie *Ritter Olaf, Die Nixen* und *Begegnung* als »Musterromanzen« hervorgehoben. – An den anderen beiden Zyklen schieden sich die Geister, an *Verschiedene* sogar *alle*. Die Ablehnung der Liebeslyrik, die sowohl ästhetisch wie moralisch begründet war, wird von DHA nur mit derjenigen des Börne-Buches verglichen. Seit 1834 standen *alle* Lager und Gruppierungen zusammen, um die *Verschiedenen* einmütig zu verurteilen. Die Zensoren wurden aktiv, weil sie durch Heines Sensualismus Religion und sogar Staat in Gefahr sahen (immer wieder muß *Seraphine* VII als gefährliches Bekenntnis zum reinen Materialismus herhalten). Die konservativen Kritiker betonten einerseits den künstlerischen Abstieg Heines (Dr. Mises, d. i. Gustav Theodor Fechner, der später als Begründer der Psychophysik zu einer philosophischen Größe werden sollte, wetterte 1835 gegen »poetisches Unkraut, poetisches Ungeziefer«, worauf Christian Dietrich Grabbe privat zum Tiefschlag gegen Heine ausholte: »Poesien sind seine Gedichte aber nicht. Abwichserei. Eine tüchtige Hure schmisse ihn aus dem Fenster«, DHA 2, 412). Andererseits eiferten sie sich ganz patriotisch gegen den liederlichen Pariser Bordellkönig und Orgienfeierer (Wolfgang Menzel schrieb 1835 in seiner berüchtigten Rezension wohl mit Blick auf *Verschiedene:* »Da wankt das kranke, entnervte und dennoch junge Deutschland aus dem Bordell herbei, worin es seinen neuen Gottesdienst gefeiert hat«). Die liberalen Jungdeutschen mißverstanden wiederum die erotische Lyrik als Rückzug ins Private (der Journalist Moritz Saphir erkannte noch etwas von dem Zusammenhang zwischen Eros und Emanzipation, als er Heine 1834 witzig die »Lust im Fleisch zu wühlen« unterstellte, »gleichviel ob

Weiberfleisch ob Völkerfleisch« und die »revolutionäre Geilheit« gegen die »revolutionäre Gesinnung« ausspielte (DHA 2, 423). Prinzipieller gingen die Junghegelianer zu Werke, die, wie die bereits zitierten Lassalle und Ruge, vom Standpunkt der idealistischen Philosophie und Ästhetik in der frivolen Poesie nur Auflösung der sittlichen Substanz und Negation der Poesie erkannten (vgl. dazu die Arbeit von Alfred Opitz und Ernst-Ullrich Pinkert). Auch der junge Friedrich Engels kritisierte Heines »Sinnlichkeit« 1841/42 als moralische Ausschweifung. Durch Robert Prutz und Rudolf von Gottschall lebte das Klischee von der Bordellpoesie bis in die 50er Jahre weiter. Eine derart geschlossene Front gegen einen Teil von Heines Werk hatte es bis 1840 nicht gegeben. Zusammen mit den *Zeitgedichten* haben die *Verschiedenen* 1844 auch die Verfolgungen gegen die *Neuen Gedichte* ausgelöst. Kurz zuvor war der Mitarbeiter der Pariser »Jahrbücher« und des »Vorwärts!« mit Grenzhaftbefehlen belegt worden, 1845 sollte ein Ausweisungsantrag folgen (DHA 2, 665 f.). Dagegen sorgte die inzwischen größere Verbreitung der politischen Lyrik und die mit ihr verbundene Hochschätzung poetischen Engagements dafür, daß die *Zeitgedichte* zumindest von einem Teil der Öffentlichkeit begrüßt wurden und die Auseinandersetzung über politische Dichtung intensivieren konnten. Für den Literaturhistoriker Johannes Scherr, für Adolf Stahr und den anonymen Kritiker des »Grenzboten« gilt Heine jetzt als Inbegriff des politischen bzw. des Zeitdichters, der die anderen politischen Dichter als Phrasenmacher erscheinen läßt und deshalb an Rang überragt. Stahr, der mehrere *Zeitgedichte*, davon Nr. I und XXIII vollständig, druckt, betont jedoch Heines »Ungefährlichkeit«. Bezeichnend für das zurückgewonnene Ansehen in der Oppositionspresse ist die Wendung der Junghegelianer und Frühsozialisten, die damit schon 1843 die Voraussetzung für ein radikaldemokratisches und ein sozialistisches Heine-Bild gelegt haben (DHA 2, 676 ff.). Ruge gibt dabei das auffallendste Beispiel ab, denn er erkennt ab 1843, daß die Satire *die* zeitgemäße Form der Kritik an den deutschen Zuständen ist. Durch Heines satirische Deutschland-Kritik war aus der »*Poesie der Lüge*« (Ruge 1838) Wahrheit, eine bestimmte, negative Wahrheit geworden, weil sie, wie Ruge 1847 schrieb, »den eigenen Zweck nicht positiv aufstellen« kann (DHA 2, 679). Der *Verschiedene*-Kritiker Engels wird zum englischen Übersetzer der *Schlesischen Weber*, der von England aus Heine zum »hervorra-

gendsten unter allen lebenden deutschen Dichtern« erklärt und von einigen seiner politischen Gedichte schreibt, daß sie »den Sozialismus verkünden« (MEW 2, 512). Wie vertraut Marx und Engels mit den *Neuen Gedichten* waren, zeigt, daß sie zu Beginn und Ende der 40er Jahre nicht nur aus Zeitgedichten wie *Bei des Nachtwächters Ankunft zu Paris, Der Wechselbalg, Der Tambourmajor* zitiert haben, sondern auch aus *Der Tannhäuser, Ritter Olaf* und *Anno 1829*. – Zusammen mit dieser Wendung bedeutete die Verbreitung einiger Zeitgedichte durch Flugblatt oder als Abschrift (*Nachtwächter, Lobgesänge, Alexander* und *Weber*), daß Heine die Isolierung, in die er nach den Bundestagsbeschlüssen von 1835 und dann durch das Börne-Buch geraten war, überwinden konnte. 1844 steht er nicht länger ohne publizistische Parteigänger da und hat auch für seine neueste Produktion ein Lesepublikum zurückgewonnen.

Lit.: DHA 2, 252–292, 299 f. und einzelne Zyklen; Jost Hermand (s. o.); Alfred Opitz/Ernst-Ullrich Pinkert: *Heine und das neue Geschlecht* (I.), Aalborg 1981 [die junghegelianische Rezeption der Lyrik]; Johannes Weber: *Heines ›Frivolität‹ und ›Subjektivität‹ in der älteren deutschen Literaturgeschichtsschreibung*, in: Text + Kritik 18/19, 1982, 4. Auflage, 84–116; Fritz Mende: *Heinrich Heine. Studien zu seinem Leben und Werk*, Berlin (Ost) 1983, 148–171: *Heine und Ruge* (zuerst 1968).

Deutschland. Ein Wintermärchen

Entstehung, Druck, Text

Es war nicht »Im traurigen Monat November«, sondern im Oktober, da Heine zu einer Reise aufbrach, die in seinem wohl größten und berühmtesten politischen Gedicht ihren poetischen Niederschlag finden sollte. Die epische Grundstruktur des *Wintermärchens* besteht allerdings aus einer Kontamination der Hin- und Rückreise von Paris nach Hamburg im Herbst 1843, die der exilierte Dichter nach 12jähriger Abwesenheit von seinem Vaterland unternommen hat, um seine Mutter und seine Familie wiederzusehen sowie um mit Campe einen neuen Verlagsvertrag abzuschließen (über das Verhältnis von empirischer Reise und poetischer Fiktion, s. DHA 4, 933 ff.). Am 21. Oktober 1843 brach Heine in Paris auf und gelangte per Postkutsche, Eisenbahn und Schiff über Brüssel, Aachen,

Köln, Hagen, Unna, Münster, Osnabrück und Bremen nach Hamburg, wo er am 29. kurz vor Mittag eintraf. Sieben der 27 Capita, d. h. ein Viertel des Textes, spielen in Hamburg. Die Route der langsameren Rückreise, die Heine am 7. Dezember antrat, führte dann über Celle, Hannover, Minden, Bückeburg, Münster, Hagen, Köln und Brüssel, bevor er am 16. Dezember wieder zurück war. Damit hat der Tourist Heine im Unterschied zum Ich-Erzähler Orte wie die Grotenburg (wo das Herrmannsdenkmal entstand), den Kyffhäuser und die Stadt Paderborn nicht gesehen, während die Städte Hannover, Bückeburg und Minden in die Reiseroute des Erzählers eingebaut worden sind. (Die zweite Hamburgreise im Jahr 1844, um das noch anzufügen, führte im Juli von Le Havre per Schiff in zwei Tagen in die Hansestadt und im Oktober ebenfalls per Dampfschiff zurück nach Amsterdam, von dort auf dem Landweg über Den Haag und Brüssel nach Paris.)

Die Niederschrift erfolgte trotz kurzer Unterbrechungen zügig in wenigen Monaten zwischen Dezember 1843 und Mai 1844, wobei sich laut DHA 4, 943 ff. drei Phasen unterscheiden lassen (Heines Angabe »Geschrieben im Januar 1844« gilt als Eigenlob). Erste Notizen und Entwürfe müssen noch während der Reise entstanden sein. Eine erste Fassung, »ein höchst humoristisches Reise-Epos, meine Fahrt nach Deutschland, ein Cyklus von zwanzig Gedichten«, war Mitte Februar fertiggestellt, weihte Heine doch Campe am 20. Februar 1844 zufrieden in seine Arbeit an einem »ganz neuen Genre, versifizierte Reisebilder« ein. Es fehlten noch zwei Kapitel der Kölner Episode und der Schluß ab Caput XXIII mit der Hammonia-Gestalt. Eine zweite, um acht Kapitel vermehrte Fassung wurde dann zwischen Mitte Februar und Mitte März niedergeschrieben (Caput VI und VII – Traumszene mit Liktor – sechs neue Schlußcapita mit Deutschland-Vision und Herrscherapostrophe), die satirisch schärfer und politisch radikaler ausfiel. In einer dritten Arbeitsphase (Ende Mai) wurden erotische und politische Anzüglichkeiten zensurgerecht abgemildert bzw. gestrichen. So fiel die provokative Passage über die »Zeitgenössinnen« besonderer Art, der ›Dirnenkatalog‹, in dem bisherigen Caput XXIV weg (B 8, 1023 f.) und das verkürzte Caput wurde an das vorangehende angehängt (dadurch verringerte sich der Umfang um ein Caput). Außerdem wurde die Satire auf den preußischen Adler am Schluß von Caput III abgeschwächt (DHA 4, 292 f.). Inzwischen hatte die

Auseinandersetzung mit Campe über den zensurfreien Druck begonnen. Das wurde für Heine, der überzeugt war, daß sein neues Werk »mehr furore machen wird als die populärste Broschüre und das dennoch den bleibenden Werth einer klassischen Dichtung haben wird«, eine Frage von solch grundsätzlicher Bedeutung, daß er gegebenenfalls im Ausland oder gar nicht drucken lassen wollte (Brief an Campe vom 17. April 1844). Campe wiederum scheute das finanzielle Risiko und stellte sich auf den Standpunkt »Censur *muß seyn*«. Um den zensurfreien Umfang zu erreichen, beschloß Heine den gemeinsamen Druck der *Neuen Gedichte* und des *Wintermärchens* (seit April stand der endgültige Titel, der auf Shakespeares *The Winter's Tale* zurückgeht und antithetisch demjenigen des 1. Versepos entspricht, fest). Am 31. Mai wurde dann die gereinigte Druckvorlage abgeschickt, die bei Campe schwere Bedenken auslöste, welche erst bei dem zweiten Deutschlandaufenthalt im Sommer 1844 ausgeräumt werden konnten. Zu den Feinkorrekturen aus dieser Phase gehören weiter inhaltliche Abschwächungen auf Anraten des eingeschalteten Journalisten François Wille, Änderungen des Satzes und Beseitigung von Einwänden der Hamburger Zensurbehörden (Einzelheiten DHA 4, 958 ff.). Dennoch gilt der Erstdruck, der am 25. September ohne Vorzensur erschien, laut DHA als authentische Fassung, da sie in wesentlichen Zügen nicht abgeschwächt worden ist. Von den drei Varianten der zweiten Auflage, die schon Ende Oktober gedruckt und versandt wurde, enthält nur eine die *Vorrede* (B 8, 916). In der dritten Auflage der *Neuen Gedichte* von 1852 fällt das *Wintermärchen* weg. Parallel zum Erstdruck liefen bereits die Vorbereitungen eines Separatdruckes mit demselben Satz, der aber an mehreren, nicht an allen Stellen den Forderungen der Zensur entsprach (Einzelheiten DHA 4, 968 f.), und Ende September, Anfang Oktober 1844 mit dem *Vorwort* vom 17. September herauskam. Unter den Nachdrucken (s. DHA 4, 1014 f.) verdient derjenige Erwähnung, den der Pariser »Vorwärts!« zwischen dem 19. Oktober und dem 30. November 1844 herausbrachte (*Vorwort* des Separatdruckes und Capita I–XXVII nach dem Erstdruck). Als Vermittler diente Karl Marx, dem Heine am 21. September 1844 die Aushängebogen mit der Bitte geschickt hatte, »ein einleitendes Wort« zu schreiben, was Marx aus bisher unbekannten Gründen nicht tat. – Nach diesen Drucken sind Pläne zu Umarbeitungen, die nie ausgeführt wurden, belegt, welche den unabgeschlossenen Charakter auch des zweiten Versepos unterstreichen. Deren gemeinsamem Druck im Rahmen der Gesamtausgabe stimmte Heine erst 1853 zu.

Französische Übersetzung. – Durch die Initiative von Edouard Grenier konnte die »Revue de Paris« schon im Dezember eine wortgetreue Prosaübersetzung drucken, die den Text des Separatdruckes zugrunde gelegt hat. – Eine von Heine und seinem Sekretär Reinhardt überarbeitete, ergänzte und qualitativ verbesserte Übertragung erschien dann mit neuem Titel 1855 in den *Poëmes et Légendes* (Abänderungen, Milderungen und Verschärfungen, z. B. der Preußenkritik, gegenüber dem deutschen Text verzeichnet DHA 4, 1161 ff.).

Druck: Deutschland. Ein Wintermährchen. Geschrieben im Januar 1844, erschien zuerst auf den S. 277–421 in: *Neue Gedichte von H. Heine. Hamburg, bei Hoffmann und Campe. 1844.* – In der Variante der 2. Auflage von 1844 *(Neue Gedichte von H. Heine. Zweite Auflage),* der ein Neusatz zugrundeliegt, steht der Text auf den S. 227–343, die *Vorrede* zur zweiten Auflage auf den S. I–XII. – Der Titel des Separatdruckes lautet: *Deutschland. Ein Wintermährchen. Von Heinrich Heine. Hamburg. Bei Hoffmann und Campe. 1844.* (143 S.; *Vorwort* S. V–XII).
Die »Revue de Paris« druckte am 7. und 10. Dezember 1844 (mit *Préface de l'Auteur*) *L'Allemagne. Conte d'hiver.* – Der verbesserte Buchdruck befindet sich unter dem Titel *Germania, conte d'hiver.* – *Ecrit en 1844* in den *Poëmes et Légendes* (Paris, Michel Lévy frères, 1855) mit *Préface* und *Strophes supplémentaires* (= *Im Oktober 1849*) auf den S. 201–273.

Text: B 7, 571–644 (u. Bruchstücke B 8, 1021 ff.); DHA 4, 89–157 (u. Bruchstücke 291 ff. sowie Vorworte 300 ff.; als Textgrundlage dient der Erstdruck von 1844; folgende Ausgaben enthalten zusätzlich nützliche Hinweise zur Interpretation sowie Dokumente: Wilhelm Gössmann/Winfried Woesler: *Politische Dichtung im Unterricht: »Deutschland. Ein Wintermärchen«,* Düsseldorf 1974 (Fach: Deutsch); Karl-Heinz Fingerhut: *Heinrich Heine: Deutschland. Ein Wintermärchen,* Frankfurt a. M. etc. 1976, 2. Aufl. 1980, 2 Bd.e (Literatur und Geschichte: Unterrichtsmodelle u. Modellanalysen = Bd. 2); *Heinrich Heine: Deutschland. Ein Wintermärchen,* hrsg. von Werner Bellmann, Stuttgart 1979 u. 1980, 2 Bd.e [Text sowie »Erläuterungen und Dokumente«].
– franz. Text von 1855: HSA 13 *Poëmes et Légendes,* 147–198 u. DHA 4, 241–290.

Lit.: B 8, 1013 ff.; DHA 4, 918–973 u. 1160 ff.; HSA 13 K 191 ff.; Joseph A Kruse: *Heines Hamburger Zeit,* Hamburg 1972 (= Heine-Studien).
– zur Biographie: Wolfgang Hädecke: *Heinrich Heine. Eine Biographie,* München 1985, 389 ff. u. 414 ff.

Analyse und Deutung

Reise durch ein winterliches Land

Knapp zwanzig Jahre liegen zwischen den beiden Reisen, die Heine zu einem berühmten Ärgernis

gemacht haben, zwei Jahrzehnte, in denen sich in Deutschland nicht viel verbessert hat. Der Prosaerzähler der *Harzreise,* der aus der philisterhaften Enge einer deutschen Kleinstadt aufbricht, um sich Luft zu verschaffen, hat sich im *Wintermärchen* in einen heimwehkranken Schriftsteller verwandelt, der aus seinem Pariser Exil aufbricht, um seine Mutter wiederzusehen und an der Heimatluft zu »gesunden«, aber daran dann zusehends zu ersticken droht. 1844 haben Schlamm, Dreck und Kot des Vaterlandes sogar so zugenommen, daß es kaum noch ein Weiterkommen gibt. Auch hat sich die belebende Frühlingsszenerie zu einer winterlich erstarrten Landschaft gewandelt, in der sich nichts mehr regt, in der keine Hoffnung auf Entwicklung und Erneuerung mehr »grünen« will.

Gleich die erste Berührung mit der deutschen Wirklichkeit führt plastisch vor Augen, daß sich nichts geändert hat: An der Grenze, die hier zwei Welten, die moderne und die vormoderne, trennt, trifft der elegisch gestimmte, heimreisende Ich-Erzähler auf ein kleines »Harfenmädchen«, eine typisch romantische Gestalt, deren gefühlvoller, aber falschtönender Vertröstungsgesang sofort zum symptomatischen Ausdruck anachronistischer Zustände wird, denn:

> Sie sang das alte Entsagungslied,
> Das Eiapopeia vom Himmel,
> Womit man einlullt, wenn es greint,
> Das Volk, den großen Lümmel.

Der Heimkehrer, der aufgrund seiner Auslandserfahrung die ideologische Funktion der Moral dieses Liedes sofort durchschaut, antwortet mit einem Gegengesang, der dem Reisegedicht eine faszinierende, mitreißende Ouvertüre beschert; antithetisch zu dem »Entsagungslied« verkündet er in hymnischem Ton nichts weniger als allgemeine menschliche Befreiung als das Gebot der Stunde:

> Ein neues Lied, ein besseres Lied,
> O Freunde, will ich Euch dichten!
> Wir wollen hier auf Erden schon
> Das Himmelreich errichten.

In völligem Gegensatz zur irdischen Askese, die das Harfenmädchen, Vertreterin des unterdrückten deutschen Volkes, besingt, verspricht das »neue Lied« irdisches Glück und Schönheit; »Verschlemmen soll nicht der faule Bauch / Was fleißige Hände erwarben« bedeutet das Ende der Ausbeutung; »Es wächst hienieden Brot genug / Für alle Menschenkinder« verspricht das Ende der sozialen und materiellen Not; »Rosen und Myrten, Schönheit und Lust, / Und Zuckererbsen nicht minder« verheißt das Ende individuellen Leidens; und »Das Miserere ist vorbei, / Die Sterbeglocken schweigen« kündet an, daß die Einlösung dieser Prophetie, die alle Bereiche des gesellschaftlichen und individuellen Lebens umfaßt, unmittelbar bevorsteht. Allseitige Emanzipation wird schließlich in der allegorischen Ehe von »Jungfer Europa« und dem »schönen Geniusse / Der Freiheit« gefeiert, eine Verbindung, die in freier Erotik und ausdrücklich ohne »Pfaffensegen« vollzogen werden soll.

Diese Vision gilt allgemein als Heines politisches Manifest in *Versen.* Sie verarbeitet poetisch das sozialrevolutionäre Programm, das die Deutschland-Schriften unter dem Einfluß des Saint-Simonismus entwickelt haben. »Rehabilitation der Materie« und »neues Lied« münden beide in die Utopie sinnlich befriedeten Lebens ein (man vergleiche die Festvision »Torten und Kuchen«, »Flöten und Geigen« mit B 5, 570). Der frühsozialistische Geist hat dem Lied seinen Platz in der Arbeiterbewegung gesichert: Plechanow bezeichnete 1885 den Gedanken von Caput I als »Leitgedanken der modernen Arbeiterbewegung in allen zivilisierten Ländern« und August Bebel zitierte diese Verse auf der Tribüne des deutschen Reichstages. – Durch seine Stellung im Ganzen kommt Caput I Prolog- und Programmfunktion zu (was es mit den zyklischen Kompositionen von Heines Gedichtbänden gemeinsam hat): Es thematisiert den perspektivisch maßgeblichen Gegensatz von fortschrittlichem Frankreich und rückständigem Deutschland. Auf dieser Folie werden die von den retrograden Zuständen erzeugten Illusionen so entlarvt, daß das *Wintermärchen* einen Beitrag zur Kritik der deutschen Ideologie liefert, denn alle Erlebnisse und Reflexionen stehen in Verweisungszusammenhang mit Nationalismus, Konservatismus und politischer Romantik, für die im wesentlichen das zu einer gefährlichen Macht anwachsende Preußen verantwortlich gemacht wird (zur Entwicklung Preußens und zu Heines Kritik, s. DHA 4, 920 ff.).

Zoll, Zensur und Militär konfrontieren den Erzähler in Caput II und III sofort massiv mit Preußen, Preußentum und Deutschland. In Zoll und Zensur begegnet er den beiden überstaatlichen Institutionen, die den deutschen Winterschlaf hervorgebracht und dem *Wintermärchen* ihren Stempel aufgedrückt haben. Der Anblick des steifen, aber herausgeputzten Militär enthüllt ihm den romantisch-reaktionären Charakter einer Monarchie, die das Mittelalter restaurieren will (Friedrich Wilhelm IV. galt als der »Romantiker auf dem Thron«). Die ironisch-satirische Auseinandersetzung mit Preußen zieht sich so durch das ganze Epos, wie es auch dem Erzähler nicht mehr gelingt, sich aus den Krallen des preußischen Wappentieres, des »häßlichen Vogels«, dieser »schwarzen geflügelten Kröte« zu befreien (gestrichene Verse, DHA 4, 292). – Nach der Satire auf die politische bietet die Kölner Episode Anlaß zur Abrechnung mit der religiösen Restauration. Die »heil'ge Stadt Cöllen« erscheint als Hort des klerikalen Obskurantismus: In dem seit 1842 mit preußischer Unterstützung zum nationalen Symbol aufgestiegenen Dombau erkennt der Erzähler nur das Werkzeug zu weiterer geistiger Bevormundung (»des Geistes Bastille«, in der die »deutsche Vernunft verschmachten« soll). Die Begegnung mit »Vater Rhein« fordert danach zur Auseinandersetzung mit einem anderen Symbol des jüngsten deutschen Nationalismus heraus. Das Arminius-Caput nutzt auf der Weiterreise die Gelegenheit, um den Deutschen ihre fatale Abkehr von kosmopolitischen Idealen unter die Nase zu reiben (in der Nähe des 1838 in Angriff genommenen Hermannsdenkmals heißt es symptomatisch-despektierlich: »Die deutsche Nationalität, / Die siegte in diesem Drecke«). Auf der Fahrt durchs Münsterland kommt es dann zur entscheidenden Konfrontation mit der Gestalt, auf die sich schon seit dem Wiener Kongreß alle nationalen Hoffnungen, Hoffnungen auf ein neues, mächtiges Reich, richteten; die im Laufe des 19. Jahrhunderts zu einem politischen Mythos, der sich dann 1871 für viele tatsächlich erfüllt hat, werden sollte: Barbarossa (Capita XIV–XVII; über den auch von Dichtern wie Rückert, 1817, Freiligrath, 1829, oder Geibel, 1837, beförderten Mythos s. DHA 4, 1127 ff. und speziell Clasen, 240 ff.). Heine knüpft 1844 an die in Volkstraditionen weiterlebenden, ursprünglichen Vorstellungen von Einheit und Gerechtigkeit an. Diesen utopischen Hoffnungen erteilt nun das *Wintermärchen* keine Absage, wohl aber ihrer nationalen Vereinnahmung zur Rechtfertigung von preußischen Hegemonieansprüchen, nach denen die Hohenzollern als Nachfolger der Staufer galten bzw. gelten wollten (dazu Würffel, Kaufmann und Fingerhut 2; ferner Tonelli). So erscheint der Kaiser einmal als Rächer der Mörder der »deutschen Freyheit« (Variante DHA 4, 1133; vgl. *Elementargeister* B 6, 1020 f., wo Barbarossa als Hoffnung auf Freiheit und Emanzipation dargestellt worden war); zum andern erscheint er als vertrotteltes »altes Fabelwesen«, als »Gespenst«, mit dem in der Tat kein Staat und keine Nation mehr zu machen ist. Dennoch begrüßt der Erzähler in Caput XVII aus polemischen Gründen die Wiederkehr des Kaisers als eine Art kleineren Übels, weil es als »wahres« Mittelalter eine Alternative zu dem falschen, d. h. preußischen »Kamaschenrittertum« darstellt (hinter der antipreußischen Wendung des Mythos steht auch die Vorstellung des Napoleon-Verehrers Heine von einem sozialen Kaisertum).

Durch das ganz private Ziel der Reise, das Wiedersehen mit der Mutter in Hamburg, trifft der Erzähler schließlich in Form des hanseatischen Bürgertums auf die deutsche Gegenwart, die er zwar nicht als winterliche Erstarrung erlebt, aber als Welken, als Herbst oder Vorwinter (durch den zeitlichen Kontrast einst/jetzt wird, wie in *Schnabelewopski*, Desillusion über die menschlichen Veränderungen, d. h. Verfall aufgrund des Krämergeistes, spürbar gemacht, besonders plastisch am Beispiel käuflicher Liebe, wie in dem gestrichenen ›Dirnenkatalog‹; zu den Hamburg-Capita vgl. Kaufmann). In der Gestalt der Hamburger Hammonia, einem »Hochbusigen Frauenzimmer« mit »übermenschlichem Hinterteil«, Tochter einer »Schellfischkönigin« und dralle Rubens-Schönheit, begegnet der Heimkehrer schließlich dem biedermeierlichen Konservatismus und Quietismus, der mit kleinen Fortschrittchen schon zufrieden ist, der für »Zucht und Sitte«, für Glauben und Gemütlichkeit sowie für alte Ideale und alte Poesie schwärmt, und der vor allem unter Zensur und Unterdrückung gar nicht leidet (in ironischer Rollenrede sagt Hammonia, daß ja jedermann der »Knechtschaft« durch Selbstentleibung entrinnen kann, und daß nur der zensiert wird, der was drucken läßt!). Das burleske Geschehen treibt nun dadurch auf den satirischen Höhepunkt des Epos zu, daß Hammonia den Heimkehrer ehelichen will und ihn deshalb von seinen Fortschrittsideen abbringen muß. Durch einen drastischen Kunstgriff ist eine total respektlose Szene entstanden, die dem Autor als nationale Blasphemie lange nicht verziehen worden ist. Aus dem Aachen-Caput III kehrt nämlich jetzt der Kaiserstuhl Karls des Großen als Nachtstuhl wieder, in dessen »Miasmen« Hammonia den Erzähler Deutschlands Zukunft mit der Verpflichtung sehen läßt, nicht zu *sagen*, was er gesehen hat. Was er auch nicht tut: Aber der Gestank der deutschen Vergangenheit und Gegenwart, »ein Gemisch / Von altem Kohl und Juchten« angereichert

durch den »Mist / Aus sechsunddreißig Gruben« ist derart, daß es ihm die Sprache verschlägt und er ohnmächtig wird:

> Doch dieser deutsche Zukunftsduft
> Mocht alles überragen,
> Was meine Nase je geahnt –
> Ich konnt es nicht länger ertragen – – –.

Diese gestische Handlung führt in ihrer Derbheit alle Stränge der Deutschland-Kritik zu einem äußerst eindringlichen, aber völlig pessimistischen Bild zusammen. Den Pessimismus bekräftigt ferner die groteske Hochzeitsmusik, die Hammonia jetzt, in parodistischer Anknüpfung an die zukunftsfreudige Ehe zwischen Jungfer Europa und der Freiheit aus Caput I, hört. Das furiose Finale des *Wintermärchens* inspiriert sich an des »seligen Herrn Aristophanes« Komödie *Die Vögel*, in der der Vogel –, d. h. Volksbeglücker Pisthetairos die Verkörperung der Macht, Basileia, ins »Wolkenkuckucksheim« führt (den Sieg der Verbindung von Narrheit und Macht über Vernunft bezeichnet Heine in der *Romantischen Schule* als »grauenhaft« tragisch, B 5, 423; vgl. Brief an Friederike Robert vom 12. Oktober 1825; zu Heines Aristophanes-Rezeption, den er 1844 »Mein Vater« benennt, s. Kaufmann, 85 ff. und Holub). In Caput XXVI scheitert die neue Ehe nun grotesk-tragisch an der deutschen Wirklichkeit: Der Zensor tritt auf und kastriert Hammonias Lustgefährten, so daß die Verbindung unfruchtbar bleiben muß, in scharfem Gegensatz zur Allegorie des Anfangs.

Die aufgrund der satirischen Schärfe bis dahin radikalste Abrechnung mit der vergangenen und der befürchteten zukünftigen deutschen Fehlentwicklung ist bildlich konsequent vorbereitet worden: Die Fahrt durch die absterbenden, verfaulenden Feudalstaaten, die immer wieder in dem wörtlich und im übertragenen Sinn gemeinten Schlamm, Dreck und Kot der deutschen Geschichte stecken zu bleiben droht, endet in nicht mehr zu ertragendem Aas- und Scheißegestank, wodurch auch die Zukunft regelrecht als »beschissen« erscheint. Die physiologische Reaktion des Erzählers kündigt sich darin an, daß ihm schon der Anblick des preußischen Adlers Brechreiz verursacht (DHA 4, 292). Für die »Miasmen« werden wiederum ausdrücklich die wichtigsten gegenrevolutionären Kräfte verantwortlich gemacht: Der Gestank geht nicht nur von dem absterbenden Feudalismus aus (»Kohl und Juchten« stehen für die Heilige-Allianz-Mächte Preußen und Rußland), sondern – nimmt man ungedruckt gebliebene Zusatzstrophen hinzu – auch von einer »auferstandenen Leiche«, dem »heiligen Gott-Gespenst« der herrschenden Religion; ferner werden die servilen deutschen Intellektuellen zur Rechenschaft gezogen, weil sie »zärtlich gelecket / Den Speichel der Macht und fromm und treu / Für Thron und Altar verrecket«, namentlich jene »Hundezunft«, die einflußreiche »historische Schule«, die durch von Savigny, seit 1842 preußischer Minister, begründet worden war und von Heine schon in seiner deutschen Zeit angegriffen wurde (DHA 4, 297 f. u. B 8, 1024; vgl. DHA 4, 1154 f.).

Lit.: Hans Kaufmann: *Politisches Gedicht und klassische Dichtung,* Berlin (Ost), 1958, 119–189; Eberhard Galley: *Heine und der Kölner Dom,* in: Deutsche Vierteljahrsschrift für Literaturwissenschaft und Geistesgeschichte, Jg. 32, 1958/1, 99–110; S[iegbert] S. Prawer: *Heine The Tragic Satirist,* Cambridge 1961, 103–130; Winfried Woesler: *Das Liebesmotiv in Heines politischer Versdichtung,* in: IHK 1972, 202–218; Giorgio Tonelli: *Heinrich Heines politische Philosophie (1830–1845),* Hildesheim, New York 1975, 163–196; Karl-Heinz Fingerhut 2 (s. o.), 44–76; Wilhelm Gössmann: *Deutsche Nationalität und Freiheit. Die Rezeption der Arminius-Gestalt in der Literatur von Tacitus bis Heine,* in: HJb 1977, 71–95; Stefan Bodo Würffel: *Heinrich Heines negative Dialektik. Zur Barbarossa-Episode des »Wintermärchens«,* in: Neophilologus 61, 1977, 421–438; Herbert Clasen: *Heinrich Heines Romantikkritik,* Hamburg 1979 (= Heine-Studien); Jost Hermand: *Heines »Wintermärchen« – Zum Topos der ›deutschen Misere‹,* in: Diskussion Deutsch H. 35, 1977, 234–249; Robert C. Holub: *Heinrich Heine's Reception of German Grecophilia,* Heidelberg 1981, 159–173; Walter Grab: *Heinrich Heine als politischer Dichter,* Heidelberg 1982, 52–72.

Ein neues Genre: »versifizirte Reisebilder«

Die Neuartigkeit seines gereimten Reisebildes ist Heine beim Schreiben aufgefallen (»ein höchst humoristisches Reise-Epos, [...], ein Cyklus von 20 Gedichten« nennt er es auch in dem zitierten Brief an Campe). Die Definitionsanleihe an die Reiseprosa der 20er Jahre ist insofern zutreffend, als die Grundstruktur wiederum aus einer in Episoden zerfallenden, progressiven Reisefiktion mit offenem Schluß besteht. Nach bekannter Weise werden erneut Digressionen aller Art eingeblendet, Faktisches und Fiktives, Dialoge und Reden, Träume und Märchen. Die Integration der vielfältigen Stoffe und Materialien wird auf unterschiedliche Weise erreicht. Kompositorisch werden die 27 Capita – das geht aus dem Vorherigen hervor – durch die Anfangs- und Schlußcapita zusammengehalten, die wie Prolog und Epilog einander zugeordnet sind. Innerhalb dieses Rahmens bilden die Capita IV–VII (Köln), XIV–XVII (Barbarossa) und XX–XXVI (Hamburg) drei Höhepunkte. In der Mitte des Werkes, als 14. von 27 Capita, steht der zentrale Barbarossatext, mit 120 Versen zugleich auch das umfangreichste Caput. Das thematische Arrangement hat Karl-Heinz Fingerhut modellartig als Pendelbewegung zwischen einer Peripherie, die aus Reisesituationen, und einem Zentrum, das aus Heines Grundüberzeugungen besteht, rekonstruiert und auch graphisch darstellen können. Zur Besonderheit gehört, daß die Bewegung nie direkt von der Peripherie zum Zentrum und umgekehrt geht, sondern immer noch über mindestens eine der Stufen, die aus konkreten Anspielungen und aus aktuellen Reflexionen des Erzählers bestehen, verläuft. An der Komposition fällt neben dem Prinzip der assoziativen oder kontrastiven Reihung – das *Wintermärchen* ist ja als Folge von Zyklen entstanden – der Wechsel der Töne auf: Dem hymnischen Ton des Anfangs folgen ironisch-satirische Töne, die in Plauderton übergehen, bevor in den Barbarossa-Capita Pathos auf Spott trifft, während in Hamburg private Töne den burlesk-grotesken Höhepunkt vorbereiten, um am Schluß wieder in Pathos überzugehen. Als Klammern des Textes dienen weiter zahlreiche motivliche Korrespondenzen, wie z. B. die kontrastiv bzw. parodistisch zugeordneten Harfenmädchen und Hammonia oder die angeführten Ehen zwischen Europa und der Freiheit sowie zwischen Hammonia und dem Erzähler oder der erwähnte Kaiser – bzw. Nachtstuhl; ferner denunziert »Vive l'Empereur!« das zweideutige »Es lebe der König!« von Preußen (Capita VIII und III); außerdem wirkt der Rheinwein zweimal auf nämliche Weise, und schließlich ist beispielsweise noch der Zensor als ständige Bedrohung leitmotivisch mit von der Reise.

Zwei weitere integrative Prinzipien prägen zuletzt wesentlich die Struktur des Gedichts. Die Einführung eines Ich-Erzählers, der mit Heine nicht unbedingt identisch ist, sprengt zwar die Objektivität des Epos im klassischen Sinn, erlaubt aber den freien, reflektierenden und spielerischen Umgang mit den Reiseimpressionen (wie in der Reiseprosa der 20er Jahre). Dann sind die gut 500 Strophen einheitlich der volkstümlichen Nibelungenstrophe oder der englischen Volksballadenform, der sogenannten »Chevy-Chase-Strophe«, äußerst kunstvoll nachgebildet. Die vierzeiligen Strophen bestehen aus wechselndem 4-hebigen Anvers und 3-hebigem Abvers, die zusammen jeweils eine Langzeile ergeben. Vers 1 und 3 enden männlich, Vers 2 und 4 weiblich; letztere sind außerdem durch Reim verbunden. Um Monotonie zu vermeiden, hat Heine die Auftakt- und Senkungsfreiheiten der deutschen Metrik voll ausgenutzt und auch nicht gezögert, die Einheit der Verszeile sowie die Einheit von Verszeile und Strophe zu sprengen (mit komischer Wirkung z. B. Caput XIX: »Dort wohnt der König, dort steht sein Palast, / Er ist von schönem Äußern, // (Nämlich der Palast.)«; zur Metrik und weiteren Beispielen Kaufmann 1958; Walter und DHA 4, 930).

Die Gattungsbezeichnung »versifizierte Reisebilder« spielt den metrischen Bestandteil etwas herunter, während Heine doch gerade diese neuen Möglichkeiten gegenüber der Prosa sehr intensiv zu komischen und satirischen Wirkungen benutzt hat (in dem französischen Vorreden-Entwurf von 1855 weist Heine auf die »rimes drôlatiques« und die »calembourgs burlesques« hin, B 7, 645). Nicht nur, daß das *Wintermärchen* bewußt unreine und dilettantische Reime häuft (mit Fremdwörtern z. B. »zu Hause wäre« / »Poissonière«, »Franzosen« / »Saucen«) oder witzig »Preußisch« auf »Beichais« und »Strohwisch« auf »philosophisch« reimt oder ironisch des »vaterländischen Pfühles« mit »Nacht des Exiles« verbindet; sondern das Versepos springt besonders respektlos mit allen Großen dieser Welt um, ob sie Klopstock (mit »Haubenkopfstock« gereimt) oder Hegel (»Kegel«) heißen; aber allen, die herrschen oder die Herrschaft von Thron und Altar stützen, geht es aggressiv an den Leib: So müssen sich satirisch verbinden »Gotte« und »Sprotte«, »Jehovah« und »Canova«, »König« und »wenig«, »widersetzig« und »aristokrätzig«, »Pastöre« und »Zensorschere«, »Mönchen« und »Denunziaziönchen«, »Schakalen« und »Journalen«, »Romantik« und »Uhland, Tieck«, »ärger« und »Hengstenberger« (zur Reimkomik, vgl. Kaufmann 1958, und Fingerhut 2). Komik entsteht ferner, wenn Heterogenes desillusionierend in eine Reihe gerät, z. B. Pathetisches mit Alltäglichem wie in Caput IX: »Jedwedem fühlenden Herzen bleibt / Das Vaterland ewig teuer – / Ich liebe auch recht braun geschmort / Die Bücklinge und Eier«. Unter den »calembourgs« wirkt neben dem scharfen »aristokrätzig« (Wortkreuzung aus »aristokratisch« und »krätzig«) das Wortspiel »schlampampen« in Verbindung mit »Campen« humorvoll.

Alles zusammen: Verskunst, Reim und Wortwahl sorgt dafür, daß sich Verspaare und Strophen sofort einprägen, was Kaufmann im Hinblick auf den Leser oder Hörer zutreffend mit »›Konterbande‹«, die im Kopf haften bleibt, verglichen hat, und

mit »Merkversen«, die »von Mund zu Mund weitergetragen werden können« (Kaufmann 1958). Wie erwähnt, die Schmuggelware aus Caput I hat tatsächlich in anderen Köpfen weitergewirkt. Zahlreiche Verse des *Wintermärchens* haben den Charakter von Maximen, wie z. B. diese über die »Herren Verfasser« des Entsagungsliedes: »Ich weiß, sie tranken heimlich Wein / Und predigten öffentlich Wasser«. Das Porträt des politischen Gegners, des reaktionären Preußentums, geht auch nicht so schnell aus dem Kopf, wenn die langen Schnurrbärte der Soldaten als »Des Zopftums neuere Phase« bezeichnet werden: »Der Zopf, der ehmals hinten hing, / Der hängt jetzt unter der Nase«.

Vorformen der assoziativen Kompositionsweise finden sich bei Heine in Balladen mit zeitkritischem Gehalt, wie im dritten Teil des *Tannhäuser*-Liedes (1836 entstanden), das durch die Verbindung von Reiseschema und Zeitsatire das Grundmodell abgibt. Nach dem Prinzip der Reihung ist auch das *Nachtwächter*-Lied (*Zeitgedichte* VI, Ende 1841 entstanden) angelegt. Ferner ist das *Wintermärchen* nicht ohne den *Sommernachtstraum* denkbar (die beiden Epen vergleicht Woesler, 368 ff.; unter dem Gesichtspunkt der Geschlossenheit plädiert Sammons für *Atta Troll*). Als Vorbilder zyklischer Dichtung mit zeitkritischer Absicht gelten Anastasius Grüns *Spaziergänge eines Wiener Poeten* (1830–32) und Franz Dingelstedts *Lieder eines kosmopolitischen Nachtwächters* (1841) (Kaufmann 1958 und Walter). Die *Spaziergänge* bestehen aus einem Zyklus locker verbundener, politisch liberaler Gedichte ohne Reise-Itinerar. Bei Dingelstedt, mit dem Heine 1841/42 auch persönlichen Umgang hatte, sind Rollenfiktion, zyklische Komposition und ironisch-satirische Sprechweise ausgebildet; Teil I (*Nachtwächters Stilleben*) mit dem Rundgang durch die schlafende Kleinstadt und Teil II (*Nachtwächters Weltgang*) mit der Reise durch die Staaten des Deutschen Bundes weisen auf das *Wintermärchen* voraus. Witzigerweise handelt es sich hier um eine Rückvermittlung eigener Ansätze, denn Dingelstedts pointierter, doppeldeutiger und sprachspielerischer Stil ist von Heines Lyrik und Reiseprosa geprägt worden (s. dazu Bayerdörfer). Als drittes, bisher nicht beachtetes ›Vorbild‹ nennt DHA 4, 931 f., Karl Gutzkows *Briefe aus Paris* (1842), auf die das *Wintermärchen* in »Form von Kontrafaktur« reagiert habe.

Lit.: Hans Kaufmann: *Gestaltungsprobleme in Heines »Wintermärchen«*, in: Weimarer Beiträge 3, 1957, 244–266; Hans Kaufmann 1958 (s. o.), 65 ff. u. 97 ff.; Jeffrey L. Sammons:

Heinrich Heine, The Elusive Poet, New Haven und London 1969, 274–300 [auch 1977 in Wolfgang Kuttenkeuler, Hrsg.: *Heinrich Heine,* Stuttgart]; Hans-Peter Bayerdörfer: *Laudatio auf einen Nachtwächter,* in: HJb 1976, 75–95; Karl Heinz Fingerhut 2 (s. o.); Winfried Woesler: *Heines Tanzbär,* Hamburg 1978 (= Heine-Studien); Jürgen Walter: *Deutschland. Ein Wintermärchen,* in: *Heinrich Heine. Epoche – Werk – Wirkung,* hrsg. von Jürgen Brummack, München 1980, 238–256.

Ein anderes »Deutschland über Alles!«

Die Deutschland-Satire ist nicht das Werk eines Vaterlandsverächters oder eines vaterlandslosen Nestbeschmutzers, wie es den national eingestellten Zeitgenossen erscheinen mußte, sondern das eines glühenden Patrioten, der sehr viel weitergeht als seine verblendeten Kritiker, weil sein »besseres Lied« ein besseres »Lied der Deutschen« wäre und er deshalb wirklich »Deutschland, Deutschland über Alles!« singen könnte! Sein Haß gilt nicht Deutschland, sondern vielmehr dem »alten, offiziellen Deutschland, dem verschimmelten Philisterland«, und seine Hoffnung richtet sich auf das neue, das »anonyme Deutschland des deutschen Volkes«, wie die vielzitierte Unterscheidung von 1852 lautet (*Vorrede* zur 2. Auflage von *Salon* II, B 5, 508). Sein Haß gilt ferner jenen »Pharisäern der Nationalität« (B 7, 573) oder, wie der vor Heimweh nach dem Vaterland kranke Pariser Exilant in Caput XXIV gesteht, er gilt ausdrücklich jenem »Lumpenpack«, das »Den Patriotismus trägt zur Schau / Mit allen seinen Geschwüren«. Zwischen der optimistischen Prophezeiung am Anfang und der pessimistischen Zukunftsvision am Schluß besteht nur dann ein schroffer Gegensatz, wenn man nicht beachtet, daß der deutsche Dichter und Denker Heinrich Heine *zweierlei* Deutschland kennt, neben dem absterbenden feudalen das Deutschland der Sagen und Legenden (Caput XIV), der Reformatoren Hutten und Luther (Caput IV), der Philosophen Kant, Fichte und Hegel (Caput V), der »lieben Westfalen« und der »Gestovten Kastanien« (Caput IX und X) sowie der »niedersächsischen Nachtigalln« und »stillen Buchenhaine« (Caput XXIV). Dieses Deutschland lebt unter der erstarrten Oberfläche weiter, ihm gehört die Zukunft, die das Schlußcaput als neues, geistig und sinnlich befreites Geschlecht heranwachsen sieht und mit den bekannten Worten begrüßt:

> Es wächst heran ein neues Geschlecht,
> Ganz ohne Schminke und Sünden,
> Mit freien Gedanken, mit freier Lust –
> Dem werde ich Alles verkünden.

Weil er alle nationalen Grenzen überschreitet, darf sich dieser Patriotismus als menschheitlich verstehen, ja, der Vorkämpfer der »pacifiken Mission« und Autor der Philosophie-Schrift scheut sich nicht, 1844, d. h. zur Zeit der chauvinistischen Rheinlied-Bewegung und nur Monate nach der Tausendjahrfeier des Deutschen Reichs, von einer »Sendung und Universalherrschaft Deutschlands« zu träumen, wenn er »unter Eichen« wandelt, wie er in dem in Hamburg entstandenen *Vorwort* zum *Wintermärchen* gesteht. In diesem revolutionär-patriotischen Manifest verlangt deshalb der erklärte »Freund der Franzosen« (der »Freund aller Menschen«, »wenn sie vernünftig und gut sind«) als Voraussetzung den Einklang der deutschen Entwicklung mit der französischen Politik und der deutschen Philosophie: »Pflanzt die schwarz-rotgoldne Fahne auf die Höhe des deutschen Gedankens«, ruft er den Deutschtümlern zu, »macht sie zur Standarte des freien Menschtums, und ich will mein bestes Herzblut für sie hingeben. Beruhigt Euch, ich liebe das Vaterland eben so sehr, wie Ihr. Wegen dieser Liebe habe ich dreizehn Lebensjahre im Exile verlebt, und wegen eben dieser Liebe kehre ich wieder zurück ins Exil, vielleicht für immer«.

Dieser Standarte würden sich Elsässer und Lothringer, ja die Völker Europas und der Welt anschließen, wenn es den Deutschen, die aufgrund ihrer philosophischen Entwicklung allen voraus sind, gelänge, die Franzosen in der Tat zu überflügeln und das zu vollenden, was diese begonnen haben, »le grand œuvre de la Révolution: la Démocratie universelle«. So lautet der Zusatz zur französischen *Préface* (B 8, 1027), die eben nicht auf (deutsche) Zensur Rücksicht nehmen muß. Eine solche Vorstellung geht über die liberale zugunsten der sozialen Revolution deutlich hinaus, die sich hier, wie in der Philosophie-Schrift, pantheistisch darbietet (der Mensch als irdischer Gott), und die ebenfalls in der französischen Fassung den bezeichnenden, frühsozialistischen Zusatz enthält: »quand nous aurons chassé la misère de la surface de la terre«.

Diesen Traum von Deutschlands »Universalherrschaft« beendet Heine mit den stolzen Worten: »Das ist *mein* Patriotismus«. Dazu bekennt sich der Schüler der großen deutschen »Meister« nicht erst 1844, dazu bekennt er sich seit seinem kleinen Polen-Essay und dazu bekennt sich sein ganzes Werk. Freilich sollte sich nie dieser Traum – um wieder daran zu rühren –, sondern sein Gegenteil verwirklichen: Im zweiten und Dritten Reich kam der Anspruch auf repressive »Universalherrschaft« verhängnisvoll zum Durchbruch.

Die hier skizzierte welthistorische Perspektive steht in schärfstem Widerspruch zur damaligen deutschen Wirklichkeit. Heines demokratischer Traum war ein Patriotismus ohne Patrioten und mußte bei den herrschenden Mächten mit strenger Verfolgung rechnen. Deshalb ist es bedeutsam, daß die Reise des *Wintermärchens* im fortschrittlichen Ausland beginnt, d. h. daß sein Standpunkt außerhalb Deutschlands liegt und allein erst als Idee oder Gedanke im Kopf des Reisenden=Dichters ins Vaterland eingeschmuggelt werden muß (Hans Kaufmann betont 76 f., daß der geschichtliche Gegenspieler des alten Deutschland vorläufig nur ein »theoretisches Postulat« und nicht objektiv darstellbar war, es sei denn in der Selbstbeschreibung des Dichters). Das läßt die Zollkontrolle in Caput II sinnfällig werden:

> Ihr Toren, die Ihr im Koffer sucht!
> Hier werdet Ihr nichts entdecken!
> Die Contrebande, die mit mir reist,
> Die hab ich im Kopfe stecken.

Im sicheren ›Versteck‹ wird die »Contrebande« der Zukunft in Form von doppeldeutigen »Spitzen« durchgeschmuggelt, die »feiner sind / Als die von Brüssel und Mecheln« oder von noch ungeschriebenen »konfiszierlichen Büchern« (Wortkreuzung aus »konfiszieren« und zierlich). Gleichsam immer auf der Hut vor Zoll und Zensur und ohne realen Adressaten verfährt das Epos, das die Revolution prophezeit, so, daß es die anachronistischen deutschen Zustände kontinuierlich mit umstürzlerischen Appellen oder mit Bildern des Umsturzes konfrontiert: Caput II gibt den preußischen Adler unmißverständlich zum Abschuß frei, nachdem es ebenso eindeutig »modernste Blitze« auf die Helme der preußischen Soldaten herabgewünscht hat; Caput IV fordert dazu auf, die Häupter der Heiligen Allianz, wie einst die Münsteraner Wiedertäufer, in eisernen Käfigen an einem Kirchturm aufzuhängen, bevor die Heiligen Drei Könige in Caput VII auf andere Weise beseitigt werden; in Caput VIII, XIII und XVIII erscheinen Befreier-Gestalten wie Napoleon, Christus und Prometheus; die Guillotine, die zum Schrecken des Feudalsymbols Barbarossa im Plauderton und mit direkter Anrede vorgeführt wird (»Man zieht eine Schnur, dann schießt herab / Das Beil, ganz lustig und munter; – / Bei dieser Gelegenheit fällt dein Kopf / In einen

Sack hinunter«), taucht angesichts des Königs von Hannover wieder bedrohlich auf (Variante zu Caput XIX); der direkten Revolutions-Ankündung »Es poltert heran ein Spektakelstück, / Zu Ende geht die Idylle« (Caput XXV) folgt am Ende die offene, warnende und auf das Inferno von Dantes *Göttlicher Komödie* anspielende Apostrophe an Friedrich Wilhelm IV., in der außerdem durch die Flammen-Symbolik, die auf den Refrain »Sonne, du klagende Flamme« der Volkslieder von Caput XIV zurückverweist, die Hoffnung auf Gerechtigkeit und Bestrafung alten Unrechts durchbricht. Die progressive Tradition des Volksliedes zitiert, wie Kaufmann, 172, betont hat, zumindest auf poetische Weise den wahren Gegenspieler der deutschen Misere (das Volk könnte in der Nachtstuhlvision auch mit dem Zusatzvers »Es roch nach Blut, Tabak und Schnaps« gemeint sein).

Lit.: Georg Lukács: *Heine und die ideologische Vorbereitung der 48er Revolution,* in: Text + Kritik 18/19 *Heinrich Heine* 1971, 2. Aufl., 31–47 [zuerst 1941]; Hans Kaufmann 1958 (s. o.); Margaret A. Rose: *The Idea of the »Sol Iustitiae« in Heine's »Deutschland. Ein Wintermärchen«,* in: Deutsche Vierteljahrsschrift für Literaturwissenschaft und Geistesgeschichte 52, 1978, 604–618.

Negativität und Positionsverweigerung

Die tatsächliche historische Unreife der deutschen Verhältnisse zwingt das *Wintermärchen* dazu, in kritischer Negativität zu verharren. Die radikale Verneinung dieser Verhältnisse läßt den radikalen Bruch zwar als notwendig erscheinen, vermag aber weder eine konkrete Alternative noch einen gehbaren Weg aufzuzeigen (allenfalls erinnert das Saint-Just-Zitat: »Man heile die große Krankheit nicht / Mit Rosenöl und Moschus« daran, daß die große Säuberungsaktion auch nicht gerade wohlriechend sein wird, B 7, 640). Durch seine formale Intention kann sich das *Wintermärchen* auf das Recht der Satire, total negativ zu sein, berufen, d. h. überholte Mißstände so anzuprangern, daß sich durch ihre Verneinung eine Alternative abzeichnet, die zur Abänderung auffordert. Nichts anderes hat Karl Marx 1844 im Visier gehabt, als er die »Kritik im Handgemenge« auf Deutschland anwandte; in der Einleitung *Zur Kritik der Hegelschen Rechtsphilosophie* gab er die bekannte Maxime aus: »Es handelt sich darum, den Deutschen keinen Augenblick der Selbsttäuschung und Resignation zu gönnen. Man muß den wirklichen Druck noch drückender machen, indem man ihm das Bewußtsein des Drucks hinzufügt, die Schmach noch schmachvoller, indem man sie publiziert« (MEW 1, 381). Nun will das *Wintermärchen* nicht nur demütigen, sondern im Gegenteil aufrichten, indem es das Ende der Schmach verkündet. Das neue »bessere Lied« ist positiv bzw. utopisch-konkret (vergleichsweise sehr viel bestimmter als das »letzte freie Waldlied der Romantik«). Aber bei der Bestimmung von Heines Standpunkt gegenüber den deutschen Verhältnissen trifft das zweite Versepos ebenso auf Schwierigkeiten wie das erste: Die Gegenstellung ist 1844 politisch und radikal, aber wiederum auch abstrakt und vermittlungslos; der Erzähler, die einzige faßbare Vermittlungsinstanz, verhält sich schließlich zwiespältig und schwankend. Das ist einmal objektiv bedingt. Zum anderen hängt es damit zusammen, daß der satirische Feldzug beide, die herrschenden *und* die oppositionellen Kräfte, und letztere nicht nur mit ihren literarischen Häuptern, ›einschlachtet‹. Die spezifische Stellung des *Wintermärchens,* die von der Nach-48er-Entwicklung bestätigt werden sollte, besteht darin, daß es der deutschen Bourgeoisie nicht die Kraft zutraut, die Überreste der feudalen Institutionen auf revolutionäre Weise zu beseitigen. So sieht das Gedicht keinen historischen Gegensatz zwischen dem reaktionären Preußen und dem fortgeschritteneren Hamburg, im Gegenteil, es satirisiert Philister und Bourgeois ebenso wie preußische Junker und Pfaffen. Der spießbürgerliche Geist, den Hammonia repräsentiert, ist Apologie des status quo, und damit kein Widerspruch, sondern Teil der altdeutschen Misere. Deshalb wird die geplante Verbindung wirklich ›einschneidend‹ aufgelöst. Diese Darstellung wird jedoch, wie Hans Kaufmann betont hat, der historischen Wirklichkeit 1844 nicht gerecht, weil das deutsche Bürgertum keine Klasse ohne Entwicklungsmöglichkeiten war, noch mit dem absterbenden Feudalsystem perspektivlos auf einer Stufe stand (Kaufmann, 159 ff., erkennt in der Verbindung von radikaler Preußen- *und* Kapitalismuskritik eine »historische Fehleinschätzung«). Ebensowenig hat Caput II die damals fortschrittliche Rolle des Zollvereins, in der Heine *nur* ein Instrument preußischer Hegemonialpolitik sah, richtig eingeschätzt.

Folgerichtiger erscheint dagegen zunächst die Kritik an der literarischen, antifeudalen Opposition, der Tendenzdichtung, gegen die sich das zweite wie das erste Epos richten, jetzt zwar polemisch eingeschränkter, aber politisch und künstlerisch umfassender (die Briefe an Campe vom 20. Februar und 17. April betonen den Widerspruch zu den

»bekannten politischen Stänkerreimen« und zu der »prosaisch bombastischen Tendenzpoesie«, der der »Todesstoß« verpaßt werden soll). Das »bessere Lied«, das als solches schon einen Gegenentwurf darstellt, spießt Hoffmann von Fallersleben und Freiligrath nur en passant auf; der eigentliche Widerspruch tritt in der Auseinandersetzung mit der nationalistisch fehlgeleiteten Rheinliedromantik in Caput V hervor, die durch ihre antifranzösische Tendenz tatsächlich nicht in Opposition zur herrschenden Ideologie stand (dazu Kaufmann; Texte und Interpretationen zur Tendenzpoesie bei Fingerhut). Heines gespannte Stellung zu den deutschen Revolutionären diskutiert dann das freilich nicht eindeutig interpretierbare Caput XII. In seiner Rede an die »Mitwölfe«, die das »bombastische«, d. h. hohle Pathos der deklamatorischen Oppositionsdichtung persifliert, rechtfertigt der Sprecher, in der Rolle des Tribunen, sein ungebrochen revolutionäres Engagement gegen alle Anwürfe der Abtrünnigkeit (die für Heines Auffassung von der kritischen Funktion des Intellektuellen zentrale Antithese Treue / Verrat weist hier die Angriffe zurück, denen er seit mehr als 10 Jahren von der Börne-Partei ausgesetzt war, während ihn die »Mitwölfe« damit offenbar verschont haben). Ausdrücklich grenzt sich der Sprecher von dem zum abtrünnigen Hofrat gewordenen Dingelstedt ab, indem er Anpassung und Servilität denunziert:

> Ich bin kein Schaf, ich bin kein Hund,
> Kein Hofrat und kein Schellfisch –
> Ich bin ein Wolf geblieben, mein Herz
> Und meine Zähne sind wölfisch.

Aber diese Solidaritätserklärung wird sofort zurückgenommen und durch Verwendung von zwei bekannten Sprichwörtern ins Gegenteil, einerseits in Opportunismus und Konformismus, andererseits in Individualismus und »Eiapopeia«, jedenfalls in völlige Ambivalenz verkehrt:

> Ich bin ein Wolf und werde stets
> Auch heulen mit den Wölfen –
> Ja, zählt auf mich und helft Euch selbst,
> Dann wird auch Gott Euch helfen!

Beides steht in Widerspruch z. B. zum ›illegalen‹, pathetisch und im Pluralis majestatis vorgetragenen »besseren Lied« (zu abweichenden Deutungen kommen Kaufmann, 194 ff., Prawer und Fingerhut 2). Solidarität und Distanz (›auf mich könnt ihr nicht setzen‹) bleiben unaufgelöst und unauflösbar nebeneinander stehen, weil keine existierende Partei oder Kraft vorhanden war, mit der sich die revolutionäre Einstellung des Erzählers hätte verbünden können. Deshalb vermag auch schließlich die neugierige Mutter keine eindeutige Antwort aus ihrem Sohn herauszuholen, als sie in Caput XX nachdrücklich die Fangfrage stellt: »›Zu welcher Partei / Gehörst du mit Überzeugung?‹«, worauf dieser ausweichend mit dem ›Apfelsinengleichnis‹ antwortet:

> Die Apfelsinen, lieb Mütterlein,
> Sind gut, und mit wahrem Vergnügen
> Verschlucke ich den süßen Saft,
> Und lasse die Schalen liegen.

Die Absage an Partei, an alle Parteien und Tageskämpfe kann, wie im *Troll,* im Sinne einer »höheren Politik« (Februar-Brief an Campe) erfolgen, läßt aber hier zugleich die Spannung zwischen »besserem Lied« und schlechter Wirklichkeit, zwischen utopischem Entwurf und mangelnden Möglichkeiten hervortreten (in der Forschung durch Isolierung erklärt sowie als Zweifel und Ambivalenz gedeutet: Kaufmann, 203, und Walter; Bark spricht von »Positionsverweigerung«, die in den Verhältnissen begründet ist). Diese Spannung teilt das *Wintermärchen* grundsätzlich mit der übrigen Versdichtung dieser Phase, die ebenfalls durch ihre Struktur Unsicherheit erzeugt und auf den wachen, mitreflektierenden Leser angewiesen ist, einem Adressaten, der sich am Zopfe seines kritischen Geistes aus der deutschen Misere herausziehen soll (diesen wichtigen Aspekt hat hier Fingerhut 2 herausgearbeitet). Das gelingt im *Wintermärchen* an den Strophen oder Capita leichter, die sich offen als ironische Rollenrede zu erkennen geben, wie das Lob der »wahrhaft ideellen« deutschen Einheit durch die Zensur in Caput II oder Hammonias Anpreisung der Unfreiheit in Caput XXV oder das ganze Arminius-Caput XI mit der Verherrlichung der arminischen »deutschen Freiheit«. Auch Campe mußte bei der bombastischen Verleger-Hymne in Caput XXIII das zufriedene Lachen etwas vergehen. Die Doppeldeutigkeit des Wolfs-Caput fordert dagegen dem Leser ein gut Stück Arbeit ab, die in der Schwebe bleiben muß, weil der politisch zentrale Text ganz offen ist. Allerdings stellt sich hier erneut die Frage, wie offensichtlich ein Ideenschmuggler 1844, nach erneut verschärfter Zensurpraxis, Flagge zeigen konnte.

Lit.: Georg Lukács: *Heinrich Heine als nationaler Dichter,* in: ders.: *Deutsche Literatur in zwei Jahrhunderten,* Werke Bd. 7, Neuwied etc. 1964, 273–333 [zuerst 1937, in Buchform zuerst 1951], speziell 281 ff.; Hans Kaufmann 1958 (s. o.); S[iegbert] S. Prawer (s. o.); Jeffrey L. Sammons (s. o.); Maria-Beate von Loeben: *Deutschland. Ein Wintermärchen,* in: Germanisch-romanische Monatsschrift 51, NF 20, 1970, 265–285; Ross Atkinson: *Irony and Commitment in Heine's »Deutschland. Ein Wintermärchen«,* in: The Germanic Review 50, 1975, 184–202; Karl-Heinz Fingerhut 2 (s. o.); Richard Gary Hooton: *Heinrich Heine und der Vormärz,* Meisenheim am Glan 1978; Joachim Bark: *Heine im Vormärz: Radikalisierung oder Verweigerung,* in: Der Deutschunterricht Jg. 31, 1979, H. 2, 47–60; Jürgen Walter (s. o.); Richard W. Hannah: *The broken heart and the accusing flame. The tension of imaginary and the ambivalence of political commitment in Heine's ›Deutschland. Ein Wintermärchen‹,* in: Colloquia Germanica 14, Bern 1981, 289–312.

– zur Satire: Siegbert Prawer: *Heines satirische Versdichtung,* in: *Der Berliner Germanistentag 1968,* hrsg. von Karl Heinz Borck und Rudolf Henss, Heidelberg 1970, 179–195; Jürgen Brummack: *Zu Begriff und Theorie der Satire. Forschungsbericht,* in: Deutsche Vierteljahrsschrift für Literaturwissenschaft und Geistesgeschichte 45, 1971, Sonderheft 275–377; Jürgen Brummack: *Satirische Dichtung. Studien zu Friedrich Schlegel, Tieck, Jean Paul und Heine,* München 1979, 180 ff.

Gedanke, Traum und Tat

Zum Mitreflektieren fordern schließlich jene Capita heraus, in denen Heine die zentrale Problematik der Stellung des Gedankens zum praktischen Handeln erörtert, ohne zu einer eindeutigen Lösung zu gelangen.

Das Schlußcaput überspringt die Kluft zum historisch Möglichen durch eine unmißverständliche Warnung an den preußischen König, in der Heine dessen Verbotspolitik mit Pathos entgegentritt und, als Praxisersatz, die Kraft seines dichterischen Wortes unterstreicht:

> Beleidge lebendige Dichter nicht,
> Sie haben Flammen und Waffen,
> Die furchtbarer sind als Jovis Blitz,
> Den ja der Poet erschaffen.

Es gehört zu Heines festen Anschauungen über sein schriftstellerisches Engagement, daß dem dichterischen Wort praxisverändernde Kraft zuwächst, bzw. daß die Tat auf den Gedanken folgt, wie der Blitz auf den Donner (vgl. z. B. *Neue Gedichte, Zeitgedichte* I: *Doktrin* und XXIII: *Wartet nur*). Die Herrscherapostrophe geht nun so weit, unter Berufung auf Dantes Hölle das dichterische Wort selbst als Strafhandlung aufzufassen:

> Kennst du die Hölle des Dante nicht,
> Die schrecklichen Terzetten?
> Wen da der Dichter hineingesperrt,
> Den kann kein Gott mehr retten –
>
> Kein Gott, kein Heiland erlöst ihn je
> Aus diesen singenden Flammen!
> Nimm dich in acht, daß wir dich nicht
> Zu solcher Hölle verdammen.

Die hier verkündete Unmittelbarkeit von Wort und Tat im Sinne von Strafe und Sühne stimmt nun nicht mit der dichterischen Selbstdarstellung überein, die Caput VI und VII geben. Durch die allegorische Gestalt des »vermummten Gastes«, der sich als »Büttel« und »Liktor« zu erkennen gibt, treten Gedanke und Tat als zwei Personen auseinander, die aber als Einheit handeln: »Du denkst, und ich, ich handle« sagt der Liktor mit dem Richterbeile zum Erzähler, – »ich bin / Die Tat von deinem Gedanken«. Zugleich wird der nicht-handelnde Denker vor seine Verantwortlichkeit gestellt, denn der Liktor vollstreckt auch zwangsläufig ungerechte Urteile. Diese Szene legt plastisch dar, daß erstens eine notwendige, aber keine unmittelbare Verbindung und zweitens eine kausale und keine wechselseitige Relation zwischen richtender und ausführender Instanz besteht. Heine fiktionalisiert hier seine Anschauung von der praktischen Rolle revolutionärer Ideologie, die er in den Frankreich- und Deutschlandschriften am zentralen Beispiel der französischen Aufklärer entwickelt hat: Nach seiner letztlich idealistischen These waren die »Männer der Tat«, wie die französischen Jakobiner, nichts als »unbewußte Handlanger der Gedankenmänner«, in diesem Fall Rousseaus (B 5, 593). Das Auseinandertreten von Gedanke und Tat im *Wintermärchen* wirft nun u. a. die Frage nach Sinn und personaler Verkörperung des Liktors auf, die in der Forschung unterschiedlich beantwortet wird (Kaufmann, Tonelli, Fingerhut 2 und Clasen). Unumstritten und unbestreitbar ist, daß hier ein prophetisches Bild der unausweichlichen Revolution entstanden ist. Entscheidend ist weiter, daß bereits Jahre vor seinem »offiziellen« Auftritt ein Gespenst im nächtlichen Köln umgeht, das Sterbeglöckchen in Häusern, deren Pfosten der Erzähler mit seinem Herzblut (nach mosaischem Vorbild) bestrichen hat, erschallen läßt, und das die Gebeine der Heiligen Drei Könige, wiederaufgetauchte »Skelette des Aberglaubens«, zerschmettert, um den Wunsch des Denkers nach einer nützlichen Verwendung des Kölner Doms zu erfüllen. Vier Jahre vor dem Ausbruch der Revolution erschlägt das Gespenst der Zukunft die Gespenster der Vergangenheit.

Aber das geschieht im Traum, der sich außerdem noch in einen Alptraum verwandelt, denn der Erzähler, dem »Blutströme« aus der Brust schießen, wird durch die entsetzlichen Schläge plötzlich wach, als wolle er dem Zerstörungswerk Einhalt gebieten oder die Verletzung eines anzeigen, der

sich der untergehenden Welt persönlich verbunden fühlt. Diese Fiktion innerhalb der Fiktion erlaubt Heine, das von ihm als duale Einheit gesehene Verhältnis von Theorie und Praxis wiederum praxiskritisch zu reflektieren, zu problematisieren und dadurch sogar das Vorhergehende zu relativieren. Zwar beruht sein ganzes Werk darauf, die Vernichtung aller mittelalterlichen Überreste in der zeitgenössischen Gesellschaft zu fordern, aber zugleich schleichen sich immer wieder Zweifel an der Methode, an der »Exekution« ein, durch welche tabula rasa mit der Vergangenheit gemacht werden soll. Das signalisiert hier die Doppeldeutigkeit des Kölner Traums: Einerseits antizipiert er revolutionäres Handeln, andererseits schreckt er vor der Art und vor dem Ergebnis des Handelns zurück. Diese Ambivalenz wird noch dadurch verstärkt, daß der Erzähler ironisch die deutsche Traumfreiheit verspottet: Im deutschen Federbett träumt sich's besonders gut, »Hier fühlt die deutsche Seele sich frei / Von allen Erdenketten«; im Gegensatz zu anderen, realistischeren Völkern besitzen die Deutschen »im Luftreich des Traums / Die Herrschaft unbestritten«; und typischerweise wagt der Erzähler »Nur träumend, im idealen Traum« Barbarossa deutlich die »deutsche Meinung« zu sagen (Caput XVII). Indem nun das *Wintermärchen* seinerseits Befreiung in Träume verlegt, geht es zwar imaginär über die herrschende Unfreiheit hinaus, an der es aber teilhat als deren Reflex und Ausdruck.

Auf der anderen Seite ist es Heines Prosaschriften seit 1830 ein wesentliches Anliegen, die Parallelität von Frankreichs Praxisnähe und Deutschlands Philosophenträumen zu betonen (die *Einleitung* zu *Kahldorf* bezeichnet die deutsche Philosophie als »Traum der französischen Revolution«). Nicht anders verfährt das *Vorwort* zum *Wintermärchen,* das den deutschen »Gedanken«, der sogar der realen Entwicklung als vorausgeeilt gilt, mit der französischen »Tat« in Einklang setzen möchte. Wenn der Dichter und Denker Heine 1844 für die anachronistischen deutschen Zustände erneut und mit Nachdruck den Übergang zur Praxis fordert, spricht er letztlich Gedanken aus, die zu dieser Zeit die Junghegelianer, und speziell Karl Marx, nicht anders formuliert haben (s. u.). Zugleich tritt mit dem Liktor die Notwendigkeit des Übergangs maskiert, aber konkret vor Augen, in dämonisierter Gestalt und als Nachtgespenst, das seine Identität auch gar nicht preisgeben konnte, denn ihm folgte ein anderer bedrohlicher Schatten, der des Zensors.

Lit.: Hans Kaufmann 1958 (s. o.), 206 ff.; Maria-Beate von Loeben (s. o.); Giorgio Tonelli (s. o.); Fingerhut 2 (s. o.); Eduard Krüger: *Heine und Hegel*, Kronberg/Ts. 1977, 60 ff. u. 72 ff. [grundsätzlich zur Gedanke-Tat-Relation bei Heine und Hegel]; Herbert Clasen (s. o.), 226 ff.; Dieter P. Meier-Lenz: *Heinrich Heine – Wolf Biermann, Deutschland. ZWEI Wintermärchen*, Bonn 1979, 2. Aufl., 26–40; Jürgen Walter (s. o.), 250 ff.

Vor Legenden wird gewarnt
(Heine und der junge Marx)

Hat Karl Marx das *Wintermärchen* beeinflußt? Sind das »bessere Lied« und der Liktor-Traum marxistische Texte? Hat das Manifest von 1844 jenem von 1848 den Weg bereitet? Mit Blick auf diese affirmativ beantworteten Fragen hat die DDR-Germanistik, mit Walter Victor an der Spitze (*Marx und Heine*, Berlin (Ost), 1951), lange Zeit Entstehungsgeschichte und Gehalt des Gedichts diskutiert (zur »Einfluß«-These vgl. auch Kaufmann, ferner Lefebvre 1972 – dagegen Lefebvre 1983; Nabrotzky rekonstruiert polemisch den Kontext). Gegen die These, nach der Marx der politische und poetische spiritus rector gewesen wäre, spricht nun erstens, daß keine konkreten Anhaltspunkte für eine Zusammenarbeit zwischen Heine und Marx während der ersten Niederschrift des *Wintermärchens* vorhanden sind und zweitens, daß der Dichter keine weltanschaulich neuen Ideen vertritt. Vorhanden sind drei Briefe und ein Erinnerungszeugnis. Folgendes kann als gesichert gelten: In der zweiten Dezemberhälfte 1843, sofort nach Heines Rückkehr aus Hamburg, schlossen der »philosophisch gebildete Dichter und der poetisch interessierte Philosoph« schnell Freundschaft (Hädecke, 418). Ein Bild von den intensiven persönlichen und intellektuellen Kontakten, die sich 1844 zwischen den Mitarbeitern der »Deutsch-Französischen Jahrbücher« und des »Vorwärts!« entwickelten, zeichnet Marx' Tochter Eleanor aus der Erinnerung an die Erzählungen ihrer Eltern, die 1895/96 so veröffentlicht wurden: »Es gab eine Zeit, wo Heine tagaus tagein bei Marxens vorsprach, um ihnen seine Verse vorzulesen und das Urtheil der beiden jungen Leute einzuholen. Ein Gedichtchen von acht Zeilen konnten Heine und Marx zusammen unzählige Male durchgehen, beständig das eine oder andere Wort diskutierend und so lange arbeitend und feilend, bis alles glatt und jede Spur von Arbeit und Feile aus dem Gedicht beseitigt war« (Werner I, 542). Politik habe in den Erzählungen über Heine »keine Rolle« gespielt. Dagegen tritt Heine in diesen Erinnerungen als »Kinderwärter« und Retter auf: Dem kranken Winzling Jenny Marx (im Mai 1844 geboren) habe Heine durch ein rechtzeitig verordnetes Bad das Leben gerettet! Der zeitlich nicht präzisierbare Inhalt dieser Mitteilung läßt nun keine Aussage darüber zu, ob auch die Feile dem *Wintermärchen,* dessen erste Fassung im Februar beendet war, gegolten hat. Der Brief, den Heine dann am 21. September 1844 dem »liebsten Marx« zusammen mit den Aushängebogen des Gedichts schickte (»damit Sie sich damit amüsiren«), enthält keinen Hinweis auf dessen Mitarbeit oder gar dessen Textkenntnis. Der Brief macht allerdings großes, wenn nicht blindes Einverständnis spürbar, schließt Heine doch mit den Worten: »wir brauchen ja wenige Zeichen um uns zu verstehen!« Marx sorgte, wie erwähnt, für den Pariser Druck des *Wintermärchens* und kam Ende des Jahres dem bedrängten Heine öffentlich zu Hilfe (s. Aufnahme). Am Tag seiner durch das Zusammenspiel der preußischen und der Pariser Regierung betriebenen Ausreise, am 1. Februar 1845, warf Marx einen betrübten Rückblick auf das Erbe der 13 Monate alten Freundschaft, als er Heine schrieb: »Von Allem, was ich hier an Menschen zurücklasse, ist mir die Heinesche Hinterlassenschaft am unangenehmsten Ich möchte Sie gern mit einpacken«. In diesem sowie in dem Brief vom 24. März 1845 versucht Marx, Heine als Mitarbeiter der »Rheinischen Jahrbücher« bzw. des von Püttmann herausgegebenen »Albums« zu gewinnen. Das politische Bündnis zwischen den beiden war wohl mit Marx' Abreise zerfallen. Von Marx' neuem Buch, *Die heilige Familie*, las Heine nur die ersten 40 Seiten. Im April 1846 teilte Marx noch seinen unausgeführt gebliebenen Plan mit, eine Würdigung des *Börne*-Buches zu schreiben (s. d.). Der Dichter und der Verfasser des *Kommunistischen Manifests* haben sich noch an zwei Gelegenheiten, im März 1848 und im Sommer 1849, mehrmals wiedergesehen (die 48er Begegnung hat Briegleb 1981 rekonstruiert). Mit beiderseitiger Hochschätzung verblieb man danach in Gruß-Kontakt (zur späteren Beziehung s. auch Lefebvre 1983).

Das ›Ergebnis‹ der gemeinsamen Pariser Monate, die noch durch die zweite Hamburg-Reise unterbrochen wurden, läßt sich nicht auf der Ebene des ideologischen Einflusses oder gar der eines Wandels fassen, denn die Sozialutopie von 1844, die Ideen zur revolutionären Praxis bzw. zum außerdeutschen Standpunkt oder zum Bruch mit Preußen enthalten sachlich nichts Neues gegenüber

De la France oder *De l'Allemagne.* Aber eins darf nicht unterschätzt werden: das Erlebnis entschiedener, theoretisch begründeter Gegnerschaft gegen den gemeinsamen Feind. Das Bündnis mit den akademisch ausgebildeten Marx und Ruge hat Heine bereits in seinem Brief an Laube vom 7. November 1842 gesucht (er nennt dort die »Rheinische Zeitung« und die »Hallischen Jahrbücher«), und der Umgang mit Marx und dessen Kreis hat ohne Zweifel zum verschärften Selbstverständnis des revolutionären Dichters und seiner Aufgaben geführt. In dieser Zeit radikalisierte sich Heines Deutschland-Kritik merklich, wovon die aggressiven Zeitgedichte, die jetzt entstanden und die im »Vorwärts!« (und nur dort) erschienen sind, sowie das *Wintermärchen* profitiert haben (vgl. Kaufmann und Briegleb 1974 bzw. B 8, 1014). Einen konkreten Niederschlag könnte dann die Zusammenarbeit mit Marx in der politisch verschärften zweiten Fassung des Gedichts bzw. in der Konzeptänderung von Februar/März 1844 gefunden haben (laut DHA 4, 946 möglich; für die *Zeitgedichte* gilt der Niederschlag als sicher). Zu fragen wäre schließlich noch nach den Beziehungen, die zwischen Marx' Hegel-Kritik in den »Jahrbüchern« und Heines *Vorwort* zum *Wintermärchen* bestehen, die sich beide für die Mission eines revolutionären Deutschlands begeistert einsetzen.

Als sich der 46jährige berühmte Dichter Heinrich Heine und der 25jährige Publizist Karl Marx im Pariser Exil begegneten, war die theoretische Entwicklung des einen abgeschlossen, die des anderen in vollem Umbruch. In Paris arbeitete Marx an den Ökonomisch-Philosophischen Manuskripten, in denen er erstmals die Prinzipien seiner revolutionären Geschichts- und Gesellschaftslehre aufgestellt hat. Den Bruch mit dem Linkshegelianismus, dem die Theoretiker der »Jahrbücher« noch verpflichtet waren, sollten erst *Die heilige Familie* (1845) sowie die *Feuerbach-Thesen* (1845/46) vollziehen. Während Marx noch kein ›Marxist‹ war, hatte Heine mindestens zwei der drei Quellen des Marxismus (nach Lenins Anschauung) erschlossen: Er hatte 1834 die welthistorische Rolle der deutschen Philosophie herausgearbeitet; er hat seit 1831 die Entwicklung des französischen Sozialismus und seit 1841 die des Kommunismus analysiert. Außerdem besaß er als Beobachter der kapitalistischen Entwicklung in London und in Paris ausreichende Vorstellungen von der Bedeutung der Ökonomie, um Ware und Warenfetischismus anschaulich beschreiben zu können. Der Mitarbei-

ter der »Augsburger Allgemeinen«, der 1832 die populäre und ab 1841 die proletarische Opposition zur Julimonarchie in Deutschland bekannt gemacht hat, verkündete in den *Französischen Zuständen* die »Universalrevolution« und im AZ-Bericht vom 12. Juli 1842 die »Welterschütterung« (B 5, 167; B 9, 406 »Weltrevolution« 1854 in *Lutezia*), letztere zu einem Zeitpunkt, an dem Marx die Verbreitung des Kommunismus im wesentlichen nur aus der Zeitung kannte und kaum Proletarier gesehen haben dürfte. Deshalb scheint die Ansicht derjenigen Marxisten, die von der konsequenten späteren Entwicklung des jungen Marx aus Heines Einstellung 1844/45 als Stehenbleiben vor dem damals gar nicht vorhandenen wissenschaftlichen Sozialismus bezeichnen, in einigen Punkten kritikbedürftig.

Während Hans Kaufmann die Freundschaft zwischen dem Dichter und dem Philosophen als »Höhepunkt« im Leben des ersten ansieht, warnt der Biograph Wolfgang Hädecke davor, die Begegnung als Stoff zur »Legendenbildung« zu benutzen oder sie gar als »Sternstunde der Menschheit« auszugeben (Hädecke, 424). Ohne Zweifel stellt die Begegnung eine wichtige Etappe in der intellektuellen Biographie zweier deutscher Juden im Exil dar, deren Leben in ganz unterschiedlichen Bahnen, in der des Dichters und in der des Wissenschaftlers, verlaufen ist. Wird sich der eine noch 1854 an die »entschiedensten und geistreichsten« unter seinen Landsleuten, an »Dr. Marx« erinnern, dann der Autor des *Kapital* 1867 an die »Courage« seines »Freundes H. Heine«. – Abschließend soll hier nicht nach dem Trennenden aus der Perspektive des Jüngeren, sondern nach dem Verbindenden aus derjenigen des Älteren gefragt werden. Die Arbeiten von Nigel Reeves und Jean-Pierre Lefebvre haben nämlich nicht nur den stilistischen (Lefebvre 1972), sondern auch den theoretischen Einfluß, den Heine auf den jungen Marx ausgeübt hat, hervorgehoben. Des näheren betont Reeves, daß der junge Marx, der sich auch als Dichter versucht hat, sehr früh das *Buch der Lieder* und die *Reisebilder* gelesen hat, bevor für die Mitglieder des Berliner ›Doktorklubs‹ die Hegel-Interpretation der Philosophie-Schrift bedeutsam wurde, speziell die These vom praktischen Zweck der Theorie. Die markantesten Spuren von Marx' Heine-Lektüre und die spürbarsten Affinitäten zwischen den beiden Denkern finden sich nun in dem berühmten Beitrag aus den »Jahrbüchern«, *Zur Kritik der Hegelschen Rechtsphilosophie. Einleitung.*

Es seien hier nur drei Punkte herausgegriffen. Zuerst vermag die Religionskritik, nach der »der *Mensch das höchste Wesen für den Menschen* sei« (MEW 1, 385), im Kern an die »Rehabilitations«-These von 1834 bzw. an den Pantheismus anzuknüpfen, während die berühmte Metapher »*Opium* des Volks«, die die narkotische Funktion der christlichen Religion denunziert, bekanntlich ein Zitat der Börne-Schrift ist (Reeves, 64 f. und Holub). Seinerseits beginnt das *Wintermärchen* mit der Kritik des einlullenden »Eiapopeia vom Himmel« und das *Vorwort* verspricht die Erlösung des Gottes auf Erden. Weiter findet dann Marx' Forderung einer »*radikalen* Revolution« mit dem Ziel »*allgemein menschlicher* Emanzipation« (MEW 1, 388) ihre Entsprechung in Heines Beharren auf einer sozialen Revolution mit allgemeiner Emanzipation, die darauf beruht, daß beide über die ungleichzeitige Entwicklung zwischen Frankreich und Deutschland ähnlich denken, d. h. daß eine bürgerliche Revolution Deutschland erst auf den Stand von 1789 bringen würde (über beider Anschauung der Gegenwart als Komödie ist an anderer Stelle die Rede). Schließlich fassen Heine und Marx, wie erwähnt, die Stellung der deutschen Philosophie zur Zeitgeschichte in analoger Weise auf (MEW 1, 383; unter dem anderen Gesichtspunkt der Stellung des Gedankens zur Tat übernimmt MEW 1, 391, Heines Metapher vom »Blitz«). Marx geht nun einen entscheidenden Schritt über Heine hinaus, wenn er Philosophie und Proletariat im Hinblick auf die »*Emanzipation des Deutschen*« in aktive Verbindung bringt: »Der *Kopf* dieser Emanzipation ist die Philosophie, ihr Herz das Proletariat«. Diesen Gedanken wird Heine noch 1844 in den *Briefen über Deutschland* nachvollziehen (vgl. S. 371). Marx' Schlußvision vom »deutschen Auferstehungstag« weist auf Heines revolutionären Patriotismus voraus, während das Motiv vom »Schmettern des gallischen Hahns« den Anfang des *Kahldorf*-Textes zitiert (vgl. Reeves). Die vielfältigen wechselweisen Beziehungen zwischen den Anschauungen Heines und Marx lassen sich letztlich sogar bis in ihre gemeinsame Fehleinschätzung im Hinblick auf Deutschland verfolgen: In ihrer Verzweiflung an der philisterhaften deutschen Gegenwart nähren beide die überschwengliche Hoffnung, daß die zukünftige Entwicklung die Phase der bürgerlichen Revolution sozusagen überspringen könnte (s. dazu Kaufmann), eine Illusion, die Marx bald korrigieren sollte, während sie zur Grundlage von Heines Deutschland-Kritik gehört.

Lit.: Hans Kaufmann 1958 (s. o.), 41–64 u. 159 f.; Auguste Cornu: *Karl Marx und Friedrich Engels,* Bd. 2, Berlin (Ost), 1962, 40 ff.; Georg Lukács 1964 (s. o.); Nigel Reeves: *Heine and the Young Marx,* in: Oxford German Studies, Vol. 7, 1972-3, 44–97; Jean-Pierre Lefebvre: *Marx und Heine,* in: IWK 1972, 41–61; Klaus Briegleb: *Heinrich Heine und Karl Marx, Paris 1844,* in: Wilhelm Gössmann – Winfried Woesler (s. o.), 100 ff.; Robert C. Holub: *Spiritual Opium and Consolatory Medicine,* in: HJb 1980, 222 ff.; Ronald H. Nabrotzky: *Karl Marx als Heinrich Heines politischer und poetischer Mentor,* in: *Sprache und Literatur. Festschrift für Arval L. Streadbeck,* hrsg. von Wolff A. von Schmidt etc., Bern etc. 1981, 129–140 (Sonderdruck); Hans-Joachim Helmich: *Wirklichkeitskonstitution durch Spiegelung der »verkehrten Welt«? Heine und Marx in Paris 1843/44,* in: HJb 1982, 50–66; Jean-Pierre Lefebvre: *L'ami Heine,* in: Revue philosophique no. 2, 1983, 179–220; Wolfgang Hädecke (s. o.); Klaus Briegleb: *Opfer Heine?* Frankfurt a. M. 1986, 71–104: General Marx-Hund Heine [zuerst 1981 in: *Heinrich Heine 1797–1856*].

Aufnahme und Wirkung

Deutschland

Gelacht haben sie wohl alle über das *Wintermärchen,* die Freunde und die Feinde, aber letztere haben es sich dann bitter verkniffen. Die staatlichen Abwehrmaßnahmen, die die Berichterstattung stark behinderten und zentrale Themen wie Preußenkritik und Sozialutopie tabuisierten, vermochten allerdings nicht zu vereiteln, daß das zweite Versepos zu den Werken Heines gehört, »die zeitgenössisch am lebhaftesten diskutiert wurden« (DHA 4, 973). Das relativ große Echo von pro und contra hat jedoch dafür gesorgt, daß die bedeutendste deutsche satirische Dichtung bis in die jüngste Zeit zu den umstrittensten Werken Heines gehört. Was Hans Kaufmann, dem wir die nach 1945 einzige und bis heute maßgebliche Monographie verdanken, an anderer Stelle als »Menschheitsgedicht von der Art der *Göttlichen Komödie* und des *Faust*« bezeichnet hat (*Heinrich Heine,* Berlin und Weimar 1976, 3. Aufl., 260), wurde bei seinem Erscheinen von den Zensurbehörden auf beispiellose Weise verfolgt und von konservativen Kritikern beschimpft, während liberale Stimmen es verteidigten und Frühsozialisten es als Heines summum opus auf ihr Schild hoben. Die bis in die unmittelbare Gegenwart reichenden Adaptationen bezeugen auf ihre Weise, daß das Ärgernis *Wintermärchen* nicht allzuviel an Kraft und Faszination verloren hat – und schon deshalb nicht verlieren konnte, weil die ganze »Scheiße« der deutschen Geschichte erst im 20. Jahrhundert so richtig zu stinken angefangen hat.

Am 4. Oktober begannen die über ein Jahr andauernden, bundesweiten Verbotsmaßnahmen (zuerst Beschlagnahme) gegen die *Neuen Gedichte* und gegen den Separatdruck; am 11. Oktober forderte Preußen die übrigen Bundesregierungen zum Verbot der *Neuen Gedichte* auf (Übersicht DHA 2, 259 ff. und 4, 980 ff.). – Die Ablehnung durch konservative Stimmen beruhte ebenfalls auf der alle empörenden Religionskritik; hinzu kam dann die Abwehr wegen der angeblich zu großen Freiheit im Umgang mit der poetischen Form. Zwei Rezensenten bestätigten dagegen dem Werk politische Harmlosigkeit. Typisch ist die in lokalpatriotischem Geist geschriebene Hamburger Kritik, die nur »Schmutz«, »Zote« und »Unflath« zu entdecken vermochte. Der Assoziation »Misthaufen« antwortet eine andere Stimme mit »Kehrichthaufen«, auf den dieses »elende Machwerk« zu schmeißen sei.

Die Ablehnung sollte jedoch nicht das Feld beherrschen (eine Bilanz ergibt sogar ein »leichtes Übergewicht« der positiven Stimmen, DHA 4, 975 und 984 ff.). Heine hat der positiven Aufnahme durch Versendung von Rezensionsexemplaren gut vorgesorgt. An privaten Äußerungen ist zunächst bemerkenswert, daß Opfer von Heines Satire wie Herwegh, Dingelstedt oder Freiligrath ihre Anerkennung nicht verschwiegen haben (Freiligrath schrieb in einem Brief, er sei »bei'm Lesen fast unter den Tisch gefallen vor Lachen«). Die liberale Opposition, die ohne größere Sympathie für Heine die politisch willkommene Schützenhilfe durch das Werk erkannte, betonte dann in ihrer Presse immer wieder die Schärfe des Spottes und der Satire, den sprudelnden Witz und den Humor. Auffallend ist, daß Heine der Ehrentitel des wahren deutschen Aristophanes nicht bestritten wird, ja, Heines Freund Laube sieht in den aristophanischen Tönen des Gedichts seine Vorrangstellung gegenüber aller anderen politischen Dichtung (»Zeitung für die elegante Welt«). Wie bei der Aufnahme der *Neuen Gedichte* verdient die Kritik, die Adolf Stahr im Oktober 1844 in der »Bremer Zeitung« erscheinen ließ, Beachtung, denn sie stellt die Satire als zeitgemäße Form heraus, die der Behandlung der deutschen Gegenwart angemessen ist. Für Stahr sind Heines Satiren deshalb so wahr und so gut, »weil wirklich Stoff zur Satyre vorhanden und er [Heine] witzig genug ist, ihn zu benutzen«. Aus ästhetischer Sicht betont er »geniale Formliederlichkeit«, da für ihn die »Verhöhnung der Poesie« formal vollendet ausgeführt worden sei. Den Inhalt bezeichnet Stahr

als »Communismus« (der Liktor aus dem Köln-Caput erscheint ihm als »Communismus Weitling's«), aber überraschend als christlich-romantischen.

In den Pariser Kreisen der Junghegelianer und Frühsozialisten wurde das als beispielhaft für moderne Dichtung anerkannte *Wintermärchen* intensiv rezipiert (DHA 4, 995 ff.). Arnold Ruge feiert in einer 4teiligen Rezension, die im Januar 1845 im Hamburger »Telegraph für Deutschland« erschien, in begeisterten Tönen die »klassische Reinheit« eines Gedichtes, das er als revolutionäre »Komödie« bezeichnet, weil sie die ihrem Gegenstand völlig angemessene Form ist: »Die absolute Kritik in der Poesie ist die absolute Komödie, die Komödirung von Allem!« Den Vorrang des Gedichts gegenüber anderen erkennt er gerade daran, daß es keine bestimmte Richtung, »keinen Glauben und keine Treue« hat. – Eine publizistische Kampagne zwischen Heines Freunden und alten republikanischen Feinden zeichnete sich im Dezember 1844 ab, als auch der »National de 1834«, Hauptorgan der französischen Republikaner, begeistert auf die Übersetzung des »chef d'œuvre de fantaisie satirique« reagierte. Zuvor hatte auch der oppositionelle »Charivari« Heines »hardiesse révolutionaire« gelobt. Die Börne-Partei veranlaßte nun Widerrufe, in denen sie Heines Glaubwürdigkeit infrage stellen wollte, aber nur eine Reihe von Verteidigungsartikeln hervorrief, in denen Carl Ludwig Bernays, Gustav Kolb, Karl Marx und Karl Grün Ende Dezember Heines Partei ergriffen (vgl. hierzu Netter und Grandjonc, der den bisher unbekannten Artikel von Marx veröffentlicht hat). Marx stellt Heine als »eine der deutschen Incarnationen des humanistischen Princips« auf eine ganz andere Stufe als die seiner Gegner, die zu »kleinlichen, auf anonyme Zeitungsartikel gestützten Denunziatiönchen ihre Zuflucht nehmen«. Heine hat selber im »National« vom 27. Dezember gegen die Unterstellungen protestiert (B 9, 93 f.). – Diese Vorgänge lassen deutlich werden, in welchem Maße Heine Ende 1844 in Paris seinen Ruf wieder festigen konnte. Seinem Epos wurde allmählich »kanonische Geltung für die sozialistische Bewegung« zuteil (DHA 4, 1003), was die zahlreichen Zitate, die Marx und Engels in den Revolutionsjahren 1848/49 machten, ebenso belegen wie die Zitate in Georg Weerths Briefen und Schriften (DHA 4, 1003 f.). Die »Contrebande« aus Caput II hatte ihren Bestimmungsort erreicht.

Die Aufnahme in Frankreich

In zum Teil sehr umfangreichen Besprechungen haben bekannte Schriftsteller und Journalisten ein eher positives Bild der *Germania* gezeichnet, die, wie üblich, durch Witz und Ironie gefiel, aber vor allem jetzt durch die bisher nie erlebte Kühnheit und Radikalität in der Auseinandersetzung mit Deutschland überraschte (DHA 4, 1164 ff.). Sehr beeindruckt verglich der spätere Rassentheoretiker Gobineau Heine mit Rabelais. Viele Rezensenten beschränkten sich allerdings darauf, den Inhalt des Werkes zu referieren, wie z. B. die mit Heine bekannte Gräfin Marie d'Agoult und Saint-René Taillandier in ihren langen Beiträgen in der renommierten »Revue des Deux Mondes« von Dezember 1844 und Januar 1845 (Texte bei Henning). D'Agoults Doppelporträt Freiligrath/Heine, das Lob mit Kritik mischte, sollte den verärgerten Heine zu den sog. *Briefen über Deutschland* veranlassen. Taillandier reagierte insgesamt zwiespältig: Er verband grundsätzliche Zustimmung mit erheblichen Einwänden aus politischer und ethischer Sicht. Ebenso schwankend zeigte sich der Schriftsteller Paul Gaschon de Molènes in seiner ausführlichen Besprechung, die im April 1845 im »Journal des Débats« erschien. A propos der Vorwürfe, die gegen Heines Werk vorgebracht wurden, sprach de Molènes dem *Wintermärchen* politische Bedeutung schließlich ganz ab.

Lit.: B 8, 1018 ff.; DHA 4, 973–1010 u. 1164 ff.; Lucienne Netter: *Une campagne de presse contre Heine*, in: Études Germaniques 27. Jg., 1972, 80–86; Jost Hermand (s. o.), 239 ff.; Richard Gary Hooton, 53 ff.; Jacques Grandjonc: *Du Vorwärts à Lutezia: à propos des rapports entre Heine, Marx et Bernays en 1844 et 1848*, in: *Heinrich Heine 1797–1856*, (Schriften aus dem Karl-Marx-Haus), Trier 1981, 182–201; Hans Henning: *Heines »Deutschland. Ein Wintermärchen« in der zeitgenössischen Rezeption*, Leipzig 1985 [neben Reprint der Erstausgabe von Heines Werk Abdruck von Rezensionen nach Originalen bzw. Kopien und Kommentar].

Adaptationen

Im Unterschied zu allen anderen Werken Heines hat das *Wintermärchen* direkt traditionsstiftend gewirkt. In seiner ausführlichen Darstellung behandelt Herbert Clasen 18 Adaptationen und Aktualisierungen, die zeitlich von Ludwig Reinhards *Schwerin. Ein Sommermärchen* aus dem Jahre 1846 bis zu Gerhard Rühms *Wintermärchen – Ein Radiomelodram* von 1976 reichen, aber nicht alle das Versmaß Heines und die Caput-Einteilung übernehmen. Die unterschiedlichsten Interessen, Fragestellungen und Haltungen herrschen vor: patriotische und demokratische, bürgerliche und sozialistische, museale und schöpferische. Viele Heine-Nachfolger sind heute so gut wie unbekannt, z. B. Wolfgang Müller von Königswinter (*Höllenfahrt von Heinrich Heine*, anonym 1856), Emilia Emma von Hallberg (*Heinrich Heine's Himmelfahrt*, 1857), Friedrich Steinmann (*Berlin. Herbstmährchen in 27 Kapiteln*, 1861), Franz von Königsbrun-Schaup (*Der ewige Jude in Monte Carlo*, 1892) oder Fritz von Ostini (*Ein neues Wintermärchen. Von Heinrich Heine*, 1899). Heinesches Erbe tradieren am ehesten diejenigen, die sich kritisch mit dem zweiten und dem Dritten Reich auseinandergesetzt haben. So hat Otto Hörth 1872 im Geiste der Arbeiterbewegung *Ein neues Wintermärchen* gedichtet, in dem er die neueste Entwicklung unter die Lupe nimmt (den Text druckt Grab, 150 ff.). Georg Grosz' Collage *Deutschland, ein Wintermärchen* (1917–1919) arbeitet mit anderen darstellerischen Mitteln. Johannes R. Becher greift dann 1934 in seinem Exilwerk *Deutschland. Ein Lied vom Köpferollen und von ›nützlichen Gliedern‹* auf die flexible Struktur des Reisebildes zurück, um eine große Problemfülle bzw. einen historisch und autobiographisch komplexen Stoff bewältigen zu können. Bertolt Brecht knüpft in der ersten Version (1938) von *Furcht und Elend des Dritten Reiches* nicht nur mit dem Titel *Deutschland – ein Greuelmärchen* und der Szenenanzahl an Heine an, sondern setzt sich auch, was Clasen, 340 ff., betont, an mehreren Stellen produktiv mit Heine auseinander. – Die heute bekannteste und gelungenste, in Satire und Reimkomik Heine wohl am nächsten stehende Adaptation verdanken wir Wolf Biermann, dessen *Deutschland. Ein Wintermärchen* 1972 den ursprünglichen Titel erstmals wieder genau übernimmt. Die in Heines Versmaß gedichteten 16 Capita enthalten bei der neuen Ausgangssituation, das geteilte Deutschland, zahlreiche Analogien: den Ich-Erzähler, der wieder aus dem Ausland, nach Biermanns Ansicht aus dem fortschrittlicheren der beiden Deutschlands, zur Mutter nach Hamburg reist; das Grenzerlebnis mit dem preußischen Militär; die Begegnung mit den Wölfen; den Nachttopf, der als Gully wiederkehrt, in den der Erzähler reinfällt; das Zusammentreffen mit Ernst Thälmann, das den Barbarossa-Capita nachgebildet ist sowie das Wiedersehen mit Hammonia. Ein »besseres Lied« ist auch das eingestreute »Thälmann-Lied«, in dem es heißt: »Die Freiheit ohne Grenzen / Und schön wie nie die Fraun«. Zur Kritik am konservierten alten kommt jetzt die Kritik am neuen, stalinistischen Deutschland. Selbst wenn die Adaptationen insgesamt, wie Clasen, 368, festhält, eine Tendenz zur »Reduzierung der hochkomplexen Strukturen des ›Wintermärchens‹« aufweisen, ist nicht zu leugnen, daß Biermann eine eigenständige künstlerische Erneuerung und politische Aktualisierung gelungen ist, und das ist es, was zählt (s. dazu Meier-Lenz, 85 ff.).

Lit.: Egon Schmidt: *Zur Rezeption von Heines Dichtung »Deutschland. Ein Wintermärchen« in der sozialdemokratischen Parteiliteratur der siebziger Jahre*, in: IWK 1972, 396–403; Hedwig Walwei-Wiegelmann: *Wolf Biermanns Versepos »Deutschland. Ein Wintermärchen« – in der Nachfolge Heinrich Heines?*, in: HJb 1975, 150–166; Dieter P. Meier-Lenz (s. o.); Walter Reese: *Zur Geschichte der sozialistischen Heine-Rezeption in Deutschland*, Frankfurt a. M. etc. 1979 (Europäische Hochschulschriften), 115 ff., 183 ff., 195 ff., 370 ff.; Herbert Clasen (s. o.), 271–368; Walter Grab (s. o.).

Romanzero

Entstehung, Druck, Text

»[D]ie dritte Säule meines lyrischen Ruhmes wird vielleicht ebenfalls von gutem Marmor, wonichtgar von besserem Stoffe sein«: Mit dieser Anpreisung versuchte Heine, dessen tödliche Erkrankung große finanzielle Probleme heraufbeschworen hatte, seinen Verleger, der seit April 1848 keinen Brief mehr beantwortete, aus der Reserve zu locken. Sechs Jahre nach dem letzten Lyrikbuch enthält der Brief vom 28. September 1850 die ersten konkreten Planungsabsichten zu einer neuen Sammlung, die das innovative Spätwerk eröffnen und, neben der Erinnerungsprosa, im wesentlichen repräsentieren wird.

Die Einzelteile der »dritten Säule« lagen im Gegensatz zu 1827 und 1844 nicht weit auseinander und ließen sich zu einer Konstruktion von großer Einheitlichkeit, die schließlich in der Rekordzeit von drei Monaten zustande kam, zusammenfügen. Nach Heines eigener zeitlichen Angabe im *Nachwort* (»letzten drei Jahre«) wären die Gedichte zwischen 1848 und 1851 entstanden; das trifft zwar für die Textmasse zu, aber die Hälfte der 61 Gedichte und drei Motto-Gedichte, die allerdings nur ein Achtel des Volumens ausmachen, ist, was Frauke Bartelt nachgewiesen hat, vor 1848 entstanden, d. h. *vor* der Revolution und *vor* dem körperlichen Zusammenbruch. Als Gesamtentstehungszeit müssen deshalb bis auf eine Ausnahme (*Altes Lied*

wurde schon 1824 gedruckt) die Jahre 1844 bis 1851 angenommen werden. In dieser Zeit, ab 1846, wurden bereits elf Gedichte einzeln oder in Zyklen, z. T. unter anderem Titel und in anderer Gestalt veröffentlicht, z. B. *Pomare* I–III, *An die Jungen* und *Karl I.* zusammen mit *Die schlesischen Weber* und *Wandere!* (B 7, 406) in dem von Hermann Püttmann herausgegebenen »Album« 1847 (Überblick B 12, 39 f.). Die überwiegende Mehrheit der Gedichte, 49 Stücke, erschien 1851 zum ersten Mal. Vor dem Buchplan ist die Arbeit an der Spätlyrik brieflich seit 1849 nachweisbar (»ich knittele sehr viel Verse« schrieb Heine am 30. April an Campe) – unter welch fürchterlichen körperlichen Qualen, das malt der Brief nach Hamburg vom 16. November aus, in dem steht: »Es ist also im wahren Sinn des Wortes mein versifizirtes Lebensblut, was ich solchermaßen gebe«.

Campes damaliges Schweigen hat das neue Projekt verzögert. Erst im Frühjahr 1851, durch Georg Weerths Vermittlung, verbesserten sich endlich wieder die Beziehungen, und Campes Reise nach Paris im Juli des Jahres konnte die langwierigste Krise zwischen Autor und Verleger beilegen. Zu diesem Entfremdungsprozeß war es gekommen, als Campe, der seit Mitte der 40er Jahre den Druck der Gesamtausgabe hinausschob, zu einem Zeitpunkt das Projekt in Angriff nehmen wollte, an dem Heine sich nicht mehr voll arbeitsfähig fühlte; am 26. April 1848, kurz vor seinem Zusammenbruch, faßte der verzweifelte Dichter noch einmal brieflich alle Vorwürfe zusammen – mit dem Ergebnis, daß er drei Jahre vergeblich auf Antwort wartete. Am 24. Juli 1851 schlossen Autor und Verleger dann einen Vertrag über die Publikation einer Lyriksammlung, »Romanzero« genannt, der Campe gegen 6000 Mark Banco (1975 ein Gegenwert von ca. 72 000 DM) ein für alle Male die Rechte sicherte.

In die kurze Zeit von Ende Juli bis Mitte Oktober fiel die Vorbereitung des Buchdruckes (B 12, 12 f. gibt einen Überblick über die hektische Entstehungsphase). Das Material mußte durchgesehen, politisch gesäubert und geordnet werden; große Stücke wie *Jehuda ben Halevy* und *Disputation* mußten noch geschrieben werden (das erste blieb sogar Fragment); früher veröffentlichte Gedichte wurden überarbeitet und vervollständigt (Jürgen Brummack, 261 ff., untersucht die Fassungen von *Karl I., An die Jungen* und *Pomare;* die Handschriften der beiden ersten Gedichte analysieren Eva und Michael Werner). In mehreren Briefen, zuletzt am 5. November 1851 an Georg Weerth, gibt Heine aufgrund des Arbeitstempos Schwächen seiner Gedichte zu, hofft aber, daß ihre mangelnde künstlerische Vollendung die Popularität nicht beeinträchtigen wird. Am 27. August konnte Heines Bruder Gustav mit dem Originalmanuskript, das handschriftliche Verbesserungen enthält, abreisen, da aus Gründen der Zeitersparnis keine Abschrift mehr angefertigt werden konnte. Im September nahm Heine noch eine kompositorische Änderung vor: Sechs kleine Gedichte aus der zweiten Abteilung (drei erschienen in *Zur Ollea* in den *Neuen Gedichten,* drei im Nachlaß) wurden gegen eine Gruppe von elf Stücken ausgetauscht (B 11, 98–104). Der ursprünglich vorgesehene gemeinsame Druck mit *Doktor Faust* entfiel. Eine Nachrede sowie einige Seiten Noten, mit deren Abfassung dann Campe beauftragt wurde, sollen den Umfang vermehren (es handelt sich um Exzerpte aus drei Geschichtswerken sowie aus *Reisebilder* II). Das *Nachwort,* ein großer, unter den »furchtbarsten Schmerzen und in dumpfer Betäubniß« geschriebener Bekenntnistext, ging am 30. September nach Hamburg ab. Schon knapp zwei Wochen später erhielt Heine durch einen Überbringer ein geheftetes Exemplar des *Romanzero.* Der Titel, der in dem erwähnten Vertrag erstmals genannt wurde, geht nach Heines Brief vom 12. August 1852 wohl auf einen Vorschlag Campes zurück, ist aber im deutschen Sprachraum nicht originell, denn Betty Paoli hatte bereits 1845 einen »Romancero«, eine Sammlung epischer Gedichte, erscheinen lassen. Mitte Oktober wurde die 1. Auflage ausgeliefert. Campes äußerst intensive, modern erscheinende Werbekampagne (er hatte 250 Briefe an seine Buchhändler geschrieben) sicherte der größtenteils unbekannten neuen Sammlung einen außerordentlichen, im 19. Jahrhundert ungewöhnlichen Erfolg: Nur Wochen nach der ersten erschien im November 1851 eine zweite Auflage, der im Dezember eine 3. und 4. (jeweils mit Jahreszahl 1852) folgte, so daß in nur gut zwei Monaten insgesamt 21 000 Exemplare gedruckt wurden. Mit Genugtuung konnte Heine, zehn Jahre vorher das Auflagen-Stiefkind gegenüber den Vormärz-Dichtern, diesen gewaltigen Publikumserfolg verbuchen. Nicht lange, denn durch Verbote und ablehnende Kritiken stockte der Absatz; es wurde bald ruhig um den *Romanzero;* eine 5. Auflage erschien erst 1859, eine 6. 1867.

Französische Übersetzung. – Heine hatte dafür gesorgt, daß noch vor der Auslieferung des *Roman-*

zero die »Revue des Deux Mondes« bereits am 15. Oktober sechs von Saint-René Taillandier übertragene Gedichte mit einer Einführung als *Romancero. Poésies inédites* druckte (HSA 13 K, 47 u. 215 ff.). – Diese Stücke übernahm Heine, als er im Frühjahr 1855 die Abteilung *Romancero* für den bei Michel Lévy frères erschienenen Band *Poëmes et Légendes* zusammenstellte, zu der wahrscheinlich Richard Reinhardt sieben weitere, von Heine überarbeitete Übersetzungen beitrug. Die Prinzipien der Auswahl, die den exotischen Charakter des *Romanzero* betont, sind nicht belegt. *Waldeinsamkeit (Elégie romantique)* eröffnet den Zyklus , der weiter aus elf *Historien* und einem *Lazarus*-Gedicht besteht. *Im Oktober 1849* ist der *Germania, conte d'hiver* als Zusatz, und im Titel angeglichen, angehängt worden *(L'Allemagne en octobre 1849).*

Druck: Der neue Lyrikband wurde unter dem Titel *Romanzero von H. Heine. Hamburg. Hoffmann und Campe. 1851.* veröffentlicht. Der Band enthält: *Erstes Buch. Historien* (1–115), *Zweites Buch. Lamentationen* (117–202), *Drittes Buch. Hebräische Melodien* (203–283), *Noten* (285–296) und *Nachwort* (297–313).

Text: – B 11, 7–177;

– HSA 13 *Poëmes et Légendes,* 197 f. u. 199–236, druckt die Prosaübertragung von 1855 (zusätzlich 416 ff. eine handschriftlich überlieferte Übersetzung von *Der weiße Elefant, La belle Kalergi).*

Lit.: B 12, 9 ff.; HSA 13 K, 215 ff.; Frauke Bartelt: *Entstehung und zeitgenössische Aufnahme des »Romanzero« von Heinrich Heine,* Diss. Kiel 1973; Eva und Michael Werner: *Zur Praxis der Handschrifteninterpretation,* in: Cahier Heine/1/, Paris 1975, 87–115; *Heinrich Heine. Epoche – Werk – Wirkung,* hrsg. von Jürgen Brummack, München 1980, 257–286: *Der Romanzero,* von Jürgen Brummack; Joachim Bark: ›*Versifiziertes Herzblut‹. Zu Entstehung und Gehalt von Heines ›Romanzero‹,* in: Wirkendes Wort 36, 1986, 86–103.

Der todkranke Dichter in siecher Zeit (»Matratzengruft« und ›Bekehrung‹)

Im *Nachwort* stellt sich der Dichter völlig desillusioniert als einer vor, dessen Leib »in die Krümpe gegangen« und der lebendig tot ist, der schon ›d'outre-tombe‹, von jenseits des Grabes spricht und dieses Grab nennt er »meine Matratzengruft zu Paris«, ein »Grab ohne Ruhe«. Mit bitterem Spott hält der lebendig Begrabene fest: »Man hat mir längst das Maß genommen zum Sarg, auch zum Nekrolog, aber ich sterbe so langsam, daß solches nachgerade langweilig wird für mich, wie für meine Freunde. Doch Geduld, alles hat sein Ende. Ihr werdet eines Morgens die Bude geschlossen finden, wo euch die Puppenspiele meines Humors so oft ergötzten.« (B 11, 180 f.)

Heines späte Lyrik und Prosa ist dem Tode unter größten Schmerzen abgerungen und von diesem hoffnungslosen Kampf geprägt worden. Sie hat das Leiden auf der einen Seite etwas erträglicher gemacht, aber auf der anderen – grausam-paradoxe Konsequenz – wohl auch das Sterben noch verlängert. Leiden und Dichtung sind in der Matratzengruft eine unauflösliche Verbindung wechselseitiger Durchdringung eingegangen, in der sich Genetisches und Therapeutisches bedingen. »Rasend vor Schmerzen«, schreibt Heine an Campe am 12. August 1852, »wirft sich mein armer Kopf hin und her in den schrecklichen Nächten, und die Glöckchen der alten Kappe klingeln alsdann mit unbarmherziger Lustigkeit«. Drei Jahre vorher hatte er die neue Poesie mit »Zauberweisen« verglichen, die »meine Schmerzen kirren, wenn ich sie für mich hin summe. Ein Poet ist und bleibt doch ein Narr!« (am 30. April 1849 an Campe).

Der endgültige körperliche Zusammenbruch vollzog sich im Mai 1848, zwischen Februar- bzw. März-Revolution und Juni-Revolution; diesen dramatischen Augenblick teilt das *Nachwort* in einem bewegenden, wahrscheinlich stilisierten Bericht, der gleichzeitig die damals vieldiskutierte religiöse Wende vergegenwärtigt, detailliert mit: »Es war im Mai 1848, an dem Tage, wo ich zum letzten Male ausging, als ich Abschied nahm von den holden Idolen, die ich angebetet in den Zeiten meines Glücks. Nur mit Mühe schleppte ich mich bis zum Louvre, und ich brach fast zusammen, als ich in den erhabenen Saal trat, wo die hochgebenedeite Göttin der Schönheit, Unsere liebe Frau von Milo, auf ihrem Postamente steht. Zu ihren Füßen lag ich lange, und ich weinte so heftig, daß sich dessen ein Stein erbarmen mußte. Auch schaute die Göttin mitleidig auf mich herab, doch zugleich so trostlos, als wollte sie sagen: siehst du denn nicht, daß ich keine Arme habe und also nicht helfen kann?« (B 11, 184).

In den europaweit gärenden Wochen kulminiert ein Krankheitsprozeß, der Leben und Werk des Dichters schon lange bestimmt hat, die Arbeit immer wieder durch Schmerzen und Depressionen behindernd (das hat Dr. Arthur Stern protokolliert; vgl. B 10, 798 ff. und Hädecke). Schon der Berliner Student klagte über Kopfschmerzen und ließ sich behandeln; schon der Münchner Journalist

fühlte sich »bis auf den Tod krank« (an Merckel vom 1. Dezember 1827). 1832 machten sich Lähmungserscheinungen an der linken Hand bemerkbar; im September 1837 kam ein periodisch wiederkehrendes Augenleiden hinzu, daß Heine Erblindung befürchtete, und 1845 trat neben den Sehstörungen noch eine Lidlähmung auf. Der Erbschaftsstreit ruinierte 1845/46 weiter Heines Gesundheit: Lähmungen erfaßten jetzt Sinnesnerven und den Mund. Im September 1847 griff das Hauptleiden, die Rückenmarkserkrankung, auf die Beine über, bevor Lähmungen den ganzen Körper überfielen und 1848 dann der Zusammenbruch erfolgte. Aus Rücksicht auf die Mutter und aus Sorge um seine Frau hat Heine den Vorsatz zum Selbstmord verworfen. Verschiedene, z. T. qualvolle Therapien (wie glühende Dochte im Rücken oder Fontanellen längs der Wirbelsäule) sollten Linderung verschaffen; Morphium und Opium wurden u. a. durch eine offen gehaltene Wunde am Hals verabreicht. Weil genaue ärztliche Diagnosen nicht vorliegen, ließ sich die komplexe Symptomatik mit dem Hauptleiden bisher nicht eindeutig bestimmen. Lange Zeit ging man von den Spätfolgen einer syphilitischen Infektion aus, so daß sich eine ganze Reihe von Mythen und Legenden um die Erkrankung gebildet hat. Stern verfolgte 1964 die Indizien, die auf Syphilis (an die auch Heine selber geglaubt hat) schließen lassen: Nach seiner Ansicht erklärt die »sog. *Lues cerebrospinalis*« das komplexe Krankheitsbild (bei angeborener neuropathischer Konstitution). Da aber keinerlei Hirnzerfall oder Beeinträchtigung der geistigen Fähigkeiten festgestellt worden sind, litt Heine wahrscheinlich, was eine Mitteilung des Medizinhistorikers Hans Schadewaldt nahelegt, an einer myatrophischen Lateralsklerose (Windfuhr, 109).

Der Hinweis auf bereits redigierte Nekrologe darf nicht als Fiktion aufgefaßt werden: Seit 1845 war Heines Gesundheit schon Gegenstand öffentlicher Diskussionen; 1846 wurden auf die Nachricht seines Todes tatsächlich Nekrologe verfaßt und veröffentlicht (s. B 12, 564 ff., u. a. den nicht veröffentlichten Nachruf von Heines Freund Laube) und in einer *Berichtigung* vom 15. April 1849 war Heine, der »arme todkranke Jude«, erstmals öffentlich gegen die Gerüchte aufgetreten (B 9, 108 ff.), auf die dann das *Nachwort* ausführlich reagiert. Vor dem Erscheinen des *Romanzero* war das öffenliche Interesse an Heines Person durch Berichte von Besuchern über die Erkrankung und die »Bekehrung« weiter gewachsen (B 12, 22 u. f.). Für neue Speku-

lationen sorgten u. a. ein Artikel von Alfred Meißner (*Vom Krankenbett Heinrich Heines*, 1850), ein
Buch Adolf Stahrs (*Zwei Monate in Paris*, 1851),
das das immer wieder aufgegriffene Wort vom
»sterbenden Aristophanes« lancierte (Werner II,
205), und der Beitrag des Bruders Gustav (*Einige
Worte über Heinrich Heine*, 1851: Texte Werner II,
19 ff., 199–223, 239 f., 246 ff. u. 268 ff.).

Grundlegend für das Verständnis der späten
Lyrik ist nun, daß Heine sein Leiden als Zusammenfall von Biographie und Historie erlebt hat:
Am eigenen Leibe erfuhr er stellvertretend den
Zusammenbruch der revolutionären Hoffnungen
in den Jahren 1848/49, so daß sein persönliches
Schicksal dasjenige der nachrevolutionären Zeit
symbolisierte und seine private Verzweiflung diejenige der Epoche ausdrücken konnte (diesen Zusammenhang hat wohl zuerst Georg Lukács betont;
vgl. neuerdings Klaus Briegleb, z. B. B 10, 789 und
Wolfgang Hädecke). Heine hat die Koinzidenz von
Individuellem und Allgemeinen, die erstmals im
Romanzero ihren künstlerischen Ausdruck finden
sollte, in Briefen mit Spott behandelt, so z. B. während der entscheidenden Pariser Juni-Revolution
(»Mes jambes n'ont pas survécu à la chute de la
royauté et je suis à présent cul-de-jatte«, d. h. ein
Krüppel, schrieb er am 25. Juni 1848 an La Grange)
und später, zur Zeit der triumphierenden Gegenrevolution (»In demselben Maße wie die Revolution
Rückschritte macht, macht meine Krankheit die
ernstlichsten Fortschritte«; an Campe vom 28. Januar 1852). Die Agonie des Krüppels in seiner
Matratzengruft besiegelte nun, und ganz einschneidend, das Los der Vorstellungen, die Heine seit der
siegreichen Juli-Revolution von 1830 über sein
Schriftstellertum entwickelt hatte: Der unvermeidliche Rücktritt vom »öffentlichen Tribunat« und
»Sprechamt« (B 5, 10) erforderte eine Neuorientierung, d. h. die Ausbildung einer neuen schriftstellerischen Identität. Nur vier Jahre nach der 1844
»plötzlich renovirten Tribunatsreputazion« sah er
sich gezwungen, seinen endgültigen Rücktritt als
öffentlicher »Stimmführer« einzuleiten, wie er sich
beidemal Gustav Kolb anvertraute (am 12. April
1844 und am 13. Februar 1852). Dennoch sollte es
ihm gelingen, verlorenen Boden zurückzugewinnen, indem er das Siechtum der Matratzengruft mit
dem allgemeinen ›Siechtum‹ in Einklang brachte.

Neben diesem erzwungenen Rücktritt erfordert
im Hinblick auf den *Romanzero* eine andere Ab-
und Rückkehr Beachtung, denn die Stimme aus
dem Pariser »Grab« läßt sich unüberhörbar als

religiöse vernehmen. Der zusammengebrochene
Dichter mußte erkennen, daß es mit seiner Men-
schengöttlichkeit nicht weit her war; daß der früher
so selbstbewußt vertretene Pantheismus an der
menschlichen Misere zuschanden gekommen war;
daß ein »zertretener Wurm«, der am Boden lag,
nicht mehr »dem Himmel frech die Stirne« zu bieten vermochte (wie er seinem Bruder Maximilian
demütig am 3. Mai 1849 mitteilte). Aus existentiel-
len Bedürfnissen heraus brauchte Heine keine
schließlich »hilflosen« Heidengötter mehr, was die
Szene im Louvre plastisch vor Augen führt, sondern einen tröstenden und helfenden Gott, und das
war für ihn der persönliche Gott der Bibel (Ludwig
Rosenthal, 283 ff., hat die religiöse Wende Heines
1848, 1849 chronologisch festgehalten). Wenn das
Nachwort die Absage an den Pantheismus und die
»Heimkehr zu Gott« authentifiziert, so trägt es zugleich Sorge, jedem Mißverständnis im Sinn einer
Rückkehr in den Schoß einer Kirche vorzubeugen.
Dem bekenntnishaften »Ja, ich bin zurückgekehrt
zu Gott, wie der verlorene Sohn« folgt mit rhetorischer Parallelität das Dementi: »Nein, meine religiösen Überzeugungen und Ansichten sind frei geblieben von jeder Kirchlichkeit; kein Glocken-
schlag hat mich verlockt, keine Altarkerze hat mich
geblendet«. (B 11, 184) Diese doppelte Haltung:
Religiöse Kehre und antidogmatische Kontinuität
werden die drei großen *Hebräischen Melodien*
deutlich vor Augen führen. – Das, was in der Forschung »theologische Revision« genannt worden
ist, soll im Zusammenhang mit den *Geständnissen*,
in denen Heine die Umstände und die inneren
Gründe seiner Wandlung dargestellt hat, näher behandelt werden.

Lit.: Georg Lukács: *Deutsche Literatur in zwei Jahrhunderten*,
Neuwied und Berlin 1964 (Werke Bd. 7), 273 ff.: Heinrich
Heine als nationaler Dichter, speziell 303 ff.; Dr. Arthur
Stern: *Heinrich Heines Krankheit und seine Ärzte*, in: HJb
1964, 63–79; Dolf Sternberger: *Heinrich Heine und die Abschaffung der Sünde*, Hamburg u. Düsseldorf 1972, 241–258 u.
278 ff.; Wilhelm Gössmann: *Die theologische Revision Heines
in der Spätzeit*, und Louis Cuby: *Die theologische Revision in
Heines Spätzeit*, beide in: IHK 1972, 320–335 u. 336–342;
Ludwig Rosenthal: *Heinrich Heine als Jude*, Frankfurt a. M.
etc. 1973; Manfred Windfuhr: *Heinrich Heine*, 2. Aufl. Stuttgart 1976; Wilhelm Gössmann: *Formen der literarischen Religionskritik Heines*, in: Wilhelm Gössmann, Joseph A. Kruse
(Hrsg.): *Der späte Heine 1848–1856*, Hamburg 1982 (=Heine-
Studien), 175–204; Wolfgang Hädecke: *Heinrich Heine. Eine
Biographie*, München 1985, 463–497.

Komposition, Gattung, Romanze

Heine, der Meister kunstvoller, zyklischer Arrangements, hat 1851 keine einfache modische Balladen- oder Romanzensammlung, sondern ein Werk von großer kompositorischer Geschlossenheit vorgelegt. Der Eindruck architektonischer Strenge beruht in erster Linie auf der Einteilung in drei Bücher, die jeweils ein Motto tragen und die von Gedichten mit Prolog- und Epilogcharakter eingerahmt werden. Dieser Eindruck wird durch die einheitlich religiösen Anklänge verstärkt, die sowohl von Heines in Prosa und Lyrik bevorzugtem Ordnungsprinzip »Buch« (z. B. *Reisebilder* II und *Ludwig Börne*) wie von den Untertiteln ausgehen: *Historien* könnte auf die Einteilung der beiden biblischen Testamente in »Geschichtsbücher« verweisen; *Lamentationen* ist auf jeden Fall eine Neubildung, die auf die »Lamentationes Jeremiae Prophetae« zurückgeht, während der Zyklus *Lazarus* auf dem Evangelium des Lukas beruht; im dritten Buch, den *Hebräischen Melodien*, klingen außerdem die »Hebrew Melodies« von Lord Byron an (1815 veröffentlicht). Die triadische Grundstruktur, die sich ferner im dritten Buch, das aus drei Gedichten besteht, und in dreigliedrigen Romanzen wie *Der Apollogott, Der Dichter Firdusi* und *Vitzliputzli* (ohne *Präludium*) wiederfindet, ist von Siegbert S. Prawer mit der Struktur der Hegelschen Dialektik in Verbindung gebracht worden, – eine Auffassung, die Jean-Pierre Lefebvre vertieft und die Helmut Koopmann mit dem Argument bestritten hat, das Werk sei vielmehr nach Art eines »Triptychon« mit flankierenden Seitenteilen angelegt. (Für Lefebvre stellen die drei Bücher die drei Momente des Syllogismus der epischen Poesie dar, den Hegel im siebten Kapitel der *Phänomenologie des Geistes* entwickelt hat; danach entsprechen die *Historien* der Allgemeinheit – nach Hegel von der homerischen Götterwelt repräsentiert; die *Lamentationen* korrespondieren der Besonderheit – nach Hegel das Volk in seinen Helden – und die *Melodien* der Einzelheit – nach Hegel der Sänger.) Die verblüffende Nähe zu Hegel, die sich tatsächlich in der konsequenten Folge von Weltgeschichte / Leiden eines Individuums / Leiden eines Volkes bzw. seiner Repräsentanten auffinden läßt, wäre allerdings in eine Zeit gefallen, in der sich Heine ausdrücklich von seinem Berliner Lehrer losgesagt hat! Mit dem Nachweis der dialektischen Komposition ist jedoch die Interpretation der äußerst tiefsinnigen Struktur des *Romanzero* noch keineswegs

erschöpft, denn in allen Büchern trifft man auch auf paarweise zugeordnete Gedichte (im *Ersten Buch* nach Ländern und / oder nach Themen) bzw. auf Zweiteilung *(Zweites Buch)*.

Heine hat Campe am 22. März 1852 zufrieden wissen lassen, wie sehr »der ordnende Geist zu [s]einen Haupt Eigenschaften gehört«, was er jüngst bei der Herausgabe des *Romanzero* erneut unter Beweis gestellt habe. 1851 waren nun die Voraussetzungen zu einer geschlossenen Planung besonders günstig: Die Hauptmasse der Gedichte ist in kurzer Zeit und im Hinblick auf die Buchpublikation entstanden; zyklische Erstveröffentlichungen lagen so gut wie nicht vor; und Heine hat wegen kompositorischer Abrundung nicht gezögert, schwächere Gedichte aufzunehmen und bessere in den Nachlaß zu verbannen. Trotz der Schwächen zählt deshalb Siegbert S. Prawer den *Romanzero* zu »one of the great books of world literature: an astonishing feat of poetic architecture both in its individual poems and in its over-all arrangement« (Prawer, 147).

Die Grundstruktur muß formal, stofflich und inhaltlich sehr Disproportionales integrieren: Einteilige Balladen stehen neben drei- und vierteiligen; die vier Strophen von *Der Asra* stehen neben den 151 Strophen des *Vitzliputzli*, die epigrammatische Kurzlyrik im *Zweiten Buch* (in dem sogar die frühere »zweystrophige Manier« wiederkehrt) neben dem epischen Großgedicht *Jehuda ben Halevy (Drittes Buch)*, das mit seinen 224 Strophen das längste Gedicht Heines ist; Erzählgedichte mit Stoffen aus aller Herren Länder stehen neben Zeitgedichten über deutsche Zustände, und schließlich stehen historische Stücke neben z. T. radikal subjektiven *Lazarus*-Gedichten. Aus diesen Gründen trifft auch nicht zu, wenn Heine den Titel *Romanzero* mit der Behauptung rechtfertigen will, daß »der Romanzenton vorherrschend in den Gedichten, die hier gesammelt« (B 11, 180). Das trifft nur auf die Gedichte des ersten und dritten Buchs so zu.

Der *Romanzero* erschien zu einem Zeitpunkt, an dem die Beliebtheit und Hochschätzung dieser Gattung ihren Höhepunkt erreicht hatte. Heine, der nach damaligem Gebrauch, wie bereits erwähnt, nicht zwischen Romanze und Ballade unterschied, hat sich dieses typisch spanische Genre volkstümlicher Dichtung, das durch Herder sowie durch die Romantiker A. W. Schlegel, Tieck und Brentano erneuert worden war, in seinen früheren Lyriksammlungen angeeignet und ausgiebig benutzt (die episch-lyrische »romance« ist in Spanien im späten Mittelalter aufgekommen und im 16. Jahrhundert gesammelt worden; die berühmteste Sammlung der anonymen Dichtung ist bekanntlich der seit 1600 erschienene *Romancero general*). Übersetzungen aus dem Spanischen hatten die Popularität dieser Gattung mit dem trochäischen, assonierenden Versmaß weiter gesteigert; Sammlungen spanischer und französischer Gedichte mit dem Titel »Romancero« gab es vor 1850 in größerer Zahl. Alle drei Bücher des *Romanzero* haben spanische Stoffe in trochäischen Versen verarbeitet *(Der Mohrenkönig, Vitzliputzli, Spanische Atriden, Jehuda ben Halevy* und *Disputation).* Wesentlich ist nun aber, daß Heine zwar in der Romanzen- und Balladentradition steht, diese aber durch seine Perspektiventechnik gesprengt und zeitkritisch umfunktioniert hat. Was sich allgemein im Verhältnis zu Gattungstraditionen feststellen läßt, trifft auch auf die Ballade zu: Heine übernimmt eine Form, um sie mit politischen Intentionen zu erneuern. Diese Gegenstellung zur Tradition und zum damals vorherrschenden Balladentypus haben Hans-Peter Bayerdörfer und Jürgen Brummack an Beispielen überzeugend herausgearbeitet. Aus Brummacks Darlegungen geht auch hervor, wie unergiebig es ist, Heines komplexe Balladendichtung von einem Gattungstyp (›nordische‹ oder ›legendenhafte Ballade‹) oder von einem Gattungsaspekt aus erfassen zu wollen (so trifft man in der Diskussion auf Begriffe wie ›Gespensterballade‹, ›Situationsballade‹, ›poetologische Ballade‹ etc., die jeweils nur *einen* Teilbereich abdecken können).

Lit.: Urs Wilhelm Belart: *Gehalt und Aufbau von Heinrich Heines Gedichtsammlungen,* Diss. Bern 1925, 98–116 [Reprint Nendeln/Liechtenstein 1970]; S[iegbert] S. Prawer: *Heine The Tragic Satirist,* Cambridge 1961, 198–208; Helmut Koopmann: *Heines ›Romanzero‹,* in: Zeitschrift für deutsche Philologie Bd. 97, Sonderheft, 1978, 51–70; Jean-Pierre Lefebvre: *Die Stellung der Geschichte im Syllogismus des »Romanzero«,* in: *Heinrich Heine und die Zeitgenossen,* Berlin und Weimar 1979, 142–162 [zuerst franz. 1975 in: Cahier Heine]. — Joachim Müller: *Romanze und Ballade,* in: Germanisch-Romanische Monatsschrift NF Bd. IX, 1959, 140–156 (und: ders.: *Von Schiller bis Heine,* Halle (Saale) 1972, 473–491); Walter Hinck: *Die deutsche Ballade von Bürger bis Brecht,* Göttingen 1968, 1972 2. Aufl., 48–69; *Heinrich Heine;* Hans-Peter Bayerdörfer: *›Politische Ballade‹. Zu den »Historien« in Heines »Romanzero«,* in: Deutsche Vierteljahrsschrift für Literaturwissenschaft und Geistesgeschichte 46, 1972, 435–468; Jürgen Brummack (s. o.); Winfried Freund: *»Allnächtlich zur Zeit der Gespenster«. Zur Rezeption der Gespensterballade bei Heinrich Heine,* in: HJb 1981, 55–71. — Wolfgang Kayser: *Geschichte der deutschen Ballade,* Berlin 1936; Walter Müller-Seidel: *Die deutsche Ballade,* in: *Wege zum Gedicht,* hrsg. von Rupert Hirschenauer und Albrecht

Weber, Bd. 2, München/Zürich 1963, 17–83; Friedrich Sengle: *Biedermeierzeit,* Bd. II, Stuttgart 1972, 586–602.

Analyse und Deutung

Dialektik im Stillstand oder ewige Wiederkehr des Gleichen

Der streng rationale Aufbau des Werkes vermag keinen Augenblick darüber hinwegzutäuschen, daß der deutsche *Romanzero* von einer Welt erzählt, die völlig aus den Fugen geraten ist und der offenbar jede geschichtliche Dialektik abhanden gekommen ist. Nicht Vernunft herrscht in den Erzählungen, sondern Unvernunft, nicht Fortschritt, sondern Verfall, nicht Glück, sondern Leiden, – Leiden der Helden und Leiden der Opfer, und das Ich des *Lazarus*-Zyklus ist das elendeste Opfer von allen. Wohin sich die Erzählungen begeben, in die Welt-, die Individual- oder die Völkergeschichte, überall kehrt der Zusammenhang von Aufstieg, Fall und Untergang wieder, ein sinnloser Kreislauf, der alles menschlich Große und Schöne erfaßt und an den Rand gedrückt hat. Nach den versöhnlich stimmenden Auftaktgedichten der *Historien,* in denen die verkehrte Welt verlacht wird, treten die *Valkyren* auf und verkünden unerbittlich das Kernmotiv des *Romanzero:* »Und das Heldenblut zerrinnt / Und der schlechte Mann gewinnt«, dieses wird in der folgenden Erzählung, *Schlachtfeld bei Hastings,* anschaulich ausgeführt:

> Gefallen ist der beßre Mann,
> Es siegte der Bankert, der schlechte,
> Gewappnete Diebe verteilen das Land
> Und machen den Freiling zum Knechte.   (B 11, 22, vgl. 117)

Die *Historien,* eine kleine Weltgeschichte, durchmessen einen Zeitraum, der vom alten Ägypten über das mittelalterliche Persien bis hin zu Mexiko an der Schwelle der Neuzeit reicht bzw. von den neuzeitlichen England und Frankreich bis zum gegenwärtigen Paris, wobei Indien, Arabien, Palästina, Spanien und (mehrmals) das Rheinland eingeblendet werden, um überall den Kontext von Gewalt, Verrat und Verbrechen, von Kampf, Sturz und Tod wiederzufinden. Bilder von Königsstürzen und Götterdämmerungen reihen sich aneinander: Könige von Europa, Kleinasien oder Mexiko liegen in ihrem Blut oder werden in ihrem Blute liegen; sie lassen morden *(Spanische Atriden),* fordern zu Mord auf *(König David)* oder betrügen *(Der Dichter Firdusi);* Götter gaunern sich durchs Exil *(Der Apollogott)* oder gehen ins Exil *(Vitzliputzli).*

Die Kette des Scheiterns und Unterliegens setzt sich im zweiten Buch, in dem ein Ich-Sprecher auf den Scherbenhaufen seines Lebens zurückblickt, eindringlich fort. *Waldeinsamkeit* eröffnet einen Kreislauf, der ständig des verlorenen Glückes hohen Preis nennt und der in *Autodafé* mündet, in dem alle ehemaligen Liebessymbole verbrannt werden: »Ängstlich knistern diese Trümmer / Meines Glücks und Mißgeschicks«. Hauptstück des zweiten Buchs, das kompositorisch durch den großen Rahmen Historie und Religionsgeschichte herausgehoben wird, ist der *Lazarus*-Zyklus, in dem die Leidensthematik ihren subjektivsten und radikalsten Ausdruck gefunden hat. In Lazarus, dem Aussätzigen und Kranken, zusammen mit Hiob extremes Symbol sinnlos erscheinenden menschlichen Leidens (s. S. 127 f.), in dieser Gestalt bricht das Autobiographische total illusionslos durch die Rollenfiktion hindurch. So vergegenwärtigt das spruchhafte Prolog-Gedicht *Weltlauf,* das den Grundwiderspruch zwischen reich und arm des biblischen Berichtes in chiasmischer Form aufgreift (»viel« – »wenig«/»gar nichts« – »Etwas«) die finanziellen Nöte des Dichters bzw. seine bitteren Erfahrungen mit der Macht des Geldes:

> Hat man viel, so wird man bald
> Noch viel mehr dazu bekommen.
> Wer nur wenig hat, dem wird
> Auch das wenige genommen.
>
> Wenn du aber gar nichts hast,
> Ach, so lasse dich begraben –
> Denn ein Recht zum Leben, Lump,
> Haben nur die etwas haben.

Ohne Trost und Hoffnung auf ein Jenseits führt sich der Gelähmte des Zyklus sein Leiden, sein Sterben und seine Beerdigung vor Augen. »Christlich« hinterläßt er in *Vermächtnis* seinen Feinden als Abschiedsgeschenk seine »sämtlichen Gebresten« wie »Koliken«, »Harnbeschwerden«, »Hämorrhoiden«, »Krämpfe«, »Speichelfluß«, »Gliederzucken« und »Knochendarre in dem Rucken«. Von jenseits des Grabes erlebt er bitter seine *Gedächtnisfeier* als Ritual der Verneinung und Verweigerung:

> Keine Messe wird man singen,
> Keinen Kadosch wird man sagen,
> Nichts gesagt und nichts gesungen
> Wird an meinen Sterbetagen.

Angesichts des Todes fällt der Rückblick auf die Vergangenheit kraß aus. Früheres Glück wird nur noch als Illusion wahrgenommen: Dreimal platzen »Seifenblasen« an markanten Augenblicken

(*Rückschau, Verlorene Wünsche, Frau Sorge*). In dieser Situation ist das Bild, das sich der Lazarus von Frauen bzw. von Weiblichkeit macht, extremen Spannungen ausgesetzt: Der Tod erscheint als weibliche Allegorie, als »Frau Unglück« (Motto zum zweiten Buch) und als *Frau Sorge,* die am Bett des Sterbenden wachen; in *Unvollkommenheit* wird Enttäuschung über die »verehrte Frau« laut. Auf der anderen Seite vermag aber der Todkranke sein unstillbares Liebesbedürfnis nicht zu verleugnen: *Der Abgekühlte* sehnt sich danach, noch einmal »vor dem Sterben / Um Frauenhuld beseligt werben« zu können. – Der *Romanzero* erzählt vorwiegend aus der Perspektive der Opfer und Paria der Geschichte. Er ergreift die Partei der Besiegten (*Der Mohrenkönig,* Azteken in *Vitzliputzli,* Prinzen in *Spanische Atriden*), der Betrogenen (*Der Dichter Firdusi*), der Exilierten (Apollo) und der Unterdrückten (Sklave in *Der Asra*); er sympathisiert mit Außenseitern wie Schatzdieben, Henkern und Tänzerinnen. Diese Thematik wird übermächtig im Schicksal des Lazarus, bevor sie in demjenigen des jüdischen Volkes kulminiert. Läßt der dialektische Aufbau des *Romanzero* im *Dritten Buch* eine Vermittlung, gar eine Versöhnung von allgemeinem und individuellem Leiden erwarten, so gehen die *Hebräischen Melodien* vielmehr vom exemplarischen Einzelmärtyrer zum exemplarischen Märtyrervolk der Geschichte über und erzählen die Leidensgeschichte des jüdischen Volkes und seiner Repräsentanten. *Prinzessin Sabbat* und *Jehuda ben Halevy* sind keine Trost-, sondern Leidensmelodien, in denen sich der Sieg des Schlechten über das Gute als sinnloses Leiden in einer sinnlos gewordenen Welt darstellt. Der Paria, das ist jenes Volk, das in einen »Hund« verwandelt und zu einer hündischen Existenz verurteilt ist. Die Besiegten und Exilierten dieser Welt, das sind die großen spanisch-jüdischen Sänger, die Tod und Erniedrigung erleiden mußten und mit deren Schicksal sich der Dichter des *Romanzero,* Sohn dieses Volkes, identifiziert. *Prinzessin Sabbat* kennt keine Erlösung der Juden von ihrem Schicksal.

Sieben Jahre nach dem *Wintermärchen,* das »Ein neues Lied, ein besseres Lied« versprach, stimmt der *Romanzero* das Lied vom Schlechten an. In einer allgemeinen Abschwungphase der modernen Geschichte scheint die Spätlyrik dem zyklischen Geschichtsmodell den Vorzug vor dem teleologischen zu geben. Die utopische Perspektive hat den Test der Geschichte nicht ausgehalten. Individuelle Glücksansprüche sind durch einen geschundenen Leib widerlegt worden. – Es lohnt an dieser Stelle, auf die dualistische Geschichtsphilosophie, die Heine Anfang der 30er Jahre entwickelt hat, zurückzugreifen, um den Wandel in seinen Ansichten zu erfassen. Der Kritiker des Pariser Salon von 1831, der angesichts der Bilder des »großen Historienmalers« Delaroche zwischen einer mißtönenden »Weltgeschichte« und einer melodischen »Geschichte der Menschheit« unterschieden hat, ist 1851 selber zum großen »Historien«-Dichter geworden, der die Geschichte überall, wie auf den Bildern, »in Blut und Kot« herumrollen sieht (B 5, 68 f.). Die *Historien*-Galerie des *Romanzero* stellt die gleichen Sujets dar: Tod, Hinrichtung, Mord, sogar derselben Personen (Karl I. und französisches Königspaar), wenn nicht vergleichbarer Opfer (englische und spanische Prinzen). Aber zum einen ist drei Jahre nach der Revolution von 1848 die Erfahrung der Negativität in der Geschichte so stark geworden, daß das Blut der Opfer, das der Gang der Weltgeschichte erfordert, durch nichts mehr gerechtfertigt erscheint. Zum andern ist auch die Stimme der »heiligen«, »ewigen« »Geschichte der Menschheit« verstummt; »mißtönender Lärm« hat ihre Melodie zum Schweigen gebracht. Das zeigt sich nicht erst an der bitteren Bilanz, die *Lazarus* von seinem Leben zieht, das zeigen bereits die *Historien* an Bildern, die tragisches Scheitern von Liebesbeziehungen zum Inhalt haben: *Der Asra* kann nicht lieben, ohne zu sterben; *Pfalzgräfin Jutta* kann nicht lieben, ohne zu töten: Melisande und Rudèl können sich nicht umarmen, ohne sich für immer zu trennen.

Heines dialektisches Geschichtsverständnis, das immer den Preis mitgenannt hat, den der Fortschritt verlangt, nähert sich nach 1848 auffallend dem Pessimismus des Kreislaufmodells, das *Verschiedene Geschichtsauffassung* als »trostlos« und »fatalistisch« charakterisiert hat (B 5, 21 f.). Der damals zitierte Ausspruch des Prediger Salomo 1, 9: »Es ist nichts Neues unter der Sonne!« kehrt jetzt offenbar unwidersprochen und allmächtig als das schlechte Alte im Neuen wieder: Cortez' Aufbruch in die »neue Welt« (»Dieses ist Amerika! / Dieses ist die neue Welt!«) endet damit, daß das Neue als neues Unheil nach Europa zurückkehrt; die *Spanischen Atriden* zeigen an einer Dynastie konkret die Permanenz des Verhängnisses; und *König David*, den der *Romanzero* ebenso wenig vergessen hat wie *Salomo*, läßt gerade durch den Herrschaftswechsel den trostlosen Kreislauf des Schlechten noch plastischer hervortreten. Das Gedicht, das

erzählt, wie David seinen Sohn auffordert, General Joab beseitigen zu lassen, beginnt fatalistisch:

> Lächelnd scheidet der Despot,
> Denn er weiß, nach seinem Tod
> Wechselt Willkür nur die Hände,
> Und die Knechtschaft hat kein Ende.

Es bleibt jedoch zu diskutieren, inwieweit der von seinem Amt zurückgetretene Dichter die von ihm denunzierten Konsequenzen des zyklischen Geschichtsverständnisses, als da wären Achselzucken, ›Indifferentismus‹ oder Fatalismus, übernommen hat.

Lit.: Helene Herrmann: *Studien zu Heines »Romanzero«,* Berlin 1906; Charles Andler: *La poésie de Heine,* Lyon 1948, 145–171; Hella Gebhard: *Interpretation der Historien aus Heines »Romanzero«,* Diss. Erlangen 1956; S[iegbert] S. Prawer (s. o.), 149–198; Luciano Zagari: *La »Pomare« di Heine e la crisi del linguaggio ›lirico‹,* Studi Germanici Anno III/1, 1965, 5–38; Jeffrey L. Sammons: *Heinrich Heine, The Elusive Poet,* New Haven and London 1969, 349–397; Gerhard Storz: *Heinrich Heines lyrische Dichtung,* Stuttgart 1971, 169–210 u. 211 ff.; Hans-Peter Bayerdörfer (s. o.); Horst Rüdiger: *Vitzliputzli im Exil,* in: *Untersuchungen zur Literatur als Geschichte.* Festschrift für Benno von Wiese, Berlin 1973, 307–324; Benno von Wiese: *Mythos und Historie in Heines später Lyrik,* in: IHK 1972, 121–146; Helmut Koopmann (s. o.); Jean-Pierre Lefebvre (s. o.); Jürgen Brummack (s. o.); Irene Guy: *Sexualität im Gedicht. Heinrich Heines Spätlyrik,* Bonn 1984, 81–170; Joachim Bark (s. o.), 91 ff.

Karl I., Köhlerkind und Enfant perdu

Die Wiederkehr des Schlechten bedeutet nun nicht, daß jede Gegenkraft verschwunden wäre. Wenn auch das Ganze nicht voranschreitet, so bewegt sich doch etwas an einigen Punkten. Die tiefe Desillusion nach 1848/49 hat keineswegs Resignation oder Hinnahme der neuen Wirklichkeit hervorgebracht.

Es wäre falsch – um damit zu beginnen –, wenn man die farbenfrohen *Historien*-Bilder als Exotismus oder Eskapismus verstünde. In Wirklichkeit hat der *Romanzero* den Umweg über fremde Länder gewählt, um dem eigenen einen Spiegel vorzuhalten; die historische Einkleidung hat vielmehr die Funktion, die deutsche Gegenwart mit dem zu konfrontieren, was nach 1848 geschichtlich noch aussteht (Hans-Peter Bayerdörfer, der Heines Politisierung der Ballade analysiert hat, bezeichnet das »Balladenkostüm« als »Alibi gegenüber der Zensur« und die »historische Kulisse« als Rahmen »für die zeitgeschichtliche Invektive«). Eine ganze Reihe von Balladen veranschaulicht tatsächlich den Tod derjenigen, die nach 1848 ausgespielt haben: Adel und Klerus. Die Gedichte, die das

Schreckensbild der Revolution beschwören, erinnern die herrschenden Fürsten daran, daß sie noch einmal davongekommen sind und daß ihre Throne nicht von ewiger Dauer sind. Die kopflos umhergeisternde *Maria Antoinette* führt plastisch vor Augen, wie vergeblich das Festhalten am überholten Absolutismus ist (s. Bodi zum Motiv ›kopflos‹ und Abels zum Motiv Henker). Andererseits stehen Bilder der Integration (König Rhampsenit macht einen listigen Dieb zum Kronerben) oder der Emanzipation (der Herzog adelt den *Schelm von Bergen*), in denen der Geist einer neuen Zeit weht, auffallend an der Spitze der *Historien* (wo der denkschwache und schläfrige König von Siam sich selber denunziert). Fürstliche Willkür wird zwar in Persien, Israel und Spanien kritisiert, meint aber keineswegs nur die fremden Dynastien. *König Richard* denunziert direkt »Östreichs Festungsduft«. Nach den Thronen bekommen auch die ›Altäre‹ ihren Teil ab: Christliches Dogma und Glaube werden in *Disputation* und *Vitzliputzli* (Transsubstantiation) verspottet, christliche Askese wird in *Himmelsbräute* parodiert. Wie wenig sich der *Romanzero* schließlich auch mit den modernen Zuständen abfindet, das zeigt die Kritik der Macht des Geldes, das sich anschickt, alle menschlichen Verhältnisse zu durchdringen: Nach *Weltlauf* führt *Lumpentum* das eindringlich vor. Und wie wenig resignativ der Dichter des *Romanzero* ist, das beweist einmal der Spott auf besiegte Revolutionäre, die wie *Der Ex-Lebendige* (Herwegh) und *Der Ex-Nachtwächter* (Dingelstedt) unreif für die Revolution gewesen sind (von den polnischen *Zwei Rittern* ganz zu schweigen): Die Kritik falscher Vorstellungen zeigt implizit auf richtige. Zum andern beweist das der militante Ton, in dem Dingelstedt zur Rechenschaft gezogen wird (»Ex-Nachtwächter, wache auf! / Hier die Pritsche, dort die Kutten, / Und wie ehmals schlage drauf!«) oder in dem *An die Jungen* appelliert wird (auf »Laß dich nicht kirren« folgen in zwölf Versen 7 »!«, wobei sich der Sprecher nicht mehr mit den Jungen zu identifizieren vermag). – Zwei Beispiele sollen die untergründige Bewegung, sogar die versteckte Hoffnung, die trotz allem nicht im ›düstern‹ *Romanzero* fehlt, ans Licht holen. Beide gelten als Höhepunkte in Heines dichterischem Werk.

Karl I.

Im Wald, in der Köhlerhütte, sitzt
Trübsinnig allein der König;
Er sitzt an der Wiege des Köhlerkinds
Und wiegt und singt eintönig:

Eiapopeia, was raschelt im Stroh?
Es blöken im Stalle die Schafe –
Du trägst das Zeichen an der Stirn
Und lächelst so furchtbar im Schlafe.

Eiapopeia, das Kätzchen ist tot –
Du trägst auf der Stirne das Zeichen –
Du wirst ein Mann und schwingst das Beil,
Schon zittern im Walde die Eichen.

Der alte Köhlerglaube verschwand,
Es glauben die Köhlerkinder –
Eiapopeia – nicht mehr an Gott,
Und an den König noch minder.

Das Kätzchen ist tot, die Mäuschen sind froh –
Wir müssen zuschanden werden –
Eiapopeia – im Himmel der Gott
Und ich, der König auf Erden.

Mein Mut erlischt, mein Herz ist krank,
Und täglich wird es kränker –
Eiapopeia – du Köhlerkind,
Ich weiß es, du bist mein Henker.

Mein Todesgesang ist dein Wiegenlied –
Eiapopeia – die greisen
Haarlocken schneidest du ab zuvor –
Im Nacken klirrt mir das Eisen.

Eiapopeia, was raschelt im Stroh?
Du hast das Reich erworben,
Und schlägst mir das Haupt vom Rumpf herab –
Das Kätzchen ist gestorben.

Eiapopeia, was raschelt im Stroh?
Es blöken im Stalle die Schafe.
Das Kätzchen ist tot, die Mäuschen sind froh –
Schlafe, mein Henkerchen, schlafe!

Dieses einfache und doch komplexe, antithetische und schließlich rätselhafte Gedicht ist zunächst ein Jahr vor der Revolution von 1848 unter dem Titel *Das Wiegenlied* veröffentlicht worden, bevor es 1851 historisch fixiert und auf einen bestimmten König zentriert wurde. Es zeigt den König auf der Höhe seiner Macht, der in einem ergreifenden melancholischen Rollenmonolog, den ein Wiegenlied – das wiederum drei Lieder zitiert – ausgelöst hat, die Vision seines unaufhaltsamen Untergangs entwickelt (die Struktur des Gedichts, mit der wichtigen Funktion des Tempuswechsels, haben Bayerdörfer sowie Eva und Michael Werner herausgearbeitet). Heine hat dieser entscheidende geschichtliche Augenblick, in dem erstmals eine sakrosankte Person angetastet wurde, regelrecht fasziniert (*Französische Maler*, *Shakespeare*-Essay und *Lutezia*). Im Unterschied zu 1793 (s. *Maria Antoinette*) erweckt 1649 die Sympathie des Geschichtsdialektikers, der den Sieg des farblosen neuen (des Cromwellschen Puritanismus) über das farbenprächtige Ancien régime als Sieg der modernen Prosa über die Poesie bezeichnet hat. Das bekräftigt erneut das *Romanzero*-Gedicht, das den Epochenwandel voller Sympathie aus der Perspektive des unvermeidlichen Opfers darstellt, das als Todgeweihter seinem Henker ein Wiegenlied singt. Durch den Kunstgriff der zeitlichen Vorverlegung erscheint 1649 als notwendiger Fluchtpunkt des Gedichts; in dem Köhlerkind tritt sogar der historische Gegenspieler des Untergehenden auf. Obwohl das Katz- und Mausspiel tödlich endet, bleibt der Schluß aus der Sicht von 1851 doppeldeutig: Kein Königskopf ist gerollt und in »Henkerchen« klingt Spott auf jene an, die sich im Gegensatz zu ihren historischen Vorläufern tatsächlich wieder haben einlullen lassen. Dadurch erhält das in seiner Struktur zukunftsfreudige Gedicht einen Dämpfer, der mehr in der Wirklichkeit als in Heines später Skepsis begründet ist. – Diesen Schluß von *Karl I.* kommentieren nun zwei Gedichte, deren Hinzuziehung sich hier aufdrängt. *Im Oktober 1849* aus dem *Lazarus*-Zyklus, das die heldenhafte Niederlage der Revolution in Ungarn beklagt, stimmt im Kontrast dazu eine bittere Satire sowohl auf die antirevolutionäre Mentalität der Deutschen als auch auf die siegreiche Konterrevolution an (zur Analyse s. Michael Werner 1983). Zeigt das Schicksal der Ungarn – in Übereinstimmung mit dem Hauptmotiv des *Romanzero*–, daß »der Held, nach altem Brauch, / Den tierisch rohen Mächten unterliegen« muß, erfreut sich »Germania, das große Kind« (das eben kein Köhlerkind ist) »wieder seiner Weihnachtsbäume«. Die deutschen Fürsten werden aggressiv mit »Wölfen, Schweinen und gemeinen Hunden« verglichen, die dem kranken Dichter, der auf der einen Seite seine Solidarität und auf der anderen seinen Protest nicht verschweigen kann, vollends den letzten Nerv rauben:

> Das heult und bellt und grunzt – ich kann
> Ertragen kaum den Duft der Sieger.
> Doch still, Poet, das greift dich an –
> Du bist so krank und schweigen wäre klüger.

Das andere ist ein Gedicht aus dem Nachlaß, das schon im Titel: *1649–1793–????* das deutsche Versagen von 1848 anprangert und einem Volk, dessen Mentalität sich in dem Reim »Majestät«/»Pietät« symbolisieren läßt, jedes Talent im Umgang mit dem Richtbeil abspricht. Zugleich stehen aber die vier »*????*« wie ein Menetekel im Raum.

Der Zusammenfall von Allgemeinem und Individuellem, von Epochen- und Poetenschicksal, den die Ungarn-Elegie thematisiert hat (und dadurch dem so subjektiven *Lazarus*-Zyklus Symbolkraft verliehen hat), ist in dem zweiten Gedicht, das als Beispiel dienen soll, noch eindringlicher gelungen. *Enfant perdu*, der große Epilog zum *Lazarus*, bringt durch die Bilanz eines kämpferischen, aber gescheiterten Lebens Selbst- und Zeitbiographie in bewegenden Einklang. Die stark emotionale Wirkung dieses wohl mit am häufigsten zitierten Heine-Gedichtes, das ursprünglich »Verlorene Schildwacht« hieß, geht davon aus, daß die Rollenfiktion durch die Agonie eines Menschen authentifiziert wird, der sich in seiner Aufbruchszeit als »Soldat im Befreiungskriege der Menschheit« aufgefaßt hat und der sein schriftstellerisches Engagement kontinuierlich durch militärische Metaphorik hervorgekehrt hat. Die Geschichte vom sterbenden Dichter und Kämpfer beginnt mit den Versen:

> Verlorner Posten in dem Freiheitskriege,
> Hielt ich seit dreißig Jahren treulich aus.
> Ich kämpfte ohne Hoffnung, daß ich siege,
> Ich wußte, nie komm ich gesund nach Haus.

Die Wirkung wird ferner durch kompositorische Geschlossenheit, konkrete Bildlichkeit sowie durch Wechsel der Grundstimmung erreicht: Dem tragischen Auftakt folgen drei angriffslustige Strophen, bevor die beiden letzten die eigene tödliche Verwundung vor Augen führen; die Konfession des »Verlornen Posten« schließt aber nicht mit völliger Verzweiflung, sondern mit einem heroischen ›Es geht weiter!‹:

> Ein Posten ist vakant! – Die Wunden klaffen –
> Der eine fällt, die andern rücken nach –
> Doch fall ich unbesiegt, und meine Waffen
> Sind nicht gebrochen – Nur mein Herze brach.

Die regelrecht mit stockender Stimme gesprochenen Verse (was durch die deutliche Zäsur in der Versmitte und durch die Gedankenstriche evoziert wird) verbinden die Gewißheit des persönlichen Scheiterns mit der Zuversicht auf den siegreichen Fortgang des »Freiheitskrieges«, denn das *Enfant perdu* versteht die verlorene Schlacht nicht als das Ende des Krieges (das unterstreicht das antithetische »nicht gebrochen« – »brach«). Die deutlich abgesetzten vier Schlußworte lassen mit ihrem ebenso melancholisch wie pathetischen »Nur« keinen Zweifel daran aufkommen, daß der Triumph des Schlechteren und der Untergang des Besseren nicht das letzte Wort der Geschichte ist. Lazarus, der die deutsche Nachmärz-Stimmung zum Ausdruck bringt, stirbt doch als Dialektiker. Die *Lamentation* vom *Enfant perdu* scheint zwar der *Historie* vom »Köhlerkind« vollständig zu widersprechen: Die Kind-Fiktion bedeutet einmal notwendige und dann zerstörte Zukunft; aber die Hoffnung, die aus der letzten Strophe des *Lazarus*-Gedichtes spricht, bekräftigt noch im Augenblick des Scheiterns den ungebrochenen Glauben an die Vernunft in der Geschichte.

Die Klagelieder über zerstörte Hoffnungen und geplatzte Illusionen, die fremden und die eigenen, die Heine in einer Zeit, in der das bürgerliche Geschichtsbewußtsein in eine schwere Krise geraten ist, zu einem Zyklus zusammengestellt hat, erinnern auf verblüffende Weise an den Zeitgeist, der Mitte der 80er Jahre unseres Jahrhunderts herrscht (zur schematischen Charakterisierung seien nur die Reizbegriffe ›Posthistoire‹ oder ›Postmoderne‹ genannt). Eine genauere Krisologie würde nicht nur stimmungshafte Parallelitäten zwischen der damaligen und der heutigen Zeit zu Tage fördern, sondern auch ähnliche Denkbewegungen wie Abkehr von Aufklärung und Vernunft, Absage an »Meisterdenker« sowie Reaktivierung von Mythos und Religion. Nun bricht der bettlägerige Dichter des *Romanzero*, wie erwähnt, mit allzu optimistischem Fortschrittsdenken; er erteilt Hegel, den Hegelianern und den Saint-Simonisten eine Absage; auch gewinnen Mythen und Legenden an Bedeutung; die Erfahrung menschlichen Elends führt schließlich zur Anerkennung ethischer Werte, wie sie die erneute Lektüre der Bibel vermittelt. Aber im Unterschied zu aktuellen Phänomenen ist für den *Romanzero* entscheidend, daß sich die Stimme der Vernunft, wenn auch leise, dennoch vernehmen läßt. Der späte Heine hat zwar vieles zurückgenommen, aber nicht alles aufgegeben. Er sieht sich als »Enfant perdu«, als tödlich getroffener »verlorner Posten«, aber als einer, der sich selber treu geblieben und nicht zum Renegaten geworden ist. Das Motto zu den *Historien* greift die für Heines Werk und Denken zentrale Dialektik von Verrat und Treue auf (»Wenn man an dir Verrat geübt, / Sei du um so treuer«), die im Bild von der Schildwache, die »seit dreißig Jahren treulich« ausgehalten hat, erneut anklingt. Von ungebrochener Treue zu sich selber zeugt dann das *Nachwort,* in dem Heine allen Gerüchten von einer konservativen Wende entschieden entgegenhält: »Was mich betrifft, so kann ich mich in der Politik keines sonderlichen Fortschritts rühmen; ich verharrte bei denselben demokratischen Prinzipien, denen meine früheste Jugend huldigte und für die ich seitdem immer flammender erglühte«. Es ist vielleicht auch diese »Lektion«, die in Krisenzeiten auf schwere Proben gestellt zu werden pflegt und welche die Faszination eines Gedichtes wie *Enfant perdu* ausmacht.

Lit.: Stuart Atkins: *The Function of the Exotic in Heine's Later Poetry,* in: *Connaissance de l'étranger.* Mélanges offerts à la mémoire de Jean-Marie Carré, Paris 1964, 119–129; Hans-Peter Bayerdörfer (s. o.); Kurt Abels: *Zum Scharfrichtermotiv im Werk Heinrich Heines,* in: HJb 1973, 99–117; Leslie Bodi: *Kopflos – ein Leitmotiv in Heines Werk,* in: IHK 1972, 227–244; Eva und Michael Werner (s. o.); Hans Kaufmann: *Heinrich Heine,* Berlin und Weimar 1976 2. Aufl., 199 ff. u. 218 ff.; Hanna Spencer: *Dichter, Denker, Journalist,* Bern 1977, 52–64: Karl I. [zuerst 1972]; Winfried Freund (s. o.); Michael Werner: *Politische Lazarus-Rede: Heines Gedicht »Im Oktober 1849«,* in: *Gedichte und Interpretationen* Bd. 4, hrsg. von Günter Häntzschel, Stuttgart 1983, 288–299.

Judentum und Dichtertum

Die *Hebräischen Melodien* lassen Kontinuität und Wandel von Heines Einstellung zum Judentum spürbar werden: Wenn die mit großer Sympathie behandelte Doppelexistenz des jüdischen Volkes und des Schicksals seiner Dichter in *Prinzessin Sabbat* und *Jehuda ben Halevy* paradigmatische Bedeutung gewinnt (vgl. Brummack, 283 f.), so wird jeder religiöse Dogmatismus in *Disputation* weiter deutlich abgelehnt. Damit ist eine Entwicklung zum Abschluß gekommen, in der tiefes Zugehörigkeitsgefühl zum jüdischen Volk mit großer innerer Distanz zur jüdischen Religion, trotz früher religiöser Erziehung, einhergegangen ist (das haben Ludwig Rosenthal, Hartmut Kircher und Ruth Jacobi eingehend untersucht). Es sei kurz an die wichtigsten Abschnitte des Werdeganges erinnert. Zu Beginn der 20er Jahre ist der religiös indifferente Dichter des *Rabbi von Bacherach* für die Emanzipation der Juden eingetreten und hat den christlichen Antisemitismus in Vergangenheit und Gegenwart denunziert (Kircher, 177 ff. und Jacobi, 139 ff.). Zwischen 1825 und 1848 ließ dann das Engagement für allgemeine Emanzipation den spezifisch jüdischen Kampf an Interesse verlieren. Die scharfe Kritik am christlichen *und* jüdischen Spiritualismus, der in dem negativ besetzten Begriff des Nazarenertums gipfelte, hielt jedoch den Blick wach für jede Form von Antisemitismus, die Heine im persönlichen und überpersönlichen Bereich unaufhörlich denunziert hat. Nach 1848 identifiziert dann der zum jüdischen Monotheismus zurückgekehrte Dichter sein Schicksal mit dem des jüdischen Volkes, ohne sich konfessionell zu unterwerfen.

Alle drei Melodien zeugen, wie die Forschung nachgewiesen hat, von gründlichen historischen Kenntnissen des jüdischen Schrifttums, der jüdischen Poesie und der jüdischen Traditionen (Rosenthal, 289 ff., hat die diesbezüglichen Quellen zum *Romanzero* herausgearbeitet, vgl. Jacobi, 13 ff. u. Mach). Heine, der schon Anfang der 20er Jahre die Geschichte der Juden in Spanien studiert hat, ließ sich nach seinem Zusammenbruch ganze Kapitel aus dem Alten Testament sowie religionshistorische Werke christlicher Theologen vorlesen. Am meisten schöpfte er jedoch aus dem 1845 erschienenen Werk *Die religiöse Poesie der Juden in Spanien* von Michael Sachs, seiner wichtigsten Quelle (s. dazu Rosenthal, 291 f.).

In dem spanisch-jüdischen Sänger Rabbi Jehuda ben Samuel Halevy (ca. 1180–1245), der auf eine Stufe mit den »besten Lautenschlägern der Provence« gestellt wird (B 11, 137), erkennt Heine *den* Dichter schlechthin. Der autobiographische und poetologische Charakter dieser Romanze, die Heine wahrscheinlich in seinem Brief an Campe vom 21. August 1851 »das schönste meiner Gedichte« genannt hat, wird von Hartmut Kircher treffend betont, der sie »ein Gedicht über Dichter und Dichtung« bezeichnet (Kircher, 270 und ff.). In das Porträt Halevys zeichnet Heine eigene Züge ein (»rätselhaftes Lächeln«); er bringt in der fremden Biographie Teile seiner eigenen unter; die Unterscheidung des Talmud in Halacha und Haggada als Opposition zwischen kämpferischer Schule und »Garten« erinnert an seine Auffassung von engagierter Dichtung und »freiem Waldlied« (an *Atta Troll* knüpft das Zitat aus Caput XXVII – B 11, 144 – ebenso an, wie die Bezeichnungen »Flügelrößlein«, »Luftkindgrillenart« und »hochphantastisch« – B 11, 136, 133, 132); die Verwandtschaft wird besonders dann evident, wenn zu Halevys Gedichten »Klagelieder« und sogar schon »Reisebilder« gehören (B 11, 145). Mittelpunkt der Romanze ist nun ein erhabener Kunstbegriff, der ethische Verpflichtung mit religiöser Auszeichnung verbindet und dadurch Grundzüge von Heines spätem, dichterischen Selbstverständnis erkennen läßt. Die Dichtung Halevys erscheint nicht weltlichen, sondern göttlichen Ursprungs und ist nicht durch Ideen bestimmt, sondern durch göttliche Gnade geweiht:

> Solchen Dichter von der Gnade
> Gottes nennen wir Genie:
> Unverantwortlicher König
> Des Gedankenreiches ist er. (B 11, 135)

Die 1851 stärker als zuvor betonte künstlerische Autonomie entledigt den Dichter zwar »Amt«-bedingter Verantwortlichkeit, impliziert aber die Hinnahme des Märtyrerschicksals:

> Nur dem Gotte steht er Rede,
> Nicht dem Volke – In der Kunst,
> Wie im Leben, kann das Volk
> Töten uns, doch niemals richten.

Wenn Halevy ein großer Dichter war, »Absoluter Traumweltherrscher / Mit der Geisterkönigskrone«, so bedeutet das wiederum nicht Befreiung von jeglichem Auftrag, im Gegenteil, der Rabbi hat eine Rolle gespielt, die Heine selber so nicht vor 1848 und auch nach 1848 für sich in Anspruch nehmen kann:

> Ja, er ward ein großer Dichter,
> Stern und Fackel seiner Zeit,
> Seines Volkes Licht und Leuchte,
> Eine wunderbare, große
>
> Feuersäule des Gesanges,
> Die der Schmerzenskarawane
> Israels vorangezogen
> In der Wüste des Exils. (B 11, 134)

Die zweite *Hebräische Melodie* verherrlicht eine Poesie, die durch Leiden entstanden ist und höher steht als alle rein weltlichen Güter (die Geschichte der äußerst kostbaren Perlenschnur und des unschätzbar wertvollen Kästchens dient nur dazu, diese der Dichtung Halevys, die aus »Tränenperlen« besteht, entgegenzustellen und unterzuordnen). Derjenige, der sich »elend, / Krüppelelend« am Boden wälzt, ist jetzt bereit, sein früheres hellenisches Sängertum zugunsten eines spiritualistischen aufzugeben und wie Halevy »ein traurig armes Liebchen« zu lieben, »der Zerstörung Jammerbildnis, / Und sie hieß Jerusalem« (B 11, 145 und 138). Halevys »Zionslied« und Heines *Melodie* treffen sich darin, daß ihre Liebe einem unerreichbaren Ziel gilt, weil sie dem zerstörten Jerusalem gilt, oder, wie Kircher, 275, schreibt: dem verfolgten und leidenden Judentum. Die ästhetische Konzeption des *Romanzero* wird dadurch charakterisiert, daß sich Heine mit Dichtern identifiziert, die ihr Dichtertum mit Tod und Erniedrigung bezahlt haben: Halevy wurde auf der Wallfahrt nach Jerusalem getötet; Salomon (ibn) Gabirol wurde in Corduba ermordet und Moses Iben Esra mußte als Sklave Kühe melken. Allen ist gemeinsam, daß sie mehr Fremdlinge auf dieser Welt sind und einer anderen angehören: Das unterstreicht der gar nicht willkürliche Exkurs (oder Ulk) über die jüdische Genealogie des »Schlemihltums«, denn Schlemihltum, d. h. Andersartigkeit, gilt dem späten Heine, was Jürgen Brummack, 285, betont, als »Signum des Dichtertums« (vgl. Mojem, 278 f.; zur Struktur des Gedichts s. Möller, 323 ff.).

Jehuda ben Halevy ist nicht das einzige poetologische Gedicht des *Romanzero*. Drei *Historien* behandeln das Thema Kunst dahingehend, daß Schönheit und Kunst an der Wirklichkeit scheitern: Der Bahre der Tänzerin *Pomare* folgen nur Hund und Friseur (s. dazu Zagari); *Der Apollogott* lebt als ein allen göttlichen Glanzes entkleideter Komödiant im Exil (s. von Wiese) und *Der Dichter Firdusi* stirbt in selbstgewählter Verbannung, um seine Autonomie zu retten (s. Hinck). Als gemeinsamer Zug dieser Schicksale sowie derjenigen von Halevy, Gabirol und Esra läßt sich die unauflösliche Verbindung von Dichtertum und Leiden bzw. Märtyrertum erkennen, wobei letzteres das erstere auszeichnet und erhöht. Damit wird die Ausnahme- und Außenseiterstellung des Dichters in der Gesellschaft, die zu Exil und Schlemihltum zwingt, stärker als vor 1848 akzentuiert.

Lit.: Ludwig Rosenthal (s. o.); Hartmut Kircher: *Heinrich Heine und das Judentum,* Bonn 1973; Ruth L. Jacobi: *Heinrich Heines jüdisches Erbe,* Bonn 1978; Siegbert Salomon Prawer: *Heine's Jewish Comedy,* Oxford 1983.
Luciano Zagari (s. o.); Gerhard Storz (s. o.), 196 ff.; Dierk Möller: *Heinrich Heine: Episodik und Werkeinheit,* Wiesbaden/Frankfurt a. M. 1973; Benno von Wiese (s. o.); Gerhard Sauder: *Blasphemisch-religiöse Körperwelt. Heinrich Heines »Hebräische Melodien«,* in: Wolfgang Kuttenkeuler (Hrsg.): *Heinrich Heine,* Stuttgart 1977, 118–143; Helmut Koopmann (s. o.); Walter Hinck: *Von Heine zu Brecht,* Frankfurt a. M. 1978, 37–59: Exil als Zuflucht der Resignation; Ruth Wolf: *Versuch über Heines »Jehuda ben Halevy«,* in: HJb 1979, 84–98; Jürgen Brummack (s. o.), 281–286; Dafna Mach: *Heines »Prinzessin Sabbat« – hebräisch verkleidet,* in: HJb 1983, 96–120; Irene Guy (s. o.); Helmut Mojem: *Heinrich Heine: Der Apollogott,* in: Wirkendes Wort 5/1985, 266–283.

Komik als Überlebensstrategie

Daß religiöses Bedürfnis ebensowenig zwangsläufig ästhetische Verklärung hervorrufen muß wie theologische Dichtungstheorie religiöse Lyrik, das demonstriert der *Romanzero* auf exemplarische Weise. Die Verfahrensweise der Spätlyrik deckt in der Tat nicht zu, sondern auf: Durch Komik und grelle Kontraste wird Geschichte entheroisiert, Leiden entsublimiert und Glaubenseifer verspottet. Die neue Religiosität hat Komik, Ironie und Satire keineswegs verspielt, im Gegenteil, diese werden zum Verklaren, nicht zum Verklären der Negativität in Geschichte und Lebenswelt eingesetzt, zumal in der eigenen, nicht zuletzt, um dem als sinnlos empfundenen Leiden etwas von seinem Grauen zu nehmen. Das erklärt, warum die Komik des Lazarus, d. h. die in eigener Sache, eine Komik ohne Heiterkeit ist, wie Wolfgang Preisendanz be-

tont hat, sondern vielmehr eine, die das Lachen im Halse ersticken läßt, denn sie gehört zur Überlebensstrategie eines Kranken, der wirklich nichts mehr zu lachen hat, aber nicht aufhören kann.

Die Ungereimtheiten dieser Welt werden, wie im früheren Werk, durch eine ausgefeilte Reimtechnik und -taktik regelrecht hervorgetrieben: Ob es sich um komische Reime handelt (»Monarchen«/»schnarchen«, »Goethefeier!«/»alte Leier«, »perfiden/Preußischen Hämorrhoiden«, um despektierliche Reime (»König«/»eintönig«, »Gnade«/»Wade«, »Nonne«/»Wonne«), um Fremdwortreime (»Salomo«/»Apropos«), um Schockreime (»weiße«/»Steiße«) oder um unreine Reime (»sechs«/»Rex«, »dreifaltge«/»Frater Jose«) – immer werden Schein und Illusion zerstört bzw. Widersprüche aufgedeckt. Aber der Spott des Neugläubigen macht auch keineswegs vor Religiosität halt: *Prinzessin Sabbat* wird in Kontrast mit »Salomonis Busenfreundin«, dem »Blaustrumpf Äthiopiens«, gesetzt, und in *Disputation* zeigt der Reimspott, auf welcher Seite der Dichter *nicht* steht (»Räucherfässer«/»Beschneidungsmesser«, »Ochsen«/»Orthodoxen«, »Rosinensauce«/»Frater Jose«, »rief er«/»Ungeziefer«). – Namenskomik (*Zwei Ritter* und *Vitzliputzli,* der dann auch »putzig« ist), Kontraste und Gegensätze inhaltlicher und kompositorischer Art sorgen permanent für Ernüchterung: Sie machen bewußt, daß nichts den Lord vom Lump trennt, nichts den »Todesgesang« vom »Wiegenlied« (B 11, 22 und 26), oder daß nur ein paar Strophen zwischen Triumph und Absturz liegen (in mehrteiligen und in einteiligen Romanzen, wie *Waldeinsamkeit*). Auffallend ist jedoch, wie Illusionszerstörung die Trostlosigkeit des Sterbenden noch trostloser, dessen Misere noch miserabeler macht: so der Spott über Unsterblichkeit in *Rückschau* und *Fromme Warnung*; so das Platzen des Traumtrostes an trivialer Alltäglichkeit in *Frau Sorge,* die ein böses Erwachen bereitet: »Da knarrt die Dose – daß Gott erbarm, / Es platzt die Seifenblase – / Die Alte schneuzt die Nase«.

Gegen Alltägliches ist im *Romanzero* kein Kraut mehr gewachsen. Erbärmliche Wirklichkeit zersetzt alles, relativiert alles, macht alles winzig: Gegen Wasserkessel, Butterbrote, Hühneraugen können sich Babylonische Gesänge, Minnesang oder Vormärzdichtung ebensowenig behaupten, wie Edelsteine den Vergleich mit Erbsen oder Diamanten den mit Hühnereiern aushalten (B 11, 135, 137, 97, 14; vgl. *Zur Ollea:* B 7, 405, 406 und 408, wo »guter Kaffee und ein Schlückchen Rum« gegen die christliche Lehre eingesetzt werden, während Knoblauchgeruch und überkochender Kessel falsche Größe und vergangenes Glück auf den Boden der Wirklichkeit zurückholen). Ein Bereich nun, der immer schon zum Arsenal der Heineschen Komik gehört hat, wird in der Spätlyrik übermächtig und gewinnt an realistischer Kontur: Küche und Körperlichkeit sind derart auf dem Vormarsch, daß jeder Zweifel an Heines Heimkehr in irgendeine Kirche zerstreut wird (das hat Gerhard Sauder aus der Perspektive von Blasphemie, Frivolität und Zynismus untersucht). Dieser Bereich dient in *Disputation*, in der die »Ritter ohne Vorhaut« gegen die kämpfen, die an ihr »festhalten«, als Grundlage der Unsinnsstrategie gegen christliche und jüdische Dogmatik. Beide Parteien werden nicht mit überzeugenden theologischen Argumenten versorgt, sondern mit solchen, die sie selber entlarven, wobei die Küchenkomik eine besondere Rolle spielt. Der Rabbi, der das Trinitätsdogma trivialisiert und souverän verspottet, wirbt ausgerechnet mit den schmackhaftesten Speisen für den jüdischen Glauben: »Was Gott kocht, ist gut gekocht!« Darauf fällt dem Mönch, der seine Lehre durch unfreiwillige Ironie widerlegt (»ein Kühlein« und »ein Öchslein« an der Krippe macht »zwei Rindviehlein«) und der seinen Antisemitismus durch Aufzählung von Unsinnigem selber ad absurdum führt, nichts Besseres ein, als vollends blasphemisch zu antworten: »Christus ist mein Leibgericht.« Die Entscheidung, d. h. die Absage an jede Art von religiösem Fanatismus, erfolgt dann schließlich ganz konsequent über den Geruchssinn, denn die zum Schiedsspruch aufgerufene Königin befindet:

> Welcher recht hat, weiß ich nicht –
> Doch es will mich schier bedünken,
> Daß der Rabbi und der Mönch,
> Daß sie alle beide stinken.

Das sind die Schlußverse, die zusammen mit den lustigen ersten *Historien* dem *Romanzero* einen Rahmen geben, der die Selbstbehauptung eines leidgeprüften, aber souveränen Ichs eindringlich vor Augen führt. Der Komik der Spätlyrik kommt jene Entlastungsfunktion zu, an die Wolfgang Preisendanz im Zusammenhang mit der Freudschen Witztheorie erinnert hat (Preisendanz, 122 f.). Durch ›Komisierung‹ seiner Situation vermochte sich der todkranke Dichter seine Misere ungeschminkt bewußt zu machen und gleichzeitig etwas auf Distanz zu halten.

Lit.: Wolfgang Preisendanz: *Heinrich Heine,* München 1973, 99–130: Die Gedichte aus der Matratzengruft; Margaret A. Rose: *Die Parodie: Eine Funktion der biblischen Sprache in Heines Lyrik,* Meisenheim am Glan 1976, 76–107; Gerhard Sauder (s. o.); Helmut Nobis: *Heines Krankheit zu Ironie, Parodie, Humor und Spott in den »Lamentationen« des »Romanzero«,* in: Zeitschrift für deutsche Philologie 102. Bd. 1983, 521–541 [untersucht neue Formen der Ironie und deren Überwindung].

Aufnahme und Wirkung

Das große Aufsehen, das der *Romanzero* Ende 1851 erregte, hielt nicht lange an. Die Verteidiger der bestehenden Ordnung wußten die Angriffe auf Moral und Religion abzuwehren bzw. zu neutralisieren. Im November 1851 wurden die Behörden in Österreich, Preußen sowie in anderen Bundesstaaten aktiv und belegten den *Romanzero* mit Verboten und Beschlagmaßnahmen (in Wien hatte *Im Oktober 1849* den größten Anstoß erregt). Dann erschienen zwar zwischen Oktober und Dezember 1851, wie Frauke Bartelt ermittelt hat, ca. 30 Rezensionen und Notizen, aber die aus moralischen Gründen negativ urteilenden Kritiken überwogen. Das Neue der Gedichte wurde durchweg völlig übersehen. Ihre politische Stoßrichtung blieb aufgrund der Zeitverhältnisse ohne jedes Echo. Das *Nachwort* bereitete den hochgespannten Erwartungen über Heines angebliche »Bekehrung« eine arge Enttäuschung (zwei von Klaus Briegleb gedruckte Kritiker sprechen von »frivolem Spiel«, »feiger Rettung der eignen in sich verliebten Seele« und »kindischer Furcht«; B 12, 33 f.).

Bis auf wenige Ausnahmen gehen sowohl zustimmende wie ablehnende Kritiker von derselben normativen Grundlage aus. Der positiv eingestellte Redakteur der »Augsburger Allgemeinen Zeitung«, Oskar Peschel, behandelte Heine am 9. November 1851 als eine Art biologisches und psychologisches Wunder, das trotz Alter und Krankheit »noch immer« den Ton und Witz der früheren Poesie zu treffen weiß (B 12, 26 ff.; Peschel verwendet das Oxymoron von der »verzweifelten Lustigkeit« im *Romanzero*). Er schätzt das »Kolorit des Stils« an den in konventioneller Art gedichteten Balladen der *Historien* sowie die »Genrebildchen«, d. h. die Gedichte der *Lamentationen,* die dem *Lazarus* vorausgehen. Aber Peschel meldet auch moralische Vorbehalte an und sieht sich außerstande, wegen den »persönlichen Ausfällen« eine »Apologie« zu schreiben. – Zwiespältig urteilte eine weitere Stimme in der »AZ«, der ebenfalls mit Heine bekannte

Moritz Carrière. Der Privatdozent der Philosophie erwartet von dem endlich sittlich geläuterten Dichter, dessen »geniale Begabung« er anerkennt, daß er die ihm noch möglichen Werke nicht wieder durch »einen häßlichen Klecks« verunstaltet. So lobt er die durch »Tonweise des Rhythmus« und »Klang der Worte« hervorgebrachte Stimmung einiger Balladen, zeigt sich aber angewidert durch bestimmte Ausdrücke in *Schlachtfeld von Hastings* (»lausigste Lump« und »Äser der Pferde«). Er mißbilligt den Spott in *Disputation*. – Der anonyme Kritiker der Zeitschrift »Europa« (wahrscheinlich der Herausgeber Gustav Kühne) lobt zwar einige Romanzen aus dem ersten Buch, spricht aber Heine das Talent zum »komischen Epos« wie *Vitzliputzli* mit antisemitischen Vorurteilen ab (»jüdelndes Rotwelsch seiner Diktion«). Hauptanliegen dieser scharf ablehnenden Rezension besteht darin, Heines Todesdichtung als wollüstige, narzißtische Orgie abzuqualifizieren: »Heine stirbt sehr langsam«, heißt es, »er feiert seine Auflösung äußerst gründlich, ja er buhlt mit dem Moder, er liebäugelt mit allen Schrecken der Verwesung« (B 12, 33). Bevorzugte Ausdrücke sind denn auch »Fäulnis«, »Verwesung« und »Sumpf«.

Zur späteren Rezeption soll noch erwähnt werden, daß im wesentlichen erst Richard M. Meyer der im 19. Jahrhundert im Vergleich mit dem *Buch der Lieder* anhaltenden Abwertung des *Romanzero* entgegentrat, zuerst mit seinem Buch *Die deutsche Literatur des 19. Jahrhunderts* (1900), dann mit dem Aufsatz *Der Dichter des »Romanzero«* (*Gestalten und Probleme*, 1905), der dieses Werk als das reifste herausstellt. Der Spätlyrik vermochte auch der Heine-Gegner Karl Kraus 1910 seine Anerkennung nicht zu versagen, allerdings mit dem bösartigen Argument: »Heine hat das Erlebnis des Sterbens gebraucht, um ein Dichter zu sein. [...] Der Tod ist ein noch besserer Helfer als Paris; der Tod in Paris, Schmerzen und Heimatsucht, die bringen schon ein Echtes fertig.« (*Heine und die Folgen*)

Französische Rezeption. – In der Einleitung zu seiner erwähnten Übersetzung stellte Saint-René Taillandier 1851 den vom nahenden Tod verwandelten Humoristen Heine heraus (»L'humoriste est un mystique à sa manière«, »Revue des Deux Mondes« vom 15. Oktober 1851). Dem auch in Paris gesteigerten Interesse an Heines neuer religiöser Haltung trat Taillandier mit Aussicht auf eine »métamorphose du poète« entgegen, eine Prognose, von der er positive Auswirkungen auf die neue literarische Entwicklung in Deutschland erwartete. (Näheres über die Rezeption der *Romanzero*-Auswahl anläßlich der Publikation von *Poëmes et Légendes* liegt zur Zeit nicht vor.)

Lit.: B 12, 22–39; HSA 13 K, 217 f.; Frauke Bartelt (s. o.), 109–152; Alberto Destro: *Öffentlich und privat. Die Beurteilung des »Romanzero«* [...], in: Wilhelm Gössmann / Joseph A. Kruse (Hrsg.): *Der späte Heine 1848–1856*, Hamburg 1982 (= Heine-Studien), 58–68.

Gedichte. 1853 und 1854

Entstehung, Übersetzung, Druck, Text

»Die Poesien sind etwas ganz Neues und geben keine alten Stimmungen in alter Manier«, schrieb der korrekturlesende Heine am 3. August 1854, um Campe angesichts des immer näher rückenden Todes seine ungebrochene Schaffenskraft zu bestätigen: Sein letztes poetisches Wort sollte noch mal ein neues sein.

Durch Dritte übermittelte Äußerungen zu einer vierten Lyriksammlung gehen auf den September 1853 zurück (HSA 23, 294: »Gedichte der Agonie«, mit denen er seine »Leiden verscheuche«). Während im Januar 1854 von einem fertigen, aber noch ungeordneten »Bändchen Gedichte«, die posthum erscheinen sollen, die Rede ist (HSA 23, 303 f.), teilte Heine am 7. März Campe seinen Entschluß mit, »›Gedichte‹ in den ersten Teil der *Vermischten Schriften* aufzunehmen und schickte schon zwei Tage später das Manuskript ohne erneute Durchsicht ab. Statt des erwarteten schnellen Druckes kam es jedoch zu Auseinandersetzungen mit Campe über Honorarfragen, die erst Ende April beigelegt werden konnten. Als Ersatz für Manuskripte, die Heine aus der Gedichtesammlung zurückgezogen hatte, schickte er am 30. Mai 1854 den seit Wochen versprochenen kleinen Zyklus *Zum Lazarus* mit genauer Druckangabe sowie die beiden Gedichte *Erinnerung aus Krähwinkels Schreckenstagen* und *Die Audienz*. Durch eine Reihe von Versehen seitens der Druckerei zog sich die von Heine gewünschte sorgfältige Korrektur noch bis in die Sommermonate hin. Anfang Oktober erschienen dann die drei Bände der *Vermischten Schriften* mit den 33 bisher ungedruckten neuen Gedichten, die im ersten Band unmittelbar auf die *Geständnisse* folgen (»sie sind die Nase im Buche; sie dürfen an keiner andern Stelle stehn; sie sind eine Fortsetzung der Bekenntnisse«, hatte Heine am 18. Juli nach Hamburg geschrieben).

Schon am 1. November 1854 veröffentlichte die »Revue des Deux Mondes« unter dem originalen und kraftvolleren Titel *Le livre de Lazare* 26 von Saint-René Taillandier in Prosa übertragene Gedichte (es fehlen *Zum Lazarus* 4, 9 und 10 sowie die XVI. *Erinnerung an Hammonia*, XVII. *Schnapphahn und Schnapphenne*, XIX. *Hans ohne Land* und XX. *Erinnerung aus Krähwinkels Schreckenstagen*). Der Zyklus *Zum Lazarus* trägt jetzt den Titel *Réminiscences*. Heine hat sich, allerdings in nicht nachweisbarer Form, an der Übersetzung, die vor der Auslieferung des deutschen Druckes begonnen worden sein muß, beteiligt. Der an einzelnen Stellen verbesserte Text des Journaldruckes wurde 1855 in *Poëmes et Légendes* (zusammen mit Taillandiers *Notice du traducteur*) übernommen.

Druck: Gedichte. 1853 und 1854. Erschienen in: Vermischte Schriften von Heinrich Heine. Erster Band. Hamburg. Hoffmann und Campe. 1854. auf den S. 123–214.
– der französische Buchdruck erfolgte unter dem Titel Le livre de Lazare – Ecrit en 1854. *– in* Poëmes et Légendes par Henri Heine, *Paris, Michel Lévy frères 1855 als letzter Text auf den S. 335–385.*

Text: *B 11, 187–239 (Text nach der Ausgabe von Oskar Walzel, der die Einheit wieder hergestellt hat, nachdem Ernst Elster das Werk aufgelöst und in die »Nachlese« verwiesen hatte);*
– HSA 13 Poëmes et Légendes, *237–272.*

Lit.: *B 12, 64 ff.; HSA 13 K, 239 ff.; Werner Noethlich: Heines letzte Gedichte. Vorarbeiten zu einer historisch-kritischen Ausgabe, Diss. Köln, Düsseldorf 1963.*

Nachgelesene Gedichte 1845–1856

Die insgesamt 67 Nachlese-Gedichte aus der Zeit von 1845 bis 1856, von denen einige in der Diskussion der letzten Jahre größere Beachtung gefunden haben (und die hier mitberücksichtigt werden sollen), stellen jeden Herausgeber vor schwer lösbare Probleme. Die Gedichte, deren Entstehung in der Mehrzahl gar nicht fixierbar ist und von denen nur sechs zu Heines Lebzeiten gedruckt werden konnten, sind zwischen 1856 und 1924 an verstreuten Orten publiziert worden, die bei weitem größte Anzahl, 31 Stück, 1869 in dem von Adolf Strodtmann herausgegebenen Band *Letzte Gedichte und Gedanken von Heinrich Heine* (Übersicht über Drucke B 12, 82 f.). Klaus Briegleb hat eine Anordnung nach thematischen Gesichtspunkten vorgenommen und zwischen drei Abteilungen unterschieden: »Zeitgedichte« (in Anlehnung an den

Zyklus der *Neuen Gedichte*), »Lamentationen« (in Anlehnung an *Romanzero* und *Gedichte. 1853 und 1854*) und »Vermischte Gedichte« (Texte: B 11, 267–350). Innerhalb der Abteilungen wurde, soweit wie möglich, chronologisch und thematisch-motivlich geordnet.

Analyse und Deutung

Der neue Lazarus und die Hiobs-Frage

Die symbolische Leidensgestalt des Lazarus, die zuerst der *Romanzero* nach- und neugeschaffen hat, ist repräsentativ für die letzte Lyrik: In Ihr sah der martyrisierte Dichter der »Matratzengruft« sein Schicksal vorgezeichnet; in dieser Rolle, die keine Fiktion mehr war, konnte sich der sein Siechtum als sinnlos empfindende Heine unverhüllt mitteilen; ihr vermochte er seine eigenen Züge so einzuschreiben, daß das heimgesuchte Ich der Gedichte das Ich des Sterbenden auf bis dahin in der deutschen Literatur unbekannte Unmittelbarkeit zur Sprache gebracht hat. Nicht zufällig hat Heine, was der Brief an Campe vom 8. November 1854 erwähnt, ein ganzes »Buch Lazarus« geplant, das er womöglich mit den zwanzig Gedichten aus dem *Romanzero*, den 33 Gedichten der vierten Sammlung und einem Dutzend aus dem Nachlaß leicht sehr umfangreich hätte ausstatten können. *Gedichte. 1853 und 1854* sind diesem Plan wohl am nächsten gekommen.

Lazarus, das ist die Parabel vom Reichen und Armen, die das Lukas-Evangelium 16, 19 ff. so erzählt:»Es war aber ein reicher Mann, der kleidete sich mit Purpur und köstlicher Leinwand und lebte alle Tage herrlich und in Freuden. Es war aber ein Armer mit Namen Lazarus, der lag vor seiner Tür voller Schwären und begehrte sich zu sättigen von den Brosamen, die von des Reichen Tisch fielen; doch kamen die Hunde und leckten ihm seine Schwären.« Der das erduldete, wurde nach dem Tode zu seinem Trost in den Schoß Abrahams aufgenommen, während die Reiche in die Hölle kam. Ferner ist Lazarus nach Johannes 12 der in Tüchern Eingewickelte, der Begrabene und der Auferweckte. – Wie sehr Siechtum und Abhängigkeit für den neuen Lazarus, der keinen Trost erwartete, Wirklichkeit geworden waren, zeigt der Schluß der *Geständnisse*, der in den *Vermischten Schriften* den *Gedichten* unmittelbar vorausgeht: Heine erinnert an dieser Stelle an die Limburger Chronik mit der Legende vom misselsüchtigen Barfüßermönch, der mit seinen einzigartig süßen und lieblichen Liedern alle Welt »vernarrt« hat, aber wegen seiner unheilbaren Krankheit »aus jeder bürgerlichen Gesellschaft ausgestoßen« war und sich Menschen nur mit der Lazarusklapper nähern durfte – wie er selber ein Ausgestoßener, ein lebendig Begrabener und für die Welt Toter, einer, den er in seinen »trüben Nachtgesichten« als seinen »Bruder in Apoll« vor sich sieht (B 11, 500 f.). Unmittelbar vorher hat Heine eine zweite symbolische Figur, mit der er sich ebenfalls identifiziert, in Erinnerung gerufen: Gleich Hiob erleidet er die schlimmsten Prüfungen an Körper und Seele, aber im Gegensatz zum ›gerechten Leidenden‹ hat er keine Hoffnung auf irdische Vergeltung für das, was er als »Spott« und »Spaß Gottes«, des »großen Autors des Weltalls«, ironisiert. – Dieses Gottesverständnis teilt sich in den Fragen des Prologgedichtes *Zum Lazarus* mit:

> Laß die heilgen Parabolen,
> Laß die frommen Hypothesen –
> Suche die verdammten Fragen
> Ohne Umschweif uns zu lösen.

> Warum schleppt sich blutend, elend,
> Unter Kreuzlast der Gerechte,
> Während glücklich als ein Sieger
> Trabt auf hohem Roß der Schlechte?

> Woran liegt die Schuld? Ist etwa
> Unser Herr nicht ganz allmächtig?
> Oder treibt er selbst den Unfug?
> Ach, das wäre niederträchtig.

> Also fragen wir beständig,
> Bis man uns mit einer Handvoll
> Erde endlich stopft die Mäuler –
> Aber ist das eine Antwort?

Wiederholt Strophe 2 aus der Sicht Hiobs das Kernthema des *Romanzero*, so wehrt sich die folgende Strophe mit scharfer Skepsis, bitterem Spott und in Umgangssprache gegen den Triumph der Ungerechtigkeit in der Welt (daß Heine das Buch Hiob als »das Hohelied der Skepsis« auffaßt, sagt *Ludwig Marcus,* der Schlußtext des Bandes, in dem die *Gedichte* erschienen sind; B 9, 190). Auf die zweifelnden Fragen, die Gottes Allmächtigkeit bestreiten, gibt die letzte Strophe des Gedichts, das Heine selber gesprächsweise »blasphemisch-religiös« genannt hat (Werner II, 351), eine Antwort, die keine ist und damit die Frage verewigt. Das Gedicht weiß keine Antwort auf die Fragen, sagt das aber eindringlich, indem es die Ungereimtheit zwischen Gottes Allmacht und irdischer Misere nicht harmonisiert, sondern durch den Halbreim »Handvoll«/ »Antwort« trotz vokalischen Gleichklangs erst richtig hervortreibt (s. dazu Kraft). Statt den »Un-

fug« zu ›fügen‹, macht das Gedicht ihn schließlich allgemein erkenntlich. *Lazarus* läßt es aber mit dieser radikalen Verweigerung theologischen Trostes nicht auf sich beruhen, denn schon das nächste Gedicht beruhigt das Leiden mit dem Rat: »Ertrage die Schickung, und versuch / Gelinde zu flennen, zu beten« (B 11, 202). Ein Gedicht aus dem Nachlaß hält dann der Protestgeste von *Zum Lazarus* 1 humorvolleren Umgang mit Gott entgegen: *Miserere* überspielt Todesängste damit, daß es sich ironisch über Gottes »Inkonsequenz« erstaunt: »Du schufest den fröhlichsten Dichter, und raubst / Ihm jetzt seine gute Laune«, bevor es mit der Klage schließt: »O Miserere! Verloren geht / Der beste der Humoristen!« (B 11, 332 f.).

Extreme Töne und Gegensätze kennzeichnen Heines letzte Lyrik. Davon legen grelle Reime wie »zebräisch«/»hebräisch«,   »Philozopf«/»Hirsetopf«, »Rotznas«/»Mozart« und »Seichen«/»seinesgleichen« oder Wortungetüme wie »Kuhschwanzhopsaschleifer«, »Kinderabschlachtenlasser« und »Weltberühmtheitsclaque« oder Kontrasteffekte aller Art ein deutliches Beispiel ab. So endet z. B. der todessüchtige Prolog der *Gedichte, Ruhelechzend,* mit einer Klage, die an Hiobs Verfluchung des Tages, an dem er geboren wurde, erinnert: »Der Tod ist gut, doch besser wärs, / Die Mutter hätt uns nie geboren« (dieser Lebensüberdruß klingt ebenso in *Morphine* – aus dem Nachlaß – an: »Das beste wäre, nie geboren sein«; B 11, 333). Aber in dem Zyklus triumphiert nicht Lebensüberdruß, sondern Lebenslust, ungebrochene Lebenslust. Dem Prolog antwortet der *Epilog,* der sich nach der Wärme sehnt, die der Kuß einer »Kuhmagd« oder nur ein Glühwein spendet und davon schwärmt, »wie der ärmste Knecht« zu leben, wenn es nur in der Oberwelt stattfände. Genauso diesseitsfreudig ist das nachgelesene Gedicht *Der Scheidende,* das das Sterben metaphorisch als ein sich leerendes Theater fixiert (vgl. *Sie erlischt* aus *Romanzero*; dazu Guy, 118 ff.) und den »kleinsten lebendigen Philister« um sein Alltagsglück beneidet (B 11, 350).

Lit.: S[iegbert] S. Prawer: *Heine The Tragic Satirist,* Cambridge 1961, 226–240; Jeffrey L. Sammons: *Heinrich Heine, The Elusive Poet,* New Haven and London 1969, 398–426; Wolfgang Preisendanz: *Heinrich Heine,* München 1973, 114 ff.; Manfred Windfuhr: *Heinrich Heine,* Stuttgart 1976, 2. Aufl., 246 ff.; *Heinrich Heine. Epoche-Werk-Wirkung,* hrsg. von Jürgen Brummack, München 1980, 275 ff. (Jürgen Brummack); Werner Kraft: *Heine der Dichter,* München 1983 (Text + Kritik), 77 ff.; Irene Guy: *Sexualität im Gedicht. Heinrich Heines Spätlyrik,* Bonn 1984, 171 ff., 183 ff. u. 198 ff.

Der verliebte Lazarus

Bei dem Lazarus von 1854 macht sich Selbstwahrnehmung stärker bemerkbar als bei dem von 1851. Das zeigt die ständige Reflexion des körperlichen Verfalls oder das intensive Erlebnis des veränderten Zeitempfindens, wobei das Bewußtsein des gelähmten Körpers, wie Manfred Windfuhr bemerkt hat, als Gefühl gelähmter Zeit wiederkehrt:

> Wie langsam kriechet sie dahin,
> Die Zeit, die schauderhafte Schnecke!
> Ich aber, ganz bewegungslos
> Blieb ich hier auf demselben Flecke.
> (B 11, 202, vgl. 327)

Das zeigen auch die Tagträume der durchwachten Nächte, »Die Phantasien, die des Nachts / Im Hirn den bunten Umzug halten«. Zu den »Spukgestalten«, die den von der Außenwelt abgeschnittenen Dichter gegenüber dem *Romanzero* verstärkt heimsuchen, gehören frühere Geliebte, »Jungfräulein« oder »Kleine«, mit denen in einer Reihe von Rückblicken, die so nicht im *Romanzero* zu finden sind, abgerechnet wird (*Zum Lazarus* 5 ff.; hinter der ab Nr. 6 Angeredeten wird Heines Cousine Therese Halle vermutet, in die er früher möglicherweise – in seiner Hamburger Zeit – unglücklich verliebt gewesen ist und die er 1853 wiedergesehen hat). Auffallend an der neuen Liebesthematik ist, daß die Geliebte wegen ihrer Kälte, ihres Schweigens und, wie im *Buch der Lieder,* wegen ihrer Boshaftigkeit angeklagt wird. Ihr Bild ist wie zuvor ambivalent: »marmorschön und marmorkühl«; die Evokation der »Gestalt der wahren Sphinx«, die nicht von der »des Weibes« abweicht, erneuert sogar das Frauenbild der frühen Lyrik, deren negative Dimension (›femme fatale‹) jetzt insofern verschärft wiederkehrt, als die tödliche Krankheit in der Allegorie der »schwarzen Frau« dargestellt wird (*Zum Lazarus* 2, vgl. 10 mit den drei Parzen; dazu Guy 206 ff.). Aber die Rückschau des Lazarus endet nicht in Resignation, sondern mit der Bitte um ruhiges Eheleben in gesundem und etwas begütertem Zustand.

Dem *Romanzero* (*In Mathildens Stammbuch, Gedächtnisfeier, An die Engel*) stellen *Gedichte* und Nachlaß eine Reihe Poeme an die Seite, in denen ein geprüfter Ehemann schließlich voller Sorge Abschied von seiner leichtlebigen Ehefrau nimmt (*Guter Rat, Babylonische Sorgen* – s. dazu Dolf Oehler – und Nachlese B 11, 336 ff.). Mathildes ungeduldige Natur hat ihrem kranken Mann oftmals sicher zusätzlich »Verdruß« bereitet; Heine

hat sich gelegentlich in Briefen über ihre Zänkereien beklagt. Aber sie war sein einziger Trost in der Matratzengruft; ihretwegen hat er sein Leiden weiter ertragen und um ihre materielle Absicherung hat er bis zum Schluß gekämpft (zu Mathilde s. Hädecke). Als Mann und auch als fürsorglicher Vater (»Hirt«) setzt er jetzt derjenigen ein Denkmal, die für ihn Weib und Kind, ein schutzbedürftiges »armes Lamm« war.

Wirklich angesichts des Todes hat Heine einer damals 27jährigen Verehrerin, die ihm ab Juni mit ihrer Liebe Trost und sogar Linderung spenden sollte, ein ganz anderes Denkmal gesetzt: Elise Krinitz (Pseudonym: Camille Selden), die »Mouche«, die er in Briefen auch »Fine mouche de mon âme« oder »Holdeste Bisamkatze« nannte. »Wahrhaftig«, so beginnt das Mouche-Gedicht *Lotosblume,* »wir beide bilden / Ein kurioses Paar, / Die Liebste ist schwach auf den Beinen, / Der Liebhaber lahm sogar« (B 11, 342 f.). Welche Qual für den Emanzipator des ›Fleisches‹: Er, der im *Romanzero* gestand, er möchte vor dem Sterben »noch einmal lieben« und »schwärmen« (B 11, 111), er, ein Toter, der auch jetzt noch nach den »lebendigsten Lebensgenüssen« lechzt, dieser Mann sieht sich nun zu einer rein platonischen Liebe verurteilt (Brief an Elise Krinitz vom 20. Juli 1855). Mit bitterem Spott versucht sich der wie ein Kind sentimental Verliebte die ganze makabre Situation erträglich zu machen:

> Worte! Worte! keine Taten!
> Niemals Fleisch, geliebte Puppe,
> Immer Geist und keinen Braten,
> Keine Knödel in der Suppe!

In einem letzten großen Gedicht, dem Traumbild einer »Sommernacht« (»*Für die Mouche«,* B 11, 345 ff.), in dem Heines Lebenswille zum letzten Mal aufflackerte, durchlebt der Exhellene und unfreiwillige »Neonazarener« den lebenslangen Konflikt seines Denkens und Empfindens, um mit einem Bekenntnis zu enden, das alles zur Disposition stellt:

> O, dieser Streit wird endgen nimmermehr,
> Stets wird die Wahrheit hadern mit dem Schönen,
> Stets wird geschieden sein der Menschen Heer
> In zwei Parteien: Barbaren und Hellenen.

Lit.: Stuart Atkins: *The First Draft of Heine's ›Für die Mouche‹,* in: Harvard Library Bulletin 13, 1959, 415–443; S[iegbert] S. Prawer (s. o.), 254 ff.; Gerhard Storz: *Heinrich Heines lyrische Dichtung,* Stuttgart 1971, 224 ff.; Manfred Windfuhr (s. o.); Werner Kraft (s. o.), 129 ff.; Dolf Oehler: *Mythologie parisienne. Lecture d'un poème de Heine: »Soucis babylonien-*

nes«, in: *Paris au XIXe siècle*, Lyon 1984, 81–90; Irene Guy
(s. o.), 206–246 u. 257 ff. [geht von der medizinisch ungesi-
cherten Syphilis-These aus]; Wolfgang Hädecke: *Heinrich
Heine. Eine Biographie*, München 1985, 317–331, 455 ff.,
480 f., 506 f., 523 u. 533 f.; 527 ff. zu »Mouche« [Werner II
druckt umfangreiche Auszüge aus: Camille Selden: *Les der-
niers jours de Henri Heine*, Paris 1884].

Die Welt wird kälter

Trotz aller Isolation hat das Martyrium der letzten
Jahre die kritische Anteilnahme am Zeitgeschehen
nicht unterbrochen, im Gegenteil, die Gedichte
von 1854 sowie die nachgelesenen Zeitgedichte
zeugen eher von einer verschärften Auseinandersetzung mit den deutschen, speziell mit den Nach-
märz-Zuständen und mit der allgemeinen Entwicklung. Im Rückblick auf den *Romanzero* ist bemerkenswert, daß zwei wesentliche Aspekte verstärkt
hervortreten: Einmal, daß die Welt kälter, und
zum andern, daß sie »tierischer« geworden ist (siehe weiter unten).

Wie unverändert militant der Geist in dem fast-
toten Körper ist, das beweisen die Deutschland-
Satiren mit ihren Abgesängen auf die gescheiterten
Revolutionäre. Nachmärz-Gedichte wie *Michel
nach dem März, 1649–1793–????* oder »Im lieben
Deutschland daheime« (B 11, 270 ff.) machen die
apolitische Mentalität der Deutschen für das Scheitern der Revolution verantwortlich. In *Hans ohne
Land* entlarvt der im Juni 1848 zum Reichsverweser gewählte Erzherzog Johann von Österreich
durch einen Rollenmonolog seine eigene Naivität
sowie die des obrigkeitsseligen, gemütvollen deutschen Volkes (was *Erinnerung aus Krähwinkels
Schreckenstagen* mit dem Schlußvers »Euch ziemt
es, stets das Maul zu halten« brutal verspottet; zu
Hans ohne Land s. Bayerdörfer). Ähnlich wie der
Romanzero gehen Personalsatiren in der 54er
Sammlung mit der politischen Unreife der Revolutionäre, dem subjektiven Grund der Niederlage,
ins Gericht. So knöpfen sich *Die Audienz* und *Sim-
plizissimus I.* (B 11, 231 ff. und 278 ff.) Georg Herwegh vor, dem sie vor 1848 Blauäugigkeit und nach
1848 Verbürgerlichung ankreiden (dazu Grab). So
gibt *Kobes I.* den nationalistischen 48er Jacob Venedey in der Rolle eines »Karnevalskaisers von
Köln« als dummen Kaiserverschnitt der Lächerlichkeit preis (und klagt damit die Reichsidee der
Frankfurter Parlamentarier an).

Von kämpferischer Einstellung zeugen ferner
die Abrechnungen mit früheren familiären Demü-
tigungen (*Affrontenburg* lautet der bezeichnende

Titel eines Gedichts, das Ottensen memoriert) und
mit Erbschaftsstreitigkeiten (»Wenn ich sterbe,
wird die Zunge / Ausgeschnitten meiner Leiche«
prophezeit bitter ein Nachlaß-Gedicht B 11, 325).
Zusammen mit Spottgedichten über die Komponisten Meyerbeer und Dessauer oder über den erwähnten Venedey lassen diese Gedichte sogar von
versifizierten »Schriftstellernöten« sprechen, die in
ihrem ursprünglichen Medium, der Prosa, im Spätwerk zurückgetreten sind.

Was die Sozialkritik an Schärfe gewonnen hat,
das führt zunächst die parabelhafte Ballade *Das
Sklavenschiff* eindringlich vor Augen. Ein Jahr vor
Erscheinen von Gustav Freytags Trilogie *Soll und
Haben* (und nur vier Jahre, vor denen Karl Marx
den »Rohentwurf« des *Kapitals* schrieb, die *Grund-
risse*) tritt ein tüchtiger und skrupelloser Unternehmer auf, der mit 600 Schwarzen von Afrika nach
Südamerika segelt. Er stellt eine Gewinn- und Verlustrechnung auf, in der die »schwarze Ware«
Mensch größere »Profite« erwarten läßt als Gum-
mi, Pfeffer und Elfenbein – vorausgesetzt freilich:

> Bleiben mir Neger dreihundert nur
> Im Hafen von Rio-Janeiro,
> Zahlt dort mir hundert Dukaten per Stück
> Das Haus Gonzales Perreiro.

Die unhumane, kalte Geschäftssprache entlarvt
nicht nur den Mynher van Kock. Sie greift der
Schiffsarzt auf, der über die Verluste an ›Men-
schenmaterial‹ in einer »Kladde« säuberlich Buch
führt und zur besseren Konservierung der verblie-
benen Ware ganz zynisch ausgerechnet Musik und
Tanz an Deck empfiehlt. Und die koloniale Gesinnung mit der heuchlerischen Verbrämung ihrer Interessen wird aufs schärfste denunziert, wenn der
Sklavenhändler am Schluß »Um Christi willen« für
das Leben der dummen »schwarzen Sünder« betet,
aber nur deshalb, damit das Geschäft nicht verdorben wird (zu *Sklavenschiff* s. Fingerhut, Kraft und
Guy). In die Kritik von Kapitalismus und christlicher Moral stimmen weitere Gedichte ein, wie *Der
Philanthrop,* der den Tod aus Not mit dem an Völ-
lerei kontrastiert, oder *Erinnerung an Hammonia,*
das die Vision einer Welt als »Waisenhaus« mit
»Millionen Waisenkinder« entwirft, oder *Erlausch-
tes* (das ursprünglich 1854 erscheinen sollte), das
den Mensch gleichfalls als Ware behandelt. Ein
würdiger Kollege des seefahrenden Chirurgus verbreitet schließlich in der auf Bertolt Brecht voraus-
weisenden Sozialballade *Jammertal* genau jene
Kälte, an der die zwei »armen Seelen«, deren Liebe
und Misere erzählt wird, gestorben sind: Als Zyni-

ker »konstatiert« er nur »Den Tod der beiden Ka-
daver«, den er u. a. auf »Magenleere« zurückführt
(B 11, 305).

Lit.: S[iegbert] S. Prawer (s. o.), 240 ff. u. 248 ff.; Hans-Peter
Bayerdörfer: *Fürstenpreis im Jahre 48. Heine und die Tradition der vaterländischen Panegyrik,* in: Zeitschrift für deutsche
Philologie Bd. 91, Sonderheft 1972, 163–205; Karlheinz Fingerhut: *Strukturale Interpretation und die Tätigkeit des Rezipienten,* in: Diskussion Deutsch H. 35 / 1977, 281–304; Walter
Grab: *Heinrich Heine als politischer Dichter,* Heidelberg 1982,
93–136; Werner Kraft (s. o.), 111 ff.; Irene Guy (s. o.), 247 ff.

Kleines Bestiarium des Nachmärz

Innovatorisch ist die Spätlyrik durch den Rückgriff
auf die Tierfabel. Tiere treten allenthalben auf und
dringen in alle Bereiche des Lebens ein: Im Liebesleben tummeln sich Katzen und Mäuse, Käfer und
Fliegen; im Alltag des Exillebens muß man sich mit
Ungeziefer wie Wanzen herumschlagen; im Musik-
leben dominieren »Bären« wie Meyerbeer, »Wan-
zeriche« wie Dessauer oder andere »musikalische
Wanzen«, es sei denn, der *Jung-Katerverein* setzt
sich etwa für Wagners Ideen ein; »grimmere,
schlimmere Bestien« als Wald- und Seeungeheuer
stellen auf dem Pariser Pflaster eine ständige Bedrohung dar (vgl. die Interpretation von Dolf Oehler, 42 ff.). Grundzug der animalischen Invasion
scheint nun, daß sie berufen ist, die intellektuelle
deutsche Misere von 1848 und in deren Folge die
›Bestialisierung‹ der Verhältnisse plastisch hervorzutreiben und zu verallgemeinern. So steigt nicht
zufällig der Esel zur allseits beherrschenden Gestalt auf, gegen die selbst Pferde machtlos sind (*Die
Wahl-Esel* verspotten die nationalistischen Frankfurter, B 11, 286 ff.). Aber der »politischen Tier-
welt«, von der Marx in den Briefen aus den
»Deutsch-Französischen Jahrbüchern« gesprochen
hat (MEW 1, 339), gehören nicht allein die Besiegten an, denn *König Langohr I.,* in dessen Haut
wohl der preußische König steckt, vermochte sich
bei der »Königswahl« durchzusetzen, bevor er mit
der Bestallung eines »Ochsen zum Kanzler« das
›Stimmvieh‹ gegen sich aufbringt. Diese Fabel veranschaulicht die Rohheit eines Königshauses, das
laut *Maultiertum* (*Neue Gedichte,* B 7, 402) von
Pferden und Eseln abstammt und beherrscht wird,
woran das Nachlaßgedicht *Schloßlegende,* einer
der schärfsten Angriffe auf das Preußentum, den
Heine geschrieben hat, eindringlich erinnert (1847
zuerst veröffentlicht, B 11, 270). Den tierischen
Geist der siegreichen Konterrevolution hat *Im Oktober 1849* (*Romanzero*) deutlich gebrandmarkt,

denn Deutschland ist im Nachmärz ausdrücklich
unter das »Joch / Von Wölfen, Schweinen und gemeinen Hunden« geraten (B 11, 118).

In der Spätlyrik nimmt ein Bestiarium näher
Gestalt an, über das Heines Zeitpolemik, die prinzipiell exemplarisch verfährt und plastisch zu sein
versucht, immer schon verfügt hat (s. Chiffrenregi-
ster B 12, 828 ff.; Heines Tierbild bzw. Tiermetaphorik haben Irmingard Karger und Alfred Opitz
untersucht, wobei Karger, 94 ff., den zensurtaktischen Aspekt der Verschlüsselung betont; Dolf
Oehler legt den Akzent auf die verdrängt-revolu-
tionäre Seite des »bestiaire« in der Spätlyrik). Tie-
risches kommt vor 1848 jeweils in der Auseinandersetzung mit politischen Gegnern in den Blick. So
wird – um nur einige Beispiele zu nennen – die
republikanische Börne-Partei als rohe »Menagerie
von Menschen« vorgeführt – so wie Heine dann
1850 das Paulskirchen-Parlament als »Menagerie«
›bestialisieren‹ wird (B 7, 68 und Werner II, 196);
die liberale Opposition tappst allegorisch als Bär
durch den Vormärz (*Atta Troll* steht der späteren
Fabeldichtung sehr nahe); die Schwabendichter
schweben als Maikäfer und »matte Fliegen« durch
den Raum (wenn sie nicht vermopst sind, wie in
Atta Troll). Ein Tier muß dagegen kontinuierlich
für die Sünden anderer, der deutschen Schriftsteller und Gelehrten, schwer büßen: der Hund. Ob es
sich um Arndt, Raumer oder um preußische Liberale handelt, ihre Servilität und Regierungstreue
beweist, daß sie regelrecht ›auf den Hund gekommen‹ sind und deshalb für Heine keinen anderen
Namen verdienen (z. B. B 5, 97; B 7, 64 und B 3,
667). »Hund«, »hündisch« oder »Koppel«: Damit
werden die gebrandmarkt, die es besser wissen
müßten! »Bullenbeißer«, »altdeutsche Rüden«,
das sind 1841 »unsre christlich germanischen Nationalen«, die den Regierungen bei Fuße stehen (B 9,
342; die Medorgeschichte zeigt jedoch, daß es für
Heine auch ›positive‹ Hunde gibt; zum Hundebild
s. Karger, 123 ff.). Wenn sich Heine an das »Hun-
degebell« seiner Kritiker und Verleumder gewöh-
nen konnte (B 9, 49, 64 und 83 ff.), so hat er nicht
gezögert, einzelne Exemplare wie Platen, Menzel
oder Wihl zu vernichten oder totzuschlagen.

Ein semantisches Spiel mit der Tiermetaphorik
findet in einem Falle, wie Opitz, 37 ff., nachgewiesen hat, nicht statt: Die Rattenmetapher ist eindeutig negativ besetzt (z. B. *Lutezia* B 9, 413 f.). Dennoch gibt die bekannte Tierparabel *Die Wanderratten,* die – das hat Michael Werner aufgrund einer
Handschriftanalyse herausgearbeitet – aus ei-

nem Fabelmotiv hervorgegangen ist, einige Rätsel auf, bleibt sie doch ohne eindeutiges Fazit (das Gedicht ist wohl 1854/1855 im Kontext der Auseinandersetzung mit dem Kommunismus entstanden und wurde 1869 erstmals veröffentlicht). Der Inhalt: Die vom Hunger unaufhaltsam vorwärts getriebenen Ratten, die sich ab Strophe vier als proletarische Revolutionäre zu erkennen geben, verbreiten mit ihren radikalen Vorstellungen einen Eindruck von Grauen und Angst, den Versbau, Rhythmus, Alliterationen, Wortwiederholungen und agitatorisches Wortspiel (»egal, / Ganz radikal, ganz rattenkahl«) eindrucksvoll untermauern. Die Bürgerschaft, die das Eigentum, »das Palladium / Des sittlichen Staats«, gefährdet sieht, greift zu untauglichen Abwehrmitteln, worauf ihr der Sprecher als einzig richtige Taktik empfiehlt, durch gehobene Bedürfnisbefriedigung aus hungrigen satte Ratten zu machen. Das sagt er aber in solch paradoxen Formulierungen, daß ihre Unbrauchbarkeit gleich mit demonstriert wird: »Suppenlogik mit Knödelgründen«, »Argumente von Rinderbraten, / Begleitet mit Göttinger Wurst-Zitaten« überbieten eher parodistisch die »abgelebten Redekünste« des Bürgertums, als daß sie eine realistische Alternative aufzeigten – und damit die Revolution als unabwendbar erscheinen lassen (Michael Werner, 294, spricht hier von »Bestialisierung der idealistischen Menschenwelt«; zu weiteren Analysen der *Wanderratten* s. Hinderer, Hahn, Freund und Oehler). Obwohl der Sprecher des Gedichts der verängstigten Bürgerschaft einen »Bärendienst« erweist, steht er auch nicht eindeutig im Lager ihrer Feinde (Reime wie »Käuze«/»Schnäuze«, »Ratze«/ »Katze« lassen auf Distanz schließen). Allerdings führt er Gottlosigkeit, Weibergemeinschaft, rohen Materialismus und Besitzlosigkeit als bürgerliche Vorurteile vor – ohne daß der *Autor* mit diesen Ideen unbedingt sympathisierte. Aber auf der anderen Seite sagt das Zeitgedicht auch nichts anderes, als das, was Heine seit 1830 erkannt hat (sozialer Antagonismus), seit 1834 gefordert (materielles Glück für alle), seit 1842 angekündigt (»Welterschütterung«) und 1854 wiederholt hat (»›daß alle Menschen das Recht haben, zu essen‹«, B 9, 232). An der Notwendigkeit der sozialen Revolution besteht für ihn auch 1854/55 kein Zweifel und *Die Wanderratten* melden keinen an (›bessere Küche für jedermann‹ zählt weiter). Aber sie machen einen Zwiespalt geltend: Was die Tierparabel einerseits bekräftigt, schränkt die negativ besetzte Rattenmetaphorik andererseits z. T. wieder ein. In-

dem die populäre Rattenangst mit der frühkommunistischen Bewegung in Verbindung gebracht wird, vergegenwärtigt Heine Vorbehalte des Künstlers gegen »ganz radikale, ganz rattenkahle« Gleichheit – ohne diese Vorbehalte so zurückzunehmen, wie es in den *Geständnissen* bzw. in der *Préface* zur *Lutezia* geschieht.

Lit.: Barker Fairley: *Heinrich Heine*, Stuttgart 1965 [engl. Originalausg. 1954], 116–139: Tiere; Irmingard Karger: *Heinrich Heine. Literarische Aufklärung und wirkbetonte Textstruktur. Untersuchungen zum Tierbild*, Göppingen 1975; Karl-Heinz Hahn: ›*Die Wanderratten*‹, in: *Heinrich Heine*, hrsg. von Helmut Koopmann, Darmstadt 1975 (Wege der Forschung), 117–132 [zuerst 1963]; Winfried Freund: *Heinrich Heine: Die Wanderratten*, in: Wirkendes Wort 26, 1976, 122–132; Walter Hinderer: *Heinrich Heine: ›Die Wanderratten‹*, in: *Geschichte im Gedicht. Texte und Interpretationen*, hrsg. von Walter Hinck, Frankfurt a.M. 1979, 118–127; Alfred Opitz: »*Adler« und »Ratte«*, in: HJb 1981, 22–54; Michael Werner: *Noch einmal: Heines »Wanderratten«*, in: Jahrbuch für Internationale Germanistik, Reihe A, Bd. 11: Edition und Interpretation, Bern 1981, 286–301; Walter Grab (s. o.); Dolf Oehler: *Heines Paris nach 1848*, in: Hans-Jürgen Lüsebrink und Janos Riesz (Hrsg.): *Feindbild und Faszination* (Schule und Forschung), Frankfurt a.M. 1984, 39–54; Michel Espagne: *Les fables de Heine*, in: Cahier Heine 3, 1984, 89–115.

Aufnahme

Als Teil der *Vermischten Schriften* wurden die *Gedichte. 1853 und 1854* z. T. im Vergleich mit der Prosa stärker beachtet (ihre spezielle Rezeption ist bisher noch nicht untersucht worden). Das Echo in der deutschen Presse wird, wie beim *Romanzero*, als überwiegend negativ bezeichnet. Die drei von Klaus Briegleb dokumentierten Rezensionen enthalten keine neuen Gesichtspunkte (die neuesten Gedichte werden im Vergleich mit der frühen Lyrik eindeutig abgewertet, wobei man Heine die Todesdichtung richtig übelnimmt). Auf typisch ambivalente Weise reagierte der Literaturhistoriker Hermann Marggraff in den »Blättern für literarische Unterhaltung«: Er lobt einige Gedichte (*Erinnerung an Hammonia*, *Die Audienz* oder *Das Sklavenschiff*), empfindet aber einzelne Passagen von *Die Libelle*, *Himmelfahrt* oder *Jung-Katerverein* als »Laszivitäten und Zynismen«, die seine »Entrüstung« hervorrufen und vorherrschen lassen. Zum moralischen Einspruch kommt bei Marggraff noch das Gefühl »nationaler Beschämung«, wenn er sich vorstellt, »daß dieser bedeutende, aber unreine Geist noch jetzt vielen als der eigentliche Repräsentant der modern-deutschen Dichtkunst gilt« (B 12, 69).

Lit.: B 12, 67 ff.

Bimini

Die Entstehungszeit dieses Fragment gebliebenen Versepos ist ungesichert. Seine Edition gilt als philologisch anfechtbar. Michel Espagne, der die Handschriften untersucht hat, spricht im Hinblick auf den Schluß von »Verfälschung«. Der Plan zu einem Werk mit dem Titel »Die Insel Bimini« ist gesprächsweise seit Mai 1850 nachweisbar (Werner II, 159). Espagne verlegt die mögliche Entstehungszeit auf das Jahr 1853; bisher hatte man die Jahre 1854/55 in Erwägung gezogen. Den ersten so umstrittenen Druck des in der aktuellen Form maximal 185 Strophen umfassenden Textes besorgte Adolf Strodtmann in dem Nachlaßband: *Letzte Gedichte und Gedanken von Heinrich Heine*. *Hamburg 1869*. 77–117. Dort erschien auch eine Fassung des *Prologs*, die statt fünzig nur zehn Strophen enthält. Eine gesicherte Edition bleibt der historisch-kritischen Gesamtausgabe vorbehalten. Klaus Briegleb druckt den Text in Bd. 11, 241–266.

Lit.: Michel Espagne: *Die fabelhafte Irrfahrt. Heines späte Entwicklung im Spiegel der Handschriften zu »Bimini«*, in: HJb 1984, 69–89.

Analyse und Deutung

Ende oder Krise der Utopie?

Durch Washington Irvings Buch über die Gefährten von Kolumbus hat Heine, das gilt als sicher, die indianische Legende von der zu den Bahamas gehörenden Insel Bimini mit dem wunderbaren Fluß kennengelernt, der dem, der darin badet, Jugend zurückgibt (*Voyages and Discoveries of the Companions of Columbus, 1831*). 1512 brach Juan Ponce de Leon, Heines Held, von Puerto Rico aus vergeblich auf, um Bimini zu suchen (s. B 12, 77 ff. zu Auszügen über Ponce de Leon). In dem z. T. sehr frei versifizierten, farben- und detailfreudigen Epos ist Ponce ein Mann, der auf der Höhe seiner Karriere steht, aber dem etwas Entscheidendes fehlt: Er ist Gouverneur von Cuba und reich, hat »Fürstengunst und Ruhm und Würden«, aber er ist ein verwitterter und verwelkter Greis, der statt »Jugendzähnen« »morsche Stummeln« im Mund hat und deshalb alles hingeben würde, um seine Jugend zurückzubekommen (Teil I). Kaka, eine alte Indianerin, »lullt« Ponce mit dem kindlichen »Singsang« »Kleiner Vogel Kolibri, / Führe uns nach Bimini« ein und erzählt in leuchtenden Bildern von dem irdischen Paradies mit dem »Wunderborn«, aus

dem das »Wasser der Verjüngung« fließt (Teil II). Im folgenden Hauptteil (ähnlich umfangreich wie I) wird breit die Abreise der segelbereiten kleinen Flotte erzählt. Das geschieht aber so, daß mit dem näher kommenden Zeitpunkt des Aufbruchs das Erreichen des Zieles in weite Ferne gerückt wird. Das Epos erzählt in der großen Aufbruchsszenerie schon die unausweichliche Desilusion mit, indem es den Preis nennt, den die Erfüllung der utopischen Sehnsucht kosten würde: Alle Menschen würden wieder Kinder (auch Irvings Ponce träumt davon, »the wisdom and knowledge of age« im Jungbronnen bewahren zu können). Beschwört Kaka ihre Glücksvision mit Kindlichem, das mit Bimini gleichklingt wie »Kolibri«, »Brididi«, »Tirili«, »Mimili« und »Kikriki«, so »lallt« Ponce, das »greise Kinde«, am Schluß schon »kindisch: Bimini«. Das närrische Gebaren der Christengemeinde, die zum Gelingen des Unternehmens des »Weltwohltäters« am Strande ein Hochamt hält, macht den Glauben an Verjüngung lächerlich, was Kaka und Ponce dann vollenden. Die zur »Großfliegenwedelmeistrin« und zur »Oberhamakschaukeldame« erhobene Indianerin ist im Stile des 18. Jahrhunderts grotesk ausgestattet worden (»Rokokoanthropophagisch, / Karaibisch-Pompadour«), während der von der Aussicht auf »baldige Verjüngung« berauschte Ponce der Zukunft zumindest vestimentär vorgegriffen hat, »Und sich bunt herausgeputzt / In der Geckentracht der Mode« (Michel Espagne benutzt hier den Begriff »Ästhetik des Häßlichen«). Die zehn knappen Strophen des editorisch fragwürdigen Schlußteils lassen die Expedition dann abrupt ihren wahren (?) Bestimmungsort erreichen; von neuen Leiden heimgesucht und »täglich noch viel älter«, gelangt Ponce in ein Land mit einem Flüßchen, in dem auch »wundertätig« heilsames Wasser fließt:

> Lethe heißt das gute Wasser!
> Trink daraus, und du vergißt
> All dein Leiden – ja, vergessen
> Wirst du was du je gelitten –
>
> Gutes Wasser! gutes Land!
> Wer dort angelangt, verläßt es
> Nimmermehr – denn dieses Land
> Ist das wahre Bimini.

Heines letztes »versifiziertes Reisebild« endet schließlich in der Matratzengruft, in der es keine andere Erlösung von allen Leiden geben kann als den Tod; aus der nichts anderes herausführen wird als der Sarg. Dennoch sehnt Heine sich keineswegs, was der pessimistische Schluß des Epos suggeriert, nach dem »wahren Bimini«, denn dem *Epilog* zu *Gedichte*. *1853 und 1854* sowie dem Nachlese-Gedicht *Der Scheidende* graut es vor dem »stygischen Gewässer« bzw. vor der »Unterwelt« (B 11, 239 und 350). Der Gelähmte erteilt zwar Ponces närrischen Hoffnungen auf Verjüngung eine Absage (Jürgen Jacobs hat des späten Heine Verhältnis zur Utopie untersucht), aber wenn er die seetüchtige Suche nach Bimini als »Narrenfahrt« verlacht, so hat er nicht die poetische Suche aufgegeben und dazu ein anderes »Gefährt« als Ponce, mit dem er die Sehnsucht teilt, gewählt. Der *Prolog* setzt deshalb auf die »Magie der edlen Dichtkunst«; der Sprecher ruft die Muse an und bittet: »verwandle flugs mein Lied / In ein Schiff, ein Zauberschiff, / Das mich bringt nach Bimini!« Im Bänkelsängerton fordert er zu diesem Reiseabenteuer auf:

> Fürchtet nichts, ihr Herrn und Damen,
> Sehr solide ist mein Schiff;
> Aus Trochäen, stark wie Eichen,
> Sind gezimmert Kiel und Planken.
>
> Phantasie sitzt an dem Steuer,
> Gute Laune bläht die Segel,
> Schiffsjung ist der Witz, der flinke.
> Ob Verstand an Bord? Ich weiß nicht!

Zusammen mit diesen poetologisch-metaphorischen Strophen legt der Beginn des *Prologs* ein Bekenntnis zur Romantik ab (»Wunderglaube! blaue Blume«), aber zu einer, von der Heine weiß, daß ihre Zeit in ihrer historischen Erscheinung längst abgelaufen ist. Dennoch spricht ihr der Autor von *Atta Troll* und *Bimini* als poetische Gegenkraft zum schlechten Neuen eine gewisse funktionelle Berechtigung nicht ab: So wie das erste Versepos nur auf »des Fabelrosses Flügeln« das außerhalb der bürgerlichen Welt liegende Avalun für erreichbar erklärt hat (B 7, 546), so will das letzte, ebenfalls in trochäischem Versmaß gedichtete Epos nur mit dem »Narrenschiff« der Dichtkunst nach Bimini ablegen (vgl. Prawer: »Voyage to Avalon«). Aber damit das Schiff durch romantische Illusionen nicht außer Kontrolle gerät, sind ihm in Form von Komik und Skepsis Hemmnisse beigegeben. Verjüngung, das vergegenwärtigt das Spätwerk *Bimini*, für dessen Autor es lediglich Aufschub war, garantiert nur Poesie; wer mehr will, schippert in das Land des Todes.

Lit.: S[iegbert] S. Prawer: *Heine The Tragic Satirist*, Cambridge 1961, 269–281; Ernst Bloch: *Verfremdungen I,* Frankfurt a. M. 1962, 226 ff.: Ponce de León, Bimini und der Quell; Jürgen Jacobs: *Der späte Heine und die Utopie – Zu ›Bimini‹,* in: Etudes Germaniques No. 4/1967; Benno von Wiese: *Mythos und Historie in Heines später Lyrik,* in: IHK 1972, 139 ff. [vergleicht die thematisch verwandten *Vitzliputzli* und *Bimini*]; Bernhild Boie: *Am Fenster der Wirklichkeit. Verflechtungen von Wirklichem und Imaginärem in Heinrich Heines später Lyrik,* in: *Heinrich Heine und die Zeitgenossen,* Berlin und Weimar 1979, 163–177; Michel Espagne (s. o.).

Prosaschriften

Die Romantik

Heines Prosaerstling – ein Studentenstreich?

Man könnte Heines erste veröffentlichte Prosaarbeit, ein kleiner, 1820 während des Sommeraufenthaltes in Beuel bei Bonn entstandener Aufsatz, leicht als epigonale Huldigungsadresse an August Wilhelm Schlegel an- und übersehen, damals berühmtes Schulhaupt der deutschen Romantik und Literaturkritiker von europäischem Rang. Hier tritt in Auseinandersetzung mit der jüngsten Literatur ein um Anerkennung bemühter Student im Namen »wahrer Romantik« auf, der die Ungebildeten unter ihren Verächtern in die Schranken weisen will – und das ausgerechnet zu einem Zeitpunkt, den er dreizehn Jahre später als die Todesstunde der Romantik ausgeben wird (s. *Romantische Schule*, B 5, 387 f.). Hier beweihräuchert einer, der sich als wahrer »Schlegelianer« zu erkennen geben möchte, seinen Lehrer zusammen mit Goethe als »unsre zwei größten Romantiker« und stellt ihn auf eine Stufe mit demjenigen, dem gegenüber er ihn später ins Nichts versinken läßt. Und nicht einmal ein Jahr nach den durch die Karlsbader Beschlüsse ausgelösten »Demagogenverfolgungen«, zu deren Opfer Bonner Professoren und Burschenschafter gehörten, sowie nur Monate nach der eigenen Vernehmung durch den Universitätsrichter fühlt sich hier ein offenbar verblendetes Mitglied der gerade aufgelösten »Allgemeinheit« berufen, pathetisch zu erklären: »Deutschland ist jetzt frei; kein Pfaffe vermag mehr die deutschen Geister einzukerkern; kein adeliger Herrscherling vermag mehr die deutschen Leiber zur Fron zu peitschen« (B 1, 401).

Dennoch besitzt die kleine Arbeit mehr als nur entwicklungsgeschichtliches Interesse. Es ist nämlich nicht ohne Bedeutung, daß sich hier ein nicht ganz 23jähriger Student im zweiten Semester – von dem Hans Mayer behauptet hat, er sei als Schriftsteller, »vor allem am Beginn seiner Laufbahn, *ganz ohne Tradition*« – zu den beiden Repräsentanten von Klassik und Romantik bekennt (*Die Ausnahme Heinrich Heine*, in: Hans Mayer: *Von Lessing bis Thomas Mann*, Pfullingen 1959, 275 u. ff.). In der für ihn bereits typischen, d. h. polemischen Art eröffnet Heine hier seine lebenslange Konfrontation mit der jüngsten literarischen Tradition, in der sich sein dichterisches Selbstverständnis artikulieren sollte. Der spätere Testamentsvollstrecker der Romantischen Schule legt bei seiner ersten und noch überschwenglichen Auseinandersetzung mit der Romantik einen Maßstab an, der sein Ideal plastischer Kunst vorwegnimmt und, über alle Abhängigkeit von Schlegel hinaus, in Richtung auf die Definition postromantischer, moderner Literatur weist. Deshalb kam denn auch die neuere Forschung nicht daran vorbei, Heines Einschätzung ernstzunehmen, nach der der Aufsatz einer kleinen Programmschrift gleichkommt (»meine Ansichten über neuere Poesie« nennt Heine die Arbeit am 7. November 1820, als er sie zusammen mit den Gedichten an Brockhaus schickt; vgl. dazu Kuttenkeuler, 38 f. und B 2, 806).

Im Hinblick auf die Situation des Autors sollte wenigstens kurz erwähnt werden, daß Heine, der sich von Oktober 1819 bis September 1820 zu seinen beiden Erstlingssemestern in Bonn aufgehalten hat, als eifriger und fleißiger Student der Fächer Literatur- und Sprachwissenschaft, Geschichte und Jurisprudenz seinen Professoren aufgefallen war. An der 1818 als preußisch-vaterländische Bastion im französisch beeinflußten Rheinland gegründeten Universität hörte er kurze Zeit nach der Ermordung Kotzebues überwachte Vorlesungen romantisch-patriotischen Geistes bei August Wilhelm Schlegel (neben der Einführungsvorlesung über das akademische Studium: »Geschichte der deutschen Sprache und Poesie« im WS 1819/20, »Historisch-kritische Erklärung des Nibelungenlieds« und »Metrik, Prosodie und Declamation« im SS 1820) und vor allem bei dem Volkstribunen Ernst Moritz Arndt (»Geschichte des deutschen Volks und Reichs« und »Tacitus: de moribus Germanorum« im WS 1819/20; Kanowski hat den Studiengang genau untersucht). Ein Gegengewicht zu den Vorlesungen romantischer Eiferer wie Johann

Gottlieb Radlof und Helferich Bernhard Hundeshagen setzten die kulturgeschichtlichen Vorlesungen Karl Dietrich Hüllmanns, eines antiromantischen Feindes der herrschenden Mittelalterschwärmerei, der Heine mit aufklärerischem Geist vertraut machen konnte (Hüllmanns überraschend augenfälliger Einfluß ist bisher wohl zu wenig gewürdigt worden). Schließlich folgte der Jurastudent dem Unterricht des naturrechtlichen Gegners der Historischen Schule, Karl Theodor Welcker, und eines blassen Vertreters dieser Schule, Ferdinand Mackeldey. – Durch den Lehrbetrieb wurde Heine also gleichzeitig mit romantischem und aufklärerischem Geist bekannt, so daß man danach fragen könnte – was bisher meist unterblieb –, inwiefern seine bald grundsätzlich ambivalente, zwischen Anerkennung und schärfster Ablehnung schwankende Haltung zur Romantik (s. *Romantische Schule*) dadurch mitgeprägt worden ist.

Unmittelbar relevant für den Aufsatz ist das geistige Klima, das in dem Streit um Klassik und Romantik herrschte, den eine junge Schriftstellergeneration zu Beginn der 20er Jahre verschärft ausfocht, und in den Heines Antwort auf eine Glosse des in rheinischen Dichterkreisen angesehenen Wilhelm von Blomberg eingriff. Gerd Heinemann betont nun diesbezüglich, daß Blomberg im Voß-Stolberg-Streit auf Seiten des Anti-Romantikers stand; ebensowenig gilt der »Rheinisch-Westfälische Anzeiger« als Verteidiger der Romantiker (an der politisch-patriotisch motivierten Abfuhr, die Heine Blomberg erteilt, ist sein erstes öffentliches Bekenntnis zur Judenemanzipation bemerkenswert, bezeichnet er Deutschland doch als »ein Vaterland selbst demjenigen, dem Torheit und Arglist ein Vaterland verweigern«, B 1, 399).

Druck: mit »H. Heine« unterzeichnet erschien *Die Romantik* in der Beilage »Kunst- und Wissenschaftsblatt« Nr. 31, Sp. 467–470, des »Rheinisch-Westfälischen Anzeigers« vom 18. August 1820.

Text: B 1, 399–401.

Lit.: B 2, 806f.; Wolfgang Kuttenkeuler: *Heinrich Heine,* Stuttgart etc. 1972, 31–40; Gerd Heinemann: *Die Beziehungen des jungen Heine zu Zeitschriften im Rheinland und in Westfalen,* Münster 1974, 126–134; Walter Kanowsky: *Vernunft und Geschichte. Heinrich Heines Studium als Grundlage seiner Welt- und Kunstanschauung,* Bonn 1975, 1–113.
– zur Bonner Studienzeit: Wolfgang Hädecke: *Heinrich Heine. Eine Biographie,* München 1985, 107–121; Franz Futterknecht: *Heinrich Heine. Ein Versuch,* Tübingen 1985, 188–212.

Plastische und romantische Poesie

Die genetische Konstruktion der Romantik ist ganz der Schlegelschen Theorie verpflichtet, die bekanntlich zwei Typen von Poesie, die antike und die romantische Poesie, unterscheidet (Futterknecht, 194 ff.). Indem Heine die romantische Poesie in »ihrem schönsten Lichte im Mittelalter« aufblühen und »in neuerer Zeit wieder lieblich aus dem deutschen Boden« aufsprießen sieht, entwickelt er, wie später im Zusammenhang mit *Atta Troll,* den Begriff einer tausendjährigen Großepoche (zur Entwicklung von Heines Romantikbegriff s. Clasen). Heine folgt Schlegel offensichtlich auch dann, wenn er entschlossen eine »wahre« gegen eine mißverstandene Romantik verteidigt; als Beispiel für letztere verspottet er »ein Gemengsel von spanischem Schmelz, schottischen Nebeln und italienischem Geklinge«, d. h. eine Romantik, die sich unter Absage an die sinnlich-objektive Poesie der Antike damit begnügt, auf pittoreske Weise »seltsam das Gemüt [zu] erregen und ergötzen«. »Wahre Romantik«, so fordert die ästhetische Hauptthese, muß dagegen anschaulich und plastisch sein – ihre Bilder »dürfen eben so klar und mit eben so bestimmten Umrissen gezeichnet sein, als die Bilder der plastischen Poesie«. Dieses Kunstideal soll durch Goethe und Schlegel, »unsre größten Plastiker«, Gestalt angenommen haben. Inhaltlich stellt sich der Autor »wahre Romantik« ohne Christentum und Rittertum, d. h. ohne Verherrlichung der feudalen Vergangenheit vor. Als Angriff auf bestimmte spätromantische Dichtungen ist zu verstehen, wenn weder ein »schmachtendes Nönnchen« noch ein »ahnenstolzes Ritterfräulein« als Allegorien der neuen »deutschen Muse« infrage kommen. Damit steht auch eine politisch zeitgemäße Literatur an.

Heine hat nun die für seine ästhetische Theorie und Praxis zentralen Begriffe »Plastiker«, »plastisch« und das »Plastische« im Anschluß an die klassische Antikerezeption, wenn nicht in direkter Anlehnung an Schlegel, entwickelt (dazu Maier), aber mit seiner Hauptthese tritt er aus dem Schatten des Bonner Professors deutlich heraus, für den Geist und Form der antiken und der romantischen Poesie unvereinbare Gegensätze bedeuten (s. Kuttenkeuler und Kanowsky). Der studentische Theoretiker wendet sich sogar spürbar gegen Schlegel, wenn er das klassische Ideal der Plastizität auch für die romantische Kunst geltend machen will; ganz unromantisch ist dann die Forderung, den Streit

»zwischen Romantikern und Plastikern« in der Gegenwart zu schlichten, d. h. historisch vermittelte Gegensätze ästhetisch zu harmonisieren – ein früher Synthese-Gedanke Heines. – Dem Ideal des Aufsatzes verschreibt sich nun auch ausdrücklich der Dichter zu Beginn der 20er Jahre (am 4. Februar 1821 teilt er seinem Studienfreund Friedrich Steinmann mit, er versuche »auch im Drama romantischen Geist mit streng plastischer Form zu verbinden«). Demselben Ideal klarer, plastischer Konturen bleibt dann auch der Kritiker und Schriftsteller treu, der die Synthesevorstellung von Klassik und Romantik zugunsten schärfster Gegenstellung von plastischer = sensualistischer und romantischer = spiritualistischer Kunst aufgegeben hat. In den 30er Jahren werden Goethe und Shakespeare (auch Victor Hugo, vgl. B 5, 317) als große Plastiker, die Vertreter der Romantischen Schule aber als das Gegenteil angesehen, weil es ihnen nicht gelungen ist, das Endliche mit dem Unendlichen, das Dargestellte mit dem Darzustellenden, d. h. »die plastischen Gestalten« mit der »Idee« zu einer Einheit zu verschmelzen, sondern nur parabolisch anzudeuten. In der romantischen Kunst, so lautet jetzt die polemische These, hat die schattenhafte, vage und unscharfe Gestalt noch »eine esoterische Bedeutung«, d. h. einen spiritualistischen Gehalt (B 5, 366 ff.; vgl. 550 f.; dazu Maier). Klassische Identität von Form und Idee denunziert nun romantisch-parabolisches Verweisen auf ein Jenseitiges. Neben der polemischen Bestimmung des Begriffs »plastisch« gilt jedoch die Plastizitätsforderung von 1820 als allgemeines Kunstideal weiter, bekennt doch der Antiromantiker 1833: »plastische Gestaltung soll in der romantisch modernen Kunst, ebenso wie in der antiken Kunst, die Hauptsache sein.« (B 5, 366) Die Forderung klar umrissener Formen gilt nicht allein für »wahre Romantik«, sondern für jede wahre Kunst.

Lit.: Willfried Maier: *Leben, Tat und Reflexion. Untersuchungen zu Heinrich Heines Ästhetik*, Bonn 1969, 47–69; Wolfgang Kuttenkeuler (s. o.); Peter Uwe Hohendahl: *Geschichte und Modernität. Heines Kritik an der Romantik*, in: Jahrbuch der deutschen Schillergesellschaft, 17. Jg. 1973, Stuttgart 1974, 321 ff.; Walter Kanowsky (s. o.); Herbert Clasen: *Heinrich Heines Romantikkritik*, Hamburg 1979 (= Heine-Studien), 19–75.

August Wilhelm Ritter v. Schlegel: Meister, Mentor und Prügelknabe

Der Dichter des *Atta Troll* gestand 1846, er habe in der romantischen Schule seine »angenehmsten Ju-

gendjahre verlebt«, unter einem verehrten und dann geprügelten »Schulmeister« (B 7, 495). Die Begegnung mit dem weit über Deutschland hinaus bekannten älteren Schlegel hat nicht nur Heines intellektuelle Ausbildung maßgeblich beeinflußt, sondern auch sein dichterisches Selbstverständnis entscheidend gefördert, so entscheidend, daß der Biograph Franz Futterknecht das Bonner Zusammentreffen mit romantischer Theorie, Philosophie und Dichtungspraxis als »romantische Erleuchtung« und das Ergebnis des Umgangs mit Schlegel als »Ernennung zum Dichter« verbucht hat. Als Wissenschaftler konnte Schlegel, der 1820 seine frühere Doktrin weiterentwickelt hatte, den Studenten ebenso in Sprachwissenschaft und ältere deutsche Literatur einführen wie in Gattungstheorie und Weltliteratur; dem Poeten vermochte er durch Vermittlung metrischer Kenntnisse das mühsame Geschäft des Dichtens zu eröffnen. Als Lehrer und Mentor gelang es ihm, Heine aus einer schöpferischen Krise zu reißen und durch genaue Korrektur-Lektüre seiner Poeme (die er »mehrmals kritisch durchhechelte«, Brief an den Verleger Brockhaus vom 7. November 1820) den lern- und lektionswilligen Schüler zur Herausgabe der *Gedichte* zu ermutigen (im Dezember 1821 erschienen; vgl. Brief an den Studienfreund Beughem vom 15. Juli 1820). Das weltmännische Fluidum der Vorlesungen und den ungewöhnlichen Glanz eines deutschen Professors bezeugt noch das ironische Porträt, das Heine von dem inzwischen als eitel und geckenhaft durchschauten Mann in der *Romantischen Schule* entworfen hat: Neben dem nach »der neuesten Pariser Mode« gekleideten und »von guter Gesellschaft und eau de mille fleurs« parfümierten Professor »stand sein Bedienter in der freiherrlichst Schlegelschen Hauslivree, und putzte die Wachslichter, die auf silbernen Armleuchtern brannten, und nebst einem Glase Zuckerwasser vor dem Wundermanne auf dem Katheder standen. Livreebedienter! Wachslichter! silberne Armleuchter! Zuckerwasser! welche unerhörte Dinge im Kollegium eines deutschen Professors! Dieser Glanz blendete uns junge Leute nicht wenig, und mich besonders« (B 5, 418; zu der bis Mitte der 20er Jahre anhaltenden Schlegel-Rezeption s. DHA 8/2, 1340).

Für die Anerkennung als Schlegelianer sowie für die Förderung, die ihm zuteil wurde, hat sich Heine nicht nur mit dem Aufsatz *Die Romantik*, dem ein Schlegel-Zitat als Motto voransteht, erkenntlich gezeigt, sondern vor allem mit einem dreiteiligen, 1820 entstandenen *Sonetten-Kranz an Aug. Wilh. v. Schlegel,* den »Der Gesellschafter« im Mai 1821 mit einem Nachwort veröffentlichte (B 1, 65 u. 222 f.). Während das Nachwort (B 2, 699 f.) Schlegel gegen bittere Angriffe verteidigt und als »literarischen Reformator« feiert, würdigt das 1827 ins *Buch der Lieder* aufgenommene Sonett den Erneuerer von »Deutschlands echter Muse«. In den beiden anderen Sonetten verbeugt sich einmal ein dankbarer Schüler vor dem »hohen Meister« und zum andern der »lustge Erbe« vor dem genialen Wissenschaftler. Allein im Nachwort wird Distanz aus politischer Hinsicht spürbar.

Brief- und Gesprächszeugnisse zeigen diese verehrungsvolle Einstellung bis Mitte der 20er Jahre, als eine Abkehr sowohl von der Romantik (vgl. *Buch der Lieder,* B 1, 130) wie von Schlegel deutlich zutage tritt (z. B. Werner I, 92). Heine, der sich bald nach seiner Bonner Zeit davon überzeugt hat, daß Schlegel kein eigentlicher Dichter ist, betrachtet ihn aber trotz aller kritischen Vorbehalte und trotz öffentlichen Spottes (*Nordsee III,* B 3, 221 u. *Die Bäder von Lucca,* B 3, 455) weiter als (s)einen metrischen Meister und Virtuosen, ja, nach 1830, nach dem völligen Umschlag ihrer Beziehungen, bezeichnet er ihn zusammen mit Platen als den »größten Metriker Deutschlands« (B 5, 411). Ebensowenig verabsäumt der einstige Schüler, der in der *Romantischen Schule* (s. d.) zum politischen Verfolger, wenn nicht zum satirischen ›Totschläger‹ des altersschwachen Spiritualisten geworden ist, Schlegels Verdienste als Kritiker, Übersetzer und Forscher, vor allem seine Bemühungen um eine »elegante« Wissenschaftssprache hervorzuheben (B 5, 417; über Heines Wandel vom Jünger zum Gegner vgl. Kanowsky). Der Mann, den Heine 1820 noch in »seiner vollen Kraft, Herrlichkeit und Rüstigkeit« gesehen hat (B 2, 699), ist gut elf Jahre später, bei der Begegnung in Paris, zu einem umherspukenden Leib ohne Geist heruntergekommen, kurz, zu einem Verfallssymptom der Romantik avanciert.

Texte: August Wilhelm Schlegel: *Kritische Schriften und Briefe,* hrsg. von Edgar Lohner, Stuttgart 1962 ff., 6 Bd.e; *Vorlesungen über das akademische Studium,* hrsg. von Frank Jolles, Heidelberg 1971 (diese Vorlesung hat Heine 1819/1820 wahrscheinlich gehört).

Lit.: Walter Kanowsky (s. o.); Franz Futterknecht (s. o.).
– zu Schlegel: Walter F. Schirmer: *August Wilhelm von Schlegel als Bonner Professor 1818–1845,* in: *Spiegel der Geschichte,* Festgabe für Max Braubach, hrsg. von Konrad Repgen und Stephan Skalweit, Münster Westf., 1964, 699 ff.

Briefe aus Berlin

Entstehung, Druck, Text

Der Berlin-Aufenthalt zwischen März 1821 und Mai 1823 stellt eine wichtige Etappe in Heines Entwicklung dar. Vielfältige, bis heute noch nicht genau geklärte Einflüsse und Anregungen, die die preußische Haupt- und Residenzstadt als geistiges Zentrum bot, haben die Ausbildung des kritischen Denkens wesentlich unterstützt und die ersten Versuche mit einer neuen, zeitkritischen Prosa gefördert. Bei der Abreise 1823 sind die wichtigsten Frühschriften abgeschlossen.

Der in Göttingen relegierte Student traf zur Fortsetzung seiner Studien auf eine Stadt, die ihn aus verschiedenen Gründen faszinieren mußte. Das vorindustrielle, aber wirtschaftlich aufstrebende Berlin mit damals ca. zweihunderttausend Einwohnern versetzte Heine zum erstenmal in ein typisches »Großstadtmilieu« (DHA 6, 361), das er bisher so noch nicht gekannt hatte. Zum erstenmal konnte er sich in einer modernen, urbanen Großstadtkultur bewegen, die seinen Lebens- und Schreibstil entscheidend prägen sollte. Zum erstenmal lernte er ein buntes, gedrängtes Straßenleben mit den demokratisch gemischten Vertretern aller Stände kennen (die schönen Frauen und die Mode nicht zu vergessen). Er lebte in einer Stadt mit Konditoreien wie Josty und Teichmann, mit Cafés wie Café Royal und Stehely, mit Restaurants wie Jagor, wo sich ›tout Berlin‹ traf. Er verkehrte in den ebenfalls Rang- und Standesgrenzen aufhebenden Salons von Elise von Hohenhausen, wo er aus dem *Lyrischen Intermezzo* vorlas und als »deutscher Byron« vorgestellt wurde, sowie von Rahel und Karl August Varnhagen v. Ense, wo man Goethes Werk kultisch verehrte, und in dem Salon von Philipp Veit, wo er führenden Mitgliedern des »Vereins für Kultur und Wissenschaft der Juden« begegnete, in den er am 4. August 1822 eintrat. In den Salons lernte er führende Vertreter des geistigen Berlin kennen (Einzelheiten: DHA 6, 361 u. 429; Mende, 23). Gleichzeitig verkehrte er in dem Dichterkreis um Christian Dietrich Grabbe und Karl Köchy (mit Grabbe nicht nur freundschaftlich, weil es wahrscheinlich zu einer Prügelei gekommen ist). Mit Friedrich de la Motte Fouqué und E. T. A. Hoffmann lernte er Vertreter der Hochromantik kennen. An der im neuhumanistischen Geist 1810 gegründeten Universität konnte er Vorlesungen prominenter und bedeutender Professoren hören wie Hegel, v. Savigny, Böckh, Bopp, v. Raumer, Schmalz und Hasse (Mende, 23, 25, 27 und 31). Durch die Freundschaft mit Eduard Gans erhielt er direkten Kontakt zur philosophisch führenden Hegel-Schule. Mit Hegel und mit dem berühmten Philologen Friedrich August Wolf wurde er persönlich bekannt. Über den genauen Hergang der Studien, die Heine damals wahrscheinlich nicht allzu ernsthaft betrieben hat, läßt sich heute nichts Endgültiges mehr ausmachen (DHA 6, 361). Aufregender und attraktiver als der Lehrbetrieb waren für den jungen Studenten wohl Oper, Theater und Bälle.

Aber das glänzende Gesellschaftsleben und die kulturelle Blüte Berlins dürfen nicht über die politische Erstarrung hinwegtäuschen, die das Preußen der 20er Jahre auf charakteristische Weise prägte und die Ohnmacht des liberalen Bürgertums offenbar werden ließ. Heines erster Berlin-Aufenthalt (er sollte 1824 noch einmal wiederkommen, 1829 dann zum letzten Mal) fiel in eine Zeit, in der das Scheitern der preußischen Reformpolitik, mit dem uneingelösten Verfassungsversprechen, endgültig wurde. Hardenberg starb im November 1822. Die altständischen Verfassungsgegner am Hof und in der Verwaltung siegten. Im Sommer 1822 machte die Rücknahme des Edikts von 1812 Juden eine akademische Karriere unmöglich. Das mußte Heine, der 1822 in einer tiefen Krise seiner deutsch-jüdischen Identität steckte (vgl. Briefe an Christian Sethe und Moses Moser vom 14. April 1822 und 23. August 1823), schwer treffen. Hinzu kamen deutschtümelnde bis antisemitische Tendenzen in den Burschenschaften. Das war die politische Kehrseite der glänzenden Medaille. In seinen drei Korrespondenzberichten hat Heine dann auf beides reagiert: auf den kulturellen »Glanz« und auf das politische »Elend« Berlins, indem er die kulturelle Blüte auf die polizeiliche Unterdrückung zurückbezog.

Wenige Monate nach seiner Ankunft verarbeitete Heine seine Eindrücke in Form von Zeitungsberichten. Im Herbst 1821 schickte er einen verlorengegangenen »Brief über das hiesige Theater«, der wahrscheinlich den damals vieldiskutierten Weber-Spontini-Streit behandelt hat, an den Verleger Friedrich Arnold Brockhaus (DHA 6, 362). Anfang 1822 nutzte Heine seine Verbindungen zu dem Herausgeber des liberal geführten »Rheinisch-Westfälischen Anzeigers«, Dr. Heinrich

Schultz (seit 1822 Schulz), um in abgesprochenen, regelmäßigen Abständen nach damals üblicher Art Korrespondenzberichte mit gesellschaftlichen Neuigkeiten aus der Hauptstadt zu schicken. Der auf den 26. Januar 1822 datierte erste *Brief aus Berlin* erschien unzensiert Mitte Februar 1822 im Hammer »Anzeiger«. Der zweite Brief vom 16. März 1822, in dem wahrscheinlich Entwürfe des verlorenen Theaterbriefes verwendet worden sind, folgte im April mit Zensurstrichen im Abschnitt über Spontini. Der dritte Brief vom 7. Juni 1822, der Ende Juni bis Mitte Juli erschien, enthält dann sinnentstellende Zensureingriffe, über die sich Heine brieflich am 1. September 1822 an Ernst Christian August Keller beschwerte (»In meinem 3ten Briefe aus Berlin ist auf unverzeihliche Weise geschnitten worden. Schulz schreibt es sey die Censur gewesen.«). Gleichzeitig kündigte er an, er werde »schwerlich mehr als 2 Briefe noch schreiben«. Aber es kam nicht mehr zu einer Fortsetzung der als Reihe veröffentlichten Korrespondenzen, die damit unvollendet blieben. Als Gründe für den Abbruch werden Ärger über die Zensur, kritischere Weiterentwicklung seiner Haltung gegenüber Preußen und ganz einfach das neue Projekt *Über Polen* erwähnt (B 4, 690 f.; DHA 6, 365 f.; 385).

In einer weiteren Phase wurden die *Briefe* dazu auserkoren, dem zweiten Band der *Reisebilder* über die zensurfreie Schwelle von 20 Bogen zu verhelfen und erschienen gekürzt in drei Teilstücken im Anschluß an das *Buch Le Grand*. Die im Herbst 1826 geplante Neufassung erweist sich in Wirklichkeit als geringfügige Überarbeitung (zweiter Brief) und Erweiterung (dritter Brief; s. DHA 6, 371). In der Funktion des Lückenbüßers, als »Futter für die Menge«, und in dieser Form, als drei Episoden und als »zinnernes Ende«, konnten die *Briefe* in Heines Ansehen nicht steigen, und 1831, bei der umkomponierten 2. Auflage von *Reisebilder* II wurden sie kurzerhand ausgeschieden (vgl. Vorwort zur 2. Auflage vom Juni 1831). – Im Plan zur Gesamtausgabe von 1852 ist der Druck der *Briefe* in Band 13 vorgesehen, allerdings ohne Angabe über die Fassung, die vollständige von 1822 oder die stark gekürzte von 1827.

Die mit ». . . e« unterzeichneten *Briefe aus Berlin* erschienen in 10 Fortsetzungen in der Beilage »Kunst- und Wissenschaftsblatt« des »Rheinisch-Westfälischen Anzeiger«, Nr. 6, 7, 16–19, 27–30, der erste Brief am 8. u. 15. Februar, der zweite Brief am 12., 19. u. 26. April und 3. Mai, der dritte Brief am 28. Juni, 5., 12. u. 19. Juli 1822. Texteingriffe lassen sich wegen fehlenden Handschriften nicht mehr feststellen. Die Fortsetzung vom 3. Mai wurde am 18. Mai 1822 in der Beilage von »Der Brandenburger Erzähler« leicht zensiert nachgedruckt (DHA 6, 367 u. 374).

Mit dem Titel *Briefe aus Berlin. I. 1822.* erfolgte der erste, um dreiviertel gekürzte Buchdruck in: *Reisebilder von H. Heine. Zweiter Theil. Hamburg, bey Hoffmann und Campe. 1827* auf den S. 297–326. Zu Veränderungen s. DHA 6, 371.

Die beiden sehr unterschiedlichen Fassungen stellen die Herausgeber vor Schwierigkeiten. Briegleb wählt den ausführlichen Zeitschriftendruck von 1822 nach der Walzelschen Ausgabe, unter Berücksichtigung der im Buchdruck vorgenommenen Änderungen (Lesarten B 4, 698 f.). – DHA übernimmt die im Buchdruck von 1827 ausgewählten Teile als Haupttext und fügt den Zeitschriftendruck in kleinerer Drucktype ergänzend ein (DHA 6, 372 u. 374; die 1827 ausgegliederten Stellen gibt der Lesartenapparat).

Text: B 3, 7–68; DHA 6, 7–53.

Lit.: B 4, 689 ff.; DHA 6, 361–374; Fritz Mende, *Heinrich Heine. Chronik seines Lebens und Werkes,* Stuttgart 1981, 2. Aufl.

– zur Berliner (Studien-)Zeit: Walter Kanowsky: *Vernunft und Geschichte. Heinrich Heines Studium als Grundlegung seiner Welt- und Kunstanschauung,* Bonn 1975, 174–308; Wolfgang Hädecke: *Heinrich Heine. Eine Biographie,* München 1985, 137–158; Franz Futterknecht: *Heinrich Heine. Ein Versuch,* Tübingen 1985, 229–252.

– zum »Rheinisch-Westfälischen Anzeiger«: Gerd Heinemann: *Die Beziehungen des jungen Heine zu Zeitschriften im Rheinland und in Westfalen,* Münster 1974 [untersucht eingehend »Anzeiger«, 79–109, Heines Beziehung zur Zeitschrift, 109–126, Druckgeschichte der *Briefe aus Berlin,* 135–144 sowie Kontext, 144–153].

Analyse und Deutung

Ein kritisches Städtebild

Städtecharakteristiken waren im späten 18. und im frühen 19. Jahrhundert eine beliebte literarische Form, »Briefe aus Berlin« sogar ein häufiger Titel (DHA 6, 383 f.). Meldungen und Berichte mit dem Titel »Aus Berlin« etc. gehörten zu jeder größeren Zeitung. Heine hat die formal sehr variablen Korrespondenzberichte 1822 sehr genau gelesen und studiert, wobei drei unmittelbar vorausgegangene Artikelserien für ihn besonders wichtig geworden sind: Elise von Hohenhausens *Briefe aus der Residenz* (1820), Karoline de la Motte Fouqués *Briefe über Berlin* (1821) und die anonym erschienenen *Briefe von Freimund* (1820) (DHA 6, 384). Von diesen zumeist anspruchs- und planlosen Vorläufern und »Vorbildern« unterscheiden sich Heines erste Korrespondenzberichte duch ihre gesell-

schaftskritische und kulturpolitische Perspektive ebenso wie durch ihren formalen Aufbau: Sie entwerfen nämlich ein kritisches Städtebild nach einem neuen Bauplan. Dieser Ansatzpunkt sichert den *Briefen aus Berlin* einen markanten Platz sowohl in der Geschichte der Literatur des 19. Jahrhunderts wie in der Ausbildung eines qualitätsbetonten Journalismus (Windfuhr und Hermand). Dennoch hatten sie bis auf die jüngste Zeit sozusagen schlechte Presse in der Diskussion: Mit wenigen Ausnahmen galten sie als *inhaltlich* harmlos und *formal* schwach (vgl. dazu Hermand, 26). Von Editoren wurden sie oft an untergeordnete Stellen verbannt.

Jeder der drei Briefe gruppiert um jeweils kleine, erzählerische Grundstrukturen mit »anekdotischem Kern« (Hermand) eine Fülle von Eindrükken und ›news‹, Notizen und Fakten, die ein äußerst buntes Bild der Stadt entstehen lassen. Lädt der erste Brief die Adressaten Schulz und Wundermann (»Sie«) aus der Hammer Redaktion zu einem Stadtrundgang ein, so ziehen sich durch den zweiten Brief die Episoden vom Jungfernkranz und vom Maskenball, während der dritte Brief die Prinzessinnenhochzeit mit den Feierlichkeiten ins Zentrum stellt (die letzten drei Episoden ließen sich dann 1827 leicht herausschälen). Um die Kerne herum werden ganz unsystematisch (»Systematie« »ist der Würgeengel aller Korrespondenz«), aber in kontrastreichen Beziehungen und in freier »Assoziation der Ideen« die heterogensten Phänomene komponiert (B 3, 10, vgl. 91; den für Heines Ästhetik grundlegenden Ausdruck »Ideenassoziation« benutzt 1822 auch Adolf von Schaden, DHA 6, 390). Hinzu kommt die offene, lockere Briefform, die hier zum erstenmal genutzt wird, um zwanglos »alles zu sagen«, was der Autor will (vgl. Brief an Karl August Varnhagen v. Ense vom 24. Oktober 1826), ohne in die Beliebigkeit formloser Plaudereien oder gestaltloser Reihungen zu verfallen. Diese Verwendung unterschiedlicher formaler Strukturen und Elemente sichert den inneren Zusammenhalt der Korrespondenzen, die den ersten Versuch einer neuen Prosa darstellen: Das Städtebild als Vorstufe des Reisebildes.

Inhaltlich bringt der Briefautor alle für die Hauptstadt charakteristischen Aspekte zur Sprache, wie Hof- und Bürgerleben, Stadt- und Straßenbild, Oper und Theater, Konzerte und Bälle, Kultur und Literatur. Zahllose große und kleine Größen treten in Kurzporträts oder nur als Namen auf. Die berühmten Häupter des Hochschul- und des Geisteslebens repräsentieren die herrschenden Strömungen in der Philosophie, Theologie und Philologie, in Rechts-, Sprach- und Geschichtswissenschaft, in Musik, Kunst und Literatur.

Aber in das Bild der brillanten Metropole sind dunkle Stellen eingezeichnet, denn in Berlin, wie überall, ist nicht alles Gold, was glänzt. Sollte Heines Gesamteindruck von Berlin damals, wie Hermand betont, ein »erregender und verwirrender« gewesen sein, so ist jedoch der des Briefeschreibers eher ernüchternd und kritisch. Mit dem »Auge des Eingeweihten« (B 3, 14) schaut er durch die Fülle der blendenden Erscheinungen hindurch und erkennt das Wesentliche. – Wird zunächst über den Hof berichtet, so handelt es sich nicht um glorifizierende Hofberichterstattung. In die Beschreibung der königlichen Familie und ihrer Gäste sind ganz und gar respektlose, anachronistische und exotische Züge gemischt (vgl. DHA 6, 419). In den ausführlichen Bericht über die Hochzeitsfeierlichkeiten der Prinzessin platzt die revolutionäre Erinnerung an »Guillotinen, Laternen, Septembrisieren« (B 3, 51). Das herrschende Militär und der Adel müssen dann hinnehmen, daß aus ihren Reihen manch »aufgeblasenes, dumm-stolzes Aristokratengesicht aus der Menge« hervorglotzt. Weiter fällt auf die vergnügungslustige bürgerliche Welt der Schatten der Börse, Symbol der modernen Geldwirtschaft, für die außerdem »Kredit« ganz einfach »Glauben« heißt (B 3, 12 u. 36; der für Heines Schreibweise typische Vergleich ganz heterogener Bereiche bedeutet hier Abwertung der Religion). An einigen lebenden »Denkmälern« der Universität, zum Beispiel an dem des historischen Rechtswissenschaftlers Karl von Savigny, wird mit Spott gekratzt. Der Glanz des gesellschaftlichen Lebens bleibt auch nicht ganz ungetrübt, denn alles ist »in lauter Fetzen zerrissen«, das heißt in traditionelle Kasten- und Standesgrenzen getrennt (B 3, 43). Und Berlin, die zurecht hochgelobte »Capitale de la musique«, muß schließlich aus allen Opern-Wolken fallen, wenn es erfährt, daß der vom Hof geförderte Generalmusikdirektor Ritter Gasparo Spontini die erfolgreich reorganisierte Oper in Wirklichkeit heruntergewirtschaftet hat und durch den »schallenden Bombast« seiner konventionellen »Pauken- und Trompetenspektakel« täglich mehr schadet. Auf der anderen Seite steht Spontinis Gegenspieler Carl Maria von Weber, der von den Liberalen unterstützt wird, nach seinem »Freischütz«-Triumph von 1821 (an dem Heine teilgenommen hat) auch nicht nur als der strahlende

Sieger da, der er war: Sein größter Erfolg mit einer Melodie, das Lied vom »Jungfernkranz«, wird als unerträglicher Ohrwurm hingestellt, der den Briefautor nahezu verfolgt.

Lit.: Manfred Windfuhr: *Heinrich Heine,* Stuttgart 1969, 2. Aufl. 1976, 57 ff.; Michael Mann: *Heinrich Heines Musikkritiken,* Hamburg 1971 (= Heine-Studien), 54 ff. [zu Spontini]; Albrecht Betz: *Ästhetik und Politik,* München 1971, 108 ff.; Jost Hermand: *Der frühe Heine,* München 1976, 22–42 [»Briefe aus Berlin«, zuerst 1969]; Klaus Pabel: *Heines »Reisebilder«. Ästhetisches Bedürfnis und politisches Interesse am Ende der Kunstperiode,* München 1977, 52–73; Gerhard Wolf: *Heine in Berlin,* in: *Und grüß mich nicht Unter den Linden. Heine in Berlin,* hrsg. von Gerhard Wolf, Berlin (Ost) 1980, 275–299 [und Frankfurt a. M. 1981].
– weitere Lit. zum Thema »Heine und Berlin«: DHA 6, 372 f.

Von Karlsbad nach Berlin

Der Bericht über den damals in ganz Deutschland diskutierten Musikkrieg zwischen Spontini und Weber ist ein journalistisches Meisterstück des frühen Heine, das seine Schreibart exemplarisch vor Augen führt. Er ist nun so angelegt, daß der gesellschaftliche Hintergrund, vor dem sich das kulturelle Leben Berlins zu Beginn der 20er Jahre abspielt, auf symptomatische Weise aufgerissen wird.

Denn dieser Krieg läßt die realen Fronten des »Parteikampfes« hervortreten, den in dieser Zeit die Liberalen mit den Ultras vom Hofe ausfechten, wie »in andern Hauptstädten«. Deshalb richtet sich die Parteinahme für Weber und gegen Spontini in Wirklichkeit an die Adresse der politischen Macht. Das setzt allerdings voraus, daß die *Briefe* den Musikkrieg als Stellvertreterkrieg kenntlich machen: Dadurch denunzieren sie nun die politischen Verhältnisse Preußens, die jede reale Austragung von Konflikten mit Polizeigewalt verhindern und auf Nebenkriegsschauplätze abdrängen. Es ist ebenfalls konsequent, wenn in diesem Städtebild demokratische Freiheit nur als »Maskenfreiheit« vorkommt, nämlich auf den allen Ständen zugänglichen Redouten, weil sie realiter mit allen Mitteln unterdrückt wird. Musik muß Politik ersetzen, Masken die Wirklichkeit: So kommt die preußisch-deutsche Misere 1822 ins Bild.

Die *Briefe* rühren schließlich direkt an den Kern der damaligen preußisch-deutschen Zustände, denn sie greifen immer wieder das tabuisierte Thema Zensur und Unterdrückung auf. Pressezensur und Polizeimaßnahmen gehörten nach Karlsbad zu den Mitteln, mit denen die preußische Monarchie für Ruhe und Ordnung gegen studentischen Protest und gegen die liberale Opposition sorgte. Schon vor der Konferenz von 1819 hatten die sogenannten »Demagogenverfolgungen« in Berlin gegen Studenten und Professoren begonnen. Zensur lähmte dann vollends die politischen Aktivitäten, so daß sich die oppositionelle Kritik von der Politik auf kulturelle Manifestationen wie Musik verlagerte. Zensur lähmte vor allem die ganze Presse so, daß zweitrangige Phänomene wie Theaterkritik zur wichtigsten Sache der Welt aufstiegen. Aber Zensur mußte gleichzeitig als Thema tabu bleiben. Dieses heiße Eisen nehmen die *Briefe* jedoch gleich zu Anfang mit der unmißverständlichen Frage in die Hand: »Was soll ich *nicht* schreiben?« Nämlich, so die prompte Antwort: Keine weiteren Theaterkritiken in der bekannten Art. Dadurch werden deren Ersatzfunktion und weiter die Pressemisere des Vormärz sofort ins Zentrum gerückt.

Selbstzensur wird dann noch an zwei zusätzlichen Stellen ausdrücklich thematisiert (B 3, 23 und 43), und was *nicht* geschrieben werden soll, sticht immer wieder, assoziativ die *Briefe* strukturierend, als verbotenes Hauptthema heraus: Jeweils dreimal wird zum Beispiel an die Zensur gegen E. T. A. Hoffmanns *Meister Floh* und an die Maßnahmen gegen den Brockhaus-Verlag gerührt. Die Verbote gegen die Burschenschaften sind ebensowenig ausgespart wie die Polizeiaktionen gegen die polnischen Studenten und gegen die Lesebibliotheken. Die als besonders anstößig aufgenommenen zahlreichen Namensnennungen erinnern sowohl an verbotene Autoren und Schriften wie andererseits an Ultras vom Hofe und in der Verwaltung. Verbotenes und Unerwünschtes erscheint isoliert oder eingeschmuggelt in Ketten von ›news‹, gleichsam getarnt als neutrale Meldung unter anderen. So zieht sich ein dichtes Netz von Hinweisen und Anspielungen durch die *Briefe* und verletzt permanent, was die historisch-kritische Ausgabe jetzt herausgearbeitet hat, die wesentlichen Tabus des Vormärz. Hat man die *Briefe* lange Zeit als Anbiederung an Preußen aufgefaßt, so läßt sich heute behaupten, sie grenzen stellenweise fast an »Hochverrat« (Hermand). Diese in der Schreibweise verankerte Haltung bestätigt sich wiederum in dem politischen Bekenntnis zu echter, authentischer Freiheit, die weder national-selbstsüchtig noch egoistisch, sondern ausdrücklich französisch ist (B 3, 47 und 61). Damit wird gleichzeitig der beschränkten nationalistischen Opposition von deutschtümelnden Studenten und von »winzigen,

breitschwatzenden Freiheitshelden« eine mehr als deutliche Absage erteilt (B 3, 55).

Lit.: Jost Hermand (s. o.).

Heine – (k)ein Berliner

In Schreibweise und politischer Haltung der *Briefe aus Berlin* dokumentiert sich das veränderte Bewußtsein des jungen Prosaisten gegenüber der Wirklichkeit seiner Zeit und ihrer Kunst, wenn man die Berichte nicht als »eine der ersten Grundsatzerklärungen Heines überhaupt« ansehen will (Hermand). Dennoch enthält das Städtebild von 1822, um diesen Aspekt noch herauszugreifen, weder eine Kriegserklärung an Preußen noch einen Bruch mit Berlin. Heine, ein Berliner?, läßt sich trotz der kritischen Stellung fragen. Die Reaktionen auf den ersten Brief provozieren ihn 1822 zu der Bemerkung: »Berlin ist ein großes Krähwinkel« (B 3, 23). Das »kritische Berlin« erscheint im Brief vom 24. Dezember 1822 an Karl Immermann als »Packhaus, Börse, Rumpelkammer«; über das Theater heißt es in der *Harzreise* wenig schmeichelhaft, in Berlin gilt »überhaupt der Schein der Dinge am meisten« (B 3, 146). Eine Verschärfung der kritischen Haltung nach der Publikation der *Briefe* hatte sich bereits im Brief an Maximilian Schottky vom 4. Mai 1823 mitgeteilt: »Wie ich gegenwärtig über das geistige Berlin denke, darf ich jetzt nicht drucken lassen.« Und als er es dann in der *Reise von München nach Genua* drucken läßt, bleibt durch den taktisch-ironischen Vergleich Berlins mit dem »neuen Athen« vom geistigen Berlinertum so gut wie nichts mehr übrig: »Berlin ist gar keine Stadt, sondern Berlin gibt bloß den Ort dazu her, wo sich eine Menge Menschen, und zwar darunter viele Menschen von Geist, versammeln, denen der Ort ganz gleichgültig ist; diese bilden das geistige Berlin« (B 3, 317; vgl. 405).

Lit.: Jost Hermand (s. o.).

Aufnahme

Gelegentliche Äußerungen von Heines Freunden sowie verstreute Erwähnungen und Notizen in der Presse lassen laut Forschung weniger von einer bestimmten Wirkung der *Briefe* sprechen als von einem »gewissen Widerhall« (DHA 6, 366). Daran ändert auch der auszugsweise Nachdruck des zweiten Briefes nichts. 1827/28 gehen die Rezensenten des 2. Bandes der *Reisebilder* über die *Briefe* schnell hinweg; das Neuartige dieser frühen Prosa wurde von keinem erkannt, geschweige denn anerkannt.

Bemerkenswert ist die Wirkung jedoch durch die persönliche Reaktion des Barons von Schilling, der sich durch seine Erwähnung im ersten Brief in seiner Ehre angegriffen fühlte und Rechtfertigung verlangte (B 3, 20). Das war der erste Anstoß, den Heine mit einem seiner Texte erregt hat, aber im Gegensatz zu späteren Anlässen kam es 1822 zu keinem Zwischenfall, denn der noch relativ unbekannte Autor steckte zurück. Er bat Schulz selbstzensorisch vor dem Druck des zweiten Briefes, eine Stelle über Schillings Drama *Sizilianische Vesper* zu streichen, was geschah. Aber der streitlustige Baron bezog zwei Ausdrücke aus dem Anfang des zweiten gedruckten Briefs auf sich und forderte Heine zum Duell heraus (oder schon beim ersten Anstoß). Heine, der v. Schilling in Wirklichkeit nicht kränken wollte, »bewies« dem Baron in einem langen Schreiben am 30. April 1822 seine Unschuld. Als weiteren Vorschlag zur Güte schrieb er am 3. Mai eine öffentliche *Erklärung,* die mit »H. Heine« unterzeichnet am 29. Mai 1822 in der Beilage zu »Der Gesellschafter oder Blätter für Geist und Herz«, Nr. 85, erschien, Heines erste größere öffentliche Richtigstellung (B 4, 701; DHA 6, 225). Damit waren jetzt alle Meinungsverschiedenheiten ausgeräumt.

Lit.: DHA 6, 366 ff.; Galley/Estermann I, 32 f. u. 51.

Über Polen

Entstehung, Druck, Text

Die zweite Berliner Prosaarbeit verarbeitet Eindrücke einer ersten größeren Reise, die Heine zwischen dem 7. August und dem 25. (oder 28.) September 1822 durch den preußisch-besetzten Teil Polens, mit Gnesen und Posen als Hauptzielen, unternommen hat. Zuvor hatten Kontakte mit polenfreundlichen Berliner Schriftstellern und Gespräche im »Verein für Kultur und Wissenschaft der Juden« Interesse für Polen geweckt (Krzywon, 21–31). Dann hatten bereits die *Briefe aus Berlin* die Polizeiaktionen gegen zwei geheime polnische Studentenverbindungen und die Verhaftung von polnischen Studenten wegen »demagogischer Umtriebe« aufgegriffen (B 3, 41 und 62). Aber den

Anstoß zu der Reise dürfte erst eine Einladung durch den jungen Grafen Eugen(iusz) von Breza (1802–1860) gegeben haben, der sich im März 1822 durch Flucht einer drohenden Verhaftung in Berlin entzogen hatte. Heine war mit dem adligen Studenten gut befreundet (»mein köstlichster Freund, der Liebenswürdigste der Sterblichen«, schrieb er 1822; B 3, 24) und hatte den Verlust in den Berliner *Briefen* beklagt. Im Sommer 1822 konnten sich dann die Freunde auf den Gütern der Brezas bei Gnesen wiedersehen.

Zu dieser Zeit befand sich Polen in einer politisch nahezu ausweglosen Situation. In drei Teilungen hatten Preußen, Österreich und Rußland das Wahlkönigtum 1772, 1793 und 1795 unter sich aufgeteilt. Unter Napoleon erlangte 1807 das Großherzogtum Warschau noch einmal kurzfristig Selbständigkeit, bevor es 1815 in Wien als »Kongreßpolen« durch Personalunion mit Rußland vereinigt wurde. Preußen behielt Westpreußen, Danzig und das Großherzogtum Posen, das durch Personalunion mit den Hohenzollern verbunden war. Erst 1918 entstand die Polnische Republik. Zum Verständnis von Heines Einstellung muß noch bemerkt werden, daß die Leibeigenschaft der Bauern aufgehoben und 1815 für Preußisch-Polen bestätigt worden war. Diese Politik wurde 1819 durch ein Gesetz zum Schutz der Bauern vor Kündigung durch die Grundherrn und 1823 durch »Regulierungsgesetze« zur allmählichen Befreiung vervollständigt (DHA 6, 494 f.).

Der Aufsatz ist wahrscheinlich zwischen Ende Oktober und Ende Dezember 1822, in einer Zeit, als Heine unter ständigen starken Kopfschmerzen litt, entstanden. Zwischen dem 17. und 29. Januar 1823 erschien der Bericht dann in Fortsetzung im Berliner »Der Gesellschafter«. Da *Über Polen* zu den Werken gehört, von denen keine Handschrift überliefert ist, läßt sich nicht mehr feststellen, was nach Heines brieflicher Klage der Herausgeber der Zeitung, Professor Gubitz, »auf schändliche Weise mit Surogatwitzen verändert« und was die Zensur »tüchtig zusammengestrichen« hat (Brief an Christian Sethe vom 21. Januar 1823).

Heine, der mit dem Text in dieser Form unzufrieden war, hat *Über Polen* nicht mehr veröffentlicht, aber noch zweimal an Umarbeitung gedacht: 1825/26 plante er eine vermehrte Fassung für den zweiten Teil der *Reisebilder*; 1852 wollte er eine gekürzte und restaurierte Fassung in Band 13 seiner Gesamtausgabe erscheinen lassen (DHA 6, 486).

Druck: Über Polen. Geschrieben im Herbst 1822 erschien in 2 Teilen und 8 Fortsetzungen, die letzte mit ». . . e« unterzeichnet, am 17., 18., 20., 22., 24., 25., 27. und 29. Januar 1823 in den Nummern 10–17 von »Der Gesellschafter oder Blätter für Geist und Herz«, Berlin, auf den Seiten 49–51, 53–55, 58–59, 61–63, 65–67, 74–75, 78–79 und 81–82. Zensureingriffe sind als »unerkannt« zu betrachten. Den Schlußabsatz (über die Forschungen zu deutschen Altertümern) druckt DHA in kleinerer Type, Briegleb gesondert in Bd. 4, 707 ff. – Einzelne Abschnitte der Polen-Schrift wurden 1823 in einer Artikelserie gegen Heines Text von der »Zeitung des Großherzogtums Posen« nachgedruckt (DHA 6, 481 und 488).

Text: B 3, 69–95; DHA 6, 55–80.

Lit.: B 4, 689 ff.; DHA 6, 476 ff.; Ernst Josef Krzywon: *Heinrich Heine und Polen,* Diss. München 1971 [u. Köln/Wien 1972]; Maria Grabowska: *Heine und Polen – die erste Begegnung,* in: IHK 1972, 349–369.

Analyse und Deutung

Eine Volkscharakteristik

Heines erster Reisebericht, seine eingehendste Auseinandersetzung mit dem Polenstoff, der ihn sein Leben lang beschäftigen sollte, erweitert nach den *Briefen aus Berlin* die Möglichkeiten einer neuen, zeitkritischen Prosa in eine andere Richtung. »Volkscharakteristik«, wie Jost Hermand es nennt, und Berliner Städtebild müssen deshalb durchaus als Vorübung zu den *Reisebildern* aufgefaßt werden. Diesen Aspekt berücksichtigte Heine bei der Zusammenstellung des zweiten Bandes der *Reisebilder;* neuere Ausgaben knüpfen daran an und werten damit einen Text auf, der lange Zeit aus ästhetischer Sicht wenig beachtet worden ist.

Gehört die Reiseprosa thematisch und stilistisch in die Nähe der Berliner Briefe, so darf nicht übersehen werden, daß sie sich durch ihren wesentlich strengeren, wenn nicht systematischen Aufbau von dem antisystematischen Städtebild unterscheidet (DHA 6, 479; eingehende Strukturanalyse Krzywon, 45–56). Dennoch verzichtet der Essay, von Heine unter gattungstheoretischem Gesichtspunkt »kleiner Aufsatz« und »Memoir« genannt, nicht ganz auf Ideenassoziation und auf die Strukturprinzipien des Kontrastes und des Vergleiches. Der zweiteilige Essay behandelt nacheinander und deutlich gegliedert die sozialen Gruppen Polens, bevor er sich dem Nationalcharakter und dem politisch-kulturellen Leben zuwendet.

Soziale Frage und nationale Befreiung – beides zentrale Fragen in Heines späterer Prosa – stehen im Mittelpunkt der kritischen Auseinandersetzung mit der aktuellen und zukünftigen Entwicklung Polens. Dabei läßt sich eine doppelte Perspektive in der Bewertung beobachten: Je nachdem, ob es sich um die politisch-sozialen *Verhältnisse* oder um die *Menschen* (bzw. die Kultur) handelt, wird eine Erscheinung negativ oder positiv beurteilt.

Zuerst werden die Auswirkungen der feudalen Struktur des rückständigen, agrarischen Landes negativ als menschenunwürdig beschrieben. Eine derartige, vorindustrielle Armut wie in den polnischen Dörfern hatte Heine bisher noch nicht gesehen. Er, der Gast der herrschenden Klasse (wo, wie er zur Präzisierung betont, sich sein »Leib« bewegte), hebt zur unmißverständlichen Kennzeichnung seines Standpunktes gleich eingangs hervor, daß sein »Geist doch oft auch in den Hütten des niedern Volks« schweifte, das heißt, das soziale Elend der unterdrückten Klassen erlebte. Mit Empörung wird das Schicksal der Bauern wahrgenommen, die wie Tiere und in hündischer Unterwürfigkeit auf dem Lande hausen. Besonderes Interesse gilt den Verhältnissen der jüdischen Minderheit, die es in dem Land ohne Bürgertum immerhin zum »tiers état« gebracht hat: Neben ihren ebenfalls miserablen Lebensbedingungen erschrecken die gewerbetreibenden Juden durch ihr Äußeres, während ihre einst dominierende »Geisteswelt« jetzt »zu einem unerquicklichen Aberglauben« versumpft erscheint (B 3, 74 und 76). Dem für das Elend verantwortlichen herrschenden Adel wird dann im ganzen gesehen echte Neigung zu liberalem Fortschritt abgesprochen: Unter der enthusiastisch beschworenen Freiheit versteht der Adel ganz egoistisch seine *eigene* Freiheit. An die wirkliche Emanzipation der Bauern denkt er nicht. Und was die außergewöhnliche Vaterlandsliebe betrifft: Dadurch macht sich der Adel zwar zum Träger des nationalstaatlichen Widerstandes, aber gleichzeitig entfernt er sich von der weltgeschichtlichen Entwicklung, die nach Heines bereits sehr fortschrittlichen und aufklärerischen Ansichten nicht auf nationale Ziele, sondern vielmehr auf eine »allgemeine Menschenverbrüderung, das Urchristentum« hinausläuft (B 3, 80; zum Bauernelend und zur Verantwortung der polnischen Aristokratie, vgl. Brief an den Gesinnungsfreund E. Ch. August Keller vom 1. September 1822).

Lit.: Anna Milska: *Heine über Polen,* in: Sinn und Form 8, 1956 H. 1, 66–77 [dort 69 ff.]; Roman Karst: *Heine und Polen,* in: Neue deutsche Literatur 4, 1956 H. 8, 79–89 [dort 79 ff.]; Maria Kofta: *Heinrich Heine und die polnische Frage,* in: Weimarer Beiträge 6, 1960 H. 1, 506–531 [zuerst 1955] [dort

508 ff.]; Ernst Josef Krzywon (s. o.); 45–146; Maria Grabowska (s. o.), 355 ff.; Manfred Windfuhr: *Heinrich Heine,*
Stuttgart 1969, 2. Aufl. 1976, 60 ff.; Jost Hermand: *Der frü-*
he Heine, München 1976, 43–58; Maria-Eva Jahn: *Techni-*
ken der fiktiven Bildkompostion in Heinrich Heines »Reise-
bildern«, Stuttgart 1979, 12–18.
 – weitere Lit. zum Thema Heine und Polen: DHA 6,
486 f.

Polen, ein kritischer Spiegel mit Riß

Ganz anders als mit den Zuständen verhält es sich
mit den Menschen dieses rückständigen Landes:
Sie gelten als lobenswert und den fortgeschritteneren Deutschen vergleichsweise sogar als überlegen.
Die schichtenspezifische Analyse der einzelnen
Charaktere, welche die kleine Schrift zu Heines
»erster ›Volkscharakteristik‹« (Hermand) – ein im
18. Jahrhundert beliebtes, von ihm weiterentwik-
keltes Genre – gemacht hat, vermag deshalb eine
kritische Funktion zu erfüllen. Wenn die Deutschen vor der Folie fremder Mentalitäten und Charaktere kritisiert werden, verfährt Heine 1822,
1823 nicht anders als in der späteren Prosa.

So gilt zuerst der polnische Bauer dem deutschen durch seinen Verstand, Gefühl und Witz als
überlegen. Der polnische Jude ist dann dem deutschen mit seiner »staatspapiernen Herrlichkeit«
überlegen, weil er sich in oder trotz seines Elends
eine sonst verlorene charakterliche Ganzheit bewahren konnte. Hinzu kommt – auf anderer Ebene –, daß die Juden »durch Zahl und Stellung von
größerer staatswirtschaftlicher Wichtigkeit sind,
als bei uns in Deutschland« (B 3, 74; vgl. DHA 6,
496 zu Heines demographischer Einschätzung).
Der polnische Nationalcharakter hat sich jedoch
schließlich vor allem in den adligen Lebensformen
ausgeprägt (die jetzt in anderem Licht erscheinen
als die politische Rolle des Adels). In der soziologischen Beschreibung der Adelscharaktere dominieren, trotz »seltsamer Mischungen von Kultur und
Barbarei«, Eigenschaften chevalresker Natur, die
den polnischen Adel als vorbildlich und überlegen
erscheinen lassen. So kennzeichnet nicht der dün-
kelhafte Adelsstolz, sondern der geschichtsbeding-
te Nationalstolz den polnischen Edelmann. Selbst
dem neuen, emanzipatorischen Bildungseifer der
(adligen) Polen, die deutsche Philosophie und romantische Literatur studieren, werden bessere
Aussichten bescheinigt, als es für Deutschland der
Fall ist. Und auf zwei anderen »Gebieten« sind die
Polen noch überlegen: durch Schönheit und Cha-

rakter ihrer Frauen (»Weiber«) sowie durch die
Unbefangenheit ihrer Schauspieler.

Die Hervorhebung des unverbildeten polnischen Nationalcharakters läßt den Aufsatz trotz
der Kritik an dem rückständigen System als ein
Loblied auf Polen erscheinen. Aber die »national-
politischen Kontrastvergleiche«, die hier, wie Hermand betont, stärker als in späteren Schriften auftreten, verleihen dem Essay nun eine klare,
deutschlandkritische Tendenz (vgl. Krzywon, 79 u.
158 ff.), die schließlich nicht frei von Widersprüchen ist. Wenn nämlich das fortgeschrittenere
Deutschland im Namen des rückständigen Polen
kritisiert wird, so bedeutet das eine Aufwertung
des »Natürlichen«, Unverfälschten und des Orga-
nisch-Gewachsenen, was Heines liberalen, naturrechtlichen Ideen widerspricht (Hermand). Dieser
Widerspruch erklärt sich hier laut Forschung durch
den unauflöslichen Konflikt des Juden Heine mit
seinem nie aufgegebenen ›Deutschtum‹, so daß er
zwischen »weltbürgerlichen« und »nationalstaatlichen« Konzepten hin und her pendelt. Das heißt:
Er verherrlicht 1823 aus »affektgeladenem Deut-
schenhaß« (Hermand) den polnischen National-
geist, gibt aber letztlich seinen aufklärerischen
Kosmopolitismus nicht zugunsten völkisch-natio-
naler Vorstellungen auf.

Strukturieren Kontrastvergleiche die Polen-
Schrift, so läßt sich daraus wiederum keine Tendenz mit eindeutiger, widerspruchsfreier Zielrich-
tung entnehmen. In der Frage der Bauernbefreiung
bezeichnet Heine eine plötzliche Emanzipation als
Vergrößerung des Elends (von der preußischen
Bauernbefreiung hat tatsächlich der Adel profitiert) und begrüßt die »begütigende Allmählich-
keit« der preußischen Politik. Und in der Behandlung der Juden empfiehlt er 1823 der preußischen
Regierung, die doch gerade den Juden den Zugang
zu Staatsämtern wieder verboten hat, sie möge ihnen »mehr Liebe zum Ackerbau ein zu flößen«
versuchen, nach dem Vorbild der russischen Politik
(die Widersprüche in Heines Denken stellt Grabowska, 358 ff., heraus).

Lit.: Ernst Josef Krzywon (s. o.); Albrecht Betz: *Ästhetik und*
Politik, München 1971, 111 ff.; Maria Grabowska (s. o.); Jost
Hermand (s. o.); Klaus Pabel: *Heines »Reisebilder«. Ästheti-*
sches Bedürfnis und politisches Interesse am Ende der Kunstpe-
riode, München 1977, 74–92.

Heine und Polen

Im Hinblick auf die deutsche Polenliteratur, die mit den Teilungen im 18. Jahrhundert entstanden ist und nach 1800, aber vor allem nach 1815, ihre ursprünglich aufklärerische Tendenz verloren hatte, erweist sich Heines politische Einstellung 1823 laut Forschung als relativ selbständig und kühn (DHA 6, 491), wenn nicht sogar als »revolutionär« (Krzywon, 342). Die Polen-Schrift ergreift offen Partei für die Sache eines national unterdrückten Volkes, das in den 20er Jahren zwar die Sympathie national-liberaler Kräfte auf sich zog, aber zu keinen größeren Begeisterungsstürmen hinriß, wie zum Beispiel die Griechen. Eine allgemeine Polenbegeisterung setzte erst nach 1830 ein. In einem Rückblick aus dem Jahre 1840 konnte sich Heine deshalb als einen Mann bezeichnen, »dessen Herz am frühesten für Polen schlug und der lange schon vor der polnischen Revolution für dieses heldenmütige Volk sprach und litt« (*Ludwig Börne,* B 7, 80). Seine Solidarität mit der unterdrückten ethnischen Minderheit in Preußen brachte er 1823 nicht erst durch seine nationalstaatlichen Ansichten, sondern bereits durch den Titel seiner Schrift zur Sprache: *Über Polen* erinnert an etwas, das damals politisch gar nicht mehr existierte, denn es existierten nur noch preußische, russische und österreichische Provinzen! Das verleiht der Schrift »etwas eindeutig Aufrührerisches« (Hermand), weil der Titel den Gegensatz zwischen nationalstaatlichem und dynastischem Denken impliziert.

Direkt aufrührerisch sollte Heine seine Solidarität bekunden, als sich Kongreßpolen im Winter 1830/1831 in einem siegreichen Aufstand von der russischen Herrschaft befreite und eine Nationalregierung ausrief. Da der Funke damals auf das Großherzogtum Posen überzuspringen drohte, stellte Preußen eine Armee an seiner Ostgrenze auf, wodurch die Kämpfer in Warschau von jeder ausländischen Hilfe abgeschnitten wurden und ihrem Schicksal überlassen blieben. Im März 1831 warnte Heine noch die preußischen Offiziere vor frühzeitigem Jubel über die polnische Niederlage (*Kahldorf,* B 3, 666), und als Warschau dann im September gefallen war, ergriff er offen die Partei Polens, dieses Mal ausdrücklich des vom zaristischen Rußland »ermordeten Polen« (*Französische Maler,* B 5, 69). Die preußische Haltung gegenüber den polnischen Freiheitskämpfern klagte er 1832 in der *Vorrede* zu den *Französischen Zuständen* aufs schärfste an (»wie feige, wie gemein, wie meuchle-

risch«, B 5, 95). Die Tatsache, daß preußische Truppen auf vor Russen fliehende Polen geschossen hatten, rief seine höchste Empörung hervor. Jahre später, in *Ludwig Börne,* behandelte er noch einmal ausführlich den Fall Warschaus, den er sogar mit dem Fall Jerusalems verglich. Aber gleichzeitig bedeutet der Aufstand von 1830/1831 einen Wandel in seiner Einstellung zu Polen. So beklagte er zwar 1840 voller Mitgefühl das »ungeheure Schicksal« der in »langen Trauerzügen« ins westliche Exil, vor allem nach Paris, abziehenden »Helden« von Warschau, »edle Märtyrer der Freiheit« genannt, die bei ihrem Zug durch Deutschland die aufrührerische Nach-Juli-Stimmung anheizten und eine ungeheure Polenbegeisterung hervorriefen. Aber er gab der »kleinen polnischen Schlauheit«, das heißt der mangelnden politischen Reife der Polen, die Schuld an der »verunglückten Revolution« (B 7, 77–81). Im Kontext dieser Schrift wird damit zugleich die sentimentale, politisch falsche Begeisterung eines Ludwig Börne kritisiert (Krzywon, 296 ff.). Diese Kritik steht seither neben echter Sympathie mit den Emigranten. Den Abschluß der langen Auseinandersetzung mit Polen (die *Memoiren des Herren von Schnabelewopski,* die 1834 erschienen, gehören auch noch hierher) bildete schließlich eine Satire falschen Heldentums, das am Pariser Exilschicksal der *Zwei Ritter* Crapülinski und Waschlapski dargestellt wurde (*Romanzero,* B 11, 37 ff.).

Lit.: Anna Milska (s. o.), 66 ff.; Roman Karst (s. o.), 86 ff.; Maria Kofta (s. o.), 518 ff.; Waclaw Kubacki: *Heinrich Heine und Polen,* in: HJb 1966, 90–106 [untersucht die Epochen der polnischen Heine-Rezeption]; Hans-Georg Werner: *Die Bedeutung des polnischen Aufstandes 1830/1831 für die Entwicklung der politischen Lyrik in Deutschland,* in: Weimarer Beiträge 16, 1970 H. 7, 158–175 (dort 164 ff.); Jost Hermand (s. o.).

Aufnahme und Wirkung

Die kleine Schrift von 1823 hat in der Öffentlichkeit heftigen Protest ausgelöst. Während 1823 eine Stimme Heine lobte, wurde er von einer polnischen Gegenstimme vollends zerrissen, wodurch der Essay schließlich zu einer »Riesenaffäre« ausuferte (DHA 6, 484). Am 26. Februar 1823 erschien im »Gesellschafter« eine mit »F.« unterzeichnete empörte Reaktion aus Posen (Text: B 4, 694 ff.; die »Erläuterungen« der DHA dokumentieren eingehend die polnischen Reaktionen). Diese rechthaberischen Korrekturen hat Heine mit »lachender Gleichgültigkeit« quittiert (Brief an Maximilian

Schottky vom 4. Mai 1823). Ähnlich reagierte er auch auf eine lange Artikelserie (»noch fischweibrigere Schimpfreden gegen mich«), die ohne Unterschrift mit dem Titel »Quousque tandem . . .« zwischen dem 12. Februar und dem 29. März in der »Zeitung des Großherzogthums Posen«, wahrscheinlich von Idzi Stefan Raabski, erschienen war (DHA 6, 481–485, vgl. »Erläuterungen«). Dieser national-polnische Protest, der teilweise zutreffende Korrekturen vorbringt, aber vor antisemitischen Äußerungen nicht zurückschreckt, leitete Maßnahmen der Berliner Behörden ein, um die Identität des Autors von *Über Polen* zu ermitteln.

Was private Reaktionen betrifft, so teilte Heine dagegen brieflich »großes Lob« seiner Berliner Freunde mit, aber auch Ablehnung durch Berliner Adelskreise, genauer, Haß bei den »Baronen und Grafen« (Briefe an Immanuel Wohlwill und Christian Sethe vom 7. April und 21. Januar 1823).

Lit.: B 4, 693 ff.; DHA 6, 479 ff.; Galley/Estermann I, 55, 56 ff. u. 90 ff.; Klaus Pabel (s. o.) 92 ff. [zu den Vorwürfen Raabskis].

Die Reisebilder: Das Gesamtprojekt

Vorbemerkung

Als Heine durch den Harz wanderte, begann eine neue Epoche der deutschen Literatur. Zweimal haben Reisen in der reichhaltigen Geschichte der deutschen Literatur tiefgreifende Wandlungen des Kunst- und Wirklichkeitsverständnisses hervorgerufen; zweimal wurde dadurch die nachfolgende Generation von Schriftstellern entscheidend beeinflußt. Die beiden Reisen, die hier abstrakt als Anfangs- und Endpunkte zitiert werden, sind jedoch antithetisch aufeinander bezogen und haben ganz gegensätzliche Wirkungen ausgelöst. Als Goethe nach Italien reiste (1786–88), vollzog sich der »Übergang vom Naturenthusiasmus zur Kunstschwärmerei« (so hat es der liberale Historiker Robert Prutz 1847 in seinem Essay *Über Reisen und Reiseliteratur der Deutschen* aufgefaßt). Als Heine dagegen in den Harz aufbrach, vollzog sich der Übergang von der Kunst- zur Freiheitsschwärmerei. In Heines völlig neuartigen Prosawerken, die seiner frühen Lyrikproduktion eine vorübergehende Absage erteilten und seinen Durchbruch zum aufsehenerregenden, politischen Schriftsteller voll-

endeten, ist nicht mehr die Kunst, sondern die Französische Revolution das vorherrschende Thema. Und als er vierzig Jahre nach Goethe selber über die Alpen reiste (1828), begann Paris gerade Rom als Hauptstadt der deutschen Literatur abzulösen. 1830 erkor dann eine junge Schriftstellergeneration, die in Heine ihr Vorbild und in den *Reisebildern* ihr Modell erkannte, nicht mehr die klassische Antike, sondern die moderne Gesellschaft zum »Ziel« ihrer Reisen. Hatte der Aufbruch in den Harz die Richtung gewiesen, so ward mit dem Ende der *Reisebilder* der Kampfplatz der modernen Zeit erreicht.

Ohne den sieben Werkanalysen vorgreifen zu wollen, empfiehlt es sich vorab, wichtige, umfassende Aspekte von Heines größtem Projekt seiner deutschen Zeit, das seinen frühen Ruhm noch stärker begründete als das *Buch der Lieder,* aufzugreifen, die dann in den Einzeldarstellungen nicht mehr zur Sprache kommen.

Lit.: Robert Prutz: *Schriften zur Literatur und Politik,* hrsg. von Bernd Hüppauf, Tübingen 1973, 34–47.

Entstehung

Unabhängig von der weiter unten darzustellenden Entstehungsgeschichte der einzelnen Reisebilder sind hier für die Planung des Gesamtprojektes Zusammenhänge und Gesichtspunkte kurz zu diskutieren, die eine fördernde Rolle gespielt haben. Zunächst sei betont, daß die persönlich ungeklärte Situation des promovierten Juristen und getauften Juden Heine ein solches Projekt vorteilhaft erscheinen lassen mußte. Angesichts unsicherer Aussichten auf berufliche Integration bot eine mehrteilige Buchveröffentlichung einem jungen Autor, der bisher mit zwei Lyrik- bzw. zwei Dramenpublikationen sowie mit verstreut erschienenen Prosatexten hervorgetreten war, eine bessere finanzielle Grundlage. Weiter genossen Buchdrucke gegenüber Zeitungen oder Zeitschriften den Vorzug, daß sie ab einem bestimmten Umfang ohne Vorzensur erscheinen konnten. Außerdem besaß Heine, der bei seinen verstreuten Zeitschriftenveröffentlichungen schlechte Erfahrungen mit Redaktions- und Zensureingriffen gemacht hatte, dadurch die Möglichkeit, verstümmelte oder gekürzte Texte vollständig und (finanziell wichtig) gesammelt erscheinen zu lassen. Hinzu kommt noch, daß sich in Sammelbänden Beiträge verschiedenster Art und Gattung mischen ließen. Band I und II der *Reisebilder* enthalten noch Lyrik (Band I sogar vorwiegend), von der sich Heine angesichts seines Erfolges als zeitkritischer Prosaautor allmählich abwendet, ohne sie jedoch aufzugeben (zu dem Übergang schrieb er am 7. Juni 1826 an Wilhelm Müller, mit ihm habe »es als Liederdichter wol ein Ende«, die Prosa nehme ihn »auf in ihre weiten Arme«; vgl. o. S. 3 f.). Neben dem Gesichtspunkt größerer publizistischer Freiheit für den Buchautor war schließlich noch die Entscheidung zu der damals beliebten und gut verkäuflichen Gattung der Reisebeschreibungen wichtig (s. u. zu Gattungstradition und Begriff des »Reisebildes«).

Wesentlich gefördert wurde das Projekt, das Heine seit Herbst 1825 und von Anfang an mehrbändig plante (eine erste inhaltliche Planung teilt der Brief an Moses Moser vom 19. Dezember 1825 mit), durch die für sein Werk entscheidende Bekanntschaft mit dem jungen Hamburger Verleger und baldigen Freund Julius Campe. Ende Januar 1826 lernte Heine den liberal, modern und realistisch eingestellten Verleger kennen, der von nun bis auf wenige Ausnahme sein gesamtes Werk betreuen und wirkungsvoll vertreten sollte, und war sofort über den ersten »Reisebilder«-Band vertragseinig geworden. Der spätere Verleger des Jungen Deutschland, der mit Heine den ersten liberalen Autor für seinen Verlag gewann, hatte seinerseits Interesse an einer mehrteiligen Buchreihe, die beim Publikum Erwartungen weckt und selbstwerbend für einen günstigen Absatz sorgt. Diese Publikationsstrategie wurde auch später beibehalten. Zwischen 1834 und 1840 erschien die ebenfalls vierteilige *Salon*-Reihe, 1854 die dreibändige Ausgabe der *Vermischten Schriften*.

Die Planung der beiden ersten Bände der Reihe verdient hier gesonderte Beachtung, weil ihre erste und zweite Auflage zu Veränderungen geführt haben, in denen sich Heines Umgang mit dem neuen Buchtyp und mit seinen Werken erkennen läßt. – Der früheste Plan zum ersten Sammelband berücksichtigt je zwei Lyrik- und Prosateile (Gedichte aus dem »Heimkehr«-Zyklus, *Die Harzreise, Über Polen* und den ersten Teil des Zyklus *Die Nordsee*), die bis auf eine Ausnahme (*Die Nordsee* I) bereits in Zeitschriften erschienen waren bzw. erscheinen sollten (Brief an Moser, s. o.). Die zweiten und dritten Bände der Reihe sollen dann »eine neue Sorte Reisebilder, Briefe über Hamburg, und der Rabbi« ausmachen (was nicht geschah). Im ersten Band von 1826 fehlt dann der Text über Polen. Bei der 2. Auflage des ersten Bandes kommt es 1830 erneut zu Änderungen und Umgruppierungen: Im

Heimkehr-Zyklus sind anstößig erscheinende Gedichte ausgeschieden; die auf den Zyklus folgenden Gedichte sind weggefallen; neu hinzugekommen ist die zweite Abteilung des *Nordsee*-Zyklus aus der 1. Auflage des zweiten *Reisebilder*-Bandes (Einzelheiten: DHA 6, 549 f.; vgl. Vorwort zur 2. Auflage, B 3, 99). – Bei der Zusammenstellung von *Reisebilder* II war sich Heine lange nicht im klaren. Nach brieflichen Mitteilungen aus dem Sommer und Herbst 1826 soll der Band den *Rabbi von Bacherach* enthalten. Feste Umrisse des Gesamtplans lassen Briefe vom Oktober 1826 an Moses Moser und an Varnhagen erkennen (die zweite Abteilung der *Nordsee*-Gedichte, *Ideen. Das Buch Le Grand,* die dritte Abteilung der *Nordsee* (Prosa) sowie die bereits bekannten Texte *Über Polen* und *Briefe aus Berlin*). Anfang 1827, kurz vor Erscheinen des Buches, werden dann der *Rabbi* und *Über Polen* wieder ausgeschieden, während die *Briefe aus Berlin* aus Zensurgründen erhalten bleiben (vgl. »Schlußwort« im vierten Band der *Reisebilder*, B 3, 602). Die Planung der 2. Auflage führt dann nach 1830 zu einer erneuten Umgestaltung. *Die Nordsee II* und *Briefe aus Berlin* sollen getilgt und zunächst durch die bereits bekannten England-Reportagen ersetzt werden, aber 1831 tritt dann der Gedichtzyklus *Neuer Frühling* an ihre Stelle (vgl. *Vorwort* zur zweiten Auflage, B 3, 209). – Im Gegensatz dazu enthalten *Reisebilder* III und IV nur Prosa und sind damit zugleich Heines erste »reine« Prosabücher. Die Zusammenstellung blieb von der 1. Auflage an unverändert. Zwei der vier Werke waren jedoch vorher in anderer Gestalt als Zeitschriftendruck erschienen.

Stand die Frage der beruflichen Integration am Anfang des Reisebilder-Projektes, so stellt sich Heines Situation 1830 folgendermaßen dar: Seine verschärfte Kritik an den anachronistisch gewordenen deutschen Zuständen hat wesentlich zum Scheitern seiner Karriere in Staatsdiensten beigetragen (und der Mißerfolg hat wiederum im dritten Band auf die Schärfe der Kritik zurückgewirkt), aber es war ihm gelungen, sich als Zeitschriftsteller, der sich durch seine Außenseiterhaltung von allen Rücksichten befreit fühlen konnte, durchzusetzen.

Lit.: DHA 6, 522, 532 ff., 548 ff., 709 ff. und 720 f.; DHA 7/2, 529–564 u. 1432–1442; Manfred Windfuhr: *Heinrich Heine. Revolution und Reflexion,* 2. Aufl., Stuttgart 1976, 62–69.
– zu Heine und Campe: Edda Ziegler: *Julius Campe – Der Verleger Heinrich Heines,* Hamburg 1976 (= Heine-Studien); Gert Ueding: *Hoffmann und Campe. Ein deutscher Verlag,* Hamburg 1981, [dort speziell 283 ff. u. 326–352].

Überblick zu den Drucken

Reisebilder I–IV

Reisebilder von H. Heine. Erster Theil. Hamburg, bey Hoffmann und Campe. 1826. [ersch. Mitte Mai]
 Die Heimkehr. (1823–1824). [S. 1–80; weitere Gedichte 81–110]
 Die Harzreise. 1824. [S. 111–260]
 Die Nordsee. 1825. Erste Abtheilung [S. 261–300; Anmerkung S. 301]
 Zweite Auflage:
 Reisebilder von H. Heine. Erster Theil. Zweyte Auflage. Hamburg, bey Hoffmann und Campe. 1830. [ersch. Juli 1830]
  Vorwort [S. V–VI]
  Die Heimkehr. (1823–1824). [S. 1–84]
  Die Harzreise. (1824). [S. 85–238]
  Die Nordsee. Erste Abtheylung. [S. 243–280]
  Die Nordsee. Zweyte Abtheylung. [S. 281–318]
 Weitere Auflagen nach der 2. Auflage:
  3. Auflage 1840
  4. Auflage 1848
  5. Auflage 1856
Reisebilder von H. Heine. Zweiter Theil. Hamburg, bey Hoffmann und Campe. 1827. [ersch. Mitte April 1827]
 Die Nordsee. 1826. Zweite Abtheilung. [S. 1–40]
 Die Nordsee. 1826. Dritte Abtheilung. [S. 41–128]
 Ideen. Das Buch Le Grand. 1826. [S. 129–296]
 Briefe aus Berlin. I. 1822. [S. 297–326; Anmerkung S. 327]
 Zweite Auflage:
 Reisebilder von H. Heine. Zweyter Theil. Zweyte Auflage. Hamburg, bey Hoffmann und Campe. 1831. [ersch. November 1831]
  Vorwort [S. V–VIII]
  Die Nordsee. 1826. Dritte Abtheilung. [S. 1–80]
  Ideen. Das Buch Le Grand. 1826. [S. 81–250]
  Neuer Frühling. [S. 251–307]
 Weitere Auflagen nach der 2. Auflage:
  3. Auflage 1843
  4. Auflage 1851
  5. Auflage 1856
Reisebilder von H. Heine. Dritter Theil. Hamburg, bey Hoffmann und Campe. 1830. [ersch. Ende Dezember 1829]
 Italien. 1828.
 I. Reise von München nach Genua. [S. 1–214]
 II. Die Bäder von Lukka. [S. 215–410]
 2. Auflage 1834 (unverändert)
 3. Auflage nicht ersch.
 4. Auflage 1850
 5. Auflage 1856
Nachträge zu den Reisebildern von H. Heine. Hamburg, 1831. Bey Hoffmann und Campe. [ersch. Anfang Januar 1831]
 Vorwort [S. V–VIII]
 (Italien.) III. Die Stadt Lukka. [S. 9–140; 135–140: *Spätere Nachschrift (November 1830)*]
 Englische Fragmente. 1828. [S. 141–326; 316–326: *Schlußwort. (Geschrieben den 29. Nov. 1830)*]
 2. Auflage 1834 (unverändert)
 3. Auflage nicht ersch.
 4. Auflage 1850
 5. Auflage 1856

Reisebilder. Tableaux de voyage. Die französischen Ausgaben: Entstehung der Übersetzung. Aufnahme und Wirkung

Die französischen Ausgaben verdienen spezielle Beachtung, weil sie eine eigene Entstehungsgeschichte, Gestalt und Wirkung besitzen. Die Arbeit an der Übersetzung der *Reisebilder,* die auch in Frankreich Heines Ruhm begründen sollten, läßt sich in drei Phasen unterscheiden.

Die erste Phase (1832, 1833), in der einzelne Reisebilder auszugsweise bzw. ganz erschienen, wurde von der schillernden Gestalt des Schriftstellers, Kritikers und Übersetzers François-Adolphe Loève-Veimars bestimmt. Der mit Heine bekannte Übersetzer brachte 1832 in der »Revue des Deux Mondes« Übertragungen der *Harzreise, Ideen. Das Buch Le Grand* und *Die Bäder von Lucca* heraus (die Übersetzung der *Harzreise* ist unten ausführlich dargestellt; die Daten der anderen *Reisebilder*-Übersetzungen stehen in den jeweiligen Angaben zur Druckgeschichte). 1832 übersetzte Joseph Willm ebenfalls die *Harzreise* und dann *Die Nordsee III* (gleichfalls in Zeitschriften erschienen). Diese ersten Übersetzungen (Loève-Veimars übernahm die seinigen noch in einem eigenen Buch) haben Heine zum Durchbruch in Paris verholfen. Vor allem auf die Buchveröffentlichung (die sozusagen unter »falscher Flagge« lief) reagierten Kritiker positiv und betonten das Spöttische dieses für sie so französischen Deutschen (Einzelheiten DHA 6, 684 ff. und 703).

In der zweiten Phase kam es 1834 zu einer Übersetzung aller *Reisebilder* im Rahmen der Werkausgabe, die bei dem berühmten Verleger Eugène Renduel erschien. Heine, Adolphe Specht und ein nicht genau identifizierter »jeune homme« bearbeiteten ab Februar 1834 die vorhandenen Fassungen bzw. übersetzten neu. In einem wichtigen neuen Text, der auf den 20. Mai 1834 datierten *Préface,* äußerst sich Heine zu den Problemen der Übertragung und vor allem zu seiner politischen Haltung. Ohne Angabe der Übersetzer wurden die Prosatexte 1834 mit dem für Franzosen kuriosen Titel *Reisebilder, Tableaux de voyage* als Band II und III der Werkausgabe gedruckt. Der Überblick (s. u.) läßt die gegenüber den deutschen Ausgaben veränderte Komposition erkennen (Bd. 1 gruppiert die italienischen Reisebilder; Bd. 2 nimmt sogar das Fragment *Schnabelewopski* auf. *Die Nordsee III* fehlt ebenso wie alle Lyrik; zu weiteren Streichungen, vgl. DHA 6, 864). – Die Rezensenten dieser nur mäßig verkauften Ausgabe hoben die an der Übersetzung stärker empfundene Fremdheit des Originals hervor, während sie sich von den brillanten Feuerwerken des Heineschen Stils und »esprit« nahezu erschlagen zeigten (die »Verwandtschaft« mit Voltaire wurde jedoch schon vorher und wird dann später immer wieder betont). Lobte man die politische Einstellung Heines, so regte sich Widerspruch lediglich aus der Sicht des »bon goût« (französisch). – In den 30er und 40er Jahren würdigten eine Reihe von Sammelbesprechungen und Aufsätzen – u. a. aus der Feder von Philarète Chasles (1835) und Théophile Gautier (1837) – Heine, den berühmten »auteur des Reisebilder« und Stifter einer neuen Schule, den größeren Dichter *und* Geist als Voltaire (Gautier).

Jedoch erst nach 1850 – dritte Phase – sollte es zu einer Neuauflage kommen. Den Auftakt bildete 1852 der Pariser Verleger Victor Lecou, der unerlaubt die Ausgabe von 1834 einbändig und unverändert nachdruckte. Darauf sah sich der geschädigte und in seiner Achtung verletzte Heine gezwungen, seine Prozeßbemühungen publik zu machen (DHA 6, 693; und 352 f.: *Au Rédacteur* des »Journal des Débats«). – 1854 schloß Heine dann mit dem Verleger Michel Lévy einen Vertrag zu einer vollständigen Werkausgabe, die in zwei Bänden eine neue und erweiterte Übersetzung der *Reisebilder* vorsah. Zusammen wahrscheinlich mit Richard Reinhardt und Elise Krinitz, möglicherweise auch mit Saint-René Taillandier und François Buloz, überarbeitete Heine von etwa April 1855 bis zu seinem Tode den Text, der als nuanciert, elegant und wortschatzreich gilt (DHA 6, 695), allerdings auch um einige erotische oder klerikale Anzüglichkeiten gekürzt wurde. Neu hinzu kamen *Die Nordsee III* und die *Florentinischen Nächte* (s. u. zur kompositionellen Umstellung). Die Arbeit an einer neuen Vorrede blieb unvollendet.

Lit.: DHA 6, 684–697

Übersicht zu den französischen Drucken

Œuvres de Henri Heine. II, III. Reisebilder, Tableaux de voyage. I, II. Paris, Eugène Renduel. 1834. [ersch. Juni 1834]
Bd. 1 *Préface* [I–VII]
   Italie. Première partie. Voyage de Munich à Gênes [S. 5–163]
   Deuxième partie. Les bains de Lucques [S. 165–280]
   Troisième partie. La ville de Lucques [S. 283–384, mit »Post-Scriptum-Ecrit en novembre 1830«]

Bd. 2 *Angleterre. 1828* [S. 5–90]
   Les montagnes du Hartz. – 1824 [S. 91–208]
   Le tambour Legrand. – Idées. 1826 [S. 209–327]
   Schnabelewopski – Fragment [S. 329–416]
Henri Heine Œuvres complètes: Reisebilder. Tableaux de voyage. Par Henri Heine. Nouvelle édition, revue, considérablement augmentée et ornée d'un portrait de l'auteur. Précédée d'une étude sur H. Heine par Théophile Gautier. I, II. Paris, Michel Lévy frères, Editeurs. Rue Vivienne, 2 bis. 1856. [ersch. Mai 1856]
Bd. 1 *Heinrich Heine* [von Théophile Gautier, I–XII]
   Préface [S. 1–5]
   Les montagnes du Hartz – 1824 [S. 7–97]
   L'île de Norderney-Ecrit en 1826 [S. 99–144]
   Le tambour Legrand. Idées-Ecrit en 1826 [S. 145–235]
   Angleterre – 1828 [S. 237–290]
   Schnabelewopski. Fragment [S. 291–382]
Bd. 2 *Italie. Voyage de Munich à Gênes* [S. 1–117]
   Les bains de Lucques [S. 119–206]
   La ville de Lucques [S. 207–289]
   Les nuits florentines [S. 291–375]
HSA 14 und 15 übernehmen den Druck der zweiten französischen Ausgabe von 1856, zusammen mit den früheren Zeitschriftenfassungen anderer Übersetzer und Entwürfen zu Übersetzungen; DHA druckt ebenfalls den Text von 1856.
Der Text der Pariser *Préface* von 1834 und 1856 sowie von Entwürfen zu Vorreden befindet sich B 3, 671–684 und B 4, 954–956; DHA 6, 347–358; Kommentare dazu B 4, 952–958; DHA 6, 860–892.

Reisen, Reiseliteratur, Reisebild

Reisen muß als wesentlicher Bestandteil von Heines Schriftstellertum aufgefaßt werden. 30 Jahre nach seiner Harzwanderung gestand er dem als wahlverwandt empfundenen, als Reiseschriftsteller berühmten Fürsten von Pückler-Muskau: »Ja, Reisende waren wir beide auf diesem Erdball, das war unsre irdische Spezialität« (B 9, 235).

Heines Reisen und »Reisebilder« fielen in eine Zeit allgemeiner Aufbruchstimmung, die deutlich mit dem Stillstand der politischen Verhältnisse in Deutschland kontrastierte. Im Vormärz galt Reisen als ›modern‹, Nicht-Reisen bedeutete eben Stillstand: Das traf den Philister, der in seinem Hause, und den Gelehrten, der in seiner Stube hocken blieb. Dieses dynamische Phänomen, das »Bewegung« zu einem Schlagwort werden ließ, spiegelt sich in einem Ausspruch des Jungdeutschen Schriftstellers Theodor Mundt wieder, der 1835 erkannte: »Die Zeit befindet sich auf Reisen, sie hat große Wanderungen vor« (*Madonna. Unterhaltungen mit einer Heiligen*).

Die Voraussetzung für die allgemeine Mobilität war die technisch-ökonomische Entwicklung (s. S. 8 ff.), die für verbesserte Verkehrswege bzw.

für den Ausbau moderner Verkehrsverhältnisse sorgte. Die *Reisebilder* entstanden in jenem Jahrzehnt (um nur diesen Aspekt herauszugreifen), in dem das langsame und mühselige, aber so »gemütliche« und so »romantische« Postkutschenzeitalter seinen Höhepunkt erreichte, bevor es bald danach in das alle Vorstellungen von Raum und Zeit umwälzende, revolutionäre Eisenbahnzeitalter überging (zur Entwicklung des Reisens und der Fahrpost vgl. Sombart). Reisen, traditionell durch Bildung, Gesundheit oder Unterhaltung motiviert, aus wissenschaftlichem oder politischem Interesse unternommen, blieb nicht länger Privileg einer kleinen Schicht von Adeligen, reichen Bürgern, Gelehrten oder Schriftstellern, sondern erfaßte durch ihre Notlage weite Bevölkerungskreise. Zur politischen Emigration und Flucht aus der deutschen Enge kam aufgrund der demographischen Entwicklung die massenhafte Auswanderung der mittellosen Unterschichten hinzu. In seiner »irdischen Spezialität« als Reisender hat Heine sowohl die alten wie die neuen Verhältnisse und Bedingungen kennengelernt und reflektiert.

In dem (erweiterten) Zeitraum von 1750 bis 1850 ging eine unüberblickbare Welle von Reiseberichten auf ein rezeptionsfreudiges Publikum nieder. Als Gattung, wenn auch als niedere anerkannt, wurde Reiseliteratur, parallel zur allgemeinen Entwicklung im Vormärz, zu einer wahren Mode. Ende der 20er Jahre mokiert sich Heine schon über die Inflation an italienischen Reiseberichten (B 3, 368). 1847 kritisiert dann Robert Prutz mit scharfen Worten die völlige Perversion eines lange Zeit fortschrittlichen Genres (»Klatsch-Literatur«, »Auskehricht der gesamten Literatur«).

Definition und literaturgeschichtliche Zuordnung der formal vielfältigen, facettenreichen Reiseliteratur wirft Fragen auf, deren Beantwortung dann im Hinblick auf Heine nicht unbedingt weiterführend sind (so hat Link, 7–12, die Reiseliteratur typologisch und terminologisch in Reisebericht und Reiseerzählung zu differenzieren versucht, während Sengle, 241 ff., zwischen enzyklopädischen, pittoresken, humoristischen, politischen und wissenschaftlichen Reisebeschreibungen unterschieden hat). Zugang zu Heines Prosa gewährt dagegen die in der Forschung verbreitete Hervorhebung einer doppelten Tradition, an die die *Reisebilder* innovatorisch anknüpfen, und die begrifflich als *beschreibende* und *poetische,* als nicht-fiktionale und fiktionale Reiseliteratur definiert wird (d. h. als mehr wissenschaftliche oder als romanhafte und

novellistische Darstellungsarten: Emmerich, 55 und ff.; vgl. Hömberg, 63, Sauerland 1981, 84). Die erste Tradition, in die Reiseschriftsteller wie Johann Ludwig Archenholtz, Georg Forster, Johann Gottfried Seume und Ernst Moritz Arndt gehören, zeichnet sich durch sachlich-belehrende Berichte aus, die auf politische Aufklärung bzw. (nach 1789) auf praktische Veränderung der deutschen Mißstände abzielen (die Mehrzahl der von Heine in Kap. XXVI der *Reise von München nach Genua* diskutierten Literatur stammt aus dieser aufklärerischen Tradition; vgl. dazu Werner und Sauerland). – Die zweite Tradition, die (u. a.) Moritz August von Thümmel und Jean Paul vertreten haben, beruht dagegen wesentlich auf der witzig-ironischen, fiktional angelegten, an Subjektivität und Autobiographie orientierten *A Sentimental Journey through France and Italy* von Laurence Sterne (Sauerland, 82 ff.; zur Sterne-Rezeption vgl. Ransmeier und *Ideen. Das Buch Le Grand,* ebenfalls DHA 6, 522–524 und 785). Aber neben der aufklärerischen darf die Bedeutung der romantischen Reiseprosa, mit ihrer Tendenz zur Fiktionalisierung und zur Philistersatire, nicht unterschätzt werden (Werner); neben der poetischen hat Goethes Reiseprosa, als positives und negatives Modell, Pate gestanden (siehe vor allem *Reise von München nach Genua*).

Vielfältig, aber leichter zu fixieren, ist – zweitens – die Funktion der Reiseliteratur, wobei für die *Reisebilder* eine bestimmte ausschlaggebend werden sollte, nämlich die kritische, die politischen Einfluß ausüben will, im Unterschied zur bloß informatorischen, unterhaltenden oder gar kompensatorischen Funktion (vgl. Hömberg, 64). Kam die Reiseliteratur unter den Bedingungen des Vormärz dem Hunger nach Information ebenso entgegen wie dem Bedürfnis nach Flucht, Entlastung und ›Exotismus‹, so wurde sie zum bevorzugten Organ der literarischen Opposition, weil sie auf dem zunächst unterhaltsamen und für die Zensur nicht sofort erkenntlichen Umwege über die Beschreibung fortgeschrittener und fremder dann um so leichter scharfe Kritik an den zurückgebliebenen, eigenen Verhältnissen ermöglichte. Der »Ideenschmuggel«, wie Karl Gutzkow 1832 diese Taktik in den *Briefen eines Narren an eine Närrin* einprägsam genannt hat, verlief über den doppelten Weg: Locken durch Unterhaltung und Tarnen gegenüber der Zensur (Hömberg). Diese vehikuläre (oder gegenbildliche, projektive) Funktion wird grundlegend für die *Reisebilder* sein, die auf reflexive *und* poetische Art eine Alternative zum Bestehenden aufzeigen wollen.

Lit.: – Zur Geschichte des Reisens: Werner Sombart: *Der moderne Kapitalismus,* Bd. 2,1, München-Leipzig 1922, 5. Aufl. 254–276.
    – zur Reiseliteratur: Robert Prutz (s. o.); Manfred Link: *Der Reisebericht als literarische Kunstform von Goethe bis Heine,* Köln 1963 (Diss.Masch.); Wulf Wülfing: *Schlagworte des Jungen Deutschland,* B I, 5 »Bewegung«, in: Zeitschrift für deutsche Sprache, Bd. 23, 1967, 166–177; Friedrich Sengle: *Biedermeierzeit,* Bd. II, Stuttgart 1972, 238–277; Walter Hömberg: *Zeitgeist und Ideenschmuggel,* Stuttgart 1975, 32 ff., 62 ff.; Wulf Wülfing: *Reiseliteratur,* in: *Deutsche Literatur. Eine Sozialgeschichte,* hrsg. von Horst Albert Glaser, Bd. 6: *Vormärz,* hrsg. von Bernd Witte, Reinbek bei Hamburg 1980, 180–194; Gotthard Erler (Hrsg.): *Reisebilder von Heine bis Weerth,* Frankfurt a. M. u. a. 1983 [zuerst 1976; enthält repräsentative Textauswahl].
    – zu Heines Reisebildern: John C. Ransmeier: *Heines ›Reisebilder‹ und Laurence Sterne,* in: Archiv für das Studium der neueren Sprachen und Literaturen, Jg. LXI, Bd. CXVIII, 1907, 289–317; Erich Loewenthal: *Studien zu Heines »Reisebildern«,* Berlin und Leipzig 1922 [Reprint New York 1967]; Karl Emmerich: *Heinrich Heines Reisebilder,* Berlin 1965 (Diss.Masch. Humboldt Universität); Michael Werner: *Heines »Reise von München nach Genua« im Lichte ihrer Quellen,* in: HJb 1975, 24–46; Jürgen Brummack: *Erzählprosa ohne Fabel: Die Reisebilder,* in: Jürgen Brummack (Hrsg.): *Heinrich Heine. Epoche-Werk-Wirkung,* München 1980, 117–120; Karol Sauerland: *Gattungsgeschichtliche Reflexionen zu Heines ›Reisebildern‹,* in: *Zu Heinrich Heine,* hrsg. von Luciano Zagari und Paolo Chiarini, Stuttgart 1981, 79–88 (= LGW).

Reisebild:
Begriff, Genre, Struktur, Ideologie

Heines *Reisebilder* bedeuten einen Höhepunkt der europäischen Reiseliteratur. Im Anknüpfen an und im Hinausgehen über die Tradition haben sie herkömmliche Gattungsvorstellungen durchbrochen und ganz eigene genre-ästhetische Maßstäbe gesetzt, die zugleich die moderne poetische Prosa wesentlich beeinflußt haben und die nach der »Reisebilder«-Welle weiter wirksam geblieben sind.

Die Frage, ob Heine den Begriff »Reisebild« selber geprägt hat, wird von der Forschung positiv beantwortet (DHA 6, 533). Interessant ist weiter, daß Heine bei der Planung seiner Buchreihe zuerst den Titel »Wanderbuch, I ter Theil« verwandt und kleine Gedichte näher mit »meist Reisebilder« bezeichnet hat (Brief an Moses Moser von 19. Dezember 1825). Der wohl noch zu ›romantisch‹ klingende Buchtitel wurde dann Ende Januar 1826, bei dem ersten Zusammentreffen mit Campe, durch den neuen und endgültigen Titel, der das Fiktionale betont, ersetzt. Knapp 20 Jahre später tauchte

der ursprüngliche Gebrauch noch einmal auf, als Heine die Gedichte des *Wintermärchens* »ein ganz neues Genre, versifizirte Reisebilder« bezeichnete (Brief an Campe vom 20. Februar 1844).

Mischung von Lyrik und Prosa kennzeichnet – wie bereits erwähnt – die ersten beiden Bände, Mischung verschiedener Prosa-Gattungen prägt die Gestalt aller »Reisebilder«. Formal erinnert dieses Kompositionsprinzip an das frühromantische Programm der Gattungsmischung (Friedrich Schlegel fordert bekanntlich im *Athenäums*-Fragment Nr. 116, die romantische Poesie, als »progressive Universalpoesie«, solle »alle getrennten Gattungen der Poesie wieder [...] vereinigen« und auch »Poesie und Prosa, Genialität und Kritik, Kunstpoesie und Naturpoesie bald mischen, bald verschmelzen«). Die *Reisebilder* wollen jedoch nicht alles bloß Prosaische ›poetisieren‹, sondern alles bloß Poetische ›politisieren‹: Durch Mischung bricht das neue ›genre mêlé‹ die klassisch-romantische Vorstellung vom integralen Kunstwerk auf und ermöglicht damit zuallererst wirkliche Kritik. Dazu macht sich die Reiseprosa Heines die offene, episodische Struktur der Reiseliteratur zunutze, indem sie semantisch autonome, kleinformatige Erzähleinheiten verschiedenster Form und heterogenster Inhalte nach den Prinzipien der Assoziation und des Kontrastes aneinanderreiht und zu einem größeren Komplex zusammenmischt, der unabgeschlossen bleibt und das Heterogene der Wirklichkeit unversöhnt nebeneinander stehen läßt. Dieser zunächst praktische Bruch mit der traditionellen Schreibweise wird genre-ästhetisch zu dem plastischen Ausdruck »zusammengewürfeltes Lappenwerk« verarbeitet, in dem die Technik des Patchwork anklingt (Brief an Moser vom 11. Januar 1825; die in diesem Zusammenhang ebenfalls wichtigen Briefe an Varnhagen und Moser vom 24. und 14. Oktober 1826 benutzen in der Tat die Metaphern »einflicken«, »einweben« und »verweben« von »Lappen« und Fragmenten; der Text B 3, 162 spricht von »bunten Fäden« »verschlingen«). Andererseits erinnert die inhaltliche Abqualifizierung (»Lappen« verweisen auf Abfälle, Reste) nicht von ungefähr an das kunterbunte Narrenkostüm – sieht sich Heine doch immer wieder gezwungen, zur Tarnung in die Narrenrolle zu schlüpfen; ist doch das Närrische ein wesentlicher Bestandteil seiner Weltvorstellung (vgl. *Ideen. Das Buch Le Grand;* diesen Bezug bestätigt auch die *Préface* zur französischen Ausgabe der *Reisebilder,* in der 1834 von »un théâtre d' exhibition« die Rede ist, während das Kunterbunte der Verknüpfungstechnik mit »les brusques saillies, les étrangetés d'expression« bezeichnet wird, B 3, 675 und 4, 954 f.; zur Technik siehe z. B. Großklaus 1–8 u. Grubačić). Die einzelnen »Lappen« bestehen nun aus Erlebnissen und Erinnerungen, Anekdoten und Episoden, Reflexionen und Träumen, Exkursen und Digressionen, Bäder- und Städtebildern, Daten und Dokumenten (*Nordsee III* und *Englische Fragmente* verweben auch fremde »Lappen« und Materialien). Gemischt wird Faktisches mit Fiktionalem; empirische Szenen wechseln mit fiktiven; Polemik folgt auf Plaudereien. Formal variieren Brief- und Gesprächsfiktion, Novelle und Reportage, Autobiographie, Essay und Zeitbiographie. Die Schreibtechnik mischt schließlich Ironie und Pathos, Satire und Parodie, Witz und Humor. Kurz: Im Gegensatz zur klassischen Ästhetik vermag das Reisebild Stoffe, Inhalte und Formen aller Art zusammenzuflicken und zu verweben. Unter Mißachtung jeglicher Hierarchie kann alles zum Anlaß neuer Assoziationen werden. Als spezifische Prosa-Gattung schließt das Reisebild keine Gattung aus.

Die kleinformatige Technik bringt gleichfalls die Tendenz zum Fragment, zur Unabgeschlossenheit und, was die Kritik immer wieder so stark irritiert hat, zur mangelnden ästhetischen ›Abrundung‹ mit sich. Fast alle Reisebilder sind entweder von Heine »Fragment« genannt worden (wie *Harzreise, Ideen, Bäder von Lucca*) bzw. sind sie unvollendet geblieben (wie *Nordsee III*) oder sie sind als »Fragment« veröffentlicht worden (die Zeitschriftenfassung der Italien-Reise und die Buchfassung der England-Reportagen). *Ideen* und *Reise von München nach Genua* brechen sogar mitten im Erzählfluß mit »——« ab. Das Fragment, das auf die sich fragmentierenden Zustände der traditionellen Gesellschaft reagiert, erteilt allen Vorstellungen von organischer Ganzheit eine Absage: Abbrechen bedeutet, daß alles gesagt ist und daß es nichts mehr hinzuzufügen gibt. Darüber hinaus steht es in Wechselbeziehung zu den spezifischen Bedürfnissen einmal der periodischen Presse (eine Serie von Artikeln reicht so lange, wie Stoff vorhanden ist), zum andern der Buchpublikation (durch offenes Anstückeln läßt sich der zensurfreie Umfang von 20 Bogen leichter erreichen).

In ihrer formalen Grundstruktur knüpfen die Reisebilder zunächst an die Reiseliteratur an. Im Hinblick auf die Handlungsebene bestimmt die Reiseroute den chronologischen Aufbau einzelner Werke (wie *Harzreise* und *Italien-Reise*). Aber diese Struktur tritt in anderen *Reisebildern* stark zurück, in den autobiographischen *Ideen* ist sie sogar abwesend. Wesentlicher für die immer wieder beklagte mangelnde Einheitlichkeit der Reiseprosa ist deshalb die moderne, assoziative Schreibweise, die bereits in den *Briefen aus Berlin* angewandt und dann 1826, während der Entstehung des zweiten *Reisebilder*-Bandes, zur vollen Reife ausgebildet wurde (vgl. dazu frühere Äußerungen B 3, 10, 91 und 162). Angesichts der neuen Möglichkeiten definiert Heine selbstbewußt die anschlußfreie Logik seiner neuartigen Prosa, als er Immermann am 14. Oktober 1826 mitteilt: »Die Reisebilder sind vor der Hand der Platz wo ich dem Publikum alles vorbringe was ich will« (nahezu wortgleich äußert er sich am 14. und 24. Oktober gegenüber Moser und Varnhagen). Die un- bzw. antisystematische Erzählstruktur, in der sich ebenso wie in der Gattungsmischung und im Fragment die kritische Haltung der Reisebilder bekundet, stellt allerdings hohe Anforderungen an das noch nicht vorbereitete Publikum. – In engster Verbindung mit diesem formalen steht als ebenfalls integratives Prinzip die von der Kritik lange Zeit angeprangerte Subjektivität des Autors, die mit ihrer progressiven Emanzipation zugleich ihre progressive Entfremdung (»Zerrissenheit«) in der modernen Gesellschaft erfährt. Alle Reisebilder werden von einem autonomen Ich erzählt (mit dem Autor-Ich eng »verwandt«, aber nicht identisch); alle Beobachtungen sind auf ein frei reflektierendes Ich, das sich zur vergangenen und gegenwärtigen Wirklichkeit ins Verhältnis setzt, als letzten Fluchtpunkt bezogen. Subjektivität darf jedoch nicht individual-psychologisch mißverstanden werden: Ihre Bedeutung ist wesentlich *funktionell*, Indiz eines Allgemeinen. Ihre Mitreflexion dient z. B. dazu, den eigenen Standpunkt zu relativieren (um dem Leser ein selbständiges Urteil zu erlauben) oder die eingeschränkte »Freiheit« der empirischen Sprechsituation des Autors zu thematisieren (um, wie in Kap. XIV der *Ideen*, eine kritische Stellung zur modernen Entwicklung zu ermöglichen). So läßt die Dialektik von befreiter und erneut gefesselter Subjektivität die Forderung einer allgemeinen Emanzipation entstehen.

Wenn die *Reisebilder* schließlich trotz struktureller Diskontinuität und subjektiv dissonanter Schreibweise als Reihe eine zyklische Ganzheit aufweisen, dann durch die einheitliche, immer stärker hervortretende ideologische Ausrichtung an der Befreiung Europas vom Ancien régime. Diese

Idee liefert in verschiedener Ausformung die ständig vermißte Grundordnung, die alle Darstellungen der Einzelwerke ebenso durchdringt, wie sie das publizistische Engagement des Gesamtzyklus prägt, vom Bekenntnis zur Französischen Revolution (und zu Napoleon) über die offene Diskussion der Emanzipation bis zum unmittelbaren Aufruf zur Revolution (zum Thema »Emanzipation«, siehe S. 18 ff.). Darüber hinaus beinhaltet die ideologische Struktur eine Emanzipation der Sinnlichkeit, die sich als Recht auf materiellen Lebensgenuß aller einklagt. In zahlreichen Darstellungen, Szenen und Anspielungen auf ungetrübte kulinarische und erotische Freuden (»Liebe, Wahrheit, Freiheit und Krebssuppe«, B 3, 262) meldet sich Protest gegen eine asketische Weltanschauung an, der in Verbindung mit Elementen antik-heidnischer Kulturen in offenen Gegensatz zur herrschenden christlichen Ideologie tritt. Im Hinblick auf die *Harzreise* und die italienischen Reisebilder sei hier entwicklungsgeschichtlich kurz erwähnt, daß dieser Gegensatz ein dualistisches Weltbild ankündigt, das nach 1830, unter dem Einfluß des Saint-Simonismus, in den Begriffspaaren »Sensualismus« und »Spiritualismus« bzw. »Hellenismus« und »Nazarenertum« reflektiert wird (vgl. die Philosophie-Schrift und *Ludwig Börne*). Damit sind die Voraussetzungen und Konsequenzen einer umfassenden Emanzipation genannt.

Zum Schluß muß betont werden, daß es erst der jüngsten Forschung gelang, die für die neue Gattung »Reisebild« konstitutive Bedeutung eines bestimmten ideologischen Rahmens zu ermitteln. In seinem methodisch einflußreichen Neuansatz hat Wolfgang Preisendanz – wie erwähnt – zuerst überzeugend nachgewiesen, daß der funktionelle Bezug auf diesen Rahmen die Struktur aller Darstellungen oder Reflexionen bestimmt. Demnach kann grundsätzlich jeder »Lappen« und jedes ›Stück‹ Subjektivität zur »Signatur« (Heine) des allgemeinen Geschichtsprozesses werden (vgl. kritisch dazu Pabel u. Schuller; Schneider 1975 schlägt die Unterscheidung einer ideologischen Tiefen- und einer bunt-assoziativen Oberflächenstruktur vor und betont nicht, wie Preisendanz, »Funktionsübergang«, sondern »Konkurrenz von Publizistischem und Ästhetischem«).

Lit.: Wolfgang Preisendanz: *Heinrich Heine*, München 1973, 21–68: Der Funktionsübergang von Dichtung und Publizistik [zuerst 1968]; Karol Sauerland: *Heinrich Heines Reisebilder – ein besonderes literarisches Genre?*, in: IWK 1972, 145–158; Götz Großklaus: *Textstruktur und Textgeschichte. Die »Reisebilder« Heinrich Heines*, Frankfurt a. M. 1973; Marianne Schuller: *Überlegungen zur Textkonstitution der Heineschen »Reisebilder«*, in: Zeitschrift für Literaturwissenschaft und Linguistik, 1973, H. 9/10, 81–98; Slobodan Grubačić, *Heines Erzählprosa*, Stuttgart u. a. 1975, 9–11; Ronald Schneider: *»Themis und Pan«. Zu literarischer Struktur und politischem Gehalt der »Reisebilder« Heinrich Heines*, in: Annali, Sezione Germanica XVIII, 3, Studi Tedeschi, 1975, 7–36; Ronald Schneider, *Die Muse »Satyra«. Das Wechselspiel von politischem Engagement und poetischer Reflexion in Heines »Reisebildern«*, in: HJb 1977, 9–19; Klaus Pabel: *Heines »Reisebilder«. Ästhetisches Bedürfnis und politisches Interesse am Ende der Kunstperiode*, München 1977, 9–12, 45–51; Jürgen Brummack (s. o.), 122–128; Ralf H. Klinkenberg: *Die Reisebilder Heinrich Heines. Vermittlung durch literarische Stilmittel*, Frankfurt a. M. 1981, 78–147.

Touristensatire

Neben den Darstellungen und Auseinandersetzungen, die im wesentlichen zur ideologischen Grundstruktur gehören, kehrt im Gesamtzyklus eine Reihe von Themen wieder, die an einer Stelle zentral behandelt werden und dann ansatzweise erneut auftauchen (die Jurisprudenz- und Wissenskritik aus der *Harzreise* hält den Erzähler regelrecht gefangen, »Göttingen« wird schließlich zur Metapher für ›Geleersamkeit‹), oder die immer wieder neu erlebt und diskutiert werden (z. B. die Erfahrung unglücklicher Liebe läßt den Erzähler nicht mehr los; ebenso zieht sich die Polemik gegen die zeitgenössische deutsche Literatur durch die Reiseprosa, ganz zu schweigen von der Auseinandersetzung mit Goethe und Hegel z. B. oder der Problematik der Zerrissenheit). Ohne den einzelnen Werkanalysen vorzugreifen, scheint hier die Diskussion eines durchgehenden Motivs angebracht, das in der Philistersatire der *Harzreise* ihren Ursprung hat und das sich in der Kritik des Phänomens Tourismus fortsetzt.

Die Zeit, in der Reiselust und Reisefieber umsichgriffen, ist ebenfalls die Geburtsstunde des modernen, organisierten Tourismus, der die adelige »Grand tour« und die vornehmen Badereisen ablöst (Enzensberger). 1811 taucht das Wort »Tourismus« auf, 1836 erschien das erste »Red Book«, das weltberühmt wurde, und 1839 Baedekers erster Reiseführer; 1845 gründete Thomas Cook sein Reisebüro und organisierte seine erste verbilligte Gesellschaftsreise. Der eingefleischte Tourist Heine, der für die Abkehr vom alten Kontinent das bekannte Wort »Europa-müde« geprägt hat (B 3, 594), hat die pervertierenden Auswirkungen des neuen Tourismus auf zumindest dreifache Weise satirisch und parodistisch reflektiert. Zunächst führt die *Reise von München nach Genua* banausisches Bildungsgebaren am Habitus des im Biedermeier als Typus in Mode gekommenen englischen Touristen vor, der z. B. in Mailand mit einem »Guide« herumrennt, um nachzusehen, »ob noch alles vorhanden, was in dem Buche als merkwürdig erwähnt ist«. In der Innsbrucker Hofkirche absolvieren die »zivilisierten Barbaren« aus dem Norden ebenfalls mit einem »Guide« ihr vorgeschriebenes Pflichtprogramm, ohne zu bemerken, daß sie die Reihe der Standbilder in umgekehrter Richtung abschreiten und die tollsten Verwechselungen vornehmen (B 3, 371 und 332 f.; der Bildungsphilister galt damals bereits als Topos, den Heine übernimmt, vgl. Werner, 27). Die *Bäder von Lucca* stellen an klassischer Stelle den bürgerlichen Bildungstourismus (wieder mit englischer Beteiligung) satirisch bloß. Die dort ebenso aufgespießte, verlogene Naturschwärmerei wurde schon zuvor am Beispiel des philiströsen deutschen Brockentourismus, mit dem Gefühlskitsch bei den Eintragungen ins Brockenbuch, aufgegriffen. – Gleichfalls in der *Harzreise* beginnt – zweiter Punkt – die Kritik an der verdinglichten Wahrnehmung von Sehenswürdigkeiten durch Parodie von Reiseführern (die Heine benutzt hat) in der scheinbar willkürlichen Aufzählung »wichtiger« Daten zu Göttingen und Osterode (später ebenso zu Brescia, B 3, 370), oder in der Darstellung des Brockens als eines »Deutschen«. Reduzierte Vorstellung kennzeichnet dann laut *Englischen Fragmenten* ganz allgemein touristisches Verhalten: Das Unbekannte wird mit dem Bekannten ganz einfach maskiert und vermummt und damit preisgegeben (B 3, 547 f.). – Wesentlicher muß die Kritik aus einem dritten Gesichtspunkt erscheinen. *Die Nordsee III* zeigt in der Tat die zerstörerische Wirkung des neuen »Badetourismus« auf die traditionelle Gemeinschaft der Insulaner. Der Lebensstil der Gäste weckt bei ihnen Konsumbedürfnisse, die sie ihrer gewohnten Welt zwangsläufig entfremden. Als Symptom der unvermeidlichen Auflösung seien die Hinweise auf die Prostitution, die mit der Entwicklung des Badebetriebes aufkommt, und auf die geschwängerten Insulanerinnen zitiert (B 4, 801 f., B 3, 216).

Lit: Hans Magnus Enzensberger: *Einzelheiten I Bewußtseins-Industrie,* Frankfurt a. M. 1964, 179–205: Eine Theorie des Tourismus.
Friedrich Sengle (s. o.), 259 f.; Michael Werner (s. o.).

Die »Reisebilder-Schule«: Aufnahme und Wirkung in den 30er Jahren

Als »Verfasser der Reisebilder« ist Heine 1830 in Deutschland ein berühmter Autor, und auch das Ausland wird auf ihn aufmerksam. Der Pariser »Le Globe« lobt z. B. seinen originellen »satanisme«; 1832 erscheinen die ersten französischen Übersetzungen (DHA 6, 684 ff.). Die englische Presse reagiert allerdings zu diesem Zeitpunkt, vor allem wegen der *Fragmente,* weitgehend negativ.

Die für die deutsche Rezeption wichtigen Rezensionen, Würdigungen und Aufsätze, die nach dem Erscheinen des vierten Bandes (1831) veröffentlicht werden, lassen zwei verschiedenen Tendenzen erkennen. Ohne neue Gesichtspunkte hervorzubringen, setzt sich zunächst – erste Tendenz – die seit den Reaktionen auf die Einzelbände bekannte Ablehnung (bis auf das Lob des Humoristischen) fort (zur ambivalenten Aufnahme vgl. *Harzreise*). Heines Witz und Satire rufen jetzt erneut Verteidiger von Moral und Religion auf den Plan, die in nunmehr stereotyper Weise Subjektivität, Manier und Gesinnungslosigkeit des Autors gegen sein Talent ausspielen (zu diesen Kritikern gehören 1832, 1833 Heines Studienfreund Johann Baptist Rousseau sowie der ehemalige Burschenschafter Wolfgang Menzel, und 1838 der konservative Dichter Melchior Meyr). Dieses ›Panier‹ wird von deutschnationaler Seite noch durch anti-französische und anti-semitische Züge vervollständigt. Gegen letzteres Vorurteil ist sogar derjenige nicht ganz gefeit, der sich in dieser Zeit, in der eine ganze Welle von *Reisebilder*-Imitationen und Nachahmungen losbricht, zum Hauptverteidiger Heines aufwirft (vgl. Ende der 23. Vorlesung von Ludolf Wienbargs *Ästhetischen Feldzügen,* B 4, 918). Der Jungdeutsche, der 1834 ein »Charakterbild der neuen Prosa« entwirft, betont Heines außerordentliche Verdienste, indem er seine »Schreibart« analysiert und die politische Funktion gerade seiner »Witzader« erkennt (24. Vorlesung). Eine ähnliche Anerkennung seiner Schreibweise wird Heine später, trotz aller Kritik, durch Arnold Ruge zuteil, der 1838 zwar seinen »Witz und Genialität« wiederum nur als eine rein negative, weil willkürliche und subjektive Befreiung von Gestalten des substantiellen Geistes versteht, aber ausdrücklich hervorhebt: »Heine, wie er von jetzt an, – mit den Reisebildern, – auftritt, ist *der Poet der neuesten Zeit.* Mit ihm lebt Poesie eine Emancipation von dem alten Autoritätsglauben und ein neues Genre auf« (*Heinrich Heine, charakterisiert nach seinen Schriften*, Kleinknecht, 31; vgl. Georg Herwegh, der 1840 die neue Literatur, als »ein Kind der Juliusrevolution«, von den *Reisebildern* her datiert, Kleinknecht, 44).

Vorausgegangen war – zweite Tendenz–, daß im Gegensatz zur negativen Kritik die *Reisebilder* ab 1827/1828 in wachsendem Maße zum Prüfstein der zahlreichen Reiseliteratur und nach 1830 zum Modell der jungdeutschen Prosa geworden waren. Die Reisebilder-Mode, deren Höhepunkt in die Jahre 1830 bis 1835 fällt, wurde durch den Bundestagsbeschluß vom 10. Dezember 1835 beendet. Schon 1831 sprach man von dem »Schule«-stiftenden Einfluß der Heineschen Prosa; 1838 schrieb ein Kritiker über den Siegeszug des neuen »Misch-Genre«: »Wer zählt ihre Namen alle, die durch den beispiellosen Succeß der Reisebilder ermuthigt, ihre Reiseschatten, Reiseskizzen, Reisetableaux, Taschenbücher einer Reise etc. dem Publikum übergaben« (DHA 6, 556). Neben den Jungdeutschen Wienbarg, Mundt und Laube wurde noch eine ganze Reihe Schriftsteller zu den Heine-Nachahmern gerechnet (wie Pückler-Muskau, Lewald, Alexis, Glaßbrenner und Sealsfield).

Die Reaktion auf den Erfolg der Schule ließ dann nicht lange auf sich warten. Für die Kritik von der linken Seite sorgten die Junghegelianer der »Hallischen Jahrbücher«, die Heines französische Frivolität (Ruge, s. o.) kritisierten oder den »Reisebilderklatsch« (u. a. Robert Prutz, 1840) zurückwiesen. Auf der rechten Seite empörte sich der Konservative Menzel 1840 über die »Bastardgattung«, in der alles besudelt und beplappert wird, und diffamierte Heine als den »Stammvater der Commis-voyageurs-Literatur«, die von allen »reisenden Judenjungen« imitiert worden sei (DHA 6, 554 f. und 557 f.).

Lit.: B 4, 914–931; DHA 6, 552 ff.; DHA 7/2, 564 ff., 1442–1480; Galley/Estermann I, 402 ff., 426, 529 f., 562 ff., 576–585; II, 5, 10 f., 19 ff., 27, 93, 99 f., 115, 446 f. u. 590 f.
Robert Prutz (1847, s. o.); Helmut Koopmann: *Heinrich Heine in Deutschland*, in: *Heinrich Heine*, hrsg. von Helmut Koopmann, Darmstadt 1975 (= Wege der Forschung), 257–287 [zuerst 1966]; Jost Hermand: *Die ›Reisebilder‹ in der zeitgenössischen Kritik*, in: Jost Hermand, *Der frühe Heine*, München 1976, 181–199 [zuerst 1970]; *Heine in Deutschland. Dokumente seiner Rezeption 1834–1956*, hrsg. von Karl Theodor Kleinknecht, Tübingen 1976; Ralf H. Klinkenberg (s. o.), 61–77 [Abriß zur Rezeption bis in die Gegenwart].

Die Harzreise

Entstehung, Übersetzung, Druck, Text

Das erste Reisebild ist als literarische Verarbeitung einer Fußwanderung entstanden, die der 26jährige Student während seines zweiten Göttinger Aufenthaltes (s. u.) in den Herbstferien 1824 durch den Harz unternommen hatte. Eine solche Ferienwanderung durch die damals schon als pittoresk bekannte Harz- und Brockenlandschaft gehörte in der Universitätsstadt zum guten Ton. Wie bei den anderen Reisen an die Nordsee, nach England und Italien mögen gesundheitskräftigende Überlegungen den Plan, den Heine schon 1821 bei einem ersten Aufenthalt in Göttingen erwogen hatte, gefördert haben. Am 12. oder 13. September 1824 brach Heine nicht, wie üblich, in Gemeinschaft, sondern allein mit einem Wanderführer auf, wanderte über Osterode, Clausthal-Zellerfeld, Goslar zum Brocken, den er am 19. bestieg und zum Nachtquartier wählte. Während *Die Harzreise* mit dem Abstieg nach Ilsenburg plötzlich endet, wanderte Heine über Halle, Jena nach Weimar, wo er am 2. Oktober Goethe den so berühmten wie enttäuschenden Besuch abstattete. Über Erfurt, die Wartburg und schließlich Kassel gelangte er wahrscheinlich am 11. Oktober nach Göttingen zurück.

Bei der Entstehung des Textes sind vier Arbeitsgänge zu beachten. – Sofort nach der Rückkehr begann Heine mit der intensiven Ausarbeitung seiner Eindrücke und Erlebnisse, so daß Anfang Dezember 1824 die Niederschrift der ersten Fassung abgeschlossen war. Die geplante, aber gescheiterte Veröffentlichung dieser Fassung in einem Almanach machte dann im März und Anfang April 1825 Veränderungen und Streichungen notwendig (vgl. DHA 6, 527; Manuskript aus diesem Arbeitsgang, der wahrscheinlich einer besseren Integration der »Bergidylle« galt: DHA 6, 227 f.). – Am 23. November 1825 schickte Heine das zurückerhaltene Manuskript, »Harzreise von H. Heine, Geschrieben im Herbste 1824«, an den Herausgeber des Berliner *Gesellschafter,* Friedrich Wilhelm Gubitz. Zu dieser Zeit scheint Heine eine Fortsetzung des Textes geplant zu haben, worauf im Manuskript vorliegende Bruchstücke und Entwürfe schließen lassen (B 3, 609–615, DHA 6, 228–233). Der *Gesellschafter*-Druck erfolgte 1826 mit einer Reihe von Zensureingriffen, für die der empörte Heine Gubitz (mit dem er schon wegen *Über Polen*

schlechte Erfahrungen gesammelt hatte) verantwortlich machte; in der Folge brach er zu dem
Professor alle Beziehungen ab. – Im Hinblick auf
einen vollständigen Buchdruck in einem Sammelband, der schon im Dezember 1825 geplant worden
war und durch die Bekanntschaft mit dem Verleger
Julius Campe (s. o. S. 148) als erster der neuartigen
Reisebilder-Reihe zur Ausführung kam, wurde das
Manuskript während des Frühjahrs 1826 in einem
erneuten, vierten Arbeitsgang wesentlich geändert
und erweitert. Anfang (Göttingen-Abschnitt) und
Ende kamen neu hinzu. Wegen des nicht ausreichenden Umfangs mußte das Manuskript zur Vorzensur eingereicht werden, wurde aber ohne Eingriffe gedruckt. Im Mai schickte Heine Rezensions-
exemplare u. a. an Varnhagen v. Ense sowie Wid-
mungsexemplare u. a. an Goethe und Börne.

Trotz des Skandals, den das Buch erregte (s. u.)
und trotz aller öffentlich kontroversen Reaktionen
entsprach der Verkauf von *Reisebilder* I nicht den
Erwartungen, so daß sich Campe erst Anfang 1830
an einem möglichst stark veränderten Druck einer
erhöhten Neuauflage interessiert zeigte. Die Anfang Juni 1830 abgelieferte Druckvorlage enthielt
zahlreiche, wenn auch nicht tiefgreifende Änderungen. – Der Druck der dritten Auflage der *Harzreise*, zu dem Heine im Juli 1837 die gewünschten
Korrekturvorschläge abgeschickt hatte, verzögerte
sich wegen verschärft angewandter Zensurvor-
schriften bis 1840, als Campe schließlich auf eigene
Gefahr und ohne Zensor drucken ließ. Dieser unveränderten dritten Auflage folgten 1848 und 1856
weitere Auflagen sowie 1852 ein Separatdruck. In
seinen Plänen zur Gesamtausgabe hielt Heine daran fest, daß *Die Harzreise* den 1. Band in der Textgestalt der zweiten Auflage eröffnen sollte.

Entstehung und Druck der französischen Übersetzungen der einzelnen *Reisebilder* besitzen zumeist eine eigene Geschichte, die in der Düsseldorfer Ausgabe ausführlich rekonstruiert worden ist.
Um einen Einblick in Ablauf, Probleme und Umstände zu geben (sowie um Wiederholungen zu
vermeiden), sei im *Heine-Handbuch* als Beispiel
nur die Entstehung der Übersetzung des ersten
Reisetextes dargestellt.

Wegen ihrer Beliebtheit beim deutschen Publikum konnte die *Harzreise* bei den Bemühungen um
eine möglichst schnelle französische Übertragung
der *Reisebilder* eine besondere Rolle spielen. Eine
auszugsweise, aber fehlerhafte Übersetzung durch
François-Adolphe Loève-Veimars, dessen persönlicher Einfluß in Paris Schrittmacherdienste für den

bis dahin wenig bekannten deutschen Autor leisten
sollte, erschien im Juni 1832, ohne Heines Anteilnahme, in der »Revue des Deux Mondes«. »Le
Temps« druckte die *Excursion au Blocksberg et
dans les montagnes du Hartz* unmittelbar nach.
Loève-Veimars stellte Heine als Autor einer neu-
en, realistisch orientierten deutschen Schule vor.
Dagegen betonte Joseph Willm, ein zweiter Übersetzer der *Harzreise,* im gleichen Jahr die politisch
fortschrittliche Haltung Heines. Die *Souvenirs de
Voyage* wurden in zwei Artikeln in der »Nouvelle
revue germanique« im Juli 1832 veröffentlicht.
Diese ebenfalls auszugsweise Übertragung richtet
sich stellenweise polemisch gegen die Fehler des
Textes von Loève-Veimars, der wiederum 1833 un-
verändert mit dem Titel *Le Blocksberg et les Montages du Hartz* im ersten Band von Loève-Veimars'
Le Népenthès. Contes, nouvelles et critiques als
»Morceaux imités de Heine« erneut abgedruckt
wurde. Dieser immerhin vierte Abdruck einer
Harzreise-Übersetzung gilt wirkungsgeschicht-
lich als der vielleicht wichtigste, obwohl er von den
Rezensenten kaum beachtet worden ist (dazu
DHA 6, 700 f.). Die Säkularausgabe druckt in
Bd. 14 die Übersetzungen von Loève-Veimars und
von Willm.

Textkritisch bedeutsam wurde jedoch erst die
nachweislich von Heine selber bearbeitete und als
eigenständig gegenüber den beiden Vorlagen geltende Übersetzung, die 1834 im III. Band der *Œuvres de Henri Heine* erschien. Adolphe Specht und
ein anonymer »junger Mann« waren die Mitarbeiter dieses ersten vollständigen Textes (zu Auslassungen, Zusätzen und Abweichungen siehe DHA
6, 701). – Während die *Reisebilder*-Ausgabe, die
1853 bei Victor Lecou erschien, den unveränderten
Text von 1834 nachdruckte, brachte die Neuausgabe bei Michel Lévy 1856 einen stilistisch wesentlich
verbesserten und »französischeren« Text. Korrekturen betreffen religiöse Fragen und bezeugen Heines veränderte Einstellung dazu (DHA 6, 702
nennt Beispiele zu stilistischen und inhaltlichen
Korrekturen). Die vom todkranken Heine ange-
brachten Verbesserungen reichen bis *Harzreise* B
3, 156, Z. 23; der restliche Text folgt dem von 1834.
Diese Übersetzung gilt als maßgeblich für Heines
Intentionen. Sie wird in den deutschen Werkausgaben übernommen. Als Mitarbeiter kommen Richard Reinhardt, Elise Krinitz und vielleicht auch
Saint-René Taillandier und François Buloz infrage.

Zeitschriftendruck: Harzreise; von H. Heine. (Geschrieben im Herbst 1824.) erschien in 14 Fortsetzungen (in zwei »Mittheilungen« gegliedert) am 20., 21., 23., 25., 27., 28. und 30. Januar sowie am 1., 3., 4., 6., 8., 10. und 11. Februar 1826 in den Nummern 11 bis 24 von *Der Gesellschafter oder Blätter für Geist und Herz.* Nach dem Eingangsgedicht fehlen der Göttingen-Abschnitt und die Erlebnisse des ersten Tages und der Nacht (B 3, 103–110, Z. 32). Der Text endet mit der Szene am Ilsenstein (B 3, 162, Z. 8). Zensureingriffe lassen sich an Ballett-Persiflage und an mindestens 23 weiteren Stellen nachweisen.

Buchdruck: Zusammen mit dem Göttingen-Teil und der Schluß-Phantasie erschien *Die Harzreise. 1824.* vollständig als Buchdruck zuerst in *Reisebilder von H. Heine. Erster Theil. Hamburg, bey Hoffmann und Campe. 1826.* auf den S. 111–260 (zum Gesamtinhalt des Bandes siehe S. 149). Der Druck der neuen Prosastücke erfolgte nach Manuskript, der Rest nach Zeitschriftenfassung. Der Text der *Harzreise* ist ebenfalls in einem Handexemplar Heines, das aus dem Aushängebogen des ersten Buchdrucks besteht, mit eigenhändigen Eintragungen erhalten. Der Buchdruck wurde Mitte Mai 1826 in einer Auflage von 1500 Exemplaren ausgegeben. Bruchstücke zur *Harzreise* geben: B 3, 609–615 und DHA 6, 226–233.

Das Handexemplar mit Heines Korrekturen diente 1830 als Druckvorlage bei der 2. Auflage des veränderten ersten Bandes der *Reisebilder,* die Mitte Juli 1830 in einer Höhe von 2500 Exemplaren erschien. *Die Harzreise* steht auf den S. 85–238 der *Reisebilder von H. Heine. Erster Theil. Zweite Auflage. Hamburg, bey Hoffmann und Campe. 1830.* Streichungen und wichtigste Änderungen gegenüber vorherigen Drucken: B 4, 748–753 und DHA 6, 226 f., 567–581. – Die 3., 4. und 5. Auflage folgen 1840 (1500 Exemplare), 1848 und 1856 dem Text von 1830. – Ebenfalls nach dem Text von 1830 wurde 1852 ein Separatdruck mit dem Titel *Die Harzreise. Hamburg, Hoffmann und Campe, 1853* gedruckt (1854 2. Auflage der Miniaturausgabe).

Die zwischen 1826 und 1846 erscheinenden ausschnittweisen Nachdrucke, die z. B. die besondere Popularität der Abschnitte über Göttingen und die Clausthaler Bergwerke bezeugen, folgen fast alle dem Text der Buchausgabe von 1826 (einzelne Nachweise siehe DHA 6, 565 f.).

Die französischen Übersetzungen: Genaue Angaben zu den Zeitschriftendrucken, an denen Heine nicht beteiligt war, werden hier ausgespart (s. o. und vor allem DHA 6, 703). Die erste bedeutsame Buchausgabe der *Harzreise*-Übersetzung erschien 1834 mit dem Titel *Les montages du Hartz* im dritten Band der *Œuvres de Henri Heine,* die Eugène Renduel in Paris herausgab, und dort im zweiten Band der *Reisebilder, Tableaux de voyage,* 91–208. – Ein unveränderter und nicht autorisierter Nachdruck erfolgte 1853 in: Henri Heine, *Reisebilder. Tableaux et voyages,* Paris, Victor Lecou, 217–279. Auflage der Renduel-Ausgabe: 1000 Exemplare.

Die endgültige Übersetzung, mit dem Titel *Les montagnes du Hartz. 1824* erfolgte 1856 im Rahmen der *Œuvres complètes* bei Michel Lévy frères in der Neuausgabe der *Reisebilder. Tableaux de voyage. Par Henri Heine,* auf den S. 7–97 des ersten Bandes.

Texte: B 3, 101–166 (Briegleb folgt der Walzel-Ausgabe, die sich nach dem Text der 3. Auflage von 1840 richtet, der aber mit Hilfe des Drucks von 1830 bereinigt worden ist) und 609–615 (Bruchstücke); DHA 6, 81–138 (Druck nach der 2. Auflage unter Berücksichtigung der Korrekturen für die 3. Auflage) und 226–233 (Bruchstücke).

– französische Übersetzung: DHA 6, 233–280, HSA 14, 19–68 (beide geben Text nach Edition von 1856); HSA 14, 219–261 (die früheren Zeitschriftendrucke).

Lit.: B 4, 715–723; DHA 6, 518–561 [mit weiterführender Bibliographie zu Einzelaspekten: 561 f.] und 699 ff.

Tradition, Quellen, Vorbilder

Heines Reiseprosa steht in einer langen Tradition von Beschreibungen des Harzes und des Brockens, die bis ins 17. Jahrhundert zurückreicht. Im 18. Jahrhundert machen Berichte zuerst im aufklärerischen, dann im »empfindsamen« Geist die »Harzreisen« immer beliebter – und bald auch schon unbeliebt. In der Restaurationszeit werden dann nicht mehr ausführliche Berichte geschrieben, sondern kurze Reiseskizzen mit amüsanten, unterhaltsamen Anekdoten (vgl. DHA 6, 585). Im »Gesellschafter« ist Heine nach 1820 nicht der erste Autor, der seine Reise-Feuilletons an ein mit dem Harz vertrautes Publikum richtet.

Im Zuge der touristischen Erschließung des Gebirges sind auch nach 1800 Reiseführer entstanden, die Heine benutzen konnte, wie etwa bei topographischen Darstellungen Caspar Friedrich Gottschalcks maßgebendes *Taschenbuch für Reisende in den Harz* (1806; Heine hatte die 2. Auflage von 1817 als Wanderführer mitgenommen), Karl Friedrich Heinrich Marx *Goettingen in medicinischer, physischer und historischer Hinsicht* (1824) und Ludwig Ferdinand Niemanns *Handbuch für Harzreisende* (1824). Alle drei werden von Heine zitiert, wenn sie nicht satirischen Zwecken als Vorlage dienen (vgl. Sengle, II, 259 f.). Außerdem entlieh Heine während der Niederschrift aus der Göttinger Bibliothek Bücher von Johann Gottfried Ludwig Kosegarten, Charles Joseph de Ligne sowie *The Works of Ossian* (die parodiert werden) und einen weiteren Führer von Gottschalck (zu genauen Angaben siehe DHA 6, 524 f.).

Von wesentlicher Bedeutung ist andererseits eine Reihe deutscher und ausländischer Reiseliteratur, die bei Heines neuartigem Werk Pate gestanden hat. Neben den die *Reisebilder* insgesamt prägenden Vorbildern wie Sternes *Sentimental Journey Through France and Italy* und Goethes Reisebeschreibungen hat die Forschung ebenfalls den Einfluß von Cervantes' *Don Quixote* und Moritz August von Thümmels *Reise in die mittäglichen Provinzen von Frankreich* (1791–1805) nachgewiesen (DHA 6, 522–524). Hinzu kommt ein »gewisser Einfluß« von Romantikern wie Arnim, Jean Paul,

Kerner, Brentano und E. T. A. Hoffmann. Aus der englischen und amerikanischen Literatur läßt sich neben dem Einfluß von Lord Byrons Reiseepen vor allem derjenige von Washington Irvings Reisebeschreibungen nachweisen, an erster Stelle das 1823 in Übersetzung erschienene Werk *Bracebridge Hall or the Humorists* (1822). Die assoziative Schreibweise des Amerikaners wie sein republikanischer Geist nehmen viel von Heines eigenen Intentionen vorweg (DHA 6, 524).

Lit.: Erich Loewenthal (s. u.), 7–36; DHA 6, 522–525, 583–585; Walter Kanowsky: *Heine als Benutzer der Bibliotheken in Bonn und Göttingen,* in: HJb 1973, 129–153; Friedrich Sengle: *Biedermeierzeit. Deutsche Literatur im Spannungsfeld zwischen Restauration und Revolution 1815–1848,* Stuttgart 1972, Bd. II, 259 f.

Analyse und Deutung

Lappen und bunte Fäden (Zur Struktur)

Die Struktur des so beliebten, beziehungs- und anspielungsreichen Textes, vom Autor brieflich als »ein zusammengewürfeltes Lappenwerk« bezeichnet (an Moser vom 11. Januar 1825), stellte für Kritik und Forschung eine permanente Herausforderung dar. Unterschiedliche und widersprüchliche Ergebnisse belegen die Schwierigkeiten der überaus zahlreichen Interpretationen. Offene Struktur und fragmentarischer Charakter des Textes wurden lange Zeit als ästhetisches Manko ausgelegt, etwa im Sinne von unzureichender Abrundung, obwohl doch die Schlußphantasie den Anspruch erhebt, »die bunten Fäden« des Fragments zu einem harmonischen Ganzen verschlungen zu haben (B 3, 162). Der politisch gesehen als harmlos geltende Text erfreute sich um so größeren ästhetischen Zuspruchs aufgrund seines frischen, respektlosen Witzes und seines unbekümmerten, studentischen Humors, obwohl sich der Bericht doch ferner bewußt chiffriert bzw. maskiert darstellt und ausdrücklich an einen »esoterischen« Leser appelliert, im Gegensatz zum bloß »exoterischen« (B 3, 148). Erst der jüngeren Forschung ist es gelungen, dem doppelten Anspruch des Textes gerecht zu werden und gesicherte Ergebnisse zu Struktur und zeitkritischen Bezügen vorzulegen, so daß Heines wahrer Prosaerstling als »Harzreise in die Zeit« gelesen werden kann (Altenhofer).

Die formale Einheit des nicht in Kapitel gegliederten Textes wird zunächst durch den chronologischen Bericht einer Wanderung hergestellt, der nach sechs Tagen und fünf Nächten abbricht, um in einen orts- und zeitverschobenen Epilog zu münden, welcher erst in der Buchausgabe hinzugekommen ist und in Hamburg spielt. Diesen Rahmen füllt ein Ich-Erzähler, der Episode an Episode reiht, die nicht durch Psychologie oder Handlung, sondern nur durch lineares Fortschreiten miteinander verbunden sind.

Zur weiteren Grundstruktur gehört dann der deutlich betonte Wechsel zwischen Tages- und Nachterlebnissen, die »kontrapunktisch« (Grubačić) einander entgegengesetzten Bereichen zugeordnet sind: Kommt an den sechs Tagen die Gegenwart unter dem Aspekt Natur und Gesellschaft zur Sprache, wird der Erzähler in vier Träumen von der verdrängten Vergangenheit eingeholt. Das den fiktiven Träumen motivlich verbundene und formal gleichgeordnete große Gedicht nimmt in der vierten Nacht die Zukunft vorweg. Alle fünf Nächte werden wiederum durch Sonnenschein abgelöst.

Fünf eingeschobene Gedichte, die die Intentionen des Textes lyrisch komprimiert wiedergeben, verstärken den äußeren Rahmen der *Harzreise.* Das erste und fünfte Gedicht stehen an Anfang und Ende, das zentrale, dreiteilige zweite Gedicht steht kompositionell in der Mitte.

Die inneren Veränderungen des Ich-Erzählers, mit dem Autor nicht identisch, aber autobiographisch verbunden, erfüllen ebenfalls eine zusammenhangstiftende Funktion. Der Erzähler stellt sich als ein vom Jura-Studium, von Liebeserlebnissen und von Universitätsbehörden gleichermaßen geschädigter, mitteloser Student und Dichter vor, der die »letzte Zeit nicht aus dem Pandektenstall herausgekommen« ist (B 3, 105). Durch den Aufbruch zur Reise will er sich befreien und seine Schmerzen lindern (zweimal wirft er symbolisch Gepäck ab!), wird jedoch nachts von den intellektuellen und erotischen Qualen wieder heimgesucht. Die Begegnung mit der Natur verfehlt schließlich aber nicht ihre therapeutische Wirkung, so daß er sich befreit und geheilt in schwärmerischer Liebe den Verlockungen der sagenhaften Prinzessin Ilse, einem erotisierten ›Stück‹ Natur, »selig« hingibt – »Erscheinungswelt« und »Gemütswelt« rinnen endlich zusammen (B 3, 160). Die Mai-Vision auf dem Hamburger Pflaster holt jedoch das mächtig duftende und »blühende Herz« auf den sentimentalen Boden der Göttinger Realität zurück.

Zuletzt sorgen eine Reihe von Metaphern, Motiven und Themen für kompositorische Einheit, indem sie gleich »bunten Fäden« die verschiedenen Begegnungen mit Natur und Menschen in Bericht, Fiktion, Gedicht und Traum zu einem »Ganzen harmonisch [...] verschlingen«: Der Text kann Fragment bleiben, weil »alles« gesagt ist (B 3, 162).

Lit.: Norbert Altenhofer: *Harzreise in die Zeit,* Düsseldorf 1972; Slobodan Grubačić: *Heines Erzählprosa,* Stuttgart u. a. 1975, 9–24; Klaus Pabel: *Heines »Reisebilder«. Ästhetisches Bedürfnis und politisches Interesse am Ende der Kunstperiode,* München 1977, 97–129; Gerd Heinemann: *Heinrich Heine. Reisebilder,* München 1981, 26 ff. u. 33 f.

Entfremdung, Unmittelbarkeit und Verlust der Unmittelbarkeit

Alle Strukturmerkmale sind jedoch an dem kontrapunktisch ausgeführten Gegensatz zweier Bereiche ausgerichtet, die den Text durchdringen und ihn auf der Handlungsebene »exoterisch« organisieren: »Göttingen« und »Natur«.

Gleich das Eingangsgedicht läßt herzlose, tötende Konvention mit freiheitsverheißender Natur kollidieren (»Auf die Berge will ich steigen, / Wo die frommen Hütten stehen, / Wo die Brust sich frei erschließet, / Und die freien Lüfte wehen«). Der funktionale Bezug ist nun so angelegt, daß der zweite Bereich die Folie abgibt, vor der die politische Enge und die borniert Bürgerlichkeit der Restauration denunziert werden.

Die berühmte und brillante, viel gelobte und viel getadelte Stadt-Satire stellt anfangs jene gesellschaftliche Wirklichkeit vor, die im Text leitmotivisch wiederkehrt und negiert wird. »Göttinger Philister«, deren Zahl »wie Kot am Meer« ist, treten in den verschiedensten Gestalten auf: Ob Professor oder Student, ob Kind oder Erwachsener, ob Pedell oder reisender Kaufmann, sie stehen für abschreckende Nüchternheit und zufriedenes Spießertum, dessen apolitische Haltung die Restauration stützt. Sind sie gelehrt und gebildet, so sind sie von kaltem Rationalismus, pedantischer Scheingelehrsamkeit und wirklichkeitsfremder Klassifikationssucht befallen. Der wissenschaftskritische Erzähler rechnet – stellvertretend für trockene Wissenschaft – mit dem Pseudowissen der Juristen ab, indem er die selbstzufriedenen Mitglieder der juristischen Fakultät – Bauer und Hugo (s. u.) sind unter ihnen – mit ihren »Systemchen« und »Hypotheschen« paradieren läßt (erster Traum) oder die juristische Fachsprache komisch vorführt (vierter Traum). Höhepunkt der Vernunftkritik ist der dritte Traum, in dem der aufklärerische Philosoph Saul

Ascher erscheint, ein kalter, abstrakter Rationalist, der »sich alles Herrliche aus dem Leben heraus philosophiert« hat – und schließlich auch noch sich selber! Bürgerliche Römisch-Rechtler (vgl. Pabel) und abstrakte Vernünftler treten in Träumen auf, so als wenn sie schon gar keine Realität mehr beanspruchen könnten.

Wie grau die Wissenschaft, so grün die Natur – die lebendige, personifizierte, romantisch verzauberte poetische Gegenwelt zur Philisterwelt, in der es wie bei Eichendorff rauscht, klingt und singt: begeistertes Bild der Freiheit in einer unfreien Zeit. Bieten alle Menschen, die mit »Göttingen« (oder Berlin und Frankfurt) in Verbindung stehen, den Anblick von innerer Abgestorbenheit und Starre (genauer Entfremdung, vgl. Pabel), so lassen alle, die mit der Natur noch in einem unmittelbaren, ›organischen‹ Verhältnis leben, das alternative Bild von authentischem Leben (Bergleute, alte Frau), natürlichem Adel (Hirtenknabe, »Prinzessin Ilse«) oder unverbildeter Natur aufkommen (kleiner Junge, der Lerbach zeigt). Auf das Einverständnis mit der Natur, Bild harmonischer, d. h. nicht-entfremdeter Existenz, antwortet die Einstellung des reisenden Philisters und Touristen, der nur »Zweckmäßigkeit und Nützlichkeit in der Natur« bemerkt oder an einer Blume nur die Staubfäden zählt, um sie zu klassifizieren (B 3, 130 und 156). Diese scheinbar affirmative Natureinstellung findet sich in späteren Texten kaum wieder (vgl. *Die Nordsee III* und *Reise von München nach Genua,* aber dagegen *Die Bäder von Lucca*). Kinder und Kindheit stehen schließlich für Unmittelbarkeit und Erneuerung, die kontrastiv die Erwachsenenwelt als Absterben und Verlust kritisieren.

Ist der Bereich »Natur« Folie der Kritik und auch Alternative, so predigt der Erzähler weder ein »Zurück zur Natur« noch beschwört er eine grüne Idylle. Seine Einstellung zur Natur ist weder metaphysisch noch romantisch, sondern touristisch und nüchtern; er sucht Heilung bzw. Entspannung und nicht Einssein. Nicht – wie man lange geglaubt hat – Ursprünglichkeit kennzeichnet seine Haltung, sondern moderne Gespaltenheit, welcher der Verlust von »Unmittelbarkeit« vorausgegangen ist (vgl. Altenhofer u. Pabel; Grubačić spricht von »Ambivalenz der Verfahrensweise«). So läßt er in die religiöse Stimmung der Brockengesellschaft beim Sonnenuntergang den alle Illusionen zerstörenden, platten »Werkeltags«-Spruch platzen: »Wie ist die Natur doch im allgemeinen so schön!« Bei der Feier des Aufgangs, von einem Gedicht begleitet, erweist sich die Sehnsucht nach einem warmen Kaffee als stärkerer Anreiz. Der Brocken selber ist dann alles andere als ein deutscher Olymp oder gar als ein »Zauberberg«: Er sieht so nüchtern und gemütlich aus wie ein deutscher Spießbürger! Und die Gesellschaft dort »oben« ist dieselbe wie »unten«, sie verhält sich philisterhaft-national und schwärmerisch-sentimental.

Und durch die stille, ruhige, vor-industrielle Welt der noch naturverbundenen Clausthaler Bergleute, die ein »wahrhaftes, lebendiges Leben« führen, geht schließlich ebenfalls ein Riß. Unter den »frommen Hütten« sowie in den Erzbergwerken herrscht bereits die alle traditionellen Lebensformen auflösende moderne, qualmige, technisch-industrielle Arbeitswelt (Pabel, 101–103, 116 f.). Die Beschreibung der betäubenden »unheimlichen Maschinenbewegung« ist die früheste in Heines Werk und eine der ersten in der deutschen Literatur. Ob in der Darstellung der »stillen, umfriedeten Heimlichkeit« dieser »wackern Leute« laut Forschung Anklänge »an die romantische Vorstellung vom ›Volk‹« zu verzeichnen sind, oder Elemente »einer antibürgerlichen Idealisierung der nichtbürgerlichen Bergleute« (DHA 6, 604 und Pabel, 117) – der Erzähler erlebt diese arbeitenden Menschen jedenfalls als fürstentreue deutsche Untertanen, die sich für den »dicken Herzog« von Cambridge und »das ganze Haus Hannover« totschlagen lassen würden, statt, wie die Amerikaner, »Hurrah Lafayette!« zu schreien (B 3, 116 ff.).

Lit.: Erich Loewenthal: *Studien zu Heines »Reisebildern«,* Berlin und Leipzig 1922 [Reprint New York 1967], 48–62; Renate Möhrmann: *Der naive und der sentimentalische Reisende. Ein Vergleich von Eichendorffs ›Taugenichts‹ und Heines ›Harzreise‹,* in: HJb 1971, 5–15; Norbert Altenhofer (s. o.); Slobodan Grubačić (s. o.); Klaus Pabel (s. o.); Joachim Müller: *Heines Prosakunst,* Berlin (Ost) 1977, 14–20; Edward A. Zlotkowski: *Heinrich Heines Reisebilder. The Tendency of the Text and the Identity of the Age,* Bonn 1980, 9–74; Bernd Kortländer: *Natur als Kulisse? Landschaftsdarstellungen bei Heinrich Heine,* in: *Heinrich Heine 1797–1856,* Trier 1981 (Schriften aus dem Karl-Marx-Haus) 46–62, spez. 54 ff.

Eine esoterische Harzreise in die Zeit

Die textstrukturierende Polarität der Bereiche »Philisterwelt« und »Natur« verwandelt die Harzreise, was Norbert Altenhofer treffend gezeigt und formuliert hat, in eine »Reise in die Zeit« (Altenhofer, 13), deren politische Dimension ebenso verborgen bleiben mußte wie die Alternative zu den als erdrückend empfundenen Verhältnissen. Die zeitüberwindende Perspektive dieser, wie erwähnt,

lange als unpolitisch geltenden Prosa ist deshalb als maskierte und getarnte aufzusuchen. Wie eine unter dem Zwang äußerer Verhältnisse notwendig »esoterische Verständigung« mit dem Publikum (Altenhofer, 23) in der Restaurationszeit aussehen kann, führt der Text selber am Beispiel des diplomatischen Balletts vor. Dieser damals beliebte Vergleich (Allegorie) wird einem jungen Mann, der das »exoterische«, d. h. unaufgeklärte, begriffsstutzige Publikum vertritt, politisch so zugespitzt vorgeführt, daß er schließlich merkt, wie »er in getanzten Chiffren das Schicksal des deutschen Vaterlandes« unter der Herrschaft der Feudalmächte vor Augen hat (B 3, 147 f.; vgl. dazu DHA 6, 622 f.).

Dieser Appell an eine ent-tarnende Seh- und Leseweise läßt nun den nicht geträumten, sondern konstruierten Träumen mit dem ihnen strukturell eng verbundenen Gedicht *Bergidylle* (so der Titel im *Buch der Lieder*) funktional zentrale Bedeutung zukommen, da unfreie Verhältnisse »die öffentliche Kommunikation über politische Gegenstände nur in der entstellenden Form einer ›Sklavensprache‹ gestatten« (Altenhofer, 23) – und zugleich gegen diese protestieren. So ergibt die Deutung des mit den Ergebnissen der Psychoanalyse übereinstimmenden ersten Traums, daß sich hinter der Gestalt des Prometheus in Wirklichkeit Napoleon, Vertreter von Freiheit und Recht, verbirgt, der von der Heiligen Allianz an den »Marterfelsen« gefesselt worden ist, während im zweitem Traum der zum Handeln entschlossene Ritter mit der schlafenden Prinzessin in Wirklichkeit das deutsche Volk befreien will (Altenhofer; Pabel, der die Träume ebenfalls als »Tarnungen und Verstellungen« auffaßt, geht politisch und ideologisch weiter).

An zentraler Stelle gestattet dann die *Bergidylle,* die in Versen den ideologischen Rahmen der *Harzreise* entwickelt, einen Blick hinter die Maske. In seinem Liebesdialog mit dem naiven Mädchen, das, wie das deutsche Volk, noch einer unaufgeklärten Welt angehört, gibt sich der Erzähler als Kämpfer für die Ideen der Französischen Revolution zu erkennen. Als »Ritter von dem heilgen Geist« – der Ausdruck ist möglicherweise in Anlehnung an den revolutionären Cola di Rienzi entstanden (DHA 6, 612 und Altenhofer) – fühlt er sich gewappnet im Kampf gegen »Zwingherrnburgen« und des »Knechtes Joch«. Nicht die untergegangene Ritterwelt soll erneuert werden, sondern natürliche Gleichheit, nämlich »das alte Recht: / Alle

Menschen, gleichgeboren, / Sind ein adliges Geschlecht« (B 3, 133). Aber wird das »rechte Wort«, über das der Ritter verfügt, in der Gegenwart eingelöst, so folgt jedoch nicht politische Befreiung, sondern die regressive Vision poetisch-märchenhafter Verwandlung – Maske bzw. »Ersatz« des tabuisierten bzw. noch unmöglichen Handelns (Pabel, vgl. Altenhofer und Voigt).

Die rückständigen deutschen Zustände der 20er Jahre haben dem Text vielfältige Masken, hinter denen sich das Verlangen nach Erneuerung und Freiheit verstecken muß, aufgezwungen, wie Träume, Märchen und Mythen, wie Gedichte und Allegorien oder wie Bilder von Kindheit, Jugend und Frühling. Maskiert tritt die Kritik an der apolitischen deutschen Mentalität auf (das ironische Lob auf die Untertanentreue, s. o., oder der Brocken als gründlicher Deutscher); hinter Bildern des Ruins und des Verfalls versteckt sich Kritik an Kirche und Feudalsystem (»tausendjährige Dome werden abgebrochen, und Kaiserstühle in die Rumpelkammer geworfen«, B 3, 123). Zensur und Politik der 20er Jahre haben maßgeblich die Wahl der »esoterischen« Mittel bestimmt, mit denen die *Harzreise* satirisch gegen alle Vorstellungen von Ordnung, Harmonie und Versöhnung, sei es im politischen, ästhetischen, moralischen oder religiösen Denken, protestiert.

Lit.: Norbert Altenhofer (s. o.) Klaus Pabel (s. o.); Jürgen Voigt: *Ritter, Harlekin und Henker. Der junge Heine als romantischer Patriot und als Jude,* Frankfurt a.M. 1982, 257–300 u. 393 ff. [geht wie Jost Hermand – *Der frühe Heine,* München 1976, 59 ff. – davon aus, daß Heine in der *Harzreise* seinen Konflikt mit Goethe austragen will].

Witz, Ironie und Komik

Die neue zeitkritische, dichterische Prosa der *Harzreise,* vom Autor »eine Mischung von Naturschilderung, Witz, Poesie und Waschington Irvingscher Beobachtung« genannt (Brief an Ludwig Robert vom 4. März 1825), benutzt zur Tarnung unterschiedliche Formen des uneigentlichen und komischen Sprechens. So sprüht der Text vor Formen des Witzes und der Ironie. Witzige Effekte entstehen, wenn durch Kollisionstechnik Bedeutungselemente unterschiedlicher Bereiche entweder metaphorisch (die Gerichte im Gasthof sind besser »als die abgeschmackten akademischen Gerichte«, B 3, 107), vergleichsweise oder paronomasisch miteinander verbunden werden (»ordentliche und unordentliche Professoren«, »Profaxen und andere Fa-

xen«, B 3, 104; dazu vgl. Heinemann). Ironische Signale tauchen auf, wenn durch Verstellung das Zweckmäßigkeitsdenken oder der altdeutsche Patriotismus ad absurdum geführt werden (B 3, 130 und 149). Bekannte Beispiele ironischer Desillusionierung sind die beiden Szenen von Sonnenuntergang und -aufgang, in denen die religiöse Andacht durch Trivialitäten zerstört wird (B 3, 144 f. und 154 ff.). Zum satirischen Witzstil gehören ebenfalls Parodien (von Reiseführern und teleologischem Denken, von Goethes *Faust* und von *Ossian*), Persiflagen (von wissenschaftlicher Klassifikation und Systematik), Blasphemien (Kreuzsymbolik auf dem Ilsenstein), verballhornte Zitate und parodierte Wörter aus dem Lateinischen und Französischen. Wortspiele (ein Pantoffel kommt nicht »abhanden«, sondern »abfüßen«, B 3, 163) stehen neben Wortwitzen; Wortkreuzung (»Turngemeinplätze«, B 3, 155) und eine Reihe von witzig-satirischen Porträts (eine Dame mit »langfleischig herabhängendem Unterkinn«; ein Mann lächelt »wie ein Mops, der den Schnupfen hat«, B 3, 108 und 144) verlachen Nationalismus und Philistertum. – Komik entsteht schließlich durch kontrastharmonische Verfahrenweisen aller Art, nicht nur des Aufbaus, sondern auch der Personen und Naturbeschreibungen (das hat Grubačić im einzelnen analysiert). Zugespitzte Kontraste und grelles Nebeneinander heterogener Dinge prägen vor allem die Wissenschaftskritik des Göttingen-Abschnittes (»Würste und Universität« gehören ebenso zusammen wie Kirchen, Bibliotheken und Bier oder »Studenten, Professoren, Philister und Vieh«). Asyndetische Reihungen lassen Goethes *Werther,* Makkaroni und Lord Byron zusammentreten (B 3, 145). Immer wieder prallt Erhabenes auf Alltägliches, Pathetisches auf Triviales; andauernd die Hierarchie zwischen Wichtigem und Unwichtigem umgedreht (und die verkehrte Welt steht schließlich am Ilsenstein wirklich auf dem Kopf!).

Ein kontrastives Verfahren soll hier noch kurz beachtet werden, weil es neben Komik ideologische Kritik erzeugt. Körperliche Genüsse, wie Essen, Trinken oder Sexualität, werden erstmals in Heines Prosa so auf Pathetisches, Religiöses oder Abstraktes bezogen, daß Letzteres bloßgestellt und verlacht wird. So läßt eine gute Tasse Kaffee nicht nur, wie erwähnt, alle Sonnenandacht zerplatzen, sondern der »arabische Trank« füllt auch noch den Magen, in dem es »so nüchtern aus[sah], wie in der Goslarschen Stephanskirche«. Diese Anspielung verweist wiederum auf eine Szene, in der sich der Erzähler nach der Besichtigung eines grauenvollen Kruzifixes sofort ein gutes Mittagessen schmecken läßt, bevor er ein »wunderschönes Lokkenköpfchen« verführt (B 3, 123 ff.) und nachts von dem asketischen »Vernunftdoktor« Saul Ascher träumt, bei dem er in Wirklichkeit schon einmal schöne Mädchen angetroffen hatte, »denn die Vernunft verbietet nicht die Sinnlichkeit«. Sinnlicher Genuß denunziert so wesentlich (neben wissenschaftlichem Idealismus) christlichen Spiritualismus: Verdrängung wird rückgängig gemacht, wenn das Gesicht einer frommen Dame einem »Codex palimpsestus« gleicht, »wo, unter der neuschwarzen Mönchsschrift eines Kirchenvatertextes, die halberloschenen Verse eines altgriechischen Liebesdichters hervorlauschen« (B 3, 144; vgl. B 4, 748, wo eine schöne Madonna Vorlust erregt). Diese Erinnerungen an antike Sinnenlust kündigen ebenso weltanschauliche Kritik am Christentum an wie die Anspielungen auf Heidengötter (erster Traum) oder die zahlreichen Auftritte von Naturgeistern.

Witz, Ironie und Kontrastkomik der esoterisch verschlüsselten Reiseprosa lassen das Bild einer antagonistischen, zerrissenen, unversöhnten Welt entstehen, in der sich alle gesellschaftlich gültigen Normen, Konventionen und Ordnungen aufgelöst haben. Eine Gesellschaft im Übergang, wie die deutsche in den 20er Jahren, konnte folglich nicht mehr durch Ganzheit und Harmonie, sondern nur durch Fragment und Dissonanz hinreichend charakterisiert werden.

Lit.: Slobodan Grubačić, (s. o.), 10–18, 21–24; Klaus Pabel (s. o.), 105–110, 117–124; Gerd Heinemann (s. o.), 28–33; weitere Lit. zur *Harzreise:* DHA 6, 561 f.

Studentenrevolte
(Die zweite Göttinger Studienzeit)

Schärfe und Frische der Philisterkritik und Wissenschaftssatire in der *Harzreise* sind die eines jungen Studenten der Rechtswissenschaft, der gegen die bedrückende Enge einer Kleinstadt aufbegehrt und gegen deren erstarrte Lehranstalt revoltiert hat – und zwar mit Erfolg. Seine Schläge »saßen« derart, daß der noch intakte Ruf der deutschen und europäischen Spitzenuniversität, die allerdings ihre wissenschaftliche Blütezeit in den historischen und juristischen Disziplinen hinter sich hatte, stark ruiniert wurde. Wie erstarrt mußte der Lehrbetrieb geworden sein, daß Wissenschaftssatire eine kleine Revolution auslösen konnte! Die *Harzreise,* so ur-

teilt Walter Kanowsky, »markiert einen tiefen Einschnitt in der Geschicht der Universität Göttingen. Heine konstatiert als erster deren Verfall. Die Folgen für den Göttinger Ruf sind gewaltig. Einmal zerrissen, bröckelt die alte Fasade immer schneller ab. In den dreißiger Jahren fallen die Studentenzahlen rasch. Die einst größte europäische Universität war auch im allgemeinen Bewußtsein zu einer Provinzhochschule herabgesunken« (354; trotz Verfall nahmen jedoch Dozenten und Studenten 1831 an dem Göttinger Aufstand teil; die »Göttinger Sieben« (Professoren) protestierten 1837 öffentlich gegen den Rechtsbruch des Königs und riskierten ihre Stellung).

Als Heine am 24. Januar 1824 in Göttingen eintraf, ließ er sich gleich mit der festen Absicht immatrikulieren, sein juristisches Studium mit dem Doktorgrad abzuschließen. Bei der Abreise aus Berlin im Mai 1823 hatte er die damals normal geltende Studienzeit von sechs Semestern bereits erreicht bzw. überschritten, ohne sich zur Abschlußprüfung melden zu können. Nach dem studienlosen Sommer 1823 in Lüneburg (mit Abstechern nach Hamburg und an die Nordsee) setzte der Student im 8. Semester im Winter 1824 das ungeliebte Jurastudium intensiv fort. Er wollte nicht mehr »aus der Gnadenschüssel« des Oheims, sondern »aus der Wagschale der Themis« sein Mittagbrot essen (Brief an Moses Moser vom 2. Februar 1824). Bittere Klagen über das »juristische Strohdreschen« in dem »gelehrten Kuhstall Göttingen« ziehen sich durch die Korrespondenz des außerdem an hypochondrischen Schmerzen sowie an Depressionen leidenden Studenten, der sich verzweifelt mit seinem »jus« abquält (Briefe an Charlotte Embden vom 30. März 1824 und vom 31. Juli 1825; vgl. DHA 6, 518). Hinzu kam, daß nach dem Aufenthalt in der Spree-Metropole die Leine-Kleinstadt Göttingen (mit ca. elftausend Einwohnern) nur als »Verfluchtes Nest« erscheinen konnte (Brief an Rudolf Christiani vom 7. März 1824). Etwas anderes als nur »Pandektenluft und Langeweile« konnte der stud. jur. im Freundeskreis der landsmannschaftlichen Verbindung »Guestphalia« atmen, die nach dem Verbot der Burschenschaften als Klub auftrat (Brief an Rudolf Christiani vom 26. Januar 1824; Kanowsky, 309 f.).

Bisher hat sich nicht genau feststellen lassen, welche Vorlesungen der geplagte Brotstudent, der fast ausschließlich Jura hörte, im laufenden Wintersemester 1823/1824, dann im Sommersemester 1824 und wiederum im Wintersemester 1824/1825 belegt hatte (vgl. Mende, 41, 43, 47; Kanowsky, 311, 324f., 341). Bei Georg Jakob Friedrich Meister, Anton Bauer und Gustav Hugo hat er Pandekten (römische Gesetzessammlungen), Kriminal- und Prozeßrecht in wöchentlich mehrstündigen Vorlesungen gehört. Im April 1825 meldete sich Heine dann bei dem Dekan der Juristischen Fakultät, Gustav Hugo, zur Promotion. Am 3. Mai bestand er das juristische Examen mit der Note 3 und promovierte am 20. Juli ebenfalls bei Hugo mit einer Disputation in lateinischer Sprache, in der er fünf Thesen verteidigte (vgl. Kanowsky, 342f.). Als Abschlußnote erhielt der Dr. jur. nach dem 12. (Prüfungs-)Semester eine III, – ungünstig für eine juristische Karriere.

Noch während des Prüfungssemesters – im Mai 1825 – faßte Heine ebenfalls den Plan, sich taufen zu lassen. Diese so einschneidende Entscheidung wurde nicht zuletzt durch das im August 1824 erlassene Verbot für Juden gefördert, an deutschen Hochschulen als Professor tätig zu werden. Heine besuchte den Pfarrer Gottlob Christian Grimm in Heiligenstadt zum Religionsunterricht. Nach Zusammentragen aller notwendigen Zeugnisse erfolgten in der Wohnung des Pfarrers am 28. Juni 1825 die religiöse Prüfung und die Taufe.

Die *Harzreise* hat den in Göttingen gepflegten wissenschaftlich-kritischen Geist vor allem an den Juraprofessoren Bauer und Hugo auf so folgenreiche Weise bloßgestellt. Versöhnlicher sind dagegen die Porträts des Philosophen und Literaturwissenschaftlers Friedrich Bouterwek sowie des Historikers und Politikwissenschaftlers Georg Sartorius (mit denen Heine persönlich bekannt war) ausgefallen, weil ihr Denken nicht mit dem Geist der Restauration übereinstimmte.

Bauer und Hugo gehören im ersten Traum als »Hofrat Rusticus« und als »Justizrat Cajacius« zum Troß der Themis. War der eine ein bedeutender Strafrechtler, so der andere der international angesehene Mitbegründer der Historischen Rechtsschule, die Heine bereits in der Gestalt ihres Hauptvertreters, von Savigny, in den *Briefen aus Berlin* abweisend kritisiert hatte (zum politisch-ideologischen Hintergrund der Göttinger Jurisprudenzkritik vgl. Pabel, 112–117: »Rechtsverhältnisse der bürgerlichen Gesellschaft«). Mit Strafrecht hat sich Heine auch nach der *Harzreise* in eigenständiger Weise auseinandergesetzt, so in den *Englischen Fragmenten* und in *Lutezia* (Kanowsky, 325–338). Trotz der mit Bauer gemeinsamen Gegnerschaft gegen die Historische Schule wird der

Professor negativ beurteilt, weil er mit seinen Vorstellungen hinter der fortgeschritteneren Strafrechtspraxis der Franzosen zurückblieb. An Hugo, seinem Lehrer, Gegner und Examinator, läßt Heine dagegen Person und Charakter gelten, während er seine Rechtstheorie, die eine Abkehr vom Naturrecht eingeleitet hat, angreift (Kanowsky, 338–344). Dabei wirft er Hugo jedoch nicht in einen Topf mit der Historischen Schule. Eine viel schärfere Abrechnung mit dem egoistischen Charakter des römischen Eigentumsrechtes, das in der bürgerlichen Rechtslehre erneuert wurde, sollte er in den *Memoiren* vornehmen (B 11, 561f.).

In *Ideen. Das Buch Le Grand* hat sich Heine dann noch über zwei Göttinger Historiker, bei denen er hospitiert hatte bzw. deren Hauptwerk er kannte, mokiert: Über den patriotischen Napoleongegner Friedrich Saalfeld und den im Ausland berühmten »Studierstubengelehrten« Arnold Herrmann Ludwig Heeren (Kanowsky, 345–347).

Angesichts dieser laut Forschung letztlich zutreffenden Kritik des wissenschaftlichen Geistes, die Professorensatire einschließt, leuchtet das Gegenmodell um so stärker hervor: Der liberale, für Heines Entwicklung bedeutsame Sartorius, dem die Schlußphantasie der *Harzreise* ein Denkmal setzt – als »dem großen Geschichtsforscher und Menschen, dessen Auge ein klarer Stern ist in unserer dunklen Zeit«. Heine kannte den Wissenschaftler, der besonders durch sein öffentliches Auftreten wirkte, aus seiner ersten Göttinger Studienzeit (Kanowsky, 132–173). 1824 erneuerte er sofort den Kontakt und wurde später von dem Goetheaner eingeladen. Sartorius, der Ratgeber und väterliche Freund, sollte der einzige Professor sein, mit dem Heine nach Studienende in Verbindung blieb. Die historischen, zeitpolitischen, staatsrechtlichen Anschauungen Sartorius' übten einen entscheidenden Einfluß aus, denn sie »klären Heines politische Vorstellungen und verändern seine schriftstellerische Praxis« (Kanowsky). Wesentliche Gemeinsamkeiten dürfen nicht darüber hinwegtäuschen lassen, daß Heine zu dem »Revolutionsgegner Sartorius« auch in Gegensatz treten mußte (Kanowsky), während er ihm jedoch in Fragen des Monarchismus und Volkskönigtums nahe blieb. Vor allem mit seiner Analyse von Armut und Elend scheint Sartorius früh eine sehr fortschrittliche Position bezogen zu haben, wodurch Heine die für ihn zentrale »große Suppenfrage« »in ihrer ganzen Gefährlichkeit und in allen ihren Zusammenhängen kennengelernt« hat (Kanowsky).

In Bouterwek würdigt die *Harzreise* einen zweiten Göttinger Professor, der aus dem verstaubten Wissenschafts-Rahmen fällt. Ein Text, der in der zweiten Auflage des ersten *Reisebilder*-Bandes getilgt wurde, spricht dem »Hofrat B.« persönliche Verehrung aus und betont »den unschätzbaren Wert der rationalistischen Bemühungen«, die er mit seinen Kollegen darauf verwendet, »so manches verjährte Übel fort[zu]räumen, besonders den alten Kirchenschutt, worunter so viele Schlangen und böse Dünste«. (B 4, 750 f.). Heine konnte an dem rationalistischen und anti-mystischen Ansatz Bouterweks, trotz einiger Vorbehalte, in seiner Religionskritik anknüpfen, während die polemische Einstellung des Ästhetikers gegen die Romantik dem Einfluß von A. W. Schlegel entgegengewirkt zu haben scheint (Kanowsky, 312 ff.).

Lit.: Erich Loewenthal (s. o.); Walter Kanowsky: *Vernunft und Geschichte. Heinrich Heines Studium als Grundlegung seiner Welt- und Kunstanschauung,* Bonn 1975; Klaus Pabel (s. o.); Fritz Mende: *Heinrich Heine. Chronik,* Stuttgart u. a. 1981; Jochen Hörisch: *Heine in Göttingen. Geschichte einer produktiven Traumatisierung,* in: HJB 1984, 9–21 [stellt die Beziehung zur spezifischen Diskursform Heines heraus].

Aufnahme und Wirkung (bis 1831)

Das Erscheinen des ersten Bandes der *Reisebilder* hat in Deutschland großes Aufsehen erregt – »eine so laute und allseitige Theilnahme« wie selten ein anderes Buch, nach der Ansicht des Literaturhistorikers Julian Schmidt (zitiert nach Behal, 309). Das erste Reisebild machte Heine in der Tat zu einer literarischen Berühmtheit; die *Harzreise* erlangte allmählich große Popularität (vgl. DHA 6, 548). Am 24. Oktober 1826 konnte Heine Varnhagen nach Berlin, das für die Aufnahme seines Werkes ein besonders günstiger Platz war, mitteilen: »Das Buch hat viel Spektakel gemacht und viel Absatz gefunden«.

In Wirklichkeit mußte sich das Buch gegen allerhand unmittelbare Widerstände erst durchsetzen. Ein vielstimmiger Chor von Rezensenten verteilte 1826, 1827 viel Lob, aber noch mehr Tadel. Die Göttinger Professoren bewirkten ein Verbot für ihre Stadt und deren Leihbibliotheken. In Österreich waren die *Reisebilder* I einige Zeit verboten. Einen Skandal entfachte der Hamburger Manufakturwarenmakler Joseph Meyer Friedländer, der sich in der Erwähnung eines »schwarzen, noch ungehenkten Maklers« (B 3, 164, vgl. »Obskuranten«, B 3, 294) getroffen fühlte und versucht hatte, Heine auf offener Straße eine Ohrfeige zu

geben (Einzelheiten DHA 6, 536–539). Diese Affäre, der v. Schilling-Affäre nach dem Druck der *Briefe aus Berlin* vergleichbar, konnte erst durch Campes Vermittlung beigelegt werden. (Ganz anders hatte Carl Dörne, der sich in dem »reisenden Handwerksburschen« auf dem Weg nach Osterode wiedererkannte, reagiert; seine witzige Reisebeschreibung, die im »Gesellschafter« erschien, druckt DHA 6, 530–532.)

Eine genauere Analyse der frühen Kritik läßt nun das Bild einer gespaltenen und auch noch zwiespältigen Aufnahme entstehen. In schwankenden, ambivalenten Gesichtspunkten schlägt sich Irritation und Ablehnung nieder. So werden z. B. die Gedichte ausführlich und teilweise auch positiv behandelt, während man der Prosa weitgehend ratlos gegenüber steht. Folglich kann man gespalten urteilen: Lob für die *Heimkehr* und noch mehr für *Die Nordsee,* Tadel für die *Harzreise.* Wird dann die *Harzreise* beurteilt, so zeigt sich die Zwiespältigkeit der Kritiker darin, daß die, die loben wollen, auch tadeln, und die, die tadeln wollen, auch noch etwas loben. Die ambivalente Einstellung, die sich schon bei der Aufnahme der *Gedichte* 1822 gezeigt hatte, wiederholt sich jetzt bei ›Freund und Feind‹. 1826 und später bleibt wichtig, daß »selbst Heines ›Verehrer‹ von Anfang an zu recht zwiespältigen Urteilen« neigen (Hermand, 184; vgl. Behal, 309 und Koopmann, 267). Anderseits sehen sich die ablehnend eingestellten Rezensenten gezwungen, ein positives Körnchen zu finden und poetisches Talent, Humor, gute Gedanken und gelungene Passagen anzuerkennen. So läßt sich die Situation dadurch charakterisieren, daß Heine von keiner Seite enthusiastisch verehrt, aber auch von keiner Seite total verrissen wird. 1826, 1827 ist der Autor der *Harzreise* eine umstrittene Berühmtheit. Das bezeugt sich weiter noch darin, daß sich Kritiker bereits mit ihren Vorgängern auseinandersetzen und Kritik der Kritik betreiben.

Anerkennung und Ablehnung entzünden sich im einzelnen zumeist in der Beurteilung der formalen Struktur von Heines Prosa, sowie an des Autors Originalität, Subjektivität, Humor und Satire.

Unter den positiven Stimmen, die bis zum Herbst 1826 dominieren, ist zunächst die von Heines Förderer Karl August Varnhagen v. Ense bemerkenswert, weil sie die zwiespältige Haltung verdeutlicht. Voller Verständnis und bei eingangs zugegebener »mancher Mißempfindung« versucht Varnhagen im Berliner »Gesellschafter« (30. Juni 1826) in einer langen Rezension Heines Originalität unter dem Gesichtspunkt des Humors hervorzuheben; er versteht darunter bezeichnenderweise »die ganz eigentümliche Mischung von zartestem Gefühl und bitterstem Hohn, die einzige Verbindung von unbarmherzigem, scharf einbohrendem, ja giftigem Witz und von einschmeichelnder Süßigkeit des Vortrags« (B 4, 725). Kritisch wirft er Heine dann vor, in seiner Darstellungsweise über jedes Maß hinausgegangen zu sein: »die Wagnisse des Verfassers gehn bis zum Frevelhaften, seine Freiheiten bis zur Frechheit [...] sein Mutwille wird Ausgelassenheit, seine Willkür verschmäht auch das Gemeine nicht«, kurz, der witzige Geist verkörpert sich schließlich »in der unangenehmsten Gestalt«, was die Vorstellung vom wirklichen Kunstwerk in Frage stellt.

Knapp ein Jahr später verteidigt Karl Immermann in den »Jahrbüchern für wissenschaftliche Kritik« (Mai 1827) die *Harzreise,* die er als Prosagedicht auffaßt, gegen den inzwischen von verschiedenen Rezensenten herausgestellten Vorwurf, sie sei das Werk eines formlosen Humoristen. Andererseits macht er jedoch geltend, daß des Autors kritischer »Unmut« und »nüchterne Reflexion« keine Integration aller Teile erlaube und nur »an einzelnen Punkten zur runden, poetischen Gestalt« finde (B 4, 744).

Die negativen Stimmen, die nach September 1826 in der Aufnahme allmählich dominieren, verdammen die angebliche Formlosigkeit sowie die den Geschmack und das Gefühl verletzenden Witz und Satire des entgleisten Humoristen. So gilt dem einen der Text als sekundanerhafter »Brouillon«, dem anderen als »Ragout«, dem dritten als »etwas barock, voll Abschweifungen und Anzüglichkeiten«. Mehr inhaltlich verurteilt man Witz und Satire als unreif, erzwungen, gemein, abgeschmackt, aberwitzig, roh und derb – alles Ausdruck eines überspannten Studenten (»Vir« = Amalie Henriette Caroline von Voigt, Rezensent »A.« und Adolf Müllner). Die schärfste Kritik stammt von dem Rezensenten »5«, der das Talent Heines durch »die kotigsten Hohlwege« sich durchsetzen und auf »schlüpfrigen Wegen der Kloaken verweilen« sieht (B 4, 735).

Unter den wenigen Rezensionen, die anläßlich der zweiten Auflage der *Reisebilder* I erschienen, sind negative Reaktionen nicht bekannt, während freundschaftliche Anerkennung von Heines Talent überwiegen. Allen voran teilt Varnhagen im »Gesellschafter« (Oktober 1830) seine gesteigerte Neigung zu seinem Freund mit und betont, über alles

Pro und Contra hinweg, aus historischer Sicht dessen einzigartigen Rang unter den jüngeren Schriftstellern. Gleichzeitig relativiert er seine früheren Vorbehalte, indem er Heines »Unarten und Ungezogenheiten« funktional als von der Zeit »aufgedrungen« versteht, als notwendige Reaktion auf »die fade Lauheit und schläfrige Bequemlichkeit unsrer verwahrlosten literarischen und geselligen Zustände« (B 4, 746; vgl. DHA 6, 551). Nach 1831 erschienen keine Einzelrezensionen mehr zur *Harzreise,* deren Aufnahme dann mit der Kritik an den *Reisebildern* als Gesamtprojekt (nach Erscheinen des vierten Bandes) zusammenfällt.

Lit.: B 4, 723–747; DHA 6, 536–548; Galley/Estermann I, 211–252, 260 f., 283, 289 ff., 423–429, 459, 463 ff. u. 485; Helmut Koopmann: *Heinrich Heine in Deutschland,* in: *Heinrich Heine,* hrsg. von Helmut Koopmann, Darmstadt 1975, 257–287 [zuerst 1967]; Jost Hermand: *Der frühe Heine,* München 1976, 181–199: Die Reisebilder in der zeitgenössischen Kritik [zuerst 1970]; Michael Behal: *Heines Wirkung in Deutschland,* in: *Heinrich Heine. Epoche – Werk – Wirkung,* hrsg. von Jürgen Brummack, München 1980, 309–313.

Die Nordsee. Dritte Abteilung

Entstehung, Druck, Text

Die Planung des zweiten Bandes der *Reisebilder,* der eine wichtige Etappe in Heines Entwicklung zum kritisch-engagierten Prosaschriftsteller darstellt, spielt bei der Entstehung des Nordseetextes (wie bei *Ideen. Das Buch Le Grand*) eine wesentliche Rolle, die hier knapp skizziert werden soll.

Im Sommer 1826, kurz nach dem Erscheinen des ersten Bandes der von Anfang an als Fortsetzung geplanten *Reisebilder,* kündigte Heine brieflich an, daß der zweite Band sehr viel polemischer und zeitkritischer ausfallen werde. Unter ausdrücklicher Absage an die Lyrik fühlte er sich ermutigt und verpflichtet, »ernsthaft in den Kampf zu gehen gegen das Schlechte, das sich so aufbläht, und gegen das Mittelmäßige, das sich so breit macht, so unerträglich breit« (an Wilhelm Müller vom 7. Juni 1826). An Varnhagen schrieb er bereits am 14. Mai 1826, er werde rücksichtslos die Geißel über die deutsche Literatur-»Misere« schwingen. Heines kämpferische Einstellung, die ihn zu den höchsten und kühnsten Erwartungen an das neue, außerordentliche Buch beflügelt, teilt sich im Brief an Moser mit, als er seinem Freund am 14. 10. 1826 schrieb: »Ich muß etwas gewaltiges geben.« – Über die genaue Zusammenstellung des Bandes herrschte lange Zeit Unsicherheit. Als die Planung im Oktober 1826 bestimmte Formen annahm, ist neben anderen, später zum Teil wieder ausgeschiedenen Texten von einer »Reihe Nordseereisebriefe« die Rede, bzw. von Briefen, »worinn ich Alles sagen kann was ich will«, deutliches Zeichen des Selbstbewußtseins von der Technik der neuen Schreibweise (Briefe an Moser vom 14. Oktober 1826 und an Varnhagen vom 24. Oktober 1826). Das Buch sollte im Frühjahr 1827 erscheinen. Um die zensurfreie Anzahl von 20 Bogen zu erreichen, wurden bei der endgültigen Zusammenstellung ein früherer Text berücksichtigt (darüber hat sich Heine im *Schlußwort* zu den *Englischen Fragmenten* im vierten Band der *Reisebilder* ausgesprochen, vgl. B 3, 602). Der Band konnte ohne Vorzensur gedruckt werden, da Campe es auf die Nachzensur ankommen lassen wollte, und erschien im April 1827. Im preußischen Rheinland wurde er beschlagnahmt.

Der dritte Teil der *Nordsee* ist im wesentlichen in einem Arbeitsgang entstanden, jedoch im vollen Umfang nicht wie angegeben auf Norderney (B 3, 213), sondern wahrscheinlich im Oktober, November 1826 in Lüneburg. Zweimal, im Sommer 1825 und 1826, hatte Heine aus gesundheitlichen Gründen wie aus gesellschaftlichem Anreiz an dem Badebetrieb der aufstrebenden Insel, die seit 1814 über eine modernisierte Badeanstalt und seit 1820 über eine Spielbank verfügte, teilgenommen (zu Heines Badeaufenthalt vgl. Kruse, 129 ff.). Während das dynamische Meererlebnis in den beiden ersten Abteilungen der *Nordsee* seinen Niederschlag fand (ebenso im Zyklus *Die Heimkehr* aus dem *Buch der Lieder*), benutzte er in der Prosaarbeit den Inselaufenthalt als Rahmen zu politischer, sozialer und literarischer Kritik. Gleichzeitig wollte er die offene Form des Werkes nutzen, um fremde Texte verschiedenster Natur im Anhang zu veröffentlichen. Von den zu Beiträgen aufgeforderten Freunden Moser, Varnhagen und Immermann hat nur letzterer geantwortet. So konnte Heine die Abrechnung mit der »deutschen Literaturmisere«, die er selber auf einen späteren Termin verschob (*Romantische Schule*), im wesentlichen den Xenien seines »hohen Mitstrebenden« (auch als einer »der größten Dichter des Vaterlandes« angekündigt, B 3, 239) überlassen, die den späteren Streit mit Platen heraufbeschwören sollten (*Die Bäder von Lucca*). Die Napoleon-Passagen, die bereits im März

1827 als Vorabdruck erschienen waren, wurden vor dem Druck des Buches (März 1827) noch einmal stilistisch überarbeitet. Zu diesem Zeitpunkt scheint auch der später ausgeschiedene Literaturabschnitt entstanden zu sein (B 4, 802–804).

Drucke: Die Nordsee. 1826. Dritte Abtheilung erschien in: *Reisebilder von H. Heine. Zweiter Theil. Hamburg, bey Hoffmann und Campe. 1827.* auf den Seiten 41–128. Das Buch wurde am 12. April 1827 ausgeliefert. Die Xenien B 3, 241–244 stammen von Karl Immermann. Ein Bruchstück druckt DHA 6, 281.

Als Vorabdruck erschienen die Napoleon-Passagen B 3, 232, Z. 35 bis 240, Z. 4, unter dem Titel *Über Napoleon, die von Scott erwartete Lebensbeschreibung desselben, u. Segürs Geschichte des russ. Feldzugs. (Ein Fragment)* im »Mitternachtblatt für gebildete Stände«, 1827, Nr. 44 vom 16. März. – Zu Nachdrucken dieses und weiterer Abschnitte aus *Die Nordsee*, vgl. DHA 6, 732 f.

Die 2. Auflage des neu zusammengestellten Bandes druckte den Text im wesentlichen unverändert, aber stark gekürzt (*Reisebilder von H. Heine. Zweyter Theil. Zweyte Auflage. Hamburg, bey Hoffmann und Campe.*, 1831, 1–80). Wichtigste Veränderungen B 4, 801–805, darunter der längere Abschnitt über die deutsche Literatur, vgl. dazu DHA 6, 773. – In den Text der 3., 4. und 5. Auflage (1843, 1851 und 1856) hat Heine nicht mehr eingegriffen.

– *französische Übersetzungen:* Eine unvollständige Übersetzung durch Joseph Willm wurde 1832 unter dem Titel *Souvenirs de Voyages, par Henri Heine. (Troisième article.) La mer du Nord. 1826* in der »Nouvelle revue germanique« gedruckt. – In der Renduel-Ausgabe der *Reisebilder, Tableaux de voyage* von 1834 fehlt der Text. – Eine neue, immer noch unvollständige, mit zahlreichen Streichungen versehene Übersetzung, an der Heine intensiv beteiligt war, erschien 1856 im Rahmen der Lévy-Ausgabe im 1. Bd. der *Reisebilder. Tableaux de voyage* auf den S. 99–144, unter dem Titel *L'île de Norderney. Ecrit en 1826.* Angehängt wurde die Übersetzung des 4. Kapitels der *Englischen Fragmente.* Zu den Streichungen, vgl. DHA 6, 778.

Texte: B 3, 211–244 (Druck nach der Ausgabe von O. Walzel, der die 2. Aufl. zugrunde legt); DHA 6, 139–167; HSA 5, 60–85.
– (franz. Übersetzung) DHA 6, 283–306 (Text von 1856, mit Scott-Rezension und Bruchstück zum Goetheabschnitt in *L'île de Norderney*); HSA 14, 69–92 (derselbe Text ohne Bruchstück) und 262–278 (Übersetzung von Zeitschriftenfassung, mit Bruckstück).

Lit.: B 4, 772–777; DHA 6, 709–714 (zu *Reisebilder* II), 724–728 und 776–778 [zur Entstehung der franz. Übersetzung]; Joseph A Kruse: *Heines Hamburger Zeit*, Hamburg 1972 (= Heine-Studien), 129–138.

Analyse und Deutung

Die Nordsee, ein ›Seestück‹ (Struktur, Gehalt)

Die Ich-Erzählung eines, der sich als letzter Badegast der Saison zu erkennen gibt, läßt keine formale Gliederung gewahr werden und enthält noch viel weniger, was Titel und Ortsangabe nahelegen könnten einen chronologischen Reisebericht (allenfalls wäre von einem Rahmen zu einem solchen Bericht zu sprechen). Im Rückblick auf die vergangene Badesaison, mit ihren Gästen aus den zumeist höheren Ständen der Gesellschaft, läßt der Erzähler vielmehr seine Gedanken schweifen und abschweifen, vor- und zurückfluten, ganz im Rhythmus der ständig vor- und zurückdrängenden Meereswellen (diese Kompositionstechnik der thematischen Variation hat zuerst Ernst Feise, 102, betont; vgl. Hermand, 82). Der Erzähler, der das Meer liebt wie seine »Seele« (B 3, 224), empfindet diese Einstellung ausdrücklich als »sehr natürlich, wenn einem, wie auf dieser Insel, beständig das Meergeräusch in die Ohren dröhnt und den Geist nach Belieben stimmt« (B 3, 221). So überläßt er sich ganz dem befreienden Spiel der Natur und registriert Bilder, Erinnerungen und Gedanken, die »aus der Tiefe« seiner Seele bzw. eines Jahrtausends »heraufgeschwommen« kommen (B 3, 224 und 227, vgl. 223). – Ausgehend von lokalen Gegebenheiten und Ereignissen, von persönlichen Erfahrungen und Eindrücken werden eine Reihe allgemeiner Themen behandelt, wie (nacheinander): traditionelle Gemeinschaft der Insulaner, Stellung Goethes in seiner Zeit, Legendenstoffe und Wissenschaft, Verhalten des Adels, Bedeutung Napoleons und zuletzt Deutschlands Fragmentierung. Was nach willkürlicher Anordnung aussieht, ist, das hat die Strukturanalyse Feises gezeigt, eng miteinander verwoben, assoziativ bzw. kontrastiv verbunden und kompositorisch in symmetrischer Entsprechung um die beiden Zentralpunkte Goethe (Teil I) und Napoleon (Teil II) gruppiert (Feise, 92 und 103). Als gehaltlicher Mittelpunkt der (neben »Reisebild«) unter Gattungsgesichtspunkten schwer einzuordnenden Schrift (vgl. DHA 6, 739; Hermand, 82, 92; Feise, 91) fungiert das für Heines Zeitkritik und dichterisches Selbstverständnis entscheidende Thema der »Zerrissenheit«, das eingangs entwickelt wird und allen Reflektionen zugrunde liegt. »Zerrissenheit« charakterisiert den Zustand der modernen Welt, sie bezeichnet hier die »Denkweise unserer Zeit« (B 3, 215; vgl. o. S. 13 ff.). »Meinungszwiespalt« definiert den Zustand des modernen Ichs, das die geschichtlichen Widersprüche in sich aufgenommen hat, so daß es von ihnen hin- und hergeworfen wird. Deshalb kann es sich in der Dynamik des Meeres wiedererkennen und auch damit identifizieren (»Oft wird mir sogar zu Mute, als sei das Meer eigentlich meine Seele

selbst«, B 3, 224). In dem als ›Seestück‹ verstandenen Prosateil der *Nordsee* besitzt das Meer schließlich die doppelte Funktion, dem zerrissenen Ich des modernen Erzählers als Spiegelbild und dem immobilen Zustand der überholten Gesellschaft als Gegenbild zu dienen.

Lit.: Ernst Feise: *Form and meaning of Heine's essay »Die Nordsee«*, in: Ernst Feise: *Xenion Themes, forms, and ideas in german literature*, Baltimore 1950, 90–104 [zuerst 1942]; Jost Hermand: *Der frühe Heine*, München 1976, 81–101.

Zerrissenheit, Symptom der Modernität

Im engen Umkreis der Inselwelt mit ihrer künstlichen Bädergesellschaft vermag der Text am konkreten Beispiel die Dialektik des Fortschritts, deren Symptom die moderne Zerrissenheit ist, nahezu paradigmatisch darzustellen, indem sich die Analyse auf das Verhalten von drei Gruppen konzentriert, die zu einander in geschichtlichem Gegensatz stehen und verschiedene Epochen repräsentieren: die Insulaner, die adeligen Sommergäste und das bürgerliche Individuum (durch den Erzähler vertreten; vgl. Hermand).

Die Insulaner repräsentieren die traditionelle, vormoderne, organisch gewachsene Gesellschaft, die noch im »Kindheitszustande« lebt. Ihr sozialer Zusammenhalt wird erreicht durch »die Gewohnheit, das naturgemäße Ineinander-Hinüberleben, die gemeinschaftliche Unmittelbarkeit« (B 3, 213; durch den Begriff »Unmittelbarkeit« wird der Zustand der Insulaner mit demjenigen der Bergleute in der *Harzreise* verglichen, B 3, 119; die Tiroler in der *Reise von München nach Genua* stellen ein drittes Beispiel organischer Gemeinschaft dar, B 3, 337 f.). Verharren die Insulaner noch im sicheren und geborgenen »Zustande der Gedanken- und Gefühlsgleichheit«, so stehen sie auf einer Entwicklungsstufe mit der katholischen Kirche, deren Vormundschaft »ruhiges Glück« begründete, das »Leben warm-inniger« blühen und die Künste gedeihen ließ. – In scharfem Gegensatz dazu empfindet der Erzähler, als Vertreter der bürgerlichen Gesellschaft (und im Pluralis majestatis sprechend), das moderne Leben als »geistig einsam«, »geistig verlarvt«, atomistisch und akommunikativ; seine anaphorische Rede schließt, unter deutlicher Vorwegnahme des modernen Begriffes der Entfremdung, in erneuter Wiederholung mit dem Geständnis, das zugleich den Preis der individuellen Existenz nennt: »und wir sind überall beengt, überall fremd, und überall in der Fremde.« Lebt der noch naive Insulaner (wie der Gläubige) im stummen Einverständnis mit sich und seiner Welt, so das bürgerliche Individuum in schmerzlicher »Zerrissenheit« (was auch die Geschichte vom »fliegenden Holländer« festhält, B 3, 223).

Aber die Reflexion des Erzählers ist nicht nostalgisch getönt, nennt sie doch gleichzeitig die Kehrseite einer Lebenswelt, die sich auf einer geschichtlich überholten Stufe der Entwicklung befindet: Die rückblickend so positiv erscheinende Homogenität bedeutet in Wirklichkeit »Geistesniedrigkeit« und wird mit dem fragwürdigen »Glück« »eines dumpfen Köhlerglaubens« bezahlt. »Wahres Glück« wird den aufgeklärten Menschen dagegen erst trotz bzw. »in den einzelnen zerrissenen Momenten eines gottgleicheren Zustandes, einer höheren Geisteswürde« zuteil. Ohne Verlust an Harmonie und Einheit, so lautet die dialektische Erkenntnis des Erzählers, ist kein Fortschritt zu geistiger und individueller Freiheit möglich. Deshalb tritt hier die Auseinandersetzung mit der geistlichen und weltlichen Macht der Kirche in ein deutlich schärferes Stadium (als in der *Harzreise*). So wird, im Namen der »ewigen Rechte« des Geistes, das »eiserne Gängelband«, mit dem die Katholische Kirche die Menschen bevormundet und unterdrückt hat, als entscheidendes Hindernis auf dem Wege zur Emanzipation denunziert: Die Kirchenherrschaft gilt ausdrücklich als »eine Unterjochung der schlimmsten Art«, bzw. als eine »Geistesknechtschaft«, deren Tage gezählt sind (B 3, 214 f.).

Zur Abwehr aller Nostalgie tritt nun der Riß, der beide: die ›heile Welt‹ der Insulaner und die des Glaubens charakterisiert, auf doppelte Weise plastisch hervor. Die Agonie der römischen Kirche wird metaphorisch durch das Bild einer altersschwachen »Kreuzspinne«, deren Gewebe nunmehr »matt und morsch« ist, wiedergegeben. Andererseits zeigt der soziologische Blick, wie das »Gedeihen des hiesigen Seebades« (um nicht zu sagen: ›Segen des Tourismus‹) die »alte Sinneseinheit« der Norderneyer bereits aufgelöst hat. Die scharf abgegrenzt dargestellte Begegnung mit der herrschenden Klasse (der dritten der hier analysierten Gruppen) hat für die »armen Insulaner« eine zutiefst pervertierende Wirkung, denn der luxuriöse Lebensstil des hannöverschen Adels weckt bei ihnen Bedürfnisse und Lüste, die sie nicht befriedigen können. Ihnen wird das Badeleben zwar materiellen Fortschritt bringen, aber keine Emanzipation. Der Zerstörungsprozeß durch aufkommende

Prostitution wird z. B. am Bild der Insulanerinnen physiognomisch festgemacht, wenn es von den tugendhaften Norderneyerinnen heißt, sie brächten »Kinder mit badegästlichen Gesichtern zur Welt« (B 3, 216, vgl. 4, 801 zur Prostitution; die Dialektik dieses Prozesses analysiert Pabel).

Zur Dynamik des hier aufgezeigten Geschichtsprozesses gehört nun, daß der als dafür verantwortlich angesehene Adel seinerseits schon pervertiert ist. Die in dieser Schärfe bei Heine bisher gleichfalls unbekannte Kritik an der zweiten zentralen Institution des Feudalsystems konzentriert sich im Namen englischer und französischer Freiheit und Gleichheit auf den anachronistisch gewordenen Adelsstolz und Ahnenkult. Die Perversion der Adelsprivilegien wird nun so bloßgestellt, daß zwei Phänomene mit ganz unterschiedlicher, aber charakteristischer Bedeutung kontrastiv verbunden werden, wie Geburtsprivileg und Pferdezucht: In Hannover sieht man »nichts als Stammbäume, woran Pferde gebunden sind«; an der Universität sprechen die jungen Adeligen »nur von ihren Hunden, Pferden und Ahnen« und Deutschland gilt als »das große Fürstengestüte«, »das alle regierenden Nachbarhäuser mit den nötigen Mutterpferden und Beschälern versehen muß« (B 3, 230 f.; vgl. DHA 6, 281: »Hannövrische Junker-Esel die nur von Pferden sprechen«). Eine völlig eindeutige Sprache spricht dann die Anekdote, in der der Erzähler, dessen Ahnen – wie er betont – »nicht zu den Jagenden, viel eher zu den Gejagten« gehörten, ein barbarisches Jagdvergnügen des Adels anprangert: Da die Zeit der antisemitischen Menschenjagd vorüber sei, hätten in Göttingen »Humaniora«-studierende Junker einen bezahlten Schnelläufer nahezu zu Tode gehetzt. Die anaphorisch aufgebaute Erzählung gipfelt pathetisch in der allgemeinen Anklage: »und es war ein Mensch«. (B 3, 225).

Schließlich sprengt »Zerrissenheit« den insulären Rahmen, weil sie den Zustand Deutschlands charakterisiert (worin das subjektiv empfundene Symptom seine objektive Entsprechung erkennt). Kritik an der nationalen Zersplitterung (»Seelenschacher im Herzen des Vaterlandes und dessen blutende Zerrissenheit«, B 3, 240) ist nun weniger auf der politischen als auf der ästhetischen Ebene angesiedelt. Im Vergleich mit dem napoleonischen Frankreich und seiner Heldenwelt wird die Substanzlosigkeit der Zeit an derjenigen der Literatur aufgezeigt und am Beispiel von Ségurs Epos eine Erneuerung gefordert. In dem Fragment gebliebenen Text greift die Polemik mit der deutschen Literatur der Zeit, die in den *Briefen aus Berlin* und in der *Harzreise* begonnen hatte (und die auch in den *Ideen. Das Buch Le Grand* nur episodisch fortgesetzt werden sollte), nur einen Aspekt heraus: Der in der zweiten Auflage gestrichene Schlußabschnitt macht das mangelnde öffentliche und nationale Leben für die Kümmerexistenz verantwortlich, die das deutsche Theater fristen muß. (Dieses Thema: Die Auswirkungen der nationalen Zersplitterung auf das geistige und politische Leben Deutschlands, wird in dem als Motto der *Nordsee III* zitierten Werk Varnhagens, das Heine gut kannte, eingehend behandelt, vgl. DHA 6, 739 f.).

Lit.: Günter Oesterle: *Integration und Konflikt. Die Prosa Heinrich Heines im Kontext oppositioneller Literatur der Restaurationsepoche,* Stuttgart 1972, 33–38; Jost Hermand (s. o.); Klaus Pabel: *Heines »Reisebilder«. Ästhetisches Bedürfnis und politisches Interesse am Ende der Kunstperiode,* München 1977, 130–137; Edward A. Zlotkowski: *Heinrich Heines Reisebilder. The Tendency of the Text and the Identity of the Age,* Bonn 1980, 82–114.

Goethe und Napoleon: Ganzheit und Mythos

Die Kritik an der Zerrissenheit der modernen Zeit orientiert sich an einer Ganzheitskonzeption, für die die beiden mythisch und weltanschaulich hervorgehobenen Gestalten Goethe und Napoleon einstehen. Goethe weist die Richtung einer ästhetisch-sinnlichen Emanzipation, weil er sich in seinen Werken in polarem Gegensatz zu den vom Erzähler diagnostizierten »kranken, zerrissenen, romantischen Gefühlen« der Zeit, »gesund, einheitlich und plastisch« zeigt (B 3, 221). Napoleon weist dagegen die Richtung einer politischen Emanzipation, weil er, im Gegensatz zu den auseinanderstrebenden Kräften der Gesellschaft, den Geist der Gegenwart in seiner Ganzheit anzuschauen vermag (B 3, 235). Das ist dadurch möglich, daß beide, der Dichter (trotz seiner »naiven Unbewußtheit«) und der Kaiser, »synthetische, intuitive Geister« sind, die nicht mit menschlichen Maßstäben gemessen werden können. Diese Anschauung, in der die Perspektive einer Überwindung der Zerrissenheit offenbar wird, verdankt sich philosophischen Voraussetzungen, von denen hier die Berufung auf Kants Kritizismus kurz zu diskutieren ist (zu Hegels Einfluß auf die Konzeption Napoleons als des »Mannes der Idee« vgl. *Ideen. Das Buch Le Grand;* zu *Nordsee III* vgl. Feise, 94 f. und Hermand, 100). Bekanntlich unterscheidet Kant in der *Kritik der Urteilskraft* (§ 77) zwischen einem menschlichen, das ist diskursiven, und einem nur denkbaren, das ist intuitiven

Verstand (oder zwischen einem »intellectus ectypus« und einem »intellectus archetypus«). Letzteren schreibt *Die Nordsee III* nun Geistern wie Goethe und Napoleon zu, um ihre herausragende Bedeutung zu begründen, wenn es heißt, daß sie über eine unmittelbare »Anschauung eines Ganzen« verfügen (und sich dazu nicht erst durch die langsame Analyse des Vielfältig-Besonderen erheben müssen). Während der Text von 1831 (B 3, 234 f.) direkt auf Kant verweist, geht aus einer Stelle der Erstauflage von 1827 hervor, daß Heine Kant nach einem Aufsatz Goethes zitiert (B 4, 802, dazu DHA 6, 759).

Die Goethe und Napoleon (dem eminent zeitgemäßen Mann) verpflichtete, antidualistische Modellvorstellung, in der sich zukünftige Versöhnung ankündigt, entfaltet ihre Wirksamkeit durch Mythisierung ihrer Synthese-Gestalten. Ihre wahre, das heißt göttliche Natur, die von der Zeit konsequent verkannt wird, kommt jedoch erst dann zum Vorschein, wenn »Wolfgang Apollo« vom heuchlerischen »Tugendpöbel«, der ihn mit dem Kreuz verfolgt, befreit, und wenn das »verschüttete Götterbild« des Kaisers aus dem Schlamm, den seine Gegner auf ihn geworfen haben, ausgegraben wird (B 3, 219 und 234). Antike Göttlichkeit meldet nun unmittelbaren Protest an gegen die von christlicher Entsagung geprägte »kranke« Zeit: Goethe, der »große Heide« erinnert mit den »nackten Göttergestalten« seiner Werke an das verkehrte Recht der sinnlichen »Genußfähigkeit«. Dieser Angriff auf die christliche Verleumdung der Sinnlichkeit (mit Trost durch »Traumglück«) wird von der herrschenden Klasse, die sich mit der Askese predigenden Kirche verbündet hat, zurecht als politische Gefahr gesehen (B 3, 219). Hier überkreuzen sich die beiden Stränge des Modells: Bleibt Goethes Wirksamkeit nicht allein auf ästhetische Befreiung beschränkt, so diejenige Napoleons nicht allein auf politische. Einerseits wird es für das zersplitterte Deutschland als »eine Wohltat« begrüßt, daß durch Napoleons geniale Politik eine »Anzahl von Sedezdespötchen ihr Regieren einstellen mußten« (B 3, 232). Andererseits hat die kaiserliche Heldenzeit zu einer geistigen Regeneration Frankreichs geführt, die den anachronistischen, substanzlosen Verhältnissen Deutschlands als Beispiel vorgehalten wird, das heißt konkret, daß eine *politische* Revolution als Voraussetzung zu einer *geistigen* Erneuerung angesehen wird.

Lit.: Jost Hermand (s. o.), 91 [betont Gegensatz zu Goethe] und 100 f.; Klaus Pabel (s. o.), 137–139; Edward A. Zlotkowski (s. o.), 114–137.

Dialektik des Fortschritts

Die Bedeutung der *Nordsee*-Prosa erfüllt sich nicht allein darin, daß man das Werk, das von der Forschung weniger beachtet und von Heine in der französischen Ausgabe der *Reisebilder* 1834 sogar eliminiert wurde, als Markstein in Heines Entwicklung zu militantem Künstlertum auffaßt. Zunächst sei betont, daß das noch mythologisch eingekleidete Bekenntnis zu dem genialen Tatmenschen Napoleon von der *Harzreise,* die den Geist des Kaisers hinter der Maske einer mythologischen Traumfigur beschworen hatte, zu den *Ideen. Buch Le Grand* überleitet, die Napoleon und die Französische Revolution »in Lebensgröße« abbilden werden. In Napoleon, und damit in französischer »Freiheit und Gleichheit« (B 3, 238), erkennt *Die Nordsee III* eine politische Alternative zu dem »Schlechten« und »Mittelmäßigen« der Zeit, dem Heine den Kampf angesagt hat. An Napoleon, »dem neuen Manne, dem Manne der neuen Zeit«, werden sich für Heine fortan die Geister (und außerdem die Epoche) scheiden, denn in ihm spiegelt »diese neue Zeit so leuchtend sich ab [. . .], daß wir dadurch fast geblendet werden und unterdessen nimmermehr denken an die verschollene Vergangenheit und ihre verblichene Pracht« (B 3, 237). Das Interesse an der kleinen Schrift beruht nun – zweitens – darauf, daß sich Heines Auffassung der zukünftigen Entwicklung weder von einem linearen Fortschrittsglauben blenden, noch von dem Verlust an »Pracht«, den die Überwindung der Vergangenheit fordert, ablenken läßt.

Kurz vor seiner Englandreise, die ihn schockartig mit den fortgeschrittensten Zuständen konfrontieren wird, hat sich Heine bereits durch die Wahl eines Badeortes als Rahmen seiner neuen Reiseprosa die Möglichkeit verschafft, an einen konkreten Phänomen eine Gewinn- und Verlustrechnung über die moderne Entwicklung aufmachen zu können (vgl. Hermand 1982). Als Norderneyer Kurgast konnte Heine die Widersprüche der alten *und* der neuen Gesellschaft ›en miniature‹ studieren: Neben dem Aspekt des Modephänomens hatten Badeorte und Badegesellschaften in dem zersplitterten Land die nicht ganz unwesentliche, sogar nationale Funktion, die sich erst allmählich herausbildende moderne Staatsbürgergesellschaft zunächst einmal zusammenzuführen. *Die Nordsee III* zeigt nun die innere Dialektik der Entwicklung, allerdings mit der Einschränkung, daß die Rolle des liberalen Bürgertums nicht anders als in der

Selbstrefexion des antifeudal eingestellten Erzählers analysiert wird. (Das zweite Bäder-Bild, *Die Bäder von Lucca,* stellt Vertreter des Bildungsbürgertums und vor allem des Geldadels in den Mittelpunkt). In der Forschung hat Günter Oesterle die einseitige Adelskritik, unter Aussparung des Bürgertums, als entscheidende Schwäche der *Nordsee*-Prosa bezeichnet (»Der Bürger als Zaungast«). Dem hat Jost Hermand hinzugefügt, daß Heines Fortschrittselan, aufgrund der mangelnden Verbundenheit des Autors mit den Interessen seiner Klasse, »einen Zug ins Aristokratische« habe (1976, 98). Diese zumeist entwicklungsgeschichtlich motivierte Kritik sollte jedoch nicht davon absehen, daß Heine, der hier die Genese des bürgerlichen Individuums reflektiert, ein dialektisches Bild der Entwicklung entworfen hat, das die Destruktivität des modernen Fortschritts bereits zutreffend erfaßt. So erkennt er am Beispiel der Insulaner den unwiderruflichen Verlust an sozialer Geborgenheit und lebensweltlicher Sicherheit, sowie am Beispiel der katholischen Vorherrschaft das unweigerliche Opfer an Schönheit und Glück. Mit Walter Scott teilt er den »großen Schmerz über den Verlust der National-Besonderheiten, die in der Allgemeinheit neuerer Kultur verloren gehen« (B 3, 236). Dieser freilich abstrakte Hinweis auf die nivellierenden Auswirkungen der heraufziehenden Industriellen Revolution bereitet schließlich einen negativen Begriff von Modernität vor, denn Heine gesteht ausdrücklich ein, daß der Schmerzton über den Verlust nationaler Traditionen nicht nur in den Herzen des antimodernen Adels wiederklingt, sondern auch »in den Herzen des Bürgers, dem die behaglich enge Weise der Altvordern verdrängt wird durch weite, unerfreuliche Modernität«. Aber im Gegensatz zu dem konservativen Scott weiß der an Hegels dialektischer Auffassung des Geschichtsprozesses geschulte Napoleonschwärmer Heine, daß es kein nostalgisches Zurück gibt, trotz Trauer und Schmerz. Die ›Entzauberung der Welt‹ (wie Horkheimer und Adorno die *Dialektik der Aufklärung* 1947 definiert haben) ist für ihn die notwendige Kehrseite, ohne die sich Emanzipation aus den feudalen Bindungen nicht verwirklichen kann.

Lit.: Günter Oesterle (s. o.); Jost Hermand (s. o. = 1976), 87–99; Jost Hermand: *Gewinn im Verlust. Zu Heines Geschichtsphilosophie,* in: Text + Kritik 18/19: *Heinrich Heine,* 1982, 51–54.

Aufnahme und Wirkung

Wie schon bei früheren Prosatexten bekam Heine
erneut persönlichen Unmut von denen zu spüren,
die sich durch seine Kritik getroffen fühlten: Reaktionen von Insulanern und adeligen Badegästen
(»hannövrisches Gesindel«) bewogen ihn, seinen
dritten Norderneyaufenthalt im Sommer 1827 nach
zwei Wochen abzubrechen.

Einige Nachdrucke in Zeitschriften (s. o.), mit
sehr positiven Ankündigungen (sogar von Heines
Feinden), bezeugen Erfolg und Beliebtheit der Napoleon-Passagen (mit Scott-Kritik) sowie der später gestrichenen Theaterpolemik. – Dagegen zeigen sich die Rezensenten, wie schon bei der *Harzreise,* sehr ambivalent: Man mischt Lob und Tadel,
bekundet Freude und Widerwillen und sieht Wahres neben Falschem. Die assoziative Schreibweise
irritiert (der eher freundlich urteilende Willibald
Alexis bezeichnet *Die Nordsee III* als »wild und
bunt«) und der Witzstil erregt weitgehend Unver-
ständnis (mit Ausnahme des Rezensenten »75« in
den »Blättern für literarische Unterhaltung«). Nahezu einhellig wird der von Heine so hochgelobte
Mitstreiter Immermann mit den Xenien verrissen.
Dagegen wird ebenso einhellig die Kritik der »Literaturmisere« gelobt, von dem Hamburger Publizisten Zimmermann sogar als »genial« (DHA 6,
729). Zu den positiv beurteilten Reflexionen gehören weiter namentlich die Blätter über Napoleon
und Goethe. Dagegen kanzelt wiederum die
Schriftstellerin Caroline v. Voigt die Wahl des
Standpunktes Norderney als völlig beliebig und die
kritischen Passagen als Spiegelfechtereien ab (B 4,
790 f.). An Varnhagens insgesamt zwiespältiger
Reaktion im »Gesellschafter« ist die positive Einstellung zur Nordsee-Prosa bemerkenswert (»voll
beißender, scherzhafter und zum Teil auch sehr
ernster Laune, in welcher eine tiefe Gesinnung sich
nicht verkennen läßt«, B 4, 785). Heines Freunde
Joseph Lehmann und Ludwig Robert gehen in ihrer Rezension zu *Reisebilder* II nur am Rande bzw.
gar nicht auf das *Nordsee*-Stück ein.

Lit.: B 4, 781–798; DHA 6, 716–720 [zu *Reisebilder. Zweiter
Teil*] und 728–730; Galley/Estermann I, 253 ff., 262, 269 ff.,
282, 291 ff., 353, 409 f., 458 u. 463 ff.

Ideen. Das Buch Le Grand

Entstehung, Druck, Text

Über die Entstehung des Textes, der in Lüneburg
und Hamburg im Herbst und Winter 1826, 1827
ohne große Unterbrechungen niedergeschrieben
wurde, ist wenig bekannt. Während der Zusammenstellung des zweiten Bandes der *Reisebilder*
(vgl. Gesamtprojekt und *Die Nordsee III*) scheint
Heine im Spätherbst 1826 aus dem Material des
Memoiren-Werkes, das ab April 1823 brieflich erwähnt wird, einige Fragmente mit der Absicht aus-
gesondert zu haben, sie in eine neuartige Prosaschrift einzubauen. Am 14. Oktober 1826 schrieb
er diesbezüglich an Moses Moser: »Auch den rein
freyen Humor habe ich in einem selbstbiographischen Fragment versucht. Bisher hab ich nur Witz,
Ironie und Laune gezeigt, noch nie den reinen,
urbehaglichen Humor.« Zehn Tage später setzte er
Varnhagen über das neue Projekt in Kenntnis und
nannte es »ein Fragment aus meinem Leben, im
keksten Humor geschrieben«.

In Lüneburg scheint sich die Arbeit zunächst
auf die Düsseldorfer Jugendzeit, mit dem Einzug
Napleons, konzentriert zu haben. Mitte November
schickte Heine bereits ein Kapitel seiner so bezeichneten »Ideen zur Geschichte« an seinen
Freund Christiani. Noch vor Ende des Jahres müssen auch Abschnitte aus den Kapiteln entstanden
sein, die auf die Jugendzeit folgen und die dann ab
Mitte Januar 1827 in Hamburg vollendet wurden
(Kap. XIV spielt zum Beispiel auf die reale
Schreibsituation an). In dieser Zeit entstanden
wohl auch die Anfangs- und Schlußkapitel mit der
persönlichen Liebesgeschichte. – *Ideen. Das Buch
Le Grand* erschien im April im zweiten Band der
Reisebilder.

Deutscher Buchdruck: Ideen. Das Buch Le Grand. 1826. er-
schien unzensiert in: *Reisebilder von H. Heine. Zweiter Theil.
Hamburg, bey Hoffmann und Campe. 1827.* auf den
S. 129–296. Die Auslieferung erfolgte Mitte April, in einer
Auflage von 2000 Exemplaren. Auszugsweise Nachdrucke des
Textes verzeichnet DHA 6, 791 f. – Bruchstücke: DHA 6, 307.
Der zweite, im Frühjahr 1831 erschienene Druck erfolgte
unverändert in: *Reisebilder von H. Heine. Zweyter Theil.
Zweyte Auflage. Hamburg, bey Hoffmann und Campe,* auf
den S. 81–250. Die ebenfalls unveränderten 3., 4. und 5. Auf-
lagen erschienen 1843, 1851 und 1856.
– *französische Übersetzungen:* Eine stark gekürzte, von
Heine beeinflußte und mit »H. Heine« unterzeichnete Über-
setzung durch François-Adolphe Loève-Veimars wurde in der
»Revue des Deux mondes« im September 1832 unter dem
Titel gedruckt: *Histoire du Tambour Legrand. Fragments tra-
duits de H. Heine* (592–622). Zu Auslassungen siehe: DHA 6,

852. Diese Übersetzung übernahm Loève-Veimars 1833 in seinem Buch *Le Néphentès. Contes. Nouvelles et Critiques.*

Erweitert, revidiert, aber immer noch unvollständig und mit verändertem Titel (*Le tambour Legrand. Idées. 1826*) erschien der Text in der von Heine, Adolphe Specht und einer 3. Person besorgten Übersetzung im 2. Bd. der *Reisebilder, Tableaux de voyage,* Paris 1834, 209–327 (= Bd. 3 der *Œuvres de Henri Heine* bei Eugène Renduel, vgl. Gesamtprojekt). Zu Auslassungen, Änderungen und Korrekturen siehe: DHA 6, 852 ff. und 855. Diesen Text übernahm 1853 der unautorisierte Nachdruck von Victor Lecou. – Unter dem Titel: *Le tambour Legrand. Idées-Ecrit en 1826* erfolgte 1856 der zweite Buchdruck, in den Heine nur geringfügig eingegriffen hatte, im 1. Bd. der *Reisebilder. Tableaux de voyage,* Paris, 145–235 (= *Œuvres complètes* bei Michel Lévy).

Texte: B 3, 245–308 (als Vorlage dient die Ausgabe von O. Walzel, der nach der 2. Aufl. von 1831 druckt); DHA 6, 169–222; HSA 5, 86–137; Faksimiledruck des Textes von 1827 durch Joseph A. Kruse: *Heinrich Heine, Ideen. Das Buch Le Grand,* Düsseldorf 1972.
 – französische Texte: DHA 6, 307–346; HSA 14, 93–136 (beide Texte nach Ausgabe von 1856); HSA 14, 279–304 (Zeitschriftenfassung von 1832).

Lit.: B 4, 772–781; DHA 6, 784–790 und 850–854 [Entstehung und Aufnahme der französischen Übersetzung]; Marianne Bockelkamp: *Ein unbekannter Entwurf zu Heines »Ideen. Das Buch Le Grand«,* in: HJb 1973, 34–40.

Analyse und Deutung

Ein Reisebild ohne Reise
(Komposition, Struktur, Vorbilder)

Die *Ideen* gelten als wohl komplexestes und schwierigstes Werk Heines. Es empfiehlt sich, den Zugang über eine Analyse der Struktur zu suchen, weil sich zunächst fragen läßt, ob die *Ideen* überhaupt noch ein Reisebild sind.

Die *Ideen* enthalten keine Reisefiktion wie Harz- und Italienreise. Sie verzichten außerdem auf ein Zeitkontinuum im Erzählvorgang. Bei der verwirrenden Vielfalt wichtiger Themen sind sie nicht reflexiv oder essayistisch angelegt wie die Nordsee-Prosa und die *Englischen Fragmente*. In einer fiktiven Gesprächssituation wirbelt der Erzähler Orte und Zeiten durcheinander, überspringt sogar Kontinente und Jahrtausende, treibt ein irritierendes Spiel mit seiner eigenen Identität und läßt eine Vielzahl an weiblichen Figuren auftreten. Größen der Zeit- und Geistesgeschichte stehen neben Eltern und Lehrern wie neben bekannten und unbekannten Originalen. Ließe sich dennoch von einer »Reise« sprechen, so von einer, die in die biographische oder in die zeitgeschichtliche Vergangenheit führte.

Die ältere Forschung hat sich lange Zeit an der

formalen Regellosigkeit und an der erzählerischen Willkür gestoßen, während sie sich klatschsüchtig mit der Identifizierung der weiblichen Figuren beschäftigt hat (vgl. Hermand, 102 f.). Dieses Defizit gegenüber den *Ideen* haben neuere Untersuchungen, angeführt von Jürgen Jacobs, mit unterschiedlichen Ansätzen wettgemacht. Als Ergebnis ist dabei eine völlige Umkehrung der früheren Tendenz herausgekommen, denn jetzt steht die logisch-konsequente bzw. systematische Grundstruktur im Zentrum des Interesses (vgl. dazu Becker).

Im Gegensatz zu den vorherigen Reisebildern sind die *Ideen* formal stark gegliedert: In den zwanzig Kapiteln mit vier deutlich unterschiedenen Teilen zu je fünf Kapiteln dominieren drei Themenkomplexe. Private Liebesbeziehungen beherrschen Kap. I–V, die Düsseldorfer Jugendzeit mit Französischer Revolution dominiert in Kap. VI–X, während Kap. XI–XV Schriftstellerprobleme in der Vormärzzeit diskutieren. Kap. XVI–XX knüpfen an die Liebesbeziehungen wieder an und lösen die eingangs entwickelte Problematik auf. Die als Rahmen einander zugeordneten Teile 1 und 4 mit subjektiven Erlebnissen versetzen also die Teile 2 und 3 mit historisch-politischen und literarisch-ästhetischen Problemen in eine zentrale Stellung. Diese zuerst von Jacobs vorgeschlagene Einteilung wurde inzwischen als gesichert übernommen, wobei nur darüber Uneinigkeit besteht, ob man die Grundstruktur vierteilig oder dreiteilig bezeichnen soll (Jacobs, Großklaus und Möller, *Nachwort*). Dierk Möller hat noch aufgrund eines Heine-Zitates, das aber gerade vierteilig ist (B 3, 262), folgende thematische Dreier-Gliederung vorgeschlagen: Die maßgeblichen Begriffe seien »Liebe« in Teil I (Anfang und Ende), »Freiheit« in Teil II und »Wahrheit« in Teil III. – Damit sind keineswegs alle Möglichkeiten ausgeschöpft, das äußerst komplexe Geflecht von Themen und Motiven aufzuschlüsseln (Götz Großklaus hat das Gewebe aller inhaltlichen und formalen Korrespondenzen und Motive textlinguistisch beschrieben und formalisiert, siehe 40 f. und 47; Klaus Pabels Strukturanalyse orientiert sich an der Unterscheidung von »Handlungsstruktur« und »Reflexionsstruktur«, 140 ff. mit Überblick auf den Seiten 142–144).

Neben diese Konstruktions-Schemata tritt als zweites strukturierendes Element der durchgehende Dialog zwischen Erzähler und »Madame«: Sind die Schemata meist äußerlich, so sorgt diese Erzählsituation für eine wesentlich dynamische Struktur. In zwanzig zum größten Teil kurzen Sequenzen

(Kap. XII besteht sogar nur aus 4 Worten) versucht der Ich-Erzähler, der mit verschiedenen Masken auftritt, eine verheiratete »Madame« zu unterhalten, zu schmeicheln und zu ›verführen‹. Der mit seinen Gegenständen und seiner Identität souverän und frei spielende Erzähler stellt sich zunächst in fiktiven Ich-Rollen als »Graf vom Ganges« vor (Kap. II), dann als »aus Hindostan« stammend (Kap. V) und später als »Ritter« vom Gefallenen Stern (Kap. XVIII; zum Rollenspiel: Sammons). Zwischendurch betont er ausführlich seine wirkliche, nämlich rheinländische Identität. Die »Reise« durch Raum und Zeit (wenn man von Reise sprechen kann) führt durch fiktive indische und venezianische Orte und Kulissen, während Anspielungen auf eine Reihe von deutschen Städten an die Aufenthaltsorte des empirischen Autors erinnern. (Zum tiefenpsychologischen Aspekt von Erzählsituation und Selbstreflexion, siehe Pabel).

Drittens sind Vorbilder der offenen Struktur dieser spezifischen Gesprächs-Prosa kurz zu erwähnen. Laurence Sterne, Karl Leberecht Immermann und E. T. A. Hoffmann gelten als Vorläufer und Modelle dieser durch Diskontinuitäten, Digressionen und fiktionszerstörende Taktiken charakterisierten Form des Erzählens (DHA 6, 785). Vor allem der Einfluß Sternes, dessen *Tristram Shandy* Heine 1826 gelesen hatte, wurde herausgearbeitet (Ransmeier, Jacobs, Möller, *Nachwort*, Hosfeld). In der witzigen Lebensbeschreibung Shandys konnte Heine freies Spiel des Erzählers mit seinen Stoffen, Einteilung in kurze Kapitel, Abschweifungen, Auslassungszeichen und Anrede mit »Madame« vorgebildet finden. Aufgrund dieses Vorbildes betont Dierk Möller Heines Zugehörigkeit zur »Tradition des europäischen Humorismus« (*Episodik*, 240–254: Zum Problem der Abschweifung).

Lit.: John C. Ransmeier: *Heines »Reisebilder« und Laurence Sterne*, in: Archiv für das Studium der neueren Sprachen und Literaturen, Neue Serie, Bd. XVIII, 1907, 289–317 [hier: 308–311]; Jürgen Jacobs: *Zu Heines »Ideen. Das Buch Le Grand«*, in: HJb 1968, 3–11; Dierk Möller: *Nachwort* zu Heinrich Heine: *Ideen Das Buch Le Grand*, Stuttgart 1971, 75–96; Dierk Möller: *Heinrich Heine: Episodik und Werkeinheit*, Wiesbaden und Frankfurt a.M. 1973, 240–254; Götz Großklaus: *Textstruktur und Textgeschichte. Die »Reisebilder« Heinrich Heines*, Frankfurt a.M. 1973, 13–80; Jeffrey L. Sammons: *Ein Meisterwerk:* ›*Ideen: Das Buch Le Grand*‹, in: *Heinrich Heine*, hrsg. von Helmut Koopmann, Darmstadt 1975, 307–347 [gekürzte Übersetzung aus: *Heinrich Heine, The Elusive Poet*, New Haven/London 1969, 116–149]; Slobodan Grubačić: *Heines Erzählprosa. Versuch einer Analyse*, Stuttgart u. a., 1975, 41–58; Jost Hermand: *Der frühe Heine, Ein Kommentar zu den »Reisebildern«*, München 1976,

102–118 [hier: 102–104] [in veränderter Form zuerst in: IHK 1972, 370–385]; Klaus Pabel: *Heines »Reisebilder«. Ästhetisches Bedürfnis und politisches Interesse am Ende der Kunstperiode*, München 1977, 140–174, [hier: 140–149]; Eva D. Bekker: *Denkwürdigkeiten der Heine-Forschung* [...], in: Diskussion Deutsch, 35/1977, 333–351 [hier: 333–346; es handelt sich um einen kritischen Forschungsbericht zu den *Ideen*]; Rolf Hosfeld: *Die Welt als Füllhorn: Heine/.../*, Berlin 1984, 95–101, 114–117 [zur musikalischen Struktur], 117–128 [zur menippeischen Satire als Gattungsvorbild].

»Madame« oder: Wer ist wer?

Dreimal wird in den Rahmenkapiteln I, II und XX ein wohl von Heine selber erfundenes Motto wiederholt, das den Kern der Liebesgeschichte preisgibt: »Sie war liebenswürdig, und Er liebte Sie; Er aber // war nicht liebenswürdig, und Sie liebte ihn nicht.« Die fiktive Quellenangabe »Altes Stück« signalisiert ein abgeschlossenes Erlebnis, das eine wahrhafte Tragödie hätte sein können, mit dem Erzähler als Todeskandidaten (in Kap. II beschreibt er mit ironischer Distanz seinen dilettantischen Selbstmordversuch, der dann an Austern, Rheinwein und dem Anblick der Geliebten ›scheitert‹). Ganz im Stile der humoristischen Tradition, wodurch sich erneut Distanz gegenüber dem Stoff ankündigt, wird dann erst nachträglich das Geheimnis der verpaßten Liebestragödie verraten, das zugleich »die eigentliche Geschichte [ist], die in diesem Buche vorgetragen werden sollte« (B 3, 304). In fiktionalem Rollenspiel und in poetischer Ausstattung des Ortes (hinter dem man leicht den Garten des Landhauses von Heines Onkel Salomon in Ottensen erkennt) berichtet nun Kap. XVIII von einer unerwidert gebliebenen Liebeserklärung, die dann traumatisch gewirkt und die suizidalen Konsequenzen verursacht hat.

Über den autobiographischen Kern der Rahmengeschichte ist in der Forschung lange Zeit und außerordentlich viel gerätselt worden. Inzwischen gilt als gesichert, daß die *Ideen* 1827 noch einmal (siehe *Buch der Lieder*) die für den jungen Heine in Ottensen bei Hamburg so schmerzlich verlaufene Liebesgeschichte zu seiner Cousine Amalie, die seit 1821 verheiratet ist, aufgegriffen haben, um sie abschließend zu behandeln. Abgeschlossenheit kündigt sich in den bereits erwähnten Verfahren und Fiktionalisierungen ebenso an wie in der literarischen Verfremdung (in der Tradition des Petrarkismus) durch die Gestalten »Ritter« und »Signora Laura« und schließlich (Kap. XIX) durch die Projektion auf die Figuren »Sultan« und »Sultanin von Delhi«.

Läßt sich dieser Sachverhalt leicht klären, so stellte sich die ältere Forschung unaufhörlich die Fragen: Wer ist »Evelina«, der das Werk gewidmet ist? Wer »Madame«, der es erzählt wird? Wer sind weiter die anderen Frauengestalten, wie z. B. die »kleine tote Veronika«, zu der die Erinnerung zwangshaft zurückkehrt, oder die »schöne Freundin« und gar die »Signora Laura«? Nachdem man Heines Cousine Therese als »Evelina« und Thereses Mutter als »Madame« ausgeschieden hat, wird jetzt Amaliens zentrale Rolle bestätigt. Als Modell der »Madame« gilt Friederike Robert, die Schwägerin von Rahel Varnhagen, die Heine 1823 in Berlin kennengelernt hatte (vgl. DHA 6, 800 ff.). Dagegen läßt sich die ›Verwandtschaft‹ von »Madame«, der »kleinen Veronika« und der »schönen Freundin« nur auf der fiktionalen Ebene ausmachen: durch ›Stirb und Werde‹ sind sie eine und dieselbe Person (B 3, 306; vgl. Möller, *Nachwort,* Elema u. Sammons). So erweist sich zuletzt die Vorstellung der Ewigen Wiederkehr als Grundlage der absichtsvoll rätselhaft gestalteten weiblichen Figuren (zum Thema Wiederholung und Wiederkehr, siehe: *Reise von München nach Genua* und handschriftliche Skizzen, B 3, 616 ff.; zu den theoretischen Voraussetzungen: Espagne). Die allegorischen Deutungen der weiblichen Figuren durch Betz, 117 f. und Möller, *Nachwort,* sind zurecht auf Kritik gestoßen und können sich nicht halten (s. dazu Elema und Becker; Hosfeld erkennt in Frauengestalten eine »Metamorphose« der Vernunft).

Lit.: Albrecht Betz: *Ästhetik und Politik. Heinrich Heines Prosa,* München 1971, 115–128; Dierk Möller: *Nachwort* (s. o.), 77–86, 93 f; Hans Elema: *Evelina und die Seelenwanderung. Zu Heines ›Ideen‹. Das Buch Le Grand‹,* HJb 1973, 20–33; Jeffrey L. Sammons (s. o.); Eva D. Becker (s. o.), 339 f.; Michel Espagne: *Die tote Maria: ein Gespenst in Heines Handschriften,* in: Deutsche Vierteljahrsschrift für Literaturwissenschaft und Geistesgeschichte, 1983, H. 2, 298–320; Rolf Hosfeld (s. o.).

Eine Jugendzeit zwischen Revolution und Restauration

In deutlichem Unterschied zur Rahmenhandlung zeigen die ersten Kapitel des zentralen Mittelteils auf exemplarische Weise das Zusammenwirken der beiden Hauptstränge, auf denen die erzählerische Grundhaltung beruht: Autobiographie und Zeitgeschichte. Den Stoff der Kap. VI–VIII, die wahrscheinlich aus der »Memoiren«-Arbeit hervorgegangen sind (s. o.), bildet eine harmonisch und ungetrübt verlaufene Kind- und Jugendzeit vor dem Hintergrund einer durch große Erschütterungen und Umwälzungen zerrissenen Epoche. Dabei wird eine repräsentative Verbindung von Subjektivem und Geschichtlich-Objektivem angestrebt, die Heine bereits 1822 an Goethes autobiographischer Schrift *Campagne in Frankreich 1792* (1822 erschienen) betont hatte: »Diese Selbstbiographie ist auch die Biographie der Zeit« (*Briefe aus Berlin,* B 3, 63; zur Auseinandersetzung mit Goethe: Hermand, 104 ff.). Die *Ideen* verändern jedoch das Modell und erschaffen eine neue Prosaform: Die selbstbiographischen Kapitel sind gleichzeitig eine wirkliche Zeitbiographie.

»Aber es wurde plötzlich anders«: Mit diesen Worten leitet der Erzähler seinen Bericht über den Anbruch der neuen, vom Geist der Französischen Revolution und ihres Vollstreckers Napoleon geprägten Zeit ein (B 3, 262). Dieser und ein weiterer tiefgreifender Herrschaftswechsel mit seinen Auswirkungen auf das Leben der Menschen fixieren den Rahmen der Düsseldorfer Kind- und Jugendzeit. Die Dynamik des Geschehens erlebt das Kind nun als Kostüm- und Farbwechsel: Verbreitet das plötzliche Ende der immobilen, patriarchalischen Kurfürstenzeit eine Begräbnis-, Trauer- und Weltuntergangsstimmung, so bedeutet der wenige Tage später erfolgende Einzug von Napoleons Schwager Murat, der am 24. März 1806 die Herrschaft in dem neugebildeten Großherzogtum Berg übernahm, in deutlichem Kontrast dazu Feier, Freude und Sonnenaufgang. In wenigen Tagen wird *eine* Epoche begraben und eine *neue* singend und klingend aus der Taufe gehoben, unter dem Trommelwirbel des Tambour Le Grand, der bei den Eltern des Erzählers im Quartier liegt (Heine hat als 8jähriger das Ende der pfälzischen Kurfürsten *und* zu Hause wahrscheinlich französische Einquartierung erlebt; vgl. *Geständnisse* zu diesem Erlebnis, B 11, 458). Die neue Franzosenzeit bedeutete nicht nur wichtige, bürgerliche Reformen wie Einführung des Code Napoléon und Emanzipation der Juden, sondern auch Umbildung des Schulwesens und Verbreitung französischen, aufklärerischen Geistes, dessen prägenden Einfluß die *Memoiren* hervorheben werden (vgl. B 11, 557). Kap. VII der *Ideen* stellt jedoch den verstaubten, toten, nur faktenreichen Lehrbetrieb des Düsseldorfer Lyzeums dar, die Schüler eher verfolgt als belehrt (bis auf zwei Ausnahmen), in scharfen Kontrast zu dem dynamischen ›Unterricht‹, den der eigentliche ›Lehrer‹, Le Grand, im Fach Weltgeschichte erteilt. Der kleine, eitle Franzose mit den »feurigen Augen«, an den sich der Schüler seinerzeit »wie eine Klette« hing, wird nämlich zum wahren Sprach- und Revolutionslehrer, der durch die elementare Sprache der Trommel dem Kind die ebenfalls elementaren Worte der Revolution, wie »liberté« und »égalité«, verständlich macht. Die akustischen Lektionen gehen dem Schüler Le Grands derart in Fleisch und Blut über, daß sich später, in adeliger Gesellschaft oder bei Vorlesungen von Napoleon-Gegnern, seine Hände oder Füße verselbständigen und wie von alleine trommelnd protestieren. (Als literarische Vorbilder zur Le Grand-Gestalt werden der Königsleutnant aus Goethes *Dichtung und Wahrheit* sowie der Trommler La Fleur aus Sternes *Sentimental Journey* genannt).

Dann war plötzlich wieder alles anders und die Welt wurde zum zweitenmal »neu angestrichen«, aber jetzt mit den alten Farben (B 3, 278, vgl. 264). Der Erzähler erlebt das Ende der französischen Ära (November 1813) und den Beginn der preußischen Zeit (auf dem Wiener Kongreß wurde das Herzogtum Berg 1815 nach kurzer Übergangszeit Preußen zugeschlagen) eindeutig als Rückschritt in bzw. als Wiederkehr der ›guten alten‹, aber überholten Zeit: »wo man sonst französisch sprach, ward jetzt preußisch gesprochen, sogar ein kleines preußisches Höfchen hatte sich unterdessen dort [in Düsseldorf] angesiedelt«, mit dem ganzen alten Hofpersonal, – »die ganze Stadt schien ein Hoflazarett für Hofgeisteskranke« (B 3, 278). Der erneute Epochenwechsel wird antithetisch ins Bild gesetzt: Hatte der glanzvolle Einzug Napoleons auf seinem stolzen weißen »Rößlein« das immobile Symbol des Ancien régime, die »schwarze, kolossale Reuterstatue« des Kurfürsten verdrängt, so tänzelt jetzt, statt des Kaisers mit dem »kleinen, welthistorischen Hütchen«, »der kleine Baron« mit dem alten Kegelhütchen durch den Hofgarten (B 3, 279 und 275). Das blühende »Einst« der Franzosenzeit kollidiert nun (Kap. X) mit dem welken, herbstlichen »Jetzt« der Restauration. Trauer und Tränen, die jetzt auf Freude und Jubel beim Einmarsch der Franzosen folgen, beschließen eine biographische und eine historische Epoche, was noch durch eine doppelte Fiktion bekräftigt wird: Der Erzähler kehrt an den ihm fremdgewordenen Ort seiner Jugend zurück und erlebt dort den traurigen Rückmarsch der Überreste der Grande armée aus russischer Gefangenschaft und, symbolischer Abschluß, den Tod Le Grands, dessen Trommel er dann zersticht. Glanz und Elend stehen zeitlich eng nebeneinander: Dem siegreichen Freiheitskämp-

fer, der den »Guillotinenmarsch« trommelte (Kap. VII), folgt jetzt das besiegte »Waisenkind des Ruhmes«, das den Totenmarsch trommelt (Kap. X) – seinem Kaiser bis in den Tod bedingungslos ergeben, oder das Opfer (wie *Die Grenadiere*), das bereit ist, alles zu opfern: tragisches Ende der heroischen Epoche.

So endet dieser Teil der Zeitbiographie einerseits mit dem Abschied von der eigenen Vergangenheit und andererseits mit der Niederlage der Französischen Revolution (der zweite Teil des Hauptkomplexes wird den »Sieg« der Restauration erzählen). Abschließend sei hier auf die perspektivische Verschränkung der beiden Erzählstränge hingewiesen. Der Erzähler hat als Zaungast der Weltgeschichte seine Düsseldorfer Jugendzeit so erlebt, daß sich die großen Ereignisse im kindlichen Alltag widerspiegeln. Nicht nur, daß Le Grand, Titelfigur und »Ideen«-Träger Napoleons, dem Kind die Ideale der Revolution hautnah und einprägsam vermittelt, bevor es den Kaiser leibhaftig vorbereiten sieht (s. u.); sondern die Dynamik geschichtlicher Prozesse stellt sich den Schülern auch im Geographieunterricht anschaulich als schwindelerregender, ständiger Farbwechsel auf der Landkarte dar – so als seien Herrschaftswechsel und staatliche Neuordnungen etwas ganz Banales, als sei das Neueinkleiden von Königen sowie das Verschwinden von Potentaten etwas Alltägliches (B 3, 269). Und der Geist der neuen, bürgerlichen Epoche hat den jungen Französischschüler bereits so erfaßt, daß er »Glaube« gar nicht anders als mit »le crédit«, statt »la religion«, übersetzen kann (B 3, 270).

Lit.: Hugo Weidenhaupt: *Kleine Geschichte der Stadt Düsseldorf,* Düsseldorf 1983 (9. Aufl.), 83–92.
– Gerhart Söhn: *Heinrich Heine in seiner Vaterstadt Düsseldorf,* Düsseldorf 1966; Joseph A. Kruse: *Nachwort* zu Faksimiledruck der *Ideen* (s. o.), 9–25; *Heine und Düsseldorf* von Joseph A. Kruse, Düsseldorf 1984; Gerhart Söhn: *Der rheinische Europäer Heinrich Heine aus Düsseldorf,* Düsseldorf 1986 (Edition GS).
– John C. Ransmeier (s. o.); Albrecht Betz (s. o.); Dierk Möller: *Nachwort* (s. o.); Jost Hermand (s. o.), 104–108.

Napoleon, Befreier und Mythos

Im Mittelpunkt der Düsseldorf-Kapitel steht die Begegnung mit Napoleon, dem Repräsentanten und Vollstrecker der Französischen Revolution. Auf ihn verweisen die im Titel des Werkes geführten »Ideen«, während die Gestalt Le Grands als Vermittler zwischen Kaiser und Erzähler angelegt ist (vgl. Betz u. Möller, *Nachwort*).

Das nicht nur kompositorisch und stilistisch,

sondern auch fiktional herausgestellte Kap. VIII geht auf die persönliche Begegnung des damals nicht ganz 14-jährigen Heine mit Napoleon zurück, als sich der Kaiser zu einem mehrtägigen Besuch in der Hauptstadt des von ihm seit 1808 nach französischem Vorbild verwalteten Großherzogtums aufhielt (2.–5. November 1811). Das politische Urerlebnis des jungen Heine wird bezeichnenderweise vom Herbst in den Sommer verlegt und die sonnenumflutete Gestalt des Kaisers bei seinem Eintritt in hymnischem Ton verherrlicht.

Diese Darstellung mußte die politische Sprengkraft, die das Bekenntnis zum ›Schreckgespenst‹ der restaurativen Herrscher und Ideologen hatte, entscheidend verschärfen. Heine, der sich in den Jahren 1826/27 intensiv mit dem Napoleonstoff auseinandergesetzt hat, wollte sich darüber mitteilen, als er am 10. Januar 1827 an seinen Freund Friedrich Merckel schrieb: »Das Buch [*Reisebilder* II] wird viel Lerm machen, nicht durch den Privatskandal sondern durch die großen Weltinteressen die es ausspricht. Napoleon und die französische Revoluzion stehen darin in Lebensgröße.« Bezeichnend ist nun, daß sich das in Kap. VIII errichtete Standbild des Kaisers nicht als historisch getreues Porträt, sondern als ein fiktional angelegter politischer Mythos versteht. Das wird auf dreifache Weise erreicht.

Politisch gesehen wird zunächst in Übereinstimmung mit der Philosophie Hegels ein liberales Napoleon-Bild entworfen. Hegel hat bekanntlich in seinen Vorlesungen über die Philosophie der Weltgeschichte (zuerst 1822/1823 vorgetragen, bevor sie 1837 veröffentlicht wurden) seine Anschauung von den »*welthistorischen Individuen*«, zu denen er Napoleon neben Alexander und Cäsar rechnet, entwickelt, die als »Geschäftsführer des Weltgeistes« die Idee der Freiheit hervorbringen. Daran knüpfen die *Ideen,* die deshalb auch Ideen der Freiheit sind, an, wenn sie auf das »kleine, welthistorische Hütchen« des Kaisers anspielen oder auf seine »schaffenden Gedanken, die großen Siebenmeilenstiefel-Gedanken« (B 3, 275; im Brief an Varnhagen vom 1. Mai 1827 wird Napoleon als »der Mann der Idee, der Idee gewordene Mensch« bezeichnet). – Dieses Bild wird zweitens *philosophischanthropologisch* erhöht, wenn Napoleon als das geniale Individuum erscheint, das die politische Zerrissenheit der Gegenwart überwindet. Im Anschluß an Kants *Kritik der Urteilskraft* (§ 77, vgl. *Die Nordsee III*) fassen die *Ideen* Napoleon als intuitiv-synthetischen Geist auf, der über eine nicht-menschliche, unmittelbare Anschauung des Ganzen verfügt: Sein Auge konnte nämlich »lesen im Herzen der Menschen, es sah rasch auf einmal alle Dinge dieser Welt«. Deshalb war er auch berufen, die in der Revolution aufgebrochenen Gegensätze auszusöhnen: Er hat »das vielköpfige Ungeheuer der Anarchie gebändigt und den Völkerzweikampf geordnet« (zu dieser bonapartistischen Einschätzung des Thermidors und des Direktoriums, vgl. Furet (1969), 74 ff., Ziebura, 68 ff.). Im einzelnen erinnern die *Ideen* an die revolutionäre Wirkung zweier Reformen, die in Frankreich dazu beitrugen, den Bruch mit dem Ancien régime zu besiegeln sowie den Neuaufbau der Gesellschaft zu sichern, und die die Grundlage des politischen Glaubensbekenntnisses der *Reisebilder* enthalten: den »Code civil« von 1804 (Code Napoléon) und das Konkordat mit dem Papst von 1801. In Deutschland bedeuten diese Reformen das Ende des Feudalsystems: Napoleons »Lippen brauchten nur zu pfeifen – et la Prusse n'existait plus – [. . .] und die ganze Klerisei hatte ausgeklingelt«.

Die Auseinandersetzung mit dem Napoleon-Stoff in den 20er Jahren gipfelt jedoch in einer sowohl mythischen wie religiösen Erhöhung, die sich auch in den *Ideen* deutlich abzeichnet und die den für die Restaurationszeit typischen Napoleon-Kult wesentlich gefördert hat. – Hatte *Die Nordsee III* den Kaiser bereits als eine ins Heroisch-Göttliche entrückte Gestalt gesehen (vgl. B 3, 234), so betreiben die *Ideen* diese Mythologisierung konsequent weiter. Der »mythologische Synkretismus« (Wülfing) verfügt in Kap. VIII und IX über die klassische Antike (Napoleons Gesicht hat eine Farbe, »die wir bei marmornen Griechen- und Römerköpfen finden«), über die jüdisch-christliche Welt des Alten Testaments (»Du sollst keine Götter haben außer mir«) und des Neuen Testaments (»Taten des weltlichen Heilands« werden »in den Evangelien« der Napoleon-Biographen aufgeschrieben). Der Einzug Napoleons in Düsseldorf ist durch den indirekten Vergleich mit dem Einzug Jesus Christus in Jerusalem ins Religiös-Messianische stilisiert, während St. Helena, das bittere Ende der Leidensgeschichte und Ort des Martyriums, als »das heilige Grab« erscheint, »wohin die Völker des Orients und Okzidents wallfahrten«. (Die *Reise von München nach Genua* wird die Geschichte Napoleons ausdrücklich als »Mythos« bezeichnen und des Kaisers Schicksal mit dem des Titanen Prometheus vergleichen, B 3, 374; vgl. auch *Englische Fragmente* zum Prozeß der mythologischen Verherrlichung, B 3, 551, 554, 592 f.).

Mit keiner anderen politischen Gestalt der Zeitgeschichte hat sich Heine so intensiv beschäftigt
wie mit Napoleon, dem Helden seiner Jugendzeit,
der zu Lebzeiten vom konservativen Deutschland
als Tyrann gehaßt wurde und dessen Name in der
Restauration als synonym für anti-feudale Revolution galt. Behandelt die Romanze *Die Grenadiere*
(1822, ein Jahr nach Napoleons Tod erschienen)
erstmals den Napoleonstoff, so schreitet die Auseinandersetzung in fast allen Reisebildern fort (wie
ausgiebig, das zeigt die Beschäftigung mit der Na-
poleon-Literatur in *Die Nordsee III* und in *Englische Fragmente*, IV; genaue Angaben und Einzelheiten: B 4, 810 f. u. DHA 6, 758 ff.; zur Interpretation, siehe Wülfing). Über die politische Kühnheit
seines Einsatzes für den Kaiser, die einer Rehabilitation gleichkam, hat sich Heine nicht getäuscht.
So konnte er es sich später in den *Geständnissen* als
sein ausdrückliches Verdienst anrechnen, durch
die »kühnsten Dithyramben zur Verherrlichung
des Kaisers« im feindlichen Deutschland »einen
heitern Kultus, den Kultus des Genies« gefeiert zu
haben (B 11, 511; zur deutschen Napoleon-Kritik,
vgl. Hermand u. Wülfing). Wenn auch der dithy-
rambische Kultus Heines in der Zeit nicht ganz
originell war, so zeichnet er sich allerdings durch
den zeitkritischen, im Gegensatz zu dem enthistori-
sierten Gebrauch aus, der damals üblich war. Als
Beispiel werden vor der emanzipatorischen Folie
Napoleons in den Reisebildern (der Reihe nach)
das preußische Justizwesen (*Briefe aus Berlin*,
Nr. 3), die Göttinger Rechtsphilosophie (*Harzreise*, vgl. DHA 6, 598), das zersplitterte, deutsche
»Bagatell«-Leben (*Die Nordsee III*) und die Substanzlosigkeit der ganzen Restauration kritisiert
(*Ideen. Das Buch Le Grand*). In den *Französischen
Zuständen* wird das unheroische, nüchterne und
bourgeoise Juste-Milieu im Lichte der Napoleoni-
schen Welt be- und verurteilt. Der funktionelle
Gebrauch des Mythos bedeutet, daß sich Heine
Napoleons Feinde zu den eigenen macht und als
Alliierter bekämpft (neben den franzosenfeindlichen Deutschen bekamen vor allem die Engländer,
die Napoleon-Mörder, diese Haltung deutlich zu
spüren).

Text: G. W. F. Hegel: *Vorlesungen über die Philosophie der
Weltgeschichte*, hrsg. von Johannes Hoffmeister, Bd. I: *Die
Vernunft in der Geschichte*, Hamburg 1955 (1980 unveränder-
ter Nachdruck), S. 97 ff. (= Philosophische Bibliothek).

Lit.: (zur Geschichte): *Das Zeitalter der europäischen Revolution 1780–1848*, hrsg. und verfaßt von Louis Bergeron, François Furet und Reinhart Koselleck, Frankfurt a.M. 1969 [hier
Kap. 2 und 3 von Furet, Kap. 4 und 5 von Bergeron]; *Nouvelle
histoire de la France contemporaine*, Bd. 4: Louis Bergeron:
L'Episode napoléonien, Aspects interieurs 1799–1815, Paris
1972; Gilbert Ziebura: *Frankreich 1789–1870, Entstehung einer bürgerlichen Gesellschaftsformation*, Frankfurt a.M./New
York 1979 [mit thematisch gegliederter Bibliographie].

– Paul Holzhausen: *Heinrich Heine und Napoleon I.*, Frankfurt a.M. 1903; Jost Hermand: *Napoleon im Biedermeier*, in:
Jost Hermand: *Von Mainz nach Weimar (1793–1919)*, Stuttgart 1969, 99–128 [Heine: 112–114]; Wulf Wülfing: *Zum
Napoleon-Mythos in der deutschen Literatur des 19. Jahrhunderts*, in: *Mythos und Mythologie in der Literatur des 19. Jahrhunderts*, hrsg. von Helmut Koopmann, Frankfurt a.M. 1979,
81–108 [Heine: 92–99]; Eduard A. Zlotkowski: *Die Bedeutung
Napoleons in Heines Reisebilder II*, in: Etudes Germaniques
Nr. 2, 1980, 145–162.

– Albrecht Betz (s. o.); Dierk Möller, *Nachwort* (s. o.).

Verräter der Freiheit (Heine und Napoleon)

In »Lebensgröße« und als Mythos steht Napoleon
im Zentrum der *Ideen*, so daß er den ideologischen
Rahmen, in dessen Horizont sich die neue Prosa
entwickelt, positiv ausfüllt. Aber trotz zeitweiliger
(ironischer) Identifizierung mit Napoleon (vgl.
DHA 6, 757 f.), und trotz Verherrlichung des »großen Kaisers« verstand sich Heine weder als bedin-
gungsloser Parteigänger noch als Bonapartist. Er
sieht Napoleon grundsätzlich als widersprüchliche
Gestalt, d. h. als Einheit von objektiven Widersprüchen. Diese Ansicht stellt zuerst *Die Nordsee
III* deutlich heraus, die betont, daß Napoleon, in
Übereinstimmung mit dem widersprüchlichen
»Geist der Zeit«, »nie ganz revolutionär und nie
ganz contrerevolutionär [handelte], sondern immer im Sinne beider Ansichten, beider Prinzipien,
beider Bestrebungen, die in ihm ihre Vereinigung
fanden« (B 3, 235). Kap. XXIX der *Reise von München nach Genua* sollte dann bekenntnishaft die
entscheidende Kritik an dem Aristokraten Napoleon, der das »gebrochene Adel- und Pfaffenregime«
rehabilitierte, formulieren, indem zwischen »Genius« und »Handlung« unterschieden wird: »meine
Huldigung gilt nicht den Handlungen, sondern nur
dem Genius des Mannes. Unbedingt liebe ich ihn
nur bis zum achtzehnten Brumaire – da verriet er
die Freiheit. Und er tat es nicht aus Notwendigkeit,
sondern aus geheimer Vorliebe für Aristokratis-
mus. Napoleon Bonaparte war ein Aristokrat, ein
adeliger Feind der bürgerlichen Gleichheit« (B 3,
374 f. und B 4, 859: Die handschriftliche Variante
verurteilt Napoleon noch schärfer). Napoleon,
Verräter der Freiheit, »abtrünniger Sohn der Revolution«, »Despot, gekrönte Selbstsucht«: Diese

Kritik wird in den Frankreich-Schriften der 30er und 40er Jahre fortgesetzt (*Französische Maler*, B 5, 65, *Französische Zustände*, B 5, 119 und *Lutezia*, B 9, 279).

Was sich wie ein flagranter Widerspruch darbietet – und was in der Forschung verschieden interpretiert wird, vgl. Zlotkowski, Hermand – liegt in der widersprüchlichen Gestalt Napoleons selber bzw. in seiner widersprüchlichen Wirkung auf Deutschland begründet. Napoleon war, was *Die Nordsee III* richtig erkennt, zugleich und in einer Person Erbe der Revolution *und* Despot, aufgeklärter Herrscher *und* Militärdiktator (der Pressefreiheit unterdrückte und ein Polizeiregime gegen seine politischen Gegner aufbauen ließ); auf das noch feudale Deutschland wirkte er sowohl als Befreier wie als Eroberer (der die nationalen Interessen unterdrückte). Dennoch läßt Heine, Gegner von Napoleons Gegnern in Deutschland, keinen Zweifel an dem fortschrittlichen Geist seiner Ära aufkommen (deshalb kritisierte er die wiederhergestellte Herrschaft der Bourbonen in Frankreich). Napoleons historische *Doppelrolle* läßt Heines positives Urteil weder schwanken noch umkippen (das ist bemerkenswert, weil letzteres die Haltung vieler Zeitgenossen charakterisiert, vgl. Hermand).

Trotz Kritik des 18. Brumaire und trotz Unterscheidung zwischen Person und Sache (bzw. Funktion) muß abschließend gefragt werden, wieweit Heines politische Ansichten, die durch Napoleon wesentlich geprägt worden sind, gegen den Vorwurf des »Cäsarismus« gefeit oder nicht gefeit sind (vgl. Tonelli). Heine, der vor und nach 1830 Napoleon teils zustimmend, teils kritisch mit Cäsar verglichen hat, erkennt 1832 unter dem Einfluß des Saint-Simonismus, daß die Zukunft des Bonapartismus in der »Idee einer Alleinherrschaft der höchsten Kraft« liegt, das heißt in einem »neuen Cäsartume, wozu nur derjenige berechtigt ist, der die höchste Fähigkeit und den besten Willen besitzt«. (*Französische Zustände*, B 5, 268). Diese Ansicht versteht sich nicht als Zustimmung zur Realität des autokratischen und plebiszitären Regimes Napoleons, sondern als Versuch, aus der »Idee der Alleinherrschaft« und der Forderung nach einem sozialen Regime eine demokratische Synthese zu entwickeln (vgl. S. 23). Angesichts der politischen Erfahrungen der späteren und jüngsten Zeit fragt sich jedoch, ob die Vorstellung eines saint-simonistischen Volkskaisertums (in dem sich der Kult des großen, mit Hegel gesprochen, welthistorischen Individuums wiederfindet) ausreichende Garantien zu einer demokratischen Herrschaftspraxis bietet und bieten kann. (Die weitere Auseinandersetzung mit Napoleon und dem Bonapartismus mündet in den *Geständnissen* 1854).

Lit.: Louis Bergeron 1969 (s. o.); Louis Bergeron 1972 (s. o.); Gilbert Ziebura (s. o.).
Giorgio Tonelli: *Heinrich Heines politische Philosophie (1830–1845)*, Hildesheim/New York 1975; Jost Hermand: *Napoleon im Biedermeier* (s. o.); Edward A. Zlotkowski (s. o.).

»Du sublime au ridicule ...«

Der erste Satz des XI. von XX Kapiteln bringt an kompositorisch absolut zentraler Stelle mehr als nur die Grunderfahrung der *Ideen* prägnant auf den Begriff: Der Ausspruch Napoleons aus dem Jahre 1812 (s. DHA 6, 829) steht exemplarisch für Heines Anschauung der Übergangszeit, er benennt den Kern sowohl seines zeitkritischen Denkens als auch seines kontrast-ästhetischen Programms (vgl. Cervantes-Essay).

Mit dem an den Gattungen Tragödie und Komödie orientierten Aperçu verbindet sich eine weltanschauliche Konzeption, nach der sich der Epochenwandel als Übergang vom Erhabenen, d. h. der Napoleonischen Zeit, zum Komischen, d. h. zur bürgerlichen Zeit, vollzieht, wodurch der Restaurationsepoche Substanz und Existenzberechtigung abgesprochen und ihre Dauer infrage gestellt wird. Diese Konzeption erfaßt die Gegenwart als possenhaftes Zwischenspiel, in der das historisch Überholte in komischer Form wiederkehrt, oder, bildlich gesprochen: »nach dem Abgang der Helden kommen die Clowns und Graziosos mit ihren Narrenkolben und Pritschen«; bzw. nach der Revolution »kommen wieder herangewatschelt die dicken Bourbonen«, mit alter Noblesse und Kirchenmännern in ihrem Schlepptau (zum Thema »Wiederholung« im Hinblick auf Hegel und Marx s. Pabel). Symbolisch wurde der »Abgang der Helden« am Schicksal Napoleons und der Grande Armée beschworen (das Beispiel Napoleon zeigt außerdem, wie nah Höhe und Fall beieinanderliegen: Zwischen dem Vivat »es lebe der Kaiser!« und dem Ausspruch »Der Kaiser ist tot« liegt nur – ein Satz bzw. ein Kapitelübergang!). Das Nacheinander von Erhabenem und Komischem wird auch im Wechsel der Regime spürbar. Ihr grelles Nebeneinander wird der heroisch eingestellte Erzähler am eigenen Leibe erfahren, wenn er seine ökonomische Abhängigkeit und sein gesellschaftliches Narrentum begreift (s. u.). Diese Konzeption meldet deutlich Einspruch gegen den Geschichtsoptimismus der *Ideen* an, denn sie kehrt schließlich den der Welt inhärenten Aspekt der ›Sinnlosigkeit des Ganzen‹ und der ›Ewigen Wiederkehr‹ hervor. Hier sei nur kurz hinzugefügt, daß Kreislauf-Vorstellungen Heines Denken nicht nur vor, sondern auch *nach* 1830, d. h. nach der Erschütterung der geschichtlichen Un-Periode Restauration beschäftigt haben (s. *Reise von München nach Genua* und *Verschiedenartige Geschichtsauffassung*).

Auf das kaiserliche Aperçu kann sich – zweitens – eine Weltvorstellung berufen, die (parodistisch) Schöpfungsgeschichte, antike Mythologie und barockes ›theatrum mundi‹ zusammenbringt, um die »Verbindung des Pathetischen mit dem Komischen« als etwas objektiv Vorgegebenes aufzufassen, das wiederum Heines komisch-kontrastive Schreibweise eigentlich begründet. Denn die von Heine an mehreren Stellen entwickelte Vorstellung einer großen, kunterbunten »Weltbühne«, auf der der »große Urpoet« eine »tausendaktige Welttragödie« voller Humor aufführen läßt, erteilt Komik und Humor einen objektiven, philosophisch gesprochen: ontologischen Status, bevor sie eine subjektive Verhaltensweise bezeichnet. Komik und Humor können deshalb zur Signatur der modernen Zeit werden: Auf der »Weltbühne« geht es in der Gegenwart »wie auf unseren Lumpenbrettern« zu, wie in einer Farce oder Komödie, »auch auf ihr [der Weltbühne] gibt es besoffene Helden, Könige, die ihre Rolle vergessen, Kulissen, die hängen geblieben« (B 3, 283). – Heines Konzeption verarbeitet nun sensualistische Elemente antiker Mythologie, wenn die verworrene Welt als »der Traum eines weinberauschten Gottes«, d. h. Dionysos gilt (B 3, 253). Sie nimmt aber auch spiritualistische Anschauungen des spanischen »Goldenen Zeitalters« auf (es mag genügen, zwei bekannte Werktitel Calderons zu zitieren: *El gran teatro del mundo* und *La via es sueno*). Aber im Unterschied zu dieser Tradition wird jetzt göttliches Gericht durch eine Schöpfung ersetzt, die sich in ihrer Widersprüchlichkeit selber auslacht; denn um die ihr innewohnenden Tragödien, ihren Ernst und ihr Grauen aushalten zu können, braucht sie das befreiende und gleichsam versöhnende Gelächter. Dieses für Heines Ästhetik maßgebliche Postulat, nach dem die poetische Darstellung des Grauenhaften das Lächerliche verlangt bzw. nichts wahrhaft Tragisches ohne sein Gegenteil bestehen kann, wird näher mit der Vorstellung begründet: »darum hat auch der noch

größere Poet [...] nemlich Unser – Herrgott allen Schreckensscenen dieses Lebens eine gute Dosis Spaßhaftigkeit beygemischt« (Brief an Friederike Robert vom 12. Oktober 1825). Das haben die deshalb in Kap. XI als Vorbilder und Dichter-Götter zitierten Aristophanes, Goethe und Shakespeare begriffen, die lachend die tragische Wahrheit der Welt ausgesprochen haben. Das hat in der Gegenwart ein Dichter begriffen, dem die Narrenkappe aufgezwungen worden ist, um die Schmierenkomödie aushalten und bloßstellen zu können. – (Als literarische Parallele zu Heines antiklassischem Programm, das aber letztlich eine unversöhnliche Mischung von Tragischem und Komischem verlangt, sei hier noch abschließend die zur selben Zeit entstandene *Préface de Cromwell* von Victor Hugo erwähnt, die 1827 ebenfalls die Aufhebung der Trennung von Erhabenem und Groteskem fordert; vgl. dazu Betz und Jauß, 114 ff.)

Lit.: Hermann J. Weigand: *Heine's ›Buch Le Grand‹*, in: The Journal of English and Germanic Philology, vol. XVIII, no. 1, 1919, 1–35 [untersucht die Dialektik von »Narrheit« und »Vernunft« in Kap. XV vor dem literarischen Hintergrund der Romantik – Tieck und Hoffmann – und Hegels Philosophie]; Wolfgang Preisendanz: *Nachwort* zu: *Heinrich Heine Werke* Bd. 2, Frankfurt a. M. 1968, 859–875, bes. 866 ff.; Willfried Maier: *Leben, Tat und Reflexion. Untersuchungen zu Heinrich Heines Ästhetik*, Bonn 1969, 107 ff.; Hans Robert Jauß: *Literaturgeschichte als Provokation*, Frankfurt a. M. 1970, 4. Aufl. 1974; Albrecht Betz (s. o.); Jost Schillemeit: *Das Grauenhafte im lachenden Spiegel des Witzes*, in: Jahrbuch des Freien Deutschen Hochstifts 1975, 324–345 [analysiert die eigenständige Konzeption des Tragischen und des Komischen im Lichte der Tradition und betont alleinige Nähe zu Solger und Jean Paul]; Klaus Pabel (s. o.); Burghard Dedner: *Politisches Theater und karnevalistische Revolution*, in: *Heinrich Heine und das neunzehnte Jahrhundert: SIGNATUREN*, Berlin 1986, Argument-Sonderband, 131–161.

»... il n'y a qu'un pas, Madame!« (Zur Komik-Praxis)

Die *Ideen* haben das in Kap. XI skizzierte kontrastästhetische Programm beispielhaft verwirklicht. Neben der Handlung, die durch tragikomische Sprünge und brüske Wechsel gekennzeichnet ist, und der Erzählweise, die vom Hölzchen aufs Stöckchen kommt, sticht der Aufbau hervor, der durch das Widerspiel von ›privatem‹ Rahmen und zwei ›öffentlichen‹ Hauptteilen geprägt ist, wobei in letzteren wiederum einmal pathetische (Kap. VI–X) und zum andern komische Züge vorherrschen (Kap. XI–XV) bzw. hymnisch-elegische Töne (Napoleon, Tod Le Grands) und parodistisch-satirische (Wissenskritik, Narrenrolle). Lachend wird im zweiten Hauptteil das Lächerliche der Zeit bloßgestellt: durch die berühmte Parodie auf die Praxis der »deutschen Zensoren« (Kap. XII) oder auf die ›gelahrte‹ Zitierwut der Bildungsbürger (Kap. XIII); durch die Satire der bourgeoisen Narren (Kap. XIV) oder der großen Narren-»Armee« (Kap. XV). Grundsätzlich ist's vom Erhabenen zum Komischen immer nur ein »Schritt« – ein Schritt zuviel: beispielsweise vom Testament Le Grands zu Hühneraugen (Kap. XI), von Türken zu Kümmeltürken, von der Mathematik zur Stallfütterung, vom Pulver zum Rheinwein, von Mahomet zur preußischen Armee (B 3, 301, 298, 251 u. 286 f.; a- und polysyndetische Reihungen rücken Beliebiges zusammen). Komik entsteht ebenfalls durch die Assoziation: tödliche »Brustwunde« – »Zahnweh« – »Zahnweh im Herzen« (Kap. XX; weitere Beispiele zu Kontrasten, Polaritäten und Gegensatzpaaren bei Möller, *Nachwort* und Grubačić).

Zwei weitere Beispiele sollen das Spezifische an Heines Verfahrensweise in den *Ideen* veranschaulichen. – Von Hegels erhabener Idee bis zur komischen Wirklichkeit ist's auch nur ein kleiner Schritt. Das Wort »Ideen« bzw. »Idee« gehört nun zu den vieldeutigsten in Heines Vokabular (vgl. DHA 6, 797). Allgemein läßt sich festhalten, daß die *Ideen* das von Hegels Schlüsselbegriff beeinflußte, politische Programm des »1789« getreuen Heine bezeichnen (das dritte Titelelement »Buch« sorgt durch biblische Anklänge, z. B. an »Das Buch Hiob«, für zusätzliche Hervorhebung). Aber der ›erhabene‹ Gebrauch des Begriffs schließt dessen Parodie und Persiflage ein, wenn der Kutscher Pattensen ganz banal behauptet: »Nu, nu, eine Idee ist eine Idee! eine Idee ist alles dumme Zeug, was man sich einbildet« (B 3, 288). Ebenso mischt sich anti-idealistischer bzw. anti-hegelianischer Protest in die Parodie auf rationale Systematik: Durch absurde Unterteilung endet die Analyse der »Ideen« auf völlig triviale Weise bei »Ideen, die mit grünem Leder überzogen sind« (B 3, 287). So holt die närrische Schreibweise der Ideen alle »Ideen« vom philosophischen Himmel in die Niederungen des Alltags.

Andererseits verfährt die Kritik an den neuen Verhältnissen so, daß völlig getrennte, aber besonders charakteristische Bereiche in einem witzigen Wortspiel kontrastharmonisch zusammengebracht werden: Geld und Wissen treten zu »Geistesbankier« oder »Rothschild an Zitaten« zusammen (B 3, 284), wie Geld und Dummheit zu »kapitaler Narr« (B 3, 292) und wie Abfall und Unsterblich-

keit zu »Makulatur-Lorbeer« (B 3, 261; s. dazu Pabel, der weitere Beispiele nennt). Das wohl bekannteste Beispiel dieser Verfahrensweise wird durch Wortkreuzung erzielt und läßt Besitz mit Unbildung in »Millionarr« und »Millionärrin« kollidieren (B 3, 292), wodurch der neue Geist schlagartig bewußt gemacht wird (zu diesem Verfahren s. Grésillon).

Lit.: Albrecht Betz (s. o.); Dierk Möller: *Nachwort* (s. o.); Slobodan Grubačić (s. o.); Klaus Pabel (s. o.); Almuth Grésillon: *La règle et le monstre: le mot-valise*, Tübingen 1984.

Trommel und Narrenpritsche

»Réveil«-trommelnd fährt Heine 1827 in die schlaftrunkene Restaurationszeit: Trommelnd stellt er sich in den Dienst der Revolution, mit Ideen kämpft er für Emanzipation. Als treuer Exekutor von Le Grands »testamentum militare« (B 3, 283) vermag er dem Selbstbewußtsein des modernen Schriftstellers eine neue Dimension zu geben, indem er die Gestalt des Kämpfers *und* Künstlers entwirft, die die von der klassisch-romantischen Ästhetik getrennten Bereiche Politik und Kunst positiv wieder vereinigt. Nach seinem Vorbild Le Grand, der Revolutionssoldat und als Tambourmajor zugleich Künstler ist, versteht sich der Autor der *Ideen* als militanter Künstler (dazu Möller, *Nachwort,* der zutreffend das »künstlerisch inspirierte Soldatentum« der Napoleonischen Ära mit dem »militanten Künstlertum« der Restauration verglichen hat; Einwände gegen Heines Haltung bei Jacobs, 8, Betz, 119, Hermand, 115 und Pabel 151). Diese Auffassung hat sich in dem Trommel-Motiv ihr fortschrittliches Symbol geschaffen: Trommeln bedeutet praktisches Engagement für Aufklärung und Befreiung und aktiver Einsatz für die Verwirklichung der Ideale von 1789. In dieser Einstellung werden die *Neuen Gedichte* knapp zwanzig Jahre später sowohl das Trommel-Motiv wie die Gestalt des Tambourmajors erneut aufgreifen: Die *Zeitgedichte* beginnen mit einem revolutionären Trommel-Appell *(Doktrin)* und bekennen sich als »guter Tambour« (B 7, 412 u. 416 ff.; Nr. VII des Zyklus setzt sich nochmals mit Sieg und Niederlage von Napoleons Soldaten auseinander).

Das militante Künstlertum der *Ideen* nimmt nun weiter ästhetisch und praktisch so Gestalt an, daß sein Scheitern vorprogrammiert scheint. Einmal bricht die Kriegs-Metaphorik mit den überholten Vorstellungen vom zeitfernen Dichter: »Madame, c'est la guerre!« Die *Ideen* haben 1827 ihrer

Zeit »Krieg« bzw. »Vertilgungskrieg« erklärt, in dem man den Gegner »einschlachten« oder hinschlachten darf (falls an der entschlossenen Einstellung noch Zweifel aufkommen könnten, B 3, 294, 296 u. 297 ff.; Mitte November 1826, als Heine an den *Ideen* arbeitete, schrieb er seinem Freund Christiani, daß er gezwungen worden sei, »zum Schwert zu greifen« und betonte in der Tat: »aux armes! aux armes! dröhnte mir immer in die Ohren – Alea jacta est«; am 30. Oktober 1827 hat er sein neues Buch gegenüber Moser als »ein Kriegsschiff« bezeichnet, das »allzuviel Kanonen an Bord führt«, um gefallen zu können). – Zum andern verpflichtet der Treuepakt, den der Erzähler mit dem sterbenden Le Grand geschlossen hat (er zersticht die Trommel, damit sie »keinem Feinde der Freiheit zu einem servilen Zapfenstreich dienen« kann) zum Kampf gegen Servilität und Konformismus – gegen die Narren, die um materieller Vorteile willen die Vernunft verraten haben, um sichs im Leben gemütlich zu machen. In der satirischen Polemik gegen die servilen Schriftsteller-Hunde, die sich von Verlegern dick füttern lassen und die Hand lecken, wird die Figur des ›Verräters‹ konzipiert, des von Heine verfolgten und bloßgestellten Gegentyps zum engagierten Schriftsteller (von der restaurativ eingestellten deutschen Intelligenz verkörpert). Vor diesem Hintergrund hebt sich wiederum die Gestalt des Märtyrers ab, dem Opfer abverlangt werden, die das Bild des »anderen deutschen Hundes, der in die Fremde verstoßen, vor den Toren Deutschlands liegt und hungert und wimmert«, dramatisch antizipiert (B 3, 291). Bereits das erste öffentliche Bekenntnis zu einer nicht mehr kontemplativen Auffassung von der Rolle des Schriftstellers nennt den Preis, den Heine tatsächlich zu zahlen gezwungen sein wird – so als wenn Engagement und Exil notwendig zusammengehörten.

Die größte Gefahr für diese an einer Gestalt der heroischen Kaiserzeit gewonnenen *allgemeinen* Auffassung droht in der Gegenwart von den *partikularen* Bedingungen des bürgerlichen Marktes und der Zensur. Klarsichtig erkennt der Erzähler als ›freier‹ Berufsschriftsteller das Gewicht der neuen Wirklichkeit (»... il n'y a qu'un pas, Madame!«). Sehr eindringlich beschreiben Kap. XIV und XV den Kommerzialisierungsprozeß, der jetzt Literatur in Handelsware verwandelt, so daß jede idealistische Auffassung vom Künstlerberuf Lügen gestraft wird (vgl. Betz und Möller, *Nachwort*). So hockt der Schüler Le Grands nun selber als Außenseiter in einer düsteren Stube, hat nicht viel zu

beißen und wartet darauf, daß jemand sein Manuskript abholt, das auch vielleicht schon am nächsten Tag Makulatur sein kann. An den reich gedeckten Tischen sitzen die anderen, die Angepaßten. Als Randfigur, die ihrem Auftrag nicht abtrünnig werden will, bleibt ihm nichts anderes übrig, als sich auf seine Weise anzupassen, d. h. Unternehmer zu werden, der die Straße zu seinem »Warenlager« macht und die herumwandelnden bourgeoisen Narren und Närrinnen satirisch in »bares Geld« ummünzt, das auch ihm dann einige leibliche Genüsse erlaubt. Erst der gesättigte Schriftsteller vermag seine unsterblichen Lorbeeren zu erwerben!

Aber Satire macht verdächtig: Wer in Deutschland zu scharf kritisiert, muß »ein Abtrünniger« sein. Die Aufgespießten, Gebrandmarkten und Eingeschlachteten rächen sich mit dem Vorwurf der Illoyalität und des ›Verrats‹. Der Krieg, den der Vernünftige im Namen der Vernunft (»Ideen«) führt, macht ihm schließlich bewußt, daß er selber nur ein Narr, wenn nicht der »Allernärrischte« ist! Die nie ganz gewollte, aber unwandelbare, und deshalb »unglückliche Passion für die Vernunft« endet schließlich notwendig zwischen allen Fronten (»meine Stellung ist unnatürlich; alles, was ich tue, ist den Vernünftigen eine Torheit und den Narren ein Greuel«, B 3, 298).

Die Narren-Polemik (*gegen* den Bourgeois, trockenen Rationalisten oder gemütvollen ›Romantiker‹, *für* die Randfigur) läßt sich in den *Ideen* nicht ganz auflösen. Der Autor wendet die Dialektik von vernünftiger Narrheit und närrischer Vernunft, von ›objektivem‹ Narrentum und subjektiver Narrenrolle so, daß militantes Künstlertum und aufgezwungene Narrenrolle, die Skepsis signalisiert, sich nicht ausschließen, sondern zur Gestalt dessen verbinden, der unter den neuen Markt- und Zensurbedingungen die unbequeme und unerwünschte Wahrheit spricht. Nach Heines Selbstverständnis gehört das bunte Narrenkostüm, Zeichen des Außenseiters, zur Ausrüstung der kritisch und prophetisch praktizierten Vernunft, – Narrenfreiheit als Kehrseite der unterdrückten Freiheit. In bewußt ironischer Verstellung schlüpft er in die traditionelle Rolle des Spötters und Spaßmachers, des Harlekin und des »weisen Narren« (zu Heines Grundmotiv, vgl. Frenzel). So reklamiert er einmal die Schellenkappe des Shakespeare'schen Narren (B 3, 282, vgl. 121 und dazu Altenhofer, 24 ff.), um getarnt die gesellschaftliche Narrheit witzig-satirisch zu entlarven. Zum andern tritt er als Kunz von der Rosen, d. h. als Hofnarr und Ratgeber des Kaisers auf, um maskiert die unterdrückte Freiheit des deutschen Volkes zu verkünden (B 3, 602 ff.; vgl. B 3, 354 mit den Demagogen als vernünftigen oder dummen Narren, und B 5, 104 mit dem deutschen Volk als »großen Narren«).

Lit.: zum Narren-Motiv: Elisabeth Frenzel: *Motive der Weltliteratur,* Stuttgart 1980, 2. Aufl. 550 ff.
Albrecht Betz (s. o.); Dierk Möller: *Nachwort* (s. o.); Norbert Altenhofer: *Harzreise in die Zeit,* Düsseldorf 1972; Eduard Krüger: *Heine und Hegel,* Kronberg/Ts. 1977, 51 ff. [untersucht im Anschluß an Weigand – (s. o.) – Heines Zweifrontenkrieg gegen Aufklärung und Romantik in der Gestalt des Narren]; Jürgen Voigt: *Ritter, Harlekin und Henker. Der junge Heine als romantischer Patriot und als Jude,* Frankfurt a. M. 1982, 288 ff. [betont an der Figur Harlekins den Außenseiter]; Dieter Hörhammer: *Die Formation des literarischen Humors,* München 1984, 212 ff.

Lebensweg eines zukünftigen Außenseiters

Die spannungs- und schließlich leidvolle Einheit von Trommel und Narrenkappe, von Engagement und Außenseitertum in Heines Selbstverständnis verleiht der Erzählung seiner rheinischen Jugendzeit zuletzt eine weitere, neben der biographischen allgemeine Dimension, die Entfremdung als Voraussetzung für modernes Künstlertum erscheinen läßt.

Als der nicht ganz 30jährige Heine, der sich seiner rheinischen Heimat lebenslang eng verbunden gefühlt hat, zum ersten Mal seine Autobiographie zur Veröffentlichung bearbeitete, machte er seiner Vaterstadt die berühmte, bis heute kontinuierlich zurückgewiesene Liebeserklärung: »Die Stadt Düsseldorf ist sehr schön, und wenn man in der Ferne an sie denkt und zufällig dort geboren ist, wird einem wunderlich zu Mute. Ich bin dort geboren, und es ist mir, als müßte ich gleich nach Hause gehn« (B 3, 261). Nur von seiner Geburtsstadt, einer damals rheinischen Mittelstadt mit ca. sechzehntausend Einwohnern, hat Heine, der Spötter und Satiriker alles Engen und Nationalen, ein derart liebevolles Porträt entworfen. Städte seines weiteren Lebensweges, wie Hamburg, Berlin, Göttingen und München sind in den *Reisebildern* Opfer seiner Satire geworden. Die Liebeserklärung erhält jedoch ihr Gewicht dadurch, daß der promovierte Jurist ohne berufliche Integration 1826, d. h. sechs Jahre nach dem Verkauf des elterlichen Hauses und nach seinem letzten Besuch in Düsseldorf, dort, wo er insgesamt achtzehneinhalb Jahre gelebt hatte, längst kein »zu Hause« mehr besaß. (Typischerweise schaut dem Erzähler bei seinem neuerlichen Besuch in Kap. X die Stadt bereits »mit fremden Augen« an.) Wesentlicher erscheint, daß Heine durch seine rheinische Jugendzeit unter fremder Ära aus der provinziellen Enge der deutschen Mittelstadt herausgerissen und in einen europäischen Raum hineingestellt worden ist. Sein Lebensweg als kritischer Schriftsteller und Intellektueller sollte nicht zuletzt dadurch geprägt werden, daß ihn die gegenüber dem traditionellen Deutschland »exterritoriale« Stellung der französischen Rheinlande früh mit fortschrittlichen Verhältnissen vertraut machen konnte. Dieses »zufällige« Faktum, das ihn in den *Ideen* so »wunderlich zu Mute« werden läßt, macht vielleicht den ›historischen‹ Vorsprung aus, der seine Einstellung von derjenigen der meisten seiner dichterischen Zeitgenossen unterscheidet. So gesehen erhalten die beiden Regimewechsel in den *Ideen* eine sowohl real wie symbolisch entscheidende Bedeutung: 1806 hat Heine zum lebenslangen Franzosenfreund gemacht, während ihn 1815 in einen ebenso lebenslangen Preußenfeind verwandelt hat. Der in Wien zum Preußen deklarierte Gymnasiumsabsolvent wurde im Vormärz zu einem der schärfsten Opponenten des restaurierten ›alten‹ Deutschland, in dem er kein »zu Hause« finden konnte. Seine enge Verbundenheit mit dem revolutionären Geist des neuen Frankreich ließ ihn dann im Pariser Exil zum unerbittlichsten Gegner alles Bloß-Nationalen werden – eine Gegnerschaft, die im Kampf gegen die preußenhörige Intelligenz eine ihrer schärfsten Formen annehmen sollte.

Aufnahme und Wirkung

Heine mußte wegen seines Bekenntnisses zu Napoleon und seines Spottes über die Zensur scharfe Reaktionen befürchten. Deshalb war er am 12. April 1827, noch vor der offiziellen Auslieferung des zweiten Bandes der *Reisebilder,* sicherheitshalber nach London abgereist, um dort die deutschen Reaktionen abzuwarten. Nachdem ihm die ersten Echos, die seine Popularität unterstrichen, bekannt geworden waren, schrieb er am 9. Juni 1827 aus England an Moses Moser: »Ich habe durch dieses Buch einen ungeheuren Anhang und Popularität in Deutschland gewonnen; wenn ich gesund werde kann ich jetzt viel thun; ich habe jetzt eine weitschallende Stimme.«

Die Zensur griff in der Tat sofort ein und ließ das Buch in den preußischen Rheinprovinzen verbieten. Aber die einzelnen Reaktionen waren dann durchaus nicht so scharf wie erwartet, das Mißfallen äußerte sich nicht so *einhellig* wie befürchtet. In

Wirklichkeit überwogen sogar die positiven Stimmen die Verrisse (letztere beklagten das Chaotisch-Dunkle des Ganzen – Adolf Müllner nannte die *Ideen* »ein humoristisches Galimathias« –, wiesen natürlich die Darstellung und Einschätzung Napoleons zurück oder empörten sich über »Gotteslästerungen«).

Bemerkenswert ist dagegen die im Berliner »Der Gesellschafter« anonym erschienene Besprechung durch Varnhagen, der dem neuartigen, erzählerischen Ansatz der *Ideen* gerecht zu werden versucht. Heines Freund weist ausdrücklich auf die Verbindung von geschichtlichem Kern und persönlicher Anrede »Madame« hin: Dadurch erhält, betont Varnhagen, »das Ganze, in welchem sich Liebesgeschichte und Volks- und Weltgeschichte und wissenschaftliches und bürgerliches Treiben mit unerschöpflicher Wunderlichkeit der Formen und Übergänge verschränkt, eine noch seltsamere Farbe« (B 4, 785 f.). Beurteilen einige Kritiker die *Ideen* inhaltlich und formal als vollendet oder als »unwiderstehlich« (Kritiker »75« in den »Blättern für literarische Unterhaltung«), so ist ebenfalls erwähnenswert, in welchem Maße die Verteidiger des Werkes gerade die Napoleon-Kapitel hervorheben. Im Gegensatz zu Heines Befürchtungen haben nicht alle »Guten des Landes« öffentlich das Buch »hinlänglich« heruntergerissen, und nicht alle seine Freunde haben »über das gefährliche Buch« geschwiegen (Brief an Varnhagen vom 1. Mai 1827). Trotz einiger Vorbehalte im Allgemeinen lobten Heines Berliner Freunde Joseph Lehmann und Varnhagen ausdrücklich die Darstellung des Kaisers. Ludwig Robert, Ehemann der wahrscheinlich als »Madame« angeredeten Friederike Robert, wies auf den »überschwenglichen« Napoleon-»Hymnus« hin (B 4, 788). Für den Kritiker der »Leipziger Literatur-Zeitung« war das Napoleon-Bild sogar ein »Meisterstück« (B 4, 798). Zum Verständnis der sich wandelnden Haltung gegenüber Napoleon, der zu seinen Lebzeiten von vaterländischen Lyrikern und Kritikern in Deutschland als Despot denunziert wurde, sei noch kurz daran erinnert, daß nach 1830 die jungdeutschen Schriftsteller einen fortschrittlichen Napoleon-Kult errichten sollten.

Lit.: B 4, 781–800; DHA 6, 787–789; Galley/Estermann I, 253 ff., 262–283, 291 ff., 353, 409 f.; II, 117 f.

Das Trommel-Motiv in Heines Nachfolge

Von zwei bekannten Bearbeitungen der Gestalt und des Motivs im 20. Jahrhundert ist jedoch nur eine im weiteren Zusammenhang mit den *Ideen* zu verstehen. Oskar Matzerath, der kleinwüchsige, alles zertrommelnde Held der *Blechtrommel* (1959) von Günter Grass wurde als literarischer Nachfahre der Heineschen Gestalt konzipiert: Laut Grass sind die beiden Trommler durch die »europäische Tradition des pikaresken Romans« miteinander verbunden (Interview, 174). – Dagegen hat Bertolt Brecht in der elften Szene von *Mutter Courage und ihre Kinder* (Uraufführung 1941) das Trommel-Motiv offenbar ohne Bezug auf Heine verarbeitet, wenn auch Verbindung darin besteht, daß in beiden Fällen Menschen aus dem Schlaf getrommelt werden (sollen): Bei Brecht rüttelt die stumme Kattrin durch Trommeln die Bürger der Stadt Halle aus dem Schlaf und rettet sie vor einem nächtlichen Überfall.

Lit.: Wilhelm Gössmann (Hrsg.): *Geständnisse. Heine im Bewußtsein heutiger Autoren,* Düsseldorf 1972, 174 ff. [Interview mit Grass].

Die deutsche Literatur von Wolfgang Menzel

Menzel, Literaturhistoriker und Kritikerpapst

Menzels epochemachende Literaturgeschichte, die die Klassikdiskussion des Jungen Deutschland eröffnet hat und auch im Ausland wirksam geworden ist (Dietze, 21 ff.), war 1827 mit einem für die Zeit ungewöhnlichen Titel erschienen (zwei Teile, Stuttgart 1828, 2. Aufl. 1836). Der Autor, in den 20er Jahren als Redakteur des »Literatur-Blatts«, der literarischen Beilage des »Morgenblatts für gebildete Stände«, neben Varnhagen v. Ense und Börne tonangebender Kritiker Deutschlands, brachte mit dem ersten Satz den Geist einer neuen Epoche schlagartig zu Bewußtsein: »Die Deutschen thun nicht viel, aber sie schreiben desto mehr.« Rhetorisch einprägsam und kämpferisch denunzierte der Stuttgarter Cotta-Redakteur im Namen von unmittelbaren, lebenspraktischen Interessen die abstrakte deutsche Bücherwelt als »zweite Welt des Wissens und des Dichtens«. Am Leitfaden der progressiven Dialektik von Denken und Handeln geißelte der ehemalige Burschenschafter die Misere seines schreib- und büchernärrischen, aber praxisfernen Vaterlandes und spielte, in allerdings typisch antiintellektueller Manier, das »frische, thätige Leben« gegen die »nichtige Welt des Scheins« oder gegen die »todte Welt der Literatur« aus (Menzel I, 10 f.; die Misere hielt ihn aber nicht davon ab, voller Nationalstolz zu behaupten: »Das Licht der Ideen, die von Deutschland ausgegangen, wird die Welt erleuchten«, I, 7, vgl. 23). Das Primat politisch-gesellschaftlicher Praxis (»Die Politik ist gegenwärtig an der Tagesordnung, auch in Deutschland«, I, 214) bestimmt auch Menzels Methode, erklärte er doch, er wolle »die Literatur zunächst in ihrer Wechselwirkung mit dem Leben, sodann als ein Kunstwerk betrachten« (I, 12). Menzels kritischer Ansatz signalisiert sowohl einen Bruch mit dem Geist der Goethe-Zeit wie mit der damals üblichen Art der Literaturgeschichtsschreibung.

Heine, der das frühere Vorstandsmitglied der Bonner »Allgemeinheit« aus seinem ersten Semester her kannte, hat Menzel nicht nur Wissenschaftlichkeit und Tiefe, Universalität und unakademischen Witz bescheinigt, sondern auch die epochale Bedeutung der *Deutschen Literatur* herausgestellt, indem er sie als »ein würdiges Seitenstück« zu Friedrich Schlegels berühmter *Geschichte der alten und neuen Literatur* bezeichnete (1815 erschienen, 2. Aufl. 1822, von Heine 1826/27 gelesen; zu Heines Schlegel-Beziehung vor 1830 s. DHA 8/2, 1042 u. 1336). Im Vergleich mit Schlegels Vorlesungen, die bereits über eine historische und systematische Grundlage verfügten (Schlegel erfaßte laut Heine »großartig das Ganze aller geistigen Bestrebungen«), erkennt er auch das Neuartige des Menzelschen Ansatzes, wenn er betont, daß der Mittelpunkt des Buches »nicht mehr die Idee der Kunst« ist (B 1, 446). Aber im Vergleich mit dem Romantiker muß sich Menzel auch deutliche Kritik gefallen lassen, denn im Gegensatz zu seinem methodischen Vorhaben hat er nicht die Wechselseitigkeit von Literatur und Leben konkret aufgezeigt, sondern vielmehr konstruiert. Deshalb wirft ihm Heine zu Recht vor, seine Gegenstände nicht »aus einem einzigen innersten Prinzip«, sondern »nach einem geistreichen Schematismus einzeln abgehandelt« zu haben (wegen der schematischen Einteilung spricht er bei den einzelnen Kapiteln jeweils von »Rubrik«).

Gemeinsame literaturpolitische Ziele verbanden den Autor der *Reisebilder* Ende der 20er Jahre mit dem fast gleichaltrigen Stuttgarter Kritikerpapst (Menzel war 1798 geboren). Jahre vor der schweren Kontroverse mit dem Denunzianten stand Heine, der 1828 zusammen mit dem Publizisten Friedrich Ludwig Lindner die Bände 26 und 27

von Cottas »Neuen allgemeinen politischen Annalen« in München herausgab, in guten persönlichen und beruflichen Beziehungen mit dem 1820 als Demagogen verfolgten Menzel (von 1825 bis 1849 Redakteur des »Literatur-Blatts«, Grundlage seiner einzigartigen Machtposition in der Zeit). Auf der Reise nach München hatte er im November 1827 bei Menzel Station gemacht (und »nicht ohne Schmerzen« die Goethe-Darstellung aus dem zweiten Teil der *Deutschen Literatur* gelesen, s. Brief an Varnhagen vom 28. November 1827). Von München aus forderte er Menzel zur Mitarbeit an den »Annalen« auf (Heine publizierte dort *Politische Grillen* von Menzel in drei Fortsetzungen). Im Mai 1828, kurz bevor er seine Rezension schrieb, kündigte er ihm Kritik wegen der Goethe-Polemik an. Zu dieser Zeit gilt Menzels politische bzw. ideologische Position als eine bürgerlich-liberale (Bekker, 9). 1831 stand das Mitglied der württembergischen Kammer auf der Seite der liberalen Opposition. Trotz sachlicher Gegensätze, die für eine Abkühlung des Verhältnisses sorgten (Brief an Menzel vom 9. Dezember 1830) und trotz Heines Platen-Streit bezeugen Briefe bis 1832 weiter freundschaftliche Kontakte. Dem Rezensenten der *Deutschen Literatur* hat der Redakteur des »Literatur-Blatts« ab 1830 mit Beiträgen geantwortet, die bis zum Umschlag der persönlichen Beziehungen insgesamt zwar moral-kritisch sind, aber Heines Talent grundsätzlich nicht infrage stellen (zu *Reisebilder I – 2. Aufl. –, III u. IV, Kahldorf, Französische Zustände* und *Salon* I). – Obwohl Heine die Bedeutung der Rezension im Brief an Menzel vom 16. Juli 1828 heruntergespielt hat (»nur Formelles besprochen«), wollte er sie zwanzig Jahre später, bei den Plänen zur Gesamtausgabe von 1846 und 1852, nicht übergehen (vgl. B 2, 624 u. 627).

Druck: Mit »H. Heine« signiert erschien *Die deutsche Literatur von Wolfgang Menzel* Mitte Juni 1828 in den »Neuen allgemeinen politischen Annalen«, 27. Band, H. 3, S. 284–298.

Texte: B 1, 444–456;
Wolfgang Menzel: *Die deutsche Literatur*, Zwei Bände in einem Band, Mit einem Nachwort von Eva Becker, Hildesheim 1981 (reprographischer Druck der Ausgabe von 1828).

Lit.: Walter Dietze: *Junges Deutschland und deutsche Klassik*, Berlin (Ost) 1957, 3. Aufl. 21 ff.; Karl-Heinz Götze: *Die Entstehung der deutschen Literaturwissenschaft als Literaturgeschichte*, in: *Literaturwissenschaft und Sozialwissenschaften 2*, Stuttgart 1974, 167–226, speziell 210 ff.; Eva Becker: *Nachwort* (s. o.), 1–45; Peter Uwe Hohendahl: *Literaturkritik in der Epoche des Liberalismus*, in: *Geschichte der deutschen Literaturkritik (1730–1980)*, hrsg. von Peter Uwe Hohendahl, Stuttgart 1985, 129–204, speziell 158 ff.

Analyse und Deutung

Das Ende der »Kunstidee« und der Beginn des Ideenkampfes

Zwei Jahre vor der Juli-Revolution, drei Jahre vor den *Französischen Malern* (die das berühmte Schlagwort vom »Ende der Kunstperiode« lanciert haben) und vier Jahre vor Goethes Tod benutzt Heine das spezifische Medium der Rezension, um erstmals, und in einem nicht-fiktionalen Text seine Ansichten zu einer modernen Ästhetik zu entwickeln. Der *Reisebilder*-Autor, der im zweiten Band (Kapitel XIV) sowie in dem im Juni 1828 zuerst veröffentlichten *London*-Fragment die problematisch gewordene Situation des modernen Dichters in der warenproduzierenden Gesellschaft reflektiert hat, erklärt in seiner wohl wichtigsten Rezension das Ende der ästhetisch autonomen Kunst. Im Frühsommer 1828 faßt er mit rhetorischer Wortwiederholung seine Leseeindrücke zu der Verkündigung zusammen, die seine spätere These antizipiert: »Das Prinzip der goetheschen Zeit, die Kunstidee, entweicht, eine neue Zeit mit einem neuen Prinzipe steigt auf, und seltsam! wie das Menzelsche Buch merken läßt, sie beginnt mit Insurrektion gegen Goethe« (B 1, 455). Aber nicht Menzel, sondern Heine ist als der maßgebliche Insurgent und Testamentsvollstrecker der vergangenen Ära in die Literaturgeschichte eingegangen. Dazu bedurfte es, der »Insurrektion« die allzu polemische Spitze abzubrechen, um mit systematischen oder historischen Begriffen wie »Kunstidee« und »Kunstperiode« die große Epoche historisch würdigen und sine ira et studio verabschieden zu können. Wer von einer Literaturperiode spricht, »die mit dem Erscheinen Goethes anfängt und erst jetzt ihr Ende erreicht hat«, vermag ihren größten Repräsentanten kritisch anzuerkennen, statt blind abzulehnen (Krüger betont, daß Heines These vom Ende der Kunstperiode primär auf Hegels Verdikt gegen die Romantik und sekundär auf Menzels »Diktum« über Goethe reagiert).

Die Menzel-Rezension geht nun mit einem Vertreter des National-Liberalismus ein Bündnis ein, indem sie stark differenziert und zwischen dem Exponenten des neuen Zeitgeistes und dem Goethe-Gegner deutlich unterscheidet. So besteht kein Problem, wenn es darum geht, die überholte »Kunstidee« mit der modernen Vorstellung vom Ideenkampf kollidieren zu lassen. Heine kann Menzels Grundauffassung zustimmen, nach der die »Interessen der Zeit« in dramatischer Weise auseinandergefallen sind, so daß das moderne politische Leben vom Kampf feindlicher »Parteien« geprägt wird. Die Auswahl eines langen Textbeispiels (aus Teil I, 221), das vom Ideenkampf, vom Antagonismus der Parteien, »*Liberlismus* und *Servilismus*« genannt, sowie vom Liberalismus als fortschrittlichen Prinzip handelt, soll die Gemeinsamkeit des literaturpolitischen Programms bezeugen (in der Italienreise, B 3, 376, wird der liberale Beobachter seinerseits die Bedeutung der »geistigen Parteipolitik« in der Übergangsgesellschaft, die aus zwei sich bekämpfenden »großen Parteimassen« besteht, reflektieren). Dieselbe affirmative Funktion hat auch das Zitat zum Protestantismus (vgl. Möller). Die Übereinstimmung mit Menzel zeigt sich andererseits vor allem an der militanten Einstellung des Rezensenten, der den Ideenwitz als *die* »Angriffswaffe« der neuen Zeit herausfordernd verteidigt (»Jener Angriffswitz, den Ihr Satire nennt, hat seinen guten Nutzen in dieser schlechten, nichtsnutzigen Zeit«). Militärische Bildlichkeit oder Kampfmetaphorik läßt schließlich eine neue, nicht mehr an der »Kunstidee« orientierte Auffassung von Dichtung hervortreten. So wird das »alte Schlachtschwert aus der Zeit des Bauernkriegs« für den gegenwärtigen Kampf gefordert; romantische Konvertiten werden als nützliche »Guerillas« der katholischen Kirche bezeichnet, und der Aufstand gegen Goethes »schöne objektive Welt« soll eben durch eine »goethesche Landmiliz«, »Garnisonen« sowie durch uniformierte alte Romantiker – »zu regulären Truppen zugestutzt« – abgewehrt werden. Und das angeblich autonome Reich der »Kunstidee« gerät vollends ins Wanken, wenn Goethe, der »in der Republik der Geister zur Tyrannis« gelangt ist, als ein feudaler Herrscher erscheint, der seine Macht entweder durch Repression oder durch Diplomatie sichert. Wie vergeblich der Abwehrkampf ist, das unterstreicht die antithetisch gegliederte, rhetorische Frage, die auf Goethes Zeitschrift »Über Kunst und Alterthum« anspielt: »Wird Kunst und Altertum im Stande sein, Natur und Jugend zurückzudrängen?« (B 1, 455).

Lit.: Dierk Möller: *Heinrich Heine: Episodik und Werkeinheit*, Wiesbaden u. Frankfurt a.M. 1973, 218 f.; Klaus Briegleb: *Der »Geist der Gewalthaber« über Wolfgang Menzel*, in: Gert Mattenklott/Klaus R. Scherpe (Hrsg.): *Demokratisch-revolutionäre Literatur in Deutschland: Vormärz*, Kronberg/Ts. 1975 (Literatur im historischen Prozeß 3/2), 117–150, speziell 120 ff.; Eduard Krüger: *Heine und Hegel*, Kronberg/Ts. 1977, 154 ff.

Gegen Goethes Gegner und gegen »Goethentum«

Heines Ansichten nehmen in der Abfuhr positive Gestalt an, die er dem patriotisch und tugendhaft normativ eingestellten Gesinnungskritiker Goethes erteilt, der sich auf »Religion«, »Moral« und »Tiefe des Nationalgeistes« berufen hat und ebensowenig zu einem ästhetischen Urteil gelangte wie zuvor die burschenschaftlichen, klerikalen (Pustkuchen) und liberalen (Börne) Goethe-Gegner, mit ihren Angriffen auf den Antipatrioten, Amoralisten oder Egoisten (s. *Romantische Schule* oder Mandelkow, LVI ff.). Heine, der dem Goetheaner Varnhagen am 28. November 1827 gestanden hat, die Goethe-Opposition, »nemlich die deutsche Nationalbeschränktheit und der seichte Pietismus«, sei ihm »am fatalsten«, zeigt sich jetzt und später grundsätzlich entschlossen, aus weltanschaulichen Gründen »bey dem großen Heiden aus[zu]halten, quand même« (»Gehöre ich auch zu den Unzufriedenen, so werde ich doch nie zu den Rebellen übergehen«). Sein Einverständnis mit Menzel reicht deshalb auch nur so weit, wie es um die unausweichliche Kritik des Goethekults oder des »Goethentums« geht, worunter er ausdrücklich nur die Epigonen versteht, jene »blöde Jüngerschar«, die sich »auf das matte Nachpiepsen jener Weisen, die der Alte gepfiffen«, beschränkt hat (vgl. Mandelkow). Als Artist, den Menzels Polemik regelrecht erschrocken hat, verteidigt er den Künstler Goethe gegen den Vorwurf, kein Genie, sondern nur ein Talent zu sein – Talent bedeutet in der *Deutschen Literatur* nämlich bloße Virtuosität und Charakterlosigkeit, Modetorheit und Eitelkeit, Ruhmsucht und Gemeinheit (B 1, 453 f., vgl. B 5, 397; Menzels Goethe-Polemik befindet sich in Teil II, 205 ff.). Ebenso verteidigt er als Sensualist ausdrücklich »die goethesche Denkweise«, in der sein Kritiker nur »raffinirten Epicuräismus« und »Genußsucht«, widerliche Frivolität und grausame »Wollust« zu erkennen vermag (II, 219 f.; der Brustton dieses empörten Patrioten und Moralisten bietet Heine einen Vorgeschmack auf die Kritik der 30er Jahre, nicht nur eines Menzel, sondern auch eines Börne, der bekanntlich den Autor von *De l'Allemagne* ebenso als charakterloses und frivoles, wenn auch virtuoses Nur-Talent hat gelten lassen). Schließlich weist Heine auch den damals beliebten, von Menzel weiter verschärften Kontrast-Vergleich Schiller-Goethe, um letzteren herabzusetzen, zurück (Menzel hatte behauptet:

»Schiller gilt für die Edlen aller Zeiten, Goethe war der Abgott seiner Zeit«, II, 218; ähnlich sollte zehn Jahre später der edle Börne gegen den modischen Heine ausgespielt werden).

Die ästhetischen Differenzen zwischen Heine und Menzel lassen den Riß deutlich werden, der das liberale Bündnis bereits in den 20er Jahren kennzeichnet. Der Rezensent zögert nicht, die Gegensätze zu vertiefen, wenn er den von Menzel wegen seines aufklärerischen Geistes gehaßten Voß rehabilitiert und dessen Verfolger sogar unterstellt, mit seiner Polemik an die falsche Adresse ›objektiv‹ »zu der Partei jener Ritterlinge und Pfaffen, wogegen Voß so wacker gekämpft hat«, zu neigen (neben Goethe wird Voß zu Heines Kronzeugen im Kampf gegen die Romantische Schule gehören). Als Menzel dann tatsächlich in den Dienst dieser Partei getreten war, konnte Heine dessen Liberalismus von 1830, im Anschluß an ihre Kontroverse, als Maske verspotten und allgemein vor einem Bündnis mit derartigen Vertretern des deutschen Nationalismus nur schärfstens warnen (*Ludwig Börne*, B 7, 104 ff.).

Die eigenständige ästhetische Konzeption, die 1828 umrißhaft hervortritt, zeigt sich daran, daß der insurgente Rezensent vom modernen Schriftsteller zwar eine engagierte, zeitkritische Einstellung fordert, aber diese nicht zum allein ausschlaggebenden Maßstab macht. Die Erfahrung der heraufziehenden prosaischen Industriegesellschaft hat ihn erkennen lassen, daß die klassische Ästhetik mit *ihrer* Autonomie-Vorstellung die Grundlage verloren hat. Goethes »schöner objektiven Welt« wird jetzt für die Übergangsepoche »das Reich der wildesten Subjektivität« scharf entgegengesetzt (B 1, 455; vgl. *Französische Maler* B 5, 72 f.), aber weder der Begriff ästhetischer Autonomie noch das Ideal plastischer Kunst geopfert. Heine verteidigt die in der Kunstperiode als progressiv angesehene Zweckfreiheit der Kunst angesichts erneuter Vereinnahmung durch Politik und Moral ebenso wie er seit 1820 (*Die Romantik*), und gegen die Goethe-Opposition der 20er und 30er Jahre, an der Forderung der Plastizität festhält.

Lit.: Goethe im Urteil seiner Kritiker, hrsg. von Karl Robert Mandelkow, München 1975, Teil I 1773–1832, Einleitung XV–LXXVI, speziell LVI ff.; Klaus Briegleb (s. o.).

Reise von München nach Genua

Entstehung, Druck, Text

Das erste der drei italienischen Reisebilder beschreibt nur die ersten beiden Wochen eines viermonatigen Aufenthaltes in Nord- und Mittelitalien. Die nach Polen und England dritte Auslandsreise hatte Heine schon 1824 erwogen, wohl im Anschluß an seine Beschäftigung mit dem Italien-Stoff für die geplante »venetianische Tragödie«, und sie war auch bei seinem Antritt als Mitherausgeber der »Neuen allgemeinen politischen Annalen« von Anfang an vorgesehen (Heine kam Ende November 1827 in München an und übernahm zusammen mit dem Publizisten Friedrich Ludwig Lindner im ersten Halbjahr 1828 die bei Cotta erscheinende Zeitschrift). Im Sommer 1828 gelangte der Plan endlich zur Ausführung, nach insgesamt gesehen angenehmen Monaten in der bayrischen Hauptstadt, die jedoch durch politische und klerikale Anfeindungen, durch »Kleingeisterey«, durch Unbehagen an der publizistischen Tätigkeit, durch das Klima sowie durch Bemühungen um eine Anstellung als Professor getrübt waren (Einzelheiten B 4, 824–827; vgl. *Die Bäder von Lucca* mit Platen-Polemik). Mit einem Paß, der auf das für Italienreisen ungewöhnliche Ziel Genua ausgestellt war, brach Heine am 4. August in München zu einem für ihn natürlichen, sommerlichen Badeurlaub auf – gesundheitliche Gründe mögen wichtiger gewesen sein als das übliche »Bildungserlebnis« (Werner, 28). Über Innsbruck, Trient, Verona, Mailand reiste er nach Genua, wo er am 17. August eintraf (die damals klassische Route führte von Verona nach Venedig und Florenz). Über Livorno ging die Reise weiter nach Lucca und den Bagni di Lucca, wo sich Heine vom 3. bis ca. 24. September aufhielt. Im Oktober, November folgte ein längerer Aufenthalt in Florenz, bei dem Heine Nachrichten über den schlechten Gesundheitszustand seines Vaters und über das Scheitern seiner beruflichen Pläne in München erhielt. Ohne das klassische Ziel Rom gesehen zu haben, reiste er Ende November über Venedig, Verona, Innsbruck zurück nach München, wo er am 11. Dezember eintraf. Die Nachricht vom Tod des Vaters, der schon am 2. Dezember gestorben war, erreichte ihn erst am 27. Dezember in Würzburg auf der Fahrt nach Hamburg,

nachdem er in München vergeblich über die Fortsetzung seiner Redaktionstätigkeit verhandelt hatte (er wollte mit seinem Freund Gustav Kolb die »Annalen« herausgeben, um »der liberalen Gesinnung, die wenig' geeignete Organe in Deutschland hat, ein Journal zu erhalten«, in einer Zeit, in der sich die ideologischen Kämpfe verschärfen; Brief vom 11. November 1828; zu den »Annalen« s. DHA 7/2, 1778 ff).

Im Unterschied zur Entstehung früherer Reisebilder begann die Arbeit an der *Reise von München nach Genua* sofort im August 1828 während des Italienaufenthaltes. Von Florenz aus berichtete Heine am 1. Oktober 1828 dem mit ihm gut bekannten Eduard von Schenk nach München, er habe schon nach dem Vorbild Sternes, und mit politischer Mäßigung, »zur Hälfte ein Buch geschrieben, eine Art sentimentaler Reise«, während er gegenüber Cotta am 11. November 1828 von der gereinigten Ausarbeitung des Anfangs seines »italienischen Tagebuchs« sprach. Diese nur wenig polemische *Reise nach Italien* erschien dann in vierzehn Teilen bereits im Dezember 1828 im »Morgenblatt«.

Der zweite Abschnitt der Niederschrift fiel dann in die Potsdamer Zeit vom Frühsommer 1829, in der Heine an der Fertigstellung des dritten Bandes der *Reisebilder* arbeitete. Pläne zur Fortsetzung der Buchreihe lassen sich bereits seit Sommer 1827 nachweisen. Der Brief an Moses Moser vom 30. Oktober 1827 beseitigt dann jeden Zweifel an Heines entschlossener Einstellung: »Der 3te Band soll noch fürchterlicher ausgerüstet werden [als der 2. Band], das Kaliber der Kanonen soll noch größer ausfallen.« Ein Jahr später hat er angekündigt, er werde seinen gesteigerten »Haß gegen Clerus« und Adel in diesem Band verarbeiten. Im Juni 1829 ist dann das entschieden schärfere und rücksichtslosere Manuskript der *Reise* im wesentlichen fertig. In dieser Phase sind z. B. die politisch zentralen Kap. XXIX bis XXXI entstanden, ebenso die Maßmann-Satire in Kap. III (zur weiteren Arbeit am dritten *Reisebilder*-Band, siehe Entstehung der *Bäder von Lucca*). Das neue Manuskript ging am 7. Juni an Cotta (dem Heine enttäuscht das Scheitern seiner Münchner Pläne mitteilte: Man versuche dort, ihn zu »beschränken und zu avilieren«). Nach Unstimmigkeiten mit Cotta erschienen neue Teile der *Reise* erst im November 1829 im »Morgenblatt«: Zu Heines Ärger hatte die Redaktion außerdem einige Kapitel zurückgeschickt (wahrscheinlich Kap. XVIII–XXI und XXVI–XXXI und

XXXIV) und gegen Heines ausdrücklichen Vorbe-
halt die veröffentlichten Stücke »aufs schändliche«
verstümmelt (vgl. Brief an Immermann vom
17. November 1829 und an Cotta vom 14. Dezember 1829). Der vollständige Buchdruck erfolgte
schließlich im 3. Band der *Reisebilder,* der Weih-
nachten 1829 erschien. Die zweite Auflage des
Bandes, Ende September 1833 mit der Jahreszahl
1834 erschienen, übernahm den Text unverändert.

Druck: Mit dem Titel *Reise nach Italien* druckte das »Morgenblatt für gebildete Stände« im Dezember 1828 die späteren
Kap. I, II (stark gekürzt), IV bis VIII, XI bis XVII der *Reise
von München nach Genua.* Die Kap. XXII bis XXV, XXXII
bis XXXIII erschienen im »Morgenblatt« im November 1829
mit dem veränderten Titel *Italienische Fragmente* und dem
Untertitel: *I. Adda* (zu II. siehe: *Die Stadt Lucca*), *Verona* und
Genua.
    Der erste Buchdruck mit dem endgültigen Titel: *Reise von
München nach Genua* und dem Vorsatz: *Italien 1828. I.* erfolg-
te in: *Reisebilder von H. Heine. Dritter Theil.* Hamburg, bey
Hoffmann und Campe. 1830. auf den Seiten: 3–214. Die 2., 4.
und 5. Auflage übernimmt diesen Text ungenau. Gegenüber
dem Zeitschriftendruck enthält der Buchdruck u. a. satirische
Spitzen gegen Österreich, Adel und Kirche, während die
Handschrift zum »Morgenblatt«-Druck zusätzlich Stücke zu
den Themen »Maria«, »Goethe« und »Napoleon« aufweist
(Auswahl der Varianten B 4, 856–859; Skizzen zur *Reise* aus
Handschriften in »Nachlese«, B 3, 615–622).
    Eine auszugsweise französische Übersetzung erschien im
Dezember 1832/Januar 1833 mit dem Titel *Le Champs de
bataille de Marengo* in der Zeitschrift »Le Temps«. – Die
Werkausgabe von 1834 (s. o. Gesamtprojekt und DHA 7/2,
933 ff.) druckte im ersten Band der *Reisebilder, Tableaux de
voyage* (Band II der *Œuvres*) auf den S. 7–163 *Italie. Première
Partie. Voyage de Munich à Gênes.* – In der Werkausgabe von
1856 erschien der Text in Band 2 der *Reisebilder. Tableaux de
voyage* auf den S. 1–117 *(Italie. Voyage de Munich à Gênes).*

Text: B 3, 311–389 (als Druckvorlage dienten Text von 1830
und die Ausgabe von Walzel); DHA 7/1, 11–88 (und 324 ff.
29 Bruchstücke der deutschen und französischen Fassung).
    – *Übersetzung:* HSA 15 *Tableaux de voyage II Italie,*
11–63 (im Anhang 193–200 die Übersetzung aus »Le Temps«),
DHA 7/1, 277–324 (beide Ausgaben drucken den Text von
1856).

Lit.: B 4, 824 ff.; DHA 7/2, 580–612 u. 933–948; Erich Loewenthal: *Studien zu Heines »Reisebildern«,* Berlin und Leipzig
1922 [Reprint New York 1967], 123–134 [zu Heine und Maß-
mann]; Michael Werner: *Heines »Reise von München nach
Genua« im Lichte ihrer Quellen,* in: HJb 1975, 24–46; René
Anglade: *»Reisebilder, Tableaux de Voyage«. Ein unbekanntes Handexemplar Heines,* in: HJb 1981, 108–130.

Analyse und Deutung

Nach Süden (Struktur, Grundstimmung)

Die Norditalienfahrt nimmt eine Reihe von Struk-
turelementen zweier älterer Reisebilder in abgeän-
derter Form wieder auf: Der chronologische Reise-

vorgang verweist auf die *Harzreise,* während das
zentrale Motiv der »toten Maria« an *Ideen. Das
Buch Le Grand* erinnert. – Wie in der *Harzreise*
bricht der Erzähler in depressiver Stimmung aus
den philiströsen deutschen Verhältnissen (hier
durch den Berliner Philister vertreten) zu einer
Reise auf, um sich aus psychischer Erstarrung, die
jetzt aus intellektuellen, personellen und gesundheitlichen Gründen resultiert, zu erlösen. Die empirische Reise, ein Ausschnitt aus Heines Italien-
fahrt, führt über neun Stationen, zu denen vor allem Innsbruck, Brixen, Trient, Verona und Mailand mit Abstecher zum Schlachtfeld von Marengo
gehören, ans Ziel und bricht in Genua ab. Wird die
Reise wie im früheren Reisebild ebenfalls sukzessiv
und linear erzählt, so ist sie jedoch jetzt in 34 kurze,
exemplarische Kapitel eingeteilt (nur Kap. III geht
etwas über den durchschnittlichen Umfang von einer bis ca. drei Seiten hinaus). Wiederum ist das
reisende »Ich« des Erzählers der einzige Bezugspunkt der Handlung, wiederum durchsetzen Exkurse und Reflexionen den Erzählvorgang ebenso
wie Erlebnisse und Eindrücke aller Art, Erinnerungen und Träume, Parodien und Zitate, (Selbst-)
Gespräche und fiktive Dialoge. Den Zusammenhalt sichern Wiederholungen von Worten und Sätzen (»Ich bin der höflichste Mensch von der Welt«,
»Es ist heute eine schöne Witterung«, »Tirily! Tirily«/tirilieren, »Ich bin gut russisch«), Kontrastge-
stalten und kontrastharmonischen Vergleiche (Personen, Länder, Landschaften, Städte, kulturelle
Erscheinungen, Themen wie Tod und Re-Naissance, Motive wie Winter und Frühling bzw. Sommer/
Sonne) sowie schließlich antithetisch zugeordnete
oder strukturierte Kapitel (z. B. Kap. XI/XII: Tiroler und Tirol; Kap. XV/XVI: betende Dame und
Obstfrau; Kap. XXIX/XXX: Freiheit/Tod; oder
Kap. XIV: Traum und Ohrfeige; Kap. XVII: Verheißung und Enttäuschung).
    Aber die Reise über die Alpen führt zu keiner
progressiven Befreiung und endet in keiner beglük-
kenden Mai-Vision wie die *Harzreise.* Zwar löst
sich die tödliche Erstarrung, in der sich der Erzähler im winterlichen München befand (»Es war damals auch Winter in meiner Seele, Gedanken und
Gefühle waren wie eingeschneit, es war mir so ver-
dorrt und tot zu Mute«, B 3, 325): Die Sonne an
Italiens Marken läßt es in seinem Herzen »immer
heißer und leuchtender« werden, erotische Signale
mehren sich und kündigen die Einlösung der
Glücksversprechungen, die der »Frühlingsgott«
vor der Abreise gemacht hatte, an, und die elegi-

schen Trientinerinnen entreißen ihm eine begeisterte Liebeserklärung. Aber die Wirkung ist dann
Wehmut, Trauer, Melancholie: »die alten deutschen Schmerzen« sind mitgereist und ersticken
den Jubel (Kap. XVIII). Unter dem verheißungsvollen Himmel Italiens kreisen nun die Erinnerungen des Erzählers immer wieder um eine unerwi-
derte, unerfüllte Liebesbeziehung. Das sommerli-
che Italien, mit erotischem Glück assoziiert, vermag den Bann nicht zu lösen, den das traumatische
Maria-Erlebnis (das in scharfem Kontrast dazu »an
einem kalten Winterabende« in Deutschland pas-
siert ist, B 3, 616) bewirkt hat. Die *Reise* endet
schließlich mit einer Meditation über Tod und ewige Wiederkehr. Diese bewußt rätselhafte Motiv-
kette knüpft an die Rahmengeschichte der *Ideen*
an: an die Vorstellung der Seelenwanderung und
an die ebenfalls rätselhafte Gestalt der »toten Veronika« (über die Verbindungen *Reise/Ideen,* die
sich aus handschriftlichen Analysen ergeben, vgl.
Bockelkamp und Espagne). Das strukturierende
Motivgewebe aus unglücklicher Liebe, Trauer und
Tod kündigt sich in der *Reise* in Kap. IV an, wird in
dem Lied von den »Königskindern« (Kap. XII)
aufgegriffen und dann ab Kap. XIV leitmotivisch
durch die Erinnerung an die »tote Maria« entwik-
kelt.

Trauer und Nostalgie bezeichnen andererseits
auch die Grundstimmung gegenüber Geschichte
und Gegenwart Italiens, so daß auf der inhaltlichen
Ebene eine starke Spannung zum Befreiungspa-
thos der Kap. XXIX und XXXI entsteht. Dieses
wiederum speist sich aus anderen Quellen als in der
Harzreise und in den *Ideen.* Denn gegenüber der
nordischen hat die südländische Natur jetzt jede
therapeutische Kraft verloren (sind noch Bilder
versöhnlicher Natur vorhanden – etwa B 3, 339 und
400 –, so werden Naturschwärmereien in den *Bädern von Lucca* ausdrücklich als »erlogene Grünlichkeiten« denunziert, wobei sich die beseligenden
»grünen Bäume« parodistisch in »jrine Beeme«
verwandeln, B 3, 160 und 405). Ebenso hat der
Napoleon-Mythos der *Ideen* einen Riß bekommen:
Dem berauschenden Traum sind jetzt »verständige
Reflexionen« im »Jammer der Nüchternheit« nach-
gefolgt (B 3, 375). Damit erneuert sich auf der
Stufe der politischen Reflexion die strukturelle
Spannung zwischen Befreiungserwartung und no-
stalgischem Erleben der Gegenwart. Die Auflösung des Zusammenspiels dieser beiden Momente:
des individuell-psychologischen und des politisch-
allgemeinen, deutet die Schwierigkeiten der Interpretation an.

Lit.: Marianne Bockelkamp: *Ein unbekannter Entwurf zu
Heines »Ideen. Das Buch Le Grand«,* in: HJb 1973, 34–40;
Slobodan Grubačić: *Heines Erzählprosa,* Stuttgart etc. 1975,
25–30; Michel Espagne: *Die Tote Maria: ein Gespenst in Heines Handschriften,* in: Deutsche Vierteljahrsschrift für Literaturwissenschaft und Geistesgeschichte, 1983, Heft 2, 298–320.

Bilder und Vorbilder: Italien und Italienreisen

Im wehmütigen Erleben der Gegenwart und im
emanzipatorischen Vorgriff auf die Zukunft kündigt sich ein epochaler Wandel im Bewußtsein
deutscher Italientouristen an. Heines *Reise* führt
nicht mehr durch das klassische goldene, sondern
durch ein modernes unterdrücktes Land. So lernt
der Erzähler kein Volk kennen, das mit sich in
Harmonie, sondern mit sich entfremdet, in Knechtschaft und Ohnmacht lebt. Das Italien Ende der
20er Jahre des 19. Jahrhunderts ist nicht länger mit
dem glücklichen Arkadien identisch, wo klassische
Harmonie zwischen südlicher Natur, Mensch und
Kunst herrscht; es ist auch keine romantische, gott-
nahe Ideallandschaft mehr. Das zerrissene Italien
prädestiniert nicht länger, weder zu klassischem
Bildungserlebnis noch zu romantischer Kunstfröm-
migkeit. Das national zersplitterte und im Norden
von Österreich besetzte Land, in dem nach militärisch niedergeschlagenen Aufständen in Neapel
und in Piemont (1820/21) die Friedhofsruhe der
Restauration herrschte (wie in Deutschland), erregt jetzt »Mitleiden« und fordert zu politischem
Parteiergreifen heraus. Diesen tiefgreifenden
Wandel hat Immermann in seinem Brief an Heine
vom 1. Februar 1830 präzise erfaßt: »Wenn die früheren Reisenden das Land theils durch die Natur-
brille, theils durch die Kunstbrille, theils durch die
schwärmerische Brille angesehen haben, so be-
trachteten Sie es zuerst mit dem innigen Blicke des
Mitleids.« (HSA 24, 53) Die in der Restaurationszeit einzigartige Stellung der *Reise* beruht nun darauf, daß sie mit der damals üblichen, zensurbedingt
apolitischen Berichterstattung bricht (Werner).
Die Abkehr von den »seufzenden Farben der Sehnsucht«, mit denen noch Goethe das Land der Zitro-
nen und Goldorangen beschworen hat (B 3, 367),
und die Hinwendung zu emanzipatorischem Mitleid mit dem durch Fremdherrschaft und klerikale
Tradition unterdrückten Volk bestimmt Heines
Einstellung zu literarischen Vorbildern.

Heine stellt seine *Reise* ausdrücklich in die Tradition der Italienschilderungen, die zu seiner Zeit
fast Züge einer Gattung angenommen haben (»Ihre Zahl ist Legion«). Während er sich bereits in

seiner Göttinger Zeit mit dem Stoff beschäftigt hat (s. o.), diskutiert jetzt Kap. XXVI fünfzehn Titel (und eine Rezension) von Werken meist aufklärerischer Tradition (alle erschließbaren Quellen – gesamt 22 Titel – bei Werner). Heines politischer Neuansatz weiß sich vor allem zwei in liberalem Geist konzipierten Schilderungen verpflichtet, die besonders hervorgehoben werden: Madame de Staëls *Corinne ou l'Italie* (1807) und Lady Sidney Morgans *Italy* (1821; zu Einfluß Werner, 32 ff.). – Dagegen gestaltet sich die unvermeidliche Auseinandersetzung mit dem Modell der ›Gattung‹ etwas widersprüchlicher: mit Goethes *Italienischer Reise* (1816–1817 unter dem Titel *Aus meinem Leben. Zweite Abt., T. 1.2.* erschienen). Schon vor seiner eigenen Reise, die dann bis Verona Goethes Route folgte, hatte Heine die Objektivität dieses Berichtes ausdrücklich gelobt (*Die Nordsee III* betont, daß Goethe alles »mit seinem klaren Griechenauge« sieht und »nirgends die Dinge mit seiner Gemütsstimmung koloriert«, B 3, 221). 1829, in einer neuen Phase der Auseinandersetzung mit Goethe, ändert sich diese Haltung zu sehr viel kritischerer Anerkennung. Jetzt versteht sich die einerseits bewußt subjektiv, andererseits überzeugt emanzipatorisch eingestellte *Reise* wesentlich als Gegenentwurf zu Goethes Objektivität (Werner; Hermand). Das neue Italien-Erlebnis stellt Goethes Kunst-, Natur- und Gesellschaftsauffassung grundsätzlich infrage. Die Wirklichkeit denunziert eine Position, die sich darauf beschränkt, der Natur in Ruhe einen Spiegel vorzuhalten, oder »selbst der Spiegel der Natur« zu sein (»Die Natur wollte wissen, wie sie aussieht, und sie erschuf Goethe«, lautet die ironische Antwort). Klassische Ganzheitsvorstellungen werden dann in den *Bädern von Lucca* ausdrücklich als zeitverblendete »Lüge« kritisiert (B 3, 406). In der *Reise* zeigt sich die Opposition gegen Goethe vor allem in der Mignon-Parodie sowie in der durch Hegels Geschichtsphilosophie beeinflußten Behandlung der Antike (Werner; Hermand).

Lit.: Manfred Link: *Der Reisebericht als literarische Kunstform von Goethe bis Heine,* Köln 1963 (Diss.Masch.), 159–169; Michael Werner (s. o.); Jost Hermand: *Der frühe Heine,* München 1976, 132–149 [diskutiert vor allem den Goethe verpflichteten Begriff der »Objektivität«]; Klaus Pabel: *Heines »Reisebilder«. Ästhetisches Bedürfnis und politisches Interesse am Ende der Kunstperiode,* München 1977, 184 f.

Italienreise in die Gegenwart

Mit der grundlegend veränderten Einstellung gegenüber dem klassischen Arkadien und unter den Bedingungen des Metternichschen Systems gestaltet sich die *Reise von München nach Genua* zu einer ›Reise in die Zeit‹, die der Erzähler als Dichter unternimmt, um die Geschichte eines Volkes zu schreiben, das von einer der Karlsbader Signatarmächte kontrolliert wird. Er fühlt sich dazu beauftragt, weil das Volk jetzt »seine Geschichte aus der Hand des Dichters und nicht aus der Hand des Historikers« verlangt, das heißt, es verlangt »nicht den treuen Bericht nackter Tatsachen«, sondern den »Sinn« der Geschichte, der auf »innerem Gefühl« beruht und »durch selbsterfundene Gestalten und Umstände« erzielt wird (B 3, 330 f.).

Die ›Reise in die Zeit‹ wird wesentlich durch eine fiktionale Schreibart ermöglicht, der eine ideologische Struktur, auf die alle Erfahrungen des Erzählers bezogen werden, zugrunde liegt. Diese Grundstruktur wird bildhaft an der Beschreibung eines Bauernhauses, das »an den Marken Italiens« steht, entwickelt (Kap. XIII). Wolfgang Preisendanz, der im Anschluß an Manfred Link den Schlüsselcharakter der Szene erkannt hat, sieht in dem »großen hölzernen Kruzifix, das einem jungen Weinstock als Stütze diente« (B 3, 341), »fast eine Bildformel des Gegensatzes von Hellenentum und Nazarenertum«. »Kruzifix« und »Weinstock« stehen hier als gegensätzliche Bildzeichen einmal für christliche Askese (Spiritualismus) und zum andern für Lebensgenuß (Sensualismus). Nun wird gleich mehrfach in Kap. XIII der Konflikt zweier antithetischer Weltanschauungen, in dem sich die Perspektive des Italienbildes ankündigt, veranschaulicht. Zu dem Bild des Weinstockes, der das Kruzifix umrankt »wie das Leben den Tod«, gesellt sich als Kontrast, auf der anderen Seite des Bauernhauses, wo sich ein Taubenkofen mit »anmutig weißer Taube« befindet, eine lächelnde, Glück verheißende »schöne Spinnerin«, deren Antlitz antike, griechische Züge besitzt, während ihre Augen wiederum an »romantische Sterne«, das heißt an Spirituelles gemahnen. Die Taube verweist ihrerseits auf antike und auf christliche Symbolik. (Dieser kontrastharmonische Gegensatz kehrt in Kap. XXXIII bei dem Vergleich von Rubens und Cornelius wieder). Im Traum, der dieser Szene folgt, erlebt der Erzähler jedoch nicht Erfüllung, sondern Leiden: Er sieht sein Herz blutend am Faden der »schönen Spinnerin« wie eine Spindel tanzen.

Der Gegensatz Antike/Christentum strukturiert nun alle Italienerfahrungen, daß, wenn sich Geschichte als historischer Codex palympsestus auffassen läßt (vgl. B 3, 364 und 3, 144), der ursprüngliche, antike »Text« lebendig, der moderne, mittelalterlich-christliche »Text« indessen tot ist. Der an Hegels geschichtsphilosophischer Methode geschulte Blick bezieht den »Reichtum der Vergangenheit« antithetisch auf »die Armut der Gegenwart« (B 3, 349). Die subjektiv empfundene »Wehmut«, die dadurch entsteht, fördert schließlich politische Parteinahme.

So spiegelt sich die Dialektik von antiker Größe und Verfall zunächst in der archäologischen Sichtweise, die die Gesichter der Trientinerinnen studiert und antike, griechische Züge entdeckt, »Spuren« vergangener Schönheit, die gegen die triste Gegenwart protestieren (Beispiel: Obstfrau, B 3, 347 f., jene »lebende Menschenruine«, die an sinnliches Glück erinnert; vgl. 349 und auch 358, 361). – In dieselbe Richtung weisen dann die Bilder des ohnmächtigen, »geknechteten«, »innerlich kranken« Italiens, das sich seiner vergangenen Größe erinnert (B 3, 353 und 371). Und ebenso die Vision des wieder auferstandenen Geistes der »ewigen Roma«: Antike Größe wird durch christliche Betglocke und österreichischen Zapfenstreich schlagartig vertrieben, der Erzähler findet sich in der niederdrückenden Gegenwart wieder (B 3, 365).

Parallel dazu signalisieren die Spuren der feudal-klerikalen Vergangenheit und Gegenwart, vertreten durch die österreichische Besatzung, die Permanenz der mittelalterlichen »Barbarei« (B 3, 361, vgl. 360 und 371; Preisendanz untersucht im einzelnen den scharfen Gegensatz zwischen dem von Österreich und der Kirche bevormundeten Italien und der »geschichtlichen Potenz« von Antike und Renaissance). So erinnern Dome, Dombau und zerbröckelnde Heiligenbilder immer wieder daran, daß die Zeit des Christentums vorüber ist (z. B. B 3, 345 und 383), während gebrochene Burgen, in denen nur »Eulen und östereichische Invaliden hausen«, und adelige Wappenschilder, auf die ein Knabe »notdürftelte«, das anachronistisch gewordene System der Restauration denunzieren (B 3, 343 und 357).

Schließlich richtet sich der Blick hinter das Zeichengewebe aus Verfall, Tod und Erstarrung und entdeckt den lebendigen Volkswillen, indem die physiognomische Blässe, der »leidende Gesichtsausdruck« der Italiener und ihr elegisches Träumen als Symptome des allgemeinen Zustandes aufgefaßt werden (B 3, 371 f.). So gilt die Leidenschaft für Oper, Musik und Komödie als Maske, hinter der sich das unterdrückte Freiheitsverlangen der Italiener verstecken muß – hinter der es hervorbre-

chen wird. Wie das diplomatische Ballett in der *Harzreise* (vgl. B 3, 147 f.) wird die Opera buffa als politische Allegorisierung, die auf Zensur und Kontrolle reagiert, gedeutet, und wie im ersten Reisebild wird der hinter dem kulturellen Verhalten offen-verborgene »esoterische Sinn« erkannt (B 3, 353). Wo nämlich der »exoterische« Beobachter (die Schildwache als Repräsentant der Besatzermacht) nur harmloses Bühnenspiel sieht, hat in Wirklichkeit das Volk (wie der Dichter) eine Narrenkappe aufgesetzt, um seine »tödlichsten Befreiungsgedanken« darunter zu verstecken. Was dem »exoterischen« Blick als »närrisches Zeug« erscheint, vernimmt der »esoterische Zuhörer« als »revolutionärrische Koloraturen« (die Wortkreuzung signalisiert eigens den Konflikt zwischen Freiheitsverlangen und Unterdrückung bzw. Zensur).

Lit.: Manfred Link (s. o.), 153 f.; Wolfgang Preisendanz: *Heinrich Heine. Werkstrukturen und Epochenbezüge,* München 1973 [der Aufsatz S. 21–68 erschien zuerst 1968]; Michael Werner (s. o.); Slobodan Grubačić (s. o.), 30 ff.; Klaus Pabel (s. o.), 185 ff.; Jürgen Brummack in: *Heinrich Heine. Epoche-Werk-Wirkung,* hrsg. von Jürgen Brummack, München 1980, 132–134; Ralf H. Klinkenberg: *Die »Reisebilder« Heinrich Heines. Vermittlung durch literarische Stilmittel,* Frankfurt a. M./Bern, 1981, 159–164.

Emanzipation und Schriftstelleramt

Die zukünftige Entwicklung Europas – gleichzeitig politische Alternative zu der ›Reise in die Zeit‹ – wird in den für die gesamten *Reisebilder* zentralen Kap. XXIX–XXXI durch den Begriff der Emanzipation festgelegt. Kap. XXIX versteht unter dem entscheidenden, das heißt die Zeitinteressen in zwei feindliche Lager scheidenden Begriff, eine allgemeine und menschheitliche, europa- und weltweite Forderung, die das überholte, auf Geburt beruhende Adelsprivileg der Bevorrechtigung und Ungleichheit beseitigt. Diese antifeudale Forderung hat die Welt auseinandergesprengt und durchdringt jetzt so das gesamte gesellschaftliche Leben, daß nicht der »geringste Kampf« mehr vorfallen kann, ohne »die allgemeinen geistigen Bedeutungen« zu berühren und die Parteien zur Entscheidung »pro oder contra« zu zwingen (B 3, 376). Als die drängende, »große Aufgabe unserer Zeit« definiert sie sowohl die ideologische Grundlage der ganzen Prosa aus den 20er Jahren, von der Polenbis zur Italienreise, als auch deren ästhetisch-strukturierendes Prinzip. Pro oder contra: Das ist die Frage, die alle Reisebilder inhaltlich und fiktional an ihre Zeit richten.

Hier muß zur weiteren Präzision bemerkt werden, daß der Emanzipationsbegriff, der sich wesentlich von den Idealen der französischen Aufklärung und Revolution herleitet und in Heines Schriften der 30er Jahre eine umfassende, geschichtsphilosophische Ausgestaltung erfahren sollte, bereits in der *Reise* auf dreifache Weise über seine rein politische Dimension hinausgeht. – Im Kampf gegen die Prinzipien der Heiligen Allianz wird der Begriff zunächst sakralisiert und in den Rang einer neuen, zeitgemäßen Religion, nämlich der »Freiheitsreligion«, erhoben, für die es nunmehr zu kämpfen und zu sterben gilt. Zweitens wird der Begriff sensualistisch, und das heißt auch sozial und psychologisch, erweitert, wenn die zukünftige Verwirklichung der »Freiheitsreligion« in der utopischen Vision eines »großen Versöhnungsmahls« gipfelt, an dem alle Menschen »als gleiche Gäste« teilnehmen werden. Das Franzosen-Lob richtet sich ausdrücklich auf ihre emanzipatorischen Verdienste um »gutes Essen und bürgerliche Gleichheit«, um »Kochkunst« und Freiheit (B 3, 377). Die Hoffnung auf ein neues, befreites Geschlecht setzt voraus, daß es »in freier Wahlumarmung« erzeugt wird, »nicht im Zwangsbette und unter der Kontrolle geistlicher Zöllner« (B 3, 382). Und schließlich wird durch die Ideologisierung ein neues ›Schlachtfeld‹ betreten, auf dem die beiden antagonistischen Parteien, die demokratische und die aristokratische, den Kampf pro oder contra Emanzipation ausfechten. An die Stelle der »materiellen Staatenpolitik«, mit dem traditionellen Prinzip der gegenseitigen Unterdrückung der Nationen, tritt jetzt die »geistige Parteipolitik«, mit dem modernen Prinzip, »Befreiungskrieg der Menschheit« genannt. Wenn es über die nivellierende Wirkung der kapitalistischen Entwicklung auf Europa heißt: »täglich verschwinden mehr und mehr die törigten Nationalvorurteile, alle schroffen Besonderheiten gehen unter in der Allgemeinheit der europäischen Zivilisation«, so wird damit an die Adresse der aristokratischen Partei gesagt, daß sie den ideologischen Hebel ihrer Politik, die Völkerverhetzung, zunehmend verlieren muß (B 3, 376; die Vernichtung des Nationalen diskutiert bereits *Die Nordsee III,* B 3, 236, vgl. 3, 80; die Spaltung der Welt in zwei Parteien wird auch aus Wolfgang Menzel exzerpiert, B 1, 449, vgl. B 3, 634 und 545 f.). Die Emanzipationsfrage wird bezeichnenderweise auf dem Schlachtfeld von Marengo entwickelt (welches Heine wahrscheinlich nicht betreten hat, s. Werner). Für Heines Anschauung ist nun wesentlich, daß die geistige von der militärischen Dimension gelöst und das ›Marengo in den Köpfen‹ gegenüber dem Marengo der Waffen privilegiert wird. Drei Konsequenzen dieser These sind hier kurz zu diskutieren. – Napoleon, der Emanzipator der *Ideen,* wird jetzt entheroisiert und als Aristokrat und Welteroberer ins feindliche Lager versetzt (das Fehlurteil über Zar Nikolaus als des neuen »Gonfaloniere der Freiheit« wird in der *Einleitung* zu *Kahldorf* zurückgenommen, B 3, 379 und 665). Als weitere Konsequenz ergibt sich die verstärkte Verantwortung der Schriftsteller und Intellektuellen, den »Diplomaten dieser Geisterpolitik«, die entweder Klarheit oder Verwirrung schaffen über die »große Aufgabe«. Von hier aus erklärt sich auch die für Heines Denken zentrale Kritik am ›Verrat der Intellektuellen‹: Die *Reise* bezichtigt ausdrücklich, unter Verwendung des Begriffs, die »philosophischen Renegaten der Freiheit«, die Ungleichheit als naturbedingt rechtfertigen (B 3, 376 f.). Parallel hierzu, und im Gegensatz zum Vorherigen, führt die jetzt unerläßliche Neubestimmung der Rolle, die Schriftsteller im »heiligen Befreiungskrieg« einnehmen sollen, zu einer Heroisierung des öffentlichen »Amtes«, die mit den Auffassungen der »Kunstperiode« vollends bricht und die radikale Neuheit der Heineschen Vorstellungen am schärfsten von allen Texten aus den 20er Jahren herausstellt. Hatte das demokratische Engagement in den *Ideen* im Bild des Trommlers, d. h. Künstlers seinen symbolischen Ausdruck gefunden, so charakterisieren jetzt klar und deutlich Verzicht auf jeden reinen Dichterruhm und Absage an alle Vorstellungen von autonomer Poesie, ja sogar an Poesie überhaupt (»nur heiliges Spielzeug, oder geweihtes Mittel für himmlische Zwecke«) das nunmehr ganz ›soldatisch‹ definierte emanzipatorische Engagement. Emanzipaton ist 1829 ›höher‹ als alle Poesie: Wird für letztere gelitten, so wird für erstere gestorben (vgl. Pabel; zur wechselnden Einstellung gegenüber der Poesie, siehe S. 3f.). Deshalb verlangt, nach Heines berühmter, den grundsätzlichen Wandel bildlich fixierender Selbsteinschätzung in dieser Zeit, der »brave Soldat im Befreiungskriege der Menschheit« von seinen Mitkämpfern auf seinem Sarg nicht einen Lorbeerkranz, sondern ein Schwert (B 3, 382).

Prinzipielle Opferbereitschaft und fester Glaube an Ziel und Sieg des »Befreiungskrieges« vermögen jedoch nicht alle Zweifel an Weg und Dauer, die notwendig »Ströme Blutes« erfordern und »des Menschen Wanderbahn« klar übersteigen, auszuräumen. Individualgeschichtlicher *Pessimismus* tritt so neben gattungsgeschichtlichen *Optimismus*, wenn nach Preis und Zeit (bis zum »Siegestag«), wenn nach dem Wert des individuellen Lebens gegenüber dem des Menschengeschlechts gefragt wird (B 3, 378 und 382). Das im Pluralis majestatis formulierte Fortschritts-Credo der Kap. XXIX und XXXI endet bezeichnenderweise mit individueller Sorge und Todesvorstellung von Grab und Sarg. Dieser Widerspruch liegt schließlich darin begründet, daß sich in der *Reise* zwei ganz verschiedene Geschichtsvorstellungen kreuzen: eine lineare Fortschritts- und eine zyklische Wiederholungskonzeption, die eine wesentlich zukunfts-, die andere wesentlich vergangenheitsorientiert.

Lit.: Michael Werner (s. o.); Klaus Pabel (s. o.), 181–188; Wolfgang Kuttenkeuler: *Skepsis und Engagement. Zur ›Misere‹ Heinrich Heines*, in: ders. (Hrsg.): *Heinrich Heine. Artistik und Engagement*, Stuttgart 1977, 187–206 [grundsätzlich zur Gebrochenheit von Heines Engagement]; Jürgen Brummack (s. o.), 122–128.

Ewige Wiederkehr
(Das Motiv der »toten Maria«)

Kreislaufvorstellungen finden sich zunächst in der Wahrnehmung von Verfall und Re-Naissance. ›Ewige Wiederkehr‹ manifestiert sich dann in dem Erleben von fremder und eigener Wiedergeburt: Trientiner Gesichter und Häuser sind dem Erzähler »wohlbekannt«, die Stadt erscheint ihm als eine von ihm persönlich gedichtete Novelle, in die er sich selber auch noch »hineingezaubert« fühlt (vgl. das Markt-»Gemälde« in Verona), und in Genua erkennt er sich in einem Gemälde wieder (die ausdrücklich »wie im Traum« bzw. im »süßen Sturm« erlebte Wiederholung hat Grubačić als »Déjà vu« gedeutet, 32 ff. und 39 f.). Parallel dazu schießen dann auf der Ebene der poetischen Fiktion alle Vorstellungen von Wiederkehr im Motiv der »toten Maria« zusammen. Diese »uralte Geschichte« (B 3, 616) unerfüllter Liebe durchdringt die traumbestimmten Trient- und Veronaerlebnisse (Kap. XIV, XV, XX und XXV), bevor sie in Genua leitmotivisch fixiert wird, als der Erzähler Maria ebenfalls in einem Bild wiedererkennt (Kap. XXXIV). Die Einbindung individuellen Lebens in den Kreislauf von Leben, Tod und Wiederkehr (durch Metempsychose) verdichtet sich so schließlich zur Vorstellung eines »trostlos ewigen Wiederholungsspiels« (B 3, 388). Diese Vorstellung ist außerdem in die Struktur des Textes eingegangen. In der

Schluß-Apostrophe an den »Lieben Leser« trifft, was Slobodan Grubačić gezeigt hat, Wiederkehr in Motivik und Form des Erzählens zusammen: Das Stilmittel des Satzabbruchs läßt den kontinuierlichen Erzählfluß erstarren und in sich selber kreisen.

Das absichtlich geheimnisvoll gestaltete Motiv, in dem wahrscheinlich Heines Amalien-Erlebnis nachklingt (siehe *Ideen*), hat der Interpretation solche Schwierigkeiten bereitet, daß man es als »Maßstab« für ihren Wert angesehen hat (Brummack). In einer detaillierten Analyse hat Michel Espagne nun die Behauptung aufgestellt, daß es »als gleichsam unterirdisches ideologisches Fundament des Textes anzusehen ist« (303; Espagne hat das ungedruckt gebliebene handschriftliche Material untersucht und die vielfältige Entstehungsgeschichte des Motivs, die Variationen der Thematik sowie die Beziehung zu anderen Werken rekonstruiert).

Zuerst muß betont werden, daß dieses Motiv um so rätselhafter in den Text hineinragt, als wesentliche Teile bei der Veröffentlichung eliminiert worden sind. Die Forschung führt diese Streichung überzeugend auf das Bewußtwerden der inneren Widersprüchlichkeit des Textes zurück (Pabel, 179 ff. weist auf die politische Unvereinbarkeit von eigener, imaginärer Wiedergeburt und realem Befreiungsprozeß hin, während Espagne, 305, den Widerspruch zwischen der Vorstellung einer geschichtslosen Substanz, die keine Zukunfts-Dimension besitzt, und Geschichtsdenken herausstellt). Zweitens wäre Heines spezifische Theorie der Ewigen Wiederkehr zu diskutieren, die auf einer Synthese aus englischem Sensualismus, französischem Materialismus und deutscher Mystik beruht (Pabel; dazu Espagne). Ausgehend von der Dialektik zwischen Unendlichkeit der Zeit und Endlichkeit der Dinge sowie Gestalten nimmt Heine an, daß alle Gestalten »nach den ewigen Kombinationsgesetzen dieses ewigen Wiederholungsspieles« notwendig »wieder zum Vorschein kommen« müssen. Das verbindet er weiter mit der mystischen Hoffnung auf einstige Erfüllung der unglücklichen Liebe (B 3, 616 f.). – Drittens gilt es festzuhalten, daß der Wiederkehrgedanke auf die anläßlich der Dauer des Freiheitskampfes geäußerten Zweifel antwortet: Es kritisiert jede unmittelbare »Siegestags«-Erwartung und meldet den unverzichtbaren Anspruch des *Dichters* auf gegenwärtiges, *individuelles* Glück an, ohne jedoch das Engagement des »*Soldaten*« im Emanzipationsprozeß der *Gattung* wirklich infrage zu stellen (Klaus Pabel unterscheidet zwischen »kurzfristig« und »längerfristigem Projekt«; Jürgen Brummack geht – mit Heine – von dem Unterschied zwischen »Geschichte der Menschheit« und »Weltgeschichte« aus). – Abschließend sei angemerkt, daß das problematische Verhältnis von Individuum und Gattung Heine weiter beschäftigt hat. Der individuelle Glücksanspruch ist in seinen umfassenden Begriff von Emanzipation eingegangen. Das Nebeneinander von Fortschritts- und Kreislauftheorie (vgl. *Verschiedene Geschichtsauffassung* und *Französische Maler*) wird in der Philosophie-Schrift durch die Neukonzeption des Pantheismus gelöst.

Lit.: Slobodan Grubačić (s. o.); Klaus Pabel (s. o.), 177–181; Jürgen Brummack (s. o.), 134–136; Michel Espagne (s. o.).

Aufnahme und Wirkung

Die Aufnahme des dritten *Reisebilder*-Bandes steht ganz im Schatten des Skandals, den die *Bäder von Lucca* ausgelöst haben, so daß die *Reise* nur am Rande erwähnt wird. So betont Varnhagen v. Ense in seiner Rezension, die 1830 in den »Blättern für literarische Unterhaltung« erschien, daß dieser Teil des Buches eine launige und humorvolle Durchgangsstation zum Ort der Platen-Exekution sei, während Johann Peter Lyser ihn ganz übergeht. Von den Heine ebenfalls freundschaftlich verbundenen Kritikern reagieren Karl Herloßsohn und Moritz Veit unterschiedlich auf die zentralen Marengo-Kapitel: Ersterer vernimmt dort Heines »Gebet, welches ein Paternoster der Freiheit genannt werden kann«, indes letzterem das Pathos des »braven Soldaten« »Höchst befremdlich« erscheint, weil das angestrebte Schriftstelleramt nicht zur zwiespältigen Natur des Autors passe (B 4, 853 und 843 f.). Und was die Geschichte der »toten Maria« betrifft, so erkennt Veit darin den unglaubwürdigen »Schatten eines Gespenstes« (das bei einem Autor, der anfange, sich selber nachzuahmen). Ähnlich urteilt der gänzlich negativ eingestellte Kritiker der »Blätter für literarische Unterhaltung«, für das dritte *Reisebild* aus »Manier«, Kommerz und willkürlichen »Redensarten« besteht. Die Maria-Erinnerungen empfindet auch er als »ewiges Koquettieren«, die politischen Äußerungen als »trivial« und die Darstellung der Italiener als »Salbaderei«. Die Neuheit des Italien-Bildes hat, wie oben erwähnt, nur Immermann in seinem Brief vom 1. Februar 1830 richtig gewürdigt.

Lit.: B 4, 838–855; DHA 7/2, 612 ff. Galley/Estermann I, 351 f., 353 ff., 372–387, 390 ff., 411 ff., 463 ff.; II, 11, 13 f.

Die Bäder von Lucca

Entstehung, Druck, Text

Das zweite italienische Reisebild, in dem von Italien wenig, aber vom restaurativen Deutschland um so mehr die Rede ist, spielt in dem Apenninen-Bad Bagni di Lucca, wo sich Heine während seiner Reise in den Süden im September 1828 aufgehalten und eine glänzende, sogar »göttlichste« Zeit verbracht hatte (zur Reise siehe: *Reise von München nach Genua*). Die spärlich dokumentierte Entstehung und Niederschrift hat jetzt DHA 7/2, 1059 ff. zu rekonstruieren versucht. Erst seit Frühjahr 1829 läßt sich eine bis zum Druck kontinuierliche Arbeit nachweisen. Krank und niedergeschlagen, aber in kämpferischer Stimmung, entschloß sich Heine zu diesem Zeitpunkt in Berlin, die Arbeit an den bereits vorliegenden Teilen des späteren Luccheser Reisebildes fortzuführen. Um mit allen seinen Feinden »Abrechnung« zu halten, hatte er sich damals schon, wie er Friederike Robert am 30. Mai 1829 brieflich mitteilte, eine Liste von denen angelegt, »die mich zu kränken gesucht, damit ich, bey meiner jetzigen weichen Stimmung keinen vergesse« (im Dezember 1828 war der Vater gestorben). – Im Anschluß an die wiederaufgenommene Niederschrift muß der Plan entstanden sein, die scharfe Abrechnung mit Platen in die ursprünglich novellistisch konzipierte Baderzählung zu integrieren bzw. die Konversationsprosa mit einem überlangen, mehr essayistischen Kapitel zu beenden.

Von Campe zur Fertigstellung des Manuskriptes gedrängt (dritter *Reisebilder*-Band) und mit Platen-Lektüre beschäftigt, setzte Heine die Arbeit im Sommer auf Helgoland fort, die sich bis in den Spätherbst, den er zur Überwachung des Druckes in Hamburg verbrachte, hinzog. Erst Anfang Dezember 1829 wurde die Auseinandersetzung mit Platen abgeschlossen (am Ende der *Bäder* findet sich der Vermerk: »Geschrieben im Spätherbst des Jahres 1829«). Am 25. Dezember erhielt Heine dann aus der Druckerei ungebundene Exemplare des auf 1830 datierten neuen Buches mit den *Bädern von Lucca*, die er trotz aller Bedenken wegen ihrer ästhetischen Qualität seinem Freund Karl Immermann gewidmet hatte. Zu diesem Zeitpunkt war eine Fortsetzung oder Vollendung der *Bäder* (»nur Fragment eines größeren Reiseromans«) für das nächste Jahr geplant. Der Vorsatz, bei einer späteren Gelegenheit die Platen-Kapitel, »wie sich gebührt«, aus dem Buch zu schmeißen, blieb ebenfalls unausgeführt (Brief an Immermann vom 26. Dezember 1829): Die 2. Auflage des dritten *Reisebilder*-Bandes erschien 1834 unverändert. Die Änderungen erfolgten jedoch in den französischen Ausgaben der *Tableaux de voyage,* die sich an ein Publikum wandten, das mit den deutschen Verhältnissen nicht unbedingt vertraut war: Kap. XI fehlt 1834 und 1856, der Name Platen ist in Kap. X z. T. durch »Ramler le jeune« bzw. »Ramler l'âiné« ersetzt.

Druck: Die Bäder von Lukka erschienen in: Reisebilder von H. Heine, Dritter Theil. Hamburg, bey Hoffmann und Campe. 1830. S. 215–410. Dieser Druck lag allen weiteren Auflagen zugrunde.

Mit dem Titel *Les bains de Lucques* wurde die französische Übersetzung 1834 im ersten Band der *Reisebilder, Tableaux de voyage* und 1856 im 2. Band gedruckt (s. französische Werkausgabe in: *Reisebilder*-Gesamtprojekt). 1832 war eine unvollständige Übersetzung (mit Bruchstücken aus *Die Stadt Lucca*) in der »Revue des Deux Mondes« erschienen.

Text: B 3, 391–470 (Druck nach der Ausgabe von Walzel) u. 622–629 (Nachlese mit »Skizzen«); DHA 7/1, 81–152 und 414–427 (1. Fassung von Frühjahr 1829 und 12 Bruchstücke).

Übersetzung: HSA 15 *Tableaux de voyage II Italie,* 64–107 (Text von 1856 ohne Kap. XI; 201–230 Text der Journalfassung von Loève-Veimars); DHA 7/1, 373–413 (nach Ausgabe von 1856; 346–372 Journalfassung von 1832).

Lit.: B 4, 824–834; DHA 7/2, 1057–1066 u. 1346 ff.; Joseph A. Kruse: *Heines Hamburger Zeit,* Hamburg 1972 (Heine-Studien), 112–114 und 277–287 [untersucht Hamburg als kontrastiven Erzählhintergrund der *Bäder*].

Analyse und Deutung

Markese di Gumpelino, ein bürgerlicher Edelmann, und sein Diener Hirsch-Hyazinth

In dem ersten, mehr fiktionalen Teil (Kap. I–IX und X als Übergang) verkehrt der Ich-Erzähler, der sich als Doktor Heine zu erkennen gibt, in einem kleinen, überschaubaren Kreis internationaler Badegäste, der sich aus bürgerlichen »Narren« zusammensetzt. Um eine ehemalige, aus den Fugen geratene Schauspielerin, die immer trillert, haben sich zwei italienische Galans versammelt, ein Jura-Professor aus Bologna, der Guitarre spielt und singt, sowie ein alter, rezitierender Dichter. Zwei Bildungsphilister, die der Erzähler als alte Hamburger Freunde bzw. Bekannte begrüßt, kom-

men hinzu: Ein Großbürger, der als »Pair unseres Narrenreiches« vorgestellt wird, und ein Kleinbürger. Zwei weitere, weibliche Mitglieder des illustren Kreises werden dagegen nicht satirisch porträtiert: Mylady Mathilde, die der Erzähler aus einer früheren, englischen Zeit verehrt, und die reizende Tänzerin Signora Franscheska, in die er sich jetzt verliebt. Die Reaktion des Erzählers auf das singende und klingende, bildungsbeflissene und liebestolle Treiben in dem klassischen italienischen Bad ist bezeichnend: Die lächerlichen Schäferspiele, die tölpischen Galanterien und die grotesken Rituale verursachen ihm Übelkeit, so daß er nach einem Spucknapf verlangt! (B 3, 409).

Schnell konzentriert der Erzähler seine Aufmerksamkeit auf das für die moderne, bürgerliche Gesellschaft symptomatische Verhalten der beiden Hamburger Emporkömmlinge, von denen der eine satirisch grotesk, der andere mit etwas Sympathie gezeichnet wird. Der zum Christentum konvertierte, jüdische Bankier Gumpelino, ein moderner Bourgeois, verdankt seinen Aufstieg und seine Stellung allein dem Geld, und Geld ist zu seiner zweiten Natur geworden, genauer: Geld ist zu einer individuellen, sogar physiognomischen Eigenschaft geworden. So gehört »viel Geld« zu Gumpelinos »vortrefflichen Eigenschaften«, sein Lächeln ist »wohlhabend«, seine Nase glänzt »wie ein verliebter Louisdor«, und wenn er an seinen Kollegen Rothschild denkt, setzt er ein ernstes, bürgerliches »Geschäftsgesicht« auf (B 3, 397, 431, 419). Auch die dem Reichtum entsprechende Wahl der richtigen, das heißt aristokratischen Religion, die der bigotte, konvertierte Neukatholik getroffen hat, macht sich physiognomisch bemerkbar: Sein Bauch ist »gottgefällig«, während seine Beinchen »demütige« sind (B 3, 397 und 442).

Geld bestimmt ebenfalls das gesellschaftliche Verhalten des Bankiers, aber nicht im Sinne antifeudaler, sondern im Sinne restaurativer Interessen. Im Gegensatz zum modernen Charakter seines Vermögens ist der »durch Geld und Verbindungen« mächtige Gumpelino in Wirklichkeit »der natürliche Alliierte meiner [des Erzählers] Feinde, er unterstützt sie mit Subsidien, er ist Aristokrat, Ultra-Papist« (B 3, 440 f.). Sinnfälliges Zeichen seines unaufhaltsamen Aufstiegs in die Aristokratie (bzw. der Überwindung seiner bürgerlichen Herkunft) ist die titelsüchtige Anrede, die sich an historisch überholte Formen anlehnt: Zunächst als Hamburger »Bankier Christian Gumpel« wiedergetroffen und begrüßt, läßt er sich im Luccheser Kreis mit

»Christophoro di Gumpelino« bzw. mit »Markese« anreden, bevor der Erzähler die Selbstnobilitierung auf die Spitze treibt und von »Seiner Exzellenz dem Markese Christophoro di Gumpelino« spricht (B 3, 397, 402, 409, 412 und 426).

Schließlich hat Geld vor allem eine deformierende Funktion. Die satirische Entlarvung des Parteigängers von Adel und Kirche geht so vor, daß sie zentral die zerstörerischen, ent-individualisierenden Konsequenzen der Macht des Geldes am konkreten Verhalten Gumpelinos und seines Dieners aufzeigt. Beide, Herr und Diener, reden unentwegt von Geld, beide sind ständig damit beschäftigt, alles in Geldwerte umzurechnen; Tauschwert Geld ist der einzige, alles vermittelnde Maßstab ihres Denkens und Tuns; »goldne, lebendige Louisdore« (B 3, 401) erscheinen denn auch als affektiv besetzte, verehrungswürdige Gegenstände: Ob es sich um Liebe, Religion, Poesie oder um Vergnügen handelt, alles ist zuerst einmal als Tauschwert von Bedeutung. – Dieser Vorgang wird in der Forschung vor dem Hintergrund der geschichtlichen Entwicklung zutreffend auf Begriffe wie »Depersonalisation« des individuellen Lebens, »Austauschbarkeit« und »quantifizierende Abstraktion« gebracht (Oesterle).

Neben dem aristokratischen Parvenü dient Herr Hirsch, ebenfalls Jude und in Hyazinth eingedeutscht, als kleinbürgerliche Kontrastfigur. Der »Schutzbürger in Hamburg« ist ein »sehr ehrlicher Lotteriekollekteur«, Hühneraugenschneider und Juwelentaxator (B 3, 401 und 429). Er, der bürgerliche Emporkömmling, durchschaut seinen baronisierten Herren und versteht sich als dessen Gegenteil – als »Antipodex« in seiner eigenen Ausdrucksweise! (B 3, 432) Im Gegensatz zu dem pathetisch-sentimentalen Markese ist er ein realistischer, extrem penibler und ehrlicher Geschäftsmann, der sich eine schwärmerische Religion wie den Katholizismus gar nicht erst ›leisten‹ kann (er bekennt sich deshalb zum reformierten Judentum). Außerdem weiß er genau, welchen (unnützen) Preis die Liebe kostet. Als treuer Diener seines Herren verdankt er diesem seine Bildung und letzterer wiederum die ersehnten bürgerlichen Ehrenbezeigungen: Von der Geliebten des Herren wird er ganz »parallel wie ihres Gleichen« und von Rothschild sogar »ganz wie seines Gleichen, ganz famillionär« behandelt (B 3, 423 und 425).

Mit Gumpelino und Hirsch-Hyazinth hat Heine zwei seiner erzählerisch originellsten Gestalten geschaffen. Als entferntes Vorbild des Markese hat

die Forschung den Bankier Lazarus Gumpel, einen weniger reichen Nachbar von Heines Onkel Salomon, ausgemacht, mit dem der Dichter wahrscheinlich nur wenig bekannt war (Kruse, 112; der Bankier Christian Gumpel war bereits in der *Harzreise* und in den *Ideen* aufgetaucht, Gumpelino erscheint ebenfalls noch in der *Stadt Lucca*, B 3, 147, 266, 507 f.). Als noch ferneres Vorbild von Hyazinth, den Heine »die erste ausgeborene Gestalt, die ich jemals in Lebensgröße, geschaffen habe«, bezeichnet hat (Brief an Varnhagen vom 3. Januar 1830), gilt Isaak Rocamora (Kruse). – Bei der Konzeption des grotesk-komischen Paares hat dagegen ein literarisches Vorbild eindeutig Pate gestanden: Cervantes' hagerer Don Quixote und beleibter Sancho Pansa leben mit verkehrter Physiognomie im korpulenten Markese und mageren Hyazinth weiter (zu Cervantes in den *Reisebildern*, siehe Cervantes-Essay von 1837). Das Herr-Diener-Verhältnis erinnert ebenfalls an Romane aus dem 18. Jahrhundert, die Heine gekannt hat: In Sternes *A Sentimental Journey through France and Italy* reist der Held Yorick mit dem Diener La Fleur. In Voltaires *Candide ou l'optimisme* nimmt der Held die optimistischen Lektionen des Maître Pangloss auf, während in den *Bädern* Hyazinth den philosophischen Ratgeber spielt (B 3, 438). Seine formelhafte Betonung: »Fügung der Göttlichkeit« (angesichts des Mißgeschicks seines Herren) könnte ebenso auf den von Heine allerdings nicht erwähnten Roman Denis Diderots *Jacques le fataliste et son maître* hinweisen – auf Jacques' fatalistisches »c'était écrit là-haut«.

Vergleicht man die beiden fiktionalen Hauptgestalten aus den *Ideen. Das Buch Le Grand* und den *Bädern von Lucca*, so fällt ins Auge, daß auf die positive Gestalt des Trommlers die negative Gestalt des Markese folgt. Repräsentierte der erste den fortschrittlichen Geist der Französischen Revolution, der unterliegt, so repräsentiert der zweite den großbürgerlichen Geist der Restauration, der siegt und herrscht. Im Rahmen der zurückgebliebenen deutschen Verhältnisse setzt sich Gumpelino alias Christian Gumpel als Vertreter des jüdischen Finanzkapitals nicht für bürgerliche Gleichheit ein, sondern er stützt, zusammen mit Aristokratie und Kirche, das System Metternichs. Dem bürgerlichen Edelmann fehlen alle fortschrittlichen Züge dieser Klasse, die als Fraktion der Bourgeoisie 1830 in Frankreich eine antifeudale Revolution befördern und als Hauptprofiteur den Geburtsadel von der Macht ablösen sollte. Die revolutionäre Macht des

Geldes wird in den *Bädern* mit der Parabel vom »Kinderball« im Hause Rothschild durch Hyazinths Bericht klar herausgestellt: Fürsten (die man mit historischen Personen zu identifizieren versucht hat) treten als Kunden des Bankiers auf (B 3, 425 f.; zur Deutung siehe Arendt). Aber eine Fortsetzung dieses Kapitels war, wie aus den Skizzen einer später publizierten Handschrift hervorgeht, ganz im Sinne von Gumpelinos Verhalten angelegt: Rothschilds Kapital spielt eine antirevolutionäre Rolle, indem es finanzielle Nöte beseitigt und die Ruhe Europas erhält (B 3, 628). In diesem Punkte sollte Heine seine Ansicht entscheidend ändern, denn 1840, in *Ludwig Börne,* hat er in Rothschild »einen der größten Revolutionäre« gesehen, dessen Name »die graduelle Vernichtung der alten Aristokratie« bedeutet (B 7, 29). Aus Gründen geschichtlicher Einsicht in die deutschen Verhältnisse war für ihn *vor 1830* das Bündnis zwischen Adel und Kirche der Haupt-, nicht der einzige Feind; *nach 1830* wurde die Kritik an der in Frankreich zur Macht gelangten »aristocratie bourgeoise« zur zentralen Aufgabe. Diese Kritik ist in der satirischen Auseinandersetzung mit dem Typus des Geld-Aristokraten antizipiert, einer Figur, mit der Heine, wie Albrecht Betz vermutet, »den ersten Bourgeois als Romangestalt in die deutsche Literatur« eingeführt hat.

Lit.: Dieter Arendt: *Parabolische Dichtung und politische Tendenz. Eine Episode aus den »Bädern von Lucca«,* in: HJb 1970, 41–57; Albrecht Betz: *Ästhetik und Politik,* München 1971, 23 f. u. 130 ff.; Joseph A. Kruse (s. o.); Günter Oesterle: *Integration und Konflikt,* Stuttgart 1972, 74–80; Ludwig Rosenthal: *Heinrich Heine als Jude,* Frankfurt a.M. 1973, 237–248; Klaus Pabel: *Heines »Reisebilder«,* München 1977, 189–202; Philip F. Veit: *Heine's Polemics in »Die Bäder von Lucca«,* in: The Germanic Review, vol. LV, 1980, 109–117.

Bildung und Banausentum

Im klassischen Reiseland Italien gehört Bildung von je her zu den großen Erlebnissen. Bildung spielt nun auch in der Luccheser Bädergesellschaft eine zentrale Rolle: Sie bestimmt völlig den Alltag der Badegäste; man hat sie immer auf der Zunge und man redet unaufhörlich über sie – aber so, daß für den Beobachter ein tiefgreifender Wandel in der klassischen Einstellung zur Kunst, Natur und Liebe zutage tritt. Alle strotzen förmlich vor Bildung und sind's zufrieden wie (früh)reife »Bildungsphilister«, nur sind sie im Sinne Nietzsches nie gebildet gewesen (vgl. Nietzsche: *Unzeitgemäße Betrachtungen,* I, 2).

Wer Bildung ›hat‹, der zeigt sie, aber was er dann zeigt, ist die Verneinung der Bildung. So geriert sich der durch Besitz emporgekommene, etikette- und statusbewußte Gumpelino natürlich als »großer Kunstkenner«, der mit seinen Kenntnissen nur so prahlen und protzen kann und als Beweis ständig eigene oder fremde Verse zitiert. Bildung ist für ihn sogar ein ewiger Wert, höher anzusehen als alles Geld: »Was ist Geld? Geld ist rund und rollt weg, aber Bildung bleibt«, sagt der, der Bildung eben ›besitzt‹. – Hyazinth hat sie nicht und muß deswegen bezeichnenderweise »Unterricht in der Bildung« nehmen, wo er denn auch wirkliche Fortschritte macht! (B 3, 404 und 429) Er weiß nämlich, daß sie aus dekorativen Gründen unerläßlich ist, will er selber akzeptiert werden: »so ein bißchen Bildung ziert den ganzen Menschen«, sagt der, dem sie nicht als Privileg zugefallen ist und der sie nötig hat (B 3, 423). – Beider Verhalten läßt deutlich erkennen, daß Bildung, die einmal eine emanzipatorische Funktion hatte, zu einem beliebigen, entqualifizierten ›Gut‹ verkommen ist. An beider Reden zeigt sich, daß Bildung nichts mehr mit der Selbstverwirklichung des bürgerlichen Individuums, aber viel mit Geschwätz zu tun hat. Der Nachweis dieses geschichtlichen Phänomens wird nun in zweifacher Art erbracht.

Zunächst wird dialektisch darauf aufmerksam gemacht, daß quantitativer Zuwachs an Bildung mit menschlicher Regression einhergeht. So entlarvt Gumpelino, als »Kenner von Malerei, Musik und Poesie« von allen hoch geschätzt, seine sinnentleerte, partielle und stereotype Rezeption von Kunst (B 3, 404). Weiter bringt er als Naturverehrer und als großer Liebhaber seine (Theater-)Bildung so ins Spiel, daß er den gänzlichen Verlust unmittelbarer Wahrnehmung realer Gegenstände hervorkehrt. Versatzstücke einer zusammengeklaubten Bildung müssen eigene, natürliche Wahrnehmung ersetzen: Wenn er die Natur nicht durch die Theaterbrille sieht, erscheint ihm »alles wie gemalt«; sein Genuß lebt von Abbildern und Kopien, wenn er fragt: »Haben Sie es je im Theater schöner gesehen?« (vgl. Pabel, 189 ff.: »Gumpelinos Realitätsverlust und Kunstgenuß«). So ist er auch unfähig, die Unwahrheit seiner ganzheitlichen Naturempfindung (»grüne Lügen«) zu erkennen (zum Thema »Zerrissenheit« siehe S. 13 ff.). In der Liebe nimmt er dann ganz typisch keine eigenen Gefühle, sondern nur Zitate wahr bzw. durch Zitate geliehene Gefühle, d. h. er ersetzt eigene durch geborgte Erlebnisse. Auf der Handlungsebene wird ihm seine Einstellung, nur ›Ersatz‹ und ersetzbare Objekte statt die ›Sache selbst‹ zu genießen, auch noch zum Verhängnis. Der schwärmerische Liebhaber Gumpelino erlebt seine sentimentale Liebe zu Julia Maxfield nahezu zwangsläufig als Shakespeare-Drama: Er versetzt sich mit dem Vorbild einer bekannten Schauspielerin in die Rolle Julias (!), um dem Treffen mit Romeo entgegenzufiebern, oder er ahmt eine andere Shakespeare-Darstellerin so intensiv nach, daß er sich, wie Julia ihren Schlaftrunk, ein Abführmittel reinschüttet und nicht mit Scheintod, sondern mit realem Durchfall kämpfen muß (B 3, 432 und 436). Der Bildungsphilister Gumpelino zerstört so schließlich nicht nur die klassische Vorstellung einer Einheit von südlicher Natur und Kunst: Seine groteske Shakespeare-Imitation richtet ebenfalls den bürgerlichen Liebes-Mythos zugrunde.

Zweitens wird dann linguistisch gezeigt, inwiefern Bildung und Banausentum zusammenfallen. Denn trotz aller Fortschritte vermag Hyazinth seine Unkultur oder seinen Überdruß an Kultur nicht zu verbergen. In seine Reden schleichen sich Versprecher und Verballhornungen ein, die eine bestimmte Geisteshaltung verraten. So werden seine Schwierigkeiten mit dem klassischen Bildungsgut in obszönen Verballhornungen wie »Venus Urinia«, »Homeriden«, »Antipodex«, »Diarrhetikus« oder »Saunette« vorgeführt. Hyazinth erzeugt diese Wortkreuzungen, indem er Worte aus zwei semantisch getrennten Bereichen kreuzt, z. B. Venus Urania und Urin, Hämorrhoiden und Homer (Almuth Grésillon hat genau Sinn und Funktion von Heines »mots-valises« oder »Kofferworten« untersucht; zu den bekanntesten gehört Hyazinths »famillionär« oder das bourgeois-kritische »Millionarr« und »Millionärrin« aus *Ideen. Das Buch Le Grand*, B 3, 292; vgl. Grésillons Index S. 160–166). Dagegen geriert sich Hyazinth antireligiös, wenn er von »Glaubensalz« (statt Glaubersalz) und von »Mosaik-Gottesdienst« (mosaisch oder eklektisch) spricht. Überdruß an Klassik zeigt die ›Umbildung‹ des Namens Fra Giovanni da Fiesole in »Johann v. Viehesel« oder das Aufzählen antiker Versmaße wie »Spondeus, Trochäus, Jambus, Antispaß, Anapäst und die Pest!« (B 3, 441)

Als Höhepunkt der grotesken Entlarvung von Bildungsperversion und verdinglichter Kunstrezeption muß schließlich die Szene angesehen werden, in der Gumpelino, der Fußfetischist, den Poesieunterricht so anlegt, daß sein poesiebeflissener Schüler die Versfüße (»in der Dichtkunst die Hauptsache«) in Lebensgröße auf dem Boden hin-»notiert«, um besser und bequemer nachrechnen zu können, ob überhaupt »das Gedicht richtig ist« (B 3, 442 ff.). Für beide ist nämlich das Geschäft der Poesie eins wie jedes andere auch, in dem, wenn man es ehrlich betreiben will, vor allem die Rechnung stimmen muß!

In parodistischer und grotesker Übertreibung erteilt das bürgerliche Nützlichkeitsdenken Gumpelinos und Hyazinths den Prinzipien bürgerlichen Aufstiegs eine deutliche Absage. Seit dem 18. Jahrhundert verdankt sich der Aufstieg des Bürgertums primär der Bildung und erst sekundär dem Besitz (Faber, 48 f.). Zu dem Träger der Emanzipationsbewegung, der bürgerlichen Intelligenz, trat erst mit Beginn der Industriellen Revolution die neue Schicht der Kaufleute und Unternehmer, denen es bis dahin an Bildung und an der materiellen Basis mangelte, um politisch tätig werden zu können. Dagegen zeigt die satirische Darstellung von Gumpelinos Aufstieg das Umschlagen der geschichtlichen Entwicklung: Dem reichen Bankier fällt Bildung als Privileg zu, das er nicht mehr im Sinne des Fortschritts zu nutzen gedenkt. An seinem Verhalten werden neue Gefahren für eine humane Entwicklung erkennbar.

Zur satirischen Entlarvung von bourgeoisem Denken und Empfinden, von Verdinglichung und Entfremdung gehören auf der Darstellungsebene nicht allein physiognomische Karikatur (die Hervorhebung von Gumpelinos gewaltiger Nase erinnert allerdings an antisemitische Verfahrensweisen) und Klassiker-Parodie (Shakespeare und Cervantes). Wesentlich ist ebenfalls der Gebrauch von kontrastharmonischen Vergleichen und Bildern, sowie die Auswahl grotesker Stoffe, die zu polaren Gegensätzen arrangiert werden, und die in Funktion zu Heines Anschauung der zerrissenen Wirklichkeit treten. Als Grundprinzip dieser Darstellungsweise hat Slobodan Grubačić die rhetorische Figur des Oxymorons ausgemacht, die allen Personenbeschreibungen, komischen Geschehnissituationen und dem Wortstil zugrunde liegt (an der Narren-Rolle des Erzählers demonstriert er gleichzeitig und überzeugend, was er »Karnevalisieren« nennt). Die derbe Kontrast-Komik der dialogisch und szenisch strukturierten Lucca-Prosa beruht schließlich auch auf ihrer Verwandtschaft mit der antiken Komödie eines Aristophanes, die in Kap. XI als Vorbild genannt und in Konkurrenz mit Platen produktiv nachgeahmt wird (s. u.; mit Blick auf die Gegenwart sehen Betz und Grubačić in der distanzierten Erzählhaltung eine Antizipation der modernen, »gestischen Technik« Brechts).

Lit.: Karl Georg Faber: _Deutsche Geschichte im 19. Jahrhundert_, Wiesbaden 1979.
   Albrecht Betz (s. o.); Günter Oesterle (s. o.), 77–80; Slobodan Grubačić: _Heines Erzählprosa_, Stuttgart etc. 1975, 59–74; Klaus Pabel (s. o.), 189–202; Almuth Grésillon: _La règle et le monstre: le mot-valise_, Tübingen 1984.

Der schwule Graf und der Geldsack

»Es ist wieder Abend, auf dem Tische stehen zwei Armleuchter mit brennenden Wachskerzen«: Mit diesem Kommentar vollzieht der Erzähler in der Rolle des aus dem modernen Theater bekannten Spielleiters den Übergang zu den beiden letzten Kapiteln. Die Bädergesellschaft wird in Kap. X allmählich ausgeblendet, von Italien (vorher auch nur als Kulisse präsent) ist gar nicht mehr die Rede, eine neue, dieses Mal reale Gestalt tritt in dem überlangen, außerdem als »langweilig« bezeichneten Kap. XI so in den Mittelpunkt, daß der Eindruck entstehen muß, es beginne ein ganz neues, selbständiges Reisebild, – nach den _Bädern von Lucca_ jetzt die »Intrigen von München«, nach der Gesprächsprosa eine räsonnierende Literaturdebatte bzw. nach der Satire die Polemik. Gumpelino verabschiedet sich als Handlungsträger auf seine, nämlich groteske Weise: Der verhinderte Liebhaber – ein »Hansnarr des Glücks« – ist in dem entscheidenden Augenblick statt auf dem »Thron der Liebe« auf dem »Stuhl der Nacht« gelandet (B 3, 437) und hat sich dort in elf Sitzungen von den ›weiberfeindlichen‹ Gedichten des Grafen Platen seinen Liebesschmerz ausreden lassen. Jetzt drückt er das trostspendende, ordentlich verstunkene Exemplar um so fester ans Herz, als ihm zum richtigen aristokratischen (Liebes-)Verhalten noch das richtige »Lehrbuch« gefehlt hatte.

Die Auseinandersetzung mit Platen hat einen der größten Skandale seiner Zeit erzeugt. Durch die Mobilmachung der zeitgenössischen Kritik wurde Heines Stellung als Schriftsteller in Deutschland schwer getroffen. Noch sehr viel später zeigten sich selbst Heine-Forscher geniert, während Heine-Herausgeber das realisierten, was Heine in den deutschen Ausgaben nicht getan hatte: Das Platen-Kapitel einfach zu streichen (vgl. Hermand, 1976). Bis in die jüngste Zeit hat die Heine-Forschung ästhetische Einwände gegen das Werk geltend gemacht, – z. B. gegen die mangelnde künstlerische Einheit, an der Heine jedoch festgehalten hat (B 3,

209: »Geistige Einheit«). An der künstlerischen Einheit ist nach den eingehenden Analysen zu Themen und Motiven (Möller), zu politischem Gehalt und Komposition (Oesterle) ebenso wenig zu zweifeln, wie an dem exemplarischen Charakter des Streites. Briefe aus den Jahren 1829, 1830 (wichtige Auszüge B 4, 835 ff.) lassen deutlich erkennen, daß es dem »Zeitschriftsteller« Heine in der »Kriegs«-Situation Ende der 20er Jahre weder um eine persönliche Fehde ging, noch um »geringfügig literarische Händel« (das war Platens Absicht, B 3, 466). Heine ging es grundsätzlich um den »Krieg« der demokratischen mit der aristokratischen Partei, um die Sache der »Niedriggeborenen« gegen »den hochgeborenen Stand«. Deshalb kann er zu seiner Rechtfertigung behaupten, er habe in Platen »nur den Repräsentanten seiner Partey gezüchtigt, den frechen Freudenjungen der Aristokraten und Pfaffen«, den er folglich »nicht bloß auf aesthätischem Boden angreifen« konnte (Brief an Varnhagen vom 3. Januar 1830). Gegen diese Partei, zu der auch noch die Antisemiten gehörten, hatte Heine im Frühsommer 1829 seinen »diesjährigen Feldzug« gerichtet, wie er am 15. Juni an Moses Moser schrieb: So rüsten die _Bäder_ zum Krieg gegen eine Koalition, die durch den christlichen Geld- und Geburtsadel repräsentiert wird, der der Geldsack Markese di Gumpelino ebenso natürlich angehört wie der Aristokrat »Don Platen de Collibrados Hallermünde« (B 3, 452). Diese geistige und politische »Wahlfleckenverwandtschaft« (eine Wortkreuzung, die wieder semantisch Getrenntes verbindet, B 3, 461) begründet im wesentlichen die kompositorische Einheit der _Bäder_.

Gumpelino, der reiche Vertreter des aufstrebenden Finanzkapitalismus und Platen, der arme Vertreter einer absterbenden Klasse, der sich deshalb als Schriftsteller durchschlagen muß, bilden ein kontrastharmonisches Paar geistig Alliierter. Der Nord- und der Süddeutsche sind »Narren« in Italien, die es nach Maßgabe der _Ideen_ (B 3, 291 ff.) »einzuschlachten« gilt. Beide passen sich servil der herrschenden Klasse an: Heine geht (fälschlich) davon aus, daß Platen in München aus der Privatkasse des Königs 600 Gulden Jahresgehalt bezieht (B 3, 465 und B 4, 876). Ist der Bankier zum bigotten Katholiken geworden, so neigt der Graf zur Konversion und erfreut sich durch seine anti-femininen Gedichte der Hochschätzung der »heiligen Männer des Zölibats« (B 3, 463; Platen ist in Wirklichkeit nicht konvertiert). Beide sind unzeitgemäße Menschen, die einer vergangenen, illusorisch gewordenen »Welteinheit« und »Ganzheit« nach-leben (vgl. B 3, 406): Schwärmt der Kunstrezipient von griechischer Bildung, so treibt der Kunstpro-duzent einen wahren Griechenkult, der durch die katholische bzw. »pfäffische« Gesinnung roman-tisch-restaurative Funktion hat. Beide treffen sich in puncto steriler Nachahmung: Der »nachahmen-den Begeisterung« des einen entspricht das begei-sterte Nachahmen des andern, der eine rezipiert so geistlos wie der andere produziert. Gemeinsamkei-ten lassen sich bis in die alltägliche Lebenspraxis nachweisen: Prahlt der eine mit seiner Bildung, so rühmt sich der eitle und megalomanische Dichter mit seinen Werken; dekoriert sich der eine mit Zitaten, so der andere mit Lorbeer. Schließlich sind beide ebenfalls durch ihr Sexualverhalten ver-wandt. Als schwärmerische bzw. schmachtende Liebhaber sind beide in Wirklichkeit ohnmächtig bzw. abstinent: In der entscheidenden Nacht steht Gumpelino impotent da und vergnügt sich mit Ge-dichten (als Ersatzobjekt), während der Graf von Natur aus ein unfreiwilliger Abstinenzler ist (vgl. B 3, 452). Schließlich werden die beiden ›weibisch‹-empfindenden Männer (Gumpelino als Julia) noch in »warmer« Brüder- und Freundschaft verbunden. Stellen zahlreiche offene oder versteckte Anspie-lungen durchgehend (vom Motto angefangen) Pla-tens Homosexualität heraus, so wird die Affinität der beiden Männer in wissenschaftlich gewagter Reduktion über ihre Fixierung auf die Analsphäre hervorgehoben (im Anschluß an die nächtlichen Sitzungen »kokettierte« Gumpelino weiter mit sei-nem »Gesäße« wie Platen mit seinem »Steiß«, B 3, 446; alle Vergleichs-»Stellen« nennt Pabel, 285 f.).

Lit.: Albrecht Betz (s. o.), 132 f.; Günter Oesterle (s. o.), 80 ff.; Wolfgang Kuttenkeuler: *Heinrich Heine,* Stuttgart etc. 1972, 65–78; Dierk Möller: *Heinrich Heine: Episodik und Werkeinheit,* Wiesbaden/Frankfurt a. M. 1973, 383–460; Jost Hermand: *Der frühe Heine,* München 1976, 150–167 [dort 156 ff.]; Klaus Pabel (s. o.), 202–209; Jost Hermand: *Heine contra Platen. Zur Anatomie eines Skandals,* in: *Heinrich Hei-ne und das neunzehnte Jahrhundert: SIGNATUREN,* Argu-ment-Sonderband 1986, 108–120.

Der Heine-Platen-Streit (Chronologie)

Ein Überblick über die Vorgeschichte der Ausein-andersetzung, die als ziemlich harmloser Literatur-streit begonnen hatte, aber schnell existentielle Be-deutung gewann, mag verdeutlichen, wie persönli-che Motive und grundsätzliche Einstellungen mit-einander verquickt waren.

1) Immermanns »Xenien«, die Heine im An-schluß an *Die Nordsee. Dritte Abteilung* im zweiten Band der *Reisebilder* abgedruckt hatte, gaben den Anstoß (B 3, 241–244; der Band erschien im April 1827). Genauer, ein einziges Epigramm: Die im Zyklus »Östliche Poeten« als Goethe-Nachfolger aufgespießten »lieben, kleinen Sänger« bezog der eitle, ruhmsüchtige Platen, der in einem gereizten Verhältnis zur Kritik stand, auf sich und kreidete das dem Herausgeber Heine in brieflichen Äuße-rungen aus dem Frühjahr 1828 als »eine echt jüdi-sche Handlungsweise« an (B 4, 830).

2) Der gekränkte Platen rächte sich mit der 5-aktigen Komödie *Der romantische Ödipus,* an der er seit September 1827 arbeitete, die im Juli 1828 fertig wurde und im Frühjahr 1829 erschien. In dem nur durch die Polemik vor dem Vergessen bewahr-ten Lustspiel tritt Immermann (»Nimmermann«) als Freund Heines auf (Vers 1388 ff.), den er dann zusammen in Wechselrede mit dem »Publicum« scharf antisemitisch diffamiert – als »Samen Abra-hams«, »Petrark des Lauberhüttenfests«, »Synago-genstolz«, dessen Küsse »Knoblauchsgeruch« ab-sondern (Vers 1570 ff.; ebenfalls B 4, 832; mit der letzten Behauptung wehrt sich »Nimmermann« ge-gen unterstellte homosexuelle Anwandlungen). Diese Diffamation zielte direkt auf Heines Person und Existenz und verließ die Ebene der bloß rivali-sierenden Dichter-Kritik.

3) *Die Bäder von Lucca* berichten, inwiefern Heine *vor* seiner Italienreise 1828 über Platens Stellung in und zum feudal-katholischen Münchner Milieu informiert war und von der gegen ihn gerich-teten Komödie wußte (B 3, 460 ff.). Damit war der Konflikt schon vorprogrammiert. Ebenfalls in der Münchner Zeit hatte Heine brieflich seinen Ekel vor Platens erster Gesamtausgabe seiner *Gedichte* mitgeteilt (»nichts als Seufzen nach Pedrastie«, Brief an Wolfgang Menzel vom 2. Mai 1828). Wäh-rend der Italienreise sind sich die beiden Kontra-henten ausgewichen. Heine ließ es mit einer Droh-gebärde an Platens Adresse bewenden. Im näch-sten Jahr, im Juni 1829, las er dann den *Romanti-schen Ödipus,* der ihm wie ein gefundenes Fressen bei seinem Krieg gegen die Helfershelfer von Adel und Klerus kam. Zutiefst verletzt wartete er auf Helgoland Immermanns Anti-Platen-»Tragödie« *Der im Irrgarten der Metrik umhertaumelnde Cava-lier* ab, die ihm aber zu milde erschien. Seine eige-ne, in Kenntnis des Platenschen Werkes geschrie-bene Abrechnung zielt ebenfalls auf Person und Existenz des antisemitischen und homosexuellen Gegners ab, jedoch mit dem wesentlichen Unter-

schied, dadurch einen allgemeinen Tatbestand konkret denunzieren zu können.

Zum Verständnis der vernichtenden Schärfe von Heines Reaktion muß noch an den eigens diskutierten Standpunkt der *Bäder* erinnert werden: Platen wird ausdrücklich durch die »Brille« der Münchner Verhältnisse gesehen (B 3, 450 f.): Dazu gehören nicht nur Platens Stellung zum Hof bzw. seine Hinneigung zur Kirche, sondern auch umgekehrt deren Stellung zu Platen *und* Heine. Zunächst hatte Heine in München durch seine Freundschaft mit dem Dichter und bayrischen Minister Eduard von Schenk eine Professur für Geschichte zu erlangen versucht. In Italien hatte er aber vergeblich auf eine positive Antwort über Schenks Bemühungen bei König Ludwig gewartet (vgl. Brief an Schenk vom 1. Oktober 1828 aus Florenz). Während sich dieser Plan im November zerschlagen hatte, erlebte Heine, daß Graf Platen als Akademiemitglied (seit September 1828) aus München eine Jahrespension erhielt. Weiter mußten die steigenden Angriffe klerikaler Kreise auf den Redakteur der »Neuen allgemeinen politischen Annalen« Mißtrauen schüren und Rivalität fördern. Im Sommer 1828 wurde zuerst Heine in der katholischen Zeitschrift »Eos« von dem Kirchenhistoriker Ignaz Döllinger direkt antisemitisch angerempelt und als frecher, unverschämter Jude diffamiert (darauf spielen die *Bäder* an, B 3, 463 f.; Text des »Eos«-Beitrages B 4, 873 ff.; vgl. dazu Teuchert). Eine Woche später wurden dann Platens Gedichte stark gelobt. Aus diesen Vorgängen konnte durchaus das Bild von politisch-klerikalen Intrigen und schriftstellerischer Servilität entstehen, das Heine sich kraft seines fortschrittlichen Schriftsteller-»Amtes« zu denunzieren aufgefordert fühlen mußte. Sein Groll richtete sich tatsächlich, wie er am 26. Dezember 1829 an Immermann schrieb, nicht so sehr gegen Platen selber, als »gegen seine Kommitenten, die ihn mir angehetzt« (vgl. B 3, 469 das doppeldeutige »Hintersassen«).

Text: August von Platen: *Die verhängnisvolle Gabel, Der romantische Oedipus,* Neudruck der Erstausgaben, hrsg. von Irmgard Denkler und Horst Denkler, Stuttgart 1979 (Reclam) (mit Immermanns *Der im Irrgarten...*).

Lit.: B 4, 830–834; DHA 7/2, 1066 ff.; Galley/Estermann I, 343 ff. u. 350 [Dokumentation der »Eos«-Attacken]; Hans-Joachim Teuchert: *August Graf von Platen in Deutschland. Zur Rezeption eines umstrittenen Autors,* Bonn 1980, 31–42. – zur Verteidigung Platens: Jürgen Link: *Artistische Form und ästhetischer Sinn in Platens Lyrik,* München 1971; Hans Mayer: *Außenseiter,* Frankfurt a. M. 1975, 1977, 207–223: Der Streit zwischen Heine und Platen; Jürgen Link:

Heines Antipode. Der Lyriker Platen in neuer Sicht, München 1983; Hubert Fichte: *I can't get no satisfaction,* DIE ZEIT Nr. 48 v. 23. November 1984, 49–51; Hubert Fichte: *»Deiner Umarmungen süße Sehnsucht«,* Tübingen 1985.

Was darf die Satire?

»Alles!« hat Kurt Tucholsky 1919 verlangt und das Recht auf personale Darstellung verteidigt (*Gesammelte Werke,* Bd. 2, Reinbek bei Hamburg 1960, 42 ff.). Sie muß »persönlich« sein, hat Heine 1824 behauptet und die Erneuerung der »persönlichen Satire« gefordert (Werner I, 98); trotz ihrer grundsätzlichen Ausrichtung hat er die Platen-Satire in seinem Brief an Menzel vom 9. Dezember 1830 auch als »durchaus persönlich« verstanden. – Aber darf die Satire auch ›über Leichen gehen‹, darf sie den Gegner aufgrund seines Sexualverhaltens als Fremdkörper gesellschaftlich ächten? Indem er bewußt mehrere Tabus der Restaurationsgesellschaft verletzte, hat Heine es seinen Feinden leicht und seinen Freunden bis heute schwer gemacht: Er hat die bürgerliche Absonderung des Privatbereichs nicht mehr respektiert und verdrängte ›Perversitäten‹ wie Homosexualität offen dargestellt. Das haben ihm seine Feinde ihrerseits mit gesellschaftlicher Ächtung heimgezahlt, während seine Verteidiger heute das Fragwürdige der politisch-sexuellen Attacken betonen (z. B. sieht Albrecht Betz darin eine Vorwegnahme der »Taktik späterer totalitärer Regime«). Einen ganz anderen, ebenfalls kritischen Weg geht Hans Mayer, der in dem erbitterten Streit den Kampf *zweier* Außenseiter erkennt: »ein Outsider der Abkunft« stellt selbstidentifikatorisch »einen Outsider der Geschlechtlichkeit« bloß.

Heines Vorgehen steht einerseits in der Tradition der aufklärerischen Personalsatire, läßt sich aber andererseits mit der modernen, psychoanalytischen Methode vergleichen (Oesterle und Pabel), denn die Analyse von Platens sexueller Disposition dient zur Aufdeckung der unbewußten Motive seines ästhetischen *und* politischen Verhaltens. Selbstreflektorisch erläutert der Erzähler sein aufklärendes Verfahren mit Bezug auf die Dialektik von Sein und Erscheinung: »ich werde das Materielle, das sogenannt Persönliche, nur in so weit berühren, als sich geistige Erscheinungen dadurch erklären lassen« (B 3, 450). Die psycho-physiologische Analyse richtet sich nun auf die »sinnliche Natur« Platens, die sein ästhetisches und politisches Verhalten erklären soll. Um Platen unproduktives

Dichtertum nachzuweisen (er ist »kein Dichter«, B 3, 456, 458), wird die formal-technische Meisterschaft der Gedichte mit dem völligen »Mangel an Naturlauten« konfrontiert (im Sinne der Volksliedtradition). Dieser ästhetische Mangel wird nun jedoch im wesentlichen auf die unzeitgemäße, weil der Antike nachempfundene Sexualpraxis zurückgeführt, die in der Gegenwart zu unschöpferischem und epigonalem Verhalten verurteilt (B 3, 457–459). Seine antike »Liebhaberei« zwingt nämlich den Grafen Platen in der bürgerlichen Gegenwart zu Verdrängung und verwandelt ihn in einen Heuchler, der seine wahren Gefühle immer ängstlich vermummen muß: »trotz seinem Pochen auf Klassizität« behandelt er »seinen Gegenstand vielmehr romantisch, verschleiernd, sehnsüchtig, pfäffisch, – ich muß hinzusetzen: heuchlerisch.« Die Entsprechung von Verdrängen und Vermummen bedeutet jedoch nicht nur eine ästhetische, sondern schließlich auch eine politische Regression: Als künstlerischer Parteigänger der Vergangenheit ist er gleichzeitig auch ein natürlicher Verbündeter der Münchner Restauration (Pfaffen lieben eben »Knabensänger«, B 3, 463 f.).

Zweitens beruht die Kritik der deformierten »sinnlichen Natur« Platens, die den klassizistischen Dichter in den Typ des asketischen Verdrängers (und damit des katholischen Romantikers) verwandelt, auf dem Dualismus von Sensualismus und Spiritualismus. So verweist der Kontrastvergleich der Gedichte Platens und Petronius', der als Gegensatz von heidnischer Sinnlichkeit und katholischer Abstinenz angelegt ist, auf diese Konzeption: Im Unterschied zum »heuchlerischen« Platen herrscht bei dem Dichter des *Satyricons* »schroffe, antike, plastisch heidnische Offenheit« (B 3, 457). Damit ist angedeutet, daß die Emanzipation, die in den *Reisebildern* gefordert wird, auch eine (im späteren Sinn) »Rehabilitation« der sinnlichen Natur der Menschen umfaßt.

Schroff und plastisch ist schließlich – drittens – die Verfahrensweise, die die allseits ›antikische‹ Manier Platens der Epigonalität überführt. Mit der großen Streitaxt, die dem »antiaristokratischen Voß« entlehnt ist (B 3, 464), wird dem phantasielosen Dichter von Literaturkomödien vorexerziert, was Polemik ist. Der matte, selbsternannte deutsche Aristophanes muß erleben, was echte aristophanische Komik und vernichtender Spott sind – er, der sich mit seinem *Romantischen Oedipus* so gespalten gezeigt hat, wie er ist, »mit all seiner blühenden Welkheit, seinem Überfluß an Geistes-

mangel, [. . .] eine trockne Wasserseele, ein trister Freudenjunge« (B 3, 465 f., nach der oxymoralen Figur der »contradictio in adjecto«). Der verschämte Imitator erhält schließlich seine Lektion ›Aristophanes‹, indem ihm vorgehalten wird, daß er sein Lustspiel viel ›treuer‹ eingerichtet hätte, wenn Ödipus seine Mutter getötet hätte, um dann seinen Vater zu heiraten (B 3, 468; zu Heine und Aristophanes Hermand, 1976). Im Stil der »motsvalises« (Grésillon) heißt es dann: »Das dramatisch pDrastische« hätte doch gerade dem Päderasten besonders gut, d. h. drastisch gelingen müssen! Wird Platens Prahlerei durch kolossale Wortbildungen wie »Unsterblichkeitskolossalgedicht« überboten und überführt, so rührt das Adverb »ghaselig« (aus »Ghasel« und »selig«) an das unproduktive Orientalisieren (B 3, 459, vgl. 468). Das Verdrängt-»Materielle«, auf das die Platen-Polemik zielt, kehrt so auf der ästhetischen Ebene im Anklang an die antike Satire als das Niedrige, Sinnliche und Drastische wieder und verbindet den sexuellen mit dem ästhetischen und politischen Angriff.

Platen sollte nicht das einzige Opfer der aufklärerischen Sexual-Analyse bleiben. Später hat Heine A. W. Schlegels romantisch-reaktionäre Einstellung mit dessen Impotenz in Verbindung gebracht, die Tugendhaftigkeit des Teutomanen Menzel mit dessen unfreiwilliger Abstinenz (Häßlichkeit macht tugendhaft), den politischen Radikalismus Börnes mit dessen Puritanismus: Immer besteht eine Beziehung zwischen falscher, politischer Haltung und verdrängter bzw. sublimierter Sexualität. Wie bei Platen ging es nicht um persönliche Diffamation, sondern um asketisch-spiritualistische Haltungen, die eine umfassende Emanzipation unmöglich machen. In der »Kriegs«-Situation am Vorabend der Juli-Revolution konnten Satire und Polemik also »persönlich« sein, ohne gegenaufklärerisch zu werden. Soziale Mißstände forderten eine andere als ästhetische Auseinandersetzung.

Das Gefährliche und Mißverständliche dieser Methode ist verschiedentlich knapp kritisiert worden (z. B. von Betz, 136: »fatales Mittel der sexuellen Inquisition«, und Pabel, 203). Hier soll abschließend nur nach Heines Vorstellung von Homosexualität und nach seiner Vorurteilsfreiheit gefragt werden. Einerseits wird Homosexualität vom liberalen Standpunkt aus durch ihre politische Funktion definiert. Am 26. Dezember 1829 schreibt Heine an Immermann: »die Pedrasten sind dienende Brüder, Mittelglieder in dem großen Bunde der Ultramontaner und Aristokraten« (so gesehen wäre auch Gumpelino ein »Pedrast«). Andererseits sind bürgerliche Vorurteile im Spiel, wenn Homosexualität als typisch aristokratisches bzw. klerikales ›Laster‹ herausgestellt wird (vgl. Oesterle, 82 f.). Vorurteile sind vor allem dann im Spiel, wenn abweichendes Sexualverhalten im Namen von nicht reflektierten Normen gebrandmarkt und wenn männliche Homosexualität einfach auf Analität reduziert wird. Besonders vorurteilsvoll müssen auch feste Vorstellungen von *dem* Männlichen und *dem* Weiblichen erscheinen (Platen wird negativ als »passiv«, als »ängstlich schmiegsame Natur« hingestellt, B 3, 457 f.). Vergleicht die Forschung gerne Heines Methode bzw. seine Psychologie mit Freuds Psychoanalyse, so wäre *hier* zu fragen, ob Heines Kritik nicht aus der Sicht der Tiefenpsychologie kritisiert werden müßte.

Lit.: Albrecht Betz (s. o.), 132–137; Günter Oesterle (s. o.), 83–86; Slobodan Grubačić (s. o.), 74–78 [analysiert die rhetorische Struktur der Prosa]; Hans Mayer (s. o.); Joachim Müller, *Heines Prosakunst,* Berlin (Ost), 1975 (1977²), 106–111 [untersucht Motive und Metaphern]; Jost Hermand 1976 (s. o.); Klaus Pabel (s. o.) 202–209; Jürgen Voigt: *Ritter, Harlekin und Henker. Der junge Heine als romantischer Patriot und als Jude,* Frankfurt a.M. 1982, 321–349 [zur Polemik gegen Platen und Maßmann aus der Italien-Reise]; Almuth Grésillon (s. o.).

Aufnahme und Wirkung

Hat die Gumpelino-Satire einen *lokalen* Skandal hervorgerufen (am 6. Januar 1830 berichtete Heine aus Hamburg Johann Peter Lyser, daß »ein hiesiger junger Herr, Herr Gumpel, rasend herumläuft« und ihm »den Tod schwört«), so die Platen-Polemik einen *nationalen:* Die biedermeierlichen Kritiker liefen ebenfalls »rasend« und tod-schwörend herum. Die *Bäder von Lucca* hatten zu viele Tabus und Spielregeln der Zeit verletzt. Von jetzt an wurde Heine stärker als vorher persönlich angegriffen und diffamiert. Dabei konzentrierten sich die Angriffe auf zwei der insgesamt 46 Kapitel des dritten *Reisebilder*-Bandes!

Angesichts der Feindseligkeiten gestand Heine Varnhagen schon am 4. Februar 1830, daß er sich »durch das Platensche Kapitel unsäglich geschadet« habe. Im Hinblick auf die längst feste Front seiner Feinde und in Erwartung scharfer Angriffe auf seine Person hatte Heine gleich nach Erscheinen des Buches selber versucht, Truppen bzw. Bundesgenossen zu gewinnen, indem er seinen Freunden die schwierige Situation klarmachte (»Es ist Krieg«, heißt es mehrmals) und ihr Verhalten zu einer Frage von ›Freund oder Feind‹ machte. Zu seiner Enttäuschung sah er sich gerade von seinen Freunden alleingelassen: Vergeblich bemühte er sich um rezensorische Hilfestellung von Eduard Gans, Joseph Lehmann, Ludwig Robert, Michael Beer und Johann Hermann Detmold. Von den zwei Monate lang zusammengetrommelten Kampfgefährten haben nur Moritz Veit, Varnhagen und Johann Peter Lyser reagiert, und dann noch mit Vorbehalten, mit offenen (Veit) oder ironischen Warnungen vor Heine (Lyser), so daß den feindlichen Stimmen das Feld überlassen blieb. Die nicht mehr sehr feste Freundschaft mit Moses Moser zerbrach jetzt sogar vollends.

Heine oder Platen?, das war die alle Rezensionen beherrschende Frage. Ihr stellen sich auch die wohlwollend bzw. nicht ganz negativ angelegten Rezensenten. Veit macht in seiner Gesamtwürdigung, die Meisterhaftes und ›Gemeines‹ betont, seiner inneren Empörung über Heines »widrige Phantasie« Luft (B 4, 846). Das Buch ist für ihn »dadurch so verrufen, daß man in guter Gesellschaft, d. h. in der wahrhaft guten, kaum bekennen darf, es gelesen zu haben«. Lyser, der ausdrücklich als Freund schreibt, gibt Heine in der »Sache« recht, kreidet aber dem »Streiter« an, daß er gegen Platen »seine *größten* Fehler zeigen« mußte (B 4, 850). Varnhagens Einwände gegen Heines »Frechheit« und Ambivalenzen wiegen dagegen wenig, lobt er doch vor allem die heitere, meisterliche Hinrichtung Platens: »der Scharfrichter hat sein Amt als Meister ausgeübt, *der* Kopf ist herunter!« (B 4, 847). Der äußerst positiv eingestellte, offen liberale Karl Herloßsohn fühlt sich durch Platens Heine-Kritik selber beleidigt. Für ihn ist Heine jedoch »*zu weit* gegangen«: Er kann Heines Eifer »*nicht* rechtfertigen«, »aber *entschuldigen*« (B 4, 853 f.). Dagegen läßt der Rezensent »I.« schließlich seiner maßlosen Empörung über Heines Bloßstellung von Platens »P. . . .« freien Lauf: »*schmutzige Frechheit ... niederträchtige Gemeinheit ... Ekel ...* Beschmutzung unserer Literatur«, so lautet seine Litanei (B 4, 840 f.). Auch der Literaturhistoriker Wolfgang Menzel, mit dem Heine damals noch in guten Beziehungen stand, erregte sich moralisch über den mangelnden »Ernst« und »Würde« der Satire und bedauerte die »schmutzigen Ausfälle gegen Platen« (HSA 20 K, 271, vgl. die Kritik zu den *Nachträgen,* B 4, 887).

Allgemein ist festzuhalten, daß die zeitgenössische Kritik den politischen Hintergrund der *Bäder* nicht zu erkennen vermochte und nur Klatsch und Infamie, allenfalls »Literaturfehde« gesehen hat (vgl. Oesterle). Dagegen hat Heine, der von seiner Platen-Polemik auch nicht mehr loskommen sollte, mit zeitlichem Abstand unbeirrt den grundsätzlichen Charakter wiederholt. So betonte er immer wieder die ›objektive‹ Notwendigkeit des Kampfes, wußte aber gleichzeitig Platen als wirklichen Poeten anzuerkennen und sogar zu loben (Werner I, 365, 410, 599; II, 19 f., 27, 95 f.).

Lit.: B 4, 834–855; DHA 7/2, 1091–1148; Galley/Estermann I, 358 f., 365 f., 367, 370 f., 372 ff., 410–422, 489 f.; II, 6 ff., 13 ff., 17 u. 33; Günter Oesterle (s. o.), 83 f. und 86 ff.; Jost Hermand (s. o.), 150–158.

Die Stadt Lucca

Entstehung, Druck, Überlieferung, Text

Das zuletzt entstandene Reisebild war schon bei der Niederschrift der *Bäder von Lucca,* im Sommer 1829, als Fortsetzung geplant und dort angekündigt worden (B 3, 426, vgl. 473). Wahrscheinlich gehören die beiden Lucchcser Texte zu dem Werkkomplex, aus dem Heine die *Bäder* als »Fragment eines größeren Reiseromans« herausgenommen hatte (Brief an Immermann vom 26. Dezember 1829). Der innere Zusammenhang der italienischen Reisebilder bestätigt sich noch dadurch, daß Heine mit der Arbeit an dem dritten Teil vermutlich schon auf der Reise nach Genua begonnen hat (eine mit »Genua« überschriebene frühere Fassung vom Mittelteil des Kap. X ist erhalten), während Kap. I und II bereits 1829 zusammen mit der *Reise von München nach Genua* als »Italienische Fragmente« veröffentlicht wurden.

Pläne zum vierten Band der *Reisebilder (Nachträge)* sind jedoch erst seit Juni 1830 nachgewiesen. Die Hauptarbeit ist offensichtlich in den Hamburger Herbst 1830 gefallen, zu einer Zeit, in der Heine über Kopfschmerzen klagte, in Konflikt mit seinem Verleger und mit seinem Onkel Salomon Heine lebte, die Folgen des Platen-Streites verdauen mußte und obendrein keine Aussichten mehr auf eine Staatsstellung in Preußen oder in Hamburg hatte. In dem über seine damalige persönliche Situation und politische Einstellung wichtigen Brief an Varnhagen teilte Heine am 19. November 1830 mit, daß ein «zeitbeförderndes Büchlein, aus schon

alten Materialien«, mit dem Titel »Nachträge zu den Reisebildern« bereits seit zwei Wochen zum Druck weggeschickt ist. Angaben zum Umfang der *Stadt Lucca* lassen darauf schließen, daß neben Kap. I und II auch andere Teile schon vor 1830 entstanden sind, im Zusammenhang mit dem dritten Band der *Reisebilder.* Nennenswerte Einzelheiten über die zwei-phasige Arbeit sind nicht bekannt. Über die »Zeitnot« während der Niederschrift unterrichtet das *Schlußwort,* B 3, 602 f. Der vierte Band erschien Anfang Januar 1831.

Der Titel *Nachträge* spielt die Bedeutung der Texte offensichtlich herunter: Als wenn es sich um zusammengewürfelte Reste einer vergangenen Epoche handelte! Diesen Eindruck bekräftigen zwei Texte vom November 1830, die auf den inneren Abstand des Autors zu seinem Werk beharren (B 3, 473 und 527). Das *Vorwort* stellt außerdem ziemlich pathetisch heraus, daß der zweite Lucca-Text als »Abschluß einer Lebensperiode« erscheint, »der zugleich mit dem Abschluß einer Weltperiode zusammentrifft.« Diese Erklärungen sind wohl zunächst zensurtaktische Maßnahmen, um den politischen Inhalt des Bandes angesichts der Auswirkungen der Juli-Revolution zu verharmlosen. Danach bedeutet 1830 in der Tat einen tiefen Einschnitt in Heines Leben als Schriftsteller und Intellektueller. Das revolutionäre Frankreich, und nicht mehr England und Italien, deren Verhältnisse im vierten *Reisebilder*-Band analysiert werden, ist zum entscheidenden Gravitationszentrum seines Denkens geworden. Die Vorgänge in Paris, die die Restauration dort mit einem Schlag beendet haben, tragen wesentlich zur revolutionären Klärung seines schriftstellerischen Selbstverständnisses bei. In Paris, wo eine neue »Weltperiode« begonnen hat, wird wenige Monate später auch eine neue »Lebensperiode« beginnen. Wenn auch der Haupttext der *Stadt Lucca* mit taktischen Rücksichten auf die deutsche Situation geschrieben ist, so darf das nicht darüber hinwegtäuschen, daß Heine seine bisherige Kritik radikalisiert und in Einklang mit der neuen »Weltperiode« zu bringen versucht hat. Die *Nachschrift* am Ende des Textes geht über liberale Konzeptionen hinaus und endet mit dem zweifachen, revolutionären Waffen-Appell. Die gedankliche Entwicklung führt schließlich, aller Warnungen Heines zum Trotz, über die italienische und deutsche Vergangenheit unmittelbar in die französische Gegenwart. Damit stimmt ebenfalls der Schluß der im wesentlichen früher entstandenen *Englischen Fragmente* überein.

Druck: Kapitel I und II der *Stadt Lucca* erschienen zuerst unter dem Titel: *Italienische Fragmente. II. Auf den Apenninen* am 6. November 1829 im »Morgenblatt für gebildete Stände«.

Mit dem Titel: *Italien III. Die Stadt Lukka.* wurde der vollständige Text gedruckt in: *Nachträge zu den Reisebildern von H. Heine. Hamburg 1831. Bey Hoffmann und Campe,* 1–140 (Vorwort auf S. V–VIII). Die 2., 4. u. 5. Aufl. sind ungenaue Abdrucke dieser Ausgabe. Die zweite Auflage des Bandes erschien 1833 mit dem endgültigen Titel: *Reisebilder. Vierter Theil* (datiert auf 1834).

Skizzen zu *Die Stadt Lucca* enthält die »Nachlese« B 3, 629–637; dazu vgl. B 4, 897 und 933f.

La ville de Lucquès wurde 1834 im Rahmen der Werkausgabe von Renduel, Paris, in *Reisebilder, Tableaux de voyage* Bd. I, 283–384 (Œuvres Bd. II) veröffentlicht. Der Text enthält als Zusatz zu B 3, 497, Z. 38, die Flucht aus Egypten, HSA 15, 124, Z. 38 bis 125, Z. 11. – 2. Druck 1856 in *Œuvres complètes.*

Text: B 3, 475–529 (Druck nach Text von 1831 und nach Ausgabe von Walzel); *Vorwort* zu Bd. IV: B 3, 473f.; DHA 7/1, 157–205 (und 463ff. 9 Bruchstücke).

Übersetzung: HSA 15 *Tableaux de voyage II Italie,* 108–146 (Text nach Ausgabe von 1856; im *Post-Scriptum* fehlt z. B. der Appell: »Aux armes citoyens!«; am Ende folgt der 2. Teil des *Schlußwortes* der *Englischen Fragmente*); DHA 7/1, 428–463 (ebenfalls nach Ausgabe von 1856).

Lit.: B 4, 877ff.; DHA 7/2, 1486ff. u. 1621ff.

Analyse und Deutung

Lucca: Ein klerikales Städte-Bild

Bäder und *Stadt* sind auf mehrfache Weise miteinander verbunden und verknüpft. Topographisch wird die Beziehung durch die Wanderung des Ich-Erzählers, der sich zum zweiten Mal in die Stadt begibt, hergestellt, wodurch sich das Geschehen von dem internationalen Badeort in das traditionelle, urbane Handels- und Kunstzentrum mit lebendiger Glaubensgemeinschaft verlagert. (Ein Vergleich der Apennin- mit der Harzwanderung, die in umgekehrter Richtung, das heißt von der Stadt in die Natur verlief, führt zu der Feststellung, daß der Gegensatz Natur/Stadt vertieft wiederkehrt: Auf die fortschrittliche Utopie eines »großen Natur-avancements« in Kap. I folgt ab Kap. V das Bild einer historisch-sozialen Regression.) Inhaltlich und personell wird der durch die Platen-Polemik unterbrochene novellistische Faden wieder aufgegriffen, indem der Erzähler, wie in Kap. IX der *Bäder* angekündigt, in der Stadt, nach einigem Suchen, erneut mit Fransceska und Mathilde zusammentrifft. Inzwischen hat sich die zuerst verführerische, überschwenglich verehrte Italienerin zu einer sowohl hingerissenen wie »entsagungsseligen« Person gewandelt, die zwar »eine katholische Einheit« vorstellt, aber zwei Naturen hat (durch die Figur

des Oxymorons verbunden): »Am Tage war sie ein schmachtend blasser Mond, des Nachts war sie eine glühende Sonne« (B 3, 508). Im Gegensatz dazu verkörpert die aufgeklärte, rationale und spottlustige Engländerin die moderne Zerrissenheit; sie hat »Freude am Widerspruch der Dinge«; ihr Herz ist manchmal »eine frierende Eisinsel«, manchmal »ein enthusiastisch flammender Vulkan« (B 3, 508). – Thematisch knüpft schließlich der zweite Lucca-Text insofern an den ersten an, als die katholische Kirche nicht aus der Perspektive zweier heuchlerischer Gläubiger, sondern aus derjenigen ihrer heuchlerischen Vertreter kritisiert wird. Zu dieser institutionellen Kritik gibt das klerikale Lucca einen geeigneten »Boden« ab.

Verbindet man mit Italien gewöhnlich Vorstellungen von Staatskirche und Kirchenstaat, von Rosenkranz und Heiligenkult, dann wird dieses Bild bekräftigt, denn der Erzähler genießt in Lucca regelrecht Anschauungsunterricht in original-katholischer Geistlichkeit, von »Originalgesichtern«, und nicht von blassen deutschen »Nachahmungen« (B 3, 484). Gleich bei seinem Eintreffen erlebt er authentischen Katholizismus, als er die jahrhundertealten, nächtlichen Prozession, der »Luminara di Santa Croce«, beiwohnt, die jährlich zu Ehren des Kruzifixes Volto Santo stattfindet (Heine verarbeitet hier Eindrücke seines Lucca-Aufenthaltes vom September 1828). Den Aufmarsch von Mönchen, Priestern, Kerzenträgern und des Erzbischofs nimmt er jedoch als gespenstischen »Mummenschanz« wahr, als »lebendiges Totenfest«. Weiter besteht für ihn die Stadt aus nichts anderem als aus Kirchen, Klöstern und Kreuzen, aus Mönchen, Äbten und Madonnenbildern. Nach der Prozession flüchtet er in eine Kirche, wo er die inbrünstig betende Fransceska wiedertrifft; am nächsten Tag besucht er mit Mathilde die Kathedrale, nimmt dort an der Messe teil und läßt eine flammende Mönchspredigt über sich ergehen; danach begibt er sich mit den beiden Frauen in ein Kloster, in dem ein anderes wundertätiges Kreuz untergebracht ist (diesen Stadtrundgang hat Cherubini rekonstruiert und auf seine Angaben hin ›vor Ort‹ überprüft). Die Religionsgespräche, die in der Kathedrale beginnen, werden im Kloster fortgesetzt. Auf diesen Lucchese Mittelteil läßt der Ich-Erzähler, ähnlich wie mit der Platen-Polemik in den *Bädern,* eine ganz anders geartete Auseinandersetzung folgen, die teils bekenntnishaft, teils memoirenhaft, in einen revolutionären Aufruf gegen die fortschrittsfeindlichen Kräfte mündet (*Spätere Nachschrift*).

Lit.: Bruno Cherubini: *Heine und die Kirchen von Lucca,* in: HJb 1971, 16–19.

»Staatsreligionen« und »Freiheitsreligion«

Vor dieser Folie greift das dritte italienische Reisebild mit (auch in der Zeit um 1830) ungewöhnlicher Schärfe die für die deutsche Misere verantwortliche religiöse Unterdrückung an. Als Abschluß der Religionsgespräche mit Mathilde betont der Erzähler in dem zentralen Kap. XIV ohne Umschweife, er hasse »jene Mißgeburt, die man Staatsreligion nennt, jenes Spottgeschöpf, das aus der Buhlschaft der weltlichen und der geistlichen Macht entstanden« ist. Mit Hinweis auf den engen Zusammenhang von politischer und religiöser Kritik begründet er seinen Haß dadurch, daß sich für ihn Deutschlands Zerrissenheit und Unfreiheit dem alles durchdringenden religionsparteiischen Antagonismus verdankt, das heißt der staatlichen »Bevorrechtung eines Dogmas und eines Kultus«. Nur ein »Indifferentismus in religiösen Dingen« vermag nach seiner Ansicht eine politische Stärkung Deutschlands zu bewirken (B 3, 517). Deshalb mußte die emanzipatorische Kritik in der Rolle der christlichen Staatskirchen das entscheidende Hindernis auf dem Wege des Fortschritts erkennen, denn in der von den restaurativ eingestellten Ideologen zur Stützung der sozialen Ordnung vertretenen Allianz von »Thron und Altar« lebte, trotz aller Erschütterungen, die starke Tradition der christlichen Staatskirche weiter (Konstantinische Tradition).

Gegenüber den vorherigen Reisebildern verfährt die Religionskritik in der *Stadt Lucca* zugleich radikaler und politischer. Das beruht im wesentlichen auf einer geschichtsphilosophischen Konzeption, die eine Neuinterpretation des Verhältnisses von Mythologie und Religion sowie eine historische und genetische Auffassung zur Entwicklung der jüdisch-christlichen Staatsreligion beinhaltet.

Als Reaktion auf den jämmerlichen Weltzustand, den die Luccheser Prozession hervorgerufen hat (»das Leben ist eine Krankheit, die ganze Welt ein Lazarett!«, heißt es in barocker Metaphorik), reflektiert Kap. VI in grellen Kontrasten den Übergang von der homerischen, polytheistischen Götterwelt zum monotheistischen Christentum. Die antike Götterdämmerung wird jedoch als Verlust und Verdrängung, als Entsagung und Glücksverzicht aufgefaßt, zugleich Symptom und Ursache der zivilisatorischen Leidens- und Krankenge-

schichte, die die heitere, genußselige Mythologie in eine graue, dunkle, »trübselige, blutrünstige Delinquentenreligion« verwandelt hat. Die Weltenwende wird dramatisch fiktionalisiert: »Da plötzlich keuchte heran ein bleicher, bluttriefender Jude, mit einer Dornenkrone auf dem Haupte, und mit einem großen Holzkreuz auf der Schulter; und er warf das Kreuz auf den hohen Göttertisch, daß die goldnen Pokale zitterten, und die Götter verstummten« und verschwanden (B 3, 492). Dieses szenische Bild läßt christliche Askese mit heidnischer Sinnenfreude auf epochale Weise kollidieren, wodurch der für Heines Denken grundlegende Dualismus von Spiritualismus und Sensualismus eine genealogisch bedeutsame Vertiefung erhält. Was hier aber bemerkenswert erscheint, ist, daß die historische Heraufkunft des spiritualistischen Glaubens 1829, 1830 nicht rein negativ als Verlust angesehen wird, denn eine leidende Menschheit braucht auch einen leidenden Gott zu ihrer Tröstung; aber gerade das können die heiteren »Festtagsgötter« nicht gewähren und müssen deshalb – was der Text betont – vor dem Gott der Liebe weichen und verschwinden.

Rein negativ wird dagegen die Tradition der für die aktuelle Misere verantwortlichen Institution der Staatskirche beurteilt, die historisch nach dem Vorbild des ägyptischen Priestertums mit der jüdischen Staatsgründung entstanden ist. Dieser Ursprung der »positiven Religion«, das heißt von Dogma und Hierarchie, von Intoleranz und Unterdrückung, wird syntaktisch ganz analog fiktionalisiert: »Da kam aber ein Volk aus Egypten, dem Vaterland der Krododille und des Priestertums, und außer den Hautkrankheiten und den gestohlenen Gold- und Silbergeschirren, brachte es auch eine sogenannte positive Religion mit« (B 3, 515). Die *Englischen Fragmente* werden diese blasphemische Historisierung noch dahingehend verschärfen, daß sie das ägyptische Priester- und Kastensystem zum Modell für die Verbindung von Klerus und Feudaladel erklären (B 3, 595). Im Lucca-Text kann deshalb durch Wortkreuzung das jüdische Volk als »Urübelvolk« bezeichnet werden. Die Folgen der Staats- und Religionsgründung heißen nun »»Menschenmäkelei««, »Proselytenmachen« und »Glaubenszwang«.

Heines Kritik weist auf die Religionskritik der Deutschland-Schriften, auf die Geschichte und den Tod Gottes, und darüber hinaus auf die Kritik voraus, die ein Nietzsche gegen das Christentum vorbringen wird. Aber sie geht auch zurück auf die

Kritik des 18. Jahrhunderts, was weiter unten besonders erörtert werden soll. In der Tradition der Aufklärung steht diese Kritik ferner durch ihre Religionsvergleiche, die in der *Stadt Lucca* nur anklingen (B 3, 512 f. und 518), während sie in den *Bädern von Lucca* durch Hirsch-Hyazinth an zentraler Stelle durchgeführt worden sind: Erhält im ersten Lucca-Text die katholische Kirche als anachronistischer Überrest des Mittelalters den politischen Hauptstoß der Kritik, so gilt die High Church of England, jener »Katholizismus ohne Poesie«, als »kläglich morsches Glaubensskelett« (B 3, 518; vgl. B 3, 597), während der ebenfalls nüchterne und allzu vernünftige Protestantismus nur durch das sinnliche Orgelspiel als Religion zu ›retten‹ ist! (B 3, 512 f. u. 428) Die altjüdische Religion trifft es schließlich ganz extrem: Sie ist nämlich »gar keine Religion, sondern ein Unglück« (B 3, 429; zu Religionsvergleichen: Hermand).

Bemerkenswert ist jedoch andererseits, daß die Religionspolemik in wesentlichen Zügen über die Auffassungen des 18. Jahrhunderts hinausgeht. So wird die Mythologie nicht mit Aberglauben gleichgesetzt und die Religion nicht schlechthin mit Lüge bzw. mit Betrug der Vernunft. Im Gegenteil, der Lucca-Text betont nicht nur den humanen Fortschritt durch das Christentum, sondern ganz allgemein die geschichtliche Wirkung der religiösen Symbole sowie die positive Funktion der Religion, ja, Religionen gelten ausdrücklich als »herrlich und ehrenwert«, *solange* sie keine Monopolstellung aufgrund ihrer reziproken Interessengemeinschaft mit der staatlichen Macht innehaben. Als positiver Gegensatz zu der verräterischen Staatskirche wird das aufopferungsbereite Urchristentum genannt, das nicht einen elitären, sondern einen demokratisch gesonnenen Gottmenschen verehrt, der eine »Freiheits- und Gleichheitslehre« offenbart hat (B 3, 499 f. und 518).

Ihre politische Schärfe erhält die Polemik schließlich dadurch, daß sie unter den Voraussetzungen der Juli-Revolution von 1830 erfolgt und für beides, religiöse *und* politische Befreiung eintritt. Nach dem Modell des Bürger-Königs wird auf demokratische Weise parallel zueinander sowohl ein Gott ohne Priesterschaft gefordert, das heißt ein »Bürger-Gott, un bon dieu citoyen«, als auch ein Königtum ohne »Adelsgeziefer«, das heißt ein Königtum, das »Eigentum des Volks« und nicht des Adels wäre (B 3, 500, 516 und 520).

Zuletzt sticht hervor, daß die Religionskritik des Lucca-Textes ihrerseits auf eine zutiefst religiö-se, jedoch nicht auf eine offiziell-christliche Grundeinstellung zurückgeht. Darauf verweist zunächst in Kap. II die pantheistische Vorstellung eines »großen Naturavancements«, das die Menschen in Götter verwandeln wird (B 3, 478). Wichtiger ist jedoch dann, daß sich unter den neuen, demokratischen Voraussetzungen religiöse und politische Vorstellungen zu einer neuen Religion verbinden, die die Forderungen der Zeit verkündet. Der Übergang von Welt- zu Heilsgeschichte hatte bereits im Napoleon-Kult Gestalt angenommen. In der *Reise von München nach Genua* war dann der Begriff der »Freiheitsreligion« aufgetaucht (B 3, 378; vgl. 601). *Die Stadt Lucca* feiert jetzt die Verbindung von urchristlicher Freiheitslehre und liberaler Revolution ausdrücklich als neues, »französisches Evangelium«, dem die *Nachschrift* von 1830 eine enthusiastische Huldigung darbringt (B 3, 518 und 527 ff.). Im Gegensatz zum abgestorbenen Christen-Glauben beruht der neue Vernunft-Glaube auf den Idealen von 1789: Dazu bekennt sich der begeisterte Erzähler, opfer- und leidensbereit wie ein Urchrist, unerschütterlich und schwärmerisch wie Don Quixote, und hält unter den zur Tat anspornenden Klängen der Marseillaise sogar mit dem Schreiben inne.

Lit.: Jost Hermand: *Der frühe Heine,* München 1976, 168–180; Klaus Pabel: *Heines Reisebilder,* München 1977, 209–223.

Herren- und Priestertrug (Verhältnis zur aufklärerischen Ideologiekritik)

Priester-Polemik und Metaphorik der Lucceser Prosa lassen deutlich spürbar werden, wie weit sich die *rein negative* Religionskritik der aufklärerischen Ideologiekritik anschließt. Damit stellt sich die Frage, welche Vorstellungen in Heines Kampf mit der absolutistischen Herrschaft um 1830 dominieren. Günter Oesterle zuerst und auch Klaus Pabel haben darauf hingewiesen, daß sich der Religionskritiker Heine der Betrugstheorie des 18. Jahrhunderts, nach der die Religion durch Priesterbetrug entstanden ist, angeschlossen hat (Artikel »Prêtres« in der *Encyclopédie,* Schriften von Helvetius, Holbach und Condorcet). Diese Theorie vertritt in der *Stadt Lucca* ganz klar Mathilde, denn sie erklärt die Entstehung der ersten Götter zum Priesterbetrug an der Menschheit (»Zuerst betrog«) und sieht in den religiösen Zeremonien nur »einige triste Formeln des Betrugs« am Volke überleben (B 3, 500; von »Betrug« und »Lug« ist in den *Reisebildern* ebenfalls B 3, 463 und 599 die Rede). Politisch subversiv wird diese Konzeption, wenn das heuchlerische Verhalten der Kirchendiener denunziert wird, das im Sinne der Lumières und Heines, auf Täuschung des Volkes beruht (»Ist doch das affektierte Interesse für Thron und Altar nur ein Possenspiel, das dem Volke vorgegaukelt wird!« B 3, 519). Ganz in der Tradition der Aufklärung steht auch die *Einleitung* zu *Kahldorf,* die sich auf Jean-Jacques Rousseau beruft, der die »argen Gemüter der gekrönten Giftmischer« durchschaut hat, und auf Voltaire, der »den römischen Priestertrug« verlacht hat (B 3, 657; Heine hätte u. a. auch Holbach zitieren können, der »préjugés« enthüllt, »impostures« demaskiert und der erklärt hat: »Si l'on considère avec attention la funeste chaîne des erreurs et des vices qui affligent l'humanité, on verra qu'elle part de l'Autel et du Trône«; zitiert nach Barth, 59 und 300). »Schlangen«, »Gift« und »Schlangenlist« sind die Metaphern, mit denen die Lucca-Prosa die Herrschaft des Klerus anprangert, während »kabalieren« und »intrigieren« die Feudalherrschaft generell charakterisiert (B 3, 516, 520 und 528). Die Metaphorik des Betrugs zieht sich zusammen mit dem Vokabular der Täuschung durch nahezu alle *Reisebilder* (B 4, 751, B 3, 237, 334, 528 und 599, wo auch gegen jesuitische Hinterlist und gegen pfäffische Tücke und »Kniffe« polemisiert wird); sie kehrt aber auch in den späteren Werken wieder, z. B. in den *Französischen Zuständen,* der *Vorrede* und der *Vorrede zur Vorrede* (B 5, 164 – »lügen« als grundsätzliches Zeitphänomen –, 274 – »Schlange«, »Gift« –; B 5, 92 – Betrug und »Überlistung« –; B 9, 10 – »Kniffe« der aristokratischen Propaganda). Weiter klagt die Philosophie-Schrift Adel und Klerus an, mit »Gift« und »Tükke« ihre Herrschaft sichern zu wollen (B 5, 567 f. und 625 f.) und noch die *Lutezia* fordert Frankreich, »die Heimat der Aufklärung« auf, schärfer gegen »Pfaffenlist« und »Priestertrug« vorzugehen (B 9, 309).

Nun war diese Polemik schon im späten 18. Jahrhundert, bei Holbach und Helvetius, nicht mehr originell (Barth), und Heine, der sich von der Polen-Schrift bis zu den *Memoiren* als Nachfolger der französischen Aufklärer bezeichnet hat (B 3, 81 und 11, 557), bleibt in seiner Kritik an Thron, Adel und Geistlichkeit dieser Tradition verhaftet – von der ihn als religiösen Denker wiederum die materialistische und atheistische Einstellung trennt. (Heines mehrschichtiges Verhältnis zur französi-

schen, deutschen und vielleicht auch englischen Aufklärung müßte einmal genauer untersucht werden, als das bisher geschehen ist, und das im Handbuch auch nur an verschiedenen Gelegenheiten angerissen werden konnte). Neu an Heines Auseinandersetzung mit den politischen Zuständen seiner Zeit ist aber, daß der Kontext von Betrug und Täuschung nicht nur sein Bild von der Herrschaftspraxis, die historisch überholt, aber in Deutschland noch wirksam ist, geprägt hat, sondern auch seine Vorstellung der modernen Herrschaft. Was man bisher wohl auch nicht ausreichend erkannt hat, ist, daß Heine die Machtausübung des Bürgerkönigtums, in dem er noch in *Die Stadt Lucca* die Zukunft sah, ebenfalls als Täuschung entlarvt hat. In Paris wird er Augenzeuge davon, wie Ludwig Philipp als Schauspieler und Verstellungskünstler das Volk zusehends hintergeht; wie der Président du conseil, Casimir Périer, mit »ränkevoller Ranküne gegen alles, was ihm in den Weg tritt«, vorgeht, und wie er die Tribüne des Parlaments mit dem Théâtre Français verwechselt, um die Komödie der bürgerlichen Macht zu tragieren; und wie schließlich die »Doktrinairs«, die maßgeblichen Interpreten der Juli-Revolution mit François Guizot an der Spitze, durch ihre Theorie »das arglose Volk getäuscht« haben (*Französische Zustände* und B 9, 128 ff.). Artikel I der *Lutezia* wird das wahre Gesicht der neuen Macht dann schlaglichtartig beleuchtet, wenn des Königs »moderne Schlauheit« als Wiederkehr des alten »politischen Jesuitismus« erscheint. Das wäre der eigentliche Sprengstoff, wenn sich als gesichert herausstellen sollte – und vieles spricht dafür –, daß auch Heines Auffassung der neuen Machtpraxis von der Herren- und Priestertrugstheorie mitgeprägt worden ist. Nicht Heines Rückgriff auf diese Theorie wäre zu kritisieren, wie es Günter Oesterle getan hat, sondern die tatsächliche Permanenz des Phänomens selber in einem Regime, das den Einfluß von Adel und Klerus zerstört hat.

Lit.: Günter Oesterle: *Integration und Konflikt. Die Prosa Heinrich Heines im Kontext oppositioneller Literatur der Restaurationsepoche,* Stuttgart 1972, 8–12; Klaus Pabel (s. o.); Su-Yong Kim: *Heinrich Heines soziale Begriffe,* Hamburg 1984 (= Heine-Studien), Kap. 2.

Artikel »Betrugstheorie« in: *Historisches Wörterbuch der Philosophie,* hrsg. von Joachim Ritter, Basel 1971 (Lizenzausgabe Darmstadt), Bd. 1, Sp. 861 f.; Hans Barth: *Wahrheit und Ideologie,* Frankfurt a.M. 1974, 46–60 [zuerst 1945]; Kurt Lenk (Hrsg.): *Ideologie,* Frankfurt a.M. 1984, 9. Aufl.: Problemgeschichtliche Einleitung, 13 ff.

Gift und Gegengift
(Die ästhetische Verfahrensweise)

Die Aktualität der Religionskritik hat der Autor der Lucca-Prosa in dem rückständigen, stockreligiösen Deutschland 1830 damit gerechtfertigt, daß es jetzt darum gehe, »die Gefühle in Religionsmaterien zu emanzipiren« (Brief an Varnhagen vom 19. November 1830). Darin besteht für ihn die Voraussetzung für »ein ganzes, großes, freies Deutschland« (Brief an Karl Herloßsohn vom 16. November 1830). Jahre vor der junghegelianischen Kritik und gut vierzehn Jahre vor Marx erkennt Heine, daß die Kritik der Religion »die Voraussetzung aller Kritik« ist (Marx, MEW 1, 378).

1829, 1830, zu einer Zeit, in der sich Ritter und »Pfäffelein« in Deutschland stark genug fühlten, den »Sieg der Freiheit noch um ein Jahrhundert« verzögern zu können, hat Heine ein ästhetisches Verfahren entwickelt, dessen Strategie vom Gegner diktiert worden ist und die *Nordsee III* bereits festlegte, als der Autor gestand: »wenn Gift in mir ist, so ist es doch nur Gegengift, Gegengift wider jene Schlangen, die im Schutte der alten Dome und Burgen so bedrohlich lauern« (B 3, 237). Folglich werden jetzt »Schlangenlist« mit Gegenlist, Pfaffen-»Gift« mit Gegengift und Priester-»Kniffe« mit Gegenkniffen bekämpft (B 3, 528; zu »List« vgl. 515). Im wesentlichen werden nun zwei ›Gifte‹ gemischt, um die Wirksamkeit der staatskirchlichen Lügen und Heucheleien zu zersetzen: Aufklärung und Entsublimierung, das heißt einmal Enthüllung der verborgenen materiellen Interessen und zum andern Rehabilitation der verdrängten Sinnlichkeit. Das erste ›Gift‹ entsteht durch »semantische Verschiebung«, worunter Grubačić die Übertragung der Bedeutung einzelner Wörter aus einem semantischen Bereich auf den anderen versteht (vgl. auch Oesterle; zur Analyse von Religion und Interesse: Pabel). Hier bedeutet das kurz: Übertragung der Bedeutung vom religiösen auf den kommerziellen Bereich. Das zweite Gift beruht auf der Übertragung vom religiösen auf den sinnlich-erotischen Bereich.

a) Um den wahren, das heißt egoistisch-materiellen Charakter der »Bekehrungsgesellschaften« mit ihren göttlichen Verheißungen aufzudecken, wird die Religion ganz ökonomisch mit einem bürgerlichen Unternehmen, das sie ja auch ist, verglichen (B 3, 486; vgl. 499 und 518). So sorgt, wie in der bürgerlichen Gesellschaft, »ein und dasselbe Gewerbe« für eine gewisse konfessionelle »Familienähnlichkeit«: Die »geistlichen Kaufleute« unterscheiden sich nur darin, daß der katholische Kaufmann, als »Commis« einer Großhandlung, »dessen Chef der Papst ist«, sein »Geschäft« ganz locker betreibt, während sein protestantischer »Gewerbsgenosse«, der »nur einen Kleinhandel« führt, verbissen »die Religionsgeschäfte für die eigene Rechnung« verfolgen muß. Was dem ersten am Herzen liegt, ist nichts anderes als der »Kredit des Hauses« (diesen Doppelsinn hatte Heine schon früher blasphemisch ausgespielt: B 3, 36 und 270: »Glaube« heißt auf französisch »crédit«). Der Abfall des Christentums von seiner ursprünglich freiheitlichen Lehre wird ebenfalls durch einen ökonomischen Vergleich erklärt: nämlich durch den Übergang von der »freien Konkurrenz« zum »Monopolsystem«. Das Heilmittel lautet folglich ganz bürgerlich: Wiedereinführung der »Gewerbefreiheit der Götter« (B 3, 518).

b) Um das asketische Entsagungsethos bloßzustellen, wird immer wieder an die verdrängte Sinnlichkeit erinnert, denn das Verdrängte lebt weiter, behauptet sein Eigenrecht und kehrt auf verschiedene Weise wieder. Vergleichbar der Verdrängungs- und Sublimationstheorie der modernen Psychologie wird in Kap. IV der Kontrast zwischen den »idealen Pflichten« und den »unabweislichen Bedürfnissen der sinnlichen Natur«, bzw. der »uralte, ewige Konflikt zwischen dem Geiste und der Materie« hervorgehoben. So werden die idealen, himmlischen und spirituellen Einstellungen von Mönchen, Heiligen und Gläubigen immer wieder mit sinnlichen, irdischen und erotischen Bedürfnissen konfrontiert (B 3, 487 f., 498, 501, 502, 517, 520; vgl. dazu: Preisendanz, Grubačić und Pabel). Kap. VI z. B., das den Gegensatz von Heidentum und Christentum diskutiert, erkennt hinter der Maske des Religiösen die Rechte der Materie, die zurückgefordert werden: hinter dem Bilde der verehrten Schmerzensmutter die verführerische Liebesgöttin »Venus dolorosa«, hinter der entsagungssüchtigen Franscheska die schwärmerisch Liebende. Als mystisch-verliebte Tänzerin das falsche Ersatzobjekt umarmt, versucht der so beglückte Erzähler prompt die »frommen Küsse« zu säkularisieren (B 3, 495 f.). Er beschwört, schließlich vergeblich, zur Überwindung des Dualismus von Geist und Materie eine rauschende katholische Liebesnacht (»das Wort wird Fleisch, der Glaube wird versinnlicht, in Form und Gestalt, welche Religion!«), die in der Ekstase: »›das ist der Leib‹!« gipfelt. Einerseits wird der Geist, indem das Mysterium durch Unterstellung einer erotischen Bedeutung auf den Boden der sinnlichen Natur zurückgeholt wird, blasphemisch befreit, andererseits wird die »Materie« vergöttlicht, so daß schließlich das Bild einer emanzipierten Religion entsteht, die eine befreite Sinnlichkeit voraussetzt.

Lit.: Wolfgang Preisendanz: *Heinrich Heine. Werkstrukturen und Epochenbezüge,* München 1973, 47–54 [Aufsatz zuerst 1968]; Günter Oesterle (s. o.), 66–74; Slobodan Grubačić: *Heines Erzählprosa,* Stuttgart 1975, 71 f.; Klaus Pabel (s. o.), 226–230; Joachim Müller: *Heines Prosakunst,* Berlin (Ost) 1977 [zuerst 1975], 127–134.

Aufnahme und Wirkung

Auch der letzte *Reisebilder*-Band erregte, wie erwartet, viel Aufsehen und sorgte, zumindest in Hamburg und Berlin, für einigen »Lärm«. Die ablehnenden Reaktionen untergruben ebenso wie der dritte Band (mit der Platen-Polemik) Heines Stellung in Deutschland und machten seine beruflichen Pläne zu einer Staatsanstellung zunichte. – Die preußische Zensurbehörde schritt bereits im Januar 1831 ein: Das Buch wurde wegen seines politischen Inhalts, vor allem wegen seiner blasphemischen »Glaubenslehre«, zuerst beschlagnahmt und dann im April 1831 in allen Provinzen verboten. Fünf Jahre später setzte die Katholische Kirche den vierten Band auf den Index.

Wiederum waren die privaten und öffentlichen Stellungnahmen gespalten. So teilte Varnhagen am 19. Februar brieflich aus Berlin mit, er habe in der aufgeregten Stimmung selbst unter Freunden und Anhängern Heines »bis jetzt noch nirgends eine Stimme voller Beifalls vernommen«. Ein weiteres Beispiel: Immermann schrieb am 2. Mai 1831, er habe das Buch »mit dem höchsten Interesse gelesen«, bedauerte aber gleichzeitig, daß die Darstellung zuweilen ins »Kleinliche« und Zufällige übergehe.

Zwiespältigen Beifall spendeten auch zwei freundlich gesonnene Rezensionen des neuen Buches, in denen *Die Stadt Lucca* nicht näher untersucht wird. Varnhagen, der die Polarisation der Kritik in Freund und Feind (die wiederum in sich gespalten sind) betont, unterscheidet das »Geistige und Gediegene« in Heines Arbeiten von den »zufälligen Unarten« (die Rezension erschien anonym im Februar 1831 in den »Blättern für literarische Unterhaltung«). Der Heine damals noch wohlgesonnene Literaturhistoriker Wolfgang Menzel ergreift mit ungewöhnlich langen Zitaten die Vertei-

digung des verunglimpften Autors, erkennt sein »mächtiges Talent«, seinen treffenden Witz und Spott an und lobt das »tiefe Urteil« über Hegel und Cervantes. Aber er tadelt ebenso das eitle Selbst-Renommieren Heines und regt sich als Christ mächtig über die Religionskritik des Juden und Wüstlings auf, dem er vorwirft, »geschmacklos« »die Kirche mit dem Bordell« verwechselt zu haben (B 4, 892). Im »Namen des guten Geschmacks« warnt er Heine schließlich, durch übertriebenen Mutwillen »Blößen des Charakters zu zeigen, die kein Talent je zudeckt« (B 4, 896; in dem Gegensatz Charakter-Talent kündigt sich die spätere Pro-Börne- und Anti-Heine-Kritik an). – Einen Schritt weiter geht der anonyme Kritiker der »Blätter für literarische Unterhaltung«, der Heines Dichter-Märtyrer-Auffassung pathologisch deutet und medizinisch als »fixe Idee, Monomanie« erklärt. Das Buch kommt ihm dann ebenso »übergeschnappt« vor wie der Autor (B 4, 883 f.).

Varnhagens Rezension, die ebenfalls in den »Blättern« erschien, ist noch insofern bemerkenswert, als sie Heines Buch, im Anschluß an die Zensurmaßnahme, durch eine Analyse der Rezeption geschickt gegen den Vorwurf verteidigt, es sei »irreligiös und revolutionär«. Heine spreche nur öffentlich und laut das aus, so die Argumentation, was sein Publikum, das eben nicht aus dem Volk, sondern paradoxerweise aus der »vornehmen Welt« besteht, privat und leise sowieso schon denkt (B 4, 885 f.). Zweitens könne Heine keine revolutionären »Absichten« haben, denn aufgrund seiner »Wirkung« könne man ihn »allenfalls einen Salonrevolutionär nennen«, »der das Spiel – aber nur das Spiel, witzig und beißig – der revolutionär genannten Ansichten und Ausdrücke zur Unterhaltung der vornehmen Welt darstellt«.

Lit.: B 4, 881 f., 883–896; Galley/Estermann I, 429–457, 459 ff., 466 ff., 481 ff., 488 f., 490 f., 509, 514 ff., 530 f.; II, 60 f. [aus Börnes 33. der *Briefe aus Paris*]; DHA 7/2, 1490 ff.

Englische Fragmente

Entstehung, Druck, Text

Die Folge von politischen Reportagen, die den letzten Band der *Reisebilder* schließt, ist zum größten Teil vor dem Italienaufenthalt entstanden und vor der *Reise nach Italien* (Dezember 1828) veröffentlich worden. Leitet sie aufgrund ihrer Stellung in den *Nachträgen* und durch ihre Form zu den Pariser Korrespondenzberichten über, so darf nicht vergessen werden, daß sie stofflich und entstehungsgeschichtlich in die Mitte der *Reisebilder*-Serie gehört, zwischen den zweiten und dritten Band.

Bei der Entstehung der *Fragmente* sind zwei Phasen zu unterscheiden. Der erste Abschnitt fällt in die Zeit nach der 18wöchigen Reise, die Heine 1827 ins Mutterland der Industriellen Revolution gemacht hatte. Am (wahrscheinlich) 14. April 1827 war Heine in London eingetroffen und hielt sich dort bis zum 16. (oder 19.) August auf. Von London unternahm er wie geplant aus gesundheitlichen Gründen kurze Abstecher in die Seebäder Brighton, Margate und Ramsgate (Juni, Juli). Die Rückreise verlief über Rotterdam, Amsterdam, Norderney und Wangeroog nach Hamburg, wo Heine am 15. September eintraf.

Mehr als erwartet hatte die anderthalb Millionenstadt London mit ihrer »Großartigkeit« fasziniert (B 3, 540), aber sie hatte auch, was die zentrale zweite Reportage als eigentliche Erfahrung reflektiert, das befremdende Gefühl der Verlorenheit vermittelt (vgl. Brief an Friedrich Merckel vom 23. April 1827). Wichtige Eindrücke gingen ebenfalls von den großen Parlamentsdebatten aus, die Heine im Mai/Juni intensiv verfolgte und die er in Kap. VII–IX ausführlich diskutiert und umfangreich dokumentiert hat. Später sollte er sich eingestehen: »Diese Zeit wird mir ewig im Gedächtnisse blühen« (B 5, 147). Der Eindruck, den der liberale Regierungschef und gewaltige Redner Georg Canning auf Heine machte, war so außerordentlich, daß er ihn zum »Gonfaloniere der Freiheit« erklärte (*Reise von München nach Genua*, B 3, 379). Weiter sei erwähnt, daß der Besuch bei einer empörenden Gerichtsverhandlung im Gefängnis Newgate in einer speziellen Reportage (Kap. V) verarbeitet wurde (der Prozeß gegen den »schwarzen William« hat sich nicht nachweisen lassen, Weiß 17; vgl. spätere Erinnerungen Heines, B 1, 588 und 9, 66 f.). Einen unauslöschlichen Eindruck muß auch der Besuch im Irrenhaus Bedlam gemacht haben (Kap. VI; vgl. B 3, 394 und 5, 602). Neben Besichtigungen und diversen Vergnügen (Beziehung zu Kitty Clairmont, siehe Weiß) sind schließlich noch die Theaterbesuche im »Drury Lane« zu nennen, wo Heine Edmund Kean in Titelrollen von Shakespeare-Stücken glänzen sah (vgl. *Über die französische Bühne*, B 5, 320 f. 322 f. und B 6, 826).

Genaue Daten über die Niederschrift in der ersten Phase sind bisher nicht bekannt. Ein Reisetagebuch mit Notizen zu Theater und zu den »weltwichtigsten Parlamentsrednern« ist verloren gegangen (vgl. B 6, 826). Während des Aufenthalts scheint Heine noch geschwankt zu haben, ob er zu diesem Zeitpunkt überhaupt etwas über England schreiben sollte. Mitte Juli ist von einem Buchplan die Rede. Die eigentliche Niederschrift erfolgte dann wahrscheinlich erst ab Dezember 1827. Ab Januar 1828, als Heine zusammen mit Friedrich Ludwig Lindner in München Baron Cottas »Neue allgemeine politische Annalen« verantwortlich redigierte, begannen einzelne Reportagen in verschiedenen Zeitschriften zu erscheinen (*Fragment* I z. B. im ersten Jahresheft der »Annalen«; bis Januar 1829 erschienen neun Berichte in drei Zeitschriften).

Die zweite Phase der Ausarbeitung vollzog sich dann drei Jahre später, von August bis November 1830, als die *Nachträge* unter »Zeitnot« und Zensurdruck (*Schlußwort* vom 29. November 1830) zusammengestellt wurden. Das neu komponierte Manuskript ist jetzt um Kap. X und XI, die wahrscheinlich bereits in der früheren Phase entstanden sind, vermehrt. Um den zensurfreien Umfang von 20 Bogen zu erreichen, kam als drittes, ganz neues Stück das *Schlußwort* mit der »Kunz von der Rosen«-Geschichte hinzu. Gegenüber dem früheren Druck sind die veränderten Titel der *Fragmente* II, III, V–IX, das Weglassen der Rede von Spring Rice (Kap. IX), die Kürzungen der Rede Cobbetts sowie das Fehlen einer Notiz über die geistigen Umwälzungen in Frankreich anzumerken. – Die zweite Auflage von 1834, die den Text aus den *Nachträgen zu den Reisebildern* von 1831 im wesentlichen unverändert übernimmt, erhielt den neuen, endgültigen Titel: *Reisebilder. Vierter Teil* (Ende September 1833 erschienen).

Zeitschriftendruck: in den »Neuen allgemeinen politischen Annalen« erschienen zwischen Januar und Mai 1828 (Bd. 26, H. 1–4, Bd. 27, H. 1) mit anderem Titel die späteren *Fragmente* I, IV, IX/VI, VII und VIII.

– In »Das Ausland« (Jg. 1, 2) erschienen im Juni 1828 und im Januar 1829 die späteren *Fragmente* II und V.

– Im »Morgenblatt für gebildete Stände« (Nr. 75, 76 erschien am 27. und 28. März 1828 das *Fragment* III.

Buchdruck: Der erste Gesamtdruck mit dem Titel *Englische Fragmente. 1828.* erfolgte in: *Nachträge zu den Reisebildern von H. Heine. Hamburg 1831. Bey Hoffmann und Campe,* 141–326 (1834: *Reisebilder. Vierter Theil. Zweyte Auflage*). Änderungen gegenüber Zeitschriftendruck: B 4, 903 ff.

Französische Übersetzungen: unter dem Titel »Fragmens de Voyage« I und II erschien in der »Revue de Paris« am 22. Juli und am 5. August 1832 die französische Version der *Fragmente* I, II, III und X.

– Unter dem Titel *Angleterre. 1828* erschienen die *Engli-*

schen Fragmente (ohne *Schlußwort*) 1834 im 2. Bd. der *Reisebilder, Tableaux de voyage (Œuvres de Henri Heine*. III), 5–90.
– Unter dem Titel *Angleterre. 1828* wurde der Text (ebenfalls ohne *Schlußwort*) 1856 im 1. Bd. der *Reisebilder. Tableaux de voyage* im Anschluß an die *Stadt Lucca* gedruckt (Ausgabe Michel Lévy frères, Paris, vgl. *Reisebilder*-Gesamtprojekt), 237–290.

Text: B 3, 531–605 (mit *Schlußwort*; als Vorlage diente der Text von 1831 sowie die Ausgabe von Walzel); DHA 7/1, 207–273 (507 ff. 8 Bruchstücke, darunter *John Bull*).
Übersetzung: HSA 14 *Tableaux de voyage I*, 137–162 (Text von 1856) u. 305–320 (Text der Journalfassung in der Übersetzung von Max Kaufmann); DHA 7/1, 469–507 (Übersetzung von Kaufmann und Text von 1856).

Lit.: DHA 7/2, 1656–1676 u. 1758 ff.; Gerhard Weiß: *Heines Englandaufenthalt (1827)*, in: HJb 1963, 3–32 [dort 30 f. weitere Lit. zum Thema Heine und England]; Klaus Pabel: *Heines »Reisebilder«. Ästhetisches Bedürfnis und politisches Interesse am Ende der Kunstperiode*, München 1977, 231–235 [behandelt Stellung der *Fragmente* im Komplex der *Reisebilder*].

Analyse und Deutung

London, die Hauptstadt der Welt

Die England-Berichte verarbeiten als einziges Reisebild persönliche Erfahrungen fortgeschrittener, moderner Zustände, die Heines Denken geprägt und seine Schreibweise beeinflußt haben. Im Gegensatz zu den überholten Verhältnissen Deutschlands, Polens und Italiens ermöglichte die unmittelbare Erfahrung der politischen und ökonomischen Modernität Westeuropas am Beispiel Englands völlig andere Einblicke in den Gang der geschichtlichen Entwicklung, die sich am Maßstab der Ideen von 1789 und der zum Mythos gewordenen Gestalt Napoleons anders darstellt als erwartet. Kritisieren *Reisebilder* II und III die Friedhofsruhe und den Stillstand der Metternichschen Restauration, so reflektieren die *Englischen Fragmente* zum erstenmal den Lärm und die Dynamik der kapitalistischen Entwicklung, aber so, daß dem Erzähler auf schmerzliche Weise, sozusagen am eigenen Leibe, der Rückschritt neben dem Fortschritt, das Zerstörerische neben dem Befreienden bewußt wird. Er, der gerade die gemütlichen, warmen Stuben des verschlafenen Deutschland verlassen hat, muß in London, der ›Hauptstadt des 19. Jahrhunderts‹, den Kälte-Schock der Moderne erleben.

Das »Gespräch auf der Themse« kündigt gleich anfangs die tiefgreifende, Heines soziale und politische Weltanschauung prägende Desillusionierung an. Während der Ich-Erzähler eine begeisterte Ansprache an die Freiheit hält (erstmals als »Religion

der neuen Zeit« sakral erhöht, wodurch zugleich an die Grundlagen der Heiligen Allianz gerüttelt wird, vgl. B 3, 600 f. und 378) und während er seine enthusiastische Hoffnung auf »jenen Teil der allgemeinen Freiheit, den wir Gleichheit nennen«, verkündet (ebenfalls eine »heilige Idee«, B 3, 574), wird er von seinem Gesprächspartner, einem europäisch denkenden, »gelben Mann«, gründlich enttäuscht: Die Freiheit, die er anzutreffen meint, sei nur eine eingeschränkte, englische, das heißt eine häusliche, familiäre und persönliche, keine allgemeine, französische Freiheit. Vor allem sei sie, ganz im Gegensatz zum Pariser Modell, einem Kompromiß mit der feudalen Ungleichheit entsprungen und kenne außerdem, im Gegensatz zu den Prinzipien der deutschen Reformation, keine Denkfreiheit. Diese Aufklärung wirkt paradoxerweise so, daß sich der Erzähler nach seinem vormodernen, schlafmützigen Vaterland zurücksehnt und die deutsche »Traumfreiheit« verteidigt. Darüber geht symbolisch die Sonne unter, der »gelbe Mann« gesteht seinen Pessimismus (»Sklaverei ist im Himmel wie auf Erden«), und schließlich kommt der Tower, das Staatsgefängnis ins Bild, »wie ein gespenstisch dunkler Traum«.

Brutal ist dann das Aufwachen aus diesem Traum: Der hektische, maschinelle Rhythmus des Großstadtlebens, mit seinem »drängenden Strom lebendiger Menschengesichter«, seiner »grauenhaften Hast der Liebe, des Hungers und des Hasses« zerstört vollends alle Illusionen: »dieses übertriebene London erdrückt die Phantasie und zerreißt das Herz.« (B 3, 538) Der hör- und sichtbare »Pulsschlag der Welt«, der durch die City hallt, vernichtet nun jedes reine Poetentum. Als »deutscher Poet« fühlt sich der Erzähler vom Dschungel der Großstadt regelrecht verschlungen und sogar überflüssig gemacht: Er muß erleben, wie er »von allem Seiten fortgeschoben oder gar mit einem milden God damn! niedergestoßen [wird]. God damn! das verdammte Stoßen!« Was sich dem Erzähler als tödlicher Kampf jeder-gegen-jeden aufdrängt, was er als kolossale Monotonie, als grauenhafte Mechanisierung des Lebens, als bedrohliche Anonymität und als angstvolles Fortgeschwemmtwerden wahrnimmt, das verdichtet sich ihm zu einem historischen Schreckensbild napoleonischen Ursprungs von Eis, Tod und Vernichtung: Es scheint ihm, »als sei ganz London so eine Beresinabrücke, wo jeder in wahnsinniger Angst, um sein bißchen Leben zu fristen, sich durchdrängen will«, »wo die besten Kameraden fühllos einer über die Leiche des an-

dern dahineilen«, wo Tausende »in die kalte Eis-
grube des Todes hinabstürzen«.

Die zum Trauma geronnene, körperbedingte
Wahrnehmung der modernen Metropole (»eine
ungewöhnliche Tracht Schläge«) greift zum erstenmal in dieser Anschaulichkeit die negativen Auswirkungen der Industriellen Revolution auf, die
sich in der urbanen und sozialen Struktur Londons
geltend gemacht haben. (1780, früher als in anderen westeuropäischen Ländern, hatte die Industrielle Revolution in England eingesetzt; nach der
Krise im Anschluß an die Napoleon-Zeit trat sie ab
Mitte der 20er Jahre, deutlicher um 1835, in ihr
zweites, schwungvolles Stadium.) Heine, der bereits in *William Ratcliff* den Grundwiderspruch der
bürgerlichen Gesellschaft zum Ausdruck gebracht
hatte (B 1, 353), mußte die Londoner Wirklichkeit
mit dem krassen Nebeneinander von »zerlumptem
Bettelweib« und »blankem Goldschmiedladen« (B
3, 539) als dramatische Bestätigung seiner Einsicht
auffassen. Wo anders als im Westend von London
ließ sich der Gegensatz von Reichtum, der »starrt«,
und Armut, die in Gäßchen und feuchten Gängen
»wohnt«, so deutlich sichtbar beobachten? Wo anders als in den Pöbelquartieren trafen Elend und
Bettelei, »Armut in Gesellschaft des Lasters und
des Verbrechens« so dicht und konzentriert auf
vorübereilende geschäftige Kaufleute und müßige
Lords? Sozialkritisch wendet sich der Erzähler, der
zuvor das »Land der Freiheit« begrüßt hatte, an die
»Arme Armut« und betont, daß Menschlichkeit
jetzt nicht bei den Herrschenden, sondern bei den
Ausgestoßenen, nicht in den Herzen der »kühlen,
untadelhaften Staatsbürger der Tugend«, sondern
in denjenigen der Verbrecher und Prostituierten zu
finden sei.

Die sinnlich-konkrete Erfahrung von Entfremdung der Individuen und von Proletarisierung der
unteren Volksklassen in der ›Hauptstadt der Welt‹
lassen Heines Berichte einzig in ihrer Zeit dastehen
und weisen späteren Darstellungen den Weg. Die
bildliche, durch die Kontrasttechnik gesteigerte
Einsicht in das Auseinanderfallen der kapitalistischen Gesellschaft in antagonistische Widersprüche deutet zum Beispiel auf die polit- bzw. sozial-
ökonomischen England-Analysen eines Engels
oder Weerth voraus. Andererseits nehmen Beschreibungen von Großstadtmasse und Vereinsa-
mung, vom Poeten als dem Überflüssigen und Außenseiter, von Prostitution und Mode Grunderfah-
rungen der Moderne vorweg, die Baudelaire in
Paris machen sollte (vgl. dazu Fuld).

Lit.: Das Zeitalter der europäischen Revolution 1780–1848,
hrsg. und verfaßt von Louis Bergeron, François Furet und
Reinhart Koselleck, Frankfurt am Main 1969 (= Fischer Weltgeschichte), dort: Kap. 1 und 6 von Bergeron.
Albrecht Betz: *Ästhetik und Politik,* München 1971,
30–41; Jost Hermand: *Der frühe Heine,* München 1976,
119–131; Klaus Pabel (s. o.); Heinz Brüggemann: *»Aber
schickt keinen Poeten nach London!« Großstadt und literarische Wahrnehmung im 18. und 19. Jahrhundert,* Reinbek bei
Hamburg 1985, 114–139 [versucht 114 ff. u. 128 ff. allegorische
Deutung und betont Bild-Technik].
Werner Fuld: *Walter Benjamin. Zwischen den Stühlen.
Eine Biographie,* München/Wien 1979, 266 ff.

Poesie der Ware und Verdinglichung

Die »Ein-« und »Gleichförmigkeit« des Londoner
Stadt- und Straßenbildes wird von der City aus
durch den Glanz eines spezifisch modernen Phänomens unterbrochen. Im Mittelpunkt des kontrastiv
und, wie zuerst Albrecht Betz 1971 nachgewiesen
hat, dreiteilig aufgebauten »London«-Kapitels
(Fragment II) steht zwischen Masse und Armut ein
Drittes. In »Großaufnahme« zeigte der Text die im
Schaufenster der Geschäfte ausgestellte *Ware:*
»gleich einer Preziose«, betont Betz zutreffend,
»ruht sie – der neue ›Fetisch‹ der bürgerlichen Welt
– im Zentrum des Textes« (Betz 1971, 32 und 38).
»Wunderbar« und »schön« ist in der grauen und
häßlichen Stadt allein die Warenwelt: Die Reportage verfolgt, wie das Auge des fremden Besuchers
unaufhörlich »durch den wunderbaren Anblick
neuer und schöner Gegenstände, die an den Fen-
stern der Kaufläden ausgestellt sind«, gefesselt
wird. Läßt die Großstadthektik die traditionelle
Poesie überholt erscheinen, so verwandelt nun andererseits das moderne Konsumbedürfnis die Ware
in Poesie. In dem »Pseudo-Sakralraum des Schau-
fensters« – so Betz über den epochalen Wandel –
wird »die Ware gleich einem Kunstwerk zele-
briert«.

Das *Fragment* II betont in der Tat zwei Aspekte, die den »größten Effekt« machen: einmal die
vollendete Produktion, so daß jeder Luxusartikel
in London, wo Massenkonsum und Wohlstand bereits im 18. Jahrhundert entwickelt waren, »so fi-
nished und einladend entgegenglänzt«; zum andern
(die Einsicht in den dialektischen Charakter von
Gebrauchs- und Tauschwert der Warenproduktion
antizipierend) die ästhetische Ausstellung, so daß
die Läden einen »eignen Reiz« erhalten und die
»alltäglichsten Lebensbedürfnisse« in einem »über-
raschenden Zauberglanze« erscheinen (B 3, 541).
Worte wie: »Reiz«, »Zauberglanz« und »locken«

beschreiben zutreffend die ›phantasmagorische Form‹ (Karl Marx), durch die der Tauschwert den Gebrauchswert beherrscht (MEW 23, 85 ff.: »Der Fetischcharakter der Ware und sein Geheimnis«).

Auf bildhaft-anschauliche Weise erfaßt der Text ebenfalls das Phänomen der Verdinglichung: Im Vergleich mit holländischer Malerei wird einerseits der pseudo-künstlerische Charakter der Waren betont, denn sie erscheinen alle »wie gemalt«; im Gegensatz dazu wird andererseits ihre geheimnisvolle Wirkung kritisch dargestellt: »Nur die Menschen sind nicht so heiter, wie auf diesen holländischen Gemälden, mit den ernsthaftesten Gesichtern verkaufen sie die lustigsten Spielsachen, und Zuschnitt und Farbe ihrer Kleidung ist gleichförmig wie ihre Häuser.« Der Vergleich weist auf das Illusorische der schönen, heiteren Warenwelt, die »wohlgefällig appretiert« ist, hin, während gleichzeitig der Bezug auf die reale Lebenswelt den von den ausgestellten Waren hervorgebrachten »Zauberglanz« antithetisch denunziert.

Die Auseinandersetzung mit dem ›Fetischismus‹ der Waren wird dann in den *Lutezia*-Berichten aus den 40er Jahren vertieft fortgesetzt. Hier sei noch kurz darauf hingewiesen, daß Heines Anschauung vom ›Kunstcharakter‹ der Ware parallel zur Einsicht in den ›Warencharakter‹ der Kunst vorläuft: An Scotts monumentaler Napoleon-Biographie (Kap. IV) erkennt er nämlich, wie ein großer Dichter seinen Lorbeer sowohl notgedrungen wie auftragsgemäß und regierungstreu zu Markte trägt, um ihn aus eigenen und fremden Bedürfnissen in bare Münze umzuwandeln.

Die zugleich faszinierende und verdinglichende Wirkung der modernen (Waren-)Welt ist schließlich sozialkritisch in Metaphorik und Gestik des »London«-Fragments eingegangen. Das angstvolle Er- und Zurückschrecken des Ich-Erzählers vor der Dynamik und dem Glanz der Metropole erscheint korrespondierend und einprägsam in das Bild hilf- und leblosen Erstarrens gebannt: So »starrt« im Gedächtnis des Erzählers der »steinerne Wald von Häusern.« Weiter »starrt« im Westend überall »Reichtum und Vornehmheit«. Wenn dagegen die Armut, die ausgehungert »mit stummen, sprechenden Augen« dasteht, ebenfalls »starrt«, dann fixiert die Gestik ihres Blickes die sozialen Antagonismen und klagt eine überholte Hierarchie an: Die Armut nämlich »starrt flehend empor« zu den indifferenten Vertretern der oberen Klassen. Aus umgekehrter Perspektive heißt es, daß der müßige Lord standesgemäß vom hohen Roß »auf das Menschenge-

wühl unter ihm dann und wann einen gleichgültig vornehmen Blick wirft, als wären es winzige Ameisen« (B 3, 542). Die im doppelten Blickwinkel erfaßte Hierarchie von unten und oben kehrt außerdem im Kontrastbild vom Menschengesindel wieder, »das am Erdboden festklebt«, über dem die Nobility, »wie Wesen höherer Art«, »schwebt«.

Lit.: Albrecht Betz 1971 (s. o.); Heinz Brüggemann (s. o.) 136 ff.; Albrecht Betz: *Marchandise et modernité. Notes sur Heine et Benjamin,* in: *Walter Benjamin et Paris,* Edité par Heinz Wismann, Paris 1986, 153–162.

Der »Fluch der Halbheit« (Die Institutionen)

Die neuentdeckte soziale Problematik läßt die Kehrseite der modernen Entwicklung besonders eindringlich hervortreten: Sie nennt am Beispiel Englands den Preis, den der bürgerliche Fortschritt fordert. Die Kritik an der englischen Fehlentwicklung, die mit der im Vormärz modischen Anglomanie gründlich bricht, erfolgt vor der doppelten Folie französischer *und* deutscher Errungenschaften, daß heißt zuerst den »heiligen« Idealen der politischen Revolution (vor allem bürgerliche Gleichheit und Völkerrecht) und den Prinzipien der religiösen Reformation.

Die scharfe Abrechnung mit der fehlenden politischen und religiösen Modernität Englands ist an der spezifischen Rolle der englischen Bourgeoisie festgemacht. Die Reportagen verarbeiten nun die für die englische Entwicklung charakteristische Ungleichzeitigkeit von wirtschaftlicher und politischer Revolution. Der im Gegensatz zu Frankreich (vgl. B 3, 534) unentwickelt gebliebene Antagonismus zwischen Adel und Bürgertum, sowie der trotz sozial-ökonomischen Umwälzungen ungebrochene Konservatismus der politischen Strukturen bewirkten, daß England während der Französischen Revolution (und im Gegensatz zu den Interessen des Bürgertums) zum Hort der Gegenrevolution werden konnte. Die Fragmente von 1828 machen für den Stillstand der inneren Entwicklung vor allem die pietistische und puritanische, allzu adelsfreundliche und egoistische Bourgeoisie verantwortlich, die persönliche und ökonomische der allgemeinen und politischen Freiheit vorgezogen hat (Kap. I, III, VIII; vgl. Kap. IX zur Rolle des Klerus). Durch das Versagen des aristokratisch und nicht liberal eingestellten Bürgertums »liegt über dem Geist der Engländer noch immer die Nacht des Mittelalters« (B 3, 574). Diesem Aspekt wird das nach 1830 fertiggestellte *Fragment* XI noch schärfer verurteilen (B 3, 597: England verharrt »im Zustande eines fashionablen Mittelalters«). Durch die ausgebliebene gesellschaftliche Umwälzung, heißt es jetzt, kennzeichnet nicht wirkliche Emanzipation, sondern »Halbheit« die politischen und religiösen Reformen, die deshalb weder die Herrschaft der adeligen Foxhunters noch die der intoleranten Anglikanischen Kirche gebrochen haben. Durch Konzessionen gegenüber liberalen Ideen konnten sich Kastentum und Willkürherrschaft bis in die Gegenwart erhalten. Mangels realer Demokratisierung, durch Ausschalten der »aristokratischen Brut«, sind auch noch die aktuellen bürgerlichen Reformversuche zu »leidiger Altflickerei« verurteilt. Und mangels wirklicher Prinzipien, durch Ausschaltung der materiellen Interessen des Klerus, wird die Debatte über die Emanzipation der irischen Katholiken zu einem unwürdigen Schauspiel (Kap. IX).

Vor dem Hintergrund der Kritik an den halbherzigen religiösen Reformen und an der mangelnden geistigen Emanzipation wird, was bei der grundsätzlichen Deutschland-Kritik der *Reisebilder* eine Ausnahme ist, ein Perspektivwechsel vorgenommen, so daß die geistige Kultur des rückständigeren, vorindustriellen Landes positiv erscheint. Ausdrücklich wird betont, daß Deutschland, im Gegensatz zu England, aufgrund von Reformation und Bauernkriege eine revolutionäre Vergangenheit besitzt (B 3, 595 f., vgl. 536), ja, daß es durch seine radikalen Denker und Träumer sogar eine revolutionäre Zukunft besitzen wird (vgl. *Schlußwort* mit »Kunz von der Rosen«-Prophezeiung). Aber – da ändert sich die Perspektive erneut – im Vergleich mit den englischen Institutionen hat es keine Gegenwart. Ein Beispiel soll das zeigen.

Lit.: Louis Bergeron (s. o.), 29 f., 102 ff.
Albrecht Betz 1971 (s. o.); Jost Hermand (s. o.) [betont den Aspekt der politischen und soziologischen »Volkscharakteristik«].

Das englische Parlament

Die Verschränkung französischer, englischer und deutscher Gesichtspunkte zu einem wechselhaften »Spiel« gegenseitiger Kritik prägt die Auseinandersetzung mit der parlamentarischen Demokratie Englands, die von den europäischen Liberalen des 18. und 19. Jahrhunderts zum Modell politischer Institutionen erhoben worden war. – Zunächst hat Heine, der in London Zeuge großer Debatten wurde, dem parlamentarischen Leben in seinen Reportagen umfangreichen Platz eingeräumt: Er hat

nicht nur die heftige Diskussion um die Staatsschuld, die durch die Finanzierung eigener und fremder gegenrevolutionärer Armeen ins Unermeßliche angewachsen war, aufgegriffen, sondern ebenfalls über die Probleme der Parlamentsreform, eines modernisierten Wahlrechts sowie über die Frage der Katholikenemanzipation berichtet. – Aber vor dem Hintergrund des modernen Befreiungskampfes hat er dann die undemokratische Behandlung der Staatsschuldfrage kritisiert und das Versagen des Parlaments bei der Emanzipation der irischen Katholiken verurteilt (sie erfolgte dann 1829 unter Wellington). Vor allem aber hat er die durch die industrielle und soziale Entwicklung völlig überholte Art der Volksrepräsentation als »große Lüge« angeklagt (B 3, 598, vgl. 575; erst die Reformbill von 1832 beseitigte die »rotten boroughs«-Wahlkreise, auf denen die adelige Vorherrschaft beruhte).

Dennoch kann das englische System wiederum zum Ausgang für die Kritik an Deutschland und am deutschen Liberalismus dienen. Stellen die *Fragmente* Gebrechen und Mißstände heraus, so handelt es sich um solche von modernen Einrichtungen, die in Deutschland, bis auf einige Ausnahmen, in dem Maße gar nicht vorhanden waren. Das gibt den Reportagen, die das »blühendste Farbenspiel« der Debatten und die glänzende Rhetorik der Redner dokumentieren, ihren politischen Stellenwert. Die Hervorhebung des »heiteren Schauspiels des unbefangensten Witzes und der witzigsten Unbefangenheit« (B 3, 586) tritt zwangsläufig in polaren Gegensatz zu den langweiligen, unbedeutenden Reden in den (soweit vorhanden) süddeutschen Parlamenten. Ebenso enthüllen »Parlamentshelden« wie William Cobbett (Kap. VII) und Lord Henry Brougham (Kap. VIII) eine in Deutschland bisher undenkbare Radikalität bzw. unbekannte politische Kultur. Vor dem deutschen Hintergrund erhält schließlich auch der kontrastive Vergleich zwischen dem *konservativen,* »dummen Teufel Wellington« und dem *liberalen,* »göttergleichen Canning« seine ganze Bedeutung (B 3, 560, 562, vgl. 379 f.; die *Zustände* enthalten eine vollständige Würdigung des von Heine als »heiligen Georg von England« hochverehrten Canning und eine verschärftere Aburteilung des »einfältigen« Wellington, B 5, 144 ff. und 198 ff.).

Dieses Spiel mit wechselnden Spiegeln macht zuletzt deutlich, daß die (ironisch gemeinte und zensurbedingte) Sehnsucht nach der ach! noch so heilen und so poesiefreundlichen deutschen Welt im ersten Fragment zwar die Funktion hatte, an das zu erinnern, was durch den Fortschritt verloren gehen wird. Aber bei gleichzeitiger Bejahung des Fortschritts läßt sie andererseits die deutsche Misere nur um so greller hervortreten.

Das Defizit an Anschaulichkeit (Stilistisches Verfahren)

Die thematisch gegliederten, fast systematisch vorgehenden elf Reportagen lassen das Bemühen um einen künstlerischen Aufbau erkennen. Sie beginnen meist mit etwas Besonderem (Begegnung, Erlebnis, Beobachtung, Erinnerung, kritischer oder witziger Reflexion), und leiten dann zum Allgemeinen über und enden z. B. mit direkter Ansprache (Kap. II »Arme Armut!«; Kap. VII: »Alter Cobbett!«), mit einem Gleichnis (Kap. V) und viermal nicht zufällig mit einer emphatischen Anspielung auf die Französische Revolution bzw. auf Napoleon (Kap. IV, IX, X, XI). Kontraste verschiedenster Art und Bedeutung sorgen für den inneren Zusammenhalt (Vergleiche Deutschland/England, Gegensätze Armut/Reichtum, puritanisches Bürgertum/frivoler Adel, dünne/dicke Dame, Whigs/Tories, Wellington/Napoleon).

Dennoch ist die Grundstruktur nicht fiktional, sondern essayistisch. Gegenüber anderen *Reisebildern* ist die Reisefiktion zu Beginn noch vorhanden, aber am Schluß ganz abwesend. Gleichzeitig tritt die Subjektivität des Erzählers zugunsten von Rezension, Reflexion, Information, Dokumentation bzw. Zitat zurück. Das erlaubt jedoch nicht, wie es öfter geschieht, die *Englischen Fragmente* als Verlegenheitslösungen zu behandeln, die man dann gegen die »poetisch« durchgebildeteren Stücke der Reiseprosa ausspielen kann. Indem die Texte möglichst ›objektiv‹ verfahren, und indem sie auch viel fremdes Material integrieren, ziehen sie nämlich Konsequenzen aus der neuen Situation, die der Erzähler ›subjektiv‹ als traumatisch und ästhetisch als poesiefeindlich erfahren hat. Erweist sich jedoch die Figur des Dichters (und mit ihm die ›poetische‹ Weise) angesichts der so abstrakt wie unanschaulich gewordenen modernen Verhältnisse als obsolet, dann hat (mit Hegel) die Stunde des Philosophen geschlagen. Deshalb verlangt Kap. II: »Schickt einen Philosophen nach London; bei Leibe keinen Poeten!« Versagt Anschauung, so kommt Rettung von der Reflexion: Dem Philosophen werden sich »die verborgensten Geheimnisse der gesellschaftlichen Ordnung [. . .] plötzlich

offenbaren, er wird den Pulsschlag der Welt hörbar vernehmen und sichtbar sehen« (B 3, 538; Brüggemann untersucht in diesem Zusammenhang die Verbindung zu Hegels Ästhetik und den Bruch mit der klassischen Kunstauffassung). Aus dem Defizit an Anschaulichkeit ziehen die Fragmente zwei Konsequenzen.

Neben der essayistischen Grundstruktur unterscheiden sich die England-Berichte von der übrigen *Reisebilder*-Prosa vor allem dadurch, daß sie umfangreiches Fremdmaterial aufgenommen haben (*Nordsee III* enthielt Verse Immermanns). Das Ausmaß des zitierten und eigens übersetzten Materials muß überraschen: Nimmt man die um 1830 ausgeschiedenen Stücke hinzu, so handelt es sich um ca. ein Drittel des Werks. Dieses Verfahren macht sich die unkonventionelle, offene Struktur der *Reisebilder* zu nutze und läßt weniger schriftstellerische Verlegenheit als politische und ästhetische Absicht erkennen. Abgesehen vom Varnhagen-Zitat (B 3, 550) werden mit Cobbets antifeudaler Anklage, mit dem Brougham-Porträt sowie durch die Parlamentsreden radikale und liberale Stimmen und Ansichten publik, mit denen der Autor der kontrollierten deutschen Öffentlichkeit einen Spiegel (s. o.) vorhalten kann (B 3, 563–569, 570 f., 576–582, 587–589; B 4, 904–907). Die Auszüge aus den Parlamentsreden lassen sich wie taktische Musterbeispiele indirekten Sprechens unter den Bedingungen der Zensur lesen. – Zweitens erfüllen die Auszüge aus den Debatten, als fabelgleiche »Parallelgeschichten« aufgefaßt, eine veranschaulichende Funktion: Durch sie werden empirische Details und nackte Fakta »witzig persifliert, und dadurch vielleicht am glücklichsten illustriert« (B 3, 587), das heißt, das Verborgene kommt doch in den Blick. (Klaus Pabel hat auf der Ebene des Handlungskontextes die grundlegende Funktion der »Parallelgeschichte«, deren Typologie er fixiert hat, nachgewiesen: dieses Verfahren setzt reflektierte Fakta »in geschichtliche und mythologische Handlungsabläufe um«).

Lit.: Dierck Möller: *Heinrich Heine: Episodik und Werkeinheit,* Wiesbaden und Frankfurt a. M., 1973, 220 f.; Klaus Pabel (s. o.), 235–242; Heinz Brüggemann (s. o.).

Weitere Auseinandersetzung mit dem England-Stoff

Heine, dessen Beschäftigung mit englischen Verhältnissen auf die Tragödie *William Ratcliff* (1823) zurückgeht, hat seine *Fragmente* über die politischen, sozialen, juristischen und kulturellen Zustände Englands, wie die Forschung betont, im Stile einer vergleichenden »Volkscharakteristik« angelegt (Hermand, 119). In verallgemeinerndem, das Unwandelbare des »Nationalcharakters« betonendem Stil ist auf traditionelle Weise die Rede von »den« häuslichen Engländern, »den« revolutionären Franzosen und »den« träumerischen Deutschen. »Die Engländer« lautet der Titel eines Kapitels, und die satirische Spottfigur »John Bull« ist kräftig mit von der Partie (vgl. Aufsatz- oder Übersetzung-*John Bull*, B 3, 642–646, der in den Umkreis der *Fragmente* gehört, wie ebenfalls *Johannes Wit von Dörring*, B 3, 646 f.). Kritik an England und Engländern dringt auch in den Werken der folgenden Jahre immer wieder durch, wenn englische Touristen verspottet werden und der Sohn Albions, im Vergleich mit dem Italiener, als »zivilisierter Barbar« erscheint (*Reise von München nach Genua* B 3, 332 f. und 371). Zwei Engländerinnen, Mylady Mathilde und Lady Julia Maxfield stehen im Zentrum der närrischen Bädergesellschaft von Lucca, während erste als spottlustige Britin in der *Stadt Lucca* wieder erscheint. *Shakespeares Mädchen und Frauen* bieten dann Gelegenheit zu einer vehementen Generalabrechnung mit England und »den« Engländern.

Dennoch bedeutet Heines England-Kritik kein Rückfall in das traditionelle Klischeedenken (diesem Denken bleibt aber der hochgelobte Pückler-Muskau verhaftet, B 3, 473 f., 476; dazu Hermand, 120 ff.). Heine betont in den *Englischen Fragmenten* ausdrücklich, daß aufgrund der modernen Entwicklung die »alten stereotypen Charakteristiken der Völker« letztlich »nur zu trostlosen Irrtümern verleiten« (B 3, 543). Deshalb lassen sich seine Reportagen, ebenso wenig wie seine späteren Auseinandersetzungen, von psychologischen, ahistorischen Klischees leiten, sondern von geschichtlichen Erfahrungen und politischen Prinzipien. So erörtern die *Französischen Zustände* englische Reformpolitik, die Stellung des Adels sowie die Rolle der wichtigsten Protagonisten der politischen Szene im Lichte der jüngsten, krisenhaften Entwicklung (Artikel IV und VIII). Andererseits dominiert in vielen der späteren Auseinandersetzungen ein Element, das im zweiten Fragment von 1828 schockartig erfahren wurde und dann als synonym für das moderne England bzw. für den industriellen Fortschritt allgemein gilt: das Maschinen- und Roboterhafte im Verhalten der Menschen, das Tag und Nacht schnurrende »Maschinenwesen« der Eng-

länder (*Französische Zustände*, B 5, 136; *Florentinische Nächte*, B 1, 589; *Ludwig Börne*, B 7, 36 ff. und *Lutezia* LI, B 9, 417). Zuletzt sei verallgemeinernd bemerkt: Wenn das Schlagwort »Maschine Mensch« etwas über die Natur des modernen Menschen aussagt, dann haben die *Englischen Fragmente* dieser Ansicht vorgearbeitet.

Lit.: Jost Hermand (s. o.); Siegbert Salomon Prawer: *Coal-Smoke and Englishmen. A Study of Verbal Caricature in the Writings of Heinrich Heine*, London 1984.

Aufnahme und Wirkung

Gegenüber der Aufnahme des in Preußen bald beschlagnahmten und verbotenen vierten *Reisebilder*-Bandes sind Einzelheiten zu den *Englischen Fragmenten* nicht bekannt (vgl. Aufnahme von *Die Stadt Lucca*). Erwähnenswert ist die Rezension von Wolfgang Menzel – der seitenlang Heine zitiert –, daß er an den Englandberichten nur Positives findet, während er die Kritik am Christentum in der Lucca-Prosa entrüstet zurückgewiesen hat. Als Beispiele von Heines »bessern Geschmacks« lobt er Teile aus den Reportagen über »*Old Bailey*«, »*Das Neue Ministerium*«*; die Darstellungen der englischen Presse (Kap. III) und des Parlamentarismus (Kap. IX) empfindet er als besonders witzig, während er den Aufsatz über Wellington (Kap. X) als ein »Meisterstück geschichtlicher und zugleich poetischer Charakteristik« bezeichnet (B 4, 894).

Lit.: B 4, 866–896; Galley/Estermann I, 441 ff., 459 ff., 467 ff., 481 ff., 488, 492–508, 514 ff., 530 ff.; II, 62 f. [aus Börnes 33. der *Briefe aus Paris*]; DHA 7/2, 1676 ff.

Einleitung zu: Kahldorf über den Adel in Briefen an den Grafen M. von Moltke

Anlaß, Druck, Text

Den Anlaß zu der letzten in Deutschland entstandenen Arbeit Heines gab eine Auseinandersetzung zwischen dem liberalen Publizisten Robert Wesselhöft (1796 bis 1852) und dem Grafen Magnus von Moltke (1783–1864) über die Adelsfrage, die durch die antiaristokratische Julirevolution besonders aktuell war. Der in dänischem Hofdienst stehende Graf hatte 1830 eine trotz zahlreicher kritischer Äußerungen politisch reaktionäre Verteidigung des Adels veröffentlicht *(Über den Adel und dessen Verhältnis zum Bürgerstande)*. Seine der restaurativen Ideologie verhaftete Argumentation geht von einem ›organischen‹ und ›natürlichen‹ Traditionszusammenhang aus, um die »erhabene Stellung« bzw. den »Nimbus« des Adels politisch, sozial und moralisch zu rechtfertigen. Der Gegensatz zur bürgerlichen Ordnung soll durch »Anstand«, »Güte« und »Stimme des Herzens« geregelt werden (Auszüge B 4, 941–946; vgl. DHA 11, 762 f.). Als Herausgeber der besonnenen, im »Ton der Mäßigung« (B 3, 660) verfaßten Antworten Wesselhöfts unter dem Pseudonym »Kahldorf« benutzt Heine die Gelegenheit zu einer revolutionären Einleitung, in der er sich, »bewegt von der Zeitnoth«, wie er am 1. April 1831 Varnhagen gestand, »vielleicht vergallopirt«. In demselben Brief bittet er um Nachsicht für die »absichtlichen Unvorsichtigkeiten« sowie für den »angstschnellen schlechten Styl«.

Die Niederschrift des von Campe angeregten Beitrages begann zwar schon im November 1830, aber die Hauptarbeit fiel in die ersten Märztage 1831 und wurde am 8. März abgeschlossen. Anfang April teilte Heine der Druckerei in Altenburg (Nürnberg ist ein aus zensurtaktischen Gründen fingierter Druckort) Vorschläge zur Ausfüllung der Zensurlücken mit. Die Verteilung der verstümmelt gedruckten Streitschrift erfolgte in der zweiten Maihälfte 1831, kurz nach Heines Abreise.

In Paris kam es noch zu einem kurzen Nachspiel. Im Juli 1831 bat von Moltke, der offenbar eine Antwort plante (B 5, 225), und der sich außerdem in der französischen Hauptstadt aufhielt, Heine um eine Aussprache, die am 28. Juli stattfand. Vier Tage zuvor entschuldigte sich Heine, der das Buch noch nicht gesehen hatte, schriftlich bei von Moltke über die »leider in Haß und Leidenschaft« geschriebene Einleitung, die er in der verstümmelten Gestalt möglicherweise »noch desavouirieren« müsse. Später hat Heine den zwar politisch konservativ, aber wirtschaftlich offenbar liberal denkenden Grafen (B 4, 947) sogar persönlich und geistig rehabilitiert, jedoch ohne seine Angriffe auf den Adel im geringsten zu mäßigen *(Zwischennote zu Art. IX der Französischen Zustände,* B 5, 224–226).

Druck: Die *Einleitung* erschien verstümmelt in: *Kahldorf über den Adel in Briefen an den Grafen M. von Moltke. Herausgegeben von H. Heine. Nürnberg, bei Hoffmann und Campe. 1831,* auf den Seiten 1–30. Das Buch wurde in der 2. Maihälfte 1831 verteilt. – Auszugsweise Übersetzungen des Anfangs (B 3, 655 bis 658, Z. 2 bzw. nur bis 656, Z. 23) erschienen 1831 in französischen Rezensionen bzw. 1833 in der Verlegereinleitung von *De la France* (DHA 11, 748 f.). Erst 1868 veröffent-

lichte der Verleger Michel Lévy in dem Band *Allemands et Français* seiner Werkausgabe eine vollständige Übersetzung.

Text: B 3, 653–667 (als Druckvorlage diente der in den Ausgaben von Ernst Elster und Oskar Walzel nach der Handschrift wiederhergestellte Text); DHA 11, 134–135.

Lit.: B 4, 941–947; DHA 11, 739–743, 762–765.

Analyse und Deutung

»Wird die deutsche Revolution
eine trockne sein oder eine naßrote –?«
Im Anschluß an die enthusiastischen Äußerungen der letzten *Reisebilder*-Texte (vgl. B 3, 473 f., 527 ff. und 602 ff.) versteht sich die *Einleitung,* die nur in ihrem Mittelteil auf den Inhalt des Buches eingeht, als selbständige, politische Auseinandersetzung mit der für Heine epochalen Julirevolution. Dabei dienen fiktionale Mittel wie Kontrastvergleiche und historische Parallelen, Anekdoten und (unterdrückte) Geschichten, Bilder und Wortspiele zur Veranschaulichung der zeitkritischen Einstellung. Vor dem Hintergrund der französischen Umwälzung, die die früher ausgesprochenen Erwartungen eines demokratischen, vom Einfluß des Adels ganz befreiten Bürgerkönigtums verwirklicht hat (vgl. B 3, 520 und 665), werden aus revolutionärer Sicht die praktisch-politischen Konsequenzen für die deutschen Verhältnisse diskutiert. Während 1831 die publizistischen Parteigänger der liberalen Revolution vor der deutschen Wirklichkeit zu resignieren beginnen, hält die Einleitung durch das Bild des deutschen Volkes, das aus seinem restaurativen Tiefschlaf aufgescheucht worden ist, an der Idee einer revolutionären *Krise* fest (»Der gallische Hahn hat jetzt zum zweitenmale gekräht, und auch in Deutschland wird es Tag.«)

Die ideologischen Voraussetzungen zu einer politischen Lösung der Krise sind für den Autor durch den Aufschwung der deutschen Philosophie von Kant bis Hegel bereits vorhanden, denn die Philosophen haben in ihren geruhsamen Träumen nichts weniger als »den Bruch mit dem Bestehenden und der Überlieferung im Reiche des Gedankens, eben so wie die Franzosen im Gebiete der Gesellschaft« vollzogen. Nach Abschluß ihres »großen Kreislaufs« steht jetzt der Übergang zur Praxis auf der Tagesordnung (das 1831 erstmals in dieser Form gestellte Problem der Verhältnisse von Theorie und Praxis sowie von deutscher Philosophie und Französischer Revolution, deren parallele Entwicklung hier betont wird, macht Heines grundsätzlichen Beitrag zur nach-hegelianischen

Philosophie aus, vgl. die Religions- und Philosophie-Schrift). Um so schärfer fällt der Angriff auf die Institution aus, die eine solche Entwicklung in Deutschland verhindert: Die Pressezensur unterdrückt nicht nur Gedankenfreiheit, sondern erhält das Volk »in geistiger Unmündigkeit«, wodurch der »naßrote« Verlauf einer Umwälzung vorprogrammiert ist. Indem sie die selbstmörderischen Konsequenzen der Zensur betont, richtet die dialektische Analyse (in witziger Wortumbildung) eine deutliche Warnung an die Adresse der despotischen Herrscher, weil als wahr gilt, »daß dort, wo die Ideenguillotine gewirtschaftet, auch bald die Menschenzensur eingeführt wird« (B 3, 658). Welcher Sprengstoff sich angesammelt hat, zeigt andererseits der Protest des Schriftstellers, der durch diese »Geisteshenker« zum »Verbrecher« geworden ist und beim Schreiben unaufhörlich zu »Gedanken-Kindermord« gezwungen wird. Zur Bekräftigung des Protestes (und zur Illustration des »Segens der Preßfreiheit«) genügt ein Hinweis auf die politische Reife des Pariser Volks, das 1830 nicht den Kopf Polignacs verlangt hat, der mit seinen fatalen Ordonnanzen den Sturm entfacht hatte.

Lit.: Peter Bürger: *Des Essay bei Heinrich Heine, Diss.* München 1959, 13–18.

Adel und aristokratische »Verhetzungskünste«

Das große Gewicht, das die *Einleitung* auf die im Vormärz so zentrale liberale Forderung nach Geistes- und Pressefreiheit legt, wird noch auf zwei weitere Arten bekräftigt. Der Schluß des Textes stellt an der militanten, klassenspezifischen »Jagd«-Metaphorik die Gefahr politischen Rückschritts aufgrund der ungebrochenen Kraft der adligen Propaganda heraus (»Ach! die ganze Zeitgeschichte ist jetzt nur eine Jagdgeschichte. Es ist jetzt die Zeit der hohen Jagd gegen die liberalen Ideen«). Von diesem Standpunkt aus muß der zum Waffengang fiktionalisierte Streit zwischen Wesselhöft und von Moltke als überholt bzw. verfehlt erscheinen: Dem »bürgerlichen Ritter«, der als Burschenschafter von 1824 bis 1831 in Haft saß, wird richtige Gesinnung bescheinigt, aber zu große Mäßigung vorgehalten; die Rechtfertigungen der Ahnherrenschaft und der adeligen Vorrechte durch den »hochgeborenen Kämpen« werden als anachronistisch abgefertigt – »mittelalterliche Zote«, »altadlige Insolenz« – und dem Gelächter

preisgegeben (vgl. dazu DHA 11, 763 f. und 774 f.). Nach 1830 kann es sich nicht mehr um *theoretische* Kritik an »Rechtsansprüchen« handeln, sondern um *praktische* Kritik am politischen Einfluß, den die geheimbündlerische Aristokratie national und international durch »diplomatische Verhetzungskünste« gegen die Interessen der Völker immer noch und wieder stärker ausübt. So richtet sich der Angriff auf die »Bannerführer der europäischen Aristokratie« nicht nur gegen das bankrotte England und das feige Österreich, die die Völker zum Kampf gegen das revolutionäre Frankreich geführt haben, sondern auch gegen den Zaren Nikolaus I. (der nach 1830 die Hoffnungen des Adels trägt) und gegen Preußen (das jetzt nicht nur publizistisch erneut gegen Frankreich mobil macht). Die Hoffnung auf eine demokratische Entwicklung ruht dagegen auf dem »unsterblichen« Geist der Revolution« bzw. auf der im Juli »wiedergeborenen« Revolution (die biologische Metaphorik soll deren Unaufhaltbarkeit mitteilen). Folgende Präzisierung und Unterscheidung ist nun wichtig. 1831 geht Heine über die bonapartistischen Anschauungen der *Reisebilder,* die das geniale Individuum in den Mittelpunkt gestellt haben, hinaus und erkennt in der »Volkwerdung« den Kern der Revolution. Im Hinblick auf Deutschland hält er am Modell einer politisch-konstitutionellen Revolution weiter fest (wenn auch das Wortspiel, mit dem die »Kapitalisten« im Vergleich mit dem Adel, dem »korinthischen Kapital«, als noch widerwärtigere Staatssäule denunziert werden, über liberale Auffassungen klar hinausweist).

Das Versagen der liberalen Intelligenz

Im Lichte der äußerst positiven Rolle, die die französischen und deutschen Philosophen im Kampf um die notwendige geistige Befreiung gespielt haben, werden zuletzt die deutschen Liberalen angeklagt, die sich 1830 als »Schreier der Freyheit« bestätigt, aber 1831 ihre Stimmen gedämpft haben (Brief an Varnhagen vom 1. April 1831). Heine erhebt in der Einleitung seine Stimme als einer, der seine Koffer gepackt hat und innerlich schon auf dem Weg nach Paris ist, um endlich »frische Luft zu schöpfen«. Er erhebt sie um so lauter, als er nach dem Scheitern seiner Berufspläne in Deutschland nichts mehr zu verlieren hat. Sein Haß richtet sich gegen die »gelehrten Hunde«, die sich jetzt von den herrschenden, vor allem preußischen Jägern auf die Jagd nach liberalen Ideen schicken lassen (das

Adelsprivileg Jagd konnotiert für Heine anachronistisch gewordene Unterdrückung, was *Nordsee III* am konkreten Fall der adeligen Menschenjagd angeprangert hat, vgl. B 3, 224 f.). Mit aller gebotenen Schärfe denunziert Heine die für ihn charakteristische Servilität deutschtümelnder Propagandisten hier am Beispiel jener Berliner »Ukasuisten und Knutologen« (Wortkreuzung aus russ. Ukas = Befehl, Erlaß und Kasuisten), die sich wie weiland 1813 gegen Frankreich mobilisieren lassen. Ein Intellektueller wie der deutsch-nationale Görres, einer von Heines Prügelknaben, wird sogar als käuflich hingestellt. In rhetorischer Übertreibung (mehrfaches »und«) werden schließlich Auftraggeber und Propagandisten zugleich verspottet. So endet das ›Vermächtnis‹, das der nunmehr seines Amtes waltende Zeitschriftsteller dem ›alten‹ Deutschland hinterläßt, mit Worten, die unversöhnliche Gegnerschaft gegen Preußen ankündigen, aber auch die »Schriftstellernöte« der 30er Jahre heraufbeschwören werden: »Berlin füttert die beste Koppel [an gelehrten Hunden], und ich höre schon wie die Meute losbellt gegen dieses Buch.« Nach 1831 sollte es der »Meute« in der Tat gelingen, die Treibjagd auf Heine zu eröffnen und den Preußen-Jäger selber in einen gehetzten Hund zu verwandeln.

Aufnahme und Wirkung

Heine sollte sich nicht getäuscht haben: am 18. Juni 1831, bevor es in den Buchhandlungen erscheinen konnte, wurde das Buch in Preußen offiziell verboten. Damit war auch der kommerzielle Mißerfolg vorprogrammiert.

Dagegen sorgte eine Reihe von Rezensionen trotz aller Kritik und auch bei lange Zeit ungeklärter Verfasserfrage für einigen literarischen und auch für politischen Erfolg. Positiv eingestellte Rezensenten lobten Heines politisches Engagement, seine Überzeugungen und seinen Kampf für Pressefreiheit (so die liberalen Schriftsteller Eduard Duller und – wahrscheinlich – Richard Otto Spazier, der sogar von einem »Meisterwerk« sprach – Galley/Estermann, 538) und/oder sie stimmten Heines Witz und Ironie, Spott und Hohn zu (so z. B. das von Menzel herausgegebene »Literatur-Blatt«). Die negativ eingestellten Kritiker rieben sich an Heines allzu glänzendem Witz, den sie aus nationaler oder aus offen antisemitischer Sicht verurteilten (z. B. der nicht zu ermittelnde »74« aus den »Blättern für literarische Unterhaltung«).

Deutsch-nationale Orientierung bestimmt ebenfalls die Kritik an der These von der Parallelität zwischen Französischer Revolution und deutscher Philosophie sowie schließlich die Ablehnung des Liberalismus als undeutsch bzw. unpreußisch. – Die französische Aufnahme, in der Heine sogar langfristig auch als Autor des ganzen Buches galt, zeichnete sich durch lebhafte Diskussion aus; durch auszugsweise Übersetzungen des Anfangs der Einleitung wurde erreicht, daß die in Deutschland kritisierte Parallelität schnell ein breiteres und ein sehr positives Echo fand. In der saint-simonistischen Zeitung »Le Globe«, die sich gleich mehrfach an der Aufnahme beteiligt hat, stellte eine Michel Chevalier zugeschriebene Rezension Heine als einen politischen Schriftsteller von europäischer Bedeutung vor.

Lit.: DHA 11, 743–749; Hans Hörling: *Heinrich Heine im Spiegel der politischen Presse Frankreichs von 1831–1841*, Frankfurt a. M. etc. 1977, 133 ff.; Galley/Esterman I, 517–529, 538 ff. 542 ff., 558 ff., 573 ff.; II, 52, 55 u. 57.

Französische Maler

Entstehung, Druck, Text

Die Berichterstattung über Frankreich, zentraler Bestandteil von Heines Lebenswerk, begann mit scheinbar Nebensächlichem. Gut fünf Monate nach seinem Eintreffen in Paris erschien Ende Oktober 1831 im Stuttgarter »Morgenblatt« das Porträt eines weithin unbekannten französischen Malers, das eine größere Serie eröffnen sollte. – Im Juli hatte der Neuankömmling mehrmals den Salon Carré im ersten Stock des Louvre aufgesucht, wo die periodisch, aber unregelmäßig wiederkehrende Kunstausstellung »Salon« stattfand (1831 vom 1. Mai bis zum 17. August). Die erste Ausarbeitung einzelner Berichte erfolgte wahrscheinlich bereits im selben Monat, unmittelbar nach den Salon-Besuchen, und setzte sich vermutlich im August und September, während des Sommeraufenthaltes in Boulogne sur Mer, verstärkt fort (Reinschrift Anfang Oktober in Paris). Ende September konnte Heine Ludwig Börne in einem Gespräch mitteilen, er habe »eine große Abhandlung über die letzte Gemäldeausstellung geschrieben« (Brief Börnes an Jeanette Wohl vom 28. September 1831). Zu diesem Zeitpunkt hatte Heine auch Verbindung zu dem durchreisenden Redakteur der »Allgemeinen

Zeitung«, Gustav Kolb, aufgenommen und Fragen
klären können, die die, alte, unerfüllte Verpflichtungen
gegenüber Cotta sowie die weitere Mitarbeit an
den Cottaschen Zeitungen betrafen. Kolb, der die
scheinbar unbedeutenden Kunstberichte »zu dem
Besten, Schönsten und Durchdachtesten« zählte,
das Heine je geschrieben habe, schickte das neue,
von ihm mit Heine durchgesehene Manuskript am
7. Oktober mit des Autors Bitte an v. Cotta, ohne
Zensur gedruckt zu werden (alle diese Fragen erör-
terte Heine seinerseits dann im Brief an Johann
Friedrich v. Cotta vom 31. Oktober 1831). Die Berichte, die Heines publizistischen Neubeginn darstellen, erschienen in drei Artikeln und in fünfzehn
Fortsetzungen eingeteilt, jedoch mit Zensurlük-
ken. – Im Sommer 1833 bot die Zusammenstellung
des ersten *Salon*-Bandes eine Gelegenheit, die Berichte mit neuem Titel (zur Anpassung an die
Frankreich-Berichte) und in überarbeiteter, er-
gänzter Form (Ausfüllen der Zensurlücken) als geschlossenes Ganzes herauszugeben.

Nachtrag 1833: Im Januar 1833 plante Heine
eine Fortsetzung seiner Berichte über den Salon
vom kommenden Frühjahr; am 1. Januar 1833
schrieb er an Cotta: »Ich beschäftige mich überhaupt in diesem Augenblick, wo das politische Interesse erlischt, wieder viel mit Kunst«. Der Bericht, der wahrscheinlich erst im September/Okto-
ber entstand, erschien jedoch nicht im »Morgenblatt«, sondern im ersten *Salon*-Band. Zur Strek-
kung des Umfangs wurde ein langes Zitat eines
französischen Kunstkritikers eingefügt. Bei dem
»Fragment aus einem Memoire« (B 5, 81) des
Schlußteils dürfte es sich um ein Textstück aus einem ursprünglich für die »Allgemeine Zeitung«
bestimmten Artikel vom Juli 1832 handeln.

*Zeitschriftendruck: Gemäldeausstellung in Paris. Von H. Hei-
ne* erschien zensiert in der Zeit vom 27. Oktober bis 16. November 1831 in den Nr. 257–265 und 269–274 des »Morgenblatts für gebildete Stände« in Stuttgart (Einzelheiten DHA
12/2, 537; HSA 7 K, 51 f.; Nachdrucke DHA 12/2, 537).
Buchdruck: Der verbesserte Text wurde mit dem neuen Titel
Französische Maler. Gemäldeausstellung in Paris 1831, in *Der
Salon von H. Heine. Erster Band,* 1834 (im Dezember 1833
erschienen) auf den Seiten 1–108 gedruckt, gefolgt von *Nachtrag. 1833,* S. 109–142. Die 2. Auflage von 1849 blieb unverändert.
Französische Übersetzungen: »Le Globe, Journal de la Religion Saint-Simonienne« druckte mit dem Titel *Gemaeldaus-
stellung[sic] in Paris, Etc... (Exposition du Salon de 1831);
par H. Heine* am 2. Januar 1832 nach der »Morgenblatt«-Fas-
sung Ausschnitte aus den Artikeln über Decamps, Robert und
Delaroche.
       Unter dem Titel *Salon de 1831* erfolgte die um einige
politische Einlagen gekürzte erste Buchausgabe im Juni 1833

in dem von Pierre Alexandre Specht übersetzten und bei
Eugène Renduel erschienenen Sammelband *De la France,* S.
283–347. Der Band wurde 1834 unverändert als *Œuvres de
Henri Heine IV.* nachgedruckt. – Mit unverändertem Titel
wurde eine ebenfalls unvollständige, an politisch anstößigen
Stellen gegenüber 1833 sogar weiter ›gereinigte‹ Übersetzung
1857 in *De la France* (S. 324–383) der *Œuvres complètes* aufgenommen, die bei Michel Lévy frères in Paris erschienen.

Texte: B 5, 27–73, *Nachtrag 1833:* B 5, 74–87 [als Druckvorlage
diente mit der Ausgabe von Walzel die *Salon*-Fassung von
1834; der Zeitschriftendruck von 1831 sowie die Übersetzungen wurden kritisch benutzt]; DHA 12/1, 9–48, 49–62 (*Nachtrag. 1833*) und 449 f. (Bruchstücke).
       Übersetzung: DHA 12/1, 424–447; HSA 18, 113–138 (bei-
de Übersetzungen nach Ausgabe von 1857, DHA mit Textent-
wicklung im Lesartenapparat, DHA 12/2, 1267–1271).

Lit.: B 6, 718–722; DHA 12/2, 521–525, 529 f., 1200–1205;
HSA 7 K, 48–51.

Der Salon von 1831, Heine und die Malerei

Als erstes bedeutendes kulturelles Ereignis nach
der Julirevolution war die Ausstellung von 1831 mit
großer Spannung erwartet worden und stellte in der
Tat eine »Sensation« (Zepf) dar. Während Heine
in seinem ersten Bericht 1831 die Bedeutung von
Kunst und Kunstkritik angesichts der veränderten
gesellschaftlichen Umstände herunterspielt, betont
er mit etwas zeitlichem Abstand die »unermeßliche
Bedeutung des Salon von 1831«. Im *Nachtrag 1833*
behauptet er nämlich: »Jener Salon war, nach dem
allgemeinen Urteil, der außerordentlichste den
Frankreich je geliefert, und er bleibt denkwürdig in
den Annalen der Kunst. Die Gemälde, die ich einer
Beschreibung würdigte, werden sich Jahrhunderte
erhalten, und mein Wort ist vielleicht ein nützlicher
Beitrag zur Geschichte der Malerei« (B 5, 77; zum
»Salon« als Institution, vgl. *Der Salon* I–IV: Das
Gesamtprojekt). Was ihn faszinierte, war die parallele Entwicklung von politischer und künstlerischer Revolution: Im Rückblick rechtfertigt er den
Beginn der Frankreich-Reportagen durch das Spe-
zialthema Malerei mit der Erklärung, daß er zuerst
über die »große Revolution« schreiben mußte, »die
hier im Reiche der Kunst stattgefunden« hatte (B 5,
74; diesen Zusammenhang hat übrigens auch Victor Hugo in seiner bekannten Definition der Romantik betont: »le romantisme [...] n'est [...] que
le *libéralisme* en littérature«, *Préface* zu *Hernani,*
März 1830).

Die von Heine hervorgehobene Entwicklung
hat sich 1831 tatsächlich in der Wahl neuer Sujets
bzw. in der Bildthematik deutlich widergespiegelt:

33 der über 3000 ausgestellten Bilder bezogen sich auf die Julirevolution; Historiengemälde, die christliche Legenden behandelten, waren dagegen schon in der Minderzahl gegenüber solchen, die allein Szenen aus Walter Scotts Romanen darstellten. Doch aus kunstgeschichtlicher Sicht kommt dem Salon nicht die Bedeutung zu, die Heine ihr zuerkannt hat: In der Kunstgeschichte spielt der Salon von 1831 keine große Rolle; die von Heine charakterisierten Maler sind heute bis auf Delacroix weitgehend unbekannt, ihre Bilder ohne revolutionäre Bedeutung für die Malerei; eine künstlerische Revolution hatte sich vorher, auf den Salons von 1824 und 1827, mit dem Auftreten von Delacroix und Géricault (1827) vollzogen, – eine weitere fand dann erst wieder mit dem Auftreten der Impressionisten statt. Géricault wird von Heine 1833 in seinem Überblick über die neueste französische Malerei als »Eröffner einer neuen Malerschule in Frankreich« herausgestellt (B 5, 76). Diese Aussage bezieht sich auf den damals richtungweisenden Kampf zwischen den »Romantikern«; d. h. den koloristischen, realistischen Malern, und den »Klassikern«, d. h. den Anhängern der akademisch-strengen David-Schule, mit Ingres an der Spitze, – ein Kampf, der 1827 künstlerisch und 1830 politisch zugunsten der »Romantiker« entschieden. war (Zepf, 73). Nach Heines Ansicht besteht die künstlerische Revolution der französischen Romantiker darin, daß die Malerei, mit Verspätung gegenüber der Musik und der Literatur, der durch die Französische Revolution ausgelösten »sozialen Bewegung« gefolgt ist und »endlich mit dem Volke selber verjüngt« ward (B 5, 74). Zehn Jahre nach dem Salon von 1831 hat Heine jedoch seine frühere Ansicht insofern eingeschränkt, als er das »Wiederaufblühen der bildenden Künste« nach der Julirevolution als »leidigen Alteweibersommer« bezeichnete (B 9, 356). In einem Punkt sollte er aber rechtbehalten haben: Kunsthistoriker belegen durch Rückgriffe auf die *Maler,* daß sie die eigenwilligen, der Gehaltsästhetik verpflichteten Berichte als »nützlichen Beitrag zur Geschichte der Malerei« ansehen (Zepf).

Heines literarische und weltanschauliche Auseinandersetzung mit der bildenden Kunst beschränkt sich nicht allein auf die *Französischen Maler,* seinem in dieser Hinsicht wichtigsten Werk. In der Kunststadt Düsseldorf aufgewachsen, wo er auf der Kunstakademie bei Lambert Cornelius, dem älteren Bruder des berühmten Peter Cornelius, Zeichenunterricht erhalten hatte, konnte er bei sei-

nem Münchner Aufenthalt (1828) durch Galeriebesuche und im Umgang mit Malern wie demselben Peter Cornelius und Theophil Gassen seinen Gesichtskreis erweitern (Söhn). Die *Reise von München nach Genua* eröffnet die Kunstkritik mit dem für Heines Ansichten bezeichnenden Gegensatz zwischen der heiteren, farbenfrohen Malerei eines Peter Paul Rubens und der trübsinnigen, toten Malerei Cornelius, der trotz Anerkennung des Talentes des Meisters jegliche Entwicklungsmöglichkeit abgesprochen wird (B 3, 385 ff.). Die Verurteilung der retrograden Einstellung der deutschen Nazarener, d. h. der historischen Schule in München, kehrt in den *Malern* wieder, während die Hochschätzung der niederländischen Genremalerei ebenfalls ein wesentliches Element des ideologischen Bezugsrahmens im *Schnabelewopski* abgibt (B 5, 51 f. und B 1, 540 ff.). Andererseits setzt sich die spezifisch literarische Kunstkritik nach 1831 und 1833 in Berichten über die Salons von 1841 und 1843 fort, wobei die letzteren am Maßstab des Salons von 1831 kritisiert und die positiven Ansichten über Horace Vernet und Leopold Robert angesichts der industriellen Entwicklung berichtigt werden (B 9, 356.–s. S. 397 f. –, 480 ff. und 376 ff.). Abschließend sei erwähnt, daß sich Heines persönliche Einstellung zur bildenden Kunst nicht nur in zahlreichen Ausstellungs- und Museumsbesuchen bekundet hat (sein erster und sein letzter Ausgang in Paris galt dem Louvre): In seiner Wohnung hingen auch Stiche nach Bildern des so hochgeschätzten Robert (u. a. »die Schnitter«).

Lit.: Karl Robert Heinrich Hessel: *Heinrich Heines Verhältnis zur bildenden Kunst,* Marburg 1931; *Heinrich Heine. Zeitungsberichte über Musik und Malerei,* hrsg. von Michael Mann, Frankfurt a. M. 1964 (*Einleitung* und 185 ff.); Gerhart Söhn: *In der Tradition der literarischen Kunstbetrachtung. Heinrich Heines »Französische Maler«,* in: HJb 1978, 9–34; Irmgard Zepf: *Heinrich Heines Gemäldebericht zum Salon 1831: Denkbilder,* München 1980, 60–74.

Analyse und Deutung

Gemälde, Gemäldebericht und Zeitgemälde

Der Berichterstatter spielt ein so offenes und doch so verblüffendes Spiel mit seinem Leser, daß Mißverständnisse nicht nur nicht ausgeschlossen, sondern geplant erscheinen. D. h. er spielt eingangs die Bedeutung seines Gegenstandes und seiner eigenen Rolle derart herunter, als wolle er sich dafür entschuldigen, auf einen ›Nebenkriegsschauplatz‹

ausgewichen zu sein. Zunächst führt er die aufgeregten politischen Verhältnisse des nachrevolutionären Paris an (dazu DHA 12/2, 543 f.), um Kunst und Kunstgenuß als etwas Unzeitgemäßes bzw. Zeitwidriges abzutun: Kunstwerke wirkten jetzt wie »Fremdlinge«; die Ausstellung gleiche einem »Waisenhause« und zur ästhetischen Kontemplation fehle jetzt natürlich die »erforderliche Geistesruhe«. Dann gibt er vor, nichts weiter als das Sprachrohr der »öffentlichen Meinung« zu sein, die von der seinigen »nicht sehr abweichend« sei. Um jegliches kunsthistorisches Interesse auszuschalten, will er schließlich die »Beurteilung technischer Vorzüge oder Mängel« möglichst vermeiden und dem deutschen Publikum, an das er sich wendet, allein »Winke über das Stoffartige und die Bedeutung der Gemälde« geben.

Das Rollenverhalten des Berichterstatters hat in Wirklichkeit die Struktur der 23 Bildbeschreibungen, die durch die Namen der acht Maler in ungleich lange Kapitel unterteilt sind, wesentlich mitgeprägt (die Maler sind Ary Scheffer, Horace Vernet, Eugène Delacroix, Alexandre Gabriel Decamps, Emile-Aubert Lessore, Jean Victor Schnetz, Léopold Robert und Paul Delaroche; Bilddokumentation in DHA 12/2, HSA 7 K und bei Zepf). Zuerst ist bemerkenswert, daß Hinweise auf Wirkung, Erfolg und Bekanntheitsgrad der Bilder und Künstler den Zugang zu den Gemälden auf Kosten des optisch Wahrnehmbaren bestimmen. Aber die Wiedergabe von Kritikermeinungen und Publikumsäußerungen läßt ein plastisches Bild von der Vielfalt der populären Sehweisen und Auffassungen entstehen. – Dann sticht hervor, daß der rezeptionsanalytische Zugang den visuellen nicht ganz ausschließt: Die malerische Qualität wird bei Bildern von Scheffer, Vernet, Robert und vor allem Decamps eingehend behandelt. Genaue Bildbeschreibungen ermöglichen einem fremden Publikum, sich eine gute Vorstellung von den Gemälden zu machen (z. B. auch von Delaroches Gemälden). – Drittens wird dieser Zugang durch wechselnde Perspektiven: durch zeitgeschichtliche, gattungstheoretische oder thematische abgelöst. – Im Gegensatz zu den Ankündigen, aber in Konsequenz mit dem Rollenspiel, gehören noch zwei weitere Einstellungen zur Struktur der Berichte. Einmal bringt sich der Berichterstatter unaufhörlich selber mit ins Spiel und durchbricht den ›objektiv‹ erscheinenden Charakter der Sachprosa, indem er ganz persönliche Vorlieben mitteilt, Reiseerlebnisse aus Göttingen, Polen oder England sowie Augenzeugenberichte einflicht und sich als deutscher Emigrant zu erkennen gibt (dazu Zepf, 84 f.). Andererseits prägt das Rollenverhalten den Kommunikationsvorgang insofern, als der fremde, deutsche Leser immer wieder und gezielt mit der notwendig blutigen, revolutionären Vergangenheit und Gegenwart Frankreichs und Englands konfrontiert wird, um sich des zurückgebliebenen Zustands des noch so ›idyllischen‹ Deutschland bewußt zu werden. An die Tabus, die in den Ländern der Heiligen Allianz herrschen, rühren nicht nur direkte, sondern auch indirekt-esoterische Auseinandersetzungen mit französischem Freiheitsverlangen (z. B. Vernets »Judith et Holopherne« und Decamps' »Patrouille turque«). Als besonders plastisches Beispiel für die eingeflochtene Darstellung der Schreibsituation des Referenten und für die appellative Funktion der Berichte mag das direkte Eingreifen der Straßenunruhen dienen, die dem Berichterstatter sozusagen die Feder aus der Hand reißen und ein Weiterschreiben unmöglich machen. Aber ein Detail ist besonders signifikant: Nach dem Bekanntwerden des Falls von Warschau kam es in Paris am 16. September 1831 tatsächlich zu Manifestationen, aber zu diesem Zeitpunkt war Heine vermutlich gar nicht in Paris, und von dem für Norddeutsche schockierenden Ruf »Tod den Preußen!« ist nichts Dokumentarisches festgehalten worden (vgl. S. 146).

Dieses Beispiel, das die zeit- und nicht die kunstkritische Grundeinstellung der Berichte hervortreten läßt, zeigt weiter, wie Heine das umfangreiche Material der Pariser Presse zum Salon und zur Politik benutzt hat. Die Forschung konnte an zahlreichen Beispielen nachweisen, daß Heine zeitgenössische Besprechungen und Echos als Quellenmaterial ausgewertet und verwandt hat (neben Kommentar der DHA hat Zepf, 75–117, am ausführlichsten Übernahmen, Vorgaben und Ähnlichkeiten nachgewiesen; vgl. ihre Dokumentation 174–217). Aber trotz direkter Anleihen lassen sich die Berichte nicht auf eine Echo-Rolle der vorhandenen öffentlichen Meinung reduzieren (so Clarke): Heines Beschreibungen sind nicht nur komplexer und fiktionaler angelegt, sondern durch ihren ideologischen Bezugsrahmen werden die beschriebenen Gemälde auch in neuartige Zusammenhänge gestellt und nehmen Gestalt als Signaturen der Zeitgeschichte an. – Im Gegensatz zu den taktischen Ankündigungen des Berichterstatters verwandelt sich das bunte Durch- und Nebeneinander von Sach- und Selbstdarstellungen, von Bildbeschreibungen und abstrakten Reflexionen, von historischen Abschweifungen und persönlichen Assoziationen, von Erinnerungen und Anekdoten in ein selbständiges, vielschichtiges und zeitkritisches Medium, das einen fremden Leser aufklären und aufrütteln will (vgl. Zepf, die als erste die Beschreibungen »als Mischform zwischen Sachtext und literarisch-imaginativem Text« gedeutet hat).

Lit.: Margaret A. Clarke: *Heine et la Monarchie de Juillet,* Paris 1927, 242–265; Rutger Booß: *Ansichten der Revolution. Paris-Berichte deutscher Schriftsteller nach der Juli-Revolution 1830; Heine, Börne u. a.,* Köln 1977, 137–148; Gerhart Söhn (s. o.); Gerhard Weiß: *Heinrich Heines »Französische Maler« (1831) – Sprachkunstwerk und Referat,* in: HJb 1980, 78–100 [dort 78–88]; Irmgard Zepf (s. o.), 14 ff., 118 ff. u. 144–158 [außerdem zur Struktur].

Die »Volkwerdung« der Freiheit (»La Liberté«)

Die Beschreibung des Delacroix'schen Monumentalgemäldes (2,60 × 3,25 Meter), das Heine aus rezeptionsanalytischer Sicht als Höhepunkt des Salon bezeichnet hat, stellt inhaltlich und formal ebenfalls einen Höhepunkt seiner Berichte dar. Zwar steht das Kapitel »Delacroix« kompositorisch nicht im Mittelpunkt der Berichte und Heine hat, wie man ihm vorwirft (Rasch und Zepf), das künstlerische Genie Delacroix' vielleicht nicht erkannt: Aber »Le 28 juillet«, wie der Ausstellungstitel lautete, ist das einzige der übrigen 30 Revolutionsbilder sowie das einzige Delacroix-Werk, das eingehend beschrieben wird. Außerdem werden ausdrücklich der Wert der Farbe, die »eingeschlagen« sei wie auf keinem anderen Gemälde, und der Wert des Kolorits betont, der die »wirkliche Physiognomie der Julitage« ahnen lasse. Zentral ist jedoch die »Heiligkeit des Sujets«, der »große Gedanke«, der aus der Sicht des Autors jede rein maltechnische Rezeption bzw. Kritik als zweitrangig abstempelt. Das Sujet wird durch den populären, dem Katalog des Salon entnommenen Zusatztitel »La Liberté guidant le peuple« richtungsweisend benannt, zeigt das Gemälde doch, neben der überlebensgroßen weiblichen Allegorie, historisch exakt Vertreter des Volkes, nicht der Bourgeoisie, während des siegreichen Barrikadenkampfes (genau: drei verschiedene Vertreter der Arbeiter und Handwerker sowie zwei Kinder). Die literarische Beschreibung greift nun diesen Aspekt auf, indem sie die für das biedermeierliche Deutschland schockierende ›Popularität‹ der Revolution herausstellt. Für die Popularität des Bildes wirbt eingangs die Bemerkung, vor dem Gemälde Delacroix' sehe man »immer einen großen Volkshaufen«. Die breite Aneignung

des Bildsujets läßt der Berichterstatter ebenfalls in (fingierten) Gesprächen anklingen, die er angeblich vor dem Gemälde aufgeschnappt hat. Aber Volksnähe kommt vor allem dann zur Sprache, wenn die »Freiheitsgöttin« in eine Reihe mit »Phryne, Poissarde« gestellt und als Darstellung der »wilden Volkskraft, die eine fatale Bürde abwirft«, bezeichnet wird. Verwirklichung, d. h. »Volkswerdung« der Freiheit, die Heine 1830 als die entscheidende Aufgabe der modernen Gesellschaft erkannt hat (B 3, 664, vgl. B 9, 461), tritt schließlich schockartig ins Bewußtsein, wenn die durch anaphorische Wiederholung rhetorisch hervorgehobene Bildbeschreibung in dem Geständnis gipfelt: »ein großer Gedanke hat diese gemeinen Leute, diese Crapüle, geadelt und geheiligt und die entschlafene Würde in ihrer Seele wieder aufgeweckt« (B 5, 40). Bild und Bildbeschreibung stellen den Kern der Julirevolution signaturhaft vor jene Augen, die geöffnet werden sollen (zur vorbildlichen Reife des Pariser Volkes vgl. *Einleitung* zu *Kahldorf*).

Die Bildbeschreibung ist deshalb so exemplarisch, weil sie ihrerseits auf das durch die allegorische Gestalt malerisch ins Mythische gesteigerte Sujet mit fiktionaler Erhöhung reagiert. Nicht allein, daß die über Leichen schreitende »Liberté« schon ein militantes Bild vom Fortschreiten der Menschheit bedeutet. Nicht nur, daß bereits das bekannte Revolutionssymbol Sonne den »großen Gedanken« einem unwiderstehlichen Naturereignis gleichstellt. Sondern der Freiheitskampf wird durch anaphorische Beschwörung der »Heiligen Julitage« sakral erhöht und durch die Metapher »Auferstehung der Völker« ins Religiöse gesteigert. Schließlich tritt noch zu der mythischen und heilsgeschichtlichen Dimension als dritte die weltanschauliche hinzu: In der entblößten »Liberté«, für Delacroix Zeichen der Heroisierung, muß der Sensualist und Saint-Simonist Heine den Sieg von Diesseitigkeit und unterdrückter Sinnlichkeit über den repressiven Spiritualismus erkennen. Die für Heine zentrale Vorstellung befreiter, hier weiblicher Sinnlichkeit wird dem deutschen Publikum (und nicht nur ihm, vgl. Zepf, 90) durch erotische Anspielungen besonders schockierend nahegebracht: Die »Freiheitsgöttin« wird nicht nur mit einer griechischen Hetäre verglichen, sondern sie löst auch – wortspielerisch – bei dem Berichterstatter einschlägige Erinnerungen aus an »jene peripatetischen Philosophinnen, an jene Schnelläuferinnen der Liebe oder Schnellliebende«, denen er abends auf den Pariser Boulevards begegnet!

Die enthusiastische Grundeinstellung vermag jedoch andererseits relativierende Zwischentöne nicht ganz zu verdrängen, die Zweifel an dem »großen Gedanken« anmelden (die erotisierende Deutung z. B., die das Ideal auf vulgäre Weise mit Prostitution in Verbindung bringt, oder der Ironie und Weltironie verbindende Hinweis auf die belgische Erhebung von 1830, »das de Pottersche Viehstück«). Desillusionierend (so Zepf) kann die fiktive Szene vor dem Bild selber wirken, in der der Berichterstatter die erwähnte breite Wirkung der »Liberté« in klassenspezifischer Zustimmung und Ablehnung mit bewußtseinsbildender Funktion wiedergibt: Im Unterschied zu den Vertretern des Volkes, die nur kurz zu Wort kommen, dürfen der karlistische Marquis und der vermummte Priester ausführlich die Revolution auf Ressentiments von »eitlen Bankiers«, die 1830 tatsächlich an die Macht gelangt sind, und auf käuflichen Pöbel reduzieren, – aber sie entlarven dadurch nur ihren eigenen, d. h. den unsinnigen Geisteszustand der Feinde der Revolution (die Revolution war durch einen Druckerstreik ausgelöst worden).

Das Nebeneinander von Vergöttlichung und Absturz gehört nun unabdingbar zu Heines Weltsicht (an Napoleon in *Ideen* in vergleichbarer Situation exemplarisch ausgeführt). Geschichtsskepsis und zweierlei Geschichtsauffassung charakterisieren sein Denken. Zweifel am vernünftigen Verlauf der Weltgeschichte tritt in den *Malern* bei der Gegenüberstellung von Delaroche und Robert tatsächlich auf. Kritik am Ergebnis der Julirevolution wird dann 1840 dominant. Aber Skepsis und Zweifel herrschen nicht in der Bildbeschreibung der »Liberté« vor, sondern Freiheitspathos, das sich in leidenschaftlicher Beschwörung des Sonnensymbols bzw. der symbolischen Vermählung von Sonne und Paris Bahn bricht, so daß sich der Berichterstatter am Schluß sogar zur Ordnung rufen muß, um nicht noch länger von der Freiheitssonne zu schwärmen!

Als Ergebnis läßt sich festhalten, daß die Beschreibung das Gemälde zum Anlaß nimmt, um die Möglichkeiten künstlerischer Revolution anschaulich zu diskutieren, indem sie das Bild eines populären Künstlers entwirft, der 1830 an den ›Brüsten der Freiheit‹ saugt, wie einst die Künstler an den Brüsten der katholischen Kirche, die »große, gemeinsame Mutter« genannt (B 5, 29). Andererseits gerät die ebenfalls von der »Sonne des Julius« durchglühte Beschreibung zur literarischen Signatur fortschrittlicher Verhältnisse, die dem zurück-

gebliebenen Deutschland appellativ als beispielhaft vorgehalten werden.

Lit.: Wolfdietrich Rasch: *Die Pariser Kunstkritik Heinrich Heines,* in: *Beiträge zum Problem des Stilpluralismus,* hrsg. von Werner Hager und Norbert Knopp, München 1977, 230–244; Gerhard Söhn (s. o.), 24 f.; Margaret A. Rose: *Heines ›junghegelianisches‹ Bild von Delacroix,* in: HJb 1979, 27–34 [untersucht die Verbindung von Hegels Geschichtsphilosophie mit Ideen des Saint-Simonismus]; Irmgard Zepf (s. o.) 51–60 und 90–93.
– speziell zu »La Liberté«: *La Liberté guidant le peuple de Delacroix,* Catalogue établi et rédigé par Hélène Toussaint, Paris 1982 (Les dossiers du département des peintures, 26).

»Ende der Kunstperiode« und neue Kunst

Das literaturwissenschaftliche Interesse an den *Malern* besteht hauptsächlich darin, daß die Berichte einen wichtigen Beitrag zu einer modernen Kunsttheorie, die in den reflexiven Teilen erstmals ansatzweise entwickelt wird und in den theoretischen Schriften der 30er Jahre zur Ausführung kommt, geliefert haben. Die ästhetischen Überlegungen zu Krise und Ende der traditionellen Kunst sowie zu Aufschwung und Neubegründung der modernen Kunst orientieren sich nun sowohl negativ und polemisch wie positiv und konstruktiv an der Vorstellung einer Kunst, die *entweder* in »unerquicklichstem Widerspruch« *oder* in »heiliger Harmonie« mit ihrer Zeit steht (B 5, 72; vgl. B 5, 29 als historisches Beispiel zur Mäzenatenrolle der katholischen Kirche in der Vergangenheit und zur »Zerrissenheit« der Kunst in der bürgerlichen Gegenwart; über die Verwandtschaft mit saint-simonistischen Ideen vgl. DHA 12/2, 545). Die Unvereinbarkeit von Kunst und politischer Zeitbewegung – von der klassischen Ästhetik zur entscheidenden Norm erhoben – gilt jetzt aus diesem Grunde als zentrales Symptom von Krise und Niedergang. So geht die angebliche ›Autonomie der Kunst‹ im Schlußteil allein schon durch die bereits erwähnte Situation des friedlichen Berichterstatters zu Bruch: der »mißtönende Lärm« der Straße stellt nämlich eine tödliche Gefahr für den Schreiber und seine »Kunstideen« dar, die »zerquetscht« werden könnten, so daß »ungetrübter Kunstgenuß« jetzt dramatisch vereitelt wird – es sei denn, man wäre mit »Goetheschem Egoismus« gesegnet. Ebenso macht der »Anblick des öffentlichen Elends« auf den »Boulevards von Europa« reine Kunstkritik zunichte (»dann ist es unmöglich, ruhig weiterzuschreiben«). Kurz, im September 1831, unter dem Eindruck der polnischen Niederlage, gerät der klassische Elfenbeinturm mächtig ins Wanken. Angesichts der militärischen Unterdrückung des polnischen Freiheitskampfes und in Auseinandersetzung mit französischer Malerei kann Heine im Pariser Exil seine berühmte, oft zitierte und epochale Prophezeiung, die er zuerst vor der Julirevolution und in Konfrontation mit deutscher Literatur getroffen hatte, fast als erfüllt ansehen: »Meine alte Prophezeiung von dem Ende der Kunstperiode, die bei der Wiege Goethes anfing und bei seinem Sarge aufhören wird, scheint ihrer Erfüllung nahe zu sein. Die jetzige Kunst muß zu Grunde gehen, weil ihr Prinzip noch im abgelebten, alten Regime, in der heiligen römischen Reichsvergangenheit wurzelt« (B 5, 72, vgl. B 1, 445).

In dem nach 1830 verstärkten Bewußtsein, das Ende der alten und den Beginn des neuen, bürgerlichen Zeitalters, mit neuen Prinzipien und neuen Techniken, zu erleben, wird hier die grundsätzliche Frage nach Existenzberechtigung und Funktion der Kunst in einer gewandelten Welt gestellt. Hatte das Erlebnis der modernen, kunstfeindlichen Bedingungen am Beispiel der englischen Entwicklung zu der Erkenntnis geführt, daß eine nur sich selbst verpflichtete Poesie ›tot‹ ist (vgl. *Reisebilder* IV), so reift unter dem Einfluß des Saint-Simonismus und der neuesten französischen Entwicklung zwar die Einsicht, daß die ›jetzige Kunst‹ ›tot‹ ist, aber auch die Gewißheit, daß eine *neue* Kunst mit einem *neuen* Prinzip schon geboren ist.

Heines These und historische Beispiele, die nun vor allem Hegels Einfluß zeigen, haben zahlreiche Kommentare hervorgerufen. Maßgeblich ist dabei, daß Heines Thesen an Hegels Satz vom Ende der Kunst anknüpft. Seit den Berliner Ästhetikvorlesungen Hegels aus den 20er Jahren (erst 1835–1838 nach Manuskripten und Nachschriften herausgegeben) hat der Satz vom Vergangenheitscharakter der Kunst nicht aufgehört, die Philosophie der Kunst zu beeinflussen. Er steht heute immer noch im Zentrum der Auseinandersetzung mit der unverändert aktuellen Ästhetik Hegels. Der Satz beruht einerseits auf dem systematischen Ort, den Kunst als eine Gestalt des Absoluten Geistes im System der Wissenschaften einnimmt (*Enzyklopädie*, §§ 556–563). Das besagt historisch gewendet andererseits, daß der Prozeß, durch den der Absolute Geist seine Selbsterkenntnis erlangt, von griechischer Kunst über christliche Religion zur spekulativen Philosophie geführt hat, in der formalen Abfolge von sinnlicher Anschauung, Vorstellung und freiem Denken. Das bedeutet nun keine Ver-

urteilung der Kunst, sondern genauer, daß »die Kunst nicht mehr als die höchste Weise [gilt], in welcher die Wahrheit sich Existenz verschafft« (*Ästhetik*, Bd. I, 110). Darüber hinaus nimmt Hegel sogar weitere Fortschritte der Kunst an, wenn er behauptet: »Man kann wohl hoffen, daß die Kunst immer mehr steigen und sich vollenden werde«, bevor er fortfährt: »aber ihre Form hat aufgehört, das höchste Bedürfnis des Geistes zu sein« (vgl. Bd. I, 22).

Heine folgt Hegel nicht nur kritisch, sondern er scheint seinen Meister noch übertreffen zu wollen, wenn er jene »überwiegende Geistigkeit, die sich jetzt in der europäischen Literatur zeigt«, als »Zeichen« vom »trübseligen Ende« und »nahen Absterben« der Kunst deutet (B 5, 73). Hegel hatte seinen Satz vom Ende der Kunst in der Tat so formuliert: »Der Gedanke und die Reflexion hat die schöne Kunst überflügelt« (*Ästhetik*, Bd. I, 21). Aber das »Vorgefühl einer Wiedergeburt, das sinnige Wehen eines neuen Frühlings« lassen die *Maler* schließlich eine eigene, ganz unhegelsche Ästhetik bruchstückhaft entwickeln. Die »egoistisch« isolierte bzw. »hermetisch« verschlossene Kunst der spiritualistischen »Kunstperiode« soll durch eine »neue Kunst« abgelöst werden, die auf der Anschauung der ganzen Lebenswelt beruht und mit der »neuen Zeit« in »begeistertem Einklang« stehen wird. Zur Erfassung der neuen Wirklichkeit wird »sogar eine neue Technik« aufkommen. »Gedanke« und »schöne Kunst«, die nach Hegel auseinandergefallen sind, werden sich in Form von Kritik und Selbstreflexion der künstlerischen Produktionsbedingungen versöhnen, – und die *Maler* zeigen bereits den Weg dieser Versöhnung. Eine solche Ästhetik, die mit der Forderung nach formal-technischer Erneuerung den Anschluß an die technisch-industrielle Entwicklung sucht, klingt neben den subjektiven Implikationen erstaunlich zeitnah (unter »neue Technik« sind hier jedoch »Panoramen« und »Dioramen« zu verstehen, Clarke, 257 und DHA 12/2, 594). Im Hinblick auf eine Übergangszeit wird sie nun auf die viel gerühmte und oft mißverstandene programmatische Formel gebracht: »Bis dahin möge, mit Farben und Klängen, die selbsttrunkenste Subjektivität, die weltentzügelte Individualität, die gottfreie Persönlichkeit mit all ihrer Lebenslust sich geltend machen, was doch immer ersprießlicher ist, als das tote Scheinwesen der alten Kunst« (B 5, 72 f.).

Erneuerung der Kunst durch Subjektivität, Individualität und »gottfreie« Persönlichkeit läßt zunächst an frühromantische Postulate, an Geniekult und an Offenbarung eines Unendlichen denken. Aber gegen die Vorstellung von subjektiver Willkür, die immer gegen Heine vorgebracht worden ist, spricht in den _Malern_ die Forderung nach der sozialen Verantwortung des Künstlers ebenso wie die Anschauung von der »mystischen Unfreiheit« des künstlerischen Schaffens (B 5, 45). Weiter muß daran erinnert werden, daß freie Subjektivität, als Signatur der Moderne, wesentlich Befreiung der Kunst von den überholten Normen und Werten der »Kunstperiode« bedeutet: durch theoretische und praktische Kritik der klassischen Ästhetik, durch Experimentieren mit neuen Formen und Techniken, durch Öffnung der Kunst gegenüber den neuen Wirklichkeiten und Widersprüchen. Dieses funktionelle und operative Verständnis der Subjektivität zeigt sich z. B. in den _Malern_ an dem bewußtseinsfördernden Spiel des Berichterstatters mit seiner Rolle sowie an der zeitkritischen Beschreibung seiner Situation. »Selbsttrunkenst«, »weltentzügelt« und »gottfrei« darf also nicht mit narzistisch, freischwebend und verantwortungslos übersetzt werden, sondern mit intellektuell, parteiergreifend und unversöhnlich. Abschließend sei darauf hingewiesen, daß dieses so modern und aktuell formulierte Programm nur für eine Zwischenperiode gelten soll (»Bis dahin möge . . .«). Darüber hinaus versteht Heine mit Hegel Subjektivität im Horizont von Objektivität: Am Maßstab von Antike und Renaissance glaubt er an ein zukünftiges Zusammenfallen von beiden, d. h. an erneute Harmonie von Kunst und »Politik des Tages« (B 5, 72; vgl. kritisch dazu Brüggemann).

Texte: Georg Wilhelm Friedrich Hegel: _Enzyklopädie der philosophischen Wissenschaften im Grundrisse_ (1830), Neu hrsg. von Friedhelm Nicolin und Otto Pöggeler, Hamburg 1959 (= PhB 33); ders.: _Ästhetik,_ hrsg. von Friedrich Bassenge, 2 Bd.e, Frankfurt a. M. o. J. [1965, zuerst Berlin und Weimar, 1955].

Lit.: Margaret A. Clarke (s. o.); Georgi Michailowitsch Fridlender: _Heinrich Heine und die Ästhetik Hegels_ und Wolfgang Heise: _Zum Verhältnis von Hegel und Heine,_ beide in: IWK 1972, 159–171 und 225–254; Heinz Brüggemann: _Literarische Technik und soziale Revolution,_ Reinbek bei Hamburg 1973, 43–62 [untersucht die kunsttheoretische Affinität von Heine und Brecht im Ausgang von Heines Beziehung zu Hegels Ästhetik]; Eduard Krüger: _Heine und Hegel,_ Kronberg/Ts. 1977, 140–178; Irmgard Zepf (s. o.), 138–143; Rainer Hoffmann: _Erste und zweite Welt oder Leben und Kunst,_ in: Wirkendes Wort 33. Jg., 4/1983, 223–238 [dort 231 ff.].
Zu Hegels Ästhetik: Willi Oelmüller: _Hegels Satz vom Ende der Kunst und das Problem der Philosophie der Kunst nach Hegel,_ in: Philosophisches Jahrbuch 73. Jg., 1. Halbband, München 1965; 75–94; Christoph Helferich: _Georg Wilhelm Friedrich Hegel,_ Stuttgart 1979, 201–216 [als Überblick]; Annemarie Gethmann-Siefert: _Eine Diskussion ohne Ende: zu Hegels These vom Ende der Kunst,_ in: Hegel-Studien Bd. 16, 1981, 230–243 [Sammelrezension].

»Versöhnt ohne Opfer«
(Léopold Robert als Beispiel der neuen Kunst)

Die mit allgemeiner Begeisterung aufgenommenen Genrebilder Roberts, der 1831 das Kreuz der Ehrenlegion erhielt, bieten Heine noch stärkeren Anlaß, seine Vorstellungen einer neuen sozialen Kunst zu entwickeln, als es »La liberté« erlaubt hatte. Hat Delacroix mit sonnendurchglühten Farben einen »großen Gedanken« abgebildet, so Robert »mit seligen Farben« eine »große Offenbarung«: »die Schnitter« (»Arrivée des moisonneurs dans les marais Pontins«) stellen ein »gemaltes Evangelium« dar. Wenn der eine bewußt an dem Freiheitskampf beteiligt war, so hat der andere »unbewußt einer noch verhüllten Doktrin« gehuldigt (aber es muß offen bleiben, inwiefern die saint-simonistische Interpretation die Absichten des Malers getroffen hat; vgl. Sternberger, 233 ff.). Der Glorifikation der Freiheit folgt deshalb mit Robert eine umfassendere Glorifikation – die des Lebens und der Materie. Entwickelte sich die Beschreibung der »Liberté« zum Symbol gegenwärtiger Befreiung, so entwirft diejenige der »Schnitter« das utopische Bild einer befreiten und _befriedeten_ Menschheit, Chiffre der zukünftigen sozialen Emanzipation.

Die Welt des Erhabenen, der die »Liberté« verhaftet bleibt, gerät jetzt in scharfen Kontrast zur Welt des Alltäglichen, wie sie sich in der Genremalerei, die Heine außerordentlich hoch einschätzte und als Offenbarung des Geistes einer Zeit nicht von der Historienmalerei unterschied, vorfindet. Diese Hochschätzung von Darstellungen, die den »Manifestationen des gewöhnlichen Lebens« gelten, beruht auf Heines weltanschaulichen Interessen: Sieht er z. B. in der holländischen Malerei allgemein eine Gegenstellung zum christlichen Spiritualismus, so erkennt er in der niederländischen Genremalerei eine Überwindung des Dualismus von Geist und Materie (s. o.; zur holländischen Genremalerei, vgl. DHA 12/2, 570 f. und Krüger, der hier Heines Nähe zu Hegel betont).

Diese Thematik kommt nun an Roberts Darstellung aus dem italienischen »Volksleben« zu vertiefter Ausführung, denn die »Schnitter« offenbaren dem Berichterstatter den Geist einer neuen

Zeit und Gesellschaft, in der die Materie nicht unterdrückt, sondern »verheiligt« wird. Die Überwindung der christlichen Weltsicht zeigt sich auf dem Bild daran, daß nicht nur der Kopf, »als der Sitz des Geistes«, sondern der »ganze Mensch, der Leib ebensogut wie der Kopf, vom himmlischen Lichte, wie von einer Glorie, umflossen ist«. In der Konsequenz dieses Gedankens liegt weiter die Idee einer erotisch befreiten, und damit sündelosen Welt – die Idee eines Jenseits von Gut und Böse. Durch rhetorische Hervorhebung stellt die Nietzsche vorwegnehmende utopische Bildbeschreibung ausdrücklich fest: »Roberts Schnitter sind daher nicht nur sündelos, sondern sie kennen keine Sünde, ihr irdisches Tagwerk ist Andacht, sie beten beständig, ohne die Lippen zu bewegen, sie sind selig ohne Himmel, versöhnt ohne Opfer, rein ohne beständiges Abwaschen, ganz heilig« (B 5, 56).

Die Robert als Überwinder des Spiritualismus feiernde Beschreibung gibt sich nicht nur durch die begriffliche Verarbeitung der dualistischen Anschauung als saint-simonistische zu erkennen, sondern auch durch zwei Zitate, von denen das zweite lautet: »denn Gott ist alles, was da ist«. Der pantheistische Kernsatz Prosper Enfantins (»car Dieu est tout ce qui est«), den der Père der saint-simonistischen Gemeinde in der Nachfolge Spinozas aufgestellt hat, wird in den Deutschland-Schriften noch dreimal wiederholt. Das erste öffentliche Bekenntnis zu neuen »Evangelium« erfolgte zu einem Zeitpunkt, an dem Heine den saint-simonistischen Ideen voller Sympathie gegenüberstand. Hier ist nicht der Ort, auf Heines wechselnde Beziehung zu der von ihm überschwenglich begrüßten sozialrevolutionären und religiösen Doktrin einzugehen. Dagegen sei festgehalten, daß ihr Einfluß auf die ästhetischen Reflexionen anläßlich der »Schnitter« ganz besonders spürbar ist (zur Begegnung mit dem Saint-Simonismus in den *Malern*, siehe DHA 12/2, 511–519 und 572–577, und Clarke, 242–260). Daran erinnern so wesentliche Forderungen wie die nach der Rehabilitierung der Materie und nach der sozial-ethischen Einstellung der Künstler. Dennoch ist bemerkenswert, daß Heine bereits 1831 seine Unabhängigkeit gegenüber dem Saint-Simonismus behauptet: Er ist nicht bereit, die Kunst pädagogischen Aufgaben (gemäß der Doktrin) unterzuordnen. Das zeigte die Hervorhebung der »selbsttrunkensten Subjektivität« für die zukünftige Kunst, das zeigt ebenfalls die Auffassung des Künstlers als »Supernaturalisten« (s. u.), und das zeigt in gewisser Weise auch die hohe Meinung von

dem »großen Historienmaler« Delaroche, der seine Stoffe gerade nicht aus der Zukunft, sondern aus der Vergangenheit nahm. Aber in der Gegenüberstellung des als ersten französischen Malers seiner Zeit geschätzten Delaroche mit Robert setzen sich saint-simonistische Ideen wieder durch.

Das Kapitel »Delaroche« ist antithetisch auf das vorhergehende Kapitel »L. Robert« bezogen und schließt die Bildbeschreibungen ab. Die umfangreichen Beschreibungen bieten Anlaß zu geschichtlichen und geschichtsphilosophischen Reflexionen, die in den Ländern der Heiligen Allianz ebenfalls provozieren mußten: Auf die Schreckensvision vom ›Ende der Altäre‹ folgt jetzt diejenige vom ›Ende der Throne‹. Persönlich erfaßt den Berichterstatter zwar angesichts der Darstellung (oder Evokation) von todgeweihten Prinzen und geköpften Königen tiefe Wehmut, aber seine Anschauung vom geschichtlich notwendigen Ende der Monarchie wird davon nicht berührt (in die Trauer um das blutige Ende der Stuarts bzw. Bourbonen mischt sich ebenfalls Ablehnung der grauen, puritanischen Republik Cromwells bzw. der Jakobiner). Im Gegensatz zu dem friedvollen Gehalt der »Schnitter« gelten die tragischen Meisterwerke Delaroches, »Geschichtsschreibung mit Farben« und Feinheit, als Bild-Beispiele für den antagonistischen, noch unentschiedenen und vielleicht unentscheidbaren Verlauf der »Weltgeschichte«, die nicht von Vernunft, sondern von Unvernunft geprägt ist (so wird jene von zwei »feindseligen Prinzipien« – Monarchie und Demokratie – beherrschte Geschichte genannt, »die sich so närrisch herumrollt in Blut und Kot, oft jahrhundertelang blödsinnig stillsteht, und dann wieder unbeholfen hastig aufspringt«, B 5, 61 und 68). Diese fortschrittsskeptische Einstellung findet jedoch wiederum Trost an der Darstellung einer »größeren Geschichte«, »Geschichte der Menschheit« genannt, die sich nicht linear, chaotisch und blutig fortbewegt, sondern zirkular, melodisch und ruhig in sich kreist. Was Roberts Meisterwerk darstellt, ist deshalb »eine Geschichte ohne Anfang und ohne Ende, die sich ewig wiederholt und so einfach ist wie das Meer, wie der Himmel, wie die Jahreszeiten; eine heilige Geschichte«, die niemand anders als der Künstler, als der Dichter beschreibt, und in der die Rechte der Individuen nicht geopfert werden, sondern zur Geltung gelangen. So kontrastieren die Bilder Delaroches, die eine mißtönende und entzweite »Weltgeschichte« zeigen, scharf mit denjenigen Roberts, die eine versöhnte und harmonische

»Menschheit« darstellen. Dualistische Weltsicht, Nebeneinander von zwei Geschichtsauffassungen sowie pantheistische Synthese, die den kontrastiven Deutungen zugrunde liegen, bezeugen schließlich die Nähe, wenn nicht den Einfluß saint-simonistischen Gedankenguts auf die *Maler* (Clarke).

Lit.: Margaret A. Clarke (s. o.); Willfried Maier: *Leben, Tat und Reflexion. Untersuchungen zu Heinrich Heines Ästhetik,* Bonn 1969, 119–139 [zur Auswirkung der beiden Geschichtsauffassungen auf das sprachliche Bild]; Dolf Sternberger: *Heinrich Heine und die Abschaffung der Sünde,* Hamburg und Düsseldorf 1972; Wolfgang Kuttenkeuler: *Heinrich Heine,* Stuttgart etc. 1972, 79–89; Eduard Krüger (s. o.); Irmgard Zepf (s. o.) 107–117 u. 128–138.

Ästhetischer Supernaturalismus

Die auf widerspruchsvolle Zeitgeschichte und soziale Verantwortung begründete Ästhetik bedeutet keine Unterwerfung der Kunst unter kunstfremde Bestimmungen. Die Öffnung gegenüber politischsozialen Konflikten besagt ebenso wenig ›Tendenzkunst‹. Vielmehr gilt die aus genetisch und psychologischer Sicht erfolgende Polemik gegen Abbild- und Nachahmungstheorie in erster Linie der Autonomie der Kunst (B 5, 44 ff. u. 55 am Beispiel Decamps' und Roberts). Das Hervorkehren des autonomen »Künstlergemütes« oder des »Kunstgenies«, der »Seele« oder der »inneren Traumanschauung« bei Erscheinen der großen Ideen, die mit dem »heiligen Weltgeist« vermittelt, d. h. zeitbedingt sind, soll die Freiheit, nicht die Abhängigkeit wahrer Kunstproduktion zutage treten lassen. Wenn auch der schöpferische Akt aus unbewußter Notwendigkeit erfolgt, so unterliegt wiederum die Veranschaulichung der Idee dem bewußten Einsatz autonomer künstlerischer Mittel. Der Künstler ist nun deswegen »Supernaturalist« oder Vorstellungskünstler, weil seine »bedeutendsten Typen« nicht in der Natur auffindbar, d. h. keine Abbildungen sind, sondern »als eingeborene Symbolik eingeborener Ideen, gleichsam in der Seele geoffenbart werden« (B 5, 46). Dieser vielzitierte Begriff führt den aus der theologischen Diskussion des 18. Jahrhunderts stammenden Terminus Superoder Supranaturalismus, der den Glauben an übernatürliche göttliche Offenbarungen als notwendig bezeichnet, auf folgenreiche Weise in die Ästhetik ein (Kuttenkeuler, 90; DHA 12/2, 566). Zu den Konsequenzen gehört einerseits, daß künstlerischer Supernaturalismus sowohl Bruch mit der klassisch-aufklärerischen Nachahmungstheorie wie Abwehr frühsozialistischer Unterwerfung un-

ter politische, soziale oder moralische Aufgaben bedeutet (und später Distanz gegenüber nationalen oder moralischen Tendenzen, oder generell gegenüber Ideologie). Andererseits geht die mit dem Begriff verbundene poetologische Konzeption auf die romantische Dichtungstheorie zurück (dazu siehe Kuttenkeuler, 91 ff., Rasch 234 und Zepf 123, 127), weist aber gleichzeitig auf Baudelaire und die Moderne voraus (allerdings nicht ohne Fehldeutungen, was Oliver Boeck, 116–122, aufgedeckt hat). Um den letzten Punkt zu präzisieren: Über Sainte-Beuve, der die Stelle über Supernaturalismus 1833 in seinen *Lundis* zitiert hat, wurde der Begriff (wahrscheinlich) an Baudelaire weitervermittelt, der im *Salon de 1846* ausführlich Heine zitiert, um Delacroix' romantische, und für ihn moderne Methode zu erklären (die zitierte Version lautet: »En fait d'art, je suis surnaturaliste«). Nach Boeck versteht Baudelaire aber »surnaturalisme« nicht immanent, sondern transzendent, denn als Bezugspunkt diene ein Jenseitiges, eine hinter der Wirklichkeit verborgene Idealität. Das zeige der sehr unterschiedliche Symbolbegriff (Symbole als »correspondances« oder als Signaturen). – Ähnlichen Mißverständnissen ist auch die Beziehung zum Surrealismus ausgesetzt, auf den Heines Begriff rein historisch vorausweist (Boeck, 231 f.): Im ersten *Manifeste du surréalisme* (Paris, 1924) beruft sich Breton nicht sosehr auf Apollinaire, der den neuen Begriff geprägt hat, als auf Nervals »Supernaturalisme«, den der Dichter der *Filles du Feu* (1854) bestimmt von seinem Freund Heine übernommen hat; aber unter »état de rêverie *supernaturaliste,* comme diraient les Allemands« versteht Nerval, anders als Heine, einen träumerischen Zustand, der die Wirklichkeit übersteigt. Deshalb sind genaue Unterscheidungen notwendig, wenn der Begriff, der 1831 in Auseinandersetzung mit einem Kunstkritiker, der »nach alten vorgefaßten Regeln« urteilte, und mit einem Kunsthistoriker, der »das alte Prinzip von der Nachahmung der Natur« erneuern wollte, entwickelt worden war, im ›modernen‹ Sinn verstanden wird. Supernaturalismus heißt in den *Malern:* Trennung von Kunst und »lieber Natur«; Befreiung von abbildender, aber Bindung an kommunikativer Funktion (dazu Zepf, 123 ff.); Eigengesetzlichkeit der zur Veranschaulichung einer Idee bestimmten künstlerischen Mittel (»Symbole«, B 5, 45).

Lit.: Willfried Maier: *Leben, Tat und Reflexion. Untersuchungen zu Heinrich Heines Ästhetik,* Bonn 1969, 56 ff.; Eberhardt Girndt: *Heines Kunstbegriff in »Französische Maler« von*

1831, in: HJb 1970, 70–86; Wolfgang Kuttenkeuler (s. o.); Oliver Boeck: *Heines Nachwirkung und Heine-Parallelen in der französischen Dichtung,* Göppingen 1972; Wolfdietrich Rasch (s. o); Irmgard Zepf (s. o.).

Aufnahme und Wirkung

Die Reaktionen auf die *Französischen Maler* lassen eine doppelte Diskrepanz hervortreten: einmal diejenige zwischen öffentlichen und privaten Stimmen, zum andern diejenige zwischen deutschen und französischen Stimmen.

Zeitungsfassung (deutsche und französische Aufnahme): Die öffentlichen Reaktionen auf die »Morgenblatt«-Fassung waren so spärlich, daß sie übergangen werden können. Privat äußern sich Kolb (s. o.), v. Cotta, Campe und der mit Heine bekannte Dichter Franz von Gaudy durchaus zustimmend. Bemerkenswert ist hier die Auseinandersetzung mit den *Malern,* die Börne in zwei vertraulichen Briefen an Jeanette Wohl geführt hat (am 9. November 1831, während des Erscheinens der Serie, und am 8. Dezember 1831, nach deren Abschluß). Zunächst nimmt der zerstreute und enttäuschte Leser Börne die kritische Stellung des überlegenen Philosophen ein, der sein dichterisches Gegenüber nicht für befähigt hält, den modernen und komplexen »Stoff« Paris zu bewältigen. Vier Wochen später erkennt er dann: »die Pariser Gemädeausstellung enthält doch wunderschöne Sachen«, erhebt sich aber sowohl als Kunstkenner wie als gereifterer Moralist über Heine (»Schade ist es um Heine, daß ihm seine schönste dichterische Begeisterung ihm aus dem Tranke sinnlicher Liebe kömmt«, und zwar aus phantasierter, nicht aus genossener Liebe).

Nahezu sensationell ist dagegen die unmittelbare französische Reaktion (zur späteren, außerordentlichen Wirkung des Begriffs »Supernaturalismus« s. o.). Der saint-simonistische »Le Globe«, der sich 1831 schon mehrfach mit Heine beschäftigt hat, druckt am 2. Januar 1832 nicht nur drei lange Auszüge in Übersetzung nach, sondern feiert in einer Redaktionseinführung Heine enthusiastisch als sozialen Dichter-Denker einer neuen, in ihrem Sinn »organischen Epoche« der Geschichte. Außerdem habe Heine wie kein anderer die saint-simonistischen Ideen über die »mission de l'artiste« und die Kunst der Zukunft verstanden und selber praktiziert. Begeisterungsfähigkeit gilt (ohne Einschränkung à la Börne) als hervorragende Eigenschaft des modernen Kunstkritikers. – Spätere

Stimmen, anläßlich der Veröffentlichung von *De la France,* griffen auf diese Kritik des »Globe« zurück und beurteilten die *Maler* ebenfalls sehr positiv.

Buchfassung: In das erneut geringe Presseecho auf den ersten *Salon*-Band mischt sich etwas politisches Interesse mit viel Desinteresse an den bereits bekannten Gemäldeberichten (die jedoch zusammen mit der *Vorrede* auf Kosten des *Schnabelewopski* und der Gedichte hervorgehoben werden). Die ausführliche Besprechung in den »Blättern für literarische Unterhaltung«, die Heine nicht freundlich gesonnen sind, bestreitet 1834 die These einer ästhetischen Revolution in Frankreich und kann sich das »Ende der Kunstperiode« nur mit, nicht gegen Goethe vorstellen (B 6, 722 ff.). Heines Talent wird zwar nicht geleugnet, aber politisch, ästhetisch (Raupach-Satire) und moralisch als unwahrhaftig, lügnerisch und frech in die Schranken gewiesen. Zwei Reaktionen heben sich von dieser verständnislosen Aufnahme ab. In der »Zeitung für die elegante Welt« begrüßt Heines Freund Laube 1833 »Schönheitsmaß« und Phantasie der beiden Malereiberichte von 1831 und 1833 und zählt sie »zu dem Glattesten, Angenehmsten, Rundesten«, was der Autor geschrieben habe. Er gibt dann eine zutreffende Charakteristik der Berichte, indem er das Ineinander von französischer Malerei und französischer Geschichte betont. Laube verteidigt seinen Freund auch gegen mögliche Einwände von Seiten der Kunstkenner: »Heine beschreibt die Bilder als historischer Schriftsteller und Poet.« Bemerkenswert ist an diesen frühen Kritiken, wie Zepf, 23, betont hat, daß eine einheitliche Betrachtungsweise vorwiegt und nicht zwischen ästhetischem und politisch-sozialem Interesse geschieden wird (zur späteren Trennung in kunstgeschichtliche und poetologische Beurteilung s. Zepf, 23 ff.). – Wolfgang Menzel verteidigt Heine dann 1834 im »Literatur-Blatt« zunächst gegen seine Kritiker, setzt sich aber darauf um so kritischer mit dessen These vom »Ende der Kunstperiode« auseinander. Da sich für ihn die angekündigte Erneuerung der Kunst nicht im Zeichen der Subjektivität, sondern der Objektivität vollziehen wird, nimmt er eine klare Gegenstellung zu Heine ein und sieht in ihm sogar ein »Extrem der sogenannten Kunstperiode« (B 6, 715, DHA 12/2, 535), – was in krassem Gegensatz zur Anschauung des »Globe« steht.

Lit.: B 6, 712 f., 714 f. u. 722 ff.; DHA 12/2, 525 ff. u. 531 ff.; Galley/Estermann II, 69, 71, 380 ff., 423 f., 429 f., 441, 443 f., 448 ff., 496 ff., 522 ff., 565 f.; Karl Robert Hessel (s. o.), 99 ff.

[zur deutschen Kunstkritik]; Irmgard Zept (s. o.), 19–29; Gerhard Weiß (s. o.), 94 f. [zur kunsthistorischen Rezeptionsgeschichte].

Französische Zustände. Vorrede

Entstehung, Druck, Text

Heines erstes rein politisches Werk, das zu den wichtigsten seiner mittleren Schaffensperiode gehört, hat eine komplexe und lange, konflikt- und facettenreiche Entstehungsgeschichte. Die Zensurmaßnahmen, die zur Abwehr der nach 1830 erstarkten liberalen Ideen in Deutschland verschärft ausgeübt wurden, haben in die Veröffentlichung sowohl der Zeitschriften- wie der Buchfassung, vor allem aber in die später verfaßte _Vorrede_, eingegriffen und die Mißverständnisse der Wirkungsgeschichte wesentlich gefördert.

Die Korrespondenzberichte in der AZ 1832

Der Grundstein zu Heines Korrespondententätigkeit an der als ersten Zeitung Europas eingeschätzten »Augsburger Allgemeinen Zeitung« (AZ) wurde durch die guten geschäftlichen Beziehungen zu deren Eigentümer, dem Baron Johann Friedrich von Cotta, und durch das gute freundschaftliche Verhältnis zu deren Redakteur, Dr. Gustav Kolb, gelegt (Chefredakteur von 1837 bis zu seinem Tode 1865 und wichtigster Redakteur in der Geschichte der Zeitung). Heine, der schon seit 1828 an den ebenfalls in Cottas Verlag erscheinenden »Neuen allgemeinen politischen Annalen« und »Morgenblatt« mitgearbeitet hatte, konnte im Herbst 1831 mit Kolb, der sich bis zum Frühjahr 1832 in Paris aufhielt, die Konzeption für seine Berichte absprechen (noch vor der Entscheidung über den Abdruck der _Französischen Maler_ im »Morgenblatt«). In dieser Zeit befand sich die AZ in einer Phase der Erneuerung: Um Absatz und Marktanteile gegen Konkurrenten zu sichern sowie der neuen Zeitstimmung Rechnung zu tragen, versuchte Kolb, das Niveau der Zeitung durch geistreiche und literarisch anspruchsvolle Beiträge zu heben (zu Kolbs Anteil an der Entstehung der _Zustände_ siehe Booß, 97–118; zu Cottas Einstellung: DHA 12/2, 628 ff.). Als Heine dem Verleger am 31. Oktober 1831 seine Zusage und seine Vorstellungen mitteilte, kündigte

er einen ersten, einleitenden Beitrag (»Brief«) für den nächsten Tag an, während er ganz »große ausgearbeitete Artikel über die politischen Zustände hieselbst« später zu schreiben gedachte. Tatsächlich schickte Heine dann Ende November und am 1. Dezember kleinere Artikel eigener und fremder Hand, die entweder abgelehnt oder mit bis heute ungeklärter Autorschaft in der »Außerordentlichen Beilage« der AZ veröffentlicht wurden (DHA 12/2, 638 ff.; bei dem am 9. November 1831 erschienenen Beitrag aus Paris ist die Autorschaft ebenfalls ungeklärt). Zwischen Dezember 1831 und Ende Juni 1832 schrieb Heine dann neun Großartikel, die bis auf eine Ausnahme zwischen Januar und Juni 1832 erschienen, gefolgt von dreizehn Tagesberichten (zwischen Juni und September); zwei Notizen wurden noch im Oktober und im November veröffentlicht. Nur der 4., 6., 7. und 8. Artikel ist mit »H. H.« unterzeichnet; die anderen (bis auf den 1.) erschienen ohne Korrespondentensigle; dagegen waren die kleinen Berichte mit Siglen versehen. Heine wählte sofort den eingängigen Titel _Französische Zustände,_ der sich von den üblichen Titeln wie »Briefe aus . . .« unterschied (Booß, 131 f.) und als neue literarische Form bald zahlreiche Nachahmer fand (diesen Titel hat der Essyaist und Frankreichkenner Lothar Baier noch 1982 verwandt). Das Aufsehen, das der 1. Artikel in Paris erregte, mahnte Kolb zur Vorsicht gegenüber den »geistreichen Einsendungen«, so daß mit redaktionellen Eingriffen gerechnet werden mußte (die sich wegen mangelnder Handschriften nicht mehr alle konkret aufzeigen lassen). Doch obwohl Heine mit hinlänglicher Selbstzensur schrieb und trotzdem immer wieder noch um eine »gnädige Censur« bat (»Ich bitte, Herr Baron«, wandte er sich am 21. April 1832 an Cotta, »sorgen Sie, daß mir an meinen Artikeln wenig verändert wird, sie kommen ja doch schon censirt aus meinem Kopfe«), und obwohl Kolbs Abänderungen für weitere Mäßigung sorgten, griff der Diplomat und Publizist Friedrich von Gentz auf folgenreiche Weise in Heines Korrespondententätigkeit ein. In seinem Brief vom 21. April 1832 beschwerte sich der Mitarbeiter Metternichs, der aber damals nicht mehr dessen »akkreditierter Wortführer« war (DHA 12/2, 645), ungeschminkt bei Cotta über die Pariser Korrespondenten, die feindlich über die Regierung Périer berichteten und damit den internationalen Frieden gefährdeten. Er stellt namentlich die _Französischen Zustände_ (»jene giftigen Ausschweifungen«) des »verruchten Abentheurers«, aber als

Dichter ausdrücklich geliebten Heine an den Pranger, dem er nicht verzeiht, »die heutige französische Regierung in den Koth« zu treten. Über den Anfang von Artikel V schreibt er warnend an den liberalen Verleger, dessen Mißbilligung scharfsinnig erheischend: »Mich dünkt aber, die gränzenlose Verachtung, womit diese Unholde [Heine und Pariser Korrespondenten] unter andern, und jetzt vorzugsweise, von den achtbarsten Classen des *Mittelstandes* sprechen, sollte selbst diese Classen gegen sie aufbringen.« Läßt Gentz die Kritik an Adel und Geistlichkeit noch angehen, so sieht er klar, daß die Staaten unregierbar werden, wenn die Vertreter des Bürgertums »noch mehr perhorreszirt werden, als die ehemaligen Fürsten, Grafen und Barone« (Briefwechsel Gentz–Cotta: B 12, 342–347; DHA 12/2, 643–646). Der zur Mäßigung bereite Cotta hat diesen ›Wink von oben‹ verstanden und, was in der Forschung stark umstritten ist, Heine wahrscheinlich einen goldenen Maulkorb verpaßt. Nach der kritischen Würdigung Périers (Artikel VIII) brach jedenfalls die Reihe der großen Artikel – von Heine auf etwa »ein Dutzend« geplant – ab, während noch Berichte in neuer Form, die »Tagesberichte« erscheinen. Der wichtige Großartikel IX vom 25. Juni 1832 (in der Buchfassung auf den 16. Juni zurückdatiert), der im Anschluß an das liberale Hambacher Fest vom 27. Mai und an den Pariser Republikaneraufstand vom 5. und 6. Juni 1832 die Frage der Staatsform diskutierte, konnte nicht mehr erscheinen. Neben Gentz Warnung war der durch die einsetzende Verfolgung des Liberalismus auf die Presse ausgeübte Druck nach den Bundestagsbeschlüssen vom 28. Juni 1832 so stark, daß der Redakteur mit der Veröffentlichung zögerte (Kolb versuchte noch durch Eingriffe zu mäßigen), bevor der Verleger der AZ den ganzen Artikel auf dem Altar der Zensur opferte (dazu: DHA 12/2, 647f.; andere als politische Gründe für das Ende der Reihe, wie etwa natürliches Auslaufen nach vollendeter Planung und neue Pläne, machen Windfuhr, 135, Möller, 347 und Booß, 129 geltend). Die Ablehnung bedeutete jedenfalls nicht Abbruch der Beziehungen zur AZ: 1840 nahm Heine die Reihe der großen Reportagen mit wesentlich erweiterten Perspektive wieder auf.

Die Buchfassung

Mitte Mai 1832, noch vor Beendigung des Artikel VIII, zeichnet sich bereits der Plan zu einer Buch-

veröffentlichung ab. Campe, der noch 1832 ein neues Buch von Heine herausbringen wollte, nahm das Angebot im Sommer mangels neuer Manuskripte an und drängte auf baldige Lieferung eines Textes von mehr als 20 Bogen. Im Oktober begann Heine die redaktionelle Überarbeitung seiner AZ-Einsendungen, die er auf Wunsch alle, bis auf die Reinschrift von Artikel IX, zurückerhalten hatte und im wesentlichen unverändert ließ. Die beiden Artikel vom 25. Januar und 12. Februar wurden nicht aufgenommen. Streichungen betreffen französische politische Verhältnisse. Artikel VI wird durch eine »Beilage« mit »Note A« und durch eine Zwischenbemerkung ergänzt (B 5, 229 ff., 167 ff.; DHA 12/1, 142 ff., 131 ff.). Die fehlende Reinschrift von Artikel IX machte den Rückgriff auf das Entwurfsmanuskript notwendig. Das neue Buchmanuskript ist gegenüber der Erstfassung vom Juni erheblich verändert: Längere, wichtige Stücke sind ausgeschieden (u. a. der Text zur erwähnten, grundsätzlichen Frage der Staatsform, B 6, 770 ff.; DHA 12/1, 467 ff.) und neue Abschnitte wie die »Zwischennote« hinzugefügt worden (B 5, 221 ff.; DHA 12/1, 187 ff.). Neu ist ebenfalls die »Vorbemerkung« zu den »Tagesberichten«. Campe erhielt Mitte und Ende Oktober bzw. Anfang November das überarbeitete Manuskript mit der neuen *Vorrede* in zwei Lieferungen. Am 6. Dezember 1832 begann die Auslieferung der auf 1833 vordatierten *Französischen Zustände* mit der grauenhaft verstümmelten *Vorrede,* deren Entstehung eine gesonderte Darstellung erfordert. Das Buch wurde am 1. Februar 1833 in Preußen verboten.

Vorrede. Vorrede zur Vorrede

»Von allen Werken Heinrich Heines hat keines so gewaltige Ströme polizeilicher Tinte gekostet, wie die Vorrede zu seinen ›Französischen Zuständen‹«, schrieb Houben 1926. Weitere ›Ströme‹ von Forscher-Tinte haben seitdem die Umstände von Entstehung, Verstümmelung und Verbot der brisanten *Vorrede,* die zum Verbot der Buchfassung von 1833 führte, aufgeklärt.

Campe, der 1831/32 wegen Börnes *Briefen aus Paris* erstmals in einen Zensurprozeß verwickelt worden war, schreckte aufgrund der im Sommer 1832 verschärften innenpolitischen Lage zurück, als er den radikalen, als Rechtfertigungsschrift zu verstehenden Text vom 18. Oktober erhielt. Aus Sicherheitsgründen wollte er einerseits die Vorrede nicht ohne Zensur drucken lassen, andererseits schlug er einen vollständigen Separatdruck mit einem Vorwort vor. Ende November schrieb Heine, der damit einverstanden war, die *Vorrede zur Vorrede*. Als er aber am 21. Dezember von Campe ein Exemplar der unerwartet stark verstümmelten *Vorrede* der Buchausgabe, zu der er in dieser Form keine Druckerlaubnis erteilt hatte, erhielt, fühlte er sich von Campe hintergangen und sah seinen kompromißlosen Kampf für die jetzt so gefährdete »Sache des Liberalismus« kompromittiert. Durch Kürzungen hatte der Zensor den Sinn der *Vorrede* ins glatte Gegenteil verkehrt; wichtige Teile der Kritik an Preußen waren ganz weggefallen (Einzelheiten DHA 12/2, 683), so daß sich der niedergeschmetterte Heine »vor den Augen von ganz Deutschland als ein trübseliger Schmeichler des Königs von Preußen« vorkam (Brief an Campe – »betäubt vor Kummer« – vom 28. Dezember 1832). Um den unvermeidlichen Anschein von Servilität abzuschütteln, protestierte Heine am 1. Januar 1833 mit einer *Bitte,* die am 11. Januar in der AZ erschien. Dieser Text leitete die lange Reihe öffentlicher Protestschreiben ein (»Schriftstellernöte«), mit denen Heine in den 30er Jahren immer wieder um die Glaubwürdigkeit seines schriftstellerischen Engagements gegen Angriffe von linker *und* rechter Seite kämpfen mußte (B 9,9; DHA 12/1, 456). Mitte März 1833 meldete Campe dann, daß der Altenburger Separatdruck, auf dessen schnelles Erscheinen Heine mit allen Risiken gedrängt hatte, abgeschlossen war. Aber die Broschüre *Vorrede* mit der *Vorrede zur Vorrede* (Text B 9, 10 ff.; DHA 12/1, 451 ff.) blieb liegen und wurde im Sommer auf Kosten Campes, der seine Geschäftsinteressen wahren wollte, bis auf wenige Stücke vernichtet. Zu diesem Zeitpunkt führte der Konflikt wegen der *Vorrede* fast zum Bruch zwischen Autor und Verleger, da Heine Campe verdächtigte, die *Vorrede* der Buchfassung selbst zensiert zu haben (diesen Verdacht wiederholte er 1839 in *Schriftstellernöten).*

Inzwischen hatte Heine die *Vorrede* der Pariser Verlagsbuchhandlung Heideloff und Campe, mit der Campe in keiner näheren Geschäftsverbindung stand, verkauft (an der Firma war Campes Neffe Friedrich beteiligt). Nach der französischen Übersetzung der *Zustände* (s. u.) erschien Anfang Juli der vollständige Text der Vorrede mit einem Decknamen (hinter dem fingierten Herausgebernamen »P. G. . g. r« verbirgt sich der Verlagsangestellte Paul Gauger; siehe dessen wahrscheinlich von Heine inspiriertes Vorwort: B 6, 767 f., DHA 12/2,

659 f.). Aus Sicherheitsgründen hat Heine die wirklichen Umstände dieses Druckes verschleiert dargestellt (DHA 12/2, 660). Der Druck weicht gegenüber dem eingestampften ersten Separatdruck ab. Die *Vorrede zur Vorrede* blieb ungedruckt.

Nach dem Verbot der Buchfassung setzte die preußische Regierung ihre Maßnahmen gegen die *Zustände* fort. Am 29. September erfolgte das Verbot der Pariser Broschüre, die in Preußen noch größeres Aufsehen erregt hatte, als die Buchfassung. Danach drängten die preußischen Diplomaten die Bundesbehörde zu Maßnahmen. Im Juli 1834 eröffnete der Hamburger Senat aufgrund der verlegerischen Verwandtschaftsverhältnisse ein Verfahren gegen Campe, bei dem der Verleger mehrmals verhört wurde, sich aber aus der Affäre ziehen konnte. Bei diesem Vorgehen war noch überraschend ein wahrscheinlich aus Frankfurt stammender Nachdruck des Pariser Separatdruckes aufgetaucht, der die Ohnmacht der Behörden offenbar werden ließ: Es war ihnen schließlich doch nicht gelungen, die weite Verbreitung der *Vorrede* als Flug- und Propagandaschrift zu stoppen.

Drucke: – Zeitschriftenfassung: mit Ort und Datum versehen erschienen 8 Großartikel unter dem Titel *Französische Zustände* ohne Namensnennung in der Außerordentlichen Beilage der AZ wie folgt:

(I)   in AZ vom 11.–12. 1. 1832;
(II)   in AZ vom 30.–31. 1. und 1. 2. 1832;
(III) in AZ vom 25.–27. 2. 1832;
(IV)   in AZ vom 13.–16. 3. 1832;
(V)   in AZ vom 13.–16. 4. 1832;
(VI)   in AZ vom 29.–30. 4. u. 1.–2. 5. 1832;
(VII) in AZ vom 22.–25. 5. 1832;
(VIII) in AZ vom 6.–9. 6. 1832;

die *Tagesberichte* erschienen mit Ort und Datum als Titel teils im Hauptteil, teils in der Beilage der AZ zwischen dem 11. Juni und dem 25. November 1832 (Einzelheiten zu allen Drucken: DHA 12/2, 678 f.; 679 ff. Verzeichnis der zahlreichen Nachdrucke); Bruchstücke und in die Buchfassung nicht aufgenommene Artikel: DHA 12/1, 456–481; B 6, 766–780; B 9, 128–140; Fragment eines bisher nicht bestimmten Verfassers: HSA 7 K, 347 f. – Buchfassung: die entstellte *Vorrede* und die unzensierten Artikel erschienen im Dezember 1832 unter dem Titel: *Französische Zustände, von H. Heine. Hamburg, bei Hoffmann und Campe. 1833;* zu Zensureingriffen und Nachdrucken, s. DHA 12/2, 683. – Separatdruck: mit vollständigem Text der *Vorrede: Vorrede zu Heinrich Heine's Französischen Zuständen nach der Französischen Ausgabe ergänzt und herausgegeben von P. G. . g. r. Leipzig, Heideloff und Campe, 1833.* – Unautorisierter Nachdruck ohne Angaben: *Vorrede zu H. Heine's französischen Zuständen.*

– Zu französischen Übersetzungen 1833 und 1834 sowie 1857 s. u. *De la France.*

Texte: B 5, 89–279 und B 9, 10–14 (Druck nach Ausgabe von Walzel); DHA 12/1, 63–226 und 451–456.

Lit.: B 6, 741–761; DHA 12/2, 621–666, 1200 ff. und 1233–1240; HSA 7 K, 92 f., 120–128 und 150–163; Margaret A. Clarke: *Heine et la Monarchie de Juillet,* Paris 1927; Dierk Möller: *Heinrich Heine: Episodik und Werkeinheit,* Wiesbaden/Frankfurt 1973; Manfred Windfuhr: *Heinrich Heine. Revolution und Reflexion,* Stuttgart 1976, 2. Aufl., 133–140; Rutger Booß: *Ansichten der Revolution, Paris-Berichte deutscher Schriftsteller nach der Juli-Revolution 1830; Heine, Börne u. a.,* Köln 1977, 72–134; Gerd Heinemann: *Heine und Cotta,* in: Wolfgang Kuttenkeuler (Hrsg.): *Heinrich Heine. Artistik und Engagement,* Stuttgart 1977, 256–266; – speziell zur *Vorrede:* Ludwig Geiger: *Das junge Deutschland,* Berlin 1907, 14–37; Heinrich Hubert Houben: *Polizei und Zensur,* Berlin 1926, 64–73 [Nachdruck 1978 unter Titel: *Der ewige Zensor*]; Walter Wadepuhl: *Heine-Studien,* Weimar 1956, 97–108.

De la France: Gesamtprojekt

Unter dem Titel *De la France* erschien Mitte Juni 1833 die Übersetzung der *Zustände* in dem gleichnamigen Sammelband, der 1834 in einer Titelauflage als *Œuvres de Henri Heine. IV. De la France* erneut gedruckt wurde. Aber *De la France* bedeutet mehr als ein Doppeltitel, dokumentiert doch der Band editorisch zwei Jahre vor *De l'Allemagne* den einen wichtigen Textkomplex in Heines Werk, das sich zum Ziel gesetzt hat, ein kulturell fortgeschrittenes, aber politisch rückständiges Land über seinen freiheitlichen Nachbarn aufzuklären, um es auf die Höhe seiner Gegenwart zu führen. Man geht nicht zu weit, wenn man *De la France* mit dem Motto »Vive la France! quand même« als Bekenntnis eines exilierten Intellektuellen zum Land der Menschenrechte und der Freiheit auffaßt. Titel und Motto nennen außerdem die programmatischen Voraussetzungen von Heines Prosa-, auch von seinem Lyrikwerk. Andererseits ermöglichte die Originalausgabe, die nur auf französisch zustande kam und von Gliederungen heutiger Werkausgaben berücksichtigt wird (s. d.), der Entwicklung des Gastlandes einen kritischen Spiegel vorzuhalten.

Wie alle Sammelbände besitzt auch *De la France* eine spezifische Entstehungs- und Wirkungsgeschichte, die von der Düsseldorfer Ausgabe so detailliert wie möglich dargestellt worden ist. Hier soll, analog zu *De l'Allemagne,* im wesentlichen die Komposition des Originalbandes zusammen mit der Entstehung der Übersetzung eines Textes vergegenwärtigt werden.

Die Ausgabe von 1833. – Spätestens zum Jahreswechsel 1832/33 muß es mit dem Verleger Eugène Renduel zur Verabredung des Bandes gekommen sein. Die von Pierre Alexandre Specht übersetzten Kunst- und Politikberichte weichen in wesentlichen Punkten von der deutschen Fassung ab

(DHA 12/2, 1204 f. und *Französische Maler*). Zur Arbeit an der *Vorrede* hat Heine die Lücken der zensierten deutschen Buchfassung ausfüllen müssen (die jetzt erstmals vollständig erschien). Die Übersetzung der *Zustände* ist dagegen um zahlreiche Stellen gekürzt, zum Teil aus Rücksicht auf zu kritisch charakterisierte Personen, – was einer Selbstzensur gleichkommt. Die »Beilage« zu Art. VI fehlt ganz sowie der größte Teil der Tagesberichte. Dem Band steht ein umfangreiches *Avertissement de l'Editeur* Renduel, ein vollständiges Porträt Heines, voran. *De la France* war dann das erste Buch Heines, das in Frankreich kontroverse Stellungnahmen hervorrief.

Die Ausgabe von 1857. – Die Arbeit an der stilistisch verbesserten und aktualisierten Neuausgabe, zu der die *Œuvres complètes* im Verlag Michel Lévy frères die Voraussetzungen geliefert hatten, begann im Herbst 1855; sie konnte aber durch den Tod des Dichters nicht mehr abgeschlossen werden und erschien posthum unter der Verantwortung von Henri Julia, dem Nachlaßverwalter. Entgegen Heines Plänen ist die Neuausgabe unvollständig. An der Textrevision ist bemerkenswert, daß Heine laut Kommentar DHA 12/2, 1237 f. »im eng bonapartistischen Sinne parteitreue Gesinnung« bekunden wollte, was die bisherigen Untersuchungen zur Übersetzung der *Lutèce* nicht festgestellt haben. Als zweiter Text kamen jetzt die ersten acht Theater-Briefe als Mittelstück hinzu, so daß der Band die Frankreich-Arbeiten der 30er Jahre zu einer Trilogie zusammenfügt. Abschließend sei hier erwähnt, daß erst Raymond Schiltz 1930 den vollständigen Text der *Zustände* in einer zweisprachigen Ausgabe veröffentlicht hat. Er legt jedoch den stilistisch schlechteren Text von 1833 zugrunde; die Veränderungen gegenüber der Neuausgabe sowie die erstmals übersetzten Stücke sind drucktypisch kenntlich gemacht worden.

Druck: De la France, par Henri Heine. Paris, Eugène Renduel, 1833 enthält:
> *Avertissement de l'Editeur.* (I–XXIX)
> *Préface.* (1–28) (Vorrede zu Franz. *Zustände*)
> *De la France.* (29–281) (Franz. *Zustände*)
> *Salon de 1831.* (283–347) (Franz. *Maler*).
> – *De la France par Henri Heine. Paris, Michel Lévy frères,* 1857 (Außentitel: *Œuvres complètes de Henri Heine*) enthält: Vorwort Henri Julias (1–3)
> *Préface de l'édition allemande.* (5–22) (Vorrede *Zustände*)
> *De la France.* (23–235) (Franz. *Zustände*)
> *Lettres confidentielles adressées à M. Auguste Lewald Directeur de la Revue dramaturgique à Stuttgard.* (236–323) (Franz. *Bühne 1–8*)
> *Salon de 1831.* (324–383) (Franz. *Maler*).

Texte: HSA 18 *De la France* (Zustände: 11–111); DHA 12/1, 301–450 (*Zustände:* 301–389; Text jeweils nach Ausgabe von 1857); Raymond Schiltz [Hrsg.]: *De la France, Französische Zustände,* Paris 1930 (Vorwort I–XVI).

Lit.: DHA 12/2, 1200–1240; Alfred Schellenberg: *Heines französische Prosawerke,* Berlin 1921; Hans Hörling: *Heinrich Heine im Spiegel der politischen Presse Frankreichs von 1831–1841,* Frankfurt a. M. 1977; Françoise Bech: *Heines Pariser Exil zwischen Spätromantik und Wirklichkeit,* Frankfurt a. M. 1983 (beide: Europäische Hochschulschriften).

Die Augsburger Allgemeine Zeitung

Der Widerspruch zwischen Verlagsideal und verlegerischer Wirklichkeit der 1798 nach den Ideen und Plänen des Buchhändlers Johann Friedrich von Cotta in Tübingen gegründeten AZ ist Heine nicht verborgen geblieben. Aber nicht Opportunismus, sondern Taktik hat sein Verhältnis zur AZ bestimmt, die er als optimalen Multiplikator seiner Meinungen auffaßte, so daß er bereit war, seine Artikel zwischen Szylla Selbstzensur und Charybdis Verlagszensur hindurchzusteuern. Klarsichtig schrieb er in der *Vorrede* über die von Campe »allgemeine Metze« bezeichnete Zeitung: »Letztere, die ihre weltberühmte Autorität so sehr verdient und die man wohl die ›Allgemeine Zeitung‹ von Europa nennen dürfte, schien mir, eben wegen ihres Ansehens und ihres unerhört großen Absatzes, das geeignete Blatt für Berichterstattungen, die nur das Verständnis der Gegenwart beabsichtigen« (B 5, 91). 22 Jahre später sollte der hartgeprüfte langjährige Korrespondent die »Selbsttortur«, die seine Mitarbeit an der AZ bedeutete, durch die Erklärung rechtfertigen, daß ein maskiertes und verstümmeltes Wort in einer Weltzeitung mehr bewirken könne, als freies Losschwadronieren in »obskuren Winkelblättern« (B 9, 289). Während der Restaurationszeit sicherte sich die AZ, die durch den Verlagsort Augsburg (seit 1810) den bayrischen Zensurgesetzen unterlag, im süddeutschen Raum tatsächlich eine zentrale Stellung und stieg in Österreich zur führenden Tageszeitung auf. Im norddeutschen Raum kannte sie nicht den gleichen Erfolg, behauptete aber doch in Preußen nach ihrer Abonnentenzahl einen Spitzenplatz. Ein breites Netz von festen Korrespondenten und gelegentlichen Mitarbeitern festigte ihren Ruf und ihr Renommee außerhalb von Deutschland.

Das erfolgreiche Verlagskonzept beruht nach einer Ankündigung aus dem Jahre 1797 auf den fünf Gesichtspunkten: »Vollständigkeit«, »Unpar-

theylichkeit«, »Wahrheit«, »Darstellung« (im Hinblick auf deutlichste Auffassung) und »eine Sprache«, die zwar nicht vollendet sein soll, aber »doch rein, männlich, ihres Stoffes und ihres Zweckes würdig« (nach Heyck, 16 f.). Nach ihrem Prinzip der unparteiischen Würdigung aller Verhältnisse druckte die AZ die Ansichten von Regierung *und* Opposition, vertrat die Interessen der Heiligen Allianz *und* die ihrer Gegner, konnte sowohl Gentz wie Heine als Mitarbeiter gewinnen. Der radikale Republikaner Seybold hat eine treffende Beschreibung von der Allgemeinheit der Allgemeinen gegeben, die aus einer genau kalkulierten Rollenverteilung der unterschiedlichen Meinungsvertreter hervorging (s. Booß, 76). Trotzdem gelang es Cotta nicht immer, Konflikte mit staatlichen Autoritäten auszuschließen, so daß er zu Kompromissen gezwungen war.

Schon vor der Julirevolution nahm die Paris-Berichterstattung eine wichtige Stellung in der AZ ein, die sich nach 1830 noch stark vergrößerte. 1832 berichteten z. B. neun Korrespondenten aus Paris und veröffentlichten 642 Beiträge; darunter war Heine mit fünfzig Artikelabdrucken vertreten. Heines Großartikel erschienen nicht im Hauptteil, sondern in der Beilage, die für Hintergrundberichte vorgesehen war.

Lit.: DHA 12/2, 622–633; Eduard Heyck: *Die Allgemeine Zeitung 1798–1898. Beiträge zur Geschichte der deutschen Presse,* München 1898; Rutger Booß (s. o.), 72–96.

Analyse und Deutung

Als der »Lieder«-Dichter und »Reisebilder«-Autor zum politischen Journalisten wurde, fing der ›Streit um Heine‹ erst richtig an. Seit Anfang der 30er Jahre verfolgt(e) ein Teil seiner Gegner den ›Verräter‹ der Kunst, ein anderer den ›Verräter‹ der Freiheit. In der Forschung gelten seine politischen Stellungnahmen weiter als widersprüchlich, schwankend und ungefestigt. Deshalb empfiehlt es sich, den Zugang zur Analyse und Deutung über die Vergegenwärtigung von Heines Verfahrensweise und Grundeinstellung zu suchen.

Von Dingen und von Menschen

Die ersten fünf Artikel, die eine Fülle von Szenen, Bildern und Eindrücken aus dem Pariser Alltag enthalten, werden von ideologischen Porträts der wichtigsten politischen Persönlichkeiten aus dem Regierungslager sowie von Charakterisierungen der oppositionellen Parteien beherrscht. Nimmt man die beiden Artikel, die in der Buchfassung ausgeschieden wurden, hinzu, ergibt sich folgende Reihe: Ludwig Philipp (Art. I); Lafayette (Art. II; Thiers wird kurz charakterisiert, Napoleon als Parallel-Porträt herangezogen); Guizot, Thiers und Dupin (Art. von 25. 1. 32); Périer (mit Sébastiani als Negativfigur im Art. vom 12. 2. 32); Republikaner und Karlisten (Art. III); Périer (mit Canning als Positivfigur) (Art. IV); Ludwig Philipp, Karlisten, Bonapartisten und Orleanisten mit ihren jugendlichen Führerpersonen (Art. V). Die Darstellung, die sich laut Rutger Booß an dem zeittypischen Genre der »öffentlichen Charaktere« orientiert, ändert sich dann mit Artikel VI ganz wesentlich: Einleitende Reflexionen lassen deutlich werden, daß sich die Berichte von der unmittelbaren Tagespolitik aus *parteiischer Sicht* zur allgemeinen Analyse der französischen Gegenwart aus *geschichtlicher Perspektive* wenden sollen. »[I]ch will«, erklärt der Korrespondent, »so viel als möglich parteilos das Verständnis der Gegenwart befördern, und den Schlüssel der lärmenden Tagesrätsel zunächst in der Vergangenheit suchen. Die Salons lügen, die Gräber sind wahr« (B 5, 164). Den Schlüssel zum Verständnis von aktueller und zukünftiger Entwicklung der Julimonarchie soll nun das Studium der Revolution von 1789 an die Hand geben, denn die von der ersten Revolution ausgelöste Befreiungsbewegung umfaßt die Julirevolution in einem einheitlichen, kontinuierlichen und unabgeschlossenen Prozeß (»Der heutige Tag ist ein Resultat des gestrigen. Was dieser gewollt hat, müssen wir erforschen, wenn wir zu wissen wünschen, was jener will«).

Aber der Ausbruch der Cholera verhindert im April die geplanten revolutionsgeschichtlichen Rückblicke, die erst im Oktober in der »Beilage« zu Art. VI erfolgen können (das größere Projekt eines Buches über »französische Revolutionsgeschichte«, von dem Heine Varnhagen Mitte Mai 1832 berichtet, blieb ebenfalls unausgeführt). Im Mittelpunkt von Art. VI steht deshalb die verheerende Wirkung der Epidemie, während sich Art. VII aus verfassungsrechtlicher Sicht dem Machtvakuum widmet, das durch den todkranken Périer entstanden ist. Art. VIII würdigt dann eingehend den großen Toten. Da Art. IX, der umfangreichste und wegen seinen grundsätzlichen Überlegungen zur politischen Zukunft Frankreichs und Deutschlands brisante Beitrag, nicht mehr in der AZ erscheinen konnte, erfolgt im Juni ein zweiter, jetzt

formaler Umschwung. Unter dem Eindruck des niedergeschlagenen Republikaneraufstandes vom 5. und 6. Juni 1832 entstehen in Paris kurze, stärker referierende Berichte, während dann Kurzartikel aus der Normandie die inzwischen gestärkte Stellung des Königs behandeln.

Vieles deutet darauf hin, daß Art. IX im nachhinein eine Erklärung für die Abkehr von dem zuerst benutzten Genre der »öffentlichen Charaktere« geben will, weil im Zusammenhang mit dem aufopferungsvollen Kampf der Republikaner die aufrüttelnde Erklärung erfolgt: »Überhaupt scheint die Weltperiode vorbei zu sein, wo die Taten der Einzelnen hervorragen; die Völker, die Parteien, die Massen selber sind die Helden der neuern Zeit« (B 5, 219; vgl. *Reisebilder* B 3, 590; die These von der Abkehr vertritt Booß; abwegig behauptet Clarke, Heine unterwerfe sich Gentz' Vorstellungen). Angesichts der modernen, demokratischen Entwicklung muß Heine, dessen Berichte auf Signifikanz angelegt sind, d. h. Personen in Repräsentanten des Systems verwandeln, erkennen, daß ›geschichtemachende‹ Individuen in der Gegenwart Größe und Substanz zu verlieren beginnen, – daß sie »jetzt zu mäßigen Repräsentanten des Parteiwillens und der Volkstat herabsinken«. Folglich kann für ihn das geschichtliche Subjekt kein Individuum mehr, sondern muß das Volk sein, d. h. es kann nicht mehr persönlich, sondern muß kollektiv sein. Daran scheint Art. VI anzuknüpfen, der in aller Deutlichkeit auf das »Mißverhältnis« aufmerksam macht, »das jetzt in Frankreich zwischen den Dingen (d. h. den geistigen und materiellen Interessen) und Personen (d. h. den Repräsentanten dieser Interessen) stattfindet« (B 5, 165). Dieser Erkenntnis folgen die auf Symbolik und Beispielhaftigkeit angelegten Porträts in zweifacher Weise: Einerseits zeigen sie das Zwergenhafte der »öffentlichen Repräsentanten« angesichts der ins Riesenhafte gewachsenen modernen Zustände; andererseits unterscheiden sie zwischen *Menschen* und *Dingen*, zwischen Personen und Funktionen bzw. Rollen, zwischen Personen und System. Das »Mißverhältnis« erzeugt nun Komik (s. u.). Die Unterscheidung ermöglicht dagegen getrennte Beurteilung, je nachdem, ob es sich um eine *private* Person oder um einen *öffentlichen* Repräsentanten handelt. Deshalb kann Heine sogar offen »viele widersprechende Äußerungen« in seinem Buche eingestehen, denn »sie betreffen nie die Dinge, sondern immer die Personen« (B 5, 228 vgl. B 5, 222 u. 278). Diese Erklärung verleitet dazu, das

Widersprüchliche und Schwankende der Artikel vor dem zeitgeschichtlichen Hintergrund zu sehen: *Lob* der Personen, z. B. des Königs, könnte dazu beitragen, die *Kritik* der ›Dinge‹, z. B. des neuen »schlechten Systems«, zu mildern, zu bemänteln und vor zensorischen Blicken zu tarnen, d. h. könnte Taktik des Strategen Heine sein.

Lit.: Margaret A. Clarke: *Heine et la Monarchie de Juillet,* Paris 1927, 165 ff., 213 ff.; Rutger Booß (s. o.) 163 ff.

Das Bürgerkönigtum oder Filzhut und Verstellung

Die Gestalt des Königs bestimmt ganz wesentlich das Frankreich-Bild, das Groß- und Kurzartikel entstehen lassen – aber wer war er, der Roi-citoyen, der König *und* Bürger, der Monarch ohne Cour? Eine merkwürdige Ambiguität umgibt das neue Herrschaftssystem und seinen höchsten Repräsentanten, eine Ambiguität, die sich Heines Kritik zunutze macht und plastisch hervorhebt. Der ehemalige Herzog von Orleans war durch eine Revolution an die Macht gekommen und verdankte dem souveränen Volk seine Krone. Aber der sich seiner königlichen Würde bewußte Ludwig Philipp I. leitete Ende 1831, wie Art. I scharf betont, seinen Herrschaftsanspruch nicht länger vom »Prinzip der Volkssouveränität«, sondern von der Theorie der »Quasilegitimität« ab, die orleanistische Theoretiker und Politiker aufgestellt hatten, d. h. die von Heine bekämpften und lächerlich gemachten spitzfindigen »Doktrinärs«, mit Guizot an der Spitze (unter der Theorie verstand man die Rückkehr zu den von Karl X. mißachteten Verfassungsprinzipien der Charta von 1814 und sah in der Julirevolution lediglich einen Wechsel des Staatsoberhauptes, vgl. B 5, 115; DHA 12/2 587, 755 f. und 1035 f.). Der Widerspruch zwischen bürgerlich-demokratischen Versprechungen im August 1830 und königlich-aristokratischer Wirklichkeit 1832 soll nun ins Auge springen, wenn Instabilität des Regimes aufgezeigt und »Abfall«, d. h. Betrug des Königs verurteilt werden (Art. I); wenn Ludwig Philipp vor den immer stärker hervortretenden absolutistischen Ambitionen gewarnt wird (Art. II und V), oder wenn alle seine innen- und außenpolitischen Verfehlungen an der freiheitlichen Sache rhetorisch wirkungsvoll durch vier- bzw. siebenfache Wiederholung von: er »durfte« nicht bzw. er »mußte« aufgezählt werden, um in ein anklagendes »Er hat es nicht getan« zu münden (B 5, 159). Dieser Widerspruch hat sich ebenfalls einer Reihe von Handlungen aufgeprägt und ihnen Symbolcharakter verliehen. So erinnert Art. I daran, daß Ludwig Philipp nach seinem Machtantritt als Bürger gekleidet, mit einem runden Filzhut und einem guten Regenschirm versehen, als lebender Protest gegen Krone und Zepter durch die Straßen von Paris gewandert ist und überall Hände geschüttelt hat – aber je nach Stand der Personen mit einem besonders »schmutzigen Handschuh« oder mit einem »reineren Glaceehandschuh«. Aber was zunächst als Verzicht auf Krone und Zepter aufgefaßt und von Karikaturisten als Kennzeichen der neuen Regierung popularisiert wurde, muß mit zeitlichem Abstand als bewußte Inszenierung und raffiniertes Rollenverhalten erscheinen (Ludwig Philipp »spielte« »die Rolle eines biedern, schlichten Hausvaters«). Aus demselben Grund mußten die Veränderungen des Tuilerien-Gartens politische Bedeutung erhalten (»symbolische Handlung«): Sollte die Abtrennung eines königlichen Privatgärtchens durch einen Graben nicht schon einen Graben zwischen König und Volk bedeuten, so werden die Bauarbeiten andererseits als »Sinnbild des neuen, unvollendeten Königtums« dargestellt.

Wenn auch in der Folge immer wieder an das königliche Bürger-*Schauspiel,* vor allem an die durch Filzhut und Regenschirm verborgene Krone und Zepter erinnert wird (B 5, 154), so darf man nicht die Sympathien vergessen, die der *Person* Ludwig Philipps seit Art. I und II entgegengebracht werden (und nicht erst später, wie Mende 1983 behauptet). Es heißt von Ludwig Philipp, er sei »kein unedler Mann« bzw. »als Mensch ganz ehrenhaft, und ein achtenswerter Familienvater, zärtlicher Gatte und guter Ökonom« (B 5, 109 und 113; vgl. später 117 und 259). Deshalb wird er auch *persönlich* gegen die von der Regierung verfolgten, auch außerhalb Frankreichs populären politischen Karikaturisten in Schutz genommen, die seine Gesichtsphysiognomie als Birne dem Gelächter preisgegeben haben (Art. I und V). Aber der »Unfug« gilt wiederum als berechtigt, wenn er die *Sache,* d. h. die »Täuschung«, »die man gegen das Volk verübt«, aufdeckt (B 5, 158 f.). Dieser Gesichtspunkt bestimmt letztlich das Gesamtporträt des Königs – und des Regimes –, wenn die Kritik am ersten Roi-citoyen seit Art. VII auch versöhnlicher wird, weil der Korrespondent jetzt mehr davon überzeugt ist, daß in Ludwig Philipp der Bürger über den »Grand-Seigneur« gesiegt hat und der Filzhut zum »Symbol« des Regimes taugen mag (B 5, 197, 207, 252 und 279).

Das Bild, das die *Zustände* vom modernen Bürgerkönigtum entworfen haben, besteht aus einem Gewebe von Schauspielerei, Betrug und Täuschung (s. u. zur »Komödie«). Überall wird der Zusammenhang von Rollenspiel, Schein und Simulation offenbar. Wenn 1830 der direkte Einfluß des Adels ausgeschaltet werden konnte, so haben die neuen bourgeoisen Machthaber aber die aristokratischen Machtmittel, die »Verstellungskunst« (B 9, 136 und B 5, 81 f.), übernommen und zur Grundlage ihrer Herrschaft gemacht. Diese Einstellung zum Bürgerkönigtum, die sich aufklärerischer Ideologiekritik verdankt, wird *Lutezia* schlagend auf den Punkt bringen, wenn Art. I. einen »Schatz angeerbter Verstellungskunst« zusammen mit dem »politischen Jesuitismus« auf die kritische Bühne holt bzw. zur *Sache* macht und Ludwig Philipps Herrschaftspraxis als »angelernte und überlieferte simulatio und dissimulatio« anprangert (B 9, 241 f.; s. S. 393; zur Betrugstheorie vgl. *Die Stadt Lucca*).

Lit.: Jeffrey L. Sammons: *Heinrich Heine, The Elusive Poet*, New Haven und London 1969, 220–247 [untersucht die Entwicklung von Heines Einstellung zu Ludwig Philipp]; Fritz Mende: *Heinrich Heine. Studien zu seinem Leben und Werk*, Berlin (Ost) 1983, 44–62: Heinrich Heine und die Folgen der Julirevolution [zuerst 1968]; Fritz Mende: *Heinrich Heine und das historische Lehrbeispiel eines »Bürgerkönigs«*, in: Weimarer Beiträge Heft 3/1984, 357–380.

Juste-Milieu und »Justemillionäre«

Das System, das mit dem Regierungsantritt des Bankiers Casimir Périer am 13. März 1831 aus der Taufe gehoben wurde, sollte, nach einer programmatischen Erklärung des Königs, einen Kompromiß (»un juste milieu«) zwischen »excès du pouvoir populaire« und »abus du pouvoir royal« herstellen (vgl. HSA 7 K, 252). Das für das neue Regime nach Heines Ansicht typische Schwanken aufgrund der beiden gegensätzlichen Herrschaftsprinzipien symbolisiert sich in dem Helden von Meyerbeers damaliger Erfolgsoper *Robert le Diable:* Der Held schwebt, so Art. V, zwischen den Prinzipien von Ancien régime und Revolution hin und her, »er ist Justemilieu« (B 5, 150). In Wirklichkeit vollzogen Périers autoritärer Regierungsstil sowie seine konservative Politik eine deutliche Abkehr von den liberalen Ideen, die 1830 gesiegt hatten, und konsolidierten die Herrschaft des Großbürgertums und der Hochfinanz, die den Antagonismus der modernen Welt, von Heine »Weltriß« genannt, scharf hervortreten ließen. Konsequent und ohne Schwanken (und wortspielerisch) wird die Herr-

schaft der typischen Repräsentanten des Regimes, d. h. der Bankiers und Großbourgeois, kurz, der »Justemillionäre« angegriffen (B 5, 151). Art. V klagt die moderne Geld- und Börsenherrschaft mit einem Vergleich an, dessen Brisanz Gentz' Einspruch heraufbeschworen hat (s. o.): »In dem Boudoir einer galanten Dame ist noch immer mehr Ehre zu finden, als in dem Comptoir eines Bankiers.« Konsequent (und kontrastierend) wird die Börse, »das schöne Marmorhaus, erbaut im edelsten griechischen Stile, und geweiht dem nichtswürdigsten Geschäfte« (B 5, 192), zum Symbol des Systems erhoben. Dort »wohnen« die Interessen, die über die Zukunft der Völker entscheiden.

Périer, der Mann der neuen »Ordnung«, der die Revolution »gebändigt« hat (Art. vom 24. Februar), repräsentiert das System der alles durchdringenden materiellen Interessen derart, daß es in seine physiognomische Erscheinung eingegangen ist, denn über sein Gesicht irren weder gemeine noch edle, sondern eben »anständig grämliche Justemilieu-Falten« (B 5, 142). Die ›tragende‹ Rolle dieses reichen Bankiers, dessen »kläglichem, krämerhaftem Kleinsinn« Frankreichs Zukunft auf Gedeih und Verderb ausgeliefert erscheint, wird in Art. IV nicht ohne eine gewisse Anerkennung mythologisch-metaphorisch und scharfsinnig charakterisiert: »Dieser Mann ist der Atlas, der die Börse und das Haus Orléans und das ganze europäische Staatengebäude auf seinen Schultern trägt, und wenn er fällt, so fällt die ganze Bude, worin man die edelsten Hoffnungen der Menschheit verschachert, und es fallen die Wechseltische, und die Kurse, und die Eigensucht und die Gemeinheit!« (B 5, 141). Das Porträt ist jedoch ähnlich doppel-deutig angelegt wie dasjenige Ludwig Philipps, denn der eiserne Mann der Stunde erscheint ebenfalls ganz anders, wenn man ihn als Privatperson, »in seiner Häuslichkeit, in Gesellschaft« sieht (B 5, 141 f.). Schließlich wird dem toten Perier, der als »Président du conseil« »Frankreich erniedrigt [hat], um die Börsenkurse zu heben«, wegen seiner aufopferungsvollen Pflichtauffassung sogar moralische Größe (»großer Mann«) zugestanden (Art. VIII). Aber wie fragwürdig die ›Größe‹ dieses Helden in heldenloser bzw. dieses »Riesen« in zwergenhafter Zeit geworden ist, braucht der Autor nicht aufzudecken, denn es läßt sich auf ebenso überraschende wie entlarvende Weise an der Reaktion der Börse ablesen: Dieser absolut zuverlässige, untrügliche und objektive »politische Thermometer« hat auf Périers Tod gar nicht reagiert, – »nicht einmal ein

Achtel Trauerprozent sind die Staatspapiere gefallen bei dem Tode Casimir Périers, des großen Bankierministers!« (B 5, 194).

Lit.: Rutger Booß (s. o.) 135–167 [leicht verändert in: *Heinrich Heine. Artistik und Engagement*, hrsg. von Wolfgang Kuttenkeuler, Stuttgart 1977, 66–85]; Peter von Matt: . . . *fertig ist das Angesicht. Zur Literaturgeschichte des menschlichen Gesichts*, München 1983, 117–123.

Zwischen allen Stühlen?
(Monarchie und/oder Republik)

Kann man als »Royalist aus angeborener Neigung« die Julimonarchie von links kritisieren und gleichzeitig gegen deren rechte *und* linke, d. h. republikanische Opposition opponieren, ohne sich zu widersprechen – ohne sich zwischen alle Stühle zu setzen?

Zunächst lassen die desillusionierenden und entlarvenden Darstellungen der führenden Persönlichkeiten aus Regierungs- und Oppositionskreisen Heines politisches Denken auf *negative,* aber unzweideutige Weise zumindest umrißhaft erkennbar werden. (Die kritischen Porträts der rechten *und* linken Oppositionsparteien gestehen zwar allen eine große Vergangenheit, aber keine bzw. nur geringe Zukunftschancen zu: Reaktionäre Legitimisten und revolutionäre Republikaner erscheinen zusammen als »Plagiarien der Vergangenheit«; der von Heine bisher hochverehrte, greise republikanische General Lafayette wird als »lebendes Denkmal« bezeichnet – B 5, 123, vgl. B 3, 659 und B 7, 52 f. –; die Bonapartisten stehen nach dem Tode des Herzogs von Reichstadt ohne Führerfigur da – nur der Geist ihres Herrschaftssystems besitzt deshalb eine Zukunft). Die ›crux‹ einer *positiven* und eindeutigen Beurteilung des politischen Denkens der *Zustände* besteht aber einerseits in der immer wieder aufgerollten, widersprüchlichen und bis in alle Details nicht ganz geklärten Stellung Heines zur Republik und zum Jakobinismus, andererseits in dem Bekenntnis zu dem bis heute ebenfalls nicht ganz geklärten Begriff »Monarchismus«.

Heine kritisiert das »Republikwesen« nicht grundsätzlich. Seine Ansichten zu dieser Frage sind vielmehr ambivalent, genauer: doppelt widersprüchlich, mal positiv, mal negativ, je nachdem, ob es sich um die *Republik* oder um *Republikaner,* oder ob es sich um *französische* oder um *deutsche* Republikaner handelt. – So wird (in Einverständnis mit der Regierungspropaganda) die Möglichkeit einer französischen Republik ein »glänzender

Wahn« genannt. Die neben aller Polemik begründete Kritik trifft in erster Linie die asketisch-puritanischen, lebensverneinenden bzw. zu »Lebensmonotonie« führenden Prinzipien des Republikanismus (die *Maler* hatten bereits diesen Aspekt an Cromwells grauer und kalter Republik betont, B 5, 61 f.). Aus der sensualistischen Perspektive dieser Kritik muß erstens (historisch) die Republik einer überholten Epoche zugehörig und zweitens (psychologisch) dem auf Lebensgenuß eingestellten französischen Nationalcharakter fremd erscheinen, so daß eine »Wiederholung« in der Gegenwart unzeitgemäß und ›unnatürlich‹ wäre. Das schließt aber andererseits keineswegs die uneingeschränkte Faszination vor der heldenhaften jakobinischen Republik von 1793 aus; das mindert ebenfalls die Bewunderung des aufopferungsbereiten, heroischen *persönlichen* Engagements der Republikaner nicht, die »von Zeit zu Zeit als Blutzeugen auftreten«; und deshalb schämt sich auch der Korrespondent seiner »nackten Tränen« nicht, als er im Juni die jugendlichen Republikaner mit »Heldenmut« für ihre Ideale, die einer anderen als der krämerhaften Welt des Juste-Milieu entstammen, sterben sieht (B 5, 207, 218 ff., 240 und 244). – Im Gegensatz zu den französischen wird den deutschen Republikanern persönlich jeglicher Heldenmut ab-, und viel politischer »Unverstand«, blindwütiger »Parteigeist« sowie Intrigantentum zugesprochen. Heine tritt den deutschen »Enragés« als politischer Realist entgegen, indem er ihnen klarmacht, daß aufgrund des unterentwickelten und vormodernen, d. h. des *noch* autoritäts- und personengläubigen, des *noch* fürstentreuen und obrigkeitshörigen politischen Bewußtseins in Deutschland alle Voraussetzungen für eine Republik fehlen, die im modernen Frankreich, das Autoritäten haßt, die »alte Religion« und die »alte Moral« überwunden hat, vorhanden sind (B 5, 212 ff.). Die sensualistische Kritik läßt aber dennoch keinen unbedingten Zweifel an der geschichtlichen Notwendigkeit der Republik als Staatsform aufkommen (vgl. B 5, 117). Nur fällt im Einverständnis mit der ungleichzeitigen französisch-deutschen Entwicklung die Zukunftsprognose unterschiedlich aus: Das ›bürgerkönigliche‹ Frankreich ist trotz des gerade gescheiterten, unpopulären Aufstandes »zur Republik verdammt«, während Deutschland vorerst, vielleicht noch für ein halbes, oder ein ganzes Jahrhundert zum Königtum verdammt ist (B 5, 214 f., vgl. 207 u. 210 f., ebenfalls *Nachtrag 1833*, B 5, 87). Schließlich ist die Republik »eine Idee«, die nach der

Überzeugung des Autors auch und gerade durch die deutsche Gründlich- und Hartnäckigkeit siegen wird.

Hie Republik, dort Königtum: Die mehrfach determinierte, an sich konsequente Antithese wird durch Artikel IX, der die entscheidende Frage der politischen Strategie diskutiert, als sekundär relativiert, indem er beide Seiten, die liberale und die radikale Opposition, daran erinnert, daß an erster Stelle der Sieg über den gemeinsamen Gegner, die aristokratische Partei, sowie die Durchsetzung des gemeinsamen Zieles, das »demokratische Prinzip«, stehen, und erst an zweiter Stelle die Staatsform. Ein berühmter, aus der Handschrift von Art. IX ausgeschiedener Text beantwortet die strategische Frage mit wünschenswerter Klarheit, – klarer als die Buchfassung: »Die Regierungsform, welche nur das Mittel, während das demokratische Prinzip der eigentliche Zweck ist, wird dann als Hauptsache betrachtet«, d. h. dann, wenn die antifeudale Opposition sich durch reaktionäre Propaganda von ihrem Ziel ablenken läßt. Weitblickend und falsche Fronten überbrückend behauptet Heine im Juni 1832: »Ich sage der Streit um die Form der Regierung ist ein leerer Streit« (B 6, 772, vgl. 775 und B 5, 207 f.). Wie »leer« der Streit, bzw. wie sekundär die oben aufgezeigte Antithese ist, wird ein Jahr später durch eine zweite, entscheidende strategische Festlegung deutlich, welche die *politische* Befreiung der *sozialen* Revolution unterordnet. Am 10. Juli 1833 weiht der revolutionäre Saint-Simonist Heine seinen Freund Laube brieflich in die »tieferen Fragen« der Revolution ein, – und diese betreffen »weder die Einführung einer Republik, noch die Beschränkung einer Monarchie«, sondern nach frühsozialistischer Anschauung betreffen sie vielmehr »das materielle Wohlseyn des Volkes«.

Diese in der liberalen Bewegung avantgardistische Stellungnahme läßt die offenbaren Widersprüche der *Zustände* nicht verschwinden, aber in einem anderen Licht erscheinen. Heine vermag sich als »Royalist« bzw. Anhänger des »monarchischen Prinzips« zu bezeichnen, da er im Gegensatz zu radikalen Jakobinern auf die »Emanzipation«, nicht auf die Hinrichtung der Könige vertraut (B 5, 116, 221 und B 3, 516; *Reisebilder* IV hatte erstmals die Idee eines von Adel und Klerus befreiten Königtums vertreten, B 3, 520). Seine Anschauungen 1832, 1833 lassen sich als demokratischer, auf Volkssouveränität beruhender Monarchismus bezeichnen. Die Julimonarchie, die die seinem gescheiterten Idol Lafayette nachempfundenen Hoff-

nungen einer Monarchie mit republikanischen Institutionen (B 5, 115 und 159) nicht erfüllt hat, bedeuten ihm gleichwohl eine historisch notwendige Erscheinung seines Ideals. Deshalb erkennt er in der französischen Gegenwart – »Vive la France! quand même« lautet das Motto – die deutsche Zukunft, d. h. ein »mehr oder minder demokratisch« formuliertes konstitutionelles Königtum (B 5, 237 f.; vgl. B 7, 200 f.). Die Schwierigkeiten liegen nun darin, daß die *Idee* eines demokratischen, zumal sozial determinierten Monarchismus historisch nicht eindeutig klärbar ist. So schließen die *Zustände* zuletzt auch die problematische, bonapartistische Lösung eines Volkskaisers, und damit eine autoritäre Lösung, nicht aus: Napoleon war laut *Tagesbericht* vom 20. August »ein saintsimonistischer Kaiser«, der nicht im Interesse des Juste-Milieu herrschte, sondern der, was Saint-Simon gepredigt hatte, »die physische und moralische Wohlfahrt der zahlreichern und ärmern Klassen« erzielt hat (B 5, 268 f.).

Lit.: Paolo Chiarini: *Heinrich Heine: il letterato e il politico,* in: Studi Germanici 10, 1972, 561–589 [untersucht die praktische Strategie des politischen Journalisten Heine]; Giorgio Tonelli: *Heinrich Heines politische Philosophie (1830–1845),* Hildesheim–New York 1975, 105 ff. [schließt auf »Cäsarismus«]; Walter Grab: *Heinrich Heine als politischer Dichter,* Heidelberg 1982, 40 ff. [betont Verbindung von Jakobinismus und Bonapartismus oder Cäsarismus]; Fritz Mende 1983 (s. o.), 57 ff.; Fritz Mende: *Heinrich Heines antijakobinisches Demokratieverständnis,* in: Weimarer Beiträge 1983/I, 115–139; Fritz Mende 1984 (s. o.), 370 ff.

»Das Jüste-milieu hat die Cholera« (Brief an Cotta vom 21. April 1832)

Können politische Zeitungsartikel noch Kunst sein? – Der Modellcharakter von Heines Berichten ist in der zur wahren Flut anwachsenden »Juliliteratur« (nach dem Begriff eines Zeitgenossen, s. Booß, 67 ff.) unbestritten, ihr prägender Einfluß auf die politische Publizistik des Vormärz unleugbar. Geschichtswissenschaftler haben sie schon lange als Quellenmaterial benutzt. Aber erst in jüngster Zeit haben Literaturwissenschaftler die spezifisch kompositorische und künstlerische neben der publizistischen und zeitdokumentarischen Qualität erkannt (und haben, wie z. B. Booß, 135–163, das Verhältnis von anerkannter Faktentreue und angezweifelter Komposition ins Gegenteil verkehrt!). Die für die *Zustände* spezifisch literarische Art der »Geschichtsschreibung der Gegenwart« oder der Vergegenwärtigung von Geschichte, von Heine als »halber Reflexionsstyle« bezeichnet (Brief an Cotta vom 1. Januar 1833), soll hier in dreifacher Weise aufgezeigt werden.

Artikel VI mit dem Cholera-Bericht wird jetzt inzwischen aufgrund der Integration von faktischen, fiktionalen und reflexiven Elementen als erzählerischer Höhepunkt des Werkes angesehen. In einer einleitenden Erklärung bezeichnet Heine seinen Bericht als »ein Bulletin«, »welches auf dem Schlachtfelde selbst, und zwar während der Schlacht, geschrieben worden, und daher unverfälscht die Farbe des Augenblicks trägt«. (B 5, 169) Mangelnde Distanz, die nach seiner Ansicht keinen Vergleich mit den klassischen Pest-Berichten Thukydides' und Boccaccios, den Modellen des Genre, erlauben, schließt nun eine kunstvolle, mehrteilige Komposition nicht aus, die die Cholera als Vorwand nimmt, um in drei Mittelteilen das Verhalten der drei führenden gesellschaftlichen Stände und Klassen vorzuführen (dazu Betz, der außerdem das Optische an der Szenenfolge herausstellt). Nach dem Eingangsbild mit dem Maskenball, in dem schockartig die Katastrophe ausbricht und die Narrenkleider antithetisch in Totenkleider verwandelt, wechselt das Geschehen auf das »Schlachtfeld« Paris über, wo gerade die Emeute der Chiffoniers die ›natürliche‹ Interessengemeinschft der Lumpensammler und der Karlisten zeigt: Beide leben vom Müll der Vergangenheit, was die Wortbildung »überlieferte Erbkehrichtsinteressen« suggeriert und bloßstellt. – Erneuter Wechsel, und zwar zu dramatischen, hexenjagdähnlichen Straßenszenen, deren Anzettelung intriganten Adligen zur Last gelegt wurde. Der Bericht mischt reale und offensichtlich fiktive Erlebnisse, um größere Authentizität und Plastizität zu erreichen (die in der Rue de Vaugirard »erlebte« Szene hat sich dort nicht ereignet). Wieder Szenenwechsel. Nach der aufgewühlten nun die totenstille Stadt: Die Großbürger, die »Justemillionäre« haben sich bis auf wenige rühmliche Ausnahmen aus dem Staub gemacht; das zurückgebliebene Volk sieht, »daß das Geld auch ein Schutzmittel gegen den Tod geworden« ist (B 5, 176). Übergang. Der Erzbischof von Paris startet eine dubiose, d. h. selektive Aktion zur Rettung bestimmter, nicht aller Sünder. Letzter, makabrer Szenenwechsel: Groteske Leichenwagen machen Queue, drängeln vor dem Friedhof Père-la-Chaise. Überall »nichts als Himmel und Särge«. Der Korrespondent fingiert eine Begegnung mit seiner »Nachbarleiche«. In dem Gedränge stürzen Wagen um, kommen Leichen hervor: Da gibt es in der Emeuten-reichen Stadt »die entsetzlichste aller Emeuten zu sehen, eine Totenemeute«. Das Schlußbild bietet einen wehmütigen Blick über »das kranke Paris«; mit rhetorisch-religiöser Überhöhung verbindet dann der weinende saint-simonistische Reporter sein Schicksal mit demjenigen der »Heilandstadt, die für die weltliche Erlösung der Menschheit schon so viel gelitten!« Einprägsame Anekdoten runden die meisten der Großberichte ab, aber keine besitzt die Kraft derjenigen des Artikels VI, die die Banalität des Todes mit visionärer Freiheitssehnsucht und Martyrtum überspannt.

Der ›Tanz auf dem Vulkan‹, mit dem der Cholera-Artikel beginnt, läßt einen zweiten, mehr fiktionalen Aspekt an Heines Schreibweise erkennbar werden. Das ganze Juste-Milieu wird hier, wie später in dem AZ-Bericht vom 7. Februar 1842, als Maskenball und Mummerei, als »geheime Maskerade« und Großkarneval dargestellt, welche die nunmehr herrschenden nackten Interessen verdecken müssen (»Dieser größere Karneval beginnt mit dem ersten Januar, und endigt mit dem einunddreißigsten Dezember«, B 5, 153). Folglich erscheinen alle Akteure des Bürgerkönigtums, ob König oder Président du conseil, ob Deputierte oder Pairs, ausnahmslos als Spieler, die eine »heillose Komödie« spielen. Überall nur noch Interessen und Rollen, die jede Persönlichkeit aufgesogen haben. Der nicht aufgenommene Artikel vom 12. Februar 1832 zeigt den selbstsüchtigen und ränkevollen Périer eindringlich als »Schauspieler« auf der Parlamentsbühne (B 9, 135). »Komödie« wird deshalb zur entlarvenden Metapher des neuen Systems. Heines Regimekritik und seine Komiktheorie (›theatrum mundi‹-Metapher) gehen 1832 (und nach 1840) in eine geschichtstheoretische Vorstellung ein, die dem Bürgerkönigtum den Prozeß macht: Danach folgt auf das »heroische Zeitalter« der Kaiserzeit jetzt die »Komödie der Restauration« (B 5, 165 u. 239; vgl. *Ideen* und *Lutezia*), die sich in einer bürgerlichen Gegenwart fortsetzt, in der die Menschen, wie erwähnt, nicht mehr »zur Höhe der Dinge« hinauffragen. Dadurch wird die Gegenwart als substanzlos und das neue Regime als transitorisch angesehen. Das tragische Ende der ›komischen‹ Epoche zeichnet sich nun für Heine in der opferbereiten republikanischen Opposition ab. Diese Geschichtsdialektik, in der sich die Rolle des Antagonisten der Bourgeoisie ankündigt, kollidiert jedoch 1832 noch mit der Vorstellung, daß die Macht der »Dinge« überlebensgroß geworden ist, d. h. daß die Grundlage der bourgeoisen Herrschaft gesicherter ist, als sie erscheint.

Die Instabilität der »kranken« und »komischen« französischen Zustände, die Heine 1831, 1832 beobachtet und hervorkehrt, hat sich – drittens, und bisher wenig bemerkt – in einer destabilisierenden, seine Schreibweise charakterisierenden Strategie niedergeschlagen, die in *Lutezia* weiterentwickelt wird. Heine, der den revolutionären Geschichtsprozeß als wesentlich unabgeschlossen ansieht, rührt ständig an die offiziell proklamierte Ordnung und Ruhe, indem er das Transitorische der Gegenwart unterstreicht. So gelangt immer wieder der Faktor Zeit kontrastiv ins Spiel (durch beschwörendes »noch immer . . .«, oder beruhigendes »immer noch . . .«, B 5, 107, 133, 153 f., 249 und 262; durch verunsicherndes »ob . . . oder ob . . .«, B 5, 166, 193, 262 f.; durch den Gegensatz »gestern – heute«, B 5, 247; durch die Frage: »Was wird aber aus Frankreich werden?« oder durch das unbestimmte: »Wir wollen nun die Folgen abwarten«, B 5, 181, 159). So gilt die Vendômesäule als das einzige in Frankreich, »was fest steht« (B 5, 161). Und so endet das Werk mit einer Frage nach der Natur des Bürgerkönigtums, die alles offen läßt. Diese Strategie untergräbt wirkungsvoll den Glauben der neuen Gewalthaber »an die ewige Dauer ihrer Macht« (B 5, 164). Zuletzt wird auch die vom Autor verfolgte demokratische Alternative in eine herrschaftsdestabilisierende zeitliche Alternative gefaßt, die außerdem die wirkliche gegen die vermeintliche ›Ewigkeit‹ setzt: »Die Völker haben Zeit genug, sie sind ewig; nur die Könige sind sterblich«. (B 5, 210)

Lit.: Albrecht Betz: *Ästhetik und Politik. Heinrich Heines Prosa*, München 1971, 58–68; Rutger Booß (s. o.); Josef Mayr; *Heinrich Heines Cholerabericht*, in: Quaderni di lingue e litterature 1, 1976, 151–160.

Der Dichter als Reporter

Die *Zustände* sind in engem Konkurrenz- und Rivalitätsverhältnis zu zahlreichen deutschen Paris-Korrespondenten und Schriftstellern entstanden. Allein in den Jahren 1831–1833 ließen neben Börne, dessen Hauptwerk Heine im Dezember 1831 beeindruckt gelesen hat, noch Gathy, Held und Schnitzler *Briefe aus Paris* erscheinen, Seybold und Traxel folgten mit *Erinnerungen aus Paris* bzw. *Briefen aus Frankreich* (Booß, 18–66). Was Heines Artikel gegenüber den meisten dieser »Briefe« so interessant macht, ist nicht allein ihre politische Brisanz (Börne greift die Juli-Monarchie noch unversöhnlicher an), auch nicht ihre künstlerische

Qualität, sondern schon das Faktum, daß sie von einem anerkannten deutschen Liederdichter geschrieben wurden, der seine privilegierte Situation als Auslandskorrespondent richtig genoß: »Ich erlebe viel Große Dinge in Paris, sehe die Weltgeschichte mit eignen Augen an, verkehre amicalement mit ihren größten Helden«, schrieb Heine am 24. August 1832 an seinen Freund Merckel.

Der Erfahrungszusammenhang, den die *Zustände* aus der Perspektive des Augenzeugen verarbeiten, reicht von der polnischen Niederlage im September 1831 bis zu den royalistischen Unternehmungen in der Provinz im Sommer 1832. Als frisch etablierter Korrespondent, der außerdem mit der französischen Geschichte und Gesellschaft noch wenig vertraut war, hat Heine seine Informationspflicht ernst genommen und sozusagen ›vor Ort recherchiert‹, d. h. auf der Straße (das soziale Elend der Pariser Bevölkerung hat Art. VI – zehn Jahre vor Eugène Sues *Les Mystères de Paris* – einprägsam dargestellt), in der Deputiertenkammer (die Eindrücke verarbeiten die Porträts der führenden Politiker) oder in Versammlungsräumen der Politik (Art. III berichtet über die republikanische »Société des amis du peuple«). Weiter hat Heine politische Kundgebungen wie die Beerdigungen von Périer und des oppositionellen Generals Lamarque miterlebt. Nicht ohne Gefahr an Leib und Leben hat er ebenfalls seine Pflicht als Chronist sowohl bei der Choleraepidemie ausgeübt wie bei dem Republikaneraufstand, als er, »wie mein Amt es erheischt« (B 5, 218), unmittelbar vom Kampfplatz aus über die tragischen Vorgänge berichtete. In der Provinz konnte er sich ein konkretes Bild von der wirklichen Popularität Napoleons und den Hoffnungen der Bonapartisten machen.

Zu den Voraussetzungen von Heines Reportertätigkeit gehört zweitens eine umfangreiche und intensive Zeitungslektüre, die die Informationslücken des Augenzeugen schließen mußten. Von diesem Tagespensum in den Cabinets de lecture (dazu DHA 12/2, 636) zeugt z. B. der aktuelle Pressespiegel in Art. II; daran erinnern auch die zahlreichen Tageszeitungen aus Paris und aus der Provinz, die Karikaturblätter und auch die englischen Zeitungen, die in den *Zuständen* zitiert und erwähnt werden. Durch das Ausschlachten dieser Quellen, zu denen noch Thiers' *Histoire de la révolution française* (1823–27, 10 Bd.e) und auch Mignets *Histoire de la Révolution française* (1824, 2 Bd.e) gehören, scheint der Neuankömmling eher über- als unterinformiert gewesen zu sein. Wichtig ist nun die Frage, wie Heine das umfangreiche Material verwendet hat. Untersuchungen haben zwei typische Verfahrensweisen herausgearbeitet. Einmal benutzt, übernimmt, kopiert er die Zeitungen und Zeitschriften sowohl der republikanischen als auch der legitimistischen Presse bei seiner Kritik an Ludwig Philipp, Périer und dem Juste-Milieu (siehe Clarke und Stellenkommentar von DHA 12/2; Margaret A. Clarke geht aufgrund von detaillierten Textvergleichen sogar so weit zu behaupten, daß Heine das vorhandene Material je nach Stoßrichtung nur noch umbiegen mußte, mal *mit* der Oppositionspresse *gegen* König und Regierung, mal *mit* der Regierungspropaganda *gegen* die Opposition). Zum andern hat er, parallel zu dem oben Erwähnten, das Material ebenso wenig immer detailgetreu übernommen, wie seine Eindrücke und Erlebnisse ›authentisch‹ und ›faktentreu‹ wiedergegeben. Vielmehr benutzt er Anekdoten, Episoden, Ideen, Einfälle etc. seiner Quellen, um sie zu arrangieren, zu pointieren oder wirkungsvoll weiterzuspinnen (Beispiel: die zeitkritische Ausstaffierung der Schlußanekdote von Art. II). – Allgemein läßt sich festhalten, daß die historische Perspektive und die künstlerische Verarbeitung der Pressequellen die einzelnen Elemente in einen neuen Zusammenhang und auf ein höheres Niveau gestellt haben.

Lit.: Margaret A. Clarke (s. o.), 7 f., 149 ff., 165 ff.; Jeffrey L. Sammons (s. o.); Rutger Booß (s. o.).
– zur Einführung in die Situation Frankreichs *nach* der Julirevolution: Philippe Vigier: *La monarchie de Juillet,* Paris 1962, 1976, 5. Aufl., 7 ff. (Que sais-je?); André Jardin/André-Jean Tudesq: *La France des notables* (Nouvelle histoire de la France contemporaine, Bd. 6/1) Paris 1973, 127 ff.; Gilbert Ziebura: *Frankreich 1789–1870,* Frankfurt a. M., New York 1979, 122 ff.
– zur französischen Presse: *Histoire générale de la presse française,* Bd. II [Hrsg. von Claude Bellanger u. a.], Paris 1969, 111 ff.

J'accuse (Vorrede)

Im Herbst 1832, als sich die jüngsten antiliberalen Tendenzen in der Innenpolitik der deutschen Bundesstaaten bemerkbar machten, vertauschte Heine das Amt des Korrespondenten mit dem des öffentlichen Anklägers und ließ auf die gemäßigten Französischen Zustände ungemäßigte und unversöhnliche Deutsche Zustände folgen. Wie kein anderer deutscher Schriftsteller fühlt sich Heine aufgrund seines demokratischen »Sprechamts« (vgl. B 5, 91 u. 99) aufgefordert, im Namen des betrogenen deutschen Volkes und des erniedrigten Vaterlan-

des die deutschen Fürsten wegen den »deplorablen Bundestagsbeschlüssen« vom 28. Juni und 5. Juli anzuklagen. (Als Reaktion auf das Hambacher Fest vom 27.–30. Mai 1832 hatte der Bundestag sogenannte »Sechs Artikel« und dann »Zehn Artikel« erlassen, die den deutschen Fürsten erlaubten, bereits zugestandene Freiheiten zu annullieren und alle weiteren öffentlichen Äußerungen liberalen Geistes im Keime zu ersticken, vgl. Schneider, 263 f.; in den Beschlüssen erkannte Heine zurecht die Absicht der führenden, verfassungslosen Staaten Preußen und Österreich, gegen den Konstitutionalismus der Kleinstaaten vorzugehen.)

Die nach den Korrespondenzberichten entstandene selbständige *Vorrede,* die aufgrund der Zensurmaßnahmen lange Zeit als das Kernstück der *Zustände* galt, ist einer der radikalsten und engagiertesten Prosatexte, die Heine geschrieben hat. Obwohl er das Joch der Selbstzensur und der Mäßigung, das die Freunde des Pariser AZ-Chronisten als »Feigheit« und »Servilismus« mißverstanden haben, weil sie es mißverstehen wollten, abwirft, ist die *Vorrede* immer noch nicht ganz frei von Selbstzensur, hatte doch die *Vorrede zur Vorrede* in Erwartung der Verstümmelung durch die »gedankenmordende deutsche Zensur« die Drohung ausgesprochen: »Lieber Gott! was soll das erst geben, wenn ich mal dem freien Herzen erlaube, in entfesselter Rede sich ganz frei auszusprechen! Und es kann dazu kommen« (B 9, 10).

Die Hauptanklage, die auf nichts weniger als auf heillosen Betrug am deutschen Volk lautet, richtet sich nicht nur gegen die »Illegalität« der jüngsten Beschlüsse, sondern gegen die fürstlichen Signataren der Wiener Bundesakte vom 8. Juni 1815 selber, die dem Volk als Lohn für seine Opfer im Kampf gegen Napoleon »statt der zugelobten Magna Charta der Freiheit, [uns] nur eine verbriefte Knechtschaft ausgefertigt« haben. Die ganze Wucht der Anklage trifft das betrügerische Preußen, »diese Jesuiten des Nordens«, die im Gegensatz zu dem immer antiliberalen Österreich, dem »offnen ehrlichen Feind«, mit dem Anschein der Liberalität die antiliberalste Innen- und Außenpolitik betreiben. Namentlich wird Friedrich Wilhelm III., der menschlich-persönlich sympathische *Privatmann,* aber meineidige *König,* wegen des nichteingehaltenen Verfassungsversprechen vom 22. Mai 1815 vor die Schranken des demokratischen Gerichts gestellt. Die leidenschaftliche Bekenntnis- und Protestschrift hält nun ein regelrechtes Tribunal ab, auf dem ein juristisch ausgebildeter Schriftsteller im Stile des 18. Jahrhunderts den Betrug der vormodernen Herrscher anklagt, aber als Frühsozialist zugleich über das aufklärerische Betrugsdenken hinausgeht (s. o. S. 208 f.). Im französischen Exil sieht sich erstmals ein deutscher Dichter in die Lage versetzt, den »aufrechten Gang« des mündigen Bürgers und des kritischen Intellektuellen gegenüber der modernen Herrschaft einzuüben (vgl. S. 30 f.). Die rhetorisch äußerst wirkungsvoll und eindringlich aufgebaute Anklage, die Zolas berühmtes »J'accuse« vorwegnimmt, lautet vollständig: »Kraft meiner akademischen Befugnis als Doktor beider Rechte, erkläre ich feierlichst, daß eine solche von ungetreuen Mandaterien ausgefertigte Urkunde [Wiener Bundesakte] null und nichtig ist; kraft meiner Pflicht als Bürger, protestiere ich gegen alle Folgerungen, welche die Bundestagsschlüsse vom 28. Juni aus dieser nichtigen Urkunde geschöpft haben; kraft meiner Machtvollkommenheit als öffentlicher Sprecher, erhebe ich gegen die Verfertiger dieser Urkunde meine Anklage und klage sie an des gemißbrauchten Volksvertrauens, ich klage sie an der beleidigten Volksmajestät, ich klage sie an des Hochverrats am deutschen Volke, ich klage sie an!« (B 5, 99) Die als Flugschrift weit verbreitete *Vorrede* läßt sich nun nicht nur aufgrund ihrer Wirkung mit Zolas berühmter *Lettre à M. Felix Faure* (1898) in der Dreyfus-Affäre vergleichen, sondern auch wegen der universalen Einstellung des Sprechers (»Freiheit«, naturrechtlich begründete »unveräußerliche Menschenrechte«, »Vernunft«, »allgemeine Interessen des Bürgers«, B 5, 91 und B 9, 11) und wegen der anaphorischen Konstruktion der Anklage: Zola erhebt neunmal sein »J'accuse«, während Heine dreimal seine Befugnis wiederholt, dreimal sozusagen seine Anklagestimme hebt, bevor er dreimal sein »ich klage sie an« hervorschleudert. Der pathetische und populäre Ton, der die *Vorrede* auszeichnet, wird rhetorisch durch anaphorische Wiederholung zahlreicher Wendungen (etwa »Ich werde«, B 5, 92; »man wußte«, B 5, 94 oder »Ihr braucht Euch nicht zu fürchten«, B 5, 102–105) oder einzelner Worte erreicht (»System«, »Fürst«, das Tabuwort »Konstitution« mit Varianten, B 5, 94, 99, 100 f.), aber auch durch vorgestellte Adverbien, durch den Gebrauch des Pluralis majestatis oder durch direkte Anrede des Volkes bzw. des Gegners. Daß sich jedoch die Anklage des »öffentlichen Sprechers« als revolutionär versteht, zeigt das prophetische Bild, mit dem sie schließt:

Das deutsche Volk geht zwar nur als ein Gespenst umher, ein »großer Narr«, ein vermummter, noch serviler Harlekin, aber es wird ihm vorausgesagt, daß es aufstehen werde, um seinen aristokratischen Peinigern »mit dem kleinen Finger den Kopf« einzudrücken, so daß ihr »Hirn bis an die Sterne spritzt« (B 5, 105).

Text: Emile Zola: *Les œuvres complètes.* Edition Eugène Fasquelle, Ed. par Maurice Le Blond, Paris 1927–1929, Bd. 47: *La vérité en marche* (dort 55–59: *Lettre à M. Félix Faure*).

Lit.: Michel Foucault: *Verité et pouvoir.* Entretien avec M. Fontana, in: L'ARC no. 70, 1977, 16–26; Bodo Morawe: *List und Gegenlist. Heinrich Heine als politischer Schriftsteller,* in: Jörg Schönert/Harro Segeberg (Hrsg.): *Zur Theorie, Geschichte und Wirkung der Literatur,* Frankfurt a. M. 1987 im Erscheinen; Gerhard Höhn: *Heinrich Heine, premier intellectuel moderne,* in: Revue de Métaphysique et de Morale, 1987 im Erscheinen.
– zu den Bundestagsbeschlüssen: Franz Schneider: *Pressefreiheit und politische Öffentlichkeit,* Neuwied und Berlin 1966.

Der Verrat der deutschen Intelligenz

Die rücksichtslose *Vorrede,* die Heine in die erste Reihe der liberalen und revolutionären Opposition Deutschlands gestellt hat, ist für die in Teil I skizzierte Problematik aus einem weiteren Grund ein zentraler Text: Das Tribunal der Herrschenden ist zugleich das ihrer servilen Lakaien. Den vorher und nachher des ›Verrats‹ bezichtigten deutschen Dichtern und Denkern wird 1832 die Anklageschrift eines ausgehändigt, dessen antiaristokratisches und antinationalistisches Engagement über jeden Zweifel erhaben ist. Aus wahrhaft patriotischem Geist ergreift die *Vorrede* (und ebenso die *Vorrede zur Vorrede*) Partei für »das große Völkerbündnis, die Heilige Allianz der Nationen«; aus wahrhaft pazifistischem Geist zitiert sie die biblische Grundformel »wir benutzen zum Pflug ihre [der Feinde] Schwerter und Rosse« und bekennt sich zu »Friede und Wohlstand und Freiheit« (B 5, 91; vgl. B 9, 10). Für dieses Engagement ist dem Autor kein Opfer zu groß, weder der Bruch mit dem Vaterland und lebenslanges Exil, noch Verkanntwerden durch die Freunde.

Diese universale Warte bestimmt nun den Ton der Anklage gegen die deutschen Schriftsteller und Gelehrten, die für schuldig befunden werden, nach 1813 von ihrem freiheitlichen Auftrag abgefallen zu sein, um im Dienste der deutschen Fürsten »Nationalhaß«, Fremdenfeindschaft und Krieg zu predigen. Mit größter Entschiedenheit und mit satirischer Verve werden diese »Lohnschreiber« und »Lohnlakaien« der Aristokratie, diese »gelehrten

Knechte« und »Komparsen«, mit den illustren Namen Hegel und Schleiermacher, Ranke und Raumer, Arndt und Stägemann verfolgt und zur Rede gestellt, sich von der preußischen Regierung zu staatsapologetischen Zwecken »benutzt« haben zu lassen (vgl. B 5, 211: »Im Freiheitskriege (lucus a non lucendo) benutzten die Regierungen eine Koppel Fakultätsgelehrte und Poeten, um für ihre Kroninteressen auf das Volk zu wirken«). Werden die außenpolitischen Dienste des »königl. Preuß. Revolutionärs« Raumer mit Spott behandelt, so trifft die Anklage gegen die ideologischen Dienste eines Hegel und Schleiermacher genau den Punkt, um den es Heine geht, denn sie lautet ausdrücklich auf »Verrat« und Servilität: »Empörend und verrucht ist diese Benutzung von Philosophen und Theologen, durch deren Einfluß man auf das gemeine Volk wirken will, und die man zwingt, durch Verrat an Vernunft und Gott, sich öffentlich zu entehren.« 1832 ist der Gegensatz zum Staatsphilosophen Hegel, dessen *Grundlinien der Philosophie des Rechts* von 1821 als Erhöhung Preußens zum Vernunftstaat, d. h. als Versöhnung von Vernunft und Wirklichkeit, aufgefaßt worden war, absolut unversöhnlich (bereits 1816, in seiner Heidelberger Antrittsrede, hatte Hegel den preußischen Staat als »auf Intelligenz gebaut« angesehen, *Sämtliche Werke*, hrsg. von Hermann Glockner, Bd. 17, Stuttgart-Bad Cannstatt 1965, S. 20).

Heines Intellektuellen-Polemik hat mehr als nur ein zeittypisches Symptom enthüllt. Sie läßt auch im kulturellen Leben Deutschlands den Parteienkampf sichtbar werden, der das politische und gesellschaftliche Leben Europas seit der französischen Revolution in immer stärkerem Maße bestimmt. Historisch gesehen steht die Polemik in der Tradition der Aufklärung und kann sich auf die liberale Ideologiekritik im *vor*revolutionären Frankreich berufen (vgl. B 5, 232 f.). Zugleich nimmt sie im *nach*revolutionären Frankreich, vor allem nach 1830, als die an die Macht gelangte Bourgeoisie ebenfalls zu einer problematischen Klasse geworden ist, eine neue Rolle wahr und eröffnet eine bisher unbekannte Perspektive. Heine, dem als Bürger zweier Welten, der alten *und* der neuen, die grundlegende Funktion der geistigen Kämpfe bewußt werden konnte, prangert auf der einen Seite die reaktionäre *Abwehr* liberaler Ideale durch konservative Propaganda, zu der sich deutsche Dichter und Gelehrte benutzen lassen, an, und zwar dort, wo diese Ideale erst durchgesetzt werden müssen; auf der andern macht er die

Abkehr von ihnen durch die Juste-Milieu-Doktrin, die französische Intellektuelle formuliert haben, dort bewußt, wo die Legitimation der neuen Herrschaftspraxis es notwendig werden läßt.

Selber Verräter!

Die ›Verrats‹-Problematik läßt nun erkennen, wie tief den seines Amtes waltenden Volkssprecher der Vorwurf seiner vermeintlichen Freunde treffen mußte, er selber sei durch seine Korrespondenzberichte abtrünnig geworden, habe sich bestechen lassen und seinerseits die liberale Sache verraten. Hier soll nicht die bittere, langjährige, Heines Arbeit überschattende Auseinandersetzung mit den deutschen radikalen Republikanern, die in Paris um Ludwig Börne einen größeren Kreis gebildet hatten, aufgerollt werden (s. *Ludwig Börne*). Es mag genügen, darauf hinzuweisen, daß Mitglieder dieser Gruppe Heines Glaubwürdigkeit und Gesinnung mit Erscheinen von Artikel I infrage gestellt haben, um dann den Korrespondenten der AZ so kontinuierlich wie erfolgreich als bedenkenlos servilen Schriftsteller und gedankenlos amalgamierenden Falschspieler im Interesse der Heiligen Allianz, besonders Österreichs, zu diskreditieren (»als einen geheimen Bundesgenossen der Aristokraten verschrien«, B 5, 222; privat hat sich Börne damals tatsächlich so geäußert, vgl. B 8, 746 ff.; 1927 hat Clarke: 9, 214 ff. und 226 ff., diese Verdächtigungen erneuert). Mit Bezug auf Artikel II hatte dann von liberaler Seite Karl Gutzkow öffentlich auf den »abtrünnigen Heine« und dessen »consequentesten Royalismus« angespielt (*Briefe eines Narren an eine Närrin*, 1832, zitiert nach DHA 12/2, 1024). Der schwer getroffene Heine hat sich zwar im Oktober 1832 auf politischer Grundlage deutlich von den republikanischen »Enragés« und deren jakobinischen »Ränken« distanziert (B 5, 222 und 226). Aber dennoch hat er es in der fatalerweise verstümmelten *Vorrede,* die seine Verteidigungsschrift gegen die als Opportunismus mißverstandene taktische Mäßigung in der AZ sein sollte, sowie in der *Vorrede zur Vorrede* seinen zu Feinden gewordenen Freunden *nicht* heimgezahlt. Im Gegenteil, er hat nicht nur die im Anschluß an das Hambacher Fest verfolgten Liberalen und Republikaner unterstützt (B 5, 210), sondern er hat sich auch mit ihnen solidarisch erklärt: Denjenigen unbesonnenen »Enragés«, die sich im Kampf für die gemeinsame Sache aus eigener Schuld ans Messer geliefert hatten und jetzt bluteten, rief der angeblich wegen mangelnden

»wahren Ernstes« als bloßer Spieler Denunzierte zu: »Gebt euch zufrieden; ich habe mich diesmal geschnitten« (B 9, 14, vgl. B 5, 92).

Lit.: Margaret A. Clarke (s. o.).

Aufnahme und Wirkung

Deutschland

Die ungewöhnlich zahlreichen Nachdrucke in deutschen Zeitungen (s. DHA 12/2, 679 ff.) bezeugen das Aufsehen, das die AZ-Berichte erregten. Über die Aufnahme selber teilte Varnhagen, den die ersten Artikel stark beeindruckt hatten, Heine am 5. Juni 1832 mit: »Im Vaterlande ist die Bewunderung für Ihr Talent ungemein gestiegen, und steigt noch täglich, aber auch daneben der Haß und Groll, den Ihre Richtung und Ihre Schärfe gewaltig aufregen.« In der Reaktion Varnhagens, der selber Vorbehalte gegen den Inhalt der Berichte anmeldete, zeichnet sich eine für die deutsche Rezeption Heines als politischen Dichter typische Wende ab, die sich in den 30er Jahren in der stärkeren Trennung und unterschiedlichen Beurteilung des Dichter-Politikers manifestieren sollte (vgl. Mende, 192). Varnhagen hat dann gegen seine Gewohnheit über die Buchausgabe keine Rezension mehr geschrieben.

Im Gegensatz zu den ersten Reaktionen war die Resonanz auf die Buchausgabe der bekannten Artikel nur sehr mäßig, der kommerzielle Mißerfolg (ca. 1000 verkaufte Exemplare in zwanzig Jahren) derartig, daß keine zweite Auflage mehr notwendig wurde. Das Vorgehen der Behörden zwang die Presse, die sich meist mit einfachen Anzeigen begnügte, zu Vorsicht. Liberale Kritiker wie Wolfgang Menzel (»Literatur-Blatt«), Ferdinand Anders (»Unser Planet« unter Pseudonym F. Stolle) und Heinrich Laube (»Zeitung für die elegante Welt«) lobten vor allem den historischen Wert der Berichte (Menzel: »Die Charakteristik des Juste-Milieu ist klassisch«, B 6, 761) und lasen die *Zustände* als zukunftsweisende Art der Geschichtsschreibung (am deutlichsten Laube: »Diese französischen Zustände sind die neue Art, Geschichte zu schreiben, das Buch ist ein morgenrötlicher Klassiker«, B 6, 764). Während Laube ebenfalls den außerordentlichen poetischen »Zauber der Sprache«, der das Buch »zum schönsten Geschichtswerke der neuen Zeit macht«, hervorhob, bemängelte Menzel Heines Subjektivität sowie seine verwirrende Unterscheidung zwischen Personen und Sache. Die

Vergleiche mit Börne, die zu dieser Zeit begannen, fallen zumeist positiv für Heine aus (so Anders, Wurm, und Laube; dagegen hält Menzel Börne für radikaler). Börne, der Heine bei Erscheinen der Artikel privat schon als Spitzel und Aristokraten verdächtigt hatte, hat dann mit seiner vernichtenden Kritik an der Gesinnung der *Zustände* (109. der *Briefe aus Paris,* 25. Februar 1833) das negative Heine-Bild der 30er Jahre, und darüber hinaus, entscheidend beeinflußt.

Frankreich

Die französische Aufnahme, die wie bei den Gemäldeberichten unmittelbar einsetzte, begann mit einer Sensation. Die liberale, orleanistische Zeitung »Le Temps« druckte am 18. Januar 1832 eine Notiz zu Artikel I, die Heines Kritik an Ludwig Philipp verdächtigt, von den Interessen der Heiligen Allianz beeinflußt zu sein. »La Tribune«, die Tageszeitung der Republikaner, veröffentlichte am 19. Januar in nicht ganz getreuer Übersetzung Auszüge aus dem Artikel vom 11. Januar. Ein oder zwei Tage später verfaßte Heine, der hinter dem Abdruck die Machenschaften des republikanischen Buchhändlers Franckh vermutete, wahrscheinlich eine *Notiz* für »Le Temps«, in der er sich erstmals öffentlich gegen der Verdacht wehrte, »unter dem Einflusse fremder Regierungen« zu schreiben (B 9, 9; Ende März folgte eine zweite, ebenfalls Heine zugeschriebene positive Notiz über die AZ, B 12, 342). Ausführlicher reagierte er dann mit dem Pressespiegel zu Anfang von Art. II. Der Abdruck in der »Tribune« vom 19. Januar hatte noch wegen Majestätsbeleidigung im Mai ein gerichtliches Nachspiel, das mit dem Freispruch des verantwortlichen Redakteurs endete.

Die große Anzahl der Reaktionen auf die Buchausgabe läßt erkennen, daß man *De la France* als literarisches Ereignis ansah. Eine Reihe von Kritikern zeigte sich schnell von Heines progressiver Einstellung sowie von seinem neuartigen Stil regelrecht fasziniert. Man verglich den Vertreter einer neuen, jungen deutschen Schriftstellergeneration mit Voltaire und Voltaire'schem Esprit; als Mann von Geist und als Vorkämpfer der Freiheit erklärte man ihn zum Geistesverwandten der französischen Kultur. Aber trotz dieses beachtlichen Erfolges bei der Kritik, den Heine 1834 in einem Entwurfstext würdigte (B 3, 672 f.), blieb dem Buch der Publikumserfolg versagt. – Durch persönliche Kontakte vermochte Heine das Bild, das Freunde und Be-

kannte von ihm entwarfen, zu steuern. Positive
Stimmen hoben im Sommer das Werk des großen
Dichters und Tribunen hervor (»Le Temps« z. B.,
sowie die unabhängigeren Zeitschriften »L'Europe
littéraire« und die »Revue des Deux Mondes«),
während negative Rezensenten dem vorschnellen
Künstler Heine mangelnde Kompetenz und auffallende Ambivalenz bei seinen politischen Urteilen
über das Juste-Milieu vorwarfen (der republikanische »Reformateur«, das Regierungsblatt »Journal
des Débats« und weitere, der Regierung nahestehende Zeitungen, vgl. DHA 12/2, 1214 ff.). Die
Kritik des saint-simonistischen Freundes Michel
Chevalier beinhaltete ebenfalls keine politische
Unterstützung. – Die größte Ehrung sollte Heine
durch Sainte-Beuves scharfsinnige, berühmt gewordene Studie zuteil werden, die der republikanische »Le National« am 8. August 1833 veröffentlichte (in *Premiers Lundis,* tome deuxième, Paris
1874, aufgenommen). Für den Weggenossen der
französischen Romantiker, der Heines brillante
Schreibweise bewundert, aber das ›Unfranzösi-
sche‹ an dessen artistischen Feuerwerken bemän-
gelt, ist der Deutsche schon ganz »naturalisiert«, »il
est des nôtres autant que le spirituel Grimm l'a
jamais été« (DHA 12/2, 1209 ff.). – Diese Rezeption bewirkte, daß Heine in Frankreich zuerst als
Prosaautor berühmt wurde (Mende, 193 f.). Als
weiterer Unterschied zur deutschen Rezeption, um
das hier anzuführen, läßt sich feststellen, daß man
Heines Artikeln in Frankreich zwar historische Un-
genauigkeiten vorwarf, sie aber als positive Fortsetzung der *Reisebilder* im Kampf gegen Unterdrückung ansah (so z. B. der begeisterte Kritiker
Lagarmitte). Erst später hat man begonnen, die
Berichte nicht mehr als Zeitdokumente mit Quellenwert, sondern als Kunstwerke zu lesen (z. B.
Schiltz, XVI).

Lit.: B 6, 761–765, B 8, 660 f. u. B 12, 641–647; DHA 12/2,
666–676; Galley/Estermann II, 92, 94, 99 ff., 106, 115, 124,
130, 132 ff., 143, 145, 147–159, 160 ff., 174 ff., 223 f., 306 ff.,
327, 367 ff. (aus 106 u. 109. von Börnes *Briefen aus Paris*) u.
376 ff.; *Raymond Schiltz: Vorwort* (s. o.); *Heinrich Heine
Briefe,* hrsg. von Friedrich Hirth, Mainz 1950/1957, Bd. V,
24 ff. [Erläuterungen]; Fritz Mende: *Heines ›Französische Zustände‹ im Urteil der Zeit,* in: ders.: *Heinrich Heine. Studien zu
seinem Leben und Werk,* Berlin (Ost) 1983, 172–195 [zuerst
1968; untersucht deutsche und französische Rezeption]; Hans
Hörling: *Heinrich Heine im Spiegel der politischen Presse
Frankreichs von 1831–1841,* Frankfurt a. M. etc. 1977 [einzel-
ne Aspekte weiterverarbeitet zu einem Vortrag, gedruckt in:
Les Valenciennes. Langages poétiques, 6/1981, dort auch
Erstdruck der Rezension von Michel Chevalier].

Die Romantische Schule

Entstehung, Druck, Text

Pläne zur zweiten Schrift aus dem *De l'Allemagne-*
Komplex lassen sich bis auf die Berliner Studentenzeit zurückverfolgen. Am 4. Mai 1823 teilt Heine
dem Altgermanisten Maximilian Schottky seine
Absicht mit, einst ein »Werkchen« über »neu-alt
und alt-neudeutsche Literatur« zu schreiben, und
kündigt schon an, er hoffe im Herbst viele Studien-
jahre in Paris zu verbringen »und nebenbey für
Verbreitung der deutschen Literatur die jetzt in
Frankreich Wurzel faßt, thätig zu seyn«. Knapp
zehn Jahre später, im Herbst 1832, erhält er Gelegenheit, einen derartigen Plan auszuführen, als ihm
der Direktor der neugegründeten Zeitschrift
»L'Europe littéraire«, Victor Bohain, den Auftrag
erteilte, im Genre von Madame de Staëls *De l'Allemagne,* aber nicht im »genre ennuyeux«, eine Reihe von Artikeln über die neuere deutsche Literatur
zu schreiben (vgl. Porträt Bohains in *Geständnisse,*
B 11, 463 ff.). Die Ausführung des Projektes, das
Heine ermöglichte, sich erstmals mit einem Werk
direkt an das französische und fast gleichzeitig an
das deutsche Publikum zu wenden, vollzog sich in
drei verschiedenen und vielschichtigen Phasen.

Erste Phase. – Konzeption und Niederschrift
des Werkes fiel in den Zeitraum vom Herbst 1832
bis zum Frühjahr 1833. Der französische und der
deutsche Titel von 1833 zeigen an, daß in dieser
Phase ein Gesamtüberblick über die Entwicklung
der deutschen Literatur bis auf die unmittelbare
Gegenwart geplant war. Die ersten drei Artikel,
die die Entwicklung vom Mittelalter bis zu Goethes
Tod darstellen, müssen zum Jahreswechsel fertig
vorgelegen haben, bevor François-Adolphe Loève-
Veimars sie übersetzte. Der erste Artikel erschien
am 1. März an besonders wirkungsvoller Stelle auf
Seite 1 der ersten Nummer des »Europe littéraire«.
Die beiden anderen folgten schnell (dem Umfang
her also Buch I). Nach einer Pause erschienen im
April und Mai 1833 fünf weitere, zwischen Januar
und April niedergeschriebene Artikel, welche die
Gebrüder Schlegel, Tieck, die romantische Philo-
sophie, Novalis und E. T. A. Hoffmann (Art. 4–6
= Buch II, 1–4) sowie Brentano und von Arnim
behandeln (Art. 7 u. 8 = Buch III, 1, 2). Ein im
Mai/Juni ausgearbeiteter 9. Artikel konnte nicht
mehr erscheinen (der zuerst 1964 veröffentlichte
Artikel stellt Zacharias Werner, Fouqué, Uhland

und erstmals das Phänomen des Jungen Deutschland dar, Themen und Ausgangspunkte für die späteren Kap. 3–5 von Buch III). Als Grund wird genannt, daß Heines Schreibweise, die Literatur und Politik verbindet, nicht mehr ins Konzept der Zeitschrift paßte (vgl. DHA 8/2, 1022 ff. und 1016 f.). Der Untertitel der kosmopolitisch eingestellten Zeitschrift, die durch literarische Mittel eine »Assoziation« aller europäischen Völker anstrebte, lautet bezeichnenderweise: »La Politique est complètement exclue de ce Journal.« Was Heine Ende Juni 1833 als »Beschränkungen« aus politischen Gründen indiziert hat (*Vorrede*, B 6, 862), hielt ihn zunächst nicht davon ab, den nur zwischen März 1833 und Februar 1834 erschienenen »Europe« mit seinen maximal 1800 Abonnenten als geeignete Plattform anzusehen, um sein deutschfranzösisches Programm zu verwirklichen. Wie sehr er mit den Zielvorstellungen des Journals übereinstimmte, zeigt sich vor allem daran, daß sein programmatisches, viel zitiertes, das schriftstellerische Hauptanliegen definierende Bekenntnis zur »pacifiken Mission, die Völker einander näher zu bringen« in genau jene Zeit fällt, in der er sich gleichsam als Redakteur des »Europe« fühlte (zur »Mission«, vgl. S. 22 ff.). Im selben Brief bezeichnet sich Heine, der seinen Kampf gegen die borniert national eingestellte Aristokratie und deren Alliierte keineswegs allein literarhistorisch führen will, stolz mit: »Ich bin daher der inkarnirte Kosmopolitismus« (Brief an einen Freund Anfang April 1833; vgl. *Vorrede zu Französische Zustände*). Diese Bekenntnisse sprechen den politisch gemeinten Gegensatz zur deutschen Romantik aus. Auf der anderen Seite hätte die ebenfalls politisch verstandene Sympathie für das Junge Deutschland im neunten Artikel einen Konflikt mit der Tendenz des »Europe« heraufbeschworen.

Zu Heines »Mission« mußte naturgemäß auch die Rückwirkung seiner Literaturgeschichte auf Deutschland gehören. Bereits Ende März 1833 erschienen die ersten drei Artikel mit *Vorbericht* (B 6, 860 f.) zensurfrei als deutschsprachige Buchausgabe bei den Verlegern Heideloff und Campe in Paris (der Text ist gegenüber der Handschrift an zahlreichen Stellen geändert; zu Streichungen s. B 6, 862 ff. und DHA 8/1, 463 ff.). Mitte Juli folgten die weiteren fünf Artikel in einem Band, der als »Zweiter Teil« gekennzeichnet ist. Die *Vorrede* kündigt in der Tat den Plan zu einem dritten und vierten Teil an, in denen »nachträglich von den übrigen Helden des Schlegelschen Sagenkreises«

sowie von modernen Dramatikern und aktuellen Schriftstellern die Rede sein soll (B 6, 862). Diese, über die deutsche Neuausgabe von 1836 hinaus geplante, aber nie ausgeführte Ergänzung sollte zunächst eine seit 1835 diskutierte Anthologie, dann 1838 ein Grabbe-Essay und noch 1852 eine Arbeit über die Dramatiker Grabbe, Immermann, Kleist und Oehlenschläger (Grabbe hatte jetzt Grillparzer von seinem früheren Platz verdrängt) verwirklichen (Einzelheiten zu den Plänen DHA 8/2, 1069 ff.).

Die Pariser Buchausgabe wurde 1833 wegen der Kritik an deutschen Fürsten und an der Katholischen Kirche in Preußen verboten, in Österreich aus dem Verkehr gezogen und in Bayern auf die Liste der verbotenen Bücher gesetzt (DHA 8/2, 1059 ff.): Die führenden national-konservativen Kreise wehrten sich erfolgreich gegen ihre angekündigte Eliminierung.

Zweite Phase. – Ende 1834, Anfang 1835 nahm Heine die Arbeit an der Literaturgeschichte wieder auf, als er die beiden Bände von *De l'Allemagne*, die Platz für Ergänzungen ließen, vorbereitete. In dieser Phase entstanden das spätere Kap. 6 von Buch III (der Vergleich von französischer und deutscher Romantik erschien 1835 als *Préface* zu Band 1) und der spätere Anhang mit der Polemik gegen Victor Cousin, dem damals bedeutendsten Vermittler deutscher Philosophie in Frankreich. Diese Polemik fand in den *Citations* ihren Platz, die ansonsten vier auszugsweise Übersetzungen fremder, im Hauptteil genannter Schriften enthalten. Weiter entstanden Texte, die Aspekte der Literaturgeschichte behandeln, aber weder in die deutsche, noch in die französische Buchausgabe aufgenommen wurden (Bruchstücke zu Tieck, zur Romantik in Deutschland und Frankreich und zu dem in Frankreich fast ganz unbekannten Kleist – ein Ansatz zu dem geplanten Dramatiker-Kapitel; Texte: DHA 8/1, 483 ff. und 491, vgl. dazu DHA 8/2, 1014 f. und 1466 ff.; Veränderungen der französischen gegenüber der deutschen Fassung: B 6, 877, DHA 8/2, 1515 ff. u. Weidmann, 197 ff.).

Dritte Phase. – Als die beiden *De l'Allemagne*-Bände im April 1835 erschienen waren, nahm Heine unter Verwendung des bereits vorhandenen Materials in einem letzten Arbeitsgang die geplante Fortsetzung der Literaturgeschichte wieder auf. In den folgenden Monaten entstanden die Kapitel 3–5 von Buch III (die das Junge Deutschland, Jean Paul, Zacharias Werner, Fouqué und Uhland behandeln, im Anschluß an den ungedruckt gebliebenen 9. Artikel). Buch III, 6 sowie *Anhang* kommen aus *De l'Allemagne* hinzu. Weitere Romantiker wie Eichendorff, Kerner und Chamisso werden nur beiläufig, die Schriftsteller der Gegenwart nur in Ansätzen behandelt. Nennenswerte Änderungen betreffen die Passagen über die Philosophen Fichte, Schelling und Hegel sowie Goethes Pantheismus.

Der unabgeschlossene Charakter des ganzen Projektes beeinflußte nun die Titelwahl in die endgültige, aber nur einen Ausschnitt aufgreifende Richtung. In seinen Verhandlungen mit Campe offerierte Heine Anfang Juli für 1000 Mark Banco (heute ca. 12000,– DM) seine um sechs bis sieben Bogen vermehrte »Geschichte der romantischen Poesie«, die er im Brief vom 26. Juli dann »Geschichte der romantischen Schule« nannte; gegen Campes Protest, der sich gegen die geringeren Marktchancen eines Nachdrucks richtete, betonte Heine, die Geschichte werde eines seiner »besten Bücher seyn«, und beschwor den Verleger mit den Worten: »Ich bin Ihr einziger Classiker, ich bin der einzige der ein stehender auflegbarer Literaturartikel geworden«. Als Heine im September aus Boulogne sur Mer das druckfertige, neu in drei Bücher gegliederte Manuskript mit neuer *Vorrede* abschickte, stand der endgültige Titel *Die romantische Schule* fest, durch den erstmals die Einheitlichkeit dieser literarischen Bewegung sowie die Zusammengehörigkeit der einzelnen Schulmitglieder ins allgemeine Bewußtsein gehoben wurden (vgl. B 5, 359). Heine hatte bereits in den 20er Jahren die Romantik als »neue Schule«, zur Unterscheidung von der älteren, durch Goethe bestimmten Periode, bezeichnet und den literarhistorisch noch ungeklärten Begriff Romantik benutzt (vgl. DHA 8/2, 1294 ff.). Zu diesem Zeitpunkt war Heine weder der Erfinder des Schul- noch des Epochenbegriffs, den die ersten Romantiker bekanntlich entwickelt, aber nicht einhellig bestimmt hatten. An dieser Situation läßt sich die Bedeutung der klärenden Funktion einer erstmalig monographischen Darstellung, die die Reihe der selbständigen Behandlungen der Romantik bzw. der Romantiker eröffnete, ermessen (Rudolf Haym, der 1870 den Titel unverändert übernommen hat, erwähnt sie jedoch an keiner Stelle).

Anfang November 1835 erschien die *Romantische Schule*, auf das Jahr 1836 vordatiert. Heine, der strenge Selbstzensur geübt hatte und lieber gar nichts als einen noch weiter reduzierten Text veröffentlicht hätte, sah sich durch die Zensureingriffe erneut getäuscht und beklagte sich bei Campe, jedoch ohne dieses Mal öffentlich zu protestieren, da der Verleger an den Streichungen nicht beteiligt war (Streichungen DHA 8/2, 1036 f. u. 1125 f.). Die Zensurmaßnahmen machte er allerdings in den *Erörterungen* vom April 1836 publik (B 9, 23). Das generelle Verbot aller Schriften des Jungen Deutschlands mit Heine an der Spitze, das der Bundestag kurz nach Erscheinen des Buches im Dezember 1835 erließ, wurde von einzelnen Bundesländern durch zusätzliche Verbote der *Romantischen Schule* noch übertroffen, so daß der wirtschaftliche Mißerfolg unvermeidlich war. Eine weitere deutsche Ausgabe der *Schule* wurde nicht mehr nötig. – Da Heine selbst den zensierten Text der *Romantischen Schule* nicht mehr vollständig ediert hat, stand bis heute jeder Herausgeber vor bestimmten, schwierigen Entscheidungen (s. u.).

Französisch- und deutschsprachige Drucke: Unter dem Titel *État actuel de la littérature en Allemagne. De l'Allemagne depuis Mᵐᵉ de Stael* druckte der »L'Europe littéraire« am 1., 8. u. 13. März, am 12. u. 22. April sowie am 10., 22. u. 24. Mai in den Nr. 1, 4, 6, 19, 23, 31, 36 und 37 acht mit »Henri Heine« signierte Artikel (Einzelheiten in DHA 8/2, 1512). Ein 9. Artikel blieb ungedruckt (B 6, 867 ff., DHA 8/1, 472 ff., Weidmann, 183–191).

– nach der Handschrift dieses Erstdruckes erfolgte 1833 eine erste deutsche Buchausgabe mit dem Titel: *Zur Geschichte der neueren schönen Literatur in Deutschland von H. Heine. Paris & Leipzig.* Dieser Band erschien mit *Vorbericht* Ende März, Band II (mit Zusatz: *Zweiter Theil*) mit *Vorrede* Mitte Juli. Die beiden Vorreden fehlen in der späteren deutschen Buchausgabe (B 6, 860 ff., DHA 8/1, 493 ff.). Von dieser Ausgabe erschienen 1837 und 1840 Titelauflagen.

– eine veränderte und ergänzte, erste französische Buchausgabe wurde 1835 im Sammelbänden *De l'Allemagne* bei Eugène Renduel, Paris, veröffentlicht (s. *De l'Allemagne*-Gesamtprojekt in Philosophie-Schrift). Der Text *M. Victor Cousin*, der spätere Anhang, befindet sich in den *Citations*, 219–231.

– der endgültige Text mit dem Titel *Die romantische Schule von H. Heine. Hamburg, bey Hoffmann und Campe. 1836.* (d. i. 2. deutscher Buchdruck) erschien verstümmelt Ende 1835, mit den Kap. 3–5 aus Buch III als neuen Texten und einer *Vorrede*.

– der 2., vollständige französische Druck erfolgte 1855 in der Neuausgabe von *De l'Allemagne,* die Michel Lévy, Paris, besorgte.

Texte: B 5, 357–504 (nach Ausgabe von Walzel, der den Text von 1836 zugrunde legt) und B 6, 862 ff. (Streichungen der Handschrift); DHA 8/1, 121–249 und 463 ff. (Bruchstücke der 1. und 2. Entstehungsphase sowie 4 Prosa-Notizen); Heinrich Heine, *Die romantische Schule,* hrsg. von Helga Weidmann, Stuttgart 1976 (= Reclam), 1–164 (Text nach Ausgabe von 1836, in den durch Kursivdruck alle Streichungen, ob durch die Hand des Autors oder des Zensors, wieder eingefügt sind).

– französische Übersetzung: DHA 8/1, 259 ff., 351–441; HSA 16, 14 ff., 110–207 (Text nach Ausgabe von 1855); DHA 8/1, 486 ff. (Text von 1835).

Lit.: B 6, 843–853; DHA 8/2, 1013–1038; Eberhard Galley: *Der »Neunte Artikel« von Heines Werk »Zur Geschichte der neueren schönen Literatur in Deutschland«,* in: HJb 1964, 17–36 [mit Erstveröffentlichung des Textes].

Tradition und Vorbilder: Verhältnis zu Aufklärung, Klassik und Romantik

Die *Romantische Schule* stellt nicht nur einen Höhepunkt in Heines lebenslanger Auseinandersetzung mit der deutschen Romantik, sondern ebenfalls mit Aufklärung und Klassik dar. Buch I, das am Anfang und am Ende Goethes Tod als Symbol einer Zeitwende beschwörend erwähnt, bestimmt zwar einerseits aus historischer und zeitgeschichtlicher Sicht den Kern der romantischen Schule, enthält aber andererseits eine umfassende Darstellung der »Goetheschen Kunstperiode«, die sowohl einen Abgesang anstimmt als auch ihrem größten Repräsentanten ein Denkmal setzt. Die Kontroverse mit der großen Bildungstradition, zu der Klassik und Romantik in den 20er und 30er Jahren des 19. Jahrhunderts wesentlich gehörten, war konstitutiv für Heines Person und Werk sowie bahnbrechend für die junge Schriftstellergeneration: In ihr hat sich Heines dichterisches Selbstbewußtsein so ausgeprägt und die problematisch gewordene Funktion der Literatur in einer Weise so neu bestimmt, daß die Schriftsteller des Jungen Deutschland darin ihr Modell entdecken konnten. In diesem Prozeß der Selbstverständigung stellte sich um 1830 erneut die Frage, die bereits die Frühromantik aufgeworfen hatte: der Anspruch, modern zu sein.

Gehört die Diskussion um Bedeutung und kritische Aneignung der klassisch-romantischen »Kunstperiode« zum Bild einer Übergangsgesellschaft, so fällt die *Romantische Schule* in Jahre, die von den Zeitgenossen als tiefe Zäsur der historischen Entwicklung empfunden worden sind. Die Juli-Revolution von 1830 hatte die Restauration in Frankreich beendet und den Geist einer neuen Zeit verbreitet. Hegels und Goethes Tod 1831 und 1832 ließ den geistigen Prozeß einer ganzen Epoche als abgeschlossen erscheinen. Das Bewußtsein einer Zeitwende hat Heine bei seiner Literaturgeschichte stark motiviert, schrieb er doch, an die ersten beiden Absätze seines Buches anknüpfend, am 8. April 1833 seinem Freund Laube: »Es war nöthig nach Goethes Tode dem deutschen Publikum eine literarische Abrechnung zu überschicken. Fängt jetzt eine neue Literatur an, so ist dies Büchlein auch zugleich Programm und ich, mehr als jeder andere, mußte wohl dergleichen geben«.

Die »neue Literatur«, als »Übergangsliteratur« infrage gestellt (B 5, 360), entstand zu einem Zeitpunkt, an dem die romantische Literatur, eine mit Heines Geburt entstandene, in seiner Jugendzeit vorherrschende und in seiner Studentenzeit noch wirksame Bewegung, keineswegs erloschen war. Einzelne Schriftsteller haben sie auch danach weiter vertreten. So ist Heine z. B. Zeitgenosse der »alt« gewordenen Frühromantiker August Wilhelm Schlegel und Tieck (1845 und 1853 gestorben); Brentano, Fouqué und Görres lebten bis 1842, 1843 und 1848; Eichendorff, Arndt, Uhland und die Gebrüder Grimm überlebten ihn sogar. – Dennoch hat Heine – um bereits hier darauf hinzuweisen –, rückblickend vom Jahre 1833 aus, die Romantische Schule durch die vernichtende Kritik zweier ihrer Gegner (und wichtigsten Alliierten seiner selbst) schon zu einer Zeit »zu Grunde gerichtet« erklärt, an dem er seine ersten Verse schrieb (B 5, 387 f.): Einmal durch den Aufsatz *Neudeutsch religiös-patriotische Kunst,* der 1817 in Goethes Zeitschrift »Über Kunst und Alterthum« erschienen, aber nicht von Goethe, wie man annahm, sondern von Heinrich Meyer geschrieben worden war und andererseits durch die Streitschrift, die Voß 1819 gegen Stolberg veröffentlicht hatte (*Wie ward Friz Stolberg ein Unfreier?*)

Heines Verhältnis zur jüngsten literarischen Vergangenheit erweist sich nun als so vielschichtig, daß jede eindeutige Einstufung fehlgehen muß (etwa nach dem Schema: pro Aufklärung und Klassik, aber gegen Romantik). Ebenso problematisch sind Gegensätze vermittelnde Ansichten (etwa »romantischer Aufklärer«, was sich genauso gut in »aufklärerischer« bzw. »aufgeklärter Romantiker« umkehren ließe; vgl. Kuttenkeuler, 31). Heines Einstellung läßt sich als kritisch und differenziert bis ambivalent bezeichnen, zwischen Ablehnung und Zustimmung schwankend, in der Sache Negatives von Positivem scheidend. Die dieser Einstellung entsprechende praktische Haltung wäre insofern als dialektisch zu definieren, als sie sowohl destruktiv wie bewahrend vorgeht, d. h. destruktiv gegenüber rückschrittlichen und bewahrend gegenüber fortschrittlichen Tendenzen. Eine solche Dialektik von »Verneinen« und »Bejahen« hat Heine an seinem kritischen Modell Lessing hervorgehoben, denn Lessing war für ihn ausdrücklich »ein ganzer Mann, der, wenn er mit seiner Polemik das Alte zerstörend bekämpfte, auch zu gleicher Zeit selber etwas Neues und Besseres schuf« (B 5, 372 u. 375).

»Bewaffnete« Aufklärer: Lessing und Voß

Heine, der früh mit aufklärerischem Geist in Berührung gekommen ist, hat keinen exakten Begriff von Aufklärung entwickelt. Aufklärung bezeichnet für ihn 1833 nicht, wie heute, eine fest umrissene Epoche, sondern ein historisches Phänomen, das er differenziert beurteilt, und eine kritische Haltung. In der *Romantischen Schule* werden »Aufklärung und Humanität« sowie »Aufklärung und Protestantismus« verbunden und in scharfen Gegensatz zu Romantik und Mittelalter gesetzt (B 5, 425 u. 427; zu Heines Aufklärungsbegriff, Pongs 41. ff. u. 104. ff.). Kritische Vorbehalte melden sich jedoch vor allem auf religiös-philosophischer Ebene an, wird doch zwischen »echten« und »falschen« Aufklärern unterschieden und die »nüchterne Aufklärungssucht« in Berlin angeprangert (B 5, 416 u. 373; vgl. »alberner Apostel seichter Aufklärung«, B 4, 709 *Über Polen*). Ein Mann wie Nicolai, der ausdrücklich als Aufklärer bezeichnet wird, gilt einmal als »Champion« und dann als Vertreter der »Aufklärungssucht« (Nicolai wird erst in der Philosophie-Schrift positiver dargestellt). Das im wesentlichen kritisch-zerstörerische Werk der Aufklärung an den überholten Vorstellungen in allen Bereichen des sozialen und kulturellen Lebens behandelt die zweite Deutschland-Schrift, indem sie das neuzeitliche Denken als mehrstufigen revolutionären Prozeß auffaßt. *Lutezia* XVII grenzt Aufklärung dann im Sinne eines Epochenbegriffs auf das religiöse Intoleranz im Namen der Vernunft bekämpfende französische Denken des 18. Jahrhunderts ein, das Voltaire und Rousseau repräsentiert haben (B 9, 309; Heines Verhältnis zur Aufklärung, unter Einbeziehung der englischen und vor allem der französischen Entwicklung, ist bis heute von der Forschung nicht abschließend behandelt worden; das Handbuch erörtert näher nur Heines Anknüpfen an den aufklärerischen Ideologiebegriff im Zusammenhang mit der *Stadt Lucca*).

Aufklärung, das ist für Heine nun der humanistische und kosmopolitische, der protestantische und bürgerliche Geist von streitbaren Schriftstellern, die er sich zu seinen Vorbildern auserkoren hat. »Die Literaturgeschichte«, präzisiert Heine in der *Romantischen Schule* seine Konzeption, »ist die große Morgue wo jeder seine Toten aufsucht, die er liebt oder womit er verwandt ist« (B 5, 372. f.). Mit den »edelsten Volkssprechern« Lessing und Herder (und Schiller, *Über Polen*, B 3, 80) fühlt sich Heine schon lange verwandt; er sieht sich 1829

weiter als »Glaubensgenosse« eines Lessing oder Voß (und Luthers, *Reisebilder* III, B 3, 464). 1833 gesteht er dann seine Vorliebe für Lessing, den Mann mit dem »großen Schlachtschwert« und zu Voß, dem Mann mit dem »Hammer«. Herder muß jetzt etwas beiseite stehen.

Der Schüler Heine hat den Dramatiker, Theoretiker und Essayisten Lessing schon früh kennengelernt und intensiv gelesen (zur Rezeption Lessings und zum Lessing-Bild: DHA 8/2, 879. ff.). In den beiden Deutschland-Schriften, in denen das Bild des Aufklärungsdichters zur Reife gekommen ist, bekennt sich Heine einmal zu dem sozial engagierten und politisch bewegten Dichter und Kritiker, »dem Champion der Geistesfreiheit und Bekämpfer der klerikalen Intoleranz«, dem Prediger der »Vernunftreligion, deren Johannes er war und deren Messias wir noch erwarten«. Dennoch bleibt der »reproduzierende«, die Originalität betonende Kritiker und der gegenüber seinen dramaturgischen »Rezepten« ohnmächtige Philosoph nicht von Kritik verschont, ganz zu schweigen von seinem negativen Einfluß auf die Berliner Aufklärung (B 5, 373 f.). Zum andern identifiziert sich Heine auf ungebrochen pathetische Weise mit dem theologisch erhöhten »Propheten, der aus dem zweiten Testament ins dritte hinüberdeutete«, dem »Fortsetzer des Luther«, dem zweiten religiösen »Befreier« (B 5, 585 ff.). Die dreistufige Befreiungskonzeption, die auf Lessings eigene Weltalter-Philosophie verweist, erkennt dem Deisten das große Verdienst zu, die Menschen vom »Joche des Buchstabens« (Lessing) befreit, d. h. die historische Bibelkritik weiter getrieben zu haben. Mit Begeisterung wird das Bild des Kritikers und Polemisten auf Kosten desjenigen des Dramatikers entfaltet (»Er war die lebendige Kritik seiner Zeit und sein ganzes Leben war Polemik«), des aufklärerischen Kämpfers, der unermüdlich mit seinem »Schwerte« und den »Pfeilen seines Witzes« gegen würdige und unwürdige Gegener zu Felde gezogen ist – und dabei manchen Gegner »aus Übermut« erledigt hat, ein ›Malheur‹, das dem Schüler in Sachen Polemik und Satire ebenfalls ein Plaisir war.

Heine, der in seiner ganzen Lyrik und Prosa zahllose Male Schwert und Waffen als Symbole seines schriftstellerischen Selbstbewußtseins beschworen hat, mußte den liberalen, »kerngesunden« und hartnäckigen Protestanten Voß als weiteres Vorbild empfinden (»Er ist vielleicht, nach Lessing, der größte Bürger in der deutschen Literatur«; B 5, 382). Die schon früher geäußerte »Vorliebe für den antiaristokratischen Voß« (B 3, 464) kann 1833 in der Auseinandersetzung mit der Romantik eine methodische Vertiefung erfahren, weil der mit dem »Hammer« Aufklärende unter Verletzung der liberalen Spielregeln die Allianz von Aristokratie und Kirche ad personam, d. h. am Beispiel seines ehemals liberalen Jugendfreundes und späteren Konvertiten Stolberg enthüllt hat. *Wie ward Friz Stolberg ein Unfreier* zeigt Heine modellhaft eine bösen Mißverständnissen ausgesetzte »Enthüllungs«-Strategie im Umgang mit einem Gegner, der verborgen und vermummt operiert: »die unbarmherzige Enthüllung von häuslichen Verhältnissen« bzw. »alle Enthüllungen des Privatlebens« (B 5, 386) sind für den Nachfolger Voß' 1833 gerechtfertigt, wenn sie einen allgemeinen Sachverhalt aufklären oder repräsentativ etwas Schlechtes veranschaulichen helfen. Das war die Maxime der Platen-Polemik, das wird die Leitlinie der Börne-Kritik sein, wobei die Kritiker ähnlich entrüstet reagiert haben wie gegen Voß. In der ständigen Konfrontation mit der Botmäßigkeit deutscher Dichter und Denker in der Metternich-Ära (die Auseinandersetzung mit Börne hat allerdings einen anderen Hintergrund) ist Heine über Voß hinausgegangen und hat wiederholt mehr fortgezogen als nur die »Gardine« vor der »Misère« seiner Gegner.

Will man Heines Verhältnis zur Aufklärung zusammenfassend beurteilen, darf man im Rückblick auf die *Reisebilder,* die *Vorrede* zu *Salon* I oder das Fragment *Verschiedenartige Geschichtsauffassung* nicht übersehen, daß er nicht nur einen dialektischen Begriff der Aufklärung besaß, sondern auch bereits die Dialektik der Aufklärung selber erkannt hat (»Dialektik des Fortschritts«). In der Tat, Heine, der Anhänger der Französischen Revolution und Napoleons, der demokratische Volkssprecher und Zerstörer religiöser oder politischer Illusionen kann als authentischer Erbe der Aufklärung angesehen werden. Aber Heine, der Kritiker des technisch-industriellen Fortschritts, der Zweifler am Geschichtsoptimismus und auch Spötter der Vernunft hat die Kehrseite des aufklärerischen Denkens aufgedeckt und erscheint deshalb als moderner Ankläger der »Vernunftreligion« eines Lessing.

Text: Wie ward Friz Stolberg ein Unfreier? beantwortet von Johann Heinrich Voß, Frankfurt a. M. 1819 (reprographischer Nachdruck mit Nachwort von Klaus Manger, Heidelberg 1984).

Lit.: Ulrich Pongs: *Heinrich Heine: Sein Bild der Aufklärung* *und dessen romantische Quellen,* Frankfurt a. M. etc. 1985, 41 ff., 56 ff. [zu Lessing] u. 88 ff. [zu Nicolai; Pongs rekonstruiert nicht Gegensatz, sondern Zusammenhang von Aufklärung und Romantik in Heines Denken]; – außerdem zum Thema Heine und die Aufklärung bzw. Lessing: Wolfgang Kuttenkeuler: *Heinrich Heine,* Stuttgart etc. 1972, 31 ff.; Günter Oesterle: *Integration und Konflikt. Die Prosa Heinrich Heines im Kontext oppositioneller Literatur der Restaurationsepoche,* Stuttgart 1972, 1, 8 ff., 33 ff., 44 ff., 85 u. 91 ff. [betont kritisch Heines Rückgriff auf aufklärerische Ideologiekritik]; Walter Kanowsky: *Vernunft und Geschichte. Heinrich Heines Studium als Grundlegung seiner Welt- und Kunstanschauung,* Bonn 1975, 84 ff., 104 ff., 132 ff., 312 ff., 325 ff. u. 338 ff.; Eduard Krüger: *Heine und Hegel,* Kronberg/Ts. 1977, 51 ff. u. 89 ff. [betont aus der Sicht Hegels »Zweifrontenkrieg« gegen Romantik und Aufklärung]; Friedrich Sengle: *Biedermeierzeit,* Band III, Stuttgart 1980, 521 ff.; *Heine über Lessing. 1834,* Faks. Weimar 1980, Nachw. von Karl-Heinz Hahn.

Goethe: Genie, Artist, Indifferentist

Heine hat den Dichter des *Faust* und des *Westöstlichen Divans* als die höchste künstlerische Autorität in der Auseinandersetzung mit der romantischen Schule anerkannt. 1833 wurde der Heide und Hellene aufgrund der Plastizität und des Sensualismus seiner Werke in den Rang eines antiromantischen und antispiritualistischen Vorbildes erhoben.

Mit keinem seiner Lieblingsdichter hat sich Heine so intensiv und so produktiv auseinandergesetzt wie mit Goethe, nicht mit Lessing, nicht mit Cervantes und auch nicht mit Shakespeare. Zahlreiche Äußerungen in Werk, Korrespondenz und Gesprächen bezeugen die lebenslange Beschäftigung mit dem Weimarer Klassiker, von der Studenten- bis zur Spätzeit, von dem kleinen Aufsatz *Die Romantik* (1820) bis zum Tanzpoem *Der Doktor Faust* (dt. 1851). Goethe war das entscheidende Bildungserlebnis des jungen Dichters und blieb eine ständige Herausforderung. Er war zugleich Modell vollendeten Künstlertums und Maßstab der eigenen künstlerischen Praxis. Aber er war auch Gegenmodell zu Heines Anschauung von der Rolle des modernen Schriftstellers.

Gut zehn Jahre nach der schrittweisen, nahezu vollständigen Rezeption der Goetheschen Werke und ein Jahr nach dem Tod des Olympiers ist es Heine in Buch I der *Romantischen Schule* gelungen, in einer kritisch ausgewogenen Darstellung den Grundstein zu einem progressiven Bild Goethes und zugleich der deutschen Klassik zu legen. Goethe wird 1833 zusammen als überragender Vertreter einer ganzheitlichen Weltanschauung, die eine Überwindung der neuzeitlichen Zerrissenheit bedeutet, und als vollendeter Künstler gefeiert – Vorbild einer modernen Literatur, der die Aufgabe zugefallen ist, fortschrittlichen Geist in plastische Formen zu gießen. Andererseits wird die von Goethe repräsentierte und von seinen Kunstmaximen beherrschte Epoche durch den bereits 1828 geprägten Begriff der »Kunstperiode« als Gesamtphänomen sowohl historisch wie ästhetisch gerecht gewürdigt, wenn auch aus der Sicht einer neuen Epoche heraus. Protest und Widerspruch entzünden sich jedoch schließlich an der vor-modernen Stellung Goethes als jahrzehntelangen Mitgliedes eines herzoglichen Hofes sowie an dem entwicklungshemmenden Einfluß seiner Universalherrschaft über die deutsche Literatur und Kultur.

Keinem seiner Lieblingsdichter stand Heine so ambivalent gegenüber wie Goethe: keinen hat er, zumindest eine Zeitlang, so bewundert und so kritisiert, so anerkannt und so abgelehnt, kurz, so geliebt und so ›gehaßt‹. Sein damals neuartiges Klassiker-Bild verdankt sich nun der kontinuierlichen und konstitutiven Unterscheidung zwischen dem *modernen* Charakter der Werke und der indifferenten Haltung des *traditionellen* Intellektuellen (»ich [habe] in Goethe nie den Dichter angegriffen, sondern nur den Menschen« – B 5, 398 –, den er z. B. im Brief an Moser vom 30. Oktober 1827 zornig einen »Aristokratenknecht« geschimpft hat). Dieses Bild beruht ebenfalls auf der kritischen Auseinandersetzung sowohl mit der Goetheopposition von rechts und links, die sich in den 20er Jahren Bahn brach, wie mit der Goetheapologie (1828 »Goethentum« und 1833 »Goetheaner« und »Apologisten« genannt; zur Goethekritik und -rezeption vgl. Trilse, Koopmann 1970 und Mandelkow 1975). Heines ambivalente Haltung gegenüber dem in Zirkeln kultisch verehrten, aber auch autoritativen Repräsentanten der Zeit machte sich bereits in einer Phase bemerkbar, in der er mit unterwürfigen und verehrungsvollen Widmungen seiner *Gedichte* (1822) und seiner *Tragödien* (1823) um ein Zeichen der Aufmerksamkeit von seiner »Ew Excellenz« warb (»Ich liebe Sie«, »Ich küsse die heilige Hand, die mir und dem ganzen deutschen Volke den Weg zum Himmelreich gezeigt hat«, schrieb er Goethe am 29. Dezember 1821). In seinen Berliner Jahren verfaßte er einen nicht aufgenommenen und verloren gegangenen Beitrag für den von Varnhagen herausgegebenen Sammelband zu Ehren Goethes (*Goethe in den Zeugnissen der Mitlebenden,* 1823); er plante sogar ein Goethebuch. Aber die *Briefe aus Berlin* (1822) zeigen dennoch seine Selb-

ständigkeit, wenn sie den Berliner Goethe-Kult, den der Student durch den Verkehr im Kreis der Varnhagen bestens kannte, aufspießen, Goethe als einen weltklugen Diplomaten des Ancien régime darstellen und vor allem, jedoch nicht ohne Verbeugung, die Herrscherrolle dieses »kräftigen Greises, des Ali Paschas unserer Literatur« ankratzen (B 3, 35 u. 63; zu den einzelnen Phasen der Goethe-Rezeption, s. Trilse, Mende, auch DHA 8/2, 1043 ff.). Zwiespältig verhielt sich Heine auch in einer weiteren Phase, die mit seiner so enttäuschenden Visite in Weimar begann (s. u.). Seinem Freund Christiani teilte er am 26. Mai 1825 mit, »diese Kriege«, in die er sich jetzt mit Goethe und dessen Schriften verwickelt fühlte, »werden sich nie äußerlich zeigen, ich werde immer zum göthischen Freykorps gehören«. Zu diesem »Freykorps« bekennt sich dann die *Nordsee III,* die erste öffentliche Auseinandersetzung mit Goethe, die den großen Griechen und Sensualisten gegen moralische und religiöse Angriffe des »Tugendpöbels« verteidigt, Goethe als Gegenbild zu dem zerrissenen Geist der Gegenwart erklärt und seinen gesunden Realismus, d. h. sein »Vermögen des plastischen Anschauens, Fühlens und Denkens« als beispielhaft hervorhebt (B 3, 219 ff.; vgl. Robert Mandelkow 1975, LXX f., der hier eine Wiederholung von Schillers Bestimmung des »naiven« Künstlers erkennt). Ebenso selbstsicher wie gegen die klerikale Polemik, das seichte »Pustkuchenthum«, das auf den 1821–1823 anonym erschienenen Roman *Wilhelm Meisters Wanderjahre* des Pfarrers und Theologen Pustkuchen zurückgeht, trat ein Jahr später der Rezensent von *Die Deutsche Literatur* gegen die nationale Kritik des ehemaligen Burschenschafters Menzel auf, die ebenfalls moralischen und religiösen Vorstellungen verpflichtet ist. Der Begriff »Kunstperiode« manifestiert bereits 1828 die Selbständigkeit von Heines Goethe-Bild und unterscheidet es wiederum von der politischen Goethe-Kritik Börnes, die auf eine ästhetische Würdigung verzichtet. Das hindert den *Reisebilder*-Autor jedoch nicht, die »Tyrannis« zu denunzieren, die Goethe in der »Republik der Geister« ausgeübt hat (B 1, 454). In den folgenden Jahren verschärfte sich die politische Kritik an dem »Minister«, an dem Egoisten und »Indifferentisten«, dem »Mitaristokraten« und »Zeitablehnungsgenie« (B 3, 603; B 5, 71, 115 u. 209; Briefe an Varnhagen vom 28. Februar und 16. Juni 1830). In übereinstimmender Weise haben damals auch Börne, der unerbittlichste und kompromißloseste Goethe-

Feind und -Hasser, sowie die Jungdeutschen Gutzkow, Mundt und Wienbarg den großen »Egoisten« und Fürstenknecht, den »Stabilitätsnarren« und »feigen Philister« angeklagt (Börne-Zitate nach Koopmann 1970).

Nach Goethes Tod änderte sich Heines Einstellung. 1833 rehabilitierte er Goethe gegen die linke und rechte Kritik (Buch I enthält einen detaillierten Überblick über die damalige Kritik und Apologie): Heine rückt das Artistische, den vollendeten Kunstcharakter der Meisterwerke in den Mittelpunkt und bekennt sich erneut zu dem »großen Jupiter«, zu dem göttlichen Menschen oder menschlichen Gott, der nicht nur den griechischen Kunstgeist erneuert, sondern auch in seiner äußeren Gestalt verkörpert hat. Dieses nunmehr vorherrschende, positive Goethe-Bild verstärkte sich Ende der 30er Jahre noch insofern, als Goethe dem Modell des »Hellenen«, im Gegensatz zum »Nazarener«, Pate gestanden hat. Abschließend sei aus der letzten Phase der Beziehung zu Goethe ein ebenso markantes wie melancholisches Geständnis Heines, der sich an Ruges Wort vom »freiesten Deutschen nach Goethe« erinnert, zitiert, in dem sich der todkranke Dichter als ehemals »großen Heiden Nr. 2« neben bzw. hinter seinen »Kollegen Nr. 1«, den »großherzoglich weimarschen Jupiter«, einreiht (*Berichtigung*, 1849, B 9, 109).

Mit gut zwanzigjährigem Abstand weist diese selbstgewählte Rangordnung auf die psychologische Seite der ambivalenten Beziehung Heines zu Goethe hin: Es war auch Rivalität oder, wie Heine seine frühere Gegnerschaft in der *Schule* erklärt, »Neid« mit im ›Spiel‹ (B 5, 398; vgl. Brief an Varnhagen vom 30. Oktober 1827). Ohne diese Beziehung nun auf rein psychologische Motive reduzieren zu wollen – was nahe läge –, darf Heines Reaktion auf den Eindruck, den der 75jährige Goethe auf seinen 26jährigen Besucher am 2. Oktober 1824 in Weimar gemacht hat, nicht ganz übergangen werden (dazu Koopmann 1970 u. 1972). In der *Romantischen Schule* hat Heine diese so merkwürdige, so undokumentiert gebliebene und für beide Seiten wahrscheinlich so enttäuschende Begegnung, um die er in einem devoten Schreiben an Goethe gebeten hatte, ins Göttlich-Erhabene stilisiert, den Inhalt des Gesprächs aber auf Kulinarisches reduziert. Ganz anders seine erste, sehr verspätete Reaktion, in der er Goethes persönlichen Eindruck heruntergespielt, die Begegnung aber als Ausgangspunkt zu einem grundsätzlichen Selbsterkenntnisprozeß aufgearbeitet hat (Briefe an Christiani und Moser vom 26. Mai und 1. Juli 1825). Nach einem dreiviertel Jahr erkennt er in dem Lebemenschen Goethe den polaren Gegensatz zu seiner eigenen Natur, die er als Opferbereitschaft »für die Idee« und als »Neigung zur Schwärmerey« bezeichnet (»Im Grunde aber sind Ich und Göthe zwey Naturen die sich in ihrer Heterogenität abstoßen müssen«). In der Weimarer Begegnung wird Heine erstmals sein ureigener, d. h. persönlicher und ideologischer »Zwiespalt« zwischen seiner »klaren Vernünftigkeit« und seiner nicht vernunftgesteuerten Begeisterungsfähigkeit für überindividuelle Aufgaben und Ziele, die ihn »gewaltsam« ergreifen, bewußt. 1825 erlebt er diesen »Zwiespalt« um so schärfer, als seine Vernunft Goethes sensualistische Lebenseinstellung ausdrücklich billigt – und sich dennoch darüber erhebt. Denn gleichzeitig fragt er, »ob der Schwärmer, der selbst sein Leben für die Idee hingibt, nicht in einem Momente mehr und glücklicher lebt als Herr v. Göthe während seines ganzen 76jährigen egoistisch behäglichen Lebens.« Heines Reflexion auf die so demütigende und kränkende Begegnung mit der greisen Autorität Goethe, der in seinem Tagebuch trocken »Heine von Göttingen« notierte, führt persönlich zu der Einsicht in die eigene Doppelnatur (Schwanken zwischen Engagement und Desengagement) und theoretisch zu der für Heines dualistisches Denken so grundlegenden Bestimmung zweier polarer menschlicher Charaktere (die man aber nicht schon direkt mit den späteren, antagonistischen Idealtypen gleichsetzen sollte). Aus polemischer Sicht lassen die selbstanalytischen Briefe zwei ganz unterschiedliche Auffassungen von der Funktion des Schriftstellers in der bürgerlichen Gesellschaft im Ansatz deutlich werden.

1833 verblassen die Gefühle von Rivalität und »Heterogenität« vor der notwendigen Allianz zweier im wesentlichen Gleichgesinnter im Kampf gegen gemeinsame Gegner (die Feinde Goethes sollten auch die Feinde Heines sein). Goethes Hegemoniestellung wird zwar durch politische Vergleiche und Analogien auf einen Staatsstreich zurückgeführt, seine »Alleinherrschaft« als absolutistische »Kaiserzeit« implizit kritisiert, seine Herrschaftsausübung als ängstliche Unterdrückung jedes »selbständigen Originalschriftstellers« bzw. als eitle Hervorhebung aller »unbedeutenden Kleingeister« angeprangert (»er trieb dieses so weit, daß es endlich für ein Brevet der Mittelmäßigkeit galt, von Goethe gelobt worden zu sein«, B 5, 390). Aber das Opfer dieses »18ten Brümaire in der deutschen Literatur« war eben das »Schlegelsche Direktorium«. Der »Kunstdespotismus«, den der »absolute Dichter« ausübte, bedeutet sogar künstlerische Vollendung durch plastische Ausgestaltung alles dessen, was in seinen ›Herrschaftsbreich‹ fiel (B 5, 399). Ebenso kritisch wird das Prinzip der Goetheschen »Kunstperiode«, die Autonomie der Kunst, politisch und ästhetisch zugleich kritisiert *und* anerkannt. Goethes politischer »Indifferentismus«, der »quietisierende Einfluß« seiner Werke auf die deutsche Jugend wird zwar ganz im Sinne der linken Goethe-Kritik angeprangert (B 5, 394 ff.). Die Ansicht der Goetheaner, die »die Kunst als eine unabhängige zweite Welt«, »als das Höchste« proklamieren, wird mit den Bedürfnissen der modernen Gesellschaft konfrontiert und als unzeitgemäß verabschiedet (B 5, 393; vgl. das zustimmende Bekenntnis aus der Handschrift, B 6, 866 und dazu Koopmann 1970). Aber für Heine war der ästhetische Autonomiegedanke angesichts der patriotischen Dichtung der Befreiungskriege richtig und bleibt gegen jede moralische oder nationale Instrumentalisierung unbedingt gültig. Weiter: Goethes problematischer »Indifferentismus« wird jetzt auf der fortgeschrittensten Stufe der Entwicklung durch seinen (unhistorischen) Pantheismus erklärt. Und schließlich: Die praktische Unfruchtbarkeit der Goetheschen Dichtungen, die Heine (wie Börne) scharf mit kalten, kinderlosen Statuen vergleicht, ficht in der *Schule* keinesfalls ihren »selbständigen Wert« als Meisterwerke an (B 5, 395).

Lit.: zur älteren Forschung: *Heine-Bibliographie* von Gottfried Wilhelm u. Eberhard Galley, Teil II, Weimar 1960, 88 f. und *Heine-Bibliophie 1954–1964* bearbeitet von Siegfried Seifert, Weimar 1968, 167 f.; zur neueren Forschung: Walter Dietze: *Junges Deutschland und deutsche Klassik*, Berlin (Ost) 1957 54 ff.; Ulrich Maché: *Der junge Heine und Goethe*, in: HJb 1965, 42–47; Christoph Trilse: *Das Goethe-Bild Heinrich Heines*, in: Goethe. Neue Folge des Jahrbuchs der Goethe-Gesellschaft 30. Bd., 1968, 54–191; Fritz Mende: *Zu Heines Goethe-Bild*, 1968, in: ders.: *Heinrich Heine. Studien zu seinem Leben und Werk*, Berlin (Ost) 1983, 89–106 (dort auch 208–217: »Indifferentismus«); Helmut Koopmann: *Das Junge Deutschland*, Stuttgart 1970, 114 ff. 132 ff.; Helmut Koopmann: *Heine in Weimar*, in: Zeitschrift für deutsche Philologie, Bd. 91, 1972 Sonderheft, 46–66; *Goethe im Urteil seiner Kritiker*, Teil I 1773–1832, hrsg. von Karl Robert Mandelkow, München 1975, Einleitung XV ff., dort LVI–LXXVI; Teil II 1832–1870 München 1977, Einl. XXVIII ff.; Jost Hermand: *Der frühe Heine*, München 1976, 59–80 [zuerst 1969 als *Werthers Harzreise*]; Karl Robert Mandelkow: *Orpheus und Maschine*, Heidelberg 1976, 63–85; *Heinrich Heine und die deutsche Klassik;* Robert C. Holub: *Heinrich Heine's Reception of German Grecophilia*, Heidelberg 1981. 59–86.

Heine, ein »romantique défroqué«

Im Unterschied zu Aufklärung und Klassik ist die Romantik zugleich Gegenwart und bereits Tradition für Heine. Er hat schon als Schüler Werke populärer Romantiker wie E. T. A. Hoffmann, Fouqué, Uhland und Müllner gekannt; er hat als Bonner Student A. W. Schlegel kennengelernt und in einem spätromantischen Kreis verkehrt; als Student in Berlin ist er mit der Berliner Romantik in Berührung gekommen; er ist Fouqué und Hoffmann, später Arnim persönlich begegnet, und als Redakteur in München hat er in der Nähe von Schelling und Görres gelebt und wahrscheinlich deren Vorlesungen besucht (DHA 8/2, 1039 ff.). Wichtiger: Der Lieder-Dichter hat sich früh schon Formen und Inhalte der Romantik angeeignet und später, z. B. als Autor des *Atta Troll,* auf diese zurückgegriffen. Dennoch gehört seine Einstellung zur Romantik zu den umstrittensten Fragen der Rezeption, gehört die Bestimmung seines literaturgeschichtlichen Ortes zu den komplexesten Fragen der Forschung. Denn die Frage lautet: Was ist Heine: Romantiker oder Antiromantiker, Erbe oder Gegner, Fortsetzer oder Zerstörer, Vollender oder Überwinder? Oder ist er beides? Oder ist er, nach dem entwicklungsgeschichtlichen Schema, ›erst noch‹ Romantiker und später ›nicht mehr‹? Wo ist sein Ort, oder vielmehr seine Zwischenstellung, unter Zuhilfenahme von Epochenbegriffen wie Klassik/Romantik/Junges Deutschland, oder Tradition/Moderne? (Den periodischen Wechsel in der alternativen Einschätzung – Verbindung/Opposition zur Romantik – hat Clasen in seiner Analyse speziell der Rezeption von Heines Beziehung zur Romantik, die in die drei Phasen 1823–1857, 1887–1910 und 1946 ff. eingeteilt ist, herausgestellt und für die Gegenwart z. B. den Interessenwandel vom »romantischen«, d. h. konservativen Lyriker, zum »politischen«, d. h. progressiven Prosaschriftsteller betont; Clasen, 147–214).

Die Beurteilung von Heines Einstellung zur Romantik, die immer schon das Bild des Dichters in der Öffentlichkeit entscheidend mitgeprägt hat (und im westlichen Ausland immer noch prägt: in Frankreich z. B. gilt Heine weiter als einer der ›größten Romantiker‹), hängt nun wesentlich von dem jeweils vorausgesetzten Romantik-Begriff ab. Der jüngsten Forschung, die das bisher aus kritischer Sicht einseitig negative Bild der Romantik wesentlich erneuert hat, ist es gelungen, alternative Einschätzungen und Zuordnungen zu überwinden, indem sie diese Beziehung dialektisch überprüfte (Clasen, 13 ff.). Dadurch wurde es möglich, nicht allein den Gegensatz, sondern auch die Verbundenheit Heines mit einer kritisch weiterentwickelten oder zeitkritisch »funktionalisierten« Tradition aufzuzeigen (Gille).

Schwierigkeiten bereitet eingangs die genaue zeitliche Bestimmung des Heineschen Romantikbegriffs: Einmal bezeichnet er, im Sinn heutiger Literaturwissenschaft, jene Epoche, die kurz vor 1800 entstanden ist, zum andern ist er sehr viel umfassender konzipiert, wenn Heine von dem »tausendjährigen Reich der Romantik« spricht (Brief an Varnhagen vom 3. Januar 1846; vgl. *Vorrede zu Atta Troll*). Nach dieser Vorstellung einer großen Epoche würde die Romantik vom frühen christlichen Mittelalter bis in Heines Gegenwart, bis zum Sieg der Aufklärung reichen (vgl. dazu Woesler, 332 f.; vgl. weiter *Ludwig Börne*, B 7, 52, wo der Sturz Karls X. 1830 als das Ende des Reiches Karls des Großen gilt). Untersucht man dann Heines Einstellung zur deutschen Romantik in seinem Gesamtwerk, so läßt sich grob, aus entwicklungsgeschichtlicher Sicht, zwischen ›romantischen‹ und ›antiromantischen‹ Phasen unterscheiden. Dieser mehr diskontinuierliche Aspekt wird jedoch von einem zweiten, wesentlicheren überlagert: Der *Dichter* und *Poet* weiß sich zeitlebens der romantischen Literatur verpflichtet, während der *Kritiker* und *Zeitschriftsteller* sich zu ihr in schärfsten Gegensatz stellt. – In den 20er Jahren, zu deren Beginn sich der Schüler A. W. Schlegels mit einem kleinen Aufsatz noch zur Romantik bekannt hatte, ist Heines Interesse noch undifferenziert, wenn es auch im *Heimkehr*-Zyklus (rückblickend?) heißt: »Die prächtgen Kulissen, sie waren bemalt / Im hochromantischen Stile« (B 1, 130; zu den Phasen der Auseinandersetzung s. Clasen 19–75, auch DHA 8/2, 1041 ff., 1045 ff. u. 1075 f.). In den 30er Jahren, unter dem Eindruck der Juli-Revolution, wird das frühere Bild grundlegend revidiert und die Romantik, die ja zur »Kunstperiode« gehört, als unzeitgemäß verurteilt (*Maler, Schule*). Die gewandelte Einstellung macht sich vor allem an der Kritik der theoretischen Romantik bemerkbar (Frühromantik und Naturphilosophie). Herbert Clasen stellt jedoch heraus, daß sich Heine auch in der zweiten Hälfte der 30er Jahre in einer Reihe von Schriften mit Gedankengut auseinandersetzt, das von der Romantik übermittelt wurde. In den 40er Jahren stellt der Dichter des *Troll* erneut einen direkten, positiveren Bezug zur Romantik her, indem er zahlreiche, ›typische‹ Motive und Strukturelemente der Romantik in sein Versepos, das formalen Protest gegen die sogenannte Tendenz-Lyrik bedeutet, aufnimmt (Clasen, Woesler, 334 ff. und Schanze). In der Reflexion über die Romantische Schule (»wo ich meine angenehmsten Jugendjahre verlebt«, *Vorrede* von 1846) schwingt das elegische Bekenntnis dessen mit, der den »Schwanengesang der untergehenden Periode« anstimmen will: Wenn auch die Romantik unwiderruflich als vergangen gilt, sieht sich dennoch der Dichter des *Troll* als »letzter und abgedankter Fabelkönig« ihres beendeten Reiches (Brief an Varnhagen vom 3. Januar 1846). – In seinen letzten Jahren, in den *Geständnissen*, bringt Heine, der abwechselnd der romantischen Poesie »die tödlichsten Schläge beigebracht« hat (*Schule*) und dann »eine unendliche Sehnsucht nach der blauen Blume im Traumlande der Romantik« (*Troll*) verspürt hat, seine zwiespältige Einstellung auf den vielzitierten, alle Aspekte zusammenfassenden Begriff »romantique défroqué« (B 11,447), d. h. ein Romantiker ohne (spiritualistische) Kutte. Im Rückblick und in abschließender Selbsteinschätzung bekennt er: »Trotz meiner exterminatorischen Feldzüge gegen die Romantik, blieb ich doch selbst immer ein Romantiker, und ich war es in einem höhern Grade, als ich selbst ahnte.«

Dieses Bekenntnis, das die lebenslange Konfrontation mit der Romantik abschließt, zeigt Heine einmal als *politischen Gegner* und zum andern als *dichterischen Erben*, der 1854 in einer Welt an Phantasie, Traum und Poesie appelliert, in der diese durch den industriell-technischen Fortschritt allmählich vertrieben werden. Zu einem Zeitpunkt, an dem sich ökonomisch die kapitalistische Gesellschaft und literarisch der poetische Realismus durchzusetzen beginnen, kennt er dem romantischen »Traumlande« wieder eine zeitkritische Funktion zu. Andererseits will der »romantique défroqué«, der als Dichter und Kritiker dem Neuen Bahn gebrochen hat, ohne das Alte preiszugeben, seine Verdienste um eine postromantische, moderne Dichtung mit dem dialektischen Begriff »Doppelbedeutung«, genauer, so der französische Text, »double mission de destructeur initiateur« (B 12,171), bewußt machen. Aber – um diesen Komplex provisorisch abzuschließen –, wenn Heine seine Zwischenstellung in der Übergangszeit klarsichtig mit den bekannten Worten definiert: »mit mir ist die alte lyrische Schule der Deutschen geschlossen, während zugleich die neue Schule, die moderne deutsche Lyrik, von mir eröffnet ward« (B 11,447), wirft er neue Fragen auf. Die Dialektik von Alt und Neu, in der die »Querelle des Anciens et des Modernes«, und damit die frühromantische Problematik wiederkehrt (dazu Hohendahl 1973), entzieht Heine bewußt einer eindeutigen literaturhistorischen Einordnung (neuerdings hat man versucht, Heine in den Zusammenhang der europäischen, speziell der französischen Romantik einzuordnen, DHA 8/2,1076: »Heine – ein europäischer Romantiker mit aufklärerischer Komponente«). Weiterführender als letztlich nicht befriedigende Einordnungen erscheint heute, die These vom »destructeur initiateur« an Heines dichterischer Praxis zu überprüfen, d. h. zu fragen, ob und inwiefern Heines Lyrik der 40er und 50er Jahre insgesamt tatsächlich zerstörend *und* erneuernd vorgeht. Der von der Forschung gegenwärtig eingenommene dialektische Ansatz wäre nicht allein auf Heines *theoretische* Beziehung zur Romantik, sondern auf seine *praktisch*-dichterischen Verfahrensweisen in der späteren Lyrik anzuwenden. Vielleicht ließe sich dadurch eine tragfähige Definition der *modernitas*, um die es ja immer in dieser Beziehung geht, finden, die nicht den Lyriker vom Prosaschriftsteller, d. h. den ›Romantiker‹ vom ›Politiker‹ trennen müßte.

Lit.: Georg Lukács: *Heinrich Heine als nationaler Dichter* (1935) [Erstveröff. 1937], in: ders.: *Deutsche Literatur in zwei Jahrhunderten* [*Werke* Bd. 7], Neuwied und Berlin 1964, 273–333 [dort 309 ff.]; Georg Lukács: *Heine und die ideologische Vorbereitung der 48er Revolution* [Erstveröff. 1941] in: Text + Kritik 18/19 *Heinrich Heine*, 1971, 2. Aufl., 31–47; Fritz Strich: *Heinrich Heine und die Überwindung der Romantik*, in: ders.: *Kunst und Leben*, Bern und München 1960, 118–138; Hans Kaufmann, *Heinrich Heine*, Berlin und Weimar 1967, 3. Aufl. 1976, 136 ff.; Helmut Schanze: *Noch einmal: Romantique défroqué*, in: HJb 1970, 87–98; Alexander Sergejewitsch Dmitrejew: *Die Beziehungen zwischen dem Schaffen des jungen Heine und dem ästhetischen Programm der Jenaer Romantik*, in: IWK 1972, 172–189; Karl Wolfgang Bekker: *Klassik und Romantik im Denken Heinrich Heines* in: IWK 1972, 255–276; Peter Uwe Hohendahl: *Geschichte und Modernität. Heines Kritik an der Romantik*, in: Jahrbuch der deutschen Schillergesellschaft 17. Jg. 1973, 318–361; Klaus F. Gille: *Heines ›Atta Troll‹*, in: Neophilologus 1978, 416–433; Winfried Woesler: *Heines Tanzbär*, Hamburg 1978 (=Heine-Studien); Herbert Clasen: *Heinrich Heines Romantikkritik*, Hamburg 1979 (=Heine-Studien); Friedrich Sengle (s. o.); Ulrich Pongs (s. o.);
– zur Romantik-Forschung: *Romantik in Deutschland. Ein interdisziplinäres Symposion*, hrsg. von Richard Brinkmann, Stuttgart 1978.

Analyse und Deutung

Das Geheimnis der Romantischen Schule

Lange bevor sich die germanistische Literaturwissenschaft der romantischen Dichtung und Philosophie annahm, trat Heine im »L'Europe littéraire« mit literaturhistorischen Essays hervor, die sich als kritische, aber respektvolle Fortsetzung von Madame de Staëls einflußreichem, in Frankreich bahnbrechendem Werk *De l'Allemagne* verstanden, um einen gewissen Nachholbedarf zu befriedigen. In Wirklichkeit enthalten die Artikel eine radikale Umwertung des idealistischen Deutschland-Bildes, mit dem die Napoleon-Gegnerin ihnen in der großen Kaiserzeit allzu realistisch eingestellten Landsleuten einen kritischen Spiegel vorhalten wollte (das Buch erschien 1813 in London, nachdem die Pariser Ausgabe von 1810 beschlagnahmt und vernichtet worden war). Nach Madame de Staëls Idealbild ist Deutschland das Land der Dichter und Denker (»la patrie de la pensée«), das sich, ganz im Gegensatz zu Frankreich, dem Land der Genießer und Spötter, völlig natürlich der literarischen und philosophischen Meditation hingibt und dadurch schließlich eine in Europa überlegene Stellung eingenommen hat. Die besonders gelehrten und phantasievollen deutschen Dichter sind durch ihre spiritualistische Religion geistiger und tiefer als ihre französischen Partner; die freien und einsamen deutschen Denker überragen durch ihren Spiritualismus die französischen Philosophen und geben ein heilsames Korrektiv zu den materialistischen Tendenzen in der französischen Moralphilosophie ab (de Staël wendet sich vor allem gegen Voltaire) (zum Verhältnis Heine–de Staël vgl. Jacobi; zu *De l'Allemagne* als Quelle, DHA 8/2, 1049 ff.). Gegen diese schließlich nicht unkritische oder realitätsfremde Hochschätzung des geistigen Lebens der Goethezeit, der in den 20er und zu Beginn der 30er Jahre eine wahre Flut an Übersetzungen gefolgt war, machte Heine 23 Jahre später Front, indem er den verborgenen, ideologischen Kern der als Vorbild hingestellten romantischen Dichtung und Philosophie herausschälte.

Bei Anbruch der Moderne steht und fällt für Heine die Romantische Schule mit ihrer Beziehung zur restaurativen Ideologie und Politik, ein Feld, das umfassend, d. h. aus geistesgeschichtlicher, religiöser und ästhetischer Sicht untersucht wird. Das dualistische Begriffspaar Spiritualismus/Sensualismus dient als Modell der historischen Rekonstruk-

tion. Glanz und Elend der romantischen Dichtung klingen nun in der gegen Madame de Staël gerichteten Hauptthese an, die am Anfang von Buch I das bisher verborgene ›Schulgeheimnis‹ enthüllt: »Was war aber die romantische Schule in Deutschland? Sie war nichts anders als die Wiedererweckung der Poesie des Mittelalters, wie sie sich in dessen Liedern, Bild- und Bauwerken, in Kunst und Leben manifestiert hatte. Diese Poesie aber war aus dem Christentume hervorgegangen, sie war eine Passionsblume, die dem Blute Christi entsprossen« (B 5, 361). Poesie des Mittelalters, das heißt hier: ständiger Konflikt von Geist und Materie, von »ascetischem Spiritualismus« und heidnischem »Sensualismus« (konkret-individuell: »Verdammnis alles Fleisches« und Verteufelung der »unschuldigsten Sinnenfreuden«). Die spiritualistische Weltansicht, die keineswegs an sich schlecht ist (denn sie hat ja, was der Text ausdrücklich festhält, bedeutende zivilisatorische Leistungen vollbracht), wird aber von dem industriellen Fortschritt als überholte Ideologie denunziert: Die Menschen haben inzwischen begriffen, »daß auch die Materie ihr Gutes hat«, und »vindizieren jetzt die Genüsse der Erde«.
Heines Hauptthese verurteilt die Romantische Schule nicht nur wegen ihrer anachronistischen und retrograden Grundeinstellung – wodurch sie eindeutig aus der Diskussion um die Entstehung der Moderne verbannt wird –, sondern sie beraubt diese aller meditativen Unschuld und alles übersinnlichen Zaubers. In der Gegenwart haben Genußverzicht und Selbstunterdrückung die politische Funktion, »Hundedemut und Engelsgeduld« hervorzubringen, und das ist »die erprobteste Stütze des Despotismus« (B 5, 362). Diese Funktion (»Trost in der Religion«, B 5, 378) hat die Schule praktisch wahrgenommen, als sie, in Heines Sicht ihren eigentlichen ›Sündenfall‹ besiegelnd, die »Wiedererweckung der Poesie des Mittelalters« 1813 in den Dienst der deutschen Fürsten bei ihrem Kampf gegen Napoleon und gegen Frankreich gestellt hat. Über diese unheilige Allianz von spiritueller Erneuerung und aristokratischen Interessen soll 1833 sowohl das französische wie das deutsche Publikum aufgeklärt werden, wenn Heine das ›Geheimnis‹ der Schule auf die schlagende Formel bringt: Mit der deutschen Nationalität »triumphierte auch definitiv die volkstümlich germanisch christlich romantische Schule, die ›neu-deutsch-religiös-patriotische Kunst‹« (B 5, 380).

Text: Madame de Staël: *De l'Allemagne,* hrsg. von Gräfin Jean de Pange und Simone Balayé, Paris 1958–1960; dass. als Taschenbuch, hrsg. von Simone Balayé, Paris 1968; dt. Übersetzung, hrsg. von Monika Bosse, Frankfurt a. M., 1985.

Lit.: Albrecht Betz: *Ästhetik und Politik. Heinrich Heines Prosa,* München 1971, 73 ff.; Eve Sourian: *Madame de Staël et Henri Heine: Les deux Allemagnes,* Paris 1974; Herbert Clasen (s. o.), 96 ff. u. 101 ff.; Ruth Jacobi: *Heines ›Romantische Schule‹. Eine Antwort auf Madame de Staëls ›De l'Allemagne‹,* in: HJb 1980, 140–168; Herbert Gutjahr: *Zwischen Affinität und Kritik. Heinrich Heine und die Romantik,* Frankfurt a. M. etc., 1984, 27 ff.
– zum Thema französisches Deutschland-Bild: André Monchoux: *L'Allemagne devant les lettres françaises de 1814 à 1835,* Toulouse 1953.

Die »Häuptlinge« der Romantischen Schule und ihre Verdienste

In assoziativer Verbindung mit dem Modell, das der Hauptthese zugrunde liegt, wird eine Reihe von Antithesen und Kontrasten mit eindeutig denunziatorischer Funktion entwickelt: Vor der Folie von Geistesfreiheit, Emanzipation und Kosmopolitismus muß die Romantische Schule unmißverständlich als unfrei, feudal, katholisch, national und antifranzösisch erscheinen. Die taktische Anwendung dieses polemischen Ansatzes bewirkt nun, daß die Romantiker im einzelnen künstlerisch epigonal oder ohnmächtig dastehen, philosophisch systemlos, psychologisch wahnsinnig, medizinisch krank, politisch fürstentreu, sexuell impotent und geographisch als Münchner oder Wiener. Das Konstruktionsprinzip von Buch II und III besteht genau darin, in jedes Einzelporträt der »Häuptlinge« einen oder mehrere dieser negativen Wesenszüge repräsentativ hineinzuweben, um die allgemeine Tendenz der Schule bloßzustellen. So erweist sich der hohe Standpunkt Friedrich Schlegels, ein an sich »tiefsinniger Mann«, der »alle Herrlichkeiten der Vergangenheit« erkannte, immer nur als der »Glockenturm einer katholischen Kirche« (bei allem, was er sagt und macht, hört Heine immer »diese Glocken läuten«). Als Autor (der *Lucinde*) zeigt er sich poetisch ebenso ohnmächtig wie sein Bruder August Wilhelm, der außerdem noch die Theorielosigkeit und Impotenz der Schule offenbart (s. u.). An dem authentischen Dichter Tieck, einem der »besten Novellisten in Deutschland« und bedeutenden Komödienschreiber, manifestiert sich wiederum die Unselbständigkeit und Epigonalität der Romantiker. Des Idealisten Novalis Leben und Werk muß dafür einstehen, daß romantische Poesie »eigentlich eine Krankheit« – eine Krankheit zum Tode war. Brentanos Leben und Werk steht für die Selbstzerstörungssucht der Romantiker, die im Wahnsinn enden kann – wohin Zacharias Werner durch den Konflikt seiner sensualistischen mit seiner spiritualistischen Natur stellvertretend getrieben wurde. Der große Dichter der Schule, der Protestant Achim von Arnim, gilt nicht als »Dichter des Lebens, sondern des Todes«. Und die Philosophen Schelling und Görres haben bezeichnenderweise das jesuitische München zum Ort ihrer Lehrtätigkeit gewählt.

Heine stellt die romantischen Schul-»Häuptlinge« klipp und klar als Adjutanten der Restauration an den Pranger, aber dennoch ist er keineswegs blind gegenüber den Verdiensten der Schule. Er hat dichterische Leistungen bzw. einzelne Werke (oder Werkteile) so unterschiedlicher Autoren wie Uhland, Tieck, Arnim, Brentano und Hoffmann (den er allerdings nicht als Romantiker bezeichnet hat) hoch geschätzt. Eine gewisse Vorliebe äußert sich gegenüber der volkstümlicheren Spätromantik – im Gegensatz zur genialischen Frühromantik. Aus wirkungsgeschichtlicher Perspektive heraus werden in den zuletzt entstandenen Kap. 3–5 von Buch III Zacharias Werner, Fouqué und Uhland, die ausdrücklich nicht als »Koteriegenossen« des Schlegelkreises gelten, überraschend positiv beurteilt (obwohl Heine an dieser Stelle noch schärfer als zuvor im 9. Artikel die retrograde Einstellung ihrer Werke aufgedeckt). Ihnen wird sogar zugute gehalten, »die Restauration des Mittelalters« aus antikapitalistischem Geist, d. h. aus Opposition gegen den »jetzigen Geldglauben« und gegen den bürgerlichen »Egoismus« befördert zu haben (B 5, 472 f., vgl. 9. Art. B 6, 867 f.). Ja, bis zum doppelten Selbstwiderspruch werden die »Verirrungen« nun ausdrücklich »unserer ersten Romantiker« in der Philosophie-Schrift als spontane, d. h. »unbewußte« Opposition gegen den modernen bürgerlichen Geist erklärt, weil ihr »pantheistischer Instinkt« im mittelalterlichen Katholizismus Überreste vorchristlicher, heidnischer Traditionen erkannt hatte (B 5, 619 f.; zu dieser teilweisen Rehabilitierung der Frühromantiker s. Pantheismus-Diskussion der Philosophie-Schrift).

Die eigentlichen Verdienste der Romantischen Schule liegen für Heine jedoch eindeutig auf dem Gebiet der ästhetischen Kritik, die die Gebrüder Schlegel in ihren literarhistorischen und poetologischen Studien sowie in ihren Vorlesungen und Aufsätzen ausgebildet haben (B 5, 374 u. 407 ff.). Hinzu kommen die übersetzerischen Leistungen des älteren Schlegel und Tiecks (Shakespeare, Calderon und Cervantes). Friedrich Schlegel wird als genialer Sanskrit-Forscher hervorgehoben. Den Höhepunkt romantischer Vermittler- und Sammlertätigkeit bildet jedoch für Heine die Volkslieder-Sammlung *Des Knaben Wunderhorn,* die er aus den frühen 20er Jahren kannte. Aus der Erstausgabe von Brentanos und Arnims Sammlung, die er gar »nicht genug rühmen kann«, zitiert Heine nicht weniger als sechs Lieder ganz oder teilweise, wobei seine Auswahl das sentimentale und das groteske Lied bevorzugt (B 5, 449 ff.; vgl. DHA 8/2, 1368). Zugleich soll die naive Volkspoesie der romantischen Kunstpoesie einen kritischen Spiegel vorhalten sowie dem französischen Publikum das deutsche Volk von seiner »liebenswürdigen Seite« her bekanntmachen.

Lit.: Eberhard Galley (s. o.); Albrecht Betz (s. o.); Herbert Clasen (s. o.); Wolfgang Frühwald: *Heinrich Heine und die Spätromantik,* in: *Heinrich Heine. Dimensionen seines Wirkens,* hrsg. von Raymond Immerwahr u. Hanna Spencer, Bonn 1979, 46 ff.; Ulrich Pongs (s. o.), 107 ff. u. 114–143 [betont Heines Nähe zum Schlegelschen Bild der Aufklärung; zur Frage, inwieweit Heine unbewußt an frühromantische Postulate anknüpft: Hohendahl 1973 und Dmitrejew, s. o.].

Aufklären durch Enthüllen und Totschlagen

Heines Essays wollen bekannte Vorstellungen umwerten, indem sie Verborgenes enthüllen. Ihre Nähe zur aufklärerischen Ideologiekritik zeigt sich nicht nur an der Art, in der sie Religion, d. h. vorrangig den Katholizismus, als Betrug (»Lüge«, »alte Schlange«, »vergiftet«, B 5, 434 u. 495) oder als Stütze des Feudalsystems denunzieren (B 5, 362, 378 u. 496). Die Nähe zeigt sich auch an der dem Voßschen Modell entliehenen Art, die verborgenen Tendenzen zu enthüllen, mit denen sich die Romantiker in den Dienst von Herren und Priestern gestellt haben.

Opfer von Heines Aufklärungs- und Enthüllungsstrategie ist die Romantische Schule insgesamt, weil sie 1813/1815 »Hand in Hand mit dem Streben der Regierungen und der geheimen Gesellschaften« ging (B 5, 379 f.). Der von den Fürsten »befohlene«, hassende und antifranzösische Patriotismus, den die Romantiker unterstützt haben, führt nach Heine auf exemplarische Weise das immer wieder angeprangerte Versagen liberaler Kräfte vor Augen, erkennt er darin doch den Abfall von weltbürgerlichen Ideen, für ihn »das Herrlichste und Heiligste [...] was Deutschland hervorgebracht hat«, und »dem unsere großen Geister, Lessing, Herder, Schiller, Goethe, Jean Paul, dem alle Gebildeten in Deutschland immer gehuldigt haben«. – Opfer sind im einzelnen die romantischen Konvertiten, die die Geistesfreiheit aufgegeben haben, um »sich in den alten Geisteskerker wieder« hineinzudrängen (B 5, 381; Tieck und Novalis haben jedoch nicht konvertiert, aber Zacharias Werner, der 1814 auch die Priesterweihe erhielt). Opfer sind weiter diejenigen, deren Lebensweg allein schon einem Abfall gleichkommt, wenn dieser in die Zentren oder die Dienste der restaurativen Macht geführt hat (z. B. die Karriere der Gebrüder Schlegel oder Brentanos; die zahlreichen biographischen Details, die Heine gesammelt hat, sollen zumeist diese Tendenz aufdecken). Exemplarische Opfer sind dann die Naturphilosophen, die sich, wie Schelling und Görres, »in den Schlingen der katholischen Propaganda« verfangen und die ehemals philosophische Wahrheitssuche zugunsten »jesuitischer Lüge« bzw. obskurantistischer Dogmen aufgegeben haben (B 5, 434 ff. u. 438).

Persönliche Opfer von Heines »Enthüllungs«-Strategie hätten Madame de Staël und Victor Cousin, der einflußreichste Konkurrent in der Vermittlung deutscher Philosophie in Frankreich, sein können (aber Angriffe auf de Staëls mangelnde Weiblichkeit erfolgten erst 1844; das Porträt des Philosophen ist 1833 mehr ironisch als polemisch ausgefallen). Das wirkliche Opfer ist dieses Mal A. W. Schlegel, seit 1804 enger Vertrauter und Ratgeber von Madame de Staël – dessen »feinen Diskant« Heine aus *De l'Allemagne* herausgehört hat (laut Forschung zu unrecht). In Schlegel greift Heine einen einflußreichen Konkurrenten an, der durch seine 1807 in Paris erschienene Schrift *Comparaison entre la Phèdre de Racine et celle d'Euripide* sowie durch die Übersetzung seiner *Vorlesungen über dramatische Kunst und Literatur* (1813) zu einer Autorität der Literaturkritik geworden war. Der 66jährige Schlegel, zu Beginn der 20er Jahre noch hochverehrter Lehrer und Meister *(Die Romantik)*, muß jetzt stellvertretend für die künstlerische Ohnmacht und Impotenz der Schule büßen (vgl. Schluß des 9. Artikels, B 6, 877). 1833 begnügt sich Heine nicht damit, Person und Lebensstil des eitlen, hochdekorierten Mannes zu verspotten. Jetzt kommt das ödipale Motiv hinzu, heißt es doch nahezu ›naturgesetzlich‹: »Denn in der Literatur wie in den Wäldern der nordamerikanischen Wilden werden die Väter von den Söhnen totgeschlagen, sobald sie alt und schwach geworden.« (B 5, 407) Die Unfruchtbarkeit der Romantik soll nun

aus erwähntem Motiv getroffen werden, wenn der Spiritualismus mit Impotenz gleichgesetzt wird: Im Rückgriff auf die ägyptische Mythologie, in der die Göttin Isis bei der Zusammensetzung ihres zerstükkelten Gatten und Bruders Osiris einen hölzernen Phallus benutzen mußte, spricht Heine unter Anspielung auf die gescheiterte Ehe Schlegels von der »hölzernen Nichtigkeit der romantischen Kunst« (B 5, 419). Im Fall Schlegel holt Heine zu einem Schlag aus, in dem »Enthüllungen des Privatlebens« und Kritik an der Sache in einem problematischen Verhältnis stehen. Aufklärerische Streitlust (Lessings »Übermut« beim Köpfen der Gegner) ›bereichert‹ jetzt die Waffe des Witzes mit moderner Psychologie.

Künstler, Tribune und Apostel

Die Darstellung des Jungen Deutschland mit Jean Paul als Vorläufer löst ansatzweise das Versprechen, nach Goethes Tod das fällige Programm einer neuen Prosa-Literatur zu liefern, *positiv* ein, das die gesellschaftlich begründete Kritik an den ästhetischen Normen der »Kunstperiode« *e contrario* umrissen hat. Die nach 1830 verschärfte Einsicht in den notwendigen Zusammenhang von Theorie und Praxis hat das Bedürfnis verstärkt, das wieder zu vereinen, was nach Goetheschen Kunstaxiomen und romantischer Poesie sträflichst getrennt worden war. Deshalb lautet die Maxime der neuen Literatur: »Ganzheit«, d. h. Integration von Kunst und »Leben« (im Sinn von gegenwärtiger, gesellschaftlicher Entwicklung), Einheit von Wort und Tat (»das Wissen wird Wort, und das Wort wird Tat«, B 5, 401), Korrelation von ästhetischer und politisch-sozialer Reflexion, von Artistik und Emanzipation, von Literatur und »Zeitbewegung« – heißt aber auch Übereinstimmung von privater und öffentlicher Begeisterung, nach dem Vorbild eines Aischylos oder Dante (vgl. *Maler*, B 5, 72). Die gehaltlichen Forderungen dieses Programms, das mit den idealistischen Vermittlungen von Hegels Philosophie und Ästhetik bricht, nennen wesentliche Grundhaltungen der Moderne, die sie theoretisch mitbegründet haben, wie Engagement und Primat der Praxis (denn die »Tat ist das Kind des Wortes«, B 5, 395), wie Fortschrittlichkeit und Verantwortung der Künstler (denn »›Vorwärts‹ heißt das gewaltige Losungswort der Menschheit«, 9. Art., B 6, 868), wie Parteilichkeit und Volkstümlichkeit der schriftstellerischen Avantgarde.

Literarhistorisch hat sich das Programm in eini-

gen großen Geistern angekündigt: in dem Aufklärer Lessing, dem ›Klassiker‹ Schiller und dem Ein-
zelgänger Jean Paul – dem Antipoden der Klassiker
und Romantiker. Unter dem Gesichtspunkt der
praktischen Wirkung, und nur unter diesem, erscheinen die Werke des vom »Geist seiner Zeit«
erfaßten Schiller moderner als diejenigen des in
»individuelle Gefühle« versenkten, aber größeren
Artisten Goethe (»die Goetheschen Dichtungen
bringen nicht die Tat hervor, wie die Schiller-
schen«, B 5, 395; die damals aufkommende Hochschätzung Schillers, um Goethe herabzusetzen,
wurde allerdings schon in der *Nordsee III* als modi-
sches Salongerede entlarvt – vgl. B 5, 391 u. 397 –,
während der Ironiker Heine dem sittlichen Idealismus Schillers naturgemäß distanziert gegenüber
steht). Mit Jean Paul, von Heine als Vorläufer
hochgelobt, aber als barocker Stilist abgelehnt, tritt
die moderne, ganzheitliche Kunst- und Lebenseinstellung erstmals in die Wirklichkeit und hebt das
Heinesche Programm der neuen Literatur aus der
Taufe (zur Hochschätzung von Jean Paul durch
Börne und das Junge Deutschland vgl. Koopmann
1970, 149 ff.). Die berühmte Erklärung aus Buch
III, 4, die den Bruch mit der Ästhetik der »Kunstperiode« besiegelt, lautet nämlich: »Diese Eigenschaft, diese Ganzheit finden wir auch bei den
Schriftstellern des heutigen jungen Deutschlands,
die ebenfalls keinen Unterschied machen wollen
zwischen Leben und Schreiben, die nimmermehr
die Politik trennen von Wissenschaft, Kunst und
Religion, und die zu gleicher Zeit Künstler, Tribune und Apostel sind« (B 5, 468). Die ganzheitliche
Konzeption umfaßte 1833 – im 9. Artikel – Politik,
Wissenschaft und Kunst, und die Funktionsbestim-
mung die Trias »Gelehrte, Künstler und Apostel«,
d. h. also: 1835 soll auch die Religion integriert
werden, während der Tribun den Gelehrten ersetzt
hat (B 6, 869). Dadurch wird einmal, in Übereinstimmung mit der saint-simonistischen Doktrin, die
soziale Aufgabe der modernen Schriftsteller stärker betont, denn der »neue Glaube« ist nicht spiritualistisch, sondern wissenschaftlich und fort-
schrittlich und verlangt ein materiell befriedigen-
des Leben in einer Gesellschaft ohne Ausbeutung
(»nicht einer auf Kosten des anderen leben« und
»die größere und ärmere Klasse« sind direkt dem
Programm der Saint-Simonisten entnommen, das
außerdem die Trias Priester [und Künstler], Wissenschaftler und Industrieller kennt). Andererseits
nimmt die Veränderung 1835, im Gegensatz zum
Saint-Simonismus, eine revolutionäre Erweiterung

vor, denn die Rolle des Tribunen besteht laut *Zuständen* darin, »eine politische Revolution« zu befördern (B 5, 215).

Trotz der politisch-sozialen Funktionsbestim-
mung von Kunst und Künstler predigt das Programm keine Tendenz-Kunst: Nicht Gesinnung,
sondern »Kunstsinn«, d. h. Plastizität und Artistik
sind Maßstab für den Dichter. Emanzipatorisches
Engagement ist nicht ohne ästhetische Dimension
denkbar. Die Trias nennt auch den Künstler an
erster Stelle. Die 1835 verfaßte Kurzcharakteristik
der Jungdeutschen Laube, Gutzkow, Wienbarg
und Schlesier hält an der Eigenständigkeit der
Kunst fest und betont, daß Goethe als Vorbild
nicht preisgegeben worden ist (Heine war 1833 einer der ersten, der den Gruppenbegriff »Junges
Deutschland« benutzte – B 6, 868 –; die *Schule*
erschien 1835 knapp 10 Tage vor dem Verbot der
Gruppe). Das Programm wird schließlich nicht zufällig im Hinblick auf Prosaschriftsteller formuliert,
denn die Prosagattung scheint berufen, durch
Formmischung die Ganzheitsvorstellungen und In-
tegrationsforderungen zu verwirklichen.

Lit.: Paul Konrad Kurz: *Künstler, Tribun, Apostel. Heinrich
Heines Auffassung vom Beruf des Dichters,* München 1967
(Kap. IV ff.); Willfried Maier: *Leben, Tat und Reflexion. Untersuchungen zu Heinrich Heines Ästhetik,* Bonn 1969; Karl-
Heinz Hahn, *Zwischen Tradition und Moderne,* in: IHK 1972,
416–446 [dort 441 ff.]; Joseph A. Kruse: *»Die romantische
Schule«,* in: IHK 1972, 447–463 [dort 459 ff.]; Rainer Rosenberg: *Literaturverhältnisse im deutschen Vormärz,* München/
Berlin (Ost) 1975, 86 ff. u. 153 ff.; Rainer Hoffmann: *Erste
und zweite Welt oder Leben und Kunst,* in: Wirkendes Wort,
33. Jg., 1983/4, 223 ff.; Fritz Mende: *Heinrich Heine – Künstler
und Tribun,* in: ders.: *Heinrich Heine. Studien zu seinem Leben und Werk,* Berlin (Ost) 1983, 11–32 [zuerst 1972]; Herbert
Gutjahr (s. o.), 43 ff. u. 114–138.
– zum Jungen Deutschland: Walter Dietze (s. o.); Helmut Koopmann (s. o.); Walter Hömberg: *Zeitgeist und Ideenschmuggel,* Stuttgart 1975; Hartmut Steinecke: *Literaturkritik
des Jungen Deutschland,* Berlin 1982; Manfred Windfuhr: *Das
Junge Deutschland als literarische Opposition,* in: HJb 1983,
47–69.

Eine literarische Literaturgeschichte

Heines Auseinandersetzung mit der Romantik hat
befreiend und anregend auf die jungdeutsche Kritik gewirkt, die von 1834 bis 1846 Jahr für Jahr mit
ihren großen, historischen oder kritischen Werken
hervorgetreten ist (Kruse, 453). Dagegen hat die
Romantikforschung diese erste zusammenfassende
Darstellung bis in die Gegenwart gar nicht oder nur
am Rande beachtet. Heines literaturgeschichtliche
Leistung wurde nicht anerkannt, seiner Arbeit von

der jüngsten Forschung noch mangelnde Wissenschaftlichkeit bescheinigt (z. B. Weidmann). Das hat jetzt der Kommentar der Düsseldorfer Ausgabe mit der Behauptung korrigiert, Heines Darstellung sei »eine Pionierarbeit innerhalb der Romantikgeschichtsschreibung« (DHA 8/2, 1048). Darüber hinaus gilt festzuhalten, daß Heine ganz ›programmgemäß‹ durch Mischung von Wissenschaft und Kunst, von Literatur und Kritik sowie durch Integration von Politik und Religion den Rahmen akademischer Literaturgeschichten gesprengt hat.

Zur Geschichte der neueren schönen Literatur unterscheidet sich z. T. polemisch von den beiden damals vorherrschenden Typen der Literaturgeschichtsschreibung. Den einen Typ stellen die kompilatorischen, ›datenverarbeitenden‹, sogenannten »Literärgeschichten« etwa von Wachler, Koberstein und Horn dar, die Heine als »wohlgeordnete Menagerie« bezeichnet hat (B 5, 466). Den anderen Typus, mit dem sich Heine in der Menzel-Rezension auseinandergesetzt hat, repräsentieren die großen historisch-systematischen Konstruktionen, wie sie die Gebrüder Schlegel in ihren Vorlesungen und auch Menzel in seiner Literaturgeschichte vorgelegt haben (vgl. Kruse). Außerdem waren Heine, der sich schon vor 1830 mit Literaturgeschichte beschäftigt hat, die Werke von Bouterwek und Karl Rosenkranz bekannt (das Buch des ersten hat er 1840 das einzig »gründliche«, den zweiten den »geistreichsten und tiefsinnigsten Literaturhistoriker unserer Zeit« genannt, B 9, 146). – Zweifel an dem Literaturwissenschaftler Heine konnten inzwischen insofern ausgeräumt werden, als es gelang, durch Überprüfen seiner Angaben seine Quellen nachzuweisen und seine Arbeitsweise transparent zu machen. So mußte Heine bei der Darstellung des Mittelalters, das er durch die Vorlesungen von Schlegel und Benecke in Bonn und Göttingen sowie durch die Lektüre von Friedrich Schlegels *Geschichte der alten und neuen Literatur* (ersch. 1814, 1822[2]) kannte, wichtige kategorielle und strukturelle Anleihen bei Karl Rosenkranz' *Geschichte der Deutschen Poesie im Mittelalter* (ersch. 1830) machen (DHA 8/2, 1056 u. 1298 ff.; die Rolle von F. Schlegels Geschichte, die Hohendahl 1973 herausgestellt hat, gilt als sekundär). Für die Gegenwart, d. h. zu Goethe, Schiller und den Romantikern, hat man große, in den 20er Jahren erworbene Werk- und Textkenntnis nachweisen können (als umstritten gilt die Bedeutung der *Geschichte der neuern deutschen Poesie*, 1832, von August Wilhelm Bohtz, vgl. DHA 8/2, 1335). Die

Beherrschung des Gegenstandes erlaubte damit Heines literatursoziologischem Ansatz, sich innovativ zu entfalten.

Die Neuartigkeit dieser Fragment gebliebenen, essayistischen Prosa rührt aber wesentlich von Heines unmittelbarer, plastischer und subjektiver Schreibweise her (den bereits von den Jungdeutschen geschätzten Kunstcharakter haben heute Albrecht Betz und Joseph A. Kruse wiederentdeckt; Kruse hat die »subjektiv-poetische« Methode am genauesten untersucht und Metaphern, Bilder, Vergleiche aus Natur und Mythologie sowie Geschichten einzeln aufgeschlüsselt). Durch bildliche, fiktionale oder rhetorische Strukturen wird zunächst die Hauptthese veranschaulicht. Die Aussage, daß Romantik welk, krank und irre ist, wird fiktionalisiert durch einen Verjüngungstrank, der Tieck zu »lallender Einfalt« herabblühen läßt, oder allegorisiert durch die Musen Novalis' und Brentanos, die sich die Schwindsucht anlesen oder alles mutwillig zerstören. Andererseits zeigt die Episode der *Undine*-Leserin, die Fouqué küssen möchte, die Popularität des Spätromantikers. Die widersprüchliche, irrationale Faszination der mittelalterlichen Poesie wird durch oxymorale Fügung betont (»grauenhaftes Vergnügen«, »krampfhaft süße Empfindungen«, »Wollust des Schmerzes«, B 5, 362). Dann würzen persönliche Begegnungen (mit Quellenwert) das Bild einzelner Persönlichkeiten. Erscheinen aber A. W. Schlegel in Bonn und Paris oder Schelling in München als lächerlich, so wird Goethe in Weimar mythisch verklärt (aber die provokatorische Banalität des Gesprächsinhalts – »daß die sächsischen Pflaumen sehr gut schmeckten« – reißt dem Göttlichen wieder den Lorbeer herunter). Weiter müssen aus der Sicht eines Autors, der genüßlich von seinem ausschweifenden Liebesleben im modernen Paris erzählen kann, Arnimsche Gespenstergeschichten oder Uhlands Schäfergedichte besonders anachronistisch verkommen (dieser Eindruck wird noch durch den zeitlichen Kontrast »einst« am Düsseldorfer Schloß / jetzt auf dem wogenden Boulevard Montmartre verstärkt – B 5, 484 ff. –, sowie durch ein verfremdendes Zitat, B 5, 493). Besonders wirksam ist die analogische Verbindung von Konträrem und nach klassischer Ästhetik Unvereinbarem: von politischer Struktur des Feudalsystems *und* Kunst, um Goethes »absolute Monarchie« oder »absolute Kaiserzeit« zwar gegen die Romantiker auszuspielen, aber auch als »Kunstdespotismus« zu denunzieren (wiederum mit der zeitkritischen Pointe, daß die göttlichen

Herrscher des Kunstreiches verschwinden, während die deutschen Könige erhalten bleiben). Schließlich erlaubt die antithetische, alle Phänomene positiv oder negativ wertende Grundstruktur des Werkes zahllose kontrastästhetische Variationen mentalitätsgeschichtlicher, epochaler oder kompositorischer Art (etwa der Kontrast der gesunden Postmeisterin, die Hoffmann liest, mit der blassen Sophia, die Novalis liest).

Lit.: Georg Mücke: *Heinrich Heines Beziehungen zum deutschen Mittelalter,* Berlin 1908 [Nachdruck Hildesheim 1978]; Peter Uwe Hohendahl 1973 (s. o.); Helga Weidmann (s. o.); Herbert Clasen (s. o.); Karl-Heinz Götze: *Grundpositionen der Literaturgeschichtsschreibung im Vormärz,* Frankfurt a. M. etc. 1980; Ulrich Pongs (s. o.); *Geschichte der deutschen Literaturkritik,* hrsg. von Peter Uwe Hohendahl, Stuttgart 1985, 129 ff.
Peter Bürger: *Der Essay bei Heinrich Heine* (Diss. München), 1959, 37 ff., 52 ff.; Albrecht Betz (s. o.); Joseph A. Kruse (s. o.).

Aufnahme und Wirkung

Kein anderes Buch Heines ist, was der rezeptionsgeschichtliche Kommentar der Düsseldorfer Ausgabe erstmals nachgewiesen hat, damals so weit – weltweit – verbreitet und diskutiert worden wie die *Romantische Schule* (DHA 8/2, 1098 ff.). Neben der französischen Version erschienen vollständige Übersetzungen in den Vereinigten Staaten (1836) und Schweden (1838) sowie Teilübertragungen in England (1833), Spanien (1835–1838), Ungarn (1841 und 1842) und Rußland (1834). In Deutschland, wo die Schrift eine neue Phase in der langanhaltenden Auseinandersetzung mit der Romantik eingeleitet hat, stieß Heine, der Historiker der Literatur, zunächst auf ein gemäßigtes, aber positives Interesse, das sich dann nach den Bundestagsbeschlüssen vom Dezember 1835 und dem Wandel der öffentlichen Meinung in Ablehnung verkehrte.

Die deutsche Aufnahme

Erste Phase. – 1833/34 reagierten die Rezensenten überwiegend zustimmend auf die Pariser Buchausgabe – der Publizist und Lyriker Ortlepp sogar panegyrisch – und betonten zwei Aspekte. Heines Freund Laube, der den Jungdeutschen noch zugerechnete Gustav Schlesier, der mit dem Autor bekannte Journalist Wurm und der Journalist Meynert hoben einmal methodisch die einheitliche, zusammenhängende, im großen historischen Rahmen geschriebene Darstellung der deutschen Literatur hervor. Laube feierte Heine in der »Zeitung für die elegante Welt« ausdrücklich als großen historischen Geist, »vielleicht der glänzendste historische [Geist], den Europa jetzt besitzt, der deutsche Chateaubriand« (B 6, 853). Zum andern erscheint Heine als der berufene kulturelle »Mittler« zwischen Deutschland und Frankreich (Schlesier ebenfalls in der »Eleganten«). Außerdem betont man das Programmatische der Schrift (Willibald Alexis), stimmt der Goethe-Darstellung ebenso zu wie der Schlegel-Polemik. Sogar die Reaktion von der Seite der protestantischen Theologie fiel positiv aus (DHA 8/2, 1082 f.). Die beiden erwähnten Aspekte bestritten allerdings die negativen, aber nicht feindlichen Stimmen, indem sie zwar den glänzenden Stil anerkannten, aber die Schrift methodisch als unwissenschaftlich, dilettantisch und ohne philosophische Kenntnisse geschrieben verurteilten (so z. B. der Philosoph Christian Hermann Weiße im Berliner Organ des Hegelianismus). Weißes u. a. Vorwurf der »Frivolität«, der sich zentral gegen Heines Prinzip der Stilmischung richtet, bedeutet den historischen Ursprung eines langlebigen Topos (vgl. DHA 8/2, 1084 f.). Da man weiter Heines Vermittler-Rolle aus nationalen Gründen als schädigend empfand, kam als zweiter Topos der der Nestbeschmutzung hinzu. Außerdem stieß die gehässige, ›skandalsüchtige‹ Kritik an A. W. Schlegel jetzt auf scharfen Widerspruch.

Zweite Phase. – 1835/36 hat sich das Echo auf den Hamburger Buchdruck ins glatte Gegenteil verwandelt: Unter dem Eindruck der staatlichen Maßnahmen und weiterer Einzelverbote ist die Ablehnung nahezu einhellig (der allmählich wirksame *De l'Allemagne*-Verriß aus dem »Reformateur« vom Mai 1835, ein Generalangriff gegen des Autors politische und religiöse Prinzipienlosigkeit, gehört in Heines Auseinandersetzung mit Börne). Nur eine Stimme ergriff Heines Verteidigung, und das auf Campes Anregung hin. Zwei Zeitungen, die vorher hymnisch bzw. positiv reagiert hatten, beteiligten sich jetzt durch andere Rezensenten an der Verfolgung. So stellt der Schriftsteller Wilhelm Robert Heller in »Der Komet« Heine als planlosen, eitlen, dem Jungen Deutschland aus Machtinteresse lobhudelnden Autor hin. Der Jungdeutsche Kühne, Interimsredakteur der »Eleganten« nach Laubes Verhaftung, reagierte zwiespältig, indem er Lob von Humor, Grazie und romantischem Geist mit scharfer Kritik an der Philosophie-Schrift aufwog. Dem früheren Bonner Studienkollegen

Johann Baptist Rousseau blieb es vorbehalten, seinem ehemaligen, jetzt heruntergekommenen und verlorenen Freund wegen dessen empörender Frivolität in nationalen und religiösen Dingen eine wahre und warnende Strafpredigt zu halten. Heines Spiritualismus-Kritik empfand er nicht allein als antikatholisch, sondern als antichristlich. Ähnlich hatte Börne den Katholizismus verteidigt.

Die negative Aufnahme anläßlich des Zweitdruckes vermochte jedoch nicht die Bedeutung der Schrift für die literarische und ideologische Diskussion über die Romantik, auf die sie polarisierend gewirkt hat, zu schmälern, denn Gegner *und* Verteidiger der Romantik griffen auf Heines Argumente zurück (DHA 8/2, 1094 ff., Pinkert, 176 ff.). So radikalisierte und systematisierte die junghegelianische Romantik-Kritik der »Hallischen Jahrbücher« Heines antithetischen Ansatz. Aber Theodor Echtermeyer und Arnold Ruge nannten Heines Namen in ihrem vernichtenden Feldzug von 1839/40, *Der Protestantismus und die Romantik,* nicht (auf Heines Romantik-Kritik bezieht sich Ruge in seinem Aufsatz *Die Frivolität. Erinnerung an H. Heine* von 1843). Andererseits erkannte Eichendorff aus entgegengesetzter, katholischer Sicht die historische Notwendigkeit von Heines Kritik an (*Zur Geschichte der neueren romantischen Poesie in Deutschland,* 1846, und *Geschichte der poetischen Literatur Deutschlands, 1857*).

Die französische Aufnahme

Das spezielle Interesse an den Literaturartikeln war sehr schwach und stand dann ganz im Schatten des steigenden Gesamtinteresses, das die *De l'Alle-magne*-Ausgaben erregten. Einzelne Stellungnahmen aus der dreiphasigen Aufnahme liegen nicht vor (DHA 8/2, 1488 ff.). Unter den wenigen Reaktionen auf die »Europe littéraire«-Serie fällt diejenige des Schriftstellers Edgar Quinet auf, der sich skeptisch gegenüber einem nicht mehr träumerischen Deutschland zeigt. Weiter regte sich 1833 ein großer Teil der zahlreichen deutschen Berichterstatter zu dem Pariser Druck über die als skandalös empfundene Schlegel-Polemik auf. Das Echo auf die Renduel-Ausgabe der Deutschland-Schrift war ebenfalls sehr schwach (mit Ausnahme von Börne, wie erwähnt) – ein Anzeichen dafür, wie wenig sich Heines Ansichten gegen diejenigen von Madame de Staël durchzusetzen vermochten. Bei dem großen Interesse an dem Artisten, Humoristen oder Satiriker Heine, das sich bei der Zweitausgabe von

De l'Allemagne 1855 bemerkbar machte, spielte die Literatur-Schrift keine bemerkenswerte Rolle.

Lit.: B 6, 853 ff.; DHA 8/2, 1077–1116 u. 1488 ff.; Galley/Estermann II, 188 f., 190 ff., 202–223, 224 ff., 238, 242 ff., 251 ff., 259–285, 286–304, 310–327, 328 f., 332 ff., 336 ff., 345–360, 373 ff., 388, 415 ff., 444 ff., 455, 506, 577 ff. u. 592; Helga Weidmann (s. o.) 218–322 [umfangreiche Dokumentation]; Herbert Clasen (s. o.), 154 ff.; Ernst-Ullrich Pinkert: *Lesevergnügen für Nähmamsells,* in: Text & Kontext 1982, 171–179.

Verschiedenartige Geschichtsauffassung

In seinen Frankreich- und Deutschlandschriften hat der Zeitschriftsteller Heine ein Verständnis der politischen und kulturellen Geschichte beider Länder entwickelt, das gegenüber der damaligen Historiographie neuartig war. Seine praktisch-politische Einstellung zur beiderseitigen Vergangenheit und Gegenwart beruht auf geschichtsphilosophischen Voraussetzungen und allgemeinen Prinzipien, die jedoch an keiner Stelle zu einer konsistenten Theorie ausgebaut worden sind. Das mag als ein um so größerer Mangel erscheinen, als Heines Geschichtsauffassung und Geschichtsschreibung zugleich die Grundlagen zu seinen politischen und ästhetischen Anschauungen enthalten, d. h. seine Anschauung vom politischen Auftrag des modernen Künstlers läßt sich nicht unabhängig von seiner Konzeption des modernen Geschichtsverlaufs verstehen. Als weiteres Manko kommt hinzu, daß die im Werk verstreuten Äußerungen zur Geschichte ein widersprüchliches bzw. ambivalentes Bild entstehen lassen. Schließlich sei angemerkt, daß sich die Forschung diesen Fragen speziell kaum gewidmet und bis auf wenige Ausnahmen keine zusammenhängenden Darstellungen vorgelegt hat.

Angesichts dieser Situation muß ein von Adolf Strodtmann aus dem Nachlaß herausgegebener und von ihm betitelter kleiner Aufsatz grundsätzliche Bedeutung gewinnen. Entstehung und Datierung lassen sich wohl nicht mehr eindeutig klären: Wahrscheinlich ist der Text im Spätsommer 1833 als Entwurf eines Herausgebervorwortes zu der zusammen mit dem Historiker Karl August Mebold geplanten *Deutschen Geschichte* entstanden (DHA 11, 259–261; hier wird auch die inhaltliche und sprachliche Nähe zu dem 1830 entstandenen zweiten Buch der *Börne*-Schrift betont).

Erstdruck: Letzte Gedichte und Gedanken. Aus d. Nachlaß d. Dichters zum 1. Male veröff. v. Adolf Strodtmann. Hamburg: Hoffmann und Campe 1869, 306 ff.

Text: B 5, 19–23 (Druck nach Erstveröffentlichung und Ausgabe von Oskar Walzel).

Fatalismus, Schwärmerei und Recht der Gegenwart

Auf zweieinhalb Seiten versucht das Fragment nicht, die in der zeitgenössischen Geschichtsphilosophie und Historiographie vorherrschenden, aber konträren Auffassungen zum »Buch der Geschichte« objektiv zu würdigen und gerecht zu kritisieren. Vielmehr werden Kreislauf- und Fortschrittsmodell (mit der Antithese von Ewiger Wiederkehr des Gleichen und Geschichtsdialektik) in zugespitzter und polemischer Form so dargestellt, daß Platz für eine vermittelnde dritte Auffassung entsteht. Die »lebendigsten Lebensgefühle« des im Pluralis majestatis sprechenden Autors dienen als entscheidendes Kriterium, d. h. die politische Relevanz der Anschauungen für die Gegenwart.

In einem dreimaligen, steigerungslosen anaphorischen Beginn (»Sie zucken die Achsel«, »sie schütteln den Kopf«, »sie lächeln«) wird zunächst die fortschrittsfreundliche Haltung der Vertreter des zyklisch-ornologischen Modells charakterisiert. Als Nachfolger des ›uralten‹ Prediger Salomonis, für den es »nichts Neues unter der Sonne« gibt, werden die »Weltweisen der historischen Schule« und die Dichter der »Goetheschen Kunstperiode« genannt. Läßt die *Romantische Schule* keinen Zweifel an der Identität der Poeten aufkommen, so könnten mit den ironisch so bezeichneten »Weltweisen« Friedrich Karl von Savigny und Gustav Hugo gemeint sein (wenn es sich um die historische Schule der Rechtswissenschaft handeln sollte, deren Vertreter Heine in den 20er Jahren bereits kritisiert hat, vgl. B 3, 23, 109 und 411 f.). Sicherlich ist der »Weltweise« Leopold von Ranke und sein Schülerkreis gemeint, denn die preußische Regierung hatte Ranke einen Studienaufenthalt in Italien finanziert. – Durch Steigerung oder durch beziehungslose Verwendung von Superlativen (»große Helden« – »höherer gottähnlicher Zustande des Menschengeschlechtes« – »heiligster Frieden« und »ewigste Glückseligkeit«) wird dann die fortschrittsfreundliche Haltung der ebenfalls ironisierten Vertreter des emanzipatorischen Modelles charakterisiert. Zu den »Jüngern« der »Humanitätsschule« wären z. B. Lessing, die Aufklärer all-

gemein oder der teleologische Geschichtsphilosoph Hegel zu rechnen, die in der Geschichte die Entwicklung eines göttlichen Plans annehmen. Die Überlegenheit dieser »lichteren« Konzeption über die schon negativ als »trostlosen Kreislauf« und »fatale fatalistische Ansicht« bezeichnete erste Theorie erweist sich vor allem aus praktischer Sicht: Dem »sentimentalen Indifferentismus« in politischen Dingen steht die Forderung nach staatlicher Einlösung aufklärerischer Ideale wie Freiheit und Brüderlichkeit gegenüber. Vorliebe und Verachtung des Autors treten dann besonders plastisch hervor, wenn das »Hochstreben« der einen mit den »kleinen Windungen niedriger Ranken« der anderen verglichen wird. Das Beispiel des wortspielerisch mehrfach denunzierten Ranke läßt die verhängnisvollen Konsequenzen des zyklischen Modells schließlich besonders scharf erkennbar werden, repräsentiert der »Weltweise« doch die Servilität der deutschen Gelehrten, die im Dienste reaktionärer Regierungen »am Boden ranken« bzw. zum »rankenden Knecht« werden (Rankes tatsächliche Verbindung mit Preußen hat wahrscheinlich bei der Entstehung des Fragments eine Rolle gespielt, vgl. Kuttenkeuler, 127).

Aufgrund der praktischen Folgen, die sich aus einseitiger Vergangenheits- *und* einseitiger Zukunftsschwärmerei für die unmittelbaren Interessen der Gegenwart ergeben, werden beide Geschichtsauffassungen als »lebens«-fremd zurückgewiesen: Denn die teleologische Vorstellung eines gradlinigen Fortschritts bedeutet, daß das individuelle Leben in der Gegenwart nur als Mittel zu einem fernen Zweck angesehen wird (»Das Leben ist weder Zweck noch Mittel; das Leben ist ein Recht«). Diese Affirmation des Rechts auf Gegenwart, gepaart mit dem Protest gegen Hegels allzu spekulative Geschichtsdialektik, die Heine mit den Vertretern des Jungen Deutschlands teilt (Koopmann 1970, 167 ff.), liegt nun dem Versuch zugrunde, die antithetischen Auffassungen zu vermitteln und auszugleichen (Koopmann, 1972). Weil das Kreislaufmodell die Form individueller Existenz würdigt und das Fortschrittsmodell die Idee der Freiheit beinhaltet, vermag der Autor im Namen der Revolution eine Synthese aufzustellen, die in der Forderung nach materieller Befriedigung der menschlichen Bedürfnisse in der Gegenwart gipfelt. »Le pain est le droit du peuple« nennt in der Tat ein demokratisches »Recht«, dessen Verwirklichung durch den Verlauf der Geschichte möglich geworden ist. So stützen antithetischer Aufbau und synthetischer Abschluß zuletzt eine eindeutig progressive Stellung zur Geschichte. Diese Auffassung des Fragments von 1833 steht ebenfalls in Einklang mit den gleichzeitig entstandenen Deutschland-Schriften (vgl. B 5, 570): Das Zitat Saint-Justs »Le pain est le droit du peuple« kündigt dort in abgewandelter Form, aber noch eindeutiger den Inhalt der sozialen Revolution an, und die Vorstellung von der »Göttlichkeit des Menschen« erinnert an die entsprechende Auffassung der »Humanitätsschule«.

Lit.: – zur Geschichtsphilosophie: Art. *Geschichtsphiloso-phie* und *Historische Schule*, in: *Historisches Wörterbuch der Philosophie*, hrsg. von Joachim Ritter, Basel 1974 (u. Darmstadt), Bd. 3: G–H, Sp. 416ff. u. Sp. 1137ff.
– Helmut Koopmann: *Das Junge Deutschland*, Stuttgart 1970, 165–176; Karl-Heinz Fingerhut: *Standortbestimmungen*, Heidenheim 1971, 54–57; Wolfgang Kuttenkeuler: *Heinrich Heine*, Stuttgart etc. 1972, 57 ff.; Helmut Koopmann: *Heines Geschichtsauffassung*, in: Jahrbuch der Deutschen Schillergesellschaft XVI, 16. Jg., 1972, 453–476 [dort 453 ff.]; Susanne Zantop: *Verschiedenartige Geschichtsauffassung: Heine und Ranke*, in: HJb 1984, 42–68.

Das Individuelle und die Gattung
oder zweierlei Geschichtsauffassung

Die Eindeutigkeit der positiven Aussage des polemischen Textes, wenn sich von Eindeutigkeit überhaupt sprechen läßt, wird nun vom *Kontext* des Werkes in Frage gestellt. Die Schwierigkeiten einer Interpretation, die die ›grundsätzliche‹ Bedeutung des Fragments würdigen wollte, rühren daher, daß Heine Positionen kritisiert, die er vorher und nachher vertreten hat bzw. Positionen vertritt, die er gleichzeitig kritisiert hat. Will man diese im Kontext des Werkes unleugbaren Widersprüche nicht rein entwicklungsgeschichtlich auflösen oder einfach in bekannter Weise als Schwanken bzw. Ambivalenz abtun, dann empfiehlt es sich, die ›Synthese‹ des kleinen Aufsatzes von Heines *zweifacher* Einstellung zur Geschichte bei *eindeutiger* Parteinahme aus zu beleuchten.

So muß sich in den *Reisebildern* die progressive Auffassung der modernen Geschichte mit dem zyklischen Modell »vertragen«, denn die Vorstellung einer geschichts- und damit zukunftslosen Natursubstanz bildet den Hintergrund der Erzählfiktion in den *Ideen* und in der Italien-*Reise* – die Hoffnung auf persönliches Glück beruht hier sogar auf einem »trostlos ewigen Wiederholungsspiel« (B 3, 388, vgl. B 3, 616). Ewige Wiederkehr des Gleichen kollidiert in denselben Werken mit der hegeliani-

schen Auffassung einer gesetzmäßigen Entwicklung der Geschichte – Endziel Emanzipation der Menschheit. Auf dem Schlachtfeld von Marengo oszillieren heroische Bejahung des Selbstopfers mit skeptischer Frage nach dessen Sinn (die sich ähnlich wie 1833 stellt: »Ist das Leben des Individuums nicht vielleicht eben so viel wert wie das des ganzen Geschlechts?«). Auf philosophisch-ästhetischer Ebene wird wiederum jeglicher heilsgeschichtliche Optimismus grundsätzlich durch die Ansicht in Schach gehalten, daß nicht Vernunft und Plan, sondern Unvernunft und Narrheit den Lauf der Welt bestimmten: Heines charakteristische Ansicht der Welt, die ihrer selbst spottet, bezeugt sich in den disharmonischen Konzeptionen der »Gottes«- bzw. »Weltironie« und der absurden »Weltbühne«.

Meldet sich darin Protest gegen jede Form von philosophischer Versöhnung der Widersprüche an, so steht dem am Ende der *Reisebilder* wiederum die heilsgeschichtliche Erwartung entgegen, die Paris als das neue Jerusalem feiert. – Auch in den Werken der 30er Jahre kollidiert »Schwärmerei der Zukunftbeglücker« mit »elegischem Indifferentismus«, wie z. B. die revolutionären Prophezeihungen der Philosophie-Schrift mit den zirkulären Auffassungen des *Shakespeare*-Textes (B 7, 214 ff.). In den *Malern* trifft die Perspektive einer chaotischen, absurd-tragischen »Weltgeschichte« auf diejenige einer ewig-gleichen »Geschichte der Menschheit« (B 5, 68 f.). Als besonders krasses Beispiel mag noch die Arbeit über *Börne* gelten, in dessen zweitem Buch eskapistische und resignative »Kreislauf«-Vorstellungen mit opfer- und kampfbereiter Revolutionserwartung abwechseln, während das letzte Buch wiederum eine elegische Stimmung zum Durchbruch kommen läßt.

Diese Wechsel und Widersprüche hat man immer wieder, wenn man sie grundsätzlich nahm, im Rückgang auf Heines Selbstverständnis – wie es sich in den Briefen vom 26. Mai und 1. Juli 1825 mitgeteilt hat – zu erklären versucht. Dort tritt der unüberbrückbare »Zwiespalt« zwischen persönlichem Bedürfnis nach »Lebensgenuß« und »schwärmerischer Neigung«, sein Leben für überpersönliche Ideen zu opfern, deutlich zu Tage. Dieser psychologische Konflikt ließ sich dann mit dem geschichtsphilosophischen Dualismus von Sensualismus und Spiritualismus in Verbindung bringen und zeitsymptomatisch deuten (so z. B. Kuttenkeuler und Koopmann 1972). – Als zweite Möglichkeit der Erklärung bot sich an, die Widersprüche aus dem Kontext des Werkes heraus »situativ« und funktionell (Fingerhut) oder perspektivisch zu verstehen (Altenhofer). In der Konsequenz dieser Ansätze liegt jedoch, daß einerseits Heines wirkliche Bedeutung als Zeithistoriker wegen seiner universalhistorischen Einstellung heruntergespielt und andererseits seiner theoretischen Einstellung objektiver Erkenntniswert abgesprochen werden muß (Koopmann 1972 und Fingerhut). Demgegenüber wäre allerdings zu fragen, wie widersprüchlich (oder nicht) sich die Widersprüche der *theoretischen* Konzeptionen auf Heines unbestreitbar *praktisch*-progressives Interesse an französischer politischer und deutscher kultureller Geschichte ausgewirkt haben. Zum andern müßte man die Widersprüche vor dem Hintergrund der letztlich dialektischen Fortschrittskonzeption (und Geschichtsschreibung) diskutieren, die bei prinzipieller, aber nicht blinder Bejahung des Fortschritts nicht verabsäumt hat, an das zu erinnern, was an individueller und kollektiver Lebensqualität angesichts der modernen Entwicklung notwendig geopfert werden muß (cf. *Nordsee III*; ebenfalls Hermand, 51 ff.). Aber Heines Geschichtsdenken zeichnet sich dadurch aus, daß individueller Protest keinen grundsätzlichen Zweifel an dem als notwendig erkannten Geschichtsprozeß aufkommen läßt, und daß ununterdrückbare Geschichtsskepsis den ebenso ununterdrückbaren Fortschrittsoptimismus nicht infrage stellt.

Zuletzt wäre der unauflösliche Konflikt verschiedener Geschichtsauffassungen noch im Hinblick auf die von Heine herausgearbeiteten verschiedenen Kunstauffassungen zu erörtern (vgl. Fingerhut, 81–91; zum Gegensatz von Poesie und Prosa, der hier ebenfalls hereinspielt, s. Kuttenkeuler, 59). Die Antithese von Kreislauf- und Fortschrittsmodell definiert hier einmal die epochale Grenzlinie zwischen der »Kunstperiode« (mit »sentimentalem Indifferentismus«) und neuer Kunst. Zum andern ist der Gegensatz ein integraler Bestandteil von Heines Selbstverständnis, bricht doch der Konflikt zwischen den Auffassungen vom Poeten im ›Sängerkriege‹ Deutschlands und dem »Soldaten im Befreiungskriege der Menschheit« immer wieder durch, wobei das progressive Geschichtsverständnis das Opfer des einen zugunsten des anderen unerbittlich fordert.

Lit.: Karl-Heinz Fingerhut (s. o.), 57–80, 81–91; Wolfgang Kuttenkeuler (s. o.); Helmut Koopmann 1972 (s. o.); Norbert Altenhofer: *Chiffre, Hieroglyphe, Palimpsest: Vorformen tiefenhermeneutischer und intertextueller Interpretationen im Werk Heines*, in: Ulrich Nassen (Hrsg.): *Texthermeneutik.*

Aktualität, Geschichte, Kritik, Paderborn etc. 1979 (149–193 [dort 150–164]; Jost Hermand: *Gewinn im Verlust. Zu Heines Geschichtsphilosophie,* in: Text + Kritik 18/19, 4. Aufl., 1982, 49–66.

Vorrede zu: Der Salon. Erster Band. – Der Salon: Das Gesamtprojekt

Entstehung, Aufnahme, Text

Die politisch engagierte *Vorrede* ist vermutlich in der 2. Oktoberhälfte 1833 in Boulogne sur Mer und in Paris entstanden (sie ist auf den 17. Oktober datiert). Der Text erschien im ersten Band des *Salon* im Dezember 1833 (s. u. Übersicht zu den Drucken der *Salon*-Bände I–IV). Um eine möglichst große Wirkung zu erreichen, ließ Heine bereits am 26. Dezember des Jahres eine französische Übersetzung *(Une Préface)* in der Zeitschrift »L'Europe littéraire« veröffentlichen. – Bei der Ausarbeitung des Textes konnte Heine auf den im August 1833 entstandenen Entwurf einer Vorrede zur 2. Auflage des vierten Bandes der *Reisebilder* zurückgreifen. In diesem aus dem Nachlaß überlieferten Fragment hatte er sich entschieden gegen Vorwürfe zur Wehr gesetzt, er habe nach 1830 seine »Tonart allzusehr geändert«, d. h. die Sache der Freiheit und des Vaterlandes aufgegeben und sich zurückgezogen. Um die Glaubwürdigkeit und die Kontinuität seiner Gesinnung zu bekräftigen, hatte er dort schon die Metapher des »roten Löwen« (im Gegensatz zum »goldnen Engel«) benutzt sowie seinen Begriff von Patriotismus erläutert (vgl. B 3, 671–674). – Ursprünglich sollte die *Vorrede* mit einer nicht überlieferten *Note* erscheinen, die zur Abwehr einer sich gefährlich ausnehmenden Provokation geplant war (Heine war brieflich vor einem Komplott preußischer Offiziere gewarnt worden). Ohne Heines Reaktion abzuwarten, war den Duell-Drohungen in der »Leipziger Zeitung« ein anonymer Korrespondentenbericht gefolgt, der Heines Kampf gegen das restaurative Preußen als Ausfluß von Ressentiment, Eitelkeit und Feigheit lächerlich machen sollte. Campe ließ darauf die *Note* aus den Druckbogen entfernen. Heine denunzierte jedoch diese öffentliche Diffamation mit einer *Erklärung* vom 19. November, die Ende des Monats in der »Allgemeinen Zeitung« und in der »Zeitung für die elegante Welt« erschien (B 9, 14 f.;

DHA 11, 146; vgl. dazu B 10, 586–590, B 12, 350 ff. und DHA 11, 782–788). – In den Rezensionen zu *Salon* I spielte die *Vorrede* naturgemäß keine besondere Rolle, wird aber mehrmals gelobt und ausführlich zitiert; ihre patriotische und unbedingt ernste Gesinnung veranlaßte verschiedene Rezensenten, sich mit Heine richtiggehend ausgesöhnt zu erklären.

Lit.: B 6, 710–715; HSA 7 K, 40 ff.; außerdem zur Rezeption: Galley/Estermann II, 328, 435, 507 f. (zu *Salon* I); 423 ff., 429 f., 436 ff., 443 f., 448 ff., 496 ff. u. 521 (zur *Vorrede*).

Analyse und Deutung der Vorrede

Deutsche Auswanderer

Die aller einleitenden Funktion enthobene *Vorrede* ist ein selbständiger, bekenntnishafter und fiktional abgerundeter Prosatext, der am konkreten, nämlich des Autors Beispiel, die allgemeine Problematik des erzwungenen, unausweichlichen und notwendigen Engagements aufzeigt, das den modernen Schriftsteller charakterisiert. Aus der Perspektive dessen, der sein Vaterland verlassen hat, weil er es verlassen mußte (»ich ging weil ich mußte«), erzählt der Autor den seine ganz persönliche Auffassung vom Schriftstelleramt kennzeichnenden Wechsel von Engagement, Desengagement und Neuengagement, der sich dialektisch gegenläufig zu den Zeitverhältnissen vollzogen hat. Das Stück ›Zeitmemoiren‹, das daraus entsteht, entwickelt das Bild einer Kontinuität, die alle Vorwürfe zurückweist, Freiheit und Vaterland abtrünnig geworden zu sein.

Die »Geständnisse« erfolgen vor dem Hintergrund der Julirevolution, wobei der Gegensatz »damals«/»heute« und das mehrfache »einst«/»jetzt« für zeithistorischen Kontrast sorgt. *Vor* 1830, als alle Welt schlief und schwieg, hat der Autor im Namen der sensualistischen Emanzipation sein einsames »Sprechamt« ausgeübt. *Nach* 1830, als die Liberalen in Deutschland aufwachten und viel Geschrei machten, hatte er »manchmal nicht übel Lust das ganze Sprechamt aufzugeben«, um sich zurückzuziehen und es anderen zu überlassen (vgl. Einleitung zu *Kahldorf*; die Dialektik von Engagement und Rückzug behandeln ebenfalls *Ludwig Börne*, zweites Buch, sowie zahlreiche Briefe aus der ersten Pariser Zeit). Wollte er sich »ruhig zurückschleichen in das Land der Poesie« (vgl. B 3, 673) und in der Normandie am Meer »stille Lieder«

dichten, so wird er auf dramatische Weise aus seiner »märchentrunkenen« Stimmung gerissen. Auf der Landstraße begegnet er plötzlich deutschen Auswanderern, das heißt Menschen, die ebenfalls gingen, weil sie mußten (bzw. es »nicht länger aushalten« konnten): Deshalb gerät die Szene nicht nur zur wehmütigen Begegnung mit dem in volkstümlicher Allegorie dargestellten Vaterland, sondern auch zur aufrüttelnden Begegnung mit sich selber bzw. zur Wiederbegegnung mit seinem vaterländischen »Sprechamt«. In der leitmotivisch wiederholten Klage der resignierten Algerien-Auswanderer »Was sollten wir tun? Sollten wir eine Revolution anfangen?« steckt bereits die revolutionäre Antwort, zu der sich der wahre, das ist der Freiheit und Frankreich liebende Patriot gegenüber den deutschtümelnden, »schwarzen Narren« jenseits der Grenze verpflichtet fühlt (»So beginnt die deutsche Vaterlandsliebe erst an der deutschen Grenzen, vornehmlich aber beim Anblick deutschen Unglücks in der Fremde«). Diese geheimnisvolle ›Berufung‹ wird in der sentimentalen Begegnung mit der anthropomorphisierten Natur widerspruchsvoll veranschaulicht: Versetzte die Aussicht auf das Meer zuerst in poetische Stimmung, so wirkt jetzt die Stimme des allwissenden Meeres »aufweckend, gebieterisch« auf das nächtlich weinende Ich und flüstert ihm »das große Welterlösungswort ins Herz«, mit der Konsequenz: »Ade Ruhe! Ade stille Träume! Ade Novellen und Komödien«. Diese Absage verbindet sich schließlich mit dem eingangs zitierten Symbol politischen Engagements zu der Ankündigung, die jeden Zweifel an der Gesinnung des Autors ausräumen soll: »Ja, mein nächstes Buch wird wohl ganz und gar ein roter Löwe werden«.

La force des choses
(Zur Dialektik des Engagements)

Zerrissenheit ist der Tribut, Märtyrertum das Opfer und ›Versklavung‹ der Preis, der vom modernen Schriftsteller für sein freiheitliches Engagement gefordert wird. Gut zwei Jahre nach seiner Ankunft in Paris ist die *Vorrede* der zentrale Text, in dem Heine die grundsätzlich widerspruchsvolle Situation des Dichters und Intellektuellen in der bürgerlichen Gesellschaft reflektiert. Die für sein Denken maßgebliche, unauflösliche Dialektik von Individuellem und Allgemeinem, von subjektivem Wollen und objektivem Müssen, von aktiven und passiven Momenten teilt sich in dem ersten, begeisterten Pariser Brief an Varnhagen exemplarisch mit, der so beginnt: »La force des choses! Die Macht der Dinge! Ich habe wahrhaftig nicht die Dinge auf die Spitze gestellt, sondern die Dinge haben mich auf die Spitze gestellt« – auf die Spitze der modernen Entwicklung (Brief vom 27. Juni 1831). Diese Erkenntnis ist 1833 in Heines schriftstellerisches Selbstverständnis eingegangen, bekennt er doch in der *Vorrede*: »nein, wir ergreifen keine Idee, sondern die Idee ergreift uns, und knechtet uns, und peitscht uns in die Arena hinein, daß wir, wie gezwungene Gladiatoren, für sie kämpfen. So ist es mit jedem echten Tribunat oder Apostolat«.

Widersprüchlich, wenn nicht paradox, erscheint die Situation dessen, der sich nach Heines Vorstellung zum öffentlichen »Sprechamt« berufen fühlt. Eine Kluft trennt ›Beruf‹ und ›Berufung‹. Keiner bzw. keine Instanz beruft je zu dem militanten »Amt«, aber niemand kann es ausschlagen, wenn er den ›Ruf‹ der »Idee« erhält. Wer den Rückzug in die ›heile Welt‹ – im Text die der Poesie – wählt, begeht unweigerlich Verrat. Das »Amt« ist auch nicht kündbar wie eine normale, »geheime Staatsratsstelle«, und es bringt auch nicht viel ein. Aber wer das »Amt« annimmt, muß zum Selbstopfer bereit sein. Dieses Opfer, das die *Reisebilder* II und III bereits gefordert haben, wird 1833 in saint-simonistischer Sprache als »heilig« (»heilige Zwingnis«) gerechtfertigt, kehrt aber als subjektives Leiden ununterdrückbar wieder. So ruft die unvermeidliche Absage an poetische Träumereien beim Autor Wehmut und Tränen hervor. Der dreimalige anaphorische Beginn mit »Es war ein wehmütiges Geständnis« bekräftigt die subjektive Einstellung, die Heine mit Vorbildern wie dem Propheten Amos, mit Luther und Robespierre und deren Selbstverständnis bei der opferbereiten Ausübung ihres Amtes teilt. Er vermag sich mit allen dreien deshalb zu identifizieren, weil sie ihre subjektiven Bestrebungen dem Dienst an einem Allgemeinen untergeordnet haben. In direkter Anrede an seine Kritiker, die er ebenfalls durch die gefühlvolle, unironische Darstellung seiner Begegnung mit den Auswanderern überzeugen will, und im Pluralis majestatis bekennt er: »wir sind nicht die Herren, sondern die Diener des Wortes«. Heine, der sein Leben und Werk in den Dienst des demokratischen Wortes gestellt hat, sieht nun seine Erfahrungen mit der Erfüllung des »Sprechamts« unter den Bedingungen der heraufziehenden bürgerlichen Gesellschaft in einem Ausspruch von Robe-

spierre beispielhaft vorweggenommen: »Ich bin Sklave der Freiheit.«

Als zweiter wichtiger Aspekt wird in der *Vorrede* die unterschiedliche Auffassung von der *Rolle* des Schriftstelleramtes erörtert. Zur politischen Konzeption vom »Tribunat«, das nach Handeln in der Gegenwart verlangt (vgl. *Französische Zustände*, B 5, 215), tritt gleichberechtigt die religiöse Auffassung vom »Apostolat« und »Prophetenamt«, die sich unter dem Einfluß des Saint-Simonismus herausgebildet hat und den allgemeinen Charakter der Verkündigung betont (Kurz, 125 ff.). Die säkularisierte Übernahme biblischer Vorstellungen und Gestalten bringt nun einen wesentlichen Vorteil mit sich, denn sie kann die dialektische Frage von berufender Instanz und berufenem Ich, von »Zwingnis« und »Diener« präziser beantworten: An die Stelle Gottes ist bei Heine die »Idee« getreten, die zum Sprechen und Handeln zwingt, die Kampf und Selbstopfer verlangt.

Lit.: Paul Konrad Kurz: *Künstler, Tribun, Apostel. Heinrich Heines Auffassung vom Beruf des Dichters*, München 1967, 115–138; Burkhardt Lindner: *Literarische Öffentlichkeit und politische Subjektivität. Literatursoziologische Thesen, konkretisiert an Heines auktorialer Prosa*, in: Rudolf Schäfer (Hrsg.): *Germanistik und Deutschunterricht*, München 1979, 153–190, spez. 178 ff.; Fritz Mende: *Heinrich Heine – Künstler und Tribun* (1972), in: ders.: *Heinrich Heine. Studien zu seinem Leben und Werk*, Berlin (Ost), 1983, 11–32.

Der Salon I–IV: Das Gesamtprojekt

Der größere, geschlossene Rahmen einer vierteiligen Reihe umfaßt in zwangloser Anordnung vor allem die wichtigsten Prosaschriften des ersten Pariser Jahrzehnts, die nicht in Buchform erschienen waren (dagegen sind *Französische Zustände, Die romantische Schule* und *Ludwig Börne* als Einzeldruck veröffentlicht worden). Die Planung dieser neuen Reihe, die sich an dem ebenfalls vierteiligen Modell der *Reisebilder* orientieren konnte, machte sich die Vorteile der dort erprobten Publikationsstrategie zunutze, wie Mischung von Prosa und Lyrik (nur Band III enthält keine Gedichte), einnahmensteigernder Neuabdruck bekannter Texte (neben den Vorreden waren nur *Schnabelewopski* und der *Rabbi* unbekannte Prosatexte) und zensurfreier Druck durch Erreichen des Umfangs von 20 Bogen (sollte sich nur als »theoretischer« Verteil erweisen). Die von Heine oftmals bevorzugte Vierbzw. Dreiteiligkeit bei der Zusammenstellung von Lyrik-Bänden und Prosa-Reihen (vgl. später *Romanzero* und *Vermischte Schriften*) vermochte der neuen Sammlung allerdings keineswegs eine solche formale und thematische Einheit und Kontinuität zu verleihen wie dem Modell aus den 20er Jahren. Die größere innere Zugehörigkeit der einzelnen Texte zu anderen Sammel-Projekten, wie z. B. zum Frankreich- und Deutschland-Projekt, hat in der Editionspraxis dazu geführt, die *Salon*-Bände aufzulösen und umzugruppieren. Dabei konnte man Heine selber folgen, der sie in seinen Plänen zur Gesamtausgabe 1846, 1848 und 1852 auseinandergerissen und nach anderen Gesichtspunkten zusammengestellt hat (siehe HSA 7 K, 39). Im Gegensatz zu dieser Praxis, die auch heute beibehalten wird, hat Ernst Elster im vierten Band seiner Ausgabe die alten Titel sowie die alte Anordnung wieder hergestellt, freilich ohne die Gedichte. In dieser Form besitzen die *Salon*-Bände ihre eigene Entstehungs- (und im Vergleich mit den *Reisebildern* nur geringe) Wirkungsgeschichte. Im folgenden sollen Inhalt und Entstehung des ganzen *Salon* geschlossen dokumentiert bzw. knapp dargestellt werden. Anmerkungen zur Titelwahl gehen voraus.

Lit.: Manfred Windfuhr: *Heinrich Heine*, Stuttgart 1969, 2. Aufl. 1976, 120–127; HSA 7 K, 17 f.

Zum Titel: Der Salon

»Salon« weckt Vorstellungen von der typisch französischen Institution bürgerlicher Öffentlichkeit, die Vertretern der höheren Stände und der Intelligenz eine freie Kommunikation ermöglichte. Im engeren Sinne bedeutet »Salon« eine periodische Kunstausstellung. Über Heines Wahl des beziehungsreichen und zugkräftigen Titels der neuen Reihe ist bisher nichts bekannt geworden. Ohne Zweifel hat der erste Beitrag, d. h. der Kunstbericht von 1831, der in *De la France* (1833) als *Salon de 1831* erschienen ist, den Begriff mitgeprägt. »Salon« ist deshalb gut gewählt, weil sich die Assoziation eines bestimmten leichten Tons sowie einer bunten, von Zufällen bestimmten Ausstellungsanordnung auf die hier locker versammelten Texte unterschiedlichster Art übertragen läßt. Hinzu kommt, daß der Titel an eine bestimmte Form der Kunstkritik anknüpft, die Denis Diderot zwischen 1759 und 1781, als er neun kritische Berichte über die Pariser Ausstellungen veröffentlichte, entwickelt und zugleich perfektioniert hat. Diesem Modell weiß sich Heine, und nach ihm Baudelaire, verpflichtet (z. B. *Salon de 1845, Salon de 1846*). Schließlich sei erwähnt, daß »Le Salon« als ständi-

ge Pariser Einrichtung auf die Herrschaft von Louis XIV zurückgeht. Der »Salon« wurde 1667 zunächst im Palais Royal durchgeführt, siedelte 1699 in die Grande Galerie des Louvre um und wurde 1737 eine ständige Institution (Söhn, 10 und 32). Diese Ausstellungen hatten die wichtige Funktion, die Kunst aus der Vormundschaft und dem Mäzenatentum des kleinen Kreises von Kirche und Adel zu befreien und einer größeren, gebildeten und literarischen Öffentlichkeit zugänglich zu machen. Heines *Salon de 1831* versteht sich in der spezifischen Tradition literarischer Kunstkritik, die daraus entstanden ist.

Lit.: HSA 7 K, 18; Gerhart Söhn: *In der Tradition der literarischen Kunstbetrachtung. Heinrich Heines ›Französische Maler‹*, in: HJb 1978, 9–34; Irmgard Zepf: *Heinrich Heines Gemäldebericht zum Salon 1831: Denkbilder*, München 1980, 64 ff.
– zum »Salon«: Jürgen Habermas: *Strukturwandel der Öffentlichkeit*, 1962, 4. Aufl. 1969, 41–55.

Überblick zu den Drucken von *Der Salon I–IV*

1) *Der Salon von H. Heine. Erster Band. Hamburg, bei Hoffmann und Campe. 1834.* Wurde am 6. Dezember 1833 ausgeliefert. Eine 2., von Heine nicht durchgesehene unveränderte Auflage erschien 1849.
Band I enthält:
– *Vorrede* (S. V–XXVI) [Text B 5, 9–17]
– *Französische Maler. Gemäldeausstellung in Paris 1831* und *Nachtrag. 1833* (S. 1–108 und 109–142)
– *Gedichte* (S. 143–204) [von den 56 Gedichten wurden 45 unter dem Titel *Verschiedene* in die *Neuen Gedichte* aufgenommen]
– *Aus den Memoiren des Herren von Schnabelewopski. Erstes Buch* (S. 205–332).
2) *Der Salon von H. Heine. Zweiter Band. Hamburg, bei Hoffmann und Campe. 1835.* erschien Ende Januar 1835. Eine 2. Auflage, die aus den Zensurlücken ausgemerzt wurden, erschien Mitte 1852 mit einer neuen Vorrede (Text B 5, 507–513; DHA 8/1 496–500), aber ohne die Gedichte.
Band II enthält:
– *Vorrede* (S. V–VI) [Text B 5, 507; DHA 8/1, 11]
– *Zur Geschichte der Religion und Philosophie in Deutschland* (S. 1–284), unterteilt in *Erstes Buch* (S. 3–90), *Zweites Buch* (S. 91–180) und *Drittes Buch* (S. 181–284)
– *Frühlingslieder* (S. 285–330) [es handelt sich um 37 Gedichte des *Neuen Frühlings* aus der 2. Auflage der Reisebilder II]
3) *Der Salon von H. Heine. Dritter Band. Hamburg, bei Hoffmann und Campe. 1837.* erschien Anfang Juli 1837 ohne Vorrede. Eine 2., unveränderte Auflage erfolgte 1857.
Band III enthält:
– *Florentinische Nächte* I S. 1–144)
– *Elementargeister* (S. 145–279)
Ueber den Denunzianten. Eine Vorrede zum dritten Theile des Salons von H. Heine. Hamburg, bei Hoffmann und Campe. 1837. [wurde gesondert veröffentlicht, aber zusammen ausgeliefert; Text: B 9, 26–42, DHA 11, 154–168]
4) *Der Salon von H. Heine. Vierter Band. Hamburg, bei Hoffmann und Campe. 1840.* erschien Ende Oktober 1840. Ein Abdruck erfolgte 1857.

Band IV enthält:
- *Der Rabbi von Bacherach. Ein Fragment* (S. 1–109)
- *Gedichte* (S. 111–150) [es handelt sich um 18 Gedichte, die unter dem Titel *Katharina* sowie *Romanzen* Nr. 1 und 6–13 in die *Neuen Gedichte* aufgenommen worden sind].
- *Ueber die französische Bühne. Vertraute Briefe an August Lewald (Geschrieben im Mai 1837, auf einem Dorfe bei Paris)* (S. 151–342)

Zur Entstehung von *Der Salon I–IV*

Band I. – Der Plan einer lockeren »Sammlung«, der auf den Winter 1832/1833 zurückgeht, trat Ende Mai 1833 in die Phase der Verwirklichung. Dem Titel »Salons« stimmte Campe zu, warnte aber gleichzeitig vor der Aufnahme bereits bekannter Schriften. Die Arbeit an dem Manuskript begann im Juli und setzte sich während des Sommeraufenthaltes in Boulogne sur Mer fort. Im August wurde ein Teil abgeschickt, weitere Teile folgten Ende September, dann im Oktober. Am 25. des Monats schickte Heine die *Vorrede* ab. Der Band konnte ohne Zensur gedruckt werden. Am 31. Dezember 1833 wurde *Salon* I zusammen mit der 2. Auflage der *Reisebilder* III und IV in Preußen verboten.

In Briefen hat sich Heine sehr abschätzig über den ersten Band der neuen Reihe geäußert. Mal schreibt er während der Planung und Arbeit, er werde den *Rabbi* »hineinschmeißen«, mal stöhnt er, er müsse ein Buch für Campe »zusammenkneten«. Das fertige Buch spielt er gegenüber der Baronin Betty de Rothschild (7. Februar 1834), dem Marquis Edouard de la Grange (am 7. Februar: »ce livre ne vaut pas grande chose«) und der Prinzessin Christine de Belgiojoso vollends herunter (am 1. März 1834: »il est assez médiocre«).

Von den Rezensenten des wenig erfolgreichen Sammelbandes rechnete der mit Heine befreundete Heinrich Laube die Kunstberichte zu dem »Glattesten, Angenehmsten, Rundesten«, »was Heine geschrieben hat«. Wolfgang Menzel ergriff seinerseits die Gelegenheit, Heines »anmutiges Talent« gegen dessen Kritiker zu verteidigen, erkennt jedoch in der Subjektivität des Autors, daß er »sogar das Extrem der sogenannten Kunstperiode« darstellt (die in den *Malern* grundsätzlich kritisiert worden war).

Band II. – Noch während der Arbeit am ersten Band hatte Heine mit Campe über eine Fortsetzung verhandelt, die er dann am 11. Juli 1833 ankündigte. In der Folge hielt er sich jedoch nicht an Terminpläne, so daß ihn Campe bis zum Oktober des nächsten Jahres mit Mahnungen eindeckte, das Manuskript endlich abzuliefern. Im Sommer 1834 war die Arbeit an einer deutschen Vorlage der Philosophie-Schrift soweit fortgeschritten, daß Heine Ende Oktober das Manuskript der beiden ersten »Bücher« abschicken konnte und den Rest mit der Vorrede Ende November, Anfang Dezember folgen ließ. Um den zensurfreien Umfang von 20 Bogen zu erreichen, gab Heine Gedichte hinzu. Vom Titelblatt des Bandes, der 1835 zensurverstümmelt erschien, existiert ebenfalls eine Variante, die die Jahreszahl 1834 trägt. Das Verbot von *Salon* I bescherte dem zweiten Band von vornherein dasselbe Schicksal (über Zensurprobleme und Streit mit Campe, sowie über Aufnahme und Wirkung, s. S. 280 f., 295 ff.). Den kommerziellen Mißerfolg der neuen Reihe bescheinigte Campe am 23. Oktober 1835 in einem ›Zwischenbericht‹, in dem er schrieb, *Salon* I und II seien »so unpopulär wie möglich«.

Band III. – Wie kein anderer der Reihe, wird die Entstehung des dritten Bandes durch die Zensurpolitik, die nach dem Bundestagsbeschluß vom Dezember 1835 in ihre damals schärfste Phase trat, völlig überschattet. Die Arbeit wurde immer wieder infrage gestellt und schien am Schluß sogar zu scheitern. Im Sommer vor der einschneidenden Maßnahme plante Heine ein »kostbares, welterfreuliches Buch«, genauer »ein Buch amüsanten Inhalts« (Brief an Campe vom 2. Juli 1835), von dessen zensurfreudigem und publikumswirksamem Charakter sich Campe Ausgleich für die vorausgegangenen Mißerfolge versprach. Autor und Verleger erkannten die Gelegenheit, durch einen populären, »für alle Classen« berechneten dritten *Salon*-Band, dessen Textteile im Herbst nahezu abgeschlossen vorlagen, die beiden flügellahmen Bände zu »remorquiren« (Brief an Campe vom 4. Dezember 1835). Nach dem Bundestagsbeschluß, der Heines schriftstellerische Existenz direkt bedrohte, wurde das Manuskript zensurgerecht umgearbeitet, d. h. von allem politisch oder religiös Anstößigem gereinigt, und sollte eventuell anonym als *Salon* III erscheinen. Als Heine am 8. März 1836 die Absendung des Manuskriptes für das Buch meldete, das er »Das stille Buch« oder sogar »Mährchen« betiteln möchte und das aus den drei Teilen *Elementargeister, Erste* und *Zweyte florentinische Nacht* bestehen soll, verlangte er als unverrückbaren »Ehrenpunkt«, ohne Zensur, vor allem ohne preußischen Zensur gedruckt zu werden. Da für

Heine zu diesem Zeitpunkt jeder seine Ehre »verkauft« und die deutsche Presse »verrät«, der sich der preußischen Zensur unterwirft, mußte er mit Bestürzung lesen, daß Campe sein Manuskript der preußischen Zensur weitergeleitet hatte (Brief vom 15. März 1836). So scheiterte der Druck zunächst, da Heine konsequent das Manuskript zurückforderte. Um sich im Falle des Druckes vor jeder Kompromittierung zu schützen, schrieb er am 26. April 1836 *Erörterungen,* von denen die »Augsburger Allgemeine Zeitung« am 8. Mai 1836 jedoch nur eine knappe Notiz druckte (vgl. B 10, 605, DHA 11, 816 f. und den vollständigen Text B 9, 22 ff., DHA 11, 150 ff.). Durch zensurtaktische Verlegung des Druckorts konnte der Druck doch noch im August bei Heyer in Gießen beginnen. Den restlichen Teil des Manuskriptes schickte Heine auf einer Reise nach Südfrankreich. Die Arbeit an einer Vorrede, die zur Füllung des Buches notwendig geworden war, vollzog sich »in den allerschrecklichsten Nöthen« und wurde erst am 24. Januar 1837 abgeschlossen. Campes Versuch, den dritten Band des *Salon* durch ein Täuschungsmanöver doch noch zusammen mit der *Vorrede (Ueber den Denunzianten)* erscheinen zu lassen, scheiterte. Aufgrund des Bundestagsbeschlusses waren *Salon* III mit gesondert gedruckter Vorrede von vornherein verboten und wurden in Preußen wie in Bayern konfisziert. Die erhoffte populäre Wirkung blieb aus. Rezensionen (soweit bekannt) finden an dem Buch außer dem poetischen Zauber der *Nächte* und den Grazien des Stils nichts zu loben. Die anonyme Rezension im »Phoenix« lastet insofern der Komposition den Mißerfolg an, als sie den »Zauberkiosk« der *Nächte* von einer »Polizeiwachtstube« (*Vorrede*) und einer »Rumpelkammer« (*Elementargeister*) eingerahmt und um jeden Effekt gebracht sieht (B 6, 975 f.).

Band IV. – Kommerzielle Gründe veranlassen im März 1840 die Planung zu einem ansprechenden, gut ausgestatteten vierten Band, der zunächst aus einer bisher unbekannt gebliebenen Arbeit über »französische Kunst« und einer »besonders schönen Einleitung« bestehen soll. Seit Mai umfaßt die inhaltlich veränderte Planung das bisher ungedruckte Manuskript des *Rabbi von Bacherach,* im Juli steht der dreiteilige Aufbau fest: »ungedrucktes Sittengemälde« – neue Gedichte – Theaterbriefe. Gegenüber dem gleichzeitig geplanten *Börne,* dem »brüllenden Löwen«, gilt *Salon* IV als das »sanftere Buch, das unschuldige Lamm« (Brief an Campe vom 17. oder 18. Juli 1840). Das Manuskript wurde noch vor der Abreise ins Bad nach Granville fertiggestellt und in der zweiten Juli- bzw. in der ersten Augusthälfte abgeschickt. Unter dem Eindruck der ablehnenden Kritik an der *Börne*-Schrift äußerte sich Campe unzufrieden mit dem Manuskript und verzögerte noch den Druck bis Mitte September. *Salon* IV war in Preußen und in anderen deutschen Staaten von vornherein verboten. 1841 zögerte Campe dann nicht, dem unpopulär gewordenen Heine seinen kommerziellen Mißerfolg vorzurechnen: Gegenüber dem III. Band war die Käuferzahl, trotz aller selbstwerbenden Wirkung einer Reihe, um die Hälfte gesunken (Brief an Heine vom 6. Dezember 1841). Statt der erwarteten ca. 1500 hatte er im ersten Jahr nur 659 Exemplare verkauft.

Lit.: HSA 7 k, 17–39; Klaus Briegleb: *Schriftstellernöte und literarische Produktivität,* in: *Neue Ansichten einer künftigen Germanistik,* hrsg. von Jürgen Kolbe, München 1973, 121–159 [dort 140 ff.]; Christa Stöcker: *Verwirrende Daten in der Druckgeschichte von Heines »Salon«,* in: Weimarer Beiträge 26, 4/1980, 158–164. Michel Espagne: *Das Geräusch der Stille. Heines Handschriften zum dritten Salon-Band,* in: *Heinrich Heine und das neunzehnte Jahrhundert,* Argument-Sonderband, Berlin 1986, 49–72.

Aufnahme und Wirkung: siehe Einzelwerke, außerdem: B 6, 712–715, 975 f.; Galley/Estermann II 328, 435, 442, 507 f. [zum Salon I]; 423 ff., 429 f., 436 ff., 443 f., 448 ff., 496 ff. u. 521 [zur *Vorrede,* die gelobt und zitiert wird, s. o., 269).

Aus den Memoiren des Herren von Schnabelewopski

Entstehung, Druck, Text

Über die Arbeit an dem Prosatext liegen so wenig gesicherte Angaben vor, daß bisher nur Vermutungen über die Entstehung bzw. die Entstehungsgeschichte möglich waren. Zwei Äußerungen Heines lassen jedoch darauf schließen, daß der *Schnabelewopski* aller Wahrscheinlichkeit nach in der Pariser Zeit zwischen 1831 und 1833 (Frühjahr) entstanden und für den Druck bearbeitet worden ist. In der Vorrede zum *Salon* I, in dem der Text erschien, gibt Heine diesbezüglich im Oktober 1833, als das Druckmanuskript bereits bei Campe in Hamburg lag, an, daß »dieses Buch, mit geringen Ausnahmen, im Sommer und Herbst 1831 geschrieben worden« ist, das heißt in den für ihn aufregenden ersten Pariser Monaten (B 5, 9). In einer zweiten Äußerung, einem Brief an Friedrich Merckel vom 24. August 1832, macht er die »Großen Dinge« der »Weltgeschichte«, die er in Paris erlebt, für das Scheitern belletristischer Arbeiten verantwortlich: »Der Strudel war zu groß, worin ich schwamm, als daß ich poetisch frey arbeiten konnte. Ein Roman ist mir mißglückt« – und damit ist wahrscheinlich der *Schnabelewopski* gemeint (B 2, 850; Windfuhr, 22). Von dieser Auffassung zur Entstehung des Textes weicht jedoch Briegleb ab, der, ohne etwas beweisen zu können bzw. zu wollen, eine frühere, erste Arbeitsphase in den Jahren zwischen 1822–1826 vermutet, von der allerdings kein Text überliefert ist (B 2, 847 ff.). Briefäußerungen und Aufschlüsse aus den Texten selbst stützen laut Klaus Briegleb die Vermutung, daß die Entstehung des *Schnabelewopski* in die Zeit der ersten *Memoiren*-Arbeit fällt, aus der die späteren Textstücke im Herbst 1826 als zweites Projekt neben den *Ideen. Das Buch Le Grand* ausgegliedert worden seien. – Nichts läßt jedoch darauf schließen, daß Heine nach 1832 eine Fortsetzung oder eine Abrundung des Bruchstückes geplant hätte. Die Titelwahl betont gleich mehrfach den Fragmentcharakter (*Aus den Memoiren des Herren von Schnabelewopski. Erstes Buch* lautet die deutsche Fassung, während die französische Übersetzung als *Schnabelewopski. Fragment* erschien). Andererseits läßt sich rein inhaltlich feststellen, daß der Text am Ende des 14. Kapitels durchaus zu einem logischen Abschluß gekommen ist, so daß der *Schnabelewopski* weniger fragmentarisch ist, als man bisher meist angenommen hat.

Die autobiographischen Stoffe, die das Fragment verarbeitet hat, lassen sich leicht erschließen. 1822 war Heine durch Polen gereist und hatte u. a. den Dom von Gnesen besichtigt (vgl. *Über Polen*), 1830/1831 hatte er sich für den polnischen Aufstand begeistert. Details aus Schnabelewopskis Jugendzeit erinnern an Heines Düsseldorfer Zeit. – Der jahrelange Hamburg-Aufenthalt war stofflich bereits in den *Reisebildern* II und III verarbeitet worden. Die gesellschafts-satirische Auseinandersetzung scheint sehr früh vorgeprägt zu sein, denn brieflich zeichnet Heine schon am 6. Dezember 1825 ein Städtebild aus den Elementen: »zu viel Essen«, »eine große Rechenstube« tagsüber und »in der Nacht ein großes Bordell« (an Rudolf Christiani). – Holland hatte er 1827 auf der Rückfahrt von England kennengelernt. Einzelheiten der Holland-Kapitel erinnern an Heines Studentenzeit. In

den theologischen Streitgesprächen kehren Pariser Erfahrungen mit dem Saint-Simonismus und mit deutscher Philosophie wieder. In die erste Pariser Zeit fällt auch das Bedürfnis nach einer Auseinandersetzung mit Börne.

Für die Einlagen in Kap. V, VII und XIV hat Heine verschiedene Quellen benutzt. Als Vorlage der altdänischen Ballade diente die Sammlung *Altdänische Heldenlieder, Balladen und Märchen*, die Wilhelm Grimm übersetzt und 1811 herausgegeben hat. Bei der »Fabel vom fliegenden Holländer«, die schon in *Nordsee III* erwähnt wurde (B 3, 223), scheint es sich um eine frei benutzte, mündlich überlieferte alte Sage zu handeln (B 2, 853; Windfuhr, 35). Die Zitate aus dem Alten Testament in Kap. XIV stammen aus dem Buch der Richter, 16. Kapitel.

Drucke: – Mit dem Titel *Aus den Memoiren des Herren von Schnabelewopski. Erstes Buch* erschien das Fragment als letzter Text in *Der Salon von H. Heine. Erster Band* bei Hoffmann und Campe, Hamburg 1834, auf den S. 205–332 (das Buch wurde im Dezember 1833 ausgegeben). 1849 folgte eine 2., unveränderte Aufl. des *Salon* I.

– eine verkürzte französische Übersetzung, wahrscheinlich von J. W. Wolff, erschien Juni 1834 in Paris in 2. Bd. der *Reisebilder, Tableaux de voyage*, S. 329–416, unter dem Titel *Schnabelewopski. Fragment* (= Bd. III der *Œuvres* im Verlag Eugène Renduel); es fehlen die Hamburg-Kap., die Vonved-Ballade (= Kap. V), der Anfang von Kap. VI (Fahrt nach Ritzebüttel) und die Bibel-Lektüre in Kap. XIV.

– ein zweiter verbesserter, um den größten Teil der Hamburg-Kap. vermehrter Druck, an dem Heine als Übersetzer mitgearbeitet hatte, erfolgte im Mai 1856, dieses Mal im 1. Bd. der *Reisebilder. Tableaux de voyage*, S. 291–382 (= *Œuvres complètes* bei Michel Lévy frères, Paris).

Texte: B 1, 503–556 (Druck nach der Ausgabe von O. Walzel); HSA 14, 163–198 (enthält Übersetzung von 1856).

Lit.: B 2, 847–850; Manfred Windfuhr: *Heines Fragment eines Schelmenromans [. . .]*, in: HJb 1967, 21–39; Ernst Josef Krzywon: *Heinrich Heine und Polen*, Diss. München 1971, 272–290 [betont auto- und heterobiographische Elemente]; Joseph A. Kruse: *Heines Hamburger Zeit*, Hamburg 1972, 287–311; Fritz Mende: *Heinrich Heine Chronik*, Stuttgart etc. 1981 (2. Aufl.) [Mende, 64, 74–76, vermutet 1827 und 1829 Arbeit am Text].

Analyse und Deutung

Ein Schelmenroman ohne Schelm

In vierzehn meist gedrängten, ungleich langen Kapiteln erzählt ein junger polnischer Adeliger seine Lebensgeschichte von der Geburt am »ersten April [sic!] 1795 zu Schnabelewops« bis zu seiner Studienzeit. Die in der ersten Person abgefaßte fiktive

Autobiographie läßt einen offenen, epischen Erzählrahmen entstehen, indem sie bunte Episoden meist erotischen, kulinarischen und philosophischen Inhalts chronologisch-locker aneinanderreiht (mit einer Ausnahme). So führt die Reise des angehenden Theologiestudenten von der polnischen Heimat nach Hamburg, wo er sich erst einmal sechs Monate lang »weltlichen Dingen« wie gutem Essen und schönen Frauen hingibt, bevor er über Cuxhaven und Amsterdam zum Studienort Leiden fährt, wo er sich endlich »göttlichen« Dingen widmen kann, wenn er nicht in derbe Abenteuer verwickelt wird. In Leiden spielen dann Kap. VIII–XIV, genau die zweite Hälfte der Memoiren, in denen ab Kap. XIII eine groteske, in sich geschlossene Handlung einsetzt. Essenskalamitäten, die wiederum mit erotischen Querelen zu tun haben, treiben die angehenden Theologen um Schnabelewopski in große Auseinandersetzungen über das Naheliegende, das ist die Frage der Existenz Gottes! Die Entscheidung fällt schließlich in einem Waffengang mit tödlichen Folgen. – In den Text sind drei Einlagen eingefügt (die Vonved-Ballade in Kap. V, die Sage vom Fliegenden Holländer in Kap. VII und die Simson-Geschichte in Kap. XIV) sowie zwei Träume des Helden (Kap. II und XII). An einer Stelle wird der einheitliche, durch zahlreiche Kontraste, Motive und Metaphern kompositionell zusammengehaltene Bau unterbrochen: Die Memoiren brechen in Leiden ab, aber Hamburg wird aus der Perspektive eines zweiten Besuchs, der zwölf Jahre später erfolgt ist, dargestellt. Die Personen der einzelnen topographisch getrennten Episoden treten später nicht mehr auf (mit Ausnahme der Großtante und Jadvigas). Weiter ist festzuhalten, daß alle Liebesbeziehungen außerhalb der bürgerlichen Konventionen stattfinden. Auf Psychologie sowie auf individuelle Charakterisierung wird weitgehend verzichtet. Dazu paßt schließlich, daß der Held keinen Reifeprozeß und keine Entwicklung durchmacht.

Episodische Grundstruktur und inhaltliches Gerüst betonen einerseits die Nähe dieser Memoiren zur *Reisebilder*-Prosa (s. d.), z. B. zur Harz- und Italienreise. Andererseits definieren sie eine doppelte Stellung zur literarischen Tradition. Mangelnde Integration und fehlende Abrundung, in denen man lange Zeit das Scheitern des Erzählfragments gesehen hat, lassen zunächst eine kritische Einstellung zum Roman der klassisch-romantischen Epoche erkennen (heute gelten diese ›Fehler‹ als Vorwegnahme der modernen Montage-

Technik, vgl. Betz und Windfuhr). Als wolle er einen Anti-Entwicklungsroman schreiben, behauptet der Ich-Erzähler nach zwölfjährigem ›Nicht-Reifen‹ provokativ von sich: »Ich war damals jung und töricht. Jetzt bin ich alt und töricht« (B 1, 515). Seine drastischen Liebesbeziehungen zu den beiden Prostituierten Heloise und Minka in Hamburg, zur Blondine in Amsterdam und zur Wirtin in Leiden, mit dem sprechenden Namen »Wirtin zur roten Kuh«, dementieren ebenso jedes kontinuierliche Streben nach sittlicher Vervollkommnung wie das groteske Treiben der Leidener Theologiestudenten jeden Bildungsdrang denunziert. Gegen den hohen Stil der Romane aus der »Kunstperiode« opponiert schließlich der Gebrauch der Umgangssprache – von Obszönitäten und Kalauern ganz zu schweigen (über die gutmütige Minka heißt es: »Sie konnte nichts abschlagen, ausgenommen ihr Wasser«, B 1, 511). – Im Unterschied zu dieser negativen Stellung hat zuerst Manfred Windfuhr den positiven bzw. konstitutiven Bezug auf die damals erloschene Gattung des Schelmenromans herausgearbeitet (durch die Vermittlung der Spätaufklärer und Romantiker war Heine mit dem älteren spanischen Pikaroroman vertraut, in der »Einleitung« zum *Don Quixote*, von Jugend an sein Lieblingsbuch, zitiert er Quevedo, den Autor der *Historia de la vida del Buscón*, 1626, und Mendoza, den mutmaßlichen Autor des berühmten Urbilds der Gattung, *La vida de Lazarillo de Tormes*, 1554, B 7, 160). Windfuhr konnte überzeugend nachweisen, daß der umständliche Titel, die reihenschematische Grundstruktur, die episodische Handlungsfügung, die drastischen Liebesabenteuer und die Erlebnisse im Milieu von Außenseitern gattungsbedingt sind und an die älteren Vorbilder des Schelmenromans anknüpfen. Namensform »Schnabelewopski« sowie grotesker Anfang erinnern unmittelbar an den von den Romantikern verehrten *Schelmuffsky* Christian Reuters. – Aber Heines Held trägt durchaus nicht die gattungstypischen Züge eines Schelms: Schnabelewopski ist kein Außenseiter von niedriger, dunkler Abkunft, er ist kein Besitz- und Rechtsloser, sondern ein polnischer ›Hidalgo‹ (Windfuhr, 29 f., deutet dagegen das Adelsprädikat als Komik). Zwar ist der Held als Aprilscherz im nachthermidorianischen Revolutionsjahr 1795 geboren, aber revolutionäre Ideale hat er sozusagen mit der Muttermilch eingesogen. Außerdem verkehrt Schnabelewopski zwar in gesellschaftlichen Randgruppen, aber er muß nicht als Gauner oder als

Betrüger (oder gar als Krimineller) sein Überleben sichern. Weiter verfolgen ihn zwar Essenskalamitäten, aber er leidet keinen existenziellen, »schelmischen« Hunger (vgl. dazu Jacobs). Und schließlich verhält er sich ganz atypisch völlig kampfunlustig, er überläßt das Kämpfen anderen Personen. Verkörpert der christliche Junker aus Schnabelewops eher den Typus des »Antipicaro« (Jacobs, 23), so bleibt dennoch festzuhalten, daß Heine sich der Form bzw. des Modells pikaresken Erzählens als Mittel zu satirischer Zeitkritik bedient hat, und nicht, um eine Gattung zu erneuern (vgl. Windfuhr, Betz und Jacobs). Interessant wäre es, die Parallele zu verfolgen, die offensichtlich zwischen Heines scharfer Kritik und derjenigen der für den älteren spanischen Picaro-Roman laut Forschung typischen Mentalität der »Conversos« besteht, das heißt den in Spanien diskriminierten Neuchristen jüdischer Abkunft (vgl. dazu Jacobs, 33 ff.).

Lit.: Manfred Windfuhr (s. o.); Albrecht Betz: *Ästhetik und Politik. Heinrich Heines Prosa,* München 1971, 81–97; Joachim Müller: *Heines Prosakunst,* Berlin (Ost), 1975, 1977 (2. Aufl.), 135–151.

Jürgen Jacobs: *Der deutsche Schelmenroman. Eine Einführung,* München und Zürich, 1983.

Hamburger Materialismus

Der Titel *Aus den Memoiren . . .* scheint an die im Biedermeier äußerst beliebte Memoirenliteratur anzuknüpfen. Schnabelewopskis Erinnerungen enthalten jedoch kein gefühlvolles Epochenporträt mit historischem Quellenwert, sondern Sozial-, Moral- und Religionskritik mit zeitüberwindender Perspektive. Das Prosafragment geht insofern über das bereits in den *Reisebildern* angewandte, durch den Einfluß des Saint-Simonismus vertiefte dualistische Modell hinaus, als es mit fiktionalen Mitteln Fragen aufwirft und Lösungen vorschlägt, die danach in den Deutschland-Schriften essayistisch behandelt werden sollten. Die dort geklärten Grundbegriffe haben die durchgehend kontrastiv angelegte Komposition, Handlungsstruktur und Personendarstellung der Erzählprosa wesentlich geprägt. Nach einem triadischen Schema erlebt der Erzähler in Hamburg die rein materielle ›Religion‹ des Genusses und des Geldes und in Leiden »die Religion des Schmerzes«, der eine saint-simonistische »Religion der Freude« entgegen gestellt wird (B 1, 540; vgl. Betz).

Das Hamburger Städtebild ist ebensowenig schematisch aufgebaut wie das Leidener. Die bürgerliche Republik, in der man immerhin »die größte politische Freiheit« findet, gewährt zumindest die Befriedigung wesentlicher, leiblich-sinnlicher Bedürfnisse: Das »Essen ist himmlisch«, die Mädchen auf dem Jungfernstieg sind schön und auf der verrufenen Drehbahn sind sie nicht nur schön, sondern auch noch käuflich. Aber alles wird durch die Auswirkungen eines »Geistes« pervertiert, der nicht nur die fortgeschrittenen Hamburger, sondern die modernen, kapitalistischen Verhältnisse allgemein charakterisiert – und das ist »der Geist Bankos« (Wortspiel, das den Widersacher von Macbeth und eine Hamburger Währungseinheit zitiert; zur Kritik der aufsteigenden Finanzbourgeoisie am Beispiel Hamburg siehe *Die Bäder von Lucca*). Geld beherrscht sichtbar den Freistaat (und kehrt leitmotivisch im Text wieder, wenn z. B. Figuren von Bankiers und die Börse als wichtigste Merkwürdigkeiten genannt werden, oder wenn den schönen, korpulenten Hamburgerinnen eine »wohlhabende Sinnlichkeit« anzusehen ist). Materielle Interessen stiften den sozialen Konsens aller Vertreter der bürgerlichen Gesellschaft: Gutes Rauchfleisch schlichtet alle Gegensätze zwischen Theologen, Juden, Militärs, Ärzten, Jesuiten und Advokaten (diesen »Bratenwendern der Gesetze, die so lange die Gesetze wenden und anwenden bis ein Braten für sie abfällt«). Neben Satire und Wortspiel erlaubt das fiktionale Mittel eines zweiten Besuchs, die verheerende Wirkung »Bankos« zu einem äußerst anschaulichen, plastischen Bild zu verdichten. Nach zwölfjähriger Abwesenheit erlebt der Erzähler nämlich einen Schock: Überall nimmt er mechanische Erstarrung und totale Verdinglichung wahr; die Menschen kommen ihm vor, »als seien sie selber nichts als Zahlen«; der Parade von »vorüberrollenden Nullen« und »anderen Zahlenmenschen« gesellt sich noch symbolisch ein Leichenzug bei, mit den »wohlbekannten Ratsdienern« als »Marionetten des Todes«. Der ehemals florierende, fröhliche sexuelle Konsum ist jetzt verödet und verkommen. Der von der modernen Entwicklung ausgelöste Kälteschock wird schließlich symbolisch durch das Bild der Schwäne abgerundet, die mit gebrochenen Flügeln in einem eisfreien Viereck auf der zugefrorenen Alster schwimmen und »heisere, schnarrende, metallose Töne« hervorkreischen, ein »eiskalter Schmerzlaut«, Signatur einer eiskalt gewordenen Welt (B 1, 515–518; zum ›Kälteschock‹ vgl. *Englische Fragmente*).

Lit.: Albrecht Betz (s. o.), 85–89; Dierk Möller: *Heinrich Heine: Episodik und Werkeinheit,* Wiesbaden und Frankfurt a.M. 1973, 161 ff., 173 ff., 183 ff. [untersucht Struktur]; Joachim Müller (s. o.), 140 ff.

Leidener Spiritualismus

Repräsentiert Hamburg die Deformationen des modernen bourgeoisen Geistes, so die Universitätsstadt Leiden, deren Name schon ein Symbol ist, diejenigen des vormodernen spiritualistischen Geistes. Das wird in den beiden symmetrisch angelegten, aber mit umgekehrten Vorzeichen aufeinander bezogenen Städtebildern veranschaulicht: So lassen z. B. schlechtes Essen und schlechter Sex ein sinnenfeindliches Klima entstehen, in dem ein närrischer Spiritualismus gedeiht, dessen Auswüchse weniger satirisch als grotesk-komisch entlarvt werden. So darf sich das Sexualleben des unterdrückten Hauswirts und Wiedertäufers nur in wüsten Träumen abspielen (und auch das setzt noch Prügel durch die eifersüchtige Gattin). Und so balgt sich der Theologieprofessor Myn Heer van der Pissen täglich vor einem kleinen Mädchen mit einem Mohr, einem Pudel und einem Affen auf dem Boden (Kap. X–XII). Die zentrale Religionskritik, die der vorherigen Sozialkritik entspricht, verfährt auf ähnliche Weise. Wiederum steht die große ›Suppen-Frage‹ im Mittelpunkt, aber dieses Mal Dissens stiftend. In der streitbaren, weil hungrigen Sechsergruppe kämpft jetzt der »kleine Simson«, ein jüdischer, »beständiger Champion des Deismus« vergeblich gegen einen langen Pantheisten und einen atheistisch eingestellten dicken Fichteaner für die Sache des alttestamentarischen Gottes. Symbolisch wird der schwächliche Vertreter des traditionellen Jehovah von dem Fichteaner, der Gott nur noch als reines Handeln oder als Prinzip gelten läßt, im Duell besiegt (Kap. IX, XIII). Was sich hier in einer kontrastiven, grotesken Fiktion vergegenwärtigt, wird später in der Religions- und Philosophieschrift theoretisch verarbeitet, nur mit dem Unterschied, daß 1832 der Champion Jehovahs, und 1834 Gott selber stirbt (vgl. B 5, 591). In der Erzählprosa taucht ebenfalls bereits die Vorstellung auf, daß der Gott »palästinischen Ursprungs« eine Reihe von Metamorphosen durchgemacht hat, d. h. eine Geschichte hat (was B 1, 538 nahelegt).

Aber die Stadt Leiden verkörpert nicht nur die neurotischen Exzentrizitäten der altersschwachen, absterbenden jüdisch-christlichen Religiosität, sondern auch die Wiedergeburt des verdräng-

ten Pantheismus. Denn in der sinnenfrohen Malerei des »großen Jan Steen«, in dessen ehemaligem Haus er wohnt, erkennt Schnabelewopski die Alternative zur »großen Krankheitsperiode der Menschheit«, die auf dem von Juden, »dem Volke des Geistes«, und Christen, »dem Geistervolk«, verursachten Leib-Seele-Dualismus beruht (B 1, 545). Die diesseits bezogenen, lebensbejahenden Genrebilder des trinkfesten Malers (1626–1679), mit dem sich Heine in der Tat stark beschäftigt hat (Werner II, 222), lassen die weltanschaulichen Antagonismen als überwunden erscheinen (Kap. XI). Ein Bild wie »Das Bohnenfest« (Abdruck bei Windfuhr) rehabilitiert die »Religion der Freude« und nimmt ein Stück der zukünftigen, ›gesunden‹ Menschheitsgeschichte vorweg (vgl. die im saint-simonistischen Geist gedeuteten Genrebilder Louis-Léopold Roberts in den *Französischen Malern*). Wie utopisch diese Anschauung ist, zeigt sich jedoch in Kap. XII: Der Erzähler erlebt die Erfüllung seiner erotischen Glücksvorstellungen ausgerechnet im Traum, Symptom der »großen Krankheitsperiode der Menschheit« (neben dieser, der Tiefenpsychologie nahestehenden Traumtheorie vertritt Heine in der *Harzreise* eine politische Auffassung: Verdrängung bzw. Unterdrückung gilt aber in beiden Fällen als Ursache des Träumens).

Lit.: Manfred Windfuhr (s. o.), 33 f.; Albrecht Betz (s. o.), 97–107 [zum Traummotiv]; Dierk Möller (s. o.), 184 ff. [Träume].

Simson-Börne

Trotz aller persönlichen Sympathie des Erzählers für den »kleinen Simson« führt der groteske Tod des Mannes mit dem biblischen Namen, der mit mächtigen Worten, aber ohnmächtigen Taten für einen schließlich ebenfalls ohnmächtigen Gott kämpft, das ganze Ausmaß der abgelebten Form des deistischen Spiritualismus anschaulich vor Augen (Kap. XIV). Auf seinem Totenbett läßt er sich aus der Bibel Simsons Rache an den Philistern vorlesen, identifiziert sich mit den über göttliche Kräfte verfügenden Vorfahren und, den Unterschied zwischen Wunsch und Wirklichkeit verkennend, reißt mit seinen »dünnen Ärmchen« an den unbeweglichen »starken Bettsäulen«, wobei er statt des Tempels seiner Gegner sich selber zum ›Einsturz‹ bringt.

Einzelne Züge dieser Gestalt, wie Physiognomie, Fanatismus und Wirklichkeitsblindheit, weisen nun auf den Typus des »vergeistigungssüchtigen« Nazareners voraus, den Heine in der Auseinandersetzung mit Börne geschaffen hat (vgl. B 7, 18). In der Forschung ist jedoch umstritten, inwieweit Heine bereits 1832 in der fiktionalen Gestalt den realen Börne, mit dem er damals tatsächlich schon verfeindet war, treffen wollte (Betz; dagegen Windfuhr, der in Simson eher Don Quixote sieht). *Dafür* spricht jedoch zunächst der faktische Hinweis, daß Simson, wie Börne, gläubiger Jude aus dem judenfeindlichen, philiströsen Frankfurt ist (B 1, 538 und 552). Zweitens kommt hinzu, daß die Warnung vor dem politischen Radikalismus jüdischer Republikaner, der durch ihre knechtische Abhängigkeit vom Glauben ihrer Väter zum Scheitern verurteilt ist, in die Richtung der späteren Auseinandersetzung mit dem Sansculotten Börne weist, an dem die ohnmächtige Verbindung von Politik und Religion kritisiert wird.

Lit.: Manfred Windfuhr (s. o.); Albrecht Betz (s. o.).

Einlagen (Fliegender Holländer)

Durchaus in der Tradition des Schelmenromans ist der Text mit kontrapunktisch verarbeiteten Einlagen erstaunlichen Ausmaßes durchsetzt, deren Funktion darin besteht, die Handlung zu variieren, zu kontrastieren oder zu parodieren (die in Kap. V, VII und XIV zitierten bzw. berichteten fremden Stoffe – Quellen s. o. – belaufen sich auf ca. zehn Seiten; nimmt man die Träume aus Kap. II und XII hinzu, so machen die Einlagen knapp ein Viertel des Textes aus). So variiert das düstere Vonved-Lied das Thema vom Auszug des Helden, während das tragische Geschehen mit der optimistischen Einstellung des Erzählers kontrastiert (von den 73 Strophen des Heldenliedes werden vierzig ganz zitiert und einige andere in Prosa referiert). Die Bibel-Zitate schaffen eine parodistische Parallele zur Ohnmacht des »kleinen Simson« (Betz). In den Träumen entsteht eine poetische Gegenwelt zu den derb-drastischen Erzählungen Schnabelewopskis. In ähnlicher Weise erhält die Liebesthematik durch die im Kern abgewandelte Sage vom fliegenden Holländer, die Wagner aufgegriffen hat (s. u.), eine tragische Dimension. Der ruhelos umherirrende Kapitän, der durch konstanten ehelichen Überdruß zum »ewigen Juden des Ozeans« geworden ist, wird schließlich durch den unerwarteten Opfertod eines treuen Weibes von seinem Fluch erlöst. In krassem Gegensatz dazu kennt das Liebesleben des ebenfalls von einer Frau zur anderen ›fliegenden

Polen‹ kein derart erhabenes und mythisches Ende. Die dauerhafteste Beziehung besteht schließlich aus einem »Bratkartoffelverhältnis« (Windfuhr), von dem sich der Erzähler selber ›erlöst‹!

Lit.: Erich Loewenthal: *Studien zu Heines »Reisebildern«,* Berlin und Leipzig 1922 [Reprint New York 1967], 148–159; Manfred Windfuhr (s. o.); Albrecht Betz (s. o.).
– zum Motiv ›Ewiger Jude‹ und ›Fliegender Holländer‹: Manfred Frank: *Die unendliche Fahrt,* Frankfurt a.M. 1979, 54–87 (Heine: 75 ff.); Elisabeth Frenzel: *Stoffe der Weltliteratur,* 6. Aufl., Stuttgart 1983, 330 f.

Erstens kommt das Fressen...
(Zur physiognomischen Kontrast- und Motivtechnik)

Die im Schnabelewopski besonders ausgefeilte, desillusionierende Kontrasttechnik, die hier an einigen weiteren Beispielen hervorgehoben werden soll, verfährt so, daß die weltanschaulichen und sozialen Gegensätze eine physiognomische Gestalt annehmen.

Nicht allein, daß die Gegensätze groß/klein, dick/dünn, rund/mager bzw. abgezehrt *für* Lebensgenuß und *gegen* Askese polemisieren (z. B. Driksen/Simson oder Hauswirtspaar). Sondern die kontrastiv aufeinander bezogenen Figurenpaare der beiden fröhlichen, humanen Prostituierten und der beiden kalt berechnenden »Anstandsdamen« in Kap. III entlarven auch unmittelbar die heuchlerische Moral bzw. die wahrhaft ›mörderische‹ Tugendhaftigkeit der vornehmen Gesellschaft, wobei schon die Namen Heloise und Minka die Überlegenheit der »schlechten Gesellschaft« über die Welt der »Madame Pieper und Madame Schnieper« signalisieren (Namenswitze spielen nicht nur in Leiden eine auffallend große Rolle: Besitzt die Kuh-Wirtin keinen weiteren Eigennamen, so heißt der verrückte Theologe »Myn Heer van der Pissen«; auch in Polen haben sie eine karikaturistische Funktion, wenn Personen total unaussprechliche Namen wie »Prrschtzztwitsch« oder »Wlrssnski« tragen). Wesentlich muß jedoch erscheinen, daß der zentrale Leib-Seele-Dualismus an dem leitmotivischen Bereich ›Essen‹ plastische Qualität gewonnen hat. Alles geht in der Tat durch den Magen, alles wird vom Magen aus geregelt: die Liebe der Hamburgerinnen wie die Geschäfte der Hamburger, die Liebe des Erzählers in Leiden wie die theologischen Geschäfte der Studenten. Für streitende Theologen steht die »Bedeutung des Mittagsmahls« ganz blasphemisch über der »Bedeutung des Abendmahls«; für streitende Advokaten sind gute Mittags-Gerichte ganz materialistisch besser als öffentliche Gerichte. Mäuler, Eßwerkzeuge und Kinnbacken charakterisieren ganz satirisch die gefräßigen Hamburger so wie Käse die Holländer, weshalb der schöne van Moeulen auch ganz mythisch wie ein Apollo »von Käse« aussieht (zum grotesken Zahn-Motiv siehe Müller). Vom »hohen idealischen Standpunkt« der Volkscharakteristik aus läßt sich sogar in jedem Lande »eine gewisse Ähnlichkeit« zwischen der besonderen Küche und den »besonderen Weiblichkeiten« beobachten (Kap. VIII). Als die eifersüchtige Kuhwirtin dem säumigen Liebhaber den Eßkorb höher hängt, kommt es in der Küche zu einer in hymnischem Ton geführten, grotesken Auseinandersetzung, in der Schnabelewopski theatralisch wiederholt: »Ungeheuer, warum hast du keine Suppe geschickt?« und den endgültigen Bruch mit den tragischen Worten vollzieht: »Adieu, für dieses Leben haben wir ausgekocht!«, worauf er die Küche verläßt (Kap. XIV). Und wenn er jetzt so ernüchtert wie zweideutig-obszön hervorbringt, daß Frauen als »Ersatz« für heilige, männliche Liebe nur »Fleisch« zu geben vermögen, so wird der Bogen zu dem Hamburger Assekuradeur geschlagen, der einst Heloisa und Minka »als Frühstück und Abendbrot zu verzehren« gedachte, inzwischen aber auch mit gewöhnlichem Rindfleisch zufrieden ist (B 1, 516). Auf diese Weise erzeugt die metaphorische Verquickung von Kulinarischem und Erotischem einen für unepisches, komisches Erzählen konstitutiven Zusammenhang, in dem bestimmte Elemente durch Selektion und Montage Signaturcharakter erhalten (als konstitutive Kontraststruktur wäre noch z. B. der Wechsel zwischen derb-realistischen und poetisch-gefühlvollen Tönen zu erwähnen).

Lit.: Dierk Möller (s. o.), 374–383 [untersucht Wassermetaphorik]; Joachim Müller (s. o.), 138–142, 146 f. [gibt weitere Beispiele zur Kontrastkomik]; Slobodan Grubačić: *Heines Erzählprosa*, Stuttgart etc. 1975, 79–96 [analysiert sprachliche Verfahrensweisen von Komik, Parodie und »Karnevalisierung«].

Aufnahme und Wirkung (R. Wagner)

Der in einem Sammelband erschienene *Schnabelewopski* hat im deutschen Sprachraum nur wenig eigenes Interesse hervorgerufen (eine genauere Untersuchung liegt bisher nicht vor). Einzelnen privaten Reaktionen, die sehr positiv waren, stehen nur wenig öffentliche Äußerungen gegenüber. – So berichtet Heines Bruder Maximilian in einem Brief aus Hamburg, den er wahrscheinlich im Januar 1834 geschrieben hat, von der günstigen Aufnahme des *Salon* I (»die geistreichsten Schweinereien die ich je gelesen habe«). Zu den Memoiren bemerkt er: »Das Capitel über Hamburg macht Furore«, gibt aber gleichzeitig den auf moralischen Vorbehalten beruhenden Meinungszwiespalt wieder, wenn er erwähnt, man würde zwar den geistreichen Autor loben, ihm aber vorwerfen, er griffe »beständig unter den Unterrock«. Ein Jahr später schreibt der mit Heine befreundete Schriftsteller August Lewald: »Schnabelewopski ist das Geistreichste und Amüsanteste was die Literatur der Neuern aufzuweisen hat. [. . .] Ihr Schnabelewopski ist das für uns, was Cervantes für seine Zeitgenossen in Spanien lieferte« (Brief vom 20. Januar 1835). Diesen Traditionszusammenhang hat zuerst der Kritiker des »Morgenblattes«, Wolfgang Menzel, erkannt, der im Juli 1834 zwar vor Heines eitler Subjektivität warnt, sich aber von der Cervantes verpflichteten, sowohl derb-realistischen wie geistvollen Einstellung zum Leben eine Erneuerung der deutschen Erzählprosa erwartet: Schnabelewopskis »humoristische Lebensgeschichte enthält ungemein viel ächt Komisches, im Geist der ältern spanischen Romane« (Galley/Estermann II, 526).

Zu großer Nachwirkung gelangte dagegen Kap. VII, das Richard Wagner als Quelle für seine Oper *Der fliegende Holländer*, die am 2. Januar 1843 in Dresden uraufgeführt wurde, benutzt hat. In einer »Autobiographischen Skizze« hat der in Paris mit Heine bekannte Komponist mitgeteilt, wie 1841 seine Phantasie durch die Lektüre des *Salon*-Textes »fortwährend« gefesselt wurde (Werner I, 470). Bei der Niederschrift des Operntextes hielt sich Wagner 1841 an volkstümliche Überlieferungen, literarische Vorlagen und Bearbeitungen. Am *Schnabelewopski* hat ihn sowohl das von Heine eingeführte, zentrale Erlösungsthema wie die Auffassung des Kapitäns als »ewigen Juden des Ozeans« beeindruckt (diese stoffliche Abhängigkeit von Heine hat Wagner 1871 bei der Herausgabe seiner Schriften stark eingeschränkt). In der Oper wird der Holländer durch den tragischen Opfertod Sentas erlöst, den diese vollzieht, als der Kapitän an ihrem Treueversprechen zweifelt. Wagners Entwurf diente Henri Revoil und Paul Foucher bei der Bearbeitung ihrer Oper *Le Vaisseau fantôme*, die bereits im November 1842 in der Musik von Dietsch in Paris aufgeführt wurde. Das französische Libretto hat Heine als »verhunzt« abgelehnt (vgl. B 9, 443).

Lit.: Galley/Estermann II, 380 ff., 423 ff., 429 f., 436 ff., 441, 443 f., 448 ff., 496 ff., 521 u. 522 ff.
　– zum Verhältnis Wagner/Heine: Ernst Pasqué: *Der fliegende Holländer. Richard Wagner, Heinrich Heine und ›Le Vaisseau fantôme‹*, in: Nord und Süd, Bd. 30, 1884, 109–133 und 190–210; Erich Loewenthal (s. o.), 155 ff.; Eberhard Hielscher: *Heinrich Heine und Richard Wagner*, in: Neue deutsche Literatur 4, 1956, Nr. 12, 107–112; Karl Richter: *Zum Verhältnis Richard Wagners zu Heinrich Heine. ›Der fliegende Holländer‹ – ein Test*, in: Emuna 4, 1969, 221–225 [sieht in Wagners Antisemitismus den Grund, Heines Einfluß später zu verleugnen]; Lothar Prox: *Wagner und Heine,* in: Deutsche Vierteljahrsschrift für Literaturwissenschaft und Geistesgeschichte 46, 1972, 684–698 [dort 684 ff.].

Zur Geschichte der Religion und Philosophie in Deutschland

Entstehung, Quellen, Druck, Text

Die beiden großen historischen Darstellungen der deutschen Geistesgeschichte und der jüngsten deutschen Literatur gehören sowohl innerlich wie äußerlich zusammen und bilden eine Einheit. Die Philosophie-Schrift ist zwar erst im Anschluß an die *Romantische Schule* entstanden, war aber als »allgemeine Einleitung in die deutsche Literatur« geplant, denn sie enthält den Schlüssel zum Verständnis der Ideengeschichte (*Vorrede* zur *Schule* von 1835, B 5, 359). Beide Schriften gelten demselben »Zeitzweck«: Sie sollen dem politisch aufgeklärten französischen Publikum »klar und deutlich« eine »Überschau deutscher Geistesvorgänge« bieten, ohne in die pedantische Schulsprache zu verfallen (*Vorrede* von 1834, B 5, 507). Die äußere Einheit der beiden Schriften ließ sich aber nur in der französischen Ausgabe von *De l'Allemagne* verwirklichen, während sie in der deutschen Veröffentlichung, die getrennt erfolgte, verloren ging (die damit verbundenen Editionsprobleme werden unterschiedlich gelöst, je nachdem ob man die Philosophie-Schrift der *Schule* voranstellt – so DHA – oder nachstellt – so Briegleb).

Mitte 1833 dürfte es zu einer konkreten Absprache über die Artikelreihe mit François Buloz, dem Herausgeber der »Revue des Deux Mondes«, gekommen sein (die damals führende Kulturzeitschrift, die noch heute existiert, wurde 1829 gegründet und 1831 von Buloz, den *Aveux d'un poète* porträtieren, übernommen). Die Ausarbeitung der

drei Artikel erfolgte in der Zeit von Herbst 1833 bis Herbst 1834. Der erste Artikel wurde Anfang Januar 1834 von Pierre Alexandre Specht übersetzt und erschien im März. Die beiden anderen Artikel folgten mit größerem Abstand jeweils Mitte November und Dezember 1834 (zum französischen Buchdruck s. *De l'Allemagne*).

Mehr als ein Jahr sollte bis zum deutschen Buchdruck in Band II des *Salon*, den Heine schon im Juli 1833 ohne nähere Inhaltsangabe angekündigt hatte, vergehen. Am 29. Oktober 1834 wurden die fertigen Druckvorlagen der beiden ersten Bücher, mit dem veränderten Anfang, nach Hamburg geschickt (ursprünglich sollte das Erste Buch mit dem später im Shakespeare-Essay verwendeten fiktiven Mäusegespräch beginnen; schon der erste französische Artikel hatte einen anderen Anfang). Buch III und *Vorrede*, auf Dezember vorausdatiert, folgten in der zweiten Novemberhälfte. Der frühere, in der Übersetzung verwendete Titel »Ueber Deutschland seit Luther« wurde zugunsten des endgültigen aufgegeben, der gegenüber der damaligen Geschichtsschreibung zwei getrennt behandelte Stoffgebiete verband (s. DHA 8/2, 812 ff.). Das Buch wurde im Januar zusammen mit dem Lyrikzyklus *Neuer Frühling* als Lückenfüller (aus 2. Auflage von *Reisebilder* II) gedruckt, ohne daß Heine Korrektur gelesen hätte, und lag Anfang Februar 1835 vor (ein kleinerer Teil der Auflage trägt die Jahreszahl 1834).

Durch eine Verschärfung der Zensur in Sachsen-Altenburg, wo der Druckort lag, hat der Altenburger Zensor trotz der normalerweise ausreichenden Bogenzahl in der Umbruchphase eingegriffen und an 15 Stellen etwa 18 Seiten des Erstdrucks gestrichen (s. dazu DHA 8/2, 543 ff. und 618). Dem Rotstift waren in erster Linie die Kritik am Mißbrauch der Religion zur Machterhaltung und dann die politischen Prognosen über die deutsche Revolution zum Opfer gefallen – der ganze Schluß fehlt ab B 5, 637 letzte Zeile –, so daß Heines politische Vorstellungen kaum mehr erkenntlich waren (die theologische Kritik war dagegen dem Zensor nicht anstößig vorgekommen). Als Heine ein Exemplar von *Salon* II in den Händen hielt und das Ausmaß der Streichungen sah, protestierte er öffentlich mit einer *Erklärung,* in der er Campe einseitig die Verstümmelungen anlastete (»Buchhändlerwillkür«; AZ vom 27. März 1835; B 9, 19 und DHA 8/1, 495). Campe, der sich zu Unrecht angeklagt fühlte, ließ seinerseits am 3. April eine Gegenerklärung veröffentlichen. Obwohl der Konflikt bald beigelegt werden konnte, griff Heine, dessen patriotische Einstellung wegzensiert worden war (und der deshalb ungerechte Kritik ertragen mußte), den Zensurskandal erneut wieder öffentlich auf (*Erörterungen* B 9, 23 und *Schriftstellernöten* B 9, 73).

Da sich *Salon* II nur sehr schlecht verkaufen ließ, wurde erst zu Beginn der 50er Jahre eine Neuauflage fällig. Im April und Mai 1852 entstanden eine neue Druckvorlage und eine neue *Vorrede*, die zusammen in drei Sendungen wohl bis Mitte Mai nach Hamburg geschickt wurden. Als Vorlage diente aber nicht die damals unauffindbare Handschrift, sondern der Erstdruck. Bei der schwierigen Arbeit der Textergänzung, die Heine nur an sieben der 15 Stellen vornahm (bei einem weiteren Text handelt es sich um einen Zusatz), benutzte der Dichter vier verschiedene, der Originalvorlage nicht entsprechende Quellen (eine Kopie, die französische Übersetzung, den Zeitschriftendruck zur Schlußvision und das Börne-Buch; s. dazu DHA 8/2, 600 ff.). Dadurch ist textkritisch gesehen ein problematischer Mischtext entstanden, der aus mehreren Stufen besteht und größere editorische Fragen aufwirft (DHA 8/2, 606). Im Sommer 1852 lag die 2. Auflage gedruckt vor mit der bedeutsamen *Vorrede*, in der Heine die ursprüngliche Tendenz des Buches richtiggestellt (»eine patriotisch-demokratische«), seine religiöse Wende diskutiert sowie Hegel und den Junghegelianern eine Absage erteilt hat.

Die große Anzahl von Werkzitaten und Halb-Zitaten belegen – was DHA 8/2, 533 ff. und im Zeilenkommentar jetzt eingehend und umfassend nachweisen konnte –, daß Heine im Gegensatz zu verbreiteten Ansichten während der Entstehungszeit intensive Quellenstudien betrieben hat – anhand eigener Bestände und im Lesesaal der Bibliothèque Royale – um sich die notwendige Kompetenz anzueignen. Er hat sich mit Kants *Kritik der reinen Vernunft* (erneut und in der 4. Auflage von 1794) sowie mit Werken Schellings (u. a. mit *Darstellung meines Systems der Philosophie*, 1801, und *Philosophie und Religion*, 1804), Fichtes (u. a. mit der *Grundlage der gesamten Wissenschaftslehre als Handschrift für seine Zuhörer*, 1794, 2. Aufl. 1802), Luthers u. a. beschäftigt. Außerdem kannte Heine eine umfangreiche Sekundärliteratur zu Kant (DHA 8/2, 890: akademische und biographische Darstellungen); bei Fichte stützte er sich vornehmlich auf die vom Sohn Immanuel Hermann Fichte herausgegebene Biographie mit Briefwechsel von 1830/31, der er vier längere Zitate entnahm. Die

wichtigste Quelle für die philosophischen Darstellungen hauptsächlich von Buch II war das im frühen 19. Jahrhundert weit verbreitete Handbuch des Kantianers Wilhelm Gottlieb Tennemann (*Grundriss der Geschichte der Philosophie für den akademischen Unterricht*, 5. Aufl. 1829). Zu den kirchengeschichtlichen Teilen von Buch I und II zog Heine Arbeiten von Spittler, Schröckh und Neander heran, zur frühchristlichen Entwicklung außerdem Tzschirners *Fall des Heidenthums*, 1829. Als Quelle zur Darstellung des Volksglaubens diente – wie in *Elementargeister* – Dobenecks Sammlung von 1815. Diese Quellenstudien haben, wie Manfred Windfuhr in DHA 8/2 kommentiert, auf die Konzeption und Niederschrift aller drei Bücher eingewirkt.

Druck: Die »Revue des Deux Mondes« veröffentlichte *De l'Allemagne depuis Luther* als *Première*, *Deuxième* und *Troisième partie* am 1. März, 15. November und 15. Dezember 1834; der 1. und 2. französische Buchdruck erfolgte 1835 und 1855, jeweils im 1. des zweibändigen Sammelwerkes *De l'Allemagne* (s. u.).

Zur Geschichte der Religion und Philosophie in Deutschland erschien zensurverstümmelt in deutscher Sprache zuerst in: *Der Salon von H. Heine. Zweiter Band. Hamburg, bei Hoffmann und Campe. 1835.*, unterteilt in *Erstes Buch.* (3–90), *Zweites Buch.* (91–180) und *Drittes Buch.* (181–284; auf den S. 285–330 folgten *Frühlingslieder.*); vorab hatte die von Jakob Venedey herausgegebene Zeitschrift »Der Geächtete« (Paris 1834, 1. Bd., 6. Heft, 262–267, erschienen Anfang 1835) die im *Salon* dann gestrichene Schlußvision gedruckt (*Die zukünftige Revolution in Deutschland*, von H. Heine); die nur z. T. restituierte 2. Auflage erschien in: *Der Salon von H. Heine. Zweiter Band. Zweite Auflage. Hamburg. Hoffmann und Campe. 1852.*

Text: B 5, 505–641 (Druck nach Ausgabe von Walzel, der einen laut DHA uneinheitlichen Mischtext geboten hat); DHA 8/1, 9–120 (Text nach der handschriftlich erhaltenen Fassung von 1834; der Anhang 443 ff. bringt 31, zum Teil bisher ungedruckte Bruchstücke; HSA 8 druckt den Text von 1852 ohne Zusätze).
– französischer Text: HSA 16 *De l'Allemagne* I, 18–109; DHA 8/1, 263–350 (jeweils Text von 1855).

Lit.: B 6, 909 ff.; DHA 8/2, 509–560; Ruth Saueracker-Ritter: *Heinrich Heines Verhältnis zur Philosophie*, München 1974; Michel Espagne: *Vers une étude génétique de l'»Histoire de la religion et de la philosophie en Allemagne«*, in: Cahier Heine 2 1981, 63-95; Ulrich Pongs: *Zu einigen Quellen der Schriften Heines über Deutschland*, in: Etudes Germaniques No. 2/ 1983, 206–220 [speziell zu Lessing].
Gabriel de Broglie: *Histoire politique de la »Revue des Deux Mondes«*, Paris 1979.

De l'Allemagne (1835, 1855)

In seinem Testament vom November 1852 legte Heine das berühmte und vielzitierte Geständnis nieder: »La grande affaire de ma vie était de travailler à l'entente cordiale entre l'Allemagne et la France« (B 11, 542). Vom Geist dieser »grande affaire« zeugen alle seine Werke, die engagiert versucht haben, Vorurteile zwischen den Völkern zu vernichten und auf der einen Seite des Rheins Verständnis für moderne Politik zu wecken, auf der anderen Verständnis für Philosophie und Poesie. Das eine Volk wurde über gegenwärtige Zustände aufgeklärt, das andere über große Traditionen (Frankreich wurde auch am Beispiel Deutschlands vor gefährlichen Einflüssen gewarnt, die nach Ansicht des Dichters von der katholischen Kirche ausgingen). Diese Einstellung sollte ursprünglich durch ein großes Einzel- bzw. Doppelprojekt verwirklicht werden, was die beiden Titel *De la France* und *De l'Allemagne* eindrucksvoll bekunden. Die beiden Deutschland-Schriften, Grundsteine der »pacifiken Mission«, konnten jedoch weder den gewünschten Abschluß finden, noch zu Lebzeiten, schon gar nicht in den deutschen Buchausgaben, zu dem »größeren Ganzen« zusammengestellt werden, von dem die *Vorrede* zu *Salon* II spricht. Heine hat bekanntlich über die Edition von 1836 hinaus Pläne zur Fortsetzung der *Romantischen Schule* geschmiedet; zumindest an einer Stelle erwägt die Philosophie-Schrift den Plan einer vertieften Darstellung (B 5, 628, vgl. 636). Hans Mayer hat versucht, das Deutschland-Projekt zu rekonstruieren und die These aufgestellt, daß der Gesamtplan nicht aus äußeren, sondern aus inneren Gründen zerfallen ist, und zwar nicht so sehr an »Schwierigkeiten einer *Gegenwartsanalyse*« als an der »*Obskurität einer Zukunftsbestimmung*« (XII ff. und XXIX; nach dieser Ansicht sollte das Börne-Buch den Abschluß bilden). – Nun ist es Heine jedoch in seinen französischen Werkausgaben gelungen, die Deutschland-Schriften, die planmäßig entstanden sind, parallel zu seinen Arbeiten über Frankreich in der gewünschten Form zu edieren. *De l'Allemagne* hat wie *De la France* seine eigene Entstehungs- und vor allem Wirkungsgeschichte, die von der Düsseldorfer Ausgabe erschöpfend untersucht worden ist (DHA 8/2, 1462 ff. und 1488 ff.). Hier soll nur im Überblick die Textzusammenstellung dieser Originalausgaben, an die der Aufbau heutiger Ausgaben anknüpft, erörtert werden. Der Titel der beiden Bände war bereits von Madame de Staël her geläufig.

Die Ausgabe von 1835. – Die editorische Lösung verdankte Heine seinen Kontakten zu dem Verleger Eugène Renduel, mit dem er am 26. Dezember 1833 einen Verlagsvertrag über ein 2-, 4- oder 6bändiges Werk mit dem Titel: »de l'allemagne« abgeschlossen hatte. Ab Dezember 1834, nach Abschluß des Journaldruckes der Philosophie-Schrift, bis Anfang April wurde die Arbeit an zwei Bänden beendet, die Mitte April 1835, im Rahmen der inzwischen begonnenen Werkausgabe *(Œuvres de Henri Heine)*, erschienen. Die *Préface* (später *Romantische Schule* III, 6) ist auf den 8. April datiert. Die *Dédicace*, die Widmung an Prosper Enfantin, den Führer der Saint-Simonisten, steht zwischen Titel und Vorwort (Text B 6, 913). Die Philosophiegeschichte bildet wie ursprünglich geplant in drei Teilen den Anfang von Band 1, gefolgt vom Ersten Buch der Literaturgeschichte; Band 2 beginnt mit Buch II und III der *Romantischen Schule*, während sich als *Sixième partie* der erste Teil der später *Elementargeister* genannten Schrift anschließt (ein Thema, das im Ersten Buch der Philosophiegeschichte behandelt worden ist, wo diese Fortsetzung auch angekündigt wurde). Zur Füllung des zweiten Bandes hat Heine als Abschluß seine Polemik gegen Victor Cousin (später *Romantische Schule*) und vier *Citations* angehängt (das Gespräch zwischen Friedrich II. und Gellert; eine Cousin-Rezension des Hegelianers H. F. W. Hinrichs; das Lebensbild Höltys durch Voß und Auszüge aus Johannes Falks Goethe-Erinnerungen, alle wohl von Specht übersetzt). Der Text der beiden Hauptschriften ist gegenüber den Journalfassungen revidiert. Briefliche Zeugnisse belegen, daß Heine im April 1835 einen dritten Band von *De l'Allemagne* plante. Die Fortsetzung vollzog sich dann in deutschsprachigen Schriften, die später in das Projekt integriert wurden.

Die Ausgabe von 1855. – Nach zwei gescheiterten Versuchen, das weiter gereifte *De l'Allemagne*-Projekt in Paris herauszubringen, bot der Kontakt zu dem Verleger Michel Lévy Gelegenheit, eine revidierte Neuausgabe in Angriff zu nehmen (im Oktober 1854 fanden die entscheidenden Besprechungen zur Edition der *Œuvres complètes* statt). In einer ersten Phase wuchs das mögliche Vor- oder Nachwort zu einer selbständigen Schrift aus *(Geständnisse)*. Die eigentliche Arbeit an der Neuausgabe fiel dann in die Zeit von September 1854 bis Ende Januar 1855, in der der Text durchgesehen, gekürzt bzw. vermehrt und übersetzt wurde. Der *Avant-Propos* (B 11, 439 ff.) ist auf den 15. Januar

1855 datiert. Durch ihr Erscheinen Anfang Februar konnte *De l'Allemagne* die französische Werkausgabe eröffnen. Heines geänderter Grundeinstellung ist die *Dédicace* an Enfantin zum Opfer gefallen, während die Religionskritik durch Entfernungen und Streichungen abgemildert wurde; die Cousin-Polemik ist bereinigt. Der erste Band mit den beiden großen Deutschlandschriften (die *Romantische Schule* ist durch III, 3–5 erstmals vollständig auf französisch) wirkt sehr geschlossen. Band 2 setzt sich jetzt aus der Vorrede 1855 zu Buch II der Börne-Denkschrift und Buch II (B 7, 145 ff.), dem ersten Teil der *Elementargeister, Der Doktor Faust,* 2. Teil der *Elementargeister* mit *Die Götter im Exil* und *Geständnisse* zusammen. Diese Neukomposition dokumentiert jetzt stärker als 1835 den dritten Bereich in Heines Werk, die deutsche Mythologie.

Im Unterschied zur Renduel-Ausgabe, die ein kommerzieller Mißerfolg war, erregte der Neudruck endlich großes Interesse für Heines Deutschland-Schriften. Bereits 1856 erschien eine Titelauflage (gefolgt von drei weiteren Auflagen in den 60er Jahren). Die Presse widmete sich ziemlich intensiv einem Werk, das als Synthese französischen Geistes und deutscher Poesie Zustimmung fand. Ein Jahr vor seinem Tod wurde Heine schließlich als der anerkannt, als der er immer schon Anerkennung gesucht hatte: als europäischer Schriftsteller.

Druck: Œuvres de Henri Heine. V. De l'Allemagne. 1. Paris. Eugène Renduel, 1835 enthält:

A Prosper Enfantin (S. I)	
Préface. (III–XIII)	(Rom. Schule III, 6)
De l'Allemagne. Première partie (1–68)	(Zur Gesch. I)
Deuxième partie (69–143)	(Zur Gesch. II)
Trisième partie (145–240)	(Zur Gesch. III)
Quatrième partie (241–328)	(Rom. Schule I)

Œuvres [. . .] *VI. De l'Allemagne. 2.* enthält:
De l'Allemagne. Cinquième partie. (1–118) (Rom. Schule II, III, 1–2)
Sixième partie (119–205) (Elementargeister I)
Citations (207–316: *Frédéric-le-Grand et Gellert; M. Victor Cousin; Fragmens philosophiques, par M. V. Cousin; La vie de Hoelty, par Voss;* und *Fragmens de Falk sur Goëthe*)

De l'Allemagne par Henri Heine. Nouvelle édition. Entièrement revue et considérablement augmentée. Tome premier, Paris, Michel Lévy frères, 1855, enthält:
Avant-Propos (V–XI)
Préface de la première Edition (1–6)
Première partie – De l'Allemagne jusqu'à Luther (7–57)
Deuxième partie – De Luther jusqu'à Kant (59–114)
Troisième partie – De Kant jusqu'à Hegel (115–184)
Quatrième partie – La littérature jusqu'à la mort de Goëthe (185–251)
Cinquième partie – Poëtes romantiques (253–375).

De l'Allemagne . . . Tome deuxième, enthält:
Sixième partie – Réveil de la vie politique (1–40) (Börne II)
Septième partie – Traditions populaires (41–117) (Elemen. 1)
Huitième partie – La légende de Faust (119–179)
Neuvième partie – Les dieux en exil (181–242) (Elem. 2 und Götter)
Dixième partie – Aveux de l'auteur. (243–340)

Text: HSA 16 und 17 *De l'Allemagne I, II;.* Henri Heine: *De l'Allemagne,* Paris 1981 (Le livre de poche, Coll. Pluriel), hrsg. von Pierre Grappin (mit *Préface* und *Postface*) (jeweils Text von 1855).

Lit.: DHA 8/2, 1462–1511; B 12, 140 ff.. André Monchoux: *L'Allemagne devant les lettres françaises de 1814 à 1835,* Paris 1953, 387 ff.; Friedrich Hirth: *Heinrich Heine und seine französischen Freunde,* Mainz 1949; Hans Mayer: *Heine und die deutsche Ideologie,* in: Heinrich Heine: *Beiträge zur deutschen Ideologie,* Frankfurt a. M. etc., IX–XXXI [Neudruck 1986 in: Hans Mayer: *Das unglückliche Bewußtsein,* Frankfurt a. M.]; Claude Porcell: *Heine, écrivain français? Les œuvres françaises de Henri Heine à travers les manuscripts,* Diss. Masch. Paris-Sorbonne 1977; Hans Hörling: *Heinrich Heine im Spiegel der politischen Presse Frankreichs von 1831–1841,* Frankfurt a. M. etc. 1977 (Europäische Hochschulschriften); Françoise Bech: *Heines Pariser Exil zwischen Spätromantik und Wirklichkeit,* Frankfurt a. M. 1983 (Europäische Hochschulschriften).

Grundlagen: Saint-Simonismus

In seinem ersten Pariser Jahr wurde Heine Zeuge von Ausbreitung und Triumph des *theoretischen* Saint-Simonismus. In seinen letzten Jahren wurde er Zeuge von Ausbreitung und Triumph des *praktischen* Saint-Simonismus. Er hat die sozialistische Doktrin, die Schüler des Sozialwissenschaftlers und Reformers Graf Claude-Henri de Saint-Simon nach dessen Tod (1825) zu einem Instrument gegen die antagonistischen Gegensätze in Wirtschaft und Gesellschaft erarbeitet haben, intensiv rezipiert und gründlich gekannt. Die weltanschaulichen Überzeugungen, die den frühen Frankreich- und Deutschland-Schriften zugrunde liegen, gehen auf diese Rezeption zurück. Später hat sich Heine dann unter dem Eindruck ihrer praktischen Erfolge beim Aufbau des Kapitalismus in Frankreich deutlich von seinen früheren Kampfgefährten distanziert.

Um wenigstens eine grobe Vorstellung vom Saint-Simonismus zu geben, sei daran erinnert, daß Saint-Simon, der Begründer der modernen »science sociale«, in den Werken seiner letzten Lebensjahre, nach dem Bruch mit dem Liberalismus (Ende 1817), die Rolle der ökonomischen Entwicklung, der sozialen Klassen und Klassenkämpfe in der Geschichte untersucht hat, um in scharfer Stellung gegen die müßigen Stände des Ancien régime eine Theorie der modernen, industriellen Gesellschaft zu entwickeln. Diese sollte weder Vorrechte der Geburt, noch vererbtes Eigentum, noch untätige Klassen kennen; sie sollte harmonisch organisiert und hierarchisch nach den »capacités« eines jeden geordnet sein; den Künstlern sollten soziale Aufgaben zufallen, und eine neue Religion der Liebe und Brüderlichkeit sollte die Menschen moralisch befreien und ihnen neue Bindungen geben. In seinem geistigen Vermächtnis, *Le nouveau christianisme* (1825), stellte Saint-Simon das berühmte, von seinen Schülern gepredigte und von Heine zitierte Postulat auf: »Toute la société doit travailler à l'amélioration de l'existence morale et physique de la classe la plus pauvre« (vgl. B 5, 468 und 9, 503). Die Getreuen Saint-Simons, Olinde Rodrigues, Barthélémy-Prosper Enfantin und Saint-Amand Bazard haben dann dessen Ideen umgestaltet, systematisiert und zu einer Doktrin geordnet (niedergelegt in *Doctrine de Saint-Simon. Exposition. Première année, 1829, Deuxième année, 1830*, Paris 1830; bereits 1830 2. Aufl. des ersten Bandes). Nach ihrer Theorie würde der neue Klassenantagonismus, derjenige zwischen Bourgeoisie und Proletariat, der die Ausbeutung des Menschen durch den Menschen ermöglichte, von einer Gesellschaftsordnung überwunden werden, in der ein staatlicher Organismus die Produktionsmittel zuteilte und die industrielle Produktion ankurbelte; in der Geburtsprivilegien zusammen mit dem alten Erbrecht abgeschafft und ein neues, soziales Eigentumsrecht eingeführt würde; in der die höchste Autorität von der Trias Industrielle (das wären alle produktiv Tätigen), Wissenschaftler und Künstler ausgeübt würde und in der der liberale Individualismus durch Assoziation, Gemeinschaftlichkeit und religiöse Bindungen abgelöst wäre. In der Doktrin des zweiten Jahres wird die Autorität des Priesters an die Spitze gestellt. Nach 1830 nahm die Bewegung mehr die Züge einer gut organisierten, über ganz Frankreich verbreiteten, militanten Sekte (»Eglise«) an, die sich über Fragen der Gottesvorstellung, Emanzipation der Frau und Sexualmoral (Rolle der Ehe, Promiskuität) bald spaltete.

In Heines Rezeption des Saint-Simonismus, die im wesentlichen Anfang 1831 beginnt, spielen persönliche Kontakte neben Lektüren eine wichtige Rolle (das hat alles Dolf Sternberger herausgearbeitet). Wahrscheinlich hat er keine Schrift von Saint-Simon gelesen, aber dessen Ideen durch andere Quellen kennengelernt. Sicher ist, daß er noch in Deutschland die *Doctrine* von 1829 durchstudiert hat (die Lektüre des zweiten Jahres ist nicht nach-

gewiesen). Zusammen mit einem Exzerpt über die Armut Saint-Simons schreibt er am 10. Februar 1831 an den Hamburger Philanthropen Hartwig Hesse, er könne nicht umhin, »eine Abschrift der längst besprochenen Stelle meines neuen *Evangeliums* beyzufügen« (auf die Armut Saint-Simons kommt ein *Lutezia*-Artikel zurück, B 9, 503). Wie sehr ihn die neue Lehre beschäftigt und wie er sie rezipiert hat, das zeigt der Brief an Varnhagen vom 1. April 1831: »... und träume jede Nacht ich packe meinen Koffer und reise nach Paris, um frische Luft zu schöpfen, ganz den heiligen Gefühlen meiner neuen Religion mich hinzugeben, und vielleicht als Priester derselben die letzten Weihen zu empfangen«. Tatsächlich hätte der Empfang in Paris nicht besser sein können: Gleich nach Heines Ankunft begrüßt Michel Chevalier, Chefredakteur der Zeitung »Le Globe« (1830 von den Saint-Simonisten übernommen und seit 1831 mit dem Untertitel »Journal de la doctrine saintsimonienne« versehen), den fortschrittlichen deutschen Dichter (am 22. Mai). Die Jahre 1831 bis 1835 sind nun die Zeit der größten Annäherung an die Bewegung (mit enger Verbindung von Mai 1831 bis März 1832). Auf dem Höhepunkt der Saint-Simonisten hat der Ankömmling Kontakte zu Chevalier (1834 »der große Apostel der größten Idee unserer Zeit« genannt, B 3, 673) und zu Enfantin; er nimmt an Versammlungen in der Salle rue Taitbout, wahrscheinlich auch an Soireen in der rue Monsigny teil (die Gemeinde besteht zum größten Teil aus Vertretern des liberalen Bürgertums). Der »Globe« druckt Texte von Heine und erwähnt den engagierten Schriftsteller. Heines intensive »Globe«-Lektüre wird von einer nahezu vollständigen Sammlung der Zeitung vom 15. Juni 1831 bis zum 20. April 1832, also bis zu ihrem Ende, bezeugt, die sich mit Anstreichungen in seiner Nachlaßbibliothek gefunden hat. Nach den ersten polizeilichen Schlägen gegen die Saint-Simonisten (Schließung der Salle rue Taitbout am 22. Januar, die er als Augenzeuge erlebt hat) analysiert Heine die Situation folgendermaßen: »Daß sich die St. Simonisten zurückgezogen ist vielleicht der Doktrin selbst sehr nützlich; sie kommt in klügere Hände. Besonders der politische Theil, die Eigenthumslehre, wird besser verarbeitet werden. Was mich betrifft, ich interessire mich eigentlich nur für die religiösen Ideen«. Im selben Brief an Varnhagen von Mitte Mai 1832 teilt er seine Absicht mit, ein Buch über den Saint-Simonismus schreiben zu wollen. Ein Jahr später, nach der Verurteilung von Chevalier, Duveyrier und Enfantin im August 1832 zu Gefängnisstrafen, besucht Heine seinen einsitzenden Freund Chevalier, um über Religion zu diskutieren (Brief an Varnhagen vom 16. Juli 1833). Im August und September hat er mit dem wieder freigelassenen ehemaligen »Père suprême« der Kirche, Enfantin, persönlichen Umgang; er läßt sich, wie er in der *Dédicace* erklärt, zur Philosophieschrift anregen (s. B 6, 913) und widmet Enfantin, wie erwähnt, *De l'Allemagne*. Danach verblaßt Heines Interesse am Saint-Simonismus spürbar.

Wenn man nun nach dem fragt, was Heine, den kompromißlosen Kritiker von Adel und Klerus, zu Beginn der 30er so stark fasziniert hat, wird man aus deutscher Sicht zuerst die anti-feudale Ideologie und aus umfassender Sicht die klar akzentuierte Priorität der sozialen Frage gegenüber rein politischen Lösungen nennen müssen. In der Pariser Vorrede von 1834 diskutiert der Autor der *Reisebilder* seine gewandelte Begrifflichkeit in engster Beziehung zum Saint-Simonismus: Unter »aristocratie« versteht er jetzt nicht nur »la noblesse de naissance, mais tous ceux, quelque nom qu'ils portent, qui vivent aux dépens du peuple. La belle formule que nous devons, ainsi que beaucoup d'excellentes choses, aux Saint-Simoniens, *l'exploitation de l'homme par l'homme*, nous conduit bien par delà toutes les déclamations sur les privilèges de la naissance« (B 3, 677 bzw. 4, 956). Als Saint-Simonist präzisiert er ferner, daß es nicht mehr in erster Linie darum gehe, die alte Kirche zu zerstören, sondern eine neue aufzubauen und sogar selber Priester zu werden, statt die »prêtrise« zu vernichten! Die jetzt vertiefte Einsicht in die Bedeutung der sozialen Frage, die auch die Polemik gegen die Republikaner nährt, teilt der Brief an Laube vom 10. Juli 1833 mit. – Weiter mußte der Kritiker der Zerrissenheit und der Fürsprecher der Leiblichkeit seine Gedanken in dem integrativen Modell wiederfinden, das die Saint-Simonisten zur Überwindung des Gegensatzes von »chair« und »esprit« bzw. von Sensualismus und Spiritualismus entwickelt haben und das in Enfantins pantheistischen Vorstellungen gipfelt. Was in den *Reisebildern* ansatzweise spürbar geworden ist (Italienreise), erhält jetzt eine begriffliche Präzisierung. Die begriffssprachliche Übernahme stellt der *Vorbericht* zur *Romantischen Schule* von 1833 klar heraus (B 6, 861); den inhaltlichen Anschluß bezeugt, neben den Prosaschriften, ein Gedicht wie *Seraphine VII (Neue Gedichte)*. Die kulturgeschichtliche Krisologie der modernen Gesellschaft, wie sie Heine bei den Saint-Simonisten vorfinden konnte, hat später seine Auffassung von Idealtypen mitgeprägt. – Außerdem mußte der Hedonist, der eine Genußreligion predigte, der industriellen Fortschrittsdoktrin der Saint-Simonisten zustimmen, die Verzicht und Misere ihre Grundlage entziehen sollte (z. B. B 5, 468 und 519). Heines Religion der Diesseitigkeit vermag sich sowohl auf die »Réhabilitation de la Matière« wie auf die industrielle Vision der Saint-Simonisten zu stützen. – Ferner konnte sich der Befürworter sinnlicher Emanzipation der sexualmoralischen Diskussion anschließen und die Idee der Frauenbefreiung oder freier Liebe übernehmen (z. B. B 5, 568, später in *Lutezia*, B 9, 258 und 319, z. T. Zusätze 1854). Den Vertreter engagierter Dichtung hat die soziale Bestimmung der Künstler anziehen müssen (dazu Kuttenkeuler, 79 ff. und allgemein Biermann und Hoeges). Eine Übernahme der Geschichtstheorie, die einen Wechsel von »organischen« und »kritischen« Perioden behauptet, hätte allerdings z. B. im Hinblick auf die Neuzeit eine völlige Umwertung erfordert. Schließlich mußte der Napoleon-Verehrer mit dem Saint-Simonismus sympathisieren, weil auch er die Rolle großer Individuen anerkannte (*Französische Zustände*). Und Heines Genievorstellungen kam die Forderung nach der Herrschaft der Kapazitäten und Talente entgegen.

Der weitgehende Anschluß an den Saint-Simonismus bei vorausgehender Ideenverwandtschaft darf aber nicht über wesentliche Gegensätze zu einer Theorie hinwegtäuschen, die von großer Tragweite für die sozialen Bewegungen des 19. Jahrhunderts gewesen ist. Dem Autor der Philosophie-Schrift wird durch den Brief Enfantins aus Ägypten (s. o.) endgültig bewußt geworden sein, daß seine Forderung einer neuen Revolution mit den reformerischen Vorstellungen der Saint-Simonisten, für die mit den beiden französischen Revolutionen der geschichtliche Prozeß beendet war, unvereinbar ist. Angesichts der neuen sozialen Kämpfe bestreitet er ihnen in *Lutezia* ihre Selbständigkeit (B 9, 497: sie werden zu den Kommunisten übergehen). Der Widerspruch zu einer Theorie, die, wie die Doktrin des zweiten Jahres, den Künstler als Sprachrohr des Priesters auffaßt, bricht 1838 durch: Wenn der Einfluß des Saint-Simonismus in den *Malern* am greifbarsten war, so wird er jetzt im Namen künstlerischer Autonomie abgewiesen (B 5, 317; wichtige Teile der Doktrin, wie die ökonomische Theorie, hat Heine nicht näher wahrgenommen). Die gestrichene Widmung an

Enfantin in *De l'Allemagne* von 1855 ist dann das sichtbarste Zeichen von Heines Absage an den praktischen Saint-Simonismus, die der neue *Avant-Propos* noch nahezu satirisch rechtfertigt: Aus den »martyrs« der »parti le plus avancé de l'émancipation humaine« sind inzwischen »néo-millionnaires« geworden, die nicht mehr vom »l'âge d'or« träumen, sondern sich mit dem »l'âge d'argent« zufrieden gegeben haben (B 11, 439 f. bzw. 12, 142; auf den Einspruch Chevaliers, mit dem er immer noch in freundschaftlichen Beziehungen stand, erwog Heine einen Augenblick die Rücknahme des *Avant-Propos,* blieb aber bei der ursprünglichen Entscheidung, so daß die späteren Auflagen von *De l'Allemagne,* in denen der Text tatsächlich fehlt, nicht autorisiert sind, DHA 8/2, 1488).

War Heine, einer der wichtigsten Propagandisten der neuen Soziallehre in Deutschland, Saint-Simonist? Seit Adolf Strodtmann (*H. Heines Leben und Werke,* Berlin 1869, 2. Bd.) darauf hingewiesen hat, konnte die ältere Forschung (z. B. Lichtenberger) und die jüngere den Einfluß eingehend nachweisen und bestätigen. Eine gewisse Uneinigkeit besteht nur in der Frage, ob es sich im Denken Heines um einen Neubeginn handelt (dazu neigt Sternberger) oder um Kontinuität (das betonen Kuttenkeuler und Iggers – für ihn ist ›alles‹ schon in den *Reisebildern* enthalten). Neuerdings haben die Bandbearbeiter der Düsseldorfer Ausgabe davor gewarnt, Heine als »treuen Anhänger« der saint-simonistischen Schule hinzustellen (Derré und Giesen in DHA 12/2, 515 und 519), bzw. haben unterstrichen, daß Heine »sich selbst in den fraglichen Jahren niemals als Saint-Simonist bekannt hat« (Windfuhr in DHA 8/2, 531 und f.). Angesichts seiner kritischen Stellung kann von Identifikation in der Tat keine Rede sein. Aber Heine hat in einer repressiven Phase der französischen Innenpolitik und in seinem weiter restaurativen Heimatland nicht wenig gewagt, als er einer polizeilich und gerichtlich verfolgten Gruppe doch zumindest eine »höllische Reklame« machte (vgl. B 9, 231). Die Enfantin-Widmung von 1835 hat er (zwanzig Jahre später) als Demonstration von Solidarität mit den »Besiegten« und als Herausforderung an die Sieger verstanden – ein bißchen war sie wohl damals auch ein nachträgliches Bekenntnis, wenn nicht eines Anhängers, so doch eines ›Sympathisanten‹.

Texte: Œuvres de Claude-Henri de Saint-Simon, Paris 1966, 6 Bd.e; Neuausgabe der *Doctrine* von 1829: Paris 1924, hrsg. von C. Bouglé und Elie Halévy; dt. Übersetzung: *Die Lehre Saint-Simons,* hrsg. von Gottfried Salomon-Delatour, Neuwied 1962.

Quellentexte zu Saint-Simon und Saint-Simonismus mit Kommentaren sind in verschiedenen Sammlungen zum Frühsozialismus zugänglich, die z. B. herausgegeben haben: Thilo Ramm, Stuttgart 1956; Frits Kool und Werner Krause, München 1972 (= dtv), 2 Bd.e; Joachim Höppner und Waltraud Seidel-Höppner, Leipzig 1975 (Reclam), 2 Bd.e.

Lit.: Zum Saint-Simonismus: Georges Weill: *L'école saint-simonienne,* Paris 1896; Sébastien Charléty: *Histoire du saint-simonisme,* Paris 1965 (Coll. Médiations); Pierre Ansart: *Sociologie de Saint-Simon,* Paris 1970 (Coll. SUP); Manfred Hahn: *Präsozialismus: Claude-Henri de Saint-Simon,* Stuttgart 1970; Rolf Peter Fehlbaum: *Saint-Simon und die Saint-Simonisten,* Tübingen 1970; – zur ästhetischen Doktrin: Hartmut Stenzel et Heinz Thoma: *Poésie et société dans la critique littéraire du »Globe«,* in: romantisme 39/1983, 25–59; Karlheinrich Biermann: *Die Anfänge der frühsozialistischen Kunst- und Literaturkritik: Le Globe (1830–1832)* und Dirk Hoeges: *Saint-Simon und die Theorie der Avant-Garde,* beide in: lendemains 37/1985, 9–17 und 37–43.

– zu Heine: Henri Lichternberger: *Heinrich Heine als Denker,* Dresden 1905 (zuerst Paris 1905), 125–167; Eliza M. Butler: *The Saint-Simonian Religion in Germany. A Study of the Young German Mouvement,* Cambridge 1926, 88–169: Heine and Saint-Simonism; Georg G. Iggers: *Heine and the Saint-Simonians: A Re-Examination,* in: Comparative Literature, vol. X, 1958/4, 289–303; Paul Konrad Kurz: *Künstler, Tribun, Apostel. Heinrich Heines Auffassung vom Beruf des Dichters,* München 1967, 82 ff.; Dolf Sternberger: *Heinrich Heine und die Abschaffung der Sünde,* Hamburg und Düsseldorf 1972, 28–149 [Taschenbuchausgabe Frankfurt a. M. 1976 mit *Nachtrag 1975*]; Wolfgang Kuttenkeuler: *Heinrich Heine. Theorie und Kritik der Literatur,* Stuttgart etc. 1972 (Sprache und Literatur), 79–102.

Analyse und Deutung

Die Revolution aus dem Geist der Philosophie (Gedanke und Tat)

»Die deutsche Philosophie ist eine wichtige das ganze Menschengeschlecht betreffende Angelegenheit, und erst die spätesten Enkel werden darüber entscheiden können, ob wir dafür zu tadeln oder zu loben sind, daß wir erst unsere Philosophie und hernach unsere Revolution ausarbeiteten.« Diese These aus der berühmten Schlußvision (B 5,638) mutet dem französischen Publikum, an das sich der Großessay in ständiger Ansprache wendet, eine vollständige Umkehrung bekannter Vorstellungen zu: Während sich Madame de Staël 1813 ganz auf die spiritualistischen Grundlagen des deutschen Idealismus konzentriert hat, fragt jetzt Heine als Dialektiker eindringlich nach dessen »sozialer Bedeutung« und entdeckt einen revolutionären Kern von welthistorischer Bedeutung. Der innovatorische Ansatz Heines, der den Franzosen zu ihrer politischen Reife die Theorie und zugleich den Deutschen zu ihrer theoretischen Reife die Praxis vermitteln wollte, läßt die Schrift als eine »Vorschule« der Revolution erscheinen (um die Selbsteinschätzung der *Lutezia* in diesem Kontext zu zitieren). In einem großen Zugriff hat der Autor die ganze deutsche Geistesgeschichte als notwendige, stufenweise Vorbereitung der Revolution gedeutet, um dann dieses Resumee zu ziehen: »Mich dünkt, ein methodisches Volk wie wir, mußte mit der Reformation beginnen, konnte erst hierauf sich mit der Philosophie beschäftigen, und durfte nur nach deren Vollendung zur politischen Revolution übergehen. Diese Ordnung finde ich ganz vernünftig.«

Der methodische Grundgedanke der Schrift besteht in der Annahme einer prozessualen Einheit von Philosophie und Revolution bzw. von Gedanke und Tat. Historisch hat sich diese Einheit in der Französischen Revolution bewahrheitet, zu der man »eines Beils und einer eben so kaltscharfen, materialistischen Philosophie« bedurfte (B 5,556). Das Beispiel Robespierres, »die Hand von Jean Jacques Rousseau, die blutige Hand, die aus dem Schoße der Zeit den Leib hervorzog, dessen Seele Rousseau geschaffen«, führt es vor Augen (B 5,593). Hegels dialektische Geschichtsphilosophie, die das Verhältnis von Theoretischem und Praktischem sowohl in Frankreich wie in Deutschland bestimmt hat, hat den Grund zu dieser Ansicht gelegt *(Philosophie der Geschichte* und *Vorlesungen über die Geschichte der Philosophie).* Die *Einleitung* zu *Kahldorf* formuliert erstmals den Gedanken, daß zwischen der Französischen Revolution und der deutschen Philosophie eine »Wahlverwandtschaft« besteht (B 3,655). Die personale Veranschaulichung des Gedankens, der 1831 nicht in einem philosophischen, sondern in einem politischen Kontext entstanden war (und wie eine Pointe aussah), läßt nun Kant Robespierre entsprechen, Fichte Napoleon, Schelling der Konterrevolution oder der Restauration und Hegel Ludwig Philipp. Das Dritte Buch der Philosophie-Schrift wird die Analogien in leicht modifizierter Form aufnehmen: Der »große Zerstörer« Kant steht jetzt weit über dem Terrorismus Robespierres, die Entsprechung Fichte – Napoleon und Schelling – »restaurierende Reaktion« wird beibehalten, Hegel aber übergangen (B 5,595,610 und 635). Der Akzent hat sich jetzt von den Parallelitäten, die zwischen der Geschichte Frankreichs und der deutschen Geistesgeschichte zu beobachten sind, auf das Prognostische verlagert. Wesentlich ist nun die These, daß die

Entwicklung der deutschen Philosophie mit innerer Notwendigkeit auf den Übergang von der Theorie zur Praxis bzw. zur Revolution hinausläuft. Diese Überzeugung, die Denken und Wirklichkeit, Idee und Handeln in einen immanenten dialektischen Zusammenhang versetzt, bringt Buch III so zum Ausdruck, daß es sich zwei berühmte, wie Aphorismen wirkende Bilder als Rahmen setzt: »Der Gedanke will Tat, das Wort will Fleisch werden« wird am Anfang dekretiert, worauf am Schluß entsprechend folgt: »Der Gedanke geht der Tat voraus, wie der Blitz dem Donner« (B 5,593 und 639). Das naturhaft – und nicht dialektisch – vorgestellte Kausalverhältnis zeigt aber, wie problematisch der Gedanke angesichts der Frage seiner praktischen Vermittlung ist (unter dem wolkenlosen Himmel des damals wieder tiefschlafenden Deutschland mußte Heines Erwartung wie ein fernes Wetterleuchten erscheinen). Die Gedanke-Tat-Dialektik behauptet in dieser Form schließlich das Primat des Gedankens; so wird »stolzen Männer der Tat« bezeichnenderweise vorgehalten: »Ihr seid nichts als unbewußte Handlanger der Gedankenmänner« (B 5,593; die Problematik des Übergangs diskutiert das *Wintermärchen* in der Gestalt des Liktors).

Die in drei Bücher eingeteilte »Überschau deutscher Geistesvorgänge« (B 5,507) geht von der Idee einer progressiven Befreiung aus, die auf Hegels Fortschrittsbegriff beruht (die *Philosophie der Geschichte* lehrt bekanntlich: »Die Weltgeschichte ist der Fortschritt im Bewußtsein der Freiheit«; s. dazu Lefebvre, 144 ff.). Das gibt im Ersten Buch die Deutung Luthers und der Reformation zu erkennen, durch welche – erste Stufe des dreifachen Revolutionsprozesses – Geistes- und »Denkfreiheit« hergestellt worden ist und »ein neues Zeitalter in Deutschland« begonnen hat. Mittelpunkt ist der von Heine hochverehrte Reformator, »nicht bloß der größte, sondern auch der deutscheste Mann unserer Geschichte«, in dessen Gestalt sich die in der Gegenwart erhoffte Synthese bereits abzeichnet (»Er war zugleich ein träumerischer Mystiker und ein praktischer Mann in der Tat. [...] Er war nicht bloß die Zunge, sondern auch das Schwert seiner Zeit«, B 5, 538; die »Schwert«-Metapher signalisiert die vorgestellte Einheit von Gedanke und Tat). Das Zweite Buch bietet einen breiten Überblick über den Auftakt der »philosophischen Revolution«, die sich in der neuzeitlichen Philosophie seit Descartes, der »die Autonomie der Philosophie gestiftet« hat, anbahnt. Aus der Masse der besprochenen oder erwähnten Philosophen ragt einmal Spinoza heraus, Überwinder dualistischen Denkens und Begründer des modernen Pantheismus, zu dem sich Heine in einem wichtigen Exkurs bekennt. Mit dem großen, jüdischen Naturphilosophen hat sich Heine spätestens während seiner Tätigkeit am Berliner »Kulturverein« beschäftigt und würdigt jetzt, neben seinem persönlichen Schicksal, einen Denker, der von grundlegender Bedeutung für die zweite Revolution sein wird. Zum andern feiert die Philosophie-Schrift nach der *Romantischen Schule* erneut Lessing, jetzt als den zweiten religiösen »Befreier« (»seit Luther hat Deutschland keinen größeren und besseren Mann hervorgebracht«, B 5, 585), der auch wieder ein großes »Schwert« geschwungen hat. Das Dritte Buch behandelt dann ausführlich die zweite Stufe des Gesamtprozesses, die »philosophische Revolution«, deren Darstellung aber zugleich eine negative, ja sogar eine gegenrevolutionäre Tendenz erkennbar werden läßt. Der Beginn kann nicht ›blutiger‹ sein: Kants *Kritik der reinen Vernunft* wird als das »Schwert, womit der Deismus hingerichtet worden in Deutschland«, bezeichnet (zu Heines Kant-Rezeption, die von der Schulzeit über die *Harzreise* und *Nordsee III* bis zur Vorbereitung der Philosophiegeschichte reicht, s. DHA 8/2, 888 ff.). Für Heine ist nur die erste Kritik, deren Hauptgedanken er wiedergibt (dazu Malter), von »sozialer Bedeutung«; die *Kritik der praktischen Vernunft* mit dem moralischen Postulat der Existenz Gottes hält er für eine farceske Wiederbelebung des »Leichnams des Deismus«. Dem zweiten Schritt, der Philosophie Fichtes, deren Darstellung mit vielen Zitaten und dem Goethe-Exkurs den größten Platz einnimmt, wird als extremem Idealismus gesellschaftliche Bedeutung abgesprochen und zu »den kolossalsten Irrtümern« gerechnet, »die jemals der menschliche Geist ausgeheckt« (»Was ist aber unsinniger, eine loi athée, ein Gesetz, welches keinen Gott hat, oder ein Dieu-loi, ein Gott, der nur ein Gesetz ist?« B 5, 622). In der Romangestalt des dicken Atheisten Driksen im *Schnabelewopski*-Fragment hatte sich Heine erstmals näher mit Fichte beschäftigt, an dem er jetzt nur dem mutigen und freiheitlich gesonnenen Kämpfer im Atheismus-Streit, dem großen »Charakter«, Sympathie abgewinnt (zur Fichte-Rezeption DHA 8/2, 900 ff.) Den dritten und letzten Schritt vollzieht der Fichte-Schüler Schelling, in dessen wandlungsreichem Werk Heine nur der naturphilosophischen Phase, die er von den anderen genau unterscheidet, revolutionäre Bedeutung zugesteht. Als Nachfolger der

Philosophie Spinozas konnte Schelling damals mit seiner einflußreichen Naturphilosophie eine wichtige Rolle in Deutschland spielen. Heine hat Vorlesungen Schellings in München besucht und sein Denken in den Anfangskapiteln der *Stadt Lucca* positiv rezipiert (zur Rezeption s. DHA 8/2, 914 ff.). Die Philosophie-Schrift würdigt nun weiter den Identitätsphilosophen, den Mann, der »einst am kühnsten in Deutschland die Religion des Pantheismus ausgesprochen, welcher die Heiligung der Natur und die Wiedereinsetzung des Menschen in seine Gottesrechte am lautesten verkündet«; aber sie hat für den Münchner und Berliner Hofphilosophen nur noch Spott und Hohn übrig. Eines der Verdikte über den seiner revolutionären Philosophie Abtrünnigen lautet jetzt: »Herr Schelling [...] windet sich wurmhaft in den Vorzimmern eines sowohl praktischen wie theoretischen Absolutismus, und er handlangert in der Jesuitenhöhle, wo Geistesfesseln geschmiedet werden« (B 5, 633; das hat Manfred Frank zurechtgerückt). Schellings jetzt weit größerer Nachfolger Hegel, »der größte Philosoph, den Deutschland seit Leibniz erzeugt hat«, der auch Kant und Fichte »weit überragt«, wird nur am Rande in die Darstellung einbezogen, aber als Schlußstein der Entwicklung hervorgehoben: »Unsere philosophische Revolution ist beendigt. Hegel hat ihren großen Kreis geschlossen« (B 5, 636, vgl. B 3, 656 *Einleitung* zu *Kahldorf*).

Mit Schellings und Hegels Identitätsphilosophie stellt sich die Frage nach dem Übergang zur Praxis, zur »politischen Revolution«. Heine entwickelt nun die ambivalente, schwer deutbare Vision einer radikalen »deutschen Revolution«, in der Kantianer, »bewaffnete Fichteaner« und kulturstümerische Naturphilosophen eine führende Rolle spielen werden, und die – halb Traum, halb Alptraum – »die Welt mit Entsetzen und Bewunderung erfüllen« wird. Hinter der Maske aus Dämonisierung, Übertreibung und Angst wollte der strukturell vieldeutige Text, der deshalb auch die entgegengesetztesten Kommentare hervorgerufen hat (dazu Bollacher 1977), die Franzosen vor deutschem, altdeutschem Berserkertum ironisch warnen (»Ihr habt von dem befreiten Deutschland mehr zu befürchten, als von der ganzen heiligen Allianz mitsamt allen Kroaten und Kosaken«) und – vergeblich – dem stillen Deutschland ein Fanal setzen. Diese apokalyptische Vision, in der Hoffnung auf Befreiung neben Angst vor neuer Barbarei steht, meldet Vorbehalte gegen die Verwirklichung der geforderten Revolution auf historisch unreifem Boden an. Auch steckt in den Bildern der Gewalt Skepsis vor Taten, die aus dem Geist einer Philosophie hervorgegangen sind, welche in ihrer letzten Konsequenz Atheismus, und das heißt atheistischer Radikalismus, bedeutet. Unentschieden bleibt deshalb, ob die »deutsche Revolution« Glück oder Zerstörung bringen wird.

Lit.: Wolfgang Harich: *Heinrich Heine und das Schulgeheimnis der deutschen Philosophie,* in: Sinn und Form 8, 1956 H. 1–3, 27–59; Heinz Hengst: *Idee und Ideologieverdacht. Revolutionäre Implikationen des deutschen Idealismus im Kontext der zeitkritischen Prosa Heinrich Heines,* München 1973; Martin Bollacher: *Die Deutung der Geschichte in Heines Schrift »Zur Geschichte [...],* in: Wolfgang Kuttenkeuler (Hrsg.): *Heinrich Heine. Artistik und Engagement,* Stuttgart 1977, 144–186; *Heinrich Heine. Epoche-Werk-Wirkung,* hrsg. von Jürgen Brummack, München 1980, 187 ff. [Beitrag von Martin Bollacher]; Helmut Krämer: *Heinrich Heines Auseinandersetzung mit zeitgenössischer Philosophie,* Frankfurt a. M. 1980 (=Europäische Hochschulschriften); Jean Pierre Lefebvre: *Der gute Trommler. Heines Beziehung zu Hegel,* Hamburg 1986 (=Heine-Studien).

Spezialstudien: zu Luther: Paolo Chiarini: *Heine e le radici storiche della ›miseria‹ tedesca,* in: Rivista di letterature moderne e comparate 11, 1958, 231–244; Ernst Loeb: *Heinrich Heine,* Bonn 1975, 46–57: Zwiespältige Einheit: Heines Luther- und Napoleonbild; Johann M. Schmidt: *Heine und Luther. Heines Lutherrezeption zwischen den Daten 1483 und 1933,* in: HJb 1985, 9–79; zu Lessing und Aufklärung: Ulrich Pongs: *Heinrich Heine: Sein Bild der Aufklärung und dessen romantische Quelle,* Frankfurt a. M. 1985 (Forschungen zur Literatur- und Kulturgeschichte); zu Kant: Delio Cantimori: *Eine literarische Parallele zwischen Kant und Robespierre,* in *Maximilien Robespierre 1758–1794,* hrsg. von Walter Markov, Berlin (Ost) 1958, 519–527; Fritz Mende: *Heine und Robespierre,* in: Etudes Germaniques 20/1965, 529–539; Rudolf Malter: *Heine und Kant,* in: HJb 1979, 35–64; zu Schelling: Manfred Frank: *Heine und Schelling,* in: IHK 1972, 281–306; Günter Oesterle: *Integration und Konflikt. Die Prosa Heinrich Heines im Kontext oppositioneller Literatur der Restaurationsepoche,* Stuttgart 1972, 112 ff.; Karl-Heinz Käfer: *Versöhnt ohne Opfer. Zum geschichtstheologischen Rahmen der Schriften Heinrich Heines 1824–1844,* Meisenheim am Glan 1978, 47–110.

Ein Junghegelianer, aber keiner vom Fach

Im Auflösungsprozeß des deutschen Idealismus, drei Jahre nach Hegels Tod, veröffentlicht Heine eine originale Religions- und Philosophiegeschichte, die das Profil eines selbständigen Denkers und Historikers erkennbar werden läßt. Der progressistische Grundgedanke der Schrift bringt eine neue Dimension in die Auseinandersetzung mit Religion, Philosophie und in die Art, Philosophiegeschichte zu betreiben. Gegenüber der großen Tradition, die von Kant bis Hegel reicht, gewinnt Heine in der Doppelhaltung des Erben und Kritikers an Statur, weil er die idealistische Philosophie in

ein dreistufiges Revolutionsmodell eingebaut und den Weg zu einer »Philosophie der Tat« (Stuke) eröffnet hat, wie sie von Junghegelianern und Frühsozialisten vertreten werden sollte.

Heines Sonderstellung in der Ideengeschichte seiner Zeit zeigt sich zunächst daran, daß seine dialektische Geschichtskonzeption auf philosophischem Gebiet den Rahmen der idealistischen Geistphilosophie Hegels durchbrochen hat. Die These, nach der Philosophie nur eine Zwischenstufe im Befreiungsprozeß der Menschheit bildet bzw. letzterer notwendig über das Denken hinausdrängt, ist mit Hegels System nicht mehr vereinbar. An diesen Fortschritt im deutschen Denken konnten die Junghegelianer anknüpfen (s. Aufnahme und Wirkung), und daran hat besonders deutlich Engels erinnert, als er 1888 seinem *Ludwig Feuerbach* die berühmte Heine-Würdigung an den Anfang stellte. Allgemein läßt man nun in chronologischer Sicht den Junghegelianismus mit David Friedrich Strauß (*Das Leben Jesu kritisch bearbeitet,* Tübingen 1835) und mit Arnold Ruges *Hallischen Jahrbüchern für deutsche Wissenschaft und Kunst* beginnen (1838 ff. zusammen mit Theodor Echtermeyer; s. dazu Pepperle). Deshalb sind Georg Lukács, Horst Stuke, Manfred Windfuhr 1972 und IHK 1972 sowie Martin Bollacher 1977 auf keinen Fall zu weit gegangen, wenn sie Heine als Vorläufer bzw. Initiator des Junghegelianismus bezeichnet haben: Der Junghegelianismus beginnt mit Heines Philosophiegeschichte.

In diesem Kontext verdient deshalb Beachtung, daß Heine mit der Enthüllung des »öffentlichen Geheimnis«, nach dem Deutschland »dem Deismus entwachsen« ist, eine damals ungewöhnliche Radikalität in die Religionskritik gebracht hat (B 5, 571). Heine verschärft 1834 seine Kritik aus der *Lucca*-Prosa und der *Romantischen Schule,* indem er die Ausbreitung des spiritualistischen Christentums mit einer »ansteckenden Krankheit« vergleicht, die die moderne Welt noch immer in eine unheilvolle, »allgemeine Lazarettluft« taucht, deren Zeit jetzt, in der Gegenwart, endgültig abgelaufen sei (B 5, 518 f.). Diese Kritik hat Heine, dem in aufklärerischer Tradition die innere Verbindung von religiöser Vertröstung und Despotismus längst bewußt war (*Romantische Schule*), aufgrund der deutschen Rückständigkeit ausdrücklich als politische Kritik verstanden (»es gilt, die Macht der Religion, [...], zu neutralisieren«, B 5, 515). Das bringen nun eine Prophezeiung und eine Vision zur Sprache, die eindeutig über die Zeit hinaus- und auf Nietzsches Philosophie vorausweisen. Einerseits wird die pathologische Diagnose der Kulturentwicklung mit einer optimistischen Gesundheitsprognose konfrontiert, die lautet: »Die glücklichern und schöneren Generationen, die, gezeugt durch freie Wahlumarmung, in einer Religion der Freude emporblühen, werden wehmütig lächeln über ihre armen Vorfahren [...]. Ja, ich sage es bestimmt, unsere Nachkommen werden schöner und glücklicher sein als wir (B 5, 518 f.; vgl. *Italienreise* und *Wintermärchen*). Heine, der sich selber zur »kranken alten Welt« rechnet, gibt jetzt die Losung aus: »Die nächste Aufgabe ist: gesund zu werden« (B 5, 593 f. und 568). Andererseits verfolgt das Ende des Zweiten Buches, als Übergang zur philosophischen Revolution, die Metamorphosen des deistischen Gottes, die der »alte Jehova« von seiner Wiege an, »in Ägypten«, über Palästina und Rom bis in die Gegenwart erlebt hat, wo er »sich zum Tode bereitet«. Die ungewöhnliche Geschichte Gottes schließt mit den stockenden Worten, welche die Radikalität des Gedankens nur schwer verdecken: »Wir sahen, wie er sich noch mehr vergeistigte, wie er sanftselig wimmerte, wie er ein liebevoller Vater wurde, ein allgemeiner Menschenfreund, ein Weltbeglücker, ein Philanthrop – es konnte ihm alles nichts helfen – Hört Ihr das Glöckchen klingeln? Kniet nieder – Man bringt die Sakramente einem sterbenden Gotte.« – Die Taktik des Religionskritikers, der die politische Opposition als religiöse tarnen wollte, hatte aber nur kurzfristig Erfolg, bis zum Bundestagsbeschluß von Ende 1835 (kurz zuvor, am 23. November 1835, hatte Heine noch zuversichtlich Laube anvertraut, man könne ihnen die Diskussion »über das religiöse Prinzip und Moral« nicht verweigern, »ohne die ganze *protestantische* Denkfreiheit und Beurtheilungsfreyheit zu anulieren«).

Heine bekräftigt ferner seine intellektuelle Selbständigkeit und Vorläuferschaft, wenn er der deutschen Philosophie, trotz ihrer großen Bedeutung, eine innere Dialektik vorhält, die konsequent und unaufhaltsam einmal in Atheismus und zum andern in politischen Konformismus geführt hat (vgl. dazu Bollacher, 160 ff.). So wird die Hauptthese stark relativiert, wenn Heine gesteht, daß Kants »weltzermalmende Gedanken« und dessen Polemik gegen die Gottesbeweise ihn mit Grauen und Angst erfüllen; oder wenn er auf Fichtes gottlosen Idealismus sogar affektiv reagiert (»widerwärtig«, »zuwider«). Dadurch wird deutlich, daß die Kritik am Christentum sich nicht grundsätzlich

gegen jede Religion richtet (worin sich Heine laut Stuke, 59, mit dem jungen Feuerbach trifft). Heines Religionskritik gibt sich in Wahrheit als ihrerseits religiös zu erkennen, ja, der Autor bekennt ausdrücklich, er sei sich seiner »frühen, ursprünglichen Religiosität, aufs freudigste bewußt, und sie hat ihn nie verlassen. Gott war immer der Anfang und das Ende aller meiner Gedanken« (B 5, 602, vgl. 621; s. u. zum Pantheismus). Außerdem distanziert sich Heine deutlich von Kant, Fichte und Schelling, deren Entwicklung er »Abfall« von ihrer früheren Philosophie ankreidet, was im Fall Schellings, auch Hegels, zu politischer Botmäßigkeit geführt hat (B 5, 633 ff.). Das Dilemma der großen Philosophen wird offenbar, wenn er der eine in den »Glaubensstall der Vergangenheit« zurückschleicht, und der andere, immerhin »ein Mann von Charakter«, sich dazu hergibt, »dem Bestehenden in Staat und Kirche einige allzubedenkliche Rechtfertigungen« zu verleihen. Die theoretische Revolution, darauf läuft die Kritik hinaus, schließt praktischen ›Verrat‹ nicht aus. – Heine geht ebenfalls eigene Wege, wenn er die Kehrseite des globalen Fortschrittprozesses aufdeckt und im Namen dessen Einspruch erhebt, das »verloren ging«, d. h. wenn er eine Dialektik des Fortschritts selbst entwickelt (B 5, 540). Ästhetische Kritik verbindet sich mit religiösen Vorstellungen, um die immer abstrakter werdende moderne Welt anzuklagen. So wird dem Protestantismus zur Last gelegt, das mittelalterliche »System von Symbolen«, und damit ein wichtiges Stück Poesie in der Welt geopfert zu haben (B 5, 520 und 540). Kants »Packpapierstil« ist eindeutig ein ästhetischer Rückschritt, und Fichtes Philosophie trifft der Vorwurf, »antipoetisch« zu sein (B 5, 596 und 622).

Die Kritik an der ästhetischen Regressivität der deutschen Philosophie bringt einen letzten Gesichtspunkt ins Spiel. Trotz philosophischer Schulbildung, trotz Vorlesungsbesuchen bei Hegel und Schelling und trotz intensiver Quellenstudien wollte Heine nicht als Historiker vom Fach deutsche Geistesgeschichte betreiben, was seine authentische Leistung den Großen dieser Disziplin als »quantité negligeable« erscheinen ließ. Im Gegenteil, die wohl vom Saint-Simonismus mit beeinflußte Frage nach der »sozialen Wichtigkeit« der Philosophie brach einmal mit jeder autonomen Behandlung der Ideengeschichte und zum andern mit der damals üblichen Darstellung in Form von Kompendien. Außerdem trug die Pflicht des demokratischen Schriftstelleramtes dazu bei, der traditionellen Schulsprache und Auffassung von Philosophiegeschichte entschieden den Rücken zu kehren. Der Kritik der zwar tiefsinnigen, aber unverständlichen »deutschen Philosophen« hält der essayistisch Philosophierende hinter der Maske der Bescheidenheit selbstwerbend entgegen, »daß das wenige, was ich sage, ganz klar und deutlich ausgedrückt ist«; und er, der bekanntlich die »Schwarzkunst eines gesunden, klaren, volkstümlichen Stiles« beherrschte, konnte die vielzitierte Frage stellen: »Was helfen dem Volke die verschlossenen Kornkammern, wozu es keinen Schlüssel hat? Das Volk hungert nach Wissen und dankt mir für das Stückchen Geistesbrot, das ich ehrlich mit ihm teile« (B 5, 514 und B 11, 401 *Die Götter im Exil*). Den deutschen Gelehrten, die Angst hatten, die Resultate ihres Denkens klar auszusprechen, vermochte er ruhig zu antworten: »Ich, ich habe nicht diese Scheu, denn ich bin kein Gelehrter, ich selber bin Volk.« Heine verfügte, um mit Bertolt Brecht zu sprechen, nicht nur über den »Mut, die Wahrheit zu schreiben«, sondern auch über die »Kunst, die Wahrheit handbar zu machen als eine Waffe« (*Fünf Schwierigkeiten beim Schreiben der Wahrheit*, Gesammelte Werke 18, 222 ff.). Als Demokrat und Artist, der über den brillanten, aber volkstümlichen Witzstil verfügte, ging es ihm in erster Linie darum, in einer populären Darstellung mit einheitlicher sozialer Fragestellung die bisher »verschlossenen Kornkammern« des deutschen Geistes zu öffnen. Das hat Moses Heß 1856 in seinem Nekrolog erkannt, als er über Heine schrieb: »Le premier, il traduisit dans une langue populaire les abstractions incompréhensibles de la philosophie spéculative« (zitiert nach DHA 8/2, 595). Damit würdigt Heß zutreffend einen Intellektuellen, der auch der junghegelianischen Publizistik entscheidende Impulse zu geben vermochte.

Lit.: Horst Stuke: *Philosophie der Tat*, Stuttgart 1963 [zu Heine: 58 ff.]; Georg Lukács: *Heinrich Heine als nationaler Dichter*, in: *Werke* Bd. 7, *Deutsche Literatur in zwei Jahrhunderten*, Neuwied und Berlin 1964, 273–333 [zuerst: 1951]; Manfred Windfuhr: *Heine zwischen den progressiven Gruppen seiner Zeit*, in: Zeitschrift für deutsche Philologie, Bd. 91 Sonderheft 1972, 15 ff.; Nigel Reeves: *Heine and the Young Marx*, in: Oxford German Studies 7, 1972/73, 44–97. Heinz Hengst (s. o.), 118–141; Manfred Windfuhr: *Heine und Hegel* und Lucien Calvié: *Heine und die Junghegelianer*, beide in: IKH 1972, 261–280 und 307–317; Martin Bollacher 1977 (s. o.), 155 ff. u. 160 ff.; Karl-Heinz Käfer (s. o.), 207 ff.; Michel Espagne: *Heinrich Heine und Moses Heß*, in: *Heinrich Heine 1797–1856*, Schriften auf dem Karl-Marx-Haus Trier 1981, 80–95;
Die Hegelsche Linke, hrsg. von Karl Löwith, Stuttgart-

Bad Cannstatt 1962 [Textsammlung, die u. a. Heine berücksichtigt]; Ingrid Pepperle: *Junghegelianische Geschichtsphilosophie und Kunsttheorie*, Berlin (Ost), 1978.

Revolutionärer Pantheismus

In Auseinandersetzung mit der modernen Philosophie hat der engagierte Zeitkritiker Heine eigene Ansätze und Überzeugungen zusammen mit verschiedenen Einflüssen zu einer neuartigen weltanschaulichen Konzeption verarbeitet, die sich 1834 in reifer Form darbietet. Der Autor von *De l'Allemagne* konnte sowohl den weltanschaulichen Dualismus, der sein Denken in der Übergangsphase grundsätzlich charakterisiert, theoretisch begründen als auch seine utopische Gegenstellung positiv entwickeln.

Heine, der in den *Reisebildern* und in der *Romantischen Schule* immer wieder das Recht auf Erfüllung sinnlicher Bedürfnisse mit asketischer Verzichtmoral konfrontiert hat, vermag jetzt als Saint-Simonist seine genealogischen und funktionellen Vorstellungen von der christlichen Religion theoretisch auf den Begriff zu bringen. Das antithetische Begriffspaar Spiritualismus/Sensualismus, das den Antagonismus in der modernen Geschichte und Gesellschaft bezeichnet, wird nun typischerweise nicht erkenntnistheoretisch, sondern sozial abgeleitet. Für die Diskussion über den Ursprung der Ideen, ob a priori aus dem menschlichen Geist, oder a posteriori aus der sinnlichen Erfahrung, reserviert Heine das Begriffspaar Idealismus/Materialismus, was einer starken Reduzierung gleichkommt. Dagegen werden die Begriffe Spiritualismus und Sensualismus, die die Fachphilosophie neben dem Gegensatz von Rationalismus und Empirismus in diesem Zusammenhang verwendet, als »zwei soziale Systeme« definiert, »die sich in allen Manifestationen des Lebens geltend machen«. Diesen erweiterten Gebrauch, der von polemischen Bedürfnissen ausgeht, soll folgende Definition sichern, in der sich Heines Grundüberzeugung ausspricht: »Den Namen Spiritualismus überlassen wir daher jener frevelhaften Anmaßung des Geistes, der nach alleiniger Verherrlichung strebend, die Materie zu zertreten, wenigstens zu fletrieren sucht: und den Namen Sensualismus überlassen wir jener Opposition, die, dagegen eifernd, ein Rehabilitieren der Materie bezweckt und den Sinnen ihre Rechte vindiziert, ohne die Rechte des Geistes, ja nicht einmal ohne die Supremacie des Geistes zu leugnen« (B 5, 556; vgl. Varianten aus

Handschrift und Übersetzung, B 6, 938 und 940). Diese Definition, die sich offen auf das saint-simonistische »Rehabilitations«-Postulat (Materie oder »chair«, Fleisch) berufen kann, grenzt sich deutlich vom französischen Materialismus ab, dessen revolutionäre Leistung Heine zwar anerkannt hat, aber dessen mechanistische und atheistische Grundeinstellung er ablehnt (im *Vorbericht* zur *Romantischen Schule* heiße es: »Ich gehöre nicht zu den Materialisten, die den Geist verkörpern; ich gebe vielmehr den Körpern ihren Geist zurück, ich durchgeistige sie wieder, ich heilige sie. – Ich gehöre nicht zu den Atheisten, die da verneinen; ich bejahe«, B 6, 861; vgl. Bruchstücke zu Voltaire und Fichte, DHA 8/1, 452 f. und 461). Ein Sensualismus, der aus dem Materialismus hervorgeht, ist deshalb für die deutsche Revolution, die nach Heines Konzeption nicht auf atheistischen, sondern auf religiösen Prinzipien beruhen soll (B 5, 558), unpassend; der Sensualismus der Deutschland-Schriften wird daher als »Resultat des Pantheismus« entworfen »und da ist seine Erscheinung schön und herrlich« (B 5, 556 f.). Das erhellt, daß Sensualismus zwar bereits ein synthetischer, aber kein selbständiger Begriff ist (weil von seinem Gegenteil definiert); den Kern von Heines Denken bildet jener Begriff, der eine Mittelstellung zwischen spiritualistischem Idealismus und mechanistischem Materialismus einnimmt, der weder transzendent noch atheistisch sondern in der Lage ist, den säkularen Gegensatz von Geist und Materie, von Seele und Leib so zu versöhnen, daß er eine demokratische Perspektive aufzeigt.

In den »pantheistischen Ausflug«, Kernstück des Zweiten Buches, sind verschiedene Quellen und Einflüsse eingegangen: Die Naturphilosophie Schellings und Hegels Identitätsphilosophie, die Kapitel II der *Stadt Lucca* diskutiert; der Spinozistische Monismus (Deus seu Natura) und Goethes Naturanschauung (»Goethe war der Spinoza der Poesie«), die in Buch II und III gewürdigt werden; die fortschrittliche, saint-simonistische Gottesvorstellung (letztere wird in einer Handschrift zur *Romantischen Schule* zusammen mit Hegels »Prozeß«-Denken ausdrücklich als »Dieu progrès« sowohl gegen den »in der Substanz eingekerkerten Heidengott« wie gegen den »christlichen Dieu-pur-esprit« abgegrenzt, B 6, 866); und schließlich, was Heines eigenständige Konzeption deutlich werden läßt, die vorchristliche Tradition des deutschen Volksglaubens (dieses Interesse hat die Arbeiten zur Mythologie hervorgebracht, was das *De l'Alle-*

magne-Projekt dokumentiert). Wenn Heine nun die Einheit von Gott und Welt behauptet: »Gott ist alles was da ist«, beruft er sich zwar auf Spinoza (*Ethica* I, § 29) und auf deutsche Philosophie (B 5, 565 f.), steht aber Prosper Enfantins Formel: »Dieu est tout ce qui est« näher, die er zuerst in den *Malern* und dann an weiteren Stellen seines Werkes zitiert hat (s. DHA 8/2, 861 und Sternberger, 79 ff.). Diesen Pantheismus hat die Philosophie-Schrift als die »verborgene Religion Deutschlands« entdeckt; auf ihn gründet sich nun die utopische Vision einer vollständig befreiten Menschheit. Der revolutionäre Pantheismus Heines verbindet mit der Vorstellung von der »Göttlichkeit des Menschen«, die sich in seiner »leiblichen Erscheinung kund gibt«, die Forderung, »das Wohlsein der Materie, das materielle Glück der Völker« zu erhöhen. Mit Pathos und im Pluralis majestatis verkündet der sensualistische Pantheist, der sich als »Gehülfe« der politischen Revolution versteht: »Das große Wort der Revolution, das Saint-Just ausgesprochen: le pain est le droit du peuple, lautet bei uns: le pain est le droit divin de l'homme. Wir kämpfen nicht für die Menschenrechte des Volks, sondern für die Gottesrechte des Menschen« (B 5, 570). Die unstillbare Sehnsucht nach einem sinnlich befriedeten Leben, die Heines Denken bis zum Zusammenbruch im wesentlichen motiviert, drückt sich programmatisch in der berühmten, sozialrevolutionären Vision aus, die hier ebenfalls zitiert werden soll, weil sie des Dichters einzigartige Stellung gegenüber den damaligen Oppositionsbewegungen in großen Bildern bewußt macht: »Wir wollen keine Sansculotten sein, keine frugale Bürger, keine wohlfeile Präsidenten: wir stiften eine Demokratie gleichherrlicher, gleichheiliger, gleichbeseligter Götter. Ihr verlangt einfache Trachten, enthaltsame Sitten und ungewürzte Genüsse; wir hingegen verlangen Nektar und Ambrosia, Purpurmäntel, kostbare Wohlgerüche, Wollust und Pracht, lachenden Nymphentanz, Musik und Komödien«.

Das sinnliche Bekenntnis, fast ist es eine Hymne, feiert die Vorstellung eines Lebens ohne jede Entfremdung. Zugleich richtet es sich polemisch sowohl gegen die herrschende Verzichtmoral wie (indirekt) gegen »tugendhaftes« Republikanertum und läßt die Vorbehalte erkennbar werden, die asketische Tendenzen im Frühsozialismus hervorrufen müssen. Wenn die umfassende »religiöse Synthese«, mit der sich Heine hier unbestreitbar identifiziert, in Inhalt und Ton einiges dem Saint-

Simonismus verdankt, darf nicht vergessen werden, daß der Autor keineswegs bei einer scheinbar meta-politischen Konzeption stehengeblieben ist, was das dreistufige Revolutionsmodell der Schrift vor Augen geführt hat.

Lit.: Walter Weiss: *Enttäuschter Pantheismus,* Dornbirn 1962 (=Gesetz und Wandel), 157–194: Heinrich Heine; Dolf Sternberger (s. o.); Günter Oesterle (s. o.), 112 ff.; Martin Bollacher 1977 (s. o.), 164 ff.; Sara Ann Malsch: *Die Bedeutung von Goethes Pantheismus und seiner satirischen Brechung für Heines Demokratiebegriff,* in: HJb 1978, 35–54; Karl-Heinz Käfer (s. o.), 47–110; Michel Espagne (s. o.), 71 ff.

Heine und Hegel, der esoterische Staatsphilosoph

Obwohl Hegels Philosophie, im Gegensatz zur Anlage des Buches, nur kurz erwähnt wird, gilt die Philosophiegeschichte als *das* hegelianische Werk Heines. Hegel erscheint zwar, bedeutsam genug, als Abschluß des theoretischen Revolutionsprozesses, wird aber weder in der Schlußvision genannt, noch in Analogie zur französischen Geschichte gebracht (diese »Lücke« wird in der Forschung unterschiedlich beurteilt, z. B. von Windfuhr IHK 1972, Bollacher und Sternberger 1976, 407 f.). Im Anschluß an Georg Lukács' Heine-Essay von 1951 ist die grundlegende Bedeutung Hegels für Heine intensiv diskutiert, aber auch bestritten worden (während Wolfgang Harich, 33, behauptet, »den stärksten Einfluß auf die Formung seines Weltbildes hat die Hegelsche Philosophie ausgeübt«, stellt Wolfgang Kuttenkeuler, 24 ff., Heines Opposition gegen Hegels Geschichtsdeutung heraus und vertritt Dolf Sternberger, 260, sogar die letztlich unhaltbare These: »Überhaupt spielt Hegel in Heines Werken bis zu den ›Geständnissen‹ eine vergleichsweise unbedeutende Rolle« – und dort verwerfe Heine den Philosophen; Jochen Zinke hat einen informativen Forschungsbericht zum Thema »Heine und Hegel« geschrieben). Die Beziehung des Dichters zum Berliner ›König der Philosophen‹ ist spannungs- und wandlungsreich – aber von den tief prägenden Auswirkungen des frühen Bildungserlebnisses zeugt sein dichterisches Selbstverständnis und sein ganzes Prosawerk (auch gibt es in der Früh- und Spätzeit parodistische »Hegel-Gedichte«, z. B. B 1, 135 und 211 – *Im Hafen*: »Und um die rote Weltgeistnase / Dreht sich die ganze, betrunkene Welt« – sowie B 11, 301 ff., *Zur Teleologie*). Da die Werkanalysen des Handbuchs den Einfluß Hegels am entsprechenden Ort nachgewiesen haben, soll anläßlich der Philosophie-Schrift nur ein

Überblick über die produktive Rezeption der letzten großen Philosophie des deutschen Idealismus gegeben werden.

Die erste Phase im Verhältnis Heines zu Hegel beginnt mit den Berliner Jahren 1821–23 (von Windfuhr IHK 1972 als die »eigentliche ›Inkubationszeit‹« bezeichnet) und kennt drei verschiedene Schwerpunkte: Die persönliche Begegnung mit Hegel, die vermutlich 1821 stattgefunden hat (s. u.); die Vorlesungsbesuche, die nur für ein Semester sicher nachweisbar sind und den Umgang mit Hegelianern (Walter Kanowsky und Jean Pierre Lefebvre, 31–50, haben den Studiengang so genau wie möglich rekonstruiert, letzterer widmet sich auch dem Umgang mit den Hegelianern Eduard Gans und Moses Moser vom jüdischen »Kulturverein« sowie Heines hegelianischen Lektüren). Nach Lefebvre ist der Besuch von Hegels Vorlesungen aus dem Sommersemester 1821 (Logik und Metaphysik, Religionsphilosophie) wahrscheinlich bzw. nur sporadisch wie im Wintersemester 1821/22 (Naturphilosophie, Philosophie des Rechts) und im Sommersemester 1822 (Logik und Metaphysik, Anthropologie und Psychologie). Das wichtigste war dann das Wintersemester 1822/23, in dem Hegel »Philosophie des Rechts« und »Philosophie der Weltgeschichte« las. Wie Hegels These von der Vernunft in der Geschichte oder Begriffe wie »weltgeschichtliche Individuen«, »List der Vernunft«, »Volksgeist« gewirkt haben, das zeigen bereits die frühen *Reisebilder* (s. dazu Lefebvre). Ferner haben die Hegel-Kollegs das dichterische Selbstverständnis eines geprägt, der sich als Träger der Idee angesehen hat (dazu Kurz, 25 ff. und 68 ff.). Drittens intensiviert sich ab 1828 Heines Auseinandersetzung mit Hegels Ästhetik, die er nicht aus Vorlesungsbesuchen kennen konnte, deren Kern ihm aber vertraut gewesen sein muß (dazu Maier, Fridlender, Heise, Krüger und Baumgarten/Schulz).

In der zweiten Phase, den 30er Jahren, wird Hegel einerseits zur »Zentralfigur« in Heines Denken (Windfuhr, IHK 1972), andererseits verstärkt sich die Opposition des Schülers gegenüber dem Lehrer. Der Geschichtsschreiber der französischen Gegenwart (*De la France*) und der deutschen Vergangenheit (*De l'Alemagne*) weiß Hegels Denken auf vielfältige Weise produktiv anzuwenden, geht aber in wesentlichen Punkten endeutig darüber hinaus (Windfuhr, IHK 1972, Lefebvre). Zunächst ist die Forderung nach dem Übergang zu einer revolutionären Praxis mit der kontemplativen Geschichtsphilosophie Hegels, die Emanzipation nur innerhalb des Denkens kennt, unvereinbar. Die These vom »Ende der Kunstperiode« sowie das Postulat einer neuen Kunst brechen dann mit der These Hegels, nach der die Kunst selber überholt sei, weil die Philosophie sie in ihrer Stellung zum Absoluten überholt habe (dazu Krüger, 140 ff.). Der früh spürbare individuelle Protest des Dichters gegen abstrakte Dialektik, Systemzwang, Idealismus und Teleologie bricht sich in dem Text *Verschiedene Geschichtsauffassung* Bahn. Außerdem muß daran erinnert werden, daß Heines Vorstellung der »Welttragödie« und des Komischen grundsätzlich immer Widerstand gegen allzu optimistisches Fortschrittsdenken anmeldet. – Diese kritische Gegenstellung schließt aber eine erneute Auseinandersetzung mit dem 1844 »Maëstro« genannten Lehrer nicht aus. Wohl im Zusammenhang mit dem gescheiterten Plan, *De l'Allemagne* neu und erweitert herauszugeben, wollte sich Heine zu Beginn der 40er Jahre erneut mit Hegels Geschichtsphilosophie in pädagogischer Absicht auseinandersetzen, d. h. sie den Franzosen verständlich darstellen (er besaß die 2. Auflage der *Vorlesungen über die Philosophie der Geschichte* von 1840 und weitere aktuelle Bücher über Hegel). Über die Arbeit am Fortschritt des Hegelkommentars, in den wahrscheinlich Heines Auseinandersetzung mit den Junghegelianern eingegangen wäre, ist nichts Näheres bekannt geworden. In den *Geständnissen* erzählt Heine, daß das vermutlich ansatzweise vorhandene Manuskript einem Autodafé zum Opfer gefallen ist (wohl 1849/50).

In der letzten Phase (50er Jahre) wiederholt der todkranke und religiös gewordene Dichter mehrmals seine Absage an den Berliner Lehrer, dessen Denken er bekanntlich Gottlosigkeit, dessen dialektischer Methode er ›Spinnwebigkeit‹ bescheinigt (*Nachwort* zum *Romanzero*, *Vorrede* zur Philosophieschrift von 1852 und *Geständnisse*; zur kontroversen Interpretation vgl. z. B. Sternberger, 259–283 und Lefebvre, 15–30, der die widerrufende Argumentation als »eindeutig hegelianisch« bezeichnet). Ebenso trennt sich Heine von den Hegelianern, bei denen er lange Zeit »die Schweine gehütet« hat (B 11, 182) und die ihm jetzt – Ruge, Marx, Feuerbach, Bruno Bauer & Cie. – als »gottlose Selbstgötter« unerträglich sind (B 5, 510). Zugleich macht jetzt der Autobiograph erstmals seine Erinnerungen an den persönlichen Umgang mit Hegel publik, die schon früher abgefaßt, aber nicht veröffentlicht worden sind.

Jede Darstellung des Verhältnisses Heine-Hegel wäre unvollständig, wenn sie nicht neben dem in sich gespaltenen, »offiziellen« Bild des Philosophen ein ganz anderes, »geheimes« berücksichtigen würde, das sich gegenläufig zum ersten entwickelt hat. Das zweite Bild reagiert auf des Philosophen eigene Widersprüchlichkeit, indem sie zwischen einem exoterischen und einem esoterischen Hegel, d. h. zwischen dem preußischen Staatsphilosophen und dem subversiven Denker unterscheidet. Unter Anspielung auf die umstrittene These aus den *Grundlinien der Philosophie des Rechts* prangert die *Stadt Lucca* Hegels Konservatismus als Servilität an, wenn sie diejenigen verspottet, die erzählen, daß sie in ihrer Jugend »mit dem Kopf gegen die Wand gerennt seien, daß sie sich aber nachher mit der Wand wieder versöhnt hätten, denn die Wand sei das Absolute, das Gesetzte, das an und für sich Seiende, das, weil es ist, auch vernünftig ist«; das sind diejenigen, fährt der Text fort, »die uns in eine gelinde Knechtschaft hineinphilosophieren wollen« (B 3, 525). Den Despotismus als »vernünftig« verteidigen, statt zu schweigen, das ist der springende Punkt in Heines Polemik gegen die deutsche Intelligenz, die Hegel maßgeblich repräsentiert. Daran rührt nach der *Vorrede* zu den *Zuständen* auch noch die ›hegelianische‹ Philosophiegeschichte, die dem Berliner Philosophen bescheinigt, er sei »herrschsüchtig« im Reiche des Gedankens und apologetisch in der Politik. Zehn Jahre später gibt Heine jedoch zu verstehen, er habe erkannt, daß Hegel nicht servil, sondern subversiv gewesen sei, und daß er nicht die »Sklaverei sogar geschwätzig« gemacht (B 3, 525), sondern Sklavensprache gesprochen habe! In den *Briefen über Deutschland* erinnert sich Heine an die weit zurückliegende Begegnung mit dem »Maëstro«, der damals die Musik des Atheismus komponierte, »freilich in sehr undeutlichen und verschnörkelten Zeichen, damit nicht jeder sie entziffre – ich sah manchmal, wie er sich ängstlich umschaute aus Furcht man verständе ihn«. Wie Abbitte klingt, wenn der Schriftsteller, der als Student das Klima der Demagogenverfolgungen erlebt hat, etwas eitel bekennt: »Er liebte mich sehr, denn er war sicher daß ich ihn nicht verriet; ich hielt ihn damals sogar für servil« (B 9, 197). Der verpaßte Hegelkommentator vermag jetzt mit einem Gesprächszeugnis aufzuwarten, das die verrufene These von der Vernünftigkeit des Wirklichen ins Gegenteil verkehrt. Diese Hegel-Anekdote ist wie die anderen, die Heine mitteilt, sicherlich stilisiert und wird deshalb in ihrer Authentizität angezweifelt (Dolf Sternberger, 272, bezeichnet sie als Marx-genehme »›linke‹ Umdeutung«). Heine erinnert sich nämlich: »Als ich einst unmutig war über das Wort: ›Alles was ist ist vernünftig‹, lächelte er sonderbar und bemerkte: ›Es könnte auch heißen: Alles was vernünftig ist muß sein‹.« Aber gerade dieser zensurfreie Klartext Hegels ist von zwei Hegelforschern und -herausgebern als glaubwürdig bestätigt worden (Karl-Heinz Ilting als Herausgeber von Hegels *Vorlesungen über Rechtsphilosophie 1818–1831*, Stuttgart-Bad Cannstatt 1973/1974 und Dieter Henrich als Herausgeber von Hegels *Philosophie des Rechts* nach einer Vorlesungsnachschrift von 1819/20, Frankfurt a. M. 1983). Ob die Erinnerung Heine getäuscht hat oder nicht, der Dichter, der damals ebenfalls in Sklavensprache für die Augsburger Allgemeine Korrespondenzen schrieb, hat eine aufrührende Umdeutung der Hegelschen These vorgenommen und sie zur Grundlage seiner revolutionären Gedanke-Tat-Konzeption gemacht. An das getarnte Vorgehen des »großen Hegel«, des »großen Lehrers«, erinnern auch 1843 erschienene Zeitungsberichte (*Lutezia* B 9, 490 und 498 f.). Und im Entwurf einer Vorrede zur 2. Auflage der *Reisebilder. Tableaux de voyage* aus dem Winter 1855/1856 zeigt Heine wiederum Verständnis für Hegels verklausuliertes Philosophieren im Schatten der Polizei, weil er wie er selber ein Meister der Sklavensprache war (B 3, 682). Das sind sprechende Zeugnisse eines Schülers, der seinen Lehrer ausgerechnet dann rehabilitiert, wenn er entweder revolutionär über ihn hinausgeht oder ihm sogar höchst offiziell abgeschworen hat.

Lit.: Wolfgang Harich (s. o.); Georg Lukács (s. o.); Wolfgang Wieland: *Heinrich Heine und die Philosophie*, in: *Heinrich Heine*, hrsg. von Helmut Koopmann, Darmstadt 1975 (= Wege der Forschung), 133–155 [zuerst 1963]; Paul Konrad Kurz (s. o.); Willfried Maier: *Leben, Tat und Reflexion. Untersuchungen zu Heinrich Heines Ästhetik*, Bonn 1969, 7–46; Wolfgang Kuttenkeuler (s. o.), 24 f.; Dolf Sternberger (s. o.); Manfred Windfuhr 1972 u. IHK 1972 (s. o.); Heinz Hengst (s. o.); Wolfgang Heise: *Zum Verhältnis von Hegel und Heine* und Georgi Michailowitsch Fridlender: *Heinrich Heine und die Ästhetik Hegels*, beide in: IWK 1972, 225–254 und 159–171; Walter Kanowsky: *Vernunft und Geschichte. Heinrich Heines Studium als Grundlegung seiner Welt- und Kunstanschauung*, Bonn 1975, 189–250; Martin Bollacher 1977 (s. o.); Eduard Krüger: *Heine und Hegel*, Kronberg/Ts. 1977; Michael Baumgarten/Wilfried Schulz: *Topoi Hegelscher Philosophie der Kunst in Heines »Romantischer Schule«*, in: HJb 1978, 55–94; Jochen Zinke: *Heine und Hegel*, in: Hegel-Studien 14/1979, 295–312; Jean Pierre Lefebvre (s. o.).

Aufnahme und Wirkung

Deutschland: Jungdeutsche, Konservative, Junghegelianer

Wenn die Philosophie-Schrift kein Publikumserfolg wurde, so kann sie sich zugute halten, im Hintergrund Regierungen, Parlamente und höchste Staatsmänner beunruhigt, beschäftigt und zu einer einzigartigen Aktion veranlaßt zu haben. Die staatlichen Verbotsmaßnahmen begannen in Preußen, wo Heines »Omnia« schon auf dem Index standen. Ferner bemühte sich Außenminister Ancillon darum, den *Salon* in Hamburg verbieten zu lassen. In Österreich wurde der höchste Verbotsgrad »damnatur« erteilt. Im Herbst 1835 sah sich dann Fürst Clemens Metternich, der den Künstler Heine schätzte, zum Eingreifen veranlaßt. Der Staatskanzler, der eine Verschwörung witterte, schrieb im Oktober 1835 an den Fürsten Wittgenstein u. a.: »Ich empfehle Ihnen dieses Werk, weil es die Quintessenz der Absichten und Hoffnungen der Bagage mit der wir uns beschäftigen, enthält. Zugleich ist das Heine'sche Produkt ein wahres Meisterwerk in Beziehung auf Styl und Darstellung. Heine ist der größte Kopf unter den Verschworenen« (DHA 8/2, 554). Nachdem Preußen – wie an anderer Stelle erwähnt – bei dem Totalverbot gegen das Junge Deutschland im November 1835 Heine nicht zusätzlich erwähnt hatte, drängte Metternich anläßlich des Bundestagsverbotes darauf, daß auch der gefährliche Heine eingeschlossen werden sollte. In der Beweisführung des österreichischen Gesandten in Frankfurt spielte *Salon* II wegen seiner Religions- und Moralkritik tatsächlich eine entscheidende Rolle (DHA 8/2, 556 spricht von »Schlüsselstellung« des *Salon* II bei dem Bundestagsverbot vom Dezember 1835).

In der lebhaften, insgesamt negativen öffentlichen Diskussion, die der *Salon* II 1835/36 durch Thema und Stil ausgelöst hat, lassen sich die beiden gegensätzlichen Lager der Jungdeutschen und der Konservativen unterscheiden, zu denen etwas später die Junghegelianer hinzukamen (DHA 8/2, 561 ff.). Die Front der befürwortenden und ablehnenden Stimmen ging quer durch die Lager. – Ludolf Wienbarg, der sich unter den rivalisierenden, nahezu vollständig auftretenden Jungdeutschen als erster zu Wort meldete, unterstreicht den glänzenden Stil (»geniales Kunstwerk«) und betont den neuartigen methodischen Ansatz, den er »synthetisch« und »genetisch« nennt. Für ihn hat Heine

»dargethan, daß die Geschichte der abstraktesten Wissenschaft, der Philosophie, ihren Poeten finden kann«. Genau das Gegenteil behauptete Theodor Mundt in seiner grundsätzlich negativen Stellungnahme. Er weist Heines Kritik am Christentum und seinen Saint-Simonismus entschieden zurück, hält den Autor für philosophisch inkompetent (die Darstellung gerate auf weiten Strecken zu einer bloßen »Humoreske«) und qualifiziert den Stil ab. Ebenfalls im »Literarischen Zodiacus« ließ Alexander Jung eine ähnlich argumentierende Ablehnung erscheinen (Emanzipation des Fleisches, das ist für ihn »grober Cannibal<ismus>«). Im Pariser »Reformateur« erschien am 30. und 31. Mai 1835 Börnes vernichtende Auseinandersetzung mit Heines Charakter, Methode und moralischer Haltung, die – was im Zusammenhang mit dem Börne-Buch dargestellt worden ist – sowohl unter der deutschen Opposition in Paris wie in unterschiedlichen Lagern in Deutschland breit rezipiert wurde. Sie strahlte auf weitere Rezensionen aus, so daß die Jungdeutschen (und die ihnen nahestehenden Kritiker) vorherrschend abwertend reagierten. Karl Gutzkow, der Heines Witzstil anerkannte und *Salon* II in seinem Roman *Wally, die Zweiflerin* verarbeitet hat, pickt Heines »Verdienst« heraus, das er »Verdienst eines Tirailleurs, der plänkelnd im Vortreffen steht«, nennt, und fügt hinzu: »Für den Kampf selbst im Großen ist Heine nicht geeignet. Er ist dazu nicht massiv und systematisch genug« (Rezension im »Phönix« vom 11. März 1835). In den beiden Rezensionen, die Ludwig Wihl schrieb, rechtfertigt er Heines Buch zunächst, um dann im »Phönix« Börnes Verdikt zu übernehmen. Gustav Kühne, nach Laubes unfreiwilligem Rücktritt Interimsredakteur der »Zeitung für die elegante Welt«, fiel abschätzig über *Salon* II her, in dem er den Beweis von Heines »völligem Banquerot an poetischem Gehalte« sah. Der Philologe Karl Rosenberg versuchte richtigzustellen, daß die deutsche Philosophie keineswegs anti-deistisch gewesen sei. Als Kritiker der Rezensenten trat wahrscheinlich Ferdinand Philippi im eigenen »Hochwächter« auf, der ihnen »Hofmeisterei« vorwarf und Heines Buch als »eine der geistreichsten Erscheinungen der neuesten Literatur« verteidigte.

Die konservativen Kritiker waren sich in ihrer Ablehnung einig: Kritik am Christentum galt als Religionsfeindschaft und war in die Nähe der Staatsfeindschaft zu rücken (DHA 8/2, 574 ff.). Ob es sich um die »Evangelische Kirchen-Zeitung« oder um Wolfgang Menzels »Literatur-Blatt« han-

delte, Heines Pantheismus und Sensualismus rief christliche Apologetik hervor. Menzel, der erst 1836 (völlig vernichtend) reagierte, fiel zu Heines neuer Religion nur: »ganz bestialische Republik« ein. Ein weiterer Kritiker stufte Heines Buch als verbrecherisches Werk ein.

Die Rezeption der Junghegelianer erfolgte vornehmlich in anderen Formen (Briefe, Tagebücher, verstreute Bemerkungen und versteckte, inhaltliche Bezüge) und erstreckte sich über einen Zeitraum bis Mitte der 40er Jahre (DHA 8/2, 581 ff.). Das dürfte laut DHA erklären, »weshalb man die Bedeutung dieser Schrift für die linke Hegelschule lange Zeit unterschätzt oder gar nicht erkannt hat«. Der Kommentar hält außerdem fest, daß die Junghegelianer Heines Schrift »als eine zusätzliche Quelle« benutzten, »um Hegel leichter zu verstehen und in Richtung größerer Praxisbezogenheit weiter zu entwickeln«. Heines »Vermittlerrolle« wird hier überzeugend dokumentiert. Das setzte nun voraus, daß Heine philosophische Kompetenz zugestanden und seine theologische Grundposition ernstgenommen wurde, was der Briefwechsel zwischen David Friedrich Strauß und Friedrich Theodor Vischer aus dem Jahre 1838 im Hinblick auf Kant belegt, oder was Hermann Friedrich Wilhelm Hinrichs Vorrede zu *Die Genesis des Wissens* (1835) beweist. Der Hegelianer Karl Rosenkranz erkennt bezüglich des Themas seines Aufsatzes *Die Emancipation des Fleisches* (1837) Heines Vorläuferschaft in Deutschland an. Unter den Junghegelianern, die sich erst allmählich Heine näherten wie Engels oder Lassalle, ist Arnold Ruge, der sich zwischen 1838 und 1846 intensiv mit dem Dichter auseinandergesetzt hat, das spektakulärste Beispiel. Ruge verdankt dem Kritiker der Romantik einiges, hat aber in einer einflußreichen Artikelserie die Lügenhaftigkeit von Heines Poesie sowie die Substanzlosigkeit seiner letzten Prosa scharf angegriffen (*Heinrich Heine, charakterisiert nach seinen Schriften*, 1838 in den »Hallischen Jahrbüchern«; vgl. *Neue Gedichte*). Bei der normativ angelegten Kritik Ruges mußte einmal der zensierte Druck von *Salon* II schwer ins Gewicht fallen, zum andern Ruges Weigerung, sich mit Heines ›normativ‹ verstandenen Begriffen zu befassen. Er bekämpfte Windfuhr zufolge Heine deshalb, »weil sich nach seiner Meinung in ihm der von Hegels Prinzipien abrückende Zeitgeist verkörperte« (DHA 8/2, 586). Erst als Ruge erkennen mußte, daß Heine dem von ihm kritisierten Alten etwas Neues entgegengestellt hat, änderte sich seine Haltung (*Die*

Frivolität, 1843). Eine regelrechte Wende vollzog sich, als er die *Zeitgedichte* und das *Wintermärchen* (s. d.) seines Mitarbeiters an den »Deutsch-Französischen Jahrbüchern« gelesen hatte. Das wirkte sich außerdem noch so aus, daß Ruge bei dem Neudruck seiner früheren Artikel kritische Passagen zu Heines Prosa der 30er Jahre, also auch zu *Salon* II, strich und durch eine positivere Darstellung ersetzte. 1846 feierte Ruge den Dichter als einen der »Befreier des neunzehnten Jahrhunderts«. – Ohne hier auf die Wechselbeziehung Heine-Marx eingehen zu wollen, muß doch anläßlich des *Salon* II darauf hingewiesen werden, wie sehr sich Heines revolutionäre Umdeutung der deutschen Philosophie und die Bestimmung ihrer praktischen Rolle allmählich durchgesetzt hat. In Marx' Hegelkritik von 1844 kehrt der Gedanke einer dreistufigen Revolution wieder (der theoretischen Revolution durch Reformation und deutsche Philosophie folgt logisch die praktische Revolution). Auch Engels ging in einer Artikelreihe vom November 1843 davon aus, daß die deutsche Philosophie theoretisch die praktische Revolution vorbereitet hat und kam zu einer Feststellung, die sich wie ein Resümee der Philosophie-Schrift liest: »Die politische Revolution Frankreichs wurde von einer philosophischen Revolution in Deutschland begleitet. Kant begann sie, indem er das alte System der Metaphysik von Leibniz stürzte, das Ende des vorigen Jahrhunderts an allen Universitäten des Festlandes eingeführt wurde. Fichte und Schelling begannen mit dem Neuaufbau, und Hegel vollendete das neue System« (*Fortschritte der Sozialreform auf dem Kontinent,* MEW 1, 492). Die Rolle von *Salon* II hat Engels dann 1886 an oben erwähnter Stelle ausdrücklich gewürdigt. – Moses Heß hat sich gleich nach Erscheinen der Philosophie-Schrift intensiv, ablehnend und zustimmend (»ein Genie«), mit Heine auseinandergesetzt (Tagebuch von 1836). Sein Buch *Die heilige Geschichte der Menschheit* (1837) ist »vom Ansatz her mit Heines und auch Hegels Perspektive nahe verwandt« (DHA 8/2, 593), und bei der Übersendung des Buches an Heine schrieb er am 19. Oktober 1837: »Ohne Sie wäre ich nicht geworden, was ich bin – ohne Sie könnte ich mein geistiges Leben nicht fortführen. [...] Von allen Männern unsrer Zeit sind Sie der Einzige, mit dem ich in Verbindung treten möchte«. 1841, in *Die europäische Triarchie,* knüpfte auch Heß an Heines dreistufige Revolutionsvorstellung an – modifiziert als Gemeinschaftsleistung der Länder Deutschland, Frank-

reich und England. – Ferdinand Lassalle, der 1840 u. a. *Salon* II las und als ›Jungheineaner‹ begann (»Ich liebe diesen Heine, er ist mein zweites Ich«), übernahm eine Zeitlang Ruges frühe Heine-Kritik, bevor er, nicht zuletzt durch die persönliche Begegnung mit dem Dichter, zu einer positiv-kritischen Einstellung fand. – Umgekehrt hat Heine die junghegelianische Rezeption zur Kenntnis genommen und auch in den *Briefen über Deutschland* darauf reagiert, um seine Urheberschaft zu den inzwischen anerkannten Thesen anzumelden (»intellektuelles Erstgeburtsrecht«, DHA 8/2, 597). Nach 1848 begann er, sich von dieser Gruppe abzusetzen.

Aus dem hier übernommenen Schema fällt eine interessante Rezeption heraus, die – wirklich last not least – erwähnt werden soll: Georg Büchner hat im Februar 1835 in die erste Szene von *Dantons Tod* Dialogstücke eingeschoben, die wahrscheinlich auf die Lektüre von *Salon* II, in dessen sensualistischer Einstellung er seine eigene Weltanschauung wiederfinden konnte, zurückgehen (Text + Kritik, Sonderband *Georg Büchner I/II* 1979, 391).

Lit.: B 6, 916–937; DHA 8/2, 552 ff. u. 560–598; Martin Bollacher 1977 (s. o.), 147 ff; Alfred Opitz und Ernst-Ullrich Pinkert: *Heine und das neue Geschlecht* (I.) [...] *Die Rezeption von Heines Lyrik in der Literaturkritik der Junghegelianer,* Aalborg/Dänemark 1981, 135–187; Fritz Mende: *Heinrich Heine. Studien zu seinem Leben und Werk,* Berlin (Ost) 1983, 148–171: Heine und Ruge [zuerst 1968].

Französische Aufnahme

An der dreistufigen französischen Rezeption, der der vollständige Text mit Schlußvision vorlag, fällt auf, daß Mitte der 30er Jahre der politische Schriftsteller, und Mitte der 50er Jahre der Artist im Mittelpunkt standen. In der ersten Phase war das Deutschlandbild von Madame de Staël noch so stark, daß Journal- und Buchdruck 1834 und 1835 nur auf ein sehr geringes Echo stießen (im Unterschied zu *De la France* von 1833 und *Reisebilder, Tableaux de voyage* von 1834). Im einzelnen hielt ein Rezensent die Revolution im deutschen Denken für politisch ungefährlich; der Historiker und Übersetzer Thédore Toussenel glaubte aus philosophischen Gründen nicht an eine deutsche Revolution (die Schlußvision wurde allgemein in der damaligen Presse stärker diskutiert). Die Reaktion des Übersetzers und Kritikers Philarète Chasles, dem Heine seinen autobiographischen Brief vom 15. Januar 1835 schrieb (B 9, 16 ff.), verdient Erwähnung, weil sie die Uminterpretation des deutschen Idealismus ernstgenommen hat. Die wichtigste Reaktion bestand in dieser Phase in dem kritischen Brief, den Enfantin am 11. Oktober 1835 aus Ägypten schrieb, und der 1836 veröffentlicht wurde. Der Saint-Simonist billigte Heines große historische Perspektive nicht und forderte eine kurzfristige; die Spinoza-Deutung war ihm in der Konsequenz zu anti-hierarchisch; er traf sich aber mit Heine in ihrer Auffassung des Pantheismus; schließlich widersprach er Heines revolutionären politischen Vorstellungen. – Bemerkenswert ist ferner, daß der ehemalige Saint-Simonist Pierre Leroux 1842 die Sprengkraft, die nach Heines Deutung in der deutschen Philosophie steckt, anerkannt hat (Heine erwähnt Leroux' Reaktion u. a. in *Lutezia* und *Geständnisse*).

1855 erschienen dann ein knappes Dutzend Rezensionen, die zu zwei Dritteln positiv waren. In dieser zweiten Phase konzentrierte sich die Aufmerksamkeit auf den Künstler, Humoristen und Ironiker Heine, der eindeutig über dem Politiker rangiert. Dessen philosophische Interessen wurden sowohl bedauert wie betont. Der Philosoph Elme Marie Caro, Schüler von Victor Cousin, nahm Anstoß an der Drohgebärde, mit der Heine seine philosophische Uminterpretation vorgetragen hatte.

Lit.: DHA 8/2, 1488 ff.

Elementargeister

Vorbemerkung

Elementargeister gehören zum Grundstamm von Heines dichterischer Phantasie; sie bevölkern sein ganzes Prosa- und Lyrikwerk; ihr Schicksal hat den Dichter und Denker fasziniert. Elementargeister erscheinen in den *Reisebildern* und sind noch im Spätwerk präsent. Nixen, Wasserfeen und Berggeister tauchen im *Buch der Lieder* auf, kehren in den *Romanzen* der *Neuen Gedichte* wieder, bevor sie in *Waldeinsamkeit (Romanzero)* offiziell verabschiedet werden, behaupten sich aber weiter als *Valkyren* und Parzen *(Gedichte. 1853 und 1854).* Auf allen Stufen des lyrischen Werkes, um nur dieses zu erwähnen, stehen ihnen antike Gottheiten zur Seite, von *Die Götter Griechenlands* und den *Nordsee*-Zyklen im Frühwerk über *Unterwelt* in den *Neuen Gedichten* bis hin zu *Der Apollogott* im *Romanzero.* Beide zusammen, Elementargeister und Hei-

dengötter, gehören ferner zum Grundstamm von Heines politischer Symbolik: Die Wiederkehr der untergegangenen antiken und nordischen Götter signalisiert die Sehnsucht nach umfassender, erotischer und ästhetischer Befreiung; ihre Präsenz ist Protest.

Im Anschluß an die Philosophie-Schrift, die im Ersten Buch auf den deutschen Volksglauben eingegangen ist, eröffnen die *Elementargeister* Heines intensive theoretische Auseinandersetzung mit Sagen und Legenden, hier mehr nordischen als antiken Ursprungs, welche einen festen Bestandteil seines *De l'Allemagne*-Projektes ausmachen. Dieser weniger beachtete Teil seines Werkes wird später durch die Abhandlung *Die Götter im Exil* sowie durch die beiden Ballette *Die Göttin Diana* und *Der Doktor Faust* vervollständigt, die (bis auf das Diana-Ballett) der Neuausgabe von *De l'Allemagne* einverleibt worden sind.

Entstehung, Quellen, Druck, Text

Die *Elementargeister,* die zuerst teilweise in französischer Sprache erschienen sind, haben eine kurze Entstehungs-, aber eine komplizierte Druckgeschichte, deren erste Phasen Christa Stöcker, die das ursprüngliche Manuskript analysiert hat, aufklären konnte. Im Journaldruck der Philosophie-Schrift hatte Heine seinen französischen Lesern 1834 angekündigt, er werde sie »in einem späteren Buch« näher mit dem »deutschen Volksglauben« vertraut machen (B 5, 521). Dieser Plan ist wohl im Winter 1834/35 ausgeführt worden, denn der erste Teil kam bereits im April 1835 unter dem Titel *Sixième partie* in *De l'Allemagne* heraus. Das von Stöcker untersuchte Manuskript, das zur Übersetzung vorgelegen hat, wurde dann in einer zweiten Phase (wahrscheinlich zweite Jahreshälfte 1835, Anfang 1836) für den dritten Band des *Salon* umgearbeitet (Stöcker, 136 ff.). In der Zeit nach den Bundestagsbeschlüssen von Dezember 1835 stand Heine aber unter dem Druck schärfster Zensur, der dann die Umarbeitung beeinflußt und die Vollendung des *Salon* zu einer regelrechten Qual gemacht hat (das ist anläßlich der Entstehungsgeschichte von *Salon* III und dessen Vorrede, *Über den Denunzianten,* ausführlicher behandelt worden). Die Auswirkungen der neuen Zensurbedingungen, die in der damaligen Korrespondenz zwischen Paris und Hamburg in ihrem ganzen Ausmaß erkenntlich werden, zeigten sich, als Heine am 8. März 1836 Campe das Manuskript des ersten Teils mit der

Erklärung schickte: »alles Politische und Antireligiöse ist ausgemerzt, und das Ganze nimmt stoffartiges Interesse in Anspruch«. In der *Vorrede zum dritten Teil des Salons,* die er erst im Januar 1837 abschließen konnte, wird Heine das Ergebnis der streng angewandten Selbstzensur mit dem Hinweis publik machen, daß gegenüber der *De l'Allemagne-*Fassung »nichts übrig« blieb »als eine Reihe harmloser Märchen« (B 9, 26). Den an mehreren Stellen wesentlich ausführlicheren Text der französischen Buchfassung geben die Lesarten B 6, 977 ff. Trotz Maulkorb war noch weitere Arbeit erforderlich, um dem Buch, dessen Druck sich umständehalber verzögerte, über den zensurfreien Umfang zu verhelfen. Der zweite Teil der *Elementargeister* mit dem Tannhäuser-Gedicht konnte »bey der wüthenden Censur« (Brief an Campe vom 7. Oktober 1836) erst im Oktober ausgearbeitet und am 5. November abgeschickt werden. Anfang Juli 1837 erfolgte die Ausgabe von *Der Salon* III, der außerdem die *Florentinischen Nächte* enthielt. Zu Heines Lebzeiten erschien keine 2. Auflage des Bandes. Die doppelte Überlieferung der *Elementargeister* setzte sich jedoch fort. 1844 wurde eine überarbeitete, in mehreren Strophen veränderte und um eine Strophe vermehrte Fassung des Tannhäuserliedes in die *Neuen Gedichte* aufgenommen (B 7, 348 ff.; die Schwabenstrophe ist verschärft, der Schluß verändert). Die Neuausgabe von *De l'Allemagne* druckte 1855 den vollständigen, aber auseinandergerissenen Text: Teil I erschien als *Septième partie. Traditions populaires* und Teil II als Anfang von *Neuvième partie. Les dieux en exil* (letzter Text war zuvor als Journaldruck erschienen, s. *Die Götter im Exil*). Die beiden Tannhäuserlieder wechseln jetzt ihre Plätze (das alte Gerät an den Schluß), was Gelegenheit zu neuen (Selbst-)Kommentaren bot (s. B 6, 1023 ff.).

Die *Elementargeister* verarbeiten auf lockere, schließlich auch witzige Weise eine Menge unterschiedlicher Quellen: neben alten Folianten und Kompendien vor allem neuere Sammlungen und auch persönliche Eindrücke bzw. Erlebnisse. Zu den wichtigsten Quellen (um nur die bekanntesten zu erwähnen) gehören Gebrüder Grimms *Deutsche Sagen* und *Kinder- und Hausmärchen,* Jacob Grimms *Deutsche Mythologie* und die von ihm übersetzten *Altdänischen Heldenlieder, Balladen und Märchen* sowie von Arnims und Brentanos Sammlung *Des Knaben Wunderhorn.* Heinrich Kornmanns *Mons Veneris* (1614) bildet die Grundlage für den 2. Teil. Ferner wird aus Werken von Praetorius (Hans Schultze), Johann Rudolf Wyß oder Georg Godelmanus zitiert. Mit der Masse an Quellenmaterial geht Heine nun variabel um: Er zitiert mit Quellenangaben, aber erlaubt sich bei der Ballade *Die treue Braut* »metrische Veränderungen« und gesteht sogar, »hie und da ein Bißchen geschneidert« zu haben (B 5, 662 u. ff.); oder er erzählt Sagen nach, verändert aber offenbar seine Vorlage, wie bei der Sage vom Wispertal, die Schreibers *Rheinischen Sagen* entstammt (B 5, 669 ff.; Herbert Clasen, 42 ff., hat das genauer untersucht). Im Fall der Barbarossa-Legende hat Heine eine fremde Überlieferung ganz uminterpretiert, um sie eigenen Interessen dienstbar zu machen. Mehr als die Hälfte des deutschen Textes besteht aus Zitaten und referierten Sagen (von den 58 Seiten der Briegleb-Ausgabe sind ca. 21 Seiten direkte Zitate – Selbstzitate mitgezählt – und mindestens ein Dutzend Seiten enthalten nacherzählte Quellen!), zwei Selbstzitate sind mehr oder weniger erkenntlich den Quellen untergeschmuggelt worden: Das Gedicht B 5, 652, gehört als Nr. XXXII des *Neuen Frühlings* in die *Neuen Gedichte,* während die »jüngere Version« des Tannhäuserliedes mit ihren 56 Strophen sogar das längste Zitat des Textes ist.

Druck: Teil 1 (= B 5, 645–679) wurde zuerst auf französisch als *Sixième partie* des 2. Bandes von *De l'Allemagne (Œuvres de Henri Heine. VI),* Paris, Eugène Renduel, 1835, auf den S. 119–205 veröffentlicht.
 – die gekürzte deutsche Fassung dieses Teils sowie Teil 2 (= B 5, 679 bis Schluß) erschien unter dem Titel *Elementargeister* in: *Der Salon von H. Heine. Dritter Band.* Hamburg, bei Hoffmann und Campe. 1837 auf den S. 145–279.
 – in der Neuausgabe von *De l'Allemagne,* Paris, Michel Lévy frères, 1855 (*Œuvres complètes de Henri Heine*) befinden sich in Bd. 2 Teil 1 und Teil 2 als *Septième* und *Neuvième partie* auf den S. 41–117 und 181 ff.

Text: B 5, 643–703. HSA 17 *De l'Allemagne II,* 33–78, 111–128, Z. 19 (die Vorbemerkung von 1853 auch B 6, 1022).

Lit.: B 6, 964–974; Herbert Clasen: *Heinrich Heines Romantikkritik,* Hamburg 1979 (= Heine-Studien); Christa Stöcker: *Zur Überlieferung der »Elementargeister«,* in: HJb 1981, 131–146.

Analyse und Deutung

Heine, der Mythologe

Das als »amüsant« und »populär« geplante Buch macht den französischen Leser in der Tat unterhaltsam mit nordischer Mythologie bekannt. Die Masse der einzelnen Sagen, Legenden und Märchen wird von einem Ich-Erzähler, der nicht mit didaktischen Erklärungen spart und der im zweiten Teil persönlich stärker in Erscheinung tritt, im Stile der früheren Prosa wie ein »Lappenwerk« dargeboten, das, was Entstehungsgeschichte und Arbeitsweise gezeigt haben, Verkürzungen oder Verlängerungen, Einfügungen oder Auslassungen verträgt (bei seiner Strukturanalyse spricht Dierk Möller von einer »Detaillierung des im Titel genannten Kollektivbegriffs«). Der Grundriß geht auf die Naturphilosophie von Paracelsus und deren Unterscheidung von vier Elementargeistern zurück (Nymphen, Undinen, Silvanen und Salamander), hält sich aber schließlich mehr an den germanischen Volksglauben, der Steine, Bäume und Flüsse und die ihnen korrespondierenden Wesen verehrt hat, aber als vierte Kategorie keine Feuergeister kennt (B 5, 646 f. und 673 f.). So werden Sagen über Erdgeister (Zwerge), Luftgeister (Elfen, mit der gespenstischen »Willis«-Legende) und Wassergeister (Nixen mit nordischen Sagen von Schwanenjungfrauen und der rheinischen Sage vom Wispertal) erzählt. Als vierte Geisterkategorie kommt im Volksglauben »kein anderer als Luzifer, Satan, der Teufel« vor, der hier ganz im Gegensatz zum christlichen Glauben, in dem er als Widersacher Gottes und als Gegenprinzip zur göttlichen Schöpfung angesehen wird, als verführerischer Geist in Menschen- und Tiergestalt erscheint, der allen Lebewesen überlegen ist (»Der Teufel versteht Logik, er ist Meister in der Metaphysik, und mit seinen Spitzfündigkeiten und Ausdeuteleien überlistet er alle seine Verbündeten«, B 5, 677). Durch das Auftreten des Teufels wird der Grundriß nur scheinbar durchbrochen, denn andererseits bietet sich dadurch die Möglichkeit, den ganz abweichenden zweiten Teil, der mit einer Anekdote beginnt und von einer besonders schlimmen »Teufelin« handelt, thematisch an den ersten zu binden. »Heines Anordnung«, hat Dierk Möller erkannt, »ist im Ganzen steigernd: zuerst kommen harmlosere Geister, dann der Teufel, zuletzt die ›Erzteufelin‹«.

Heine untersucht die nordische Mythologie, die im zweiten Teil mit antiker vermischt wird, aus der Perspektive besiegter, aber dennoch unsterblicher Götter; für ihn sind die Heidengötter keine Gespenster, sondern »unerschaffene, unsterbliche Wesen, die sich nach dem Siege Christi zurückziehen mußten in die unterirdische Verborgenheit, wo sie mit den übrigen Elementargeistern zusammenhausend, ihre dämonische Wirtschaft treiben« (B 5, 691). Seine These, die er in der Philosophie-Schrift bekannt gemacht hat (B 5, 523 und 529), lautet: Das Christentum hat die Heidengötter nicht eliminiert, sondern transformiert, d. h. verteufelt oder dämonisiert. Die *Elementargeister* veranschaulichen nun, daß der Sieg über die antiken und nordischen Gottheiten nie vollständig ist und nie völlig gesichert: Zwar führte das Christentum einen »Vertilgungskrieg« gegen die heidnischen Religionen, entweder mit Gewalt (»Schwert«) oder mit List (»Übergaukeln«); zwar versuchte es, den alten Glauben durch Verschmelzung oder Verleumdung zu überwinden; zwar wurden die Bildnisse der Heidengötter zerstört, und ihre Tempel verfielen (B 5, 672 f., B 6, 977); aber es gelang ihm nur, die Unsterblichen zurückzudrängen, sie ins Exil, in die Verbannung zu schicken, wo sie metamorphisiert weiterleben. Der Olymp wurde in eine Hölle umgewandelt, die nordischen Naturgötter wurden verteufelt (den unterschiedlichen Verteufelungsprozeß behandelt die Philosophie-Schrift B 5, 522 f.). Die Unsterblichkeit der Heidengötter leitet sich nun nach Heines genetischer These von einer anthropologischen Konstante ab; eine Lesart des französischen Textes lautet klipp und klar und polemisch: »Der Glaube an das Glück als an etwas Angeborenes oder auf unvorhergesehene Weise Eintreffendes ist heidnischen Ursprungs und kontrastiert auf reizende Art mit den christlichen Vorstellungen, in denen die Leiden und Entbehrungen als höchste Gunst des Himmels betrachtet werden. – Die Aufgabe und das Ziel des Heidentums war die Eroberung des Glücks« (B 6, 1001 f.). Deshalb leben die Heidengötter in der Phantasie der Völker weiter, aber jetzt als Verführung durch Schönheit und als Verlockung zu sinnlichem Glück, als Gefahr und als Gefährdung. Die Mythen erzählen oft von tragisch endenden Versuchen, ein sinnlich befriedetes Leben führen zu wollen. Die erotische Attraktion, die von den als wunderschön, verlockend, geheimnisvoll und verführerisch beschriebenen Elementargeistern ausgeht, führt in mehreren Elfen- und Nixensagen zu Tod und Verderben. Das bezeugt vor allem das Schicksal derjenigen, die sich vom Teufel oder von der »Erzteufelin Venus« haben verführen lassen: Die einen haben »fleischliche Verbindungen mit dem Teufel« mit Folter bezahlt, die anderen, wie Tannhäuser, werden von höchster Stelle zu »ewigen Höllenqualen« verdammt.

Die These von der Umwandlung der Heidengötter in Teufel ist vielleicht nicht unbedingt original: Heine könnte sie, was Dolf Sternberger, 189 f., herausgefunden hat, bei Edward Gibbon kennengelernt haben (*History of the decline and fall of the*

Roman Empire). Heine hat sich denn auch später, in *Die Götter im Exil,* nur das »Verdienst der Initiative« zugesprochen, d. h. ein Thema aufgegriffen und popularisiert zu haben, das die Gelehrten »eingesargt [hatten] in die hölzernen Mumienkasten ihrer konfusen und abstrakten Wissenschaftssprache« (B 11, 400 f.). Das Verdienst demokratischer Vermittlung verbindet sich hier, wie zuvor bei der Arbeit an der Geschichte der deutschen Philosophie, mit weiteren, vorwärtsweisenden Interessen. Für den Dichter und Denker, der eine dualistische Weltanschauung vertritt, geht es als Mythologen nicht darum, alte Glaubenslehren zu erneuern oder alten Göttern »neues symbolisches Lebensblut zu infusieren«. Für den sensualistischen Kritiker unzeitgemäß gewordener, spiritueller Askese geht es ganz entschieden und in erster Linie darum, »den Hellenismus selbst, griechische Gefühls- und Denkweise, zu verteidigen und der Ausbreitung des Judäismus, der jüdischen Gefühls- und Denkweise, entgegenzuwirken« (B 5, 685). Im Anschluß an die Schrift über deutsche Religion und Philosophie bedeutete die Auseinandersetzung mit Mythologie, die Fragen der Zeit im abgehobeneren Bereich der menschlichen Phantasie zu erörtern; diese Frage war aber ein grundlegendes Entweder/ Oder: »ob der trübsinnige, magere, sinnenfeindliche, übergeistige Judäismus der Nazarener, oder ob hellenische Heiterkeit, Schönheitsliebe und blühende Lebenslust in der Welt herrschen solle?« Hier wird erstmals jener Antagonismus von Nazarenern und Hellenen formuliert, der zum ideologischen Gerüst der Denkschrift über Börne gehört und mit dem Heine modernem Denken einen Anstoß geben sollte.

Aus der Sicht des späten 19. Jahrhunderts erscheinen Heines Ideen zur Mythologie dann besonders neuartig, wenn man bedenkt, daß der Beschreibung des Verhältnisses von siegreicher und besiegter Religion ein dynamisches Modell zugrunde liegt, dessen Treibkraft der originalen Verbindung von Heidentum bzw. hellenischer Schönheit mit Erotik beruht. Die *Elementargeister* beschwören die menschliche Hoffnung auf sinnliches Glück und Schönheit als etwas, das verdrängt, verdammt und verbannt worden ist, in der Verbannung aber (»unterirdische Verborgenheit«) virulent bleibt und in Kompromißformen (»Transformation«) in den Köpfen der Menschen als unausrottbare Vorstellung eines erfüllten Lebens wiederkehrt. Die Fixierung auf einmal genossenes Glück hat die Philosophie-Schrift mit dem bemerkenswert modern

anmutenden Satz festgehalten: »Der Mensch läßt aber nicht gern ab von dem, was ihm und seinen Vorfahren teuer und lieb war, und heimlich krämpen sich seine Empfindungen daran fest, selbst wenn man es verderbt und entstellt hat« (B 5, 529 f.). Es stellt sich in der Tat die Frage, ob die psychoanalytische Kulturtheorie, die von dem Lustverzicht ausgeht, der den Individuen abgefordert worden ist, etwas ganz anderes meint, wenn ihr Begründer in *Das Unbehagen in der Kultur* schreibt: »Schon beim Sieg des Christentums über die heidnischen Religionen muß ein solcher kulturfeindlicher Faktor beteiligt gewesen sein. Der durch die christliche Lehre vollzogenen Entwertung des irdischen Lebens stand er ja sehr nahe.« (Sigmund Freud, *Gesammelte Werke* XIV, 445). – Andererseits steckt in der Idee, daß die christlichen Priester die heidnischen zu »übergaukeln« versuchten (eine handschriftliche Variante B 6, 977), oder daß gerade Venus zur »Erzteufelin« umgewandelt wurde, genealogischer Sprengstoff, der weit vorausweist. Die Affinität mit Nietzsche wird deutlich, wenn es in *Morgenröte* heißt: »Die Leidenschaften werden böse und tückisch, wenn sie böse und tückisch betrachtet werden. So ist es dem Christentum gelungen, aus Eros und Aphrodite – grossen idealfähigen Mächten – höllische Kobolde und Truggeister zu schaffen« (*Sämtliche Werke*, Kritische Studienausgabe in 15 Bänden, Bd. 3, 73).

Lit.: A. I. Sandor: *The Exile of Gods,* The Hague-Paris 1967 (= Anglica Germanica); Dolf Sternberger: *Heinrich Heine und die Abschaffung der Sünde,* Hamburg und Düsseldorf 1972, 181 ff.; Dierk Möller: *Heinrich Heine: Episodik und Werkeinheit,* Wiesbaden/Frankfurt a. M. 1973, 137 ff.

Mythos und Vernunft

In der politisch stillen zweiten Hälfte der 30er Jahre, in der der behördlich verordnete Maulkorb vollends für Friedhofsruhe sorgen sollte, erwies sich das Herumstöbern in Sagen als geeignete Tarnung, um die herrschende Verzichtmoral mit dem zu konfrontieren, was sie verdrängen muß. Wie bitter es dem Autor von *De l'Allemagne* geworden ist, dem deutschen Publikum nicht die »Resultate« seines »Nachdenkens« offen mitteilen zu dürfen, das hat er in die Frage gedrängt: »Werde ich mit verschlossenen Lippen ins Grab hinabsteigen müssen, wie so manche andere?« (B 5, 684). Sicher, die aufklärerische Quintessenz des Nachdenkens über deutschen Volksglauben mußte in der deutschen Fassung der Selbstzensur zum Opfer fallen, wie These und Antithese zum »Glauben an das Glück« (»Die Aufgabe des Christentums war im Gegenteil die Entsagung, und seine Helden litten die Qualen des Martyriums«), oder die blasphemische Vorstellung, daß Gott, wie der Teufel, »ein Feuergeist ist«, oder die direkt revolutionäre Darbietung der Barbarossa-Legende, nach der der Mann aus dem Kyffhäuser »das göttliche Zepter der Freiheit und die Kaiserkrone ohne Kreuz trägt« und berufen ist, das »Glück« des deutschen Volkes wiederherzustellen (B 6, 1002, 1014 und 1019 ff.). Aber was das zensurgeschützte deutsche Publikum zu lesen bekam, war so ganz harmlos auch wieder nicht, wie z. B. die spöttischen Geschichten von den »Seebischöfen« im Zusammenhang mit den Wassergeistern (B 5, 660 f.) oder die Darstellung des Teufels als Repräsentanten menschlicher Vernunft und krasses Gegenbild der spiritualistischen Unvernunft; eine Passage wie folgende zeigt den progressiven Umgang mit Mythen, der für Heine typisch ist und seine zeitkritische Einstellung hervortreten läßt: »Der Teufel ist ein Logiker. Er ist nicht bloß der Repräsentant der weltlichen Herrlichkeit, der Sinnenfreude, des Fleisches, er ist auch Repräsentant der menschlichen Vernunft, eben weil diese alle Rechte der Materie vindiziert; und er bildet somit den Gegensatz zu Christus, der nicht bloß den Geist, die asketische Entsinnlichung, das himmlische Heil, sondern auch den Glauben repräsentiert«. (B 5, 677 f.) Der Teufel als aufgeklärter, anti-autoritärer Selbstdenker – das bewußt provokative Bild konfrontiert den herrschenden vormodernen Geist mit dem der Moderne.

Die zeitkritische Wiederkehr der Mythen bei Heine wird vor allem dadurch spürbar, daß kaum eine Gelegenheit ungenutzt bleibt, biedermeierlicher Sittenstrenge den Spiegel freier Liebe vorzuhalten. Nicht nur daß Luft- und Wassergeister durch Schönheit lüstern machen, sondern sie spielen ihre Unwiderstehlichkeit auch durch eine dynamische Form aus, die für Heine Symbol ungezügelter Natürlichkeit und entfesselter Erotik ist: durch Tanz (das haben Barker Fairley und Benno von Wiese näher untersucht). Tanzenden Elfen und Nixen gelingt es immer wieder, tugendhafte Ritter zu verführen oder der Verweigerung den Tod folgen zu lassen. Bezeichnend die Willis, die so »geheimnisvoll lüstern, so verheißend« nicken und die mit »toten Bacchantinnen« verglichen werden. Besonders böse spielt den christlichen, deutschen Rittern ihre Liebe zu antiken Göttinen mit, ob in Form eines verlockenden Marmorbildes oder in Form

eines noch mehr verlockenden Venusberges (die Statuenliebe wird im Anschluß an Eichendorffs *Das Marmorbild* von Alexis' *Venus in Rom* erzählt; dieses Motiv hat Dolf Sternberger näher behandelt). Exemplarisch wird der Protest gegen Lustverzicht in der von Heine neugedichteten Legende des christlichen Ritters Tannhäuser: Nach sieben Jahren »Lieb und Lust« mit Frau Venus treibt ihn nicht Sündenbewußtsein aus dem Venusberg heraus, sondern Überdruß und Eifersucht (ganz Christ, klagt er Venus vergangener und zukünftiger Hurerei mit Göttern und Helden an); aber der Venuszauber ist so stark, daß selbst der Papst seine Ohnmacht einsehen muß und dem Ritter gesteht:

> Der Teufel, den man Venus nennt,
> Er ist der schlimmste von allen,
> Erretten kann ich dich nimmermehr
> Aus seinen schönen Krallen.

Darauf kehrt Heines Tannhäuser gar nicht zerknirscht für immer in den Venusberg zurück, um sich von Frau Venus verwöhnen zu lassen (zu Tannhäuser s. Prawer, Sternberger und Zinke; vgl. *Neue Gedichte*).

Unter dem Zwang der Verhältnisse mußte der Autor der *Elementargeister* auf die geistig-moralische Misere Deutschlands ausweichen, da es ihm nicht erlaubt war, die obsolet gewordenen politischen Zustände zu geißeln (bis auf den satirischen Schluß des Tannhäuserliedes). Die Gegenbilder mit utopischen Erwartungen, die dadurch entstanden sind, bezeichnet Dolf Sternberger als »hermetisch geflüsterte Andeutungen einer Erlösungsbotschaft«. Allerdings konnte der bedrängte Dichter, der das Geheimnis des deutschen Volksglaubens, den Pantheismus, aufgedeckt hat, ein Stück weiter gehen als in der Philosophie-Schrift: Der Pantheismus erscheint jetzt nicht allein als »verborgene Religion Deutschlands« und seiner größten Dichter und Denker (B 5, 571 und 619), sondern als Volksglaube schlechthin, der das Christentum überdauert hat und dessen Stärkung die Möglichkeit bot, das politische Programm der Emanzipation zu verbreiten. *Dieser* Glaube sollte nicht der Verklärung, sondern der Aufklärung dienen. Heines Einstellung befreit seine Behandlung der Mythen vom Ruch sowohl der Rückschrittlichkeit wie der Teutomanie, denn als moderner Mythologe erinnert er an das, was der Fortschritt in Europa noch erst zu verwirklichen hätte, aber schon zu vergessen droht.

Lit.: S[iegbert] S. Prawer: *Heine The Tragic Satirist,* Cambridge 1961, 35 ff.; Barker Fairley: *Heinrich Heine,* Stuttgart 1965 [engl. zuerst 1954], 26–48; Dolf Sternberger (s. o.), 181–205 u. 206–218; Benno von Wiese: *Signaturen. Zu Heinrich Heine und seinem Werk,* Berlin 1976, 67–133: Das tanzende Universum; Jochen Zinke: *Tannhäuser im Exil. Zu Heines »Legende« ›Der Tannhäuser‹,* in: *Gedichte und Interpretationen,* Bd. 4, hrsg. von Günter Häntzschel, Stuttgart 1983, 212–234; Michel Espagne: *Das Geräusch der Stille. Heines Handschriften zum dritten Salon-Band,* in: *Heinrich Heine und das neunzehnte Jahrhundert: Signaturen,* Berlin 1986, Argument-Sonderband, 49–72, spez. 52 ff.

Aufnahme und Wirkung

Die beiden in B 6, 975 f. abgedruckten Rezensionen zum *Salon* III aus den Jahren 1837 und 1838 lassen nichts von der Nachwirkung ahnen, die die Schrift über Mythologie offenbar gekannt hat: Die eine vergleicht den Text mit einer »Rumpelkammer«, die aus überall verfügbaren Exzerpten zusammengeschustert worden ist; die andere bezeichnet ihn als »eine bunt durcheinandergewirrte Erzählung«, in der Sagen und Märchen auf allerdings amüsante Weise nacherzählt werden. – Nun blickt Heine 1854 auf eine Wirkung zurück, die bisher nicht erforscht worden ist, spricht er doch von vielen anderen Schriftstellern, die, »sowohl der Spur meiner Andeutung folgend, als auch angeregt durch die Winke, welche ich über die Wichtigkeit des Gegenstandes erteilt, jenes Thema viel weitläufiger, umfassender und gründlicher als ich behandelt haben« (B 11, 400). Bekannt ist lediglich, daß Teile seiner Arbeit in Bühnenwerken weiterleben. Spuren des Tannhäuserliedes lassen sich in Richard Wagners Oper mit dem gleichnamigen Helden nachweisen (1845 uraufgeführt), und das Ballett *Giselle ou les Wilis. Ballet fantastique en deux actes,* das 1841 an der Pariser Oper aufgeführt wurde, ist von den *Elementargeistern* angeregt worden (s. dazu Niehaus, 35 ff.). Eine Woche nach der Uraufführung hat der Szenarist Théophile Gautier in einem offenen Brief an Heinrich Heine, den »La Presse« veröffentlichte, mitgeteilt, wie er die Legende der »Willis« durch *De l'Allemagne* kennengelernt hat. Das Ballett erwähnt Heine in seinem *Lutezia*-Artikel vom 7. Februar 1842 (B 9, 390 f.).

Lit.: Max Niehaus: *Himmel, Hölle und Trikot. Heinrich Heine und das Ballett,* München 1959.

Florentinische Nächte

Entstehung, Stoffe, Motive; Druck, Text

Die florentinische Novelle ist Heines zweiter Erzählversuch, dessen Entstehung in zwei geographisch und zeitlich deutlich von einander getrennte Phasen fällt (siehe: *Der Rabbi von Bacherach:* »Heine kein Erzähler?«). Die erste Phase, die sich nur sehr schwer rekonstruieren läßt, umfaßt die deutsche Zeit von 1825–1830/1831 (Überblick B 2, 857). Briefe und ein sogenanntes »Brouillon«-Manuskript bezeugen seit 1825 die Arbeit an einer »Novelle«, die wahrscheinlich Episoden der »Ersten Nacht« gegolten hat. Der autobiographische Ansatz stellt das Projekt in Zusammenhang mit der *Memoiren*-Arbeit. In Potsdam kommt es 1829 zur Berührung mit der Arbeit am Italienstoff (dazu Espagne 1983, 315 ff.). Seit 1830 scheinen Pläne zu einem Paganini-Porträt, dem Höhepunkt der 1. Nacht, zu bestehen (vgl. Werner I, 190).

Eine neue Phase, die Form und Inhalt prägen sollte, begann 1835 in Frankreich. Der leidenschaftlich verliebte Heine, der 1834 Mathilde kennengelernt hatte, kündigte seinem Verleger am 2. Juli 1835 in heiterer Stimmung an, er wolle ein »kostbares, welterfreuliches Buch« »amüsanten Inhalts« schreiben (Brief an Campe; es handelt sich um den *Salon* III, der ebenfalls die *Elementargeister* umfaßt). Doch dieser poetische Buchplan wurde am 10. Dezember 1835, als ein fertiges bzw. ein brauchbares Manuskript der *Nächte* bereits vorlag, durch den Bundestagsbeschluß gegen das Junge Deutschland zunichte gemacht. In der Zeit größter beruflicher Not mußte Heine eine zensurgerechte Umarbeitung der *Salon*-Texte vornehmen, die im Februar 1836 mit dem bitteren Ergebnis abgeschlossen war, daß die geplanten zeitkritischen Passagen gar nicht erst umgeschrieben wurden und deshalb liegenblieben. Die politischen Umstände haben nicht nur die Arbeit an den Texten schwer beeinträchtigt, sondern auch den Fragmentcharakter der *Nächte* zu verantworten: Die geplante Fortsetzung, etwa »Dritte Nacht«, kam nicht mehr zustande (vgl. dazu die *Vorrede* zu *Salon* III, B 9, 26). Die Vorbereitungen sowohl zum Buch- wie zum Journaldruck sorgten dann im März für eine weitere starke Enttäuschung. Heine, der sein ›gereinigtes‹ Manuskript auf keinen Fall mit Zensur erscheinen lassen wollte, sah sich gezwungen, das am 8. März an Campe gesandte Druckmanuskript zurückzufordern, weil dieser es zur Vorlage weitergereicht hatte. Der Journaldruck im »Morgenblatt« bot dagegen die Möglichkeit, den Text im ursprünglichen, über die zweite Nacht hinausreichenden Umfang als größere »Serie« zu publizieren. Aber auch hier verlangte Heine das Ende März zu eiligem Druck an Cotta gesandte Manuskript zwecks Änderungen zurück – zu spät, denn die »Erste Nacht« erschien bereits Anfang April in Fortsetzung, die »Zweite Nacht« folgte Mitte Mai. Beide Teile waren von der Redaktion des »Morgenblattes« willkürlich gekürzt und verstümmelt worden. Die französische Übersetzung, deren Druck Heine ebenfalls Ende März geplant hatte, erschien zeitlich gesehen zwischen der deutschen Journalfassung in der »Revue des Deux Mondes«. Diese Drucksituation läßt darauf schließen, daß Heine Anfang April 1836 alle Pläne zu Umarbeitungen, und möglicherweise zu Erweiterungen, aufgegeben hat (B 2, 865). – Anfang Mai schickte er dann das Buchmanuskript an Campe, der im Oktober 1836 den Druck beginnen, den *Salon* III, mit den *Florentinischen Nächten* an der Spitze, aber erst im Juli 1837 erscheinen ließ.

Das Novellen-Fragment hat eine Reihe von Stoffen, Materialien und Motiven verschiedener Art verarbeitet. So finden erstens persönliche Eindrücke der meist in anderen Werken verwandten Reisen und Aufenthalte in England, Italien, Potsdam, Hamburg und Paris ihren Niederschlag. Die vorherrschende Liebesthematik knüpft teils an frühere, teils an aktuelle Erlebnisse an. Einige Details verweisen ebenfalls auf autobiographisches Material. Die ausführliche Paganini-Darstellung geht wahrscheinlich auf einen Hamburger Konzertbesuch aus dem Jahre 1830 zurück. – Bedeutungsvoll ist zweitens, daß die Novelle Aspekte und Motive fast sämtlicher Reisebilder aufgreift. So lassen z. B. die dialogische Erzählsituation, die fiktionale Gestalt der »kleinen Very« oder die satirische Darstellung Hamburger Bourgeois Parallelen zu *Ideen. Das Buch Le Grand* erkennen. Speziell werden Ansätze der italienischen Reisebilder fortgeführt und erneuert: Das Motiv der »toten Maria« aus der *Reise von München nach Genua* kehrt nicht nur in Gestalt der gleichfalls hingebetteten, sterbenden Maria wieder, sondern auch in dem schauerlichsüßen Kuß der steinernen Göttin in der ersten Episode (vgl. z. B. B 1, 562 und B 3, 355, 367 und 617 ff.; thematische Parallelen und die »genetische Zusammengehörigkeit« der *Nächte* und der *Reise* betont Michel Espagne 1983, 310, 314 und 315–319). Weiter klingt das Motiv des Trio mit der jungen Harfenistin *(Reise)* im Quartett mit der Tänzerin Laurence erneut an, die wiederum an die »tote Maria«, aber auch an die Tänzerin Franscheska (Lucca-Prosa) erinnert. Auffallend ist ebenso, daß die Stadt Florenz, in der sich Heine im Oktober/November 1828 aufgehalten hatte, nur in ausgeschiedenen Texten sowohl der *Stadt Lucca* und der *Nächte* eine Rolle spielt (vgl. B 3, 630 ff. und B 2, 867 ff.; das wird in der Forschung völlig kontrovers begründet, z. B. als Akt der Selbstzensur oder als thematische Verdichtung). – Drittens ist die nicht nur in der kleinen Novelle, sondern in Heines Werk leitmotivisch wiederkehrende Faszination durch Marmorstatuen hervorzuheben (Heine hat das zentrale Motiv z. B. in der *Harzreise,* in den *Elementargeistern,* in den *Göttern im Exil* und in Gedichten verarbeitet; dazu Sternberger, 181–205). Heines ›Statuen-Liebe‹ in den *Nächten* zeichnet sich gegenüber ähnlichen Motiven des deutschen Klassizismus durch ihre »erotische Konsequenz« und Intensität aus (Sternberger).

Gleichzeitig dient der Vergleich mit »schönen Statuen« gerade dazu, die praktische Unfruchtbarkeit der Goetheschen Werke aufzudecken (*Romantische Schule,* B 5, 395). Ebenso vermag Marmor auch Kälte und Tod zu signalisieren (*Schnabelewopski,* B 1, 547). – Andererseits ist hier die motivliche Nähe zu Eichendorffs Novelle *Das Marmorbild* (1819) offensichtlich, die 1826 erneut zusammen mit der Novelle *Aus dem Leben eines Taugenichts* erschienen war, in der Heine Beschreibungen verwilderter Schloßgärten lesen konnte, wie außerdem in von Arnims Roman *Armut, Reichtum, Schuld und Busse der Gräfin Dolores* (1810; mit von Arnims Roman *Isabella von Ägypten,* 1812, verbindet die *Nächte* ihre Vorliebe für gespensterhafte Personen und phantastische Konstellationen).

Druck: Mit dem Titel *Florentinische Nächte I, II,* erschien die Novelle verstümmelt im »Morgenblatt für gebildete Stände«, zwischen dem 6. und 15. (oder 16.) April 1836 (I) in 10 Fortsetzungen; und zwischen dem 12. und dem 25. Mai 1836 (II) in 11 Fortsetzungen;
– der Buchdruck erfolgte in *Der Salon von H. Heine. Dritter Band,* Hoffmann und Campe, Hamburg 1837 (Mitte Juli), S. 1–144.
– Nachdrucke verzeichnet Mende, 137, 151.
Französische Übersetzungen: die »Revue des Deux Mondes« veröffentlichte *Les nuits florentines* am 15. April 1836 (1. Nacht) und am 1. Mai 1836 (2. Nacht), wahrscheinlich in der Übersetzung von Pierre-Alexandre Specht.
– der erste Buchdruck findet sich in der 2. Auflage der *Reisebilder. Tableaux de voyage* (Paris, Michel Lévy frères, 1856), als letzter Text des 2. Bandes, 291 ff.

Texte: B 1, 557–615 (als Druckvorlage diente die Ausgabe von O. Walzel; die Textüberlieferung stellt kritische Ausgaben vor schwer lösbare Fragen; das Verhältnis der beiden Journalfassungen zur Vorlage des Buchdruckes gilt z. B. als unklar; die *Salon*-Fassung wird jedoch als ein relativ gesicherter Text angesehen, dazu B 2, 865 f.); kleinere Varianten aus dem früheren »Brouillon« zur »Ersten Nacht« sowie größere Varianten zum Anfang der »Zweiten Nacht« druckt B 2, 867 ff. *Übersetzung:* HSA 15, 147–189 (Druck von 1856).

Lit.: Walter Wadepuhl: *Heine-Studien,* Weimar 1956, 109–113: Eine unveröffentlichte Episode aus Heines ›Florentinischen Nächten‹ [Text: 111–113]; Dolf Sternberger: *Heinrich Heine und die Abschaffung der Sünde,* Hamburg und Düsseldorf 1972; Fritz Mende: *Heinrich Heine. Chronik seines Lebens und Werkes,* Stuttgart etc. 1981; Michel Espagne: *Die tote Maria: ein Gespenst in Heines Handschriften,* in: Deutsche Vierteljahrsschrift [. . .], 1983/Heft 2, 298–320; Michel Espagne: *Das Geräusch der Stille. Heines Handschriften zum dritten Salon-Band,* in: *Heinrich Heine und das neunzehnte Jahrhundert,* Berlin 1986, Argument-Sonderband, 49–72, spez. 63 ff. [Eine Untersuchung der Handschrift hat Susan J. Ringler im HJb. 1986 veröffentlicht].
    Elisabeth Frenzel: *Stoffe der Weltliteratur,* Stuttgart 1983 (6. Aufl.), 713 ff.: Statuenverlobung; *Nachwort* des Herausgebers Rudolf Drux von: *Die lebendige Puppe. Erzählungen aus der Zeit der Romantik* (u. a. Heines *Nächte*), Frankfurt a. M. 1986, 245–271.

Analyse und Deutung
Erzählen als Therapie
(Funktionsverhältnis
von Rahmen und Binnenerzählungen)

Läßt der Titel der Novelle Vorstellungen eines stimmungsvollen Städtebildes oder prickelnder toskanischer Liebesnächte aufkommen, so werden diese durch die Rahmenhandlung kräftig enttäuscht: Das Erzählen entwickelt sich an zwei einander folgenden Abenden in einer ungewöhnlichen, beklemmenden, wenn nicht makabren Situation, in der Florenz nur die Rolle einer fernen Kulisse spielt. Mittelpunkt der Rahmenhandlung ist die schwer lungenkranke Maria, die sich keine Chance mehr gibt. Der sie behandelnde, immer pressierte Arzt bittet nun den als Erzähler ausgebildeten und bereits erprobten Maximilian, Maria durch »allerlei närrische Geschichten« so zu faszinieren, daß sie sich völlig ruhig verhält und nicht einmal mehr spricht. Maximilian erfüllt die ihm zugedachte, ›komplementäre‹ Therapie mit dem gewünschten Erfolg: Maria ist am Ende der beiden Nächte eingeschlafen und er selber kann so abrupt abtreten wie er aufgetreten ist. Aber die ›poetische Medizin‹ hat auch unvorhergesehene Nebenwirkungen. Maria nimmt derart intensiv Anteil an dem Geschehen, daß sich die Rahmenhandlung in einen Dialog verwandelt; sie unterbricht den Er-

zähler regelmäßig durch Zwischenrufe und Fragen, wodurch sie (erzähltechnisch) die Spannung erhöht und vermeintlich den Ablauf bestimmt (vgl. Grubačić, 98); am Ende der ersten Nacht stellt der Arzt fest, daß der Schlaf Marias Antlitz »schon ganz den Charakter des Todes« verliehen hat.

Erfolg bzw. Mißerfolg der narrativen Therapie liegen in dem gespannten, intim-erotischen, aber tabuisierten Verhältnis der beiden Hauptpersonen begründet, das in bezeichnenden Gesten zum Ausdruck kommt. Maria reagiert zu Beginn der ersten Nacht mit leidenschaftlicher Abwehr, als sie erfährt, daß der Erzähler sie im Schlafe hatte küssen wollen: »Max! Max! schrie das Weib aus der Tiefe ihrer Seele – Entsetzlich!« Aber sie ergreift seine Hand, um sie »mit den heftigsten Küssen« zu bedecken. Diese Szene, eine Ersatzhandlung, wiederholt sich genauso zu Beginn der zweiten Nacht, worauf Max einen Schal Marias mit den Lippen berührt. – Die konflikthafte Situation bestimmt nun die für die Therapie negative Spannung zwischen Rahmen und Binnenerzählungen. Als stünden sie unter einem Zwang, kreisen fast alle Geschichten, die Max erzählt, um das, was verdrängt ist und was Maria aufregen muß: um Liebe, Tod und Sterben. In der ersten Nacht sind die Geliebten des Erzählers entweder leblos oder tot; er erzählt von einem Musiker, der stirbt, und von einem anderen, der ein leichenhaftes Gesicht hat. Im Zentrum der zweiten Nacht steht eine totgeborene Tänzerin, die mit einer Gauklertruppe auftritt, deren Mitglieder schließlich alle sterben. Deshalb fährt Maria in letztlich gesunder Abwehrhaltung »erschreckend« zusammen, als Max ihr auf makabre und doppeldeutige Weise gesteht, er habe »auch tote Frauen geliebt« (B 1, 563 f.). Die Liebesgeschichte der zweiten Nacht fesselt Maria dann derart, daß sie bei einer Unterbrechung aufschreit und sich »leidenschaftlich« emporrichtend nach Fortsetzung verlangt. Den Höhepunkt der Geschichte nimmt sie allerdings gelassen, müde und einschlafend hin!

Durch die extreme, private Situation des Rahmens und durch das psychologische Widerspiel zwischen Rahmen und Binnenerzählung unterscheiden sich die *Florentinischen Nächte* in zwei wesentlichen Punkten von den Gattungsnormen der Novelle (denen sie andererseits folgen, s. u.). Die zu Vergleichen herangezogenen Novellen mit Rahmenhandlung spielen z. B. vor dem Hintergrund einer außerordentlichen, geschichtlichen Situation wie die Pest in Boccaccios *Il Decamerone* oder wie die Französische Revolution in Goethes *Unterhaltungen deutscher Ausgewanderten*. Außerdem hat das Erzählen nicht, wie traditionell, eine rein unterhaltende, sondern eine therapeutische Funktion, die, was man bisher nicht gesehen hat, eine doppelte ist. Maximilians Geschichten haben nicht nur eine auf Maria gerichtete komplementäre, sondern auch eine auf ihn, auf seinen eigenen ›Fall‹ gerichtete primäre Funktion. Die aus Sessel und Sofa, aus Sprecher und Zuhörer bestehende Situation läßt sich auch so verstehen, daß Maximilian in freier Assoziation sein Unbewußtes bewußt machen will: »ich will Ihnen alles sagen, alles was ich denke, was ich empfinde, ja was ich nicht einmal selber weiß!« (B 1, 559).

Maximilian, der seine perverse, fetischistische Fixierung auf »das Totenhafte und das Marmorne« eingesteht, gibt sich in der ersten Nacht als pathologischen ›Fall‹ zu verstehen (ganz anders dazu z. B. Möller). In der ersten Episode berichtet er, wie er als Zwölfjähriger inbrünstig, zärtlich und verzweifelt eine weiße Marmorstatue geküßt hat, die so im »grünen Grase« lag wie Maria auf ihrem »grünseidnen Sofa« (die Ambivalenz des unauslöschlichen, kindlichen Erlebnisses teilt sich oxymoral als »grauenhaft süße Empfindung« und als »beseligende Kälte« mit). In der Potsdamer Episode, die er als schwere innere Krise erlebt hat, verliebt er sich in eine Statue, in der er die sieben Jahre zuvor gestorbene kleine Very wiederzuerkennen meint. Weiter berichtet der inzwischen mysogyn gewordene Maximilian von einem beglückenden Erlebnis mit einer ätherischen Geliebten, die ihm allerdings nur im Traum begegnet ist. In der zweiten Nacht erzählt Maximilian dann von sinnlichem Glück, das er mit Laurence, einer synthetischen Figur, erlebt hat, die alle morbiden bzw. ätherischen Züge der vorherigen Geliebten in sich vereint. Wieder muß er zunächst eine schwere Depression erleiden, von der ihn erst die Pariser Luft heilt (B 1, 597). Die Erinnerung an die Liebesnacht mit Laurence ruft schließlich jedoch weniger Befreiendes oder Beglückendes als Gespenstisches und Beklemmendes wach: Sie kreist nämlich weniger um ein Liebesspiel als um einen Totentanz. So hat Max am Ende seiner Erzählungen zwar die frühere, zu Verdrängung und Ersatzobjekten verurteilende Einstellung überwunden, wird aber von der Attraktion durch »das Totenhafte« im Augenblick der Erfüllung und des Genusses erneut eingeholt. Diese Attraktion prägt außerdem die Rahmenhandlung (am Ende der ersten Nacht will er von Marias Gesicht einen Gipsabdruck machen lassen, denn die »wird auch als Leiche noch sehr schön sein«). Das Geheimnis ihrer beiderseitigen Beziehung bleibt letztlich ebenso bewahrt wie dasjenige von Max's Biographie.

Lit.: Dierk Möller: *Heinrich Heine: Episodik und Werkeinheit,* Wiesbaden und Frankfurt a. M. 1973, 143 ff. u. 153 ff.; Joachim Müller: *Heines Prosakunst,* Berlin (Ost) 1975, 1977 2. Aufl., 152–171; Slobodan Grubačić: *Heines Erzählprosa,* Stuttgart etc. 1975, 97–113; Andras Sandor: *Auf der Suche nach der vergehenden Zeit. Heines »Florentinische Nächte« und das Problem der Avantgarde,* in: HJb 1980, 101–130 [dort 107 ff.]; Manfred Schneider: *Die kranke schöne Seele der Revolution,* Frankfurt a. M. 1980, 30–37 [psychoanalytische Interpretation von Heine-Maximilians Statuen-Liebe]; Rolf Hosfeld: *Nachtgedanken. Heinrich Heines »Florentinische Nächte«,* in: *Heinrich Heine und das neunzehnte Jahrhundert:* Signaturen, Berlin 1986, Argument-Sonderband, 73–90.

(Un-)Sichtbare Signaturen: Töne, Tanz

Eine irreale, zwischen Sein und Schein wechselnde, schließlich geheimnisvolle Aura umgibt die Binnenerzählungen (die erste und letzte Episode sind z. B., wie der Rahmen, in die Nacht verlegt; Maximilian erlebt die meisten seiner Abenteuer als Traum bzw. »wie im Traume«, z. B. die Begegnungen mit Laurence; die Dialektik zwischen Realität und Scheinwelt untersucht Slobodan Grubačić). Die Haltung des Erzählers ist nicht so sehr kausalaufklärend als verhüllend und ausweichend (vieles bleibt sonderbar unbestimmt; immer wieder vermag Max etwas nicht zu wissen, zu verstehen oder zu benennen; für Unbestimmtheit sorgen Fragen, die unbeantwortet bleiben oder zahlreiche Auslassungspünktchen ». . .«). Dieser Eindruck von Irrealität und Ambivalenz verdichtet sich in beiden Nächten angesichts von Musik und Tanz zu einem regelrechten »Rätsel«, das durch eine eigens diskutierte rationale Deutungsmethode aufgelöst werden soll. In beiden Fällen handelt es sich um »sichtbare« bzw. um »unsichtbare Signaturen« (B 1, 575), also um nicht-sprachliche Ausdrucksformen, die es in visuelle sprachliche Bilder umzusetzen gilt. Der Erzähler stellt nun sein »musikalisches zweites Gesicht«, das heißt seine »Begabnis«, bei jedem erklingenden Ton »auch die adäquate Klangfigur zu sehen« (B 1, 578), mit unterschiedlichem Erfolg an drei verschiedenen »Signaturen« unter Beweis. Mühelos vermag er in der ersten Nacht zunächst die physiognomischen Signaturen, als welche er die Gesichter der Italienerinnen in der Oper wahrnimmt, zu »lesen« (B 1, 569), wie danach die »tönende Bilderschrift« Paganinis zu deuten, die ihm »allerlei grelle Geschichten« erzählt (B 1, 578 ff.): Durch »Transfiguration der Töne« ›sieht‹ er vier dramatisch aufgebaute Geschichten, in denen Stationen aus dem Leben des mit dem Teufel verbundenen, genialen Geigers wiederkehren (zur späteren Einschätzung der Virtuosität Paganinis vgl. *Lutezia*, B 9, 437 und 536). Dagegen widersteht das choreographische Signum der zweiten Nacht jeglicher ›Lesart‹. Laurences fesselnder, faszinierender, geheimnisvoller Tanz erscheint Maximilian als besondere, unverständliche »Sprache« bzw. als unauflösliches »Rätsel« (»Ich der sonst die Signatur aller Erscheinungen so leicht begreift, ich konnte dennoch dieses getanzte Rätsel nicht lösen«, B 1, 593). Die biographische Auflösung gegen Ende der Novelle (B 1, 610 f.) läßt dann erkennen, daß Laurence im Tanz das Trauma ihrer gespenstischen Geburt als »Totenkind« zu bewältigen versucht (ihre schwangere Mutter war schon begraben, ehe sie doch noch geboren wurde). Aber aus therapeutischer Sicht bleibt ihrem selbstvergessenen, trunkenen Tanz, den sie sich regelmäßig zu wiederholen verurteilt sieht, der letzte Erfolg ebenso versagt wie der Konfession des Erzählers. Nur dem Teufelsgeiger scheint es gelungen zu sein, im Medium der Kunst das Rätsel seiner Biographie zu ›lösen‹ (die Möglichkeit eines tiefenpsychologischen Zugangs hat zuerst Benno von Wiese, 87, betont).

Lit.: Joachim Müller (s. o.) 157–162; Slobodan Grubačić (s. o.); Benno von Wiese: *Signaturen. Zu Heinrich Heine und seinem Werk,* Berlin 1976, 80–88; Irmgard Zepf: *Heinrich Heines Gemäldebericht zum Salon 1831: Denkbilder,* München 1980, 162 ff.
   – zu Paganini und zur Musikrezeption: Johannes Mittenzwei: *Musikalische Inspiration in Heines Erzählung ›Florentinische Nächte‹ (I)* [...], in: ders.: *Das Musikalische in der Literatur. Ein Überblick von Gottfried von Straßburg bis Brecht,* Halle 1962, 231–251; Steven Paul Scher: *Heine's Paganini Porträt: Translation of Music into ›Theater‹,* in: ders.: *Verbal Music in German Literature,* New Haven and London 1968, 79–105.
   – zu Signatur: Wolfgang Preisendanz: *Heinrich Heine,* München 1973, 43 ff.

Die Novelle als Tarnung

Die Wahl der Novelle als Erzählform hat bis auf die jüngste Zeit spürbar dazu beigetragen, die *Florentinischen Nächte* als unbedeutendes, politisch harmloses Werk abzuqualifizieren. Heine, der trotz der für ihn sehr schwierigen Zeitumstände ein Buch schreiben wollte, das »höchst amüsant ist, auch populär, für alle Classen berechnet« (Brief an

Campe vom 4. Dezember 1835), hat zu einer Gattung gegriffen, die in den Jahren 1830/1840 sehr erfolgreich, aber auch sehr umstritten war. Stellt die Novelle z. B. für die Vertreter des Jungen Deutschland die wichtigste Erzählform dar, so wurde das Novellenschreiben gleichzeitig als schwächliches, typisch deutsches Produkt der Biedermeierzeit abgeurteilt (z. T. von den Jungdeutschen selber: Mundt hat sie z. B. ironisch als »deutsches Hausthier« bezeichnet). Unter dem Druck der Verhältnisse blieb Heine kaum eine andere Wahl, als aus der bitteren Zensur-Not eine qualvolle Tugend zu machen, d. h. die anerkannte Harmlosigkeit der jedoch publikumswirksamen Novelle als Tarnmantel zu benutzen, hinter dem er seine gereinigte Zeitkritik an den Instanzen vorbei in die Öffentlichkeit schmuggeln konnte (diesen Aspekt hat zuerst Grözinger untersucht). Genau diesen »Schmuggelhandel« hat damals Gutzkow Georg Büchner in seinem Brief vom 17. März vorgeschlagen: »Wein verhüllt in Novellenstroh«. So vermochte Heine immer wieder in Briefen und auch in der Öffentlichkeit die politische Harmlosigkeit des *Salon* III und der *Florentinischen Nächte* zu betonen (unter Berufung auf Boccaccios Novellen und mit deutlicher Anspielung auf die aktuelle »pestilenzielle Wirklichkeit« hat er in der *Vorrede* von 1837 die reine Unterhaltsfunktion des *Salon* unterstrichen, B 9, 26). In Wirklichkeit gelang es ihm aber, für ein »esoterisches« Publikum klar vernehmlich eine Reihe von Tabus und Verboten zu berühren.

So wird durch groteske und satirische Mittel Kritik an den herrschenden Klassen des Ancien und des Nouveau régime geübt: Die extrem kontrastreich gezeichnete Figur des Zwerges Türlütü ist beispielsweise ein absolut lächerlicher Vertreter des alten, emigrierten französischen Adels; wurde Türlütü bezeichnenderweise von Napoleon nicht geliebt, so steht er auf gutem Fuße mit den Mächten der Restauration. In der Hamburger Episode werden Bourgeois durch kontrastive Metaphern und durch Wortkreuzung verspottet (»Olymp von Bankiers«, »Götter des Kaffees«, »dicke Ehegöttinnen«, B 1, 577). Im Gegensatz zu dem wie in den *Englischen Fragmenten* merkantil und mechanistisch dargestellten London wird Paris deutlich als Schauplatz der Revolution in Erinnerung gerufen, während der Erzähler in einem Pariser Salon jedoch auf die groteske Gesellschaft des nach 1830 herrschenden Juste-Milieu trifft.

Als besonders zeitkritisch muß weiter das sensualistische Gegenbild zur sinnenfeindlichen, christlich-moralischen Biedermeierzeit gewirkt haben, das der ideologische Rahmen der Heineschen Schreibweise entstehen läßt. So erinnern die leitmotivisch wiederkehrenden Marmorstatuen und Marmorbilder an die unsterblichen Griechengötter, die Protest gegen die herrschende Entsagungsmoral ankündigen und ein sinnlich befreites, sündeloses Leben in Schönheit verheißen. Von antiker Schönheit zeugen außerdem die Gesichter der Italienerinnen (siehe *Reise von München nach Genua*) sowie ausdrücklich das »griechisch schöne«, »marmorreine« Gesicht der Laurence. Die Renaissancestadt Florenz ruft ebenfalls Vorstellungen von befreiter Sinnlichkeit wach. Eine zentrale Funktion üben schließlich die »Signaturen« der Musik und des Tanzes aus, denn in ihnen fällt die Vorstellung heidnischen Lebensgenusses mit derjenigen künstlerischer Befreiung zu einem Bild umfassenderer Emanzipation zusammen (Musik und Tanz wurden bereits in der *Reise von München nach Genua* und in der *Harzreise* als Ausdruck des Freiheitswillens unterdrückter Völker bzw. als politische »Chiffern« bezeichnet). Mit Paganini wird die alles verwandelnde Kraft der Musik beschworen, die den Menschen vergöttlicht und als universelle »tönende Harmonie« die herrschenden Gegensätze überwindet. Die ungestüme, wilde, trunkene und willenlose Tänzerin Laurence erinnert an frevelhafte, antike »Bacchantinnen«, das heißt an den Dionysoskult (wenn sie nicht auf den improvisierten, modernen Tanz vorausweist). Zu dem utopischen Bild sinnlicher Emanzipation paßt allerdings nicht, daß Laurence auch fatalistisch »wie das Schicksal« tanzt.

Lit.: Dolf Sternberger (s. o.); Slobodan Grubačić (s. o.); Benno von Wiese (s. o.); Elvira Grözinger: *Die »doppelte Buchhaltung«. Einige Bemerkungen zu Heines Verstellungsstrategie in den »Florentinischen Nächten«*, in: HJb 1979, 65–83. – zur Novelle: Friedrich Sengle: *Biedermeierzeit*, Stuttgart 1972, Bd. II, 833–841; Helmut Koopmann: *Die Novellistik des Jungen Deutschland*, in: *Handbuch der deutschen Erzählung*, hrsg. von Karl Konrad Polheim, Düsseldorf 1981, 229–239.

Die *Nächte* und die Gattungsnormen der Novelle

Neben der politischen Harmlosigkeit wurde auch immer wieder die erzählerische Bedeutungslosigkeit der *Nächte* kritisiert. Dieser Ansicht sollen abschließend einige weitere Bemerkungen über Heines ambivalente Stellung zur Norm und Tradition novellistischen Erzählens entgegentreten. – Zunächst sei betont, daß die *Nächte* den gesellschaftlichen Grundgestus, den diese Erzählform damals auszeichnete, übernehmen (Koopmann). Ebenso pflichtet der Zug ins Phantastische und Rätselhafte der für die Biedermeierzeit typischen Erwartung an etwas Geheimnisvolles bei (Sengle). Strukturell entsteht dann auch kein großer Unterschied zur Tradition, wenn in den *Nächten* nur ein Erzähler auftritt, der mehrere Geschichten erzählt, während z. B. in Chaucers *The Canterbury Tales* dreißig Pilger, bei Boccaccio zehn und bei Goethe (s. o.) mehrere Personen Geschichten erzählen. Der Anschluß an die Tradition der Gattung zeigt sich im Einzelnen an einer Reihe von formalen Merkmalen. Durch den Rückgriff auf einen Ich-Erzähler entsteht die für diese Gattung unerläßliche, distanzierte und objektive Haltung: Maximilian reflektiert, kommentiert und korrigiert sein Vorgehen (z. B. B 1, 571 f.), während sich der Autor so gut wie gar nicht einschaltet (vgl. B 1 584; ursprünglich sollte der Erzähler jedoch Signor Enrico heißen!). Die Verwendung einer Rahmenhandlung erleichtert wiederum die Gliederung in zwei gleich umfangreiche Stücke, die außerdem untereinander durch zahlreiche Parallelen, Motive und Themen eng verknüpft oder kontrastiv aufeinander bezogen sind (Musik und Künstlerfiguren stehen z. B. jeweils im Mittelpunkt; in beiden Nächten vollzieht sich ein markanter, bedeutsamer Orts- und/oder Zeitwechsel; besteht die erste Nacht aus vier Geschichten und vier »Transfigurationen«, so tritt in der zweiten Nacht eine viergliedrige Künstlerfamilie auf). Die einheitstiftende Funktion des Rahmens ergänzt sich nicht zuletzt sehr gut mit Heines assoziierender, kleinteiliger, episodischer, »närrischer« Erzählweise.

Dennoch darf andererseits nicht übersehen werden, daß Heine, wie bereits hervorgehoben, die Gattungsnormen in wesentlichen Punkten kritisiert, verschiebt und sogar parodiert (diesen Aspekt hat Slobodan Grubačić betont). Hier mag nur an die durch Nichtvollendung erreichte Verletzung der für die Novelle notwendigen geschlossenen Form erinnert werden: Die *Nächte* sind nicht nur Fragment geblieben, sondern Maximilians Erzählungen enden auch so abrupt bzw. ausweichend wie sie angefangen haben; außerdem läßt er vieles nicht nur unbestimmt, sondern auch unabgeschlossen. Wie bei den *Reisebildern* gehört mangelnde Abrundung auch hier zum kompositorischen Prinzip, ohne ein Symptom von erzählerischer Schwäche zu sein.

Lit.: Friedrich Sengle (s. o.); Dierk Möller (s. o.); Joachim Müller [s. o., untersucht besonders Motive]; Slobodan Grubačić [s. o., untersucht außerdem Stilfragen, 106 ff.]; Helmut Koopmann (s. o.).

– zu Aufnahme und Wirkung: soweit sich nach dem bisherigen Stand der Forschung davon sprechen läßt, bleibt anzumerken, daß die eher negativen Reaktionen auf den *Salon* III nicht ganz auf die *Nächte* durchgeschlagen sind, denn eine anonyme Rezension vergleicht diese Prosa mit einem »Traumpalast« und mit dem »zierlichsten Kiosk«, erbaut aus »Mondesstrahlen« (B 6, 975).

Über den Denunzianten

Entstehung, Druck, Text

Die *Vorrede* zum dritten Teil des *Salon* setzt sich mit den literaturpolitischen Maßnahmen des Deutschen Bundes und Preußens, die Heines schriftstellerische Existenz grundsätzlich in Frage gestellt haben, auseinander. In einer ersten Reaktion auf die Verbotspolitik vom Dezember 1835 hatte Heine den scheinbar unterwürfigen offenen Brief *An eine hohe Bundesversammlung* geschrieben (s. u.). Parallel dazu hatte er versucht, sich mit einem von allem politisch oder religiös Anstößigem streng gereinigten und unterhaltsamen Buch, dem *Salon* III, auf die neue Situation einzustellen bzw. die Ernsthaftigkeit der Verbotspolitik zu sondieren (s. *Florentinische Nächte* und *Elementargeister* sowie *Salon*-Projekt). Die *Vorrede,* deren Entstehungsgeschichte den lähmenden Druck der Selbstzensur unmittelbar dokumentiert, kam noch einmal ausführlich auf das Verbot bzw. auf den offenen Brief zurück und griff den Denunzianten Wolfgang Menzel an, den die damalige liberale Opposition als den »eigentlichen Initiator« der Maßnahmen ansah (DHA 11, 825).

Im Herbst 1836, ein dreiviertel Jahr nach dem Verbot, steckte Heine, der seit dem Frühjahr daran arbeitete, dem *Salon* III den zensurfreien Umfang zu verschaffen, in den »allerschrecklichsten Nöthen« (wie er Campe am 1. September seine schwere Schreibkrise deutlich zu machen versuchte): Drei Vorreden-Entwürfe hatte er bereits vernichtet, ein weiterer, der auf der Provencefahrt im Oktober an der Mittelmeerküste entstanden war, blieb Fragment (Text DHA 11, 225). Die Schreibnot hielt trotz neuer Versuche bis Ende des Jahres an. Der endgültige Text wurde dann wahrscheinlich im Januar 1837 in Paris und in wenigen Tagen

niedergeschrieben. Einen Tag vor dem Schlußdatum (»Geschrieben zu *Paris,* den 24. Januar 1837«) ging der Text mit folgender Erklärung an Campe ab: »Wenn Sie dieselbe *[Vorrede]* aufmerksam gelesen haben, begreifen Sie welche Mühe es mir kostete so delikate Gegenstände in einer Form zu schreiben, die alles Mißwollen der Regierungen entwaffnet«. Durch die gemäßigte Form hoffte er sogar, die deutschen Autoritäten zu seinen »Gunsten« umstimmen zu können. Weiter machte er vom unzensierten Druck der Vorrede »den ganzen Bestand« seines Verhältnisses zu Campe abhängig. Außerdem schlug er vor, den Text gesondert drucken zu lassen und das Exemplar »*spottwohlfeil* zu verkaufen«. Um Heines Absicht, den unvorbereiteten, d. h. durch keinen ihm bekannten Zensor vorgewarnten Menzel zum Duell zu zwingen, war Campe zunächst bereit, Drucker und Zensur zu täuschen, aber das Vorhaben scheiterte. Erst im Mai 1837 erhielt die *Vorrede* das Imprimatur und wurde in Hamburg gedruckt (während der mit Menzel befreundete Zensor Adrian dem Druck des Buches, zusammen mit der *Vorrede,* in Gießen keine Erlaubnis erteilte). Die kleine Broschüre erschien Mitte Juli unverstümmelt und getrennt vom *Salon*-Band in einer relativ niedrigen Auflagenhöhe. Erst Ende Juli erfuhr Heine, der seit Mai gespannt auf das Erscheinen seiner »Menzeliade« wartete, daß Campe Menzel ein Exemplar zugesandt hatte. Aber zu diesem Zeitpunkt war Menzel durch Adrian schon über den Inhalt der *Vorrede* informiert.

Druck: Die 39 Seiten schmale Broschüre erschien im Juli 1837 unter dem Titel: *Ueber den Denunzianten. Eine Vorrede zum dritten Theile des Salons von H. Heine. Hamburg bei Hoffmann und Campe. 1837.*

Text.: B 9, 26–42; DHA 11, 154–168 u. Bruchstücke 225.

Lit.: B 10, 611 ff.; DHA 11, 825 ff., 850 u. 854.

Weder verkauft noch verraten: Heines Reaktion auf das Bundestagsedikt von 1835

Voller Ironie bringt die *Vorrede* zunächst die Situation eines philosophisch ambitionierten, neuartigen Prosaschriftstellers, der mit Berufsverbot belegt worden ist, zur Sprache: Dem Autor, der sich »so viel Mühe gegeben [hatte] mit der deutschen Sprache«, ward 1835 »das Schreiben selber verboten« (durch Wiederholung unterstrichen, B 9, 27). Aus der Perspektive des subjektiv Betroffenen

(»Ich weinte wie ein Kind!«) und des Einsichtigen (»ich kannte zu gut den Grund der Dinge«, d. h. die materiellen Interessen) werden nun die wahren Absichten eines aufgedeckt, der mit einer öffentlich »als gar zu untertänig« getadelten »Bittschrift« auf jenes Verbot reagiert hat, statt kräftig zu protestieren.

Tatsächlich hat Heine das Verbot vom 10. Dezember 1835, über das er erst Anfang Januar unterrichtet worden war, zunächst nicht ganz ernst genommen (»Die ganze Verfolgung des Jungen Deutschland nehme ich nicht so wichtig. Sie werden sehen, viel Geschrey und wenig Wolle«, schrieb er am 12. Januar 1836 an Campe). Im Anschluß an eine Hetzkampagne gegen die junge Schriftstellergeneration und knapp einen Monat nach Beschluß der preußischen Regierung vom 14. November, die Schriften von Gutzkow, Wienbarg, Laube und Mundt, mit ausdrücklichem Einschluß der von Wienbarg und Gutzkow geplanten »Deutschen Revue« zu verbieten (Text B 12, 380 f.; vgl. dazu DHA 11, 791 ff.), hatte die deutsche Bundesversammlung auf Betreiben der preußischen Regierung und unter maßgeblicher Beteiligung Metternichs zu ihrem bedeutendsten Schlag gegen die literarische Opposition und deren Verleger Campe ausgeholt (Text B 12, 379 f. u. DHA 11, 794 f.). Auf Anregung des österreichischen Staatskanzlers, der Heine als das geistige Haupt und den Anführer der Gruppe ansah (s. DHA 11, 795 f.), war der Autor des *Salon* II durch ein nachträgliches Reskript vom 11. Dezember der Reihe der verbotenen Schriftsteller Gutzkow, Laube, Wienbarg und Mundt vorangestellt worden. Heine, der sich in einer zu spät, erst am 25. Januar 1836 veröffentlichten Solidaritätserklärung zu den verfolgten Initiatoren der »Deutschen Revue« bekannt hatte (B 9, 21; DHA 11, 147), zog in seinem auf den 28. Januar 1836 datierten offenen Brief *An eine hohe Bundesversammlung* eine juristische Argumentation gegen das anfechtbare Edikt vor, um freies Geleit und einen fairen Prozeß (mit persönlicher Verteidigung) oder Rücknahme des Verbots zu erbitten (Text des am 30. Januar in französischer Übersetzung sowie am 6. und 10. Februar 1836 nach der Handschrift veröffentlichten Briefes: B 9, 20 f. u. DHA 11, 148 f.; zu Nachdrucken s. DHA 11, 802 f.). Der Brief ist mit »Heinrich Heine, beider Rechte Doktor« signiert, um den öffentlichen Charakter zu unterstreichen. Über die erhoffte Wirkung auf die Bundespolitik sollte sich Heine jedoch getäuscht haben, was er in einer dritten öffentli-

chen Reaktion, den *Erörterungen* vom 26. April 1836, eingestehen mußte (»in einer untertänigen Bittschrift vindizierte ich nur mein unveräußerliches Verteidigungsrecht«, betont der auf eine Antwort wartende Heine in dem nur als Resümee am 8. Mai 1836 veröffentlichten Schreiben; Text B 9, 22–26, Notiz B 10, 605 f.). Inzwischen hatte die preußische Regierung die Verbotsmaßnahmen am 10. Februar dahingehend »abgemildert«, daß in Preußen zensierte Werke gedruckt und in Deutschland verbreitet werden konnten (Text B 12, 381 f.). Das aber empfand Heine, der darin ein zynisches Junktim zwischen politischem ›Verrat‹ und ökonomischer Existenzsicherung erkannte, als Aufforderung zur Selbstverleugnung. Widerstand oder Hinnahme dieser Politik mußte ihm zu einer Frage werden, an der sich die Glaubwürdigkeit des kritischen Schriftstelleramtes entschied. In dieser Situation schleuderte der materiell und geistig bedrohte Autor aber kein leidenschaftliches »J'accuse« (wie 1832) hervor, sondern er wehrte sich taktisch sehr geschickt, indem er den eklatanten Widerspruch zwischen den von den feudalen Bürokratien zwar anerkannten, in Wirklichkeit aber vorenthaltenen Prinzipien des wirtschaftlichen Liberalismus aufdeckte. In der Rolle des freien Berufsschriftstellers wies Heine darauf hin, daß ihn das Verbot an der Ausübung seines bürgerlichen ›Kapitals‹ hindere: Wie ein Unternehmer betonte er, durch das Verbot »geht mir mein Vermögen, welches in der Exploitation meiner Schriften und meiner literarischen Tätigkeit besteht, zum größten Teile verloren, und ich gerate in einen rechtlosen Zustand« (B 9, 24). Die wirtschaftliche Behinderung des »kärglichen Poetenvermögens« eines Exilschriftstellers nennt er im Brief an Moser vom 8. November 1836 »eine Verletzung der unbestreitbarsten Eigenthumsrechte, des literarischen Eigenthums, eine plumpe Beraubung«. Genau diese ökonomische Argumentation, die durch das Insistieren auf heuchlerischer Normverletzung (Verbot statt freier Markt) noch entlarvender erscheinen mußte als eine juristische, griff die *Vorrede* dann auf, um an die im offenen Brief verschwiegene Gefärdung der »pekuniären Interessen« ausdrücklich zu erinnern (B 9, 28). – Mehr in der Eigenschaft des öffentlichen Sprechers, der »das Gemeinwohl der deutschen Schriftsteller« vertritt, protestierte Heine zuvor in den *Erörterungen* gegen die empörende preußische Zensurpolitik, weil diese »Erwerbsquellen der Schriftstellerei« nur um den Preis der Selbstaufgabe eröffnen wollte. Mit der Annahme von Honoraren aus (selbst)zensierten Arbeiten hätte er, der er sich als Opponent Preußens begriff, »mittelbar dem preußischen Interesse verkauft, und zwar verkauft für [s]ein eignes Geld« (DHA 11, 153; vgl. B 9, 25). Dieser Standpunkt, für Heine ein unverzichtbarer Ehrenpunkt, führte im Frühjahr 1836 zur Rückforderung des *Salon*-Manuskriptes, da Hinnahme der preußischen Zensur jetzt als Verrat(en) und Verkauf(en) aufgepaßt werden mußte. Unmißverständlich teilte er seinem Verleger am 22. März mit: »ich werde nicht die deutsche Presse an Preußen verrathen, ich werde meine Ehre nicht um Buchhonorar verkaufen.« Genauso machte er am 29. März v. Cotta klar, daß durch den Verkauf seiner Feder »alle deutschen Gedanken, eben so gut wie die materiellen Stoffe, unter die Preußische Duane« geraten würden. An der für die »deutsche Schriftwelt« stellvertretend angeprangerten Gefährdung des schriftstellerischen Auftrags durch ökonomische Interessen wird der von Heine seit den *Reisebildern* immer wieder aufgezeigte Widerspruch des modernen Berufsschriftstellers deutlich, der als potentiell freier Warenproduzent in neue Abhängigkeiten gerät. Der in liberalem Geist bloßgestellte Widerspruch zeigt ebenfalls auf, daß der Schriftsteller kein Unternehmer wie andere ist. Dem Vorkämpfer der Geistesfreiheit mußte deshalb der Fall Menzel zum Paradebeispiel seiner an der Haltung der deutschen Intelligentsia entwickelten Verratsthese werden (s. u.). Um so empfindlicher traf den Schreiber des offenen Briefes an die Bundesversammlung selber der Vorwurf der Untertänigkeit, gar des Abfalls. Den Vorwurf, statt einer »Protestation« eine »Bittschrift« verfaßt zu haben (B 9, 28), versucht er in der *Vorrede* nun durch den Hinweis auf diplomatische Rücksichten zu entkräften: Er habe aus sicheren Quellen gewußt, daß »höchste Staatsmänner« mit Bedauern bereit gewesen wären, seine Situation abzuändern. Ein Jahr, nachdem das Opfer des Bundestagsbeschlusses meinte, durch »Demarschen« seine persönliche Situation wenden zu können, beruft sich Heine tatsächlich auf ihm wohlgesonnene Staatsmänner in Preußen und Österreich, ja im Brief an Campe vom 23. Januar 1837 ewähnt er sogar den ihm angeblich geneigten Fürsten Metternich (vgl. Brief an Lewald vom 25. Januar 1837). Aber laut Kommentar der DHA hat sich zu diesen Angaben nichts Näheres ermitteln lassen (DHA 11, 844). Die *Vorrede* geht jedenfalls weiter von der Vorstellung aus, durch gemäßigte Reaktionen die Regierungen zum Einlenken bringen zu können.

Texte: B 9, 20–26 u. B 12, 383 f.; DHA 11, 147–153 u. 224 f. (s. dazu außer Kommentar-Teilen der Ausgaben noch Dokumente B 12, 374 ff.).

Dokumentation der Situation 1835: *Verboten! Das Junge Deutschland 1835,* hrsg. von Jan-Christoph Hauschild in Verbindung mit Heidemarie Vahl, Düsseldorf 1985 (Katalog zur Ausstellung im Heinrich-Heine-Institut).

Analyse und Deutung

Der »literarische Bürgerkrieg« um Wolfgang Menzel

Die Schlacht um Menzel war längst geschlagen, als Börne und Heine den »Franzosenfresser« und »Denunzianten« zur Unsterblichkeit züchtigten. Der Stuttgarter Literaturpapst, der noch im Juni 1836 das »Ende des jungen Deutschland« abschließend verkündet hatte (Text Briegleb 1975, 135 ff.), war selber wenig später nach Heines Ansicht »schon längst der öffentlichen Verachtung verfallen« und galt 1837 als ›toter Mann‹ (B 9, 30). Heine, der sein spätes Eingreifen als »puren Luxus« empfand, hatte mit dem zum Spitzel gewandelten, ehemals sogar »guten Freunde« bereits gebrochen (B 9, 37; s. *Die deutsche Literatur von Wolfgang Menzel*). In der Folgezeit blieben vom Redakteur des »Literatur-Blatts«, vom Historiker und Schriftsteller Menzel vor allem jene Prügel übrig, die er 1837 aus Paris erhalten hat (nach dem Aufsatz *Gallophobie de M. Menzel,* den Börne im Januar 1836 in seiner Zeitschrift »La Balance« veröffentlicht hatte, erschien *Menzel der Franzosenfresser* zum Jahreswechsel 1836/37, oder posthum nach dem Februar 1837).

Als *Ueber den Denunzianten* niedergeschrieben wurde, lag bereits eine ganze Reihe von Flugschriften und polemischen Aufsätzen zum Thema vor. Wenn Heine auch, wie er im *Schwabenspiegel* erwähnt (B 9, 62), vor der Niederschrift die »großen Bomben« von Börne und David Friedrich Strauß noch nicht gesehen hatte, so kannte er u. a. Gutzkows *Apellation an den gesunden Menschenverstand,* Kottenkamps *Anti-Menzel* und Wienbargs *Menzel und die junge Literatur,* die allesamt 1835 erschienen waren (DHA 11, 827; eine Dokumentation von Menzels Angriffs- und der Jungdeutschen Verteidigungsschriften – ohne Heines und Börnes Beiträge – hat Estermann herausgegeben; s. ebenfalls B 12, 405 ff., 415 ff.; Strauß' »Bombe«: *Die Herren Eschenmayer und Menzel,* erschien 1837 als 2. Heft seiner *Streitschriften zur Verteidigung meiner Schrift über das Leben Jesu*). Heine hat seine Verrats- und Denunzianten-These, die bis heute wirksam geblieben ist, nicht näher bewiesen – die Fakten galten ihm bereits als »notorisch« –, sie war erwiesen durch die ideologische Wandlung Menzels vom Juli-Liberalen zum antiliberalen Vorkämpfer der Reaktion (über Menzels Entwicklung zum patriotischen Anwalt von Religion und Sitte, sowie zum Verteidiger der staatlichen Literaturpolitik, in der Druck der preußischen Regierung, politische Gegnerschaft und auch ökonomische Konkurrenzangst eine Rolle gespielt haben, s. Briegleb 1975, I. u. G. Oesterle u. Becker). Über die politische Funktion der Angriffe, die Menzel im »Literatur-Blatt« gegen den Autor von *Wally, die Zweiflerin* (drei *Abfertigungen des Dr. Gutzkow*) und gegen Wienbarg *(Unmoralische Literatur)* im September und Oktober 1835 – drei Monate nach Börnes Abrechnung mit *De l'Allemagne* – gestartet hatte, war sich Heine schnell im klaren. In Briefen an Laube vom 27. September und 23. November 1835 hat er Menzel eine »Mischung von Pöbelthum und Schurkenhaftigkeit« genannt und zur Abwehr seiner opportunistischen Attacken zu persönlichen Angriffen auf »diesen schmutzigen Wicht« aufgefordert. In diesem »literarischen Bürgerkrieg« (an Campe vom 4. Dezember 1835) rechtfertigt für ihn der Zweck die Mittel. Der Brief an Campe vom 12. Januar 1836 stellt dann das Zusammenspiel heraus, das er zwischen den »Denunziazionen des studtgarter Literaturblattes« und polizeilicher Unterdrückung erkannt hat. Die *Erörterungen* und die *Vorrede* werden den Tatbestand irrtümlicher »Denunziation« und »schnödester Angeberei«, mit der die verantwortlichen Staatsmänner zu dem empörenden Edikt verleitet worden sind, als erfüllt ansehen (B 9, 23, 28 u. 30). Aber dieser als ursächlich angenommene Zusammenhang zwischen Menzels Angriffen und den staatlichen Verboten (in der Vorrede, B 9, 30, steht »veranlassen«) ist inzwischen infrage gestellt worden. Klaus Briegleb hat die angebliche, Menzel schließlich ehrende »Verratslegende« mit dem Nachweis zurechtgerückt, daß Menzel nicht Ursache der Verbotspolitik war, sondern nur ein unerwarteter und willkommener Helfershelfer eines bereits im Juni 1834 beschlossenen Vorgehens gegen das Junge Deutschland (»der ›Geist der Gewalthaber‹ hat Menzel ›methodisch‹ zur guten Sache zurückgeholt«, betont Briegleb 1975, 133). Mit seiner Polemik gegen des Wollüstlings Gutzkow »Obszönitäten«, »Gotteslästerung« und »frechste Unsittlichkeit«, die tatsächlich von Metternich aufgegriffen worden ist, gilt Menzel nur als Auslöser, nicht als »eigentlicher Initiator« der Verbotspolitik (DHA 11, 825 f.).

Mit einer solchen Rolle hat Menzel wiederum Heine beehrt. Im »Literatur-Blatt« vom 4. Januar 1836 bezichtigte er den »eben so frivolen als genialen Heine« als Anstifter, »von dem der ganze Unfug ausgegangen ist« (B 12, 417). Wenn er auch noch bis zum März 1836, bis zur Rezension des zweiten *Salon*-Bandes, eine gewisse Milde gegenüber Heine walten ließ, indem er den Anstifter nicht ganz für die Folgen verantwortlich machte, so zögerte der militante Deutschtümler und Redakteur schon jetzt nicht, Heine als »Von Geburt Jude« und seine Kritik am Christentum als »jüdische Antipathien« zu diffamieren. Die 2. Auflage der *Deutschen Literatur* bot Menzel dann Gelegenheit, antisemitische mit sexuellen Anspielungen zu verbinden (für Heine sei die Heilige Maria eine schöne Jüdin, »die er, die Hände in den Hosen, aufs unanständigste beliebäugelte«, B 12, 419).

Texte und Dokumentationen: Alfred Estermann (Hrsg.): *Politische Avantgarde 1830–1840,* Frankfurt a.M. 1972, 2 Bd.e; Karl Gutzkow: *Wally, die Zweiflerin,* hrsg. von Günter Heintz, Stuttgart 1979 (Reclam) (mit Dokumenten zum Gutzkow-Menzel-Streit); Wolfgang Menzel: *Die deutsche Literatur,* Zwei Bände in einem Band, mit einem Nachwort von Eva Becker (Reprographischer Druck der Ausgabe Stuttgart 1828), Hildesheim 1981.

Lit. zur Menzel-Debatte: Carl Colditz: »*Über den Denunzianten*«, in: Modern Language Quarterly, June 1945, No. 2, 131–147; Klaus Briegleb: *Der »Geist der Gewalthaber« über Wolfgang Menzel,* Ingrid und Günter Oesterle: *Der literarische Bürgerkrieg. Gutzkow, Heine, Börne wider Menzel,* beide in: Gert Mattenklott/Klaus R. Scherpe (Hrsg.): *Demokratisch-revolutionäre Literatur in Deutschland: Vormärz* (Reihe: Literatur im historischen Prozeß Bd. 3/2), Kronberg/Ts. 1975, 117–150 und 151–185; David Heald: *Wolfgang Menzel – The ›Denunziant‹ Revalued,* in: New German Studies, Hull, 5/1977, 25–48; Eva Becker (s. o.), 1–45.
– zu Menzel: Erwin Schuppe: *Der Burschenschafter Wolfgang Menzel. Eine Quelle zum Verständnis des Nationalsozialismus,* Frankfurt a.M. 1952.

Denunziant und Denunzierter: Duell in windstiller Zeit

Wenn Heine verspätet in den »Bürgerkrieg« eingriff, dann, weil er sich verpflichtet fühlte, an dem Denunzianten des Jungen Deutschland »ein eklatantes Exempel« zu statuieren, wie er Campe am 23. Januar 1837 mitteilte – ein »eklatantes« und spezifisches Exempel an einem spezifischen Denunzianten. Der Denunzierte, der durch den Machtmißbrauch des »literarischen Mouchards« beruflich stark geschädigt worden ist, sieht sich aufgrund der Verbotssituation verhindert, »mit klaren Worten das Gespinste von Verleumdungen zu beleuchten«, mit denen es gelungen ist, seine Meinungen »als staatsgefährlich« zu denunzieren und verfolgen zu lassen (B 9, 30). Der ohnmächtige, zu strenger Selbstzensur gezwungene Autor wehrt sich nun dadurch, daß er das Verbot formal und stilistisch aufnimmt, um es permanent zum Thema zu machen und damit anzuprangern. Immer wieder erwähnt er, was das Buch »nicht enthält«, was ausgeklammert werden mußte, was er *jetzt* nicht sagen darf (»Worin jene ursprüngliche Tendenz [meiner Bücher] bestand, sage ich nicht«), was er verschweigen muß. D. h., er verteidigt sich gegen Verleumdungen seiner Meinungen, indem er betont, daß er sich *jetzt nicht* verteidigen kann. Gleichzeitig soll das übertriebene, ständige Rühren an den staatlich verordneten Tabus die allgemeinen Zusammenhänge und Hintergründe ins Bewußtsein heben, so daß die politische Harmlosigkeit des *Salon* III zu einer versteckten Anklage gerät. In der spezifischen Situation nach dem Verbot von 1835 wird die von Heine taktisch perfekt eingesetzte Sklavensprache zur Waffe des Opfers gegen seine Verfolger. Diese Taktik wird offenbar, wenn der Autor sein gereinigtes Buch voller Ironie so empfiehlt: »Dieses Buch diene schon als Beweis meines Fortschreitens nach hinten« (Briegleb 1973 spricht von einer »meisterhaften Parodie« der Verbotspolitik).

Die Taktik dessen, der sich im Sinne der Denunziation und des Edikts weder als religions- noch als vaterlandslos empfindet, zielt nun im einzelnen darauf ab, Menzels Glaubwürdigkeit zu erschüttern, um die irregeführten Regierungen darüber aufzuklären, daß ihr Beschluß auf falschen Voraussetzungen beruht. Wenn sich Heine nicht in der Lage sieht, sich gegen falsche Anschuldigungen direkt zu wehren, dann versucht er, die Falschheit der Anschuldigung selber publik zu machen, indem er die falsche Religion, die falsche Moral und den falschen Patriotismus des Denunzianten herausstellt (»Sonderbar! Und immer ist es die Religion, und immer die Moral, und immer der Patriotismus, womit alle schlechten Subjekte ihre Angriffe beschönigen!«). Durch die Konfrontation des öffentlichen mit dem privaten Verhalten wird die auf dieser Trias beruhende Einstellung der Lüge überführt: Der Denunzierte diffamiert den Denunzianten als Heuchler, Verdränger und »Rassenmäkler«. Ähnlich wie in seinen Polemiken gegen Platen, Schlegel und Börne spielt Heine auf das Sexualverhalten seines Gegners an, hier, um die massive Tugendhaftigkeit eines Mannes als Illusion zu ent-

larven, der schon durch seine äußere Erscheinung zur Abstinenz gezwungen war. In Verbindung mit diesem ›physiologischen‹ Argument zahlt Heine Menzel seine erotischen und antisemitischen Anspielungen heim, wenn er behauptet: »dieser Held des Deutschtums, dieser Vorkämpe des Germanismus, sieht gar nicht aus wie ein Deutscher, sondern wie ein Mongole ... jeder Backenknochen ein Kalmuck!« (B 9, 32). Um ein »eklatantes Exempel« statuieren zu können, scheut Heine seinerseits nicht vor persönlicher Diffamation bzw. vor Rassenmäkelei zurück: Er, der durch entstellende Anschuldigungen Geschädigte, will den Gesinnungstäter als ehrlosen Schreibtischtäter bloßstellen, indem er den ehemaligen Burschenschafter und den überzeugten »Teutomanen« in dreimaliger Wiederholung als »feige« bezeichnet und auf seine Feigheit anspielt, um ihn zu zwingen, sein Deutschtum durch ein Duell unter Beweis zu stellen (»Herr Menzel aber ist kein [schlaglustiger] Westfale, ist kein Deutscher, Herr Menzel ist eine Memme«). Nichts konnte Menzel in der Tat in den Augen der Herrschenden und in deren Wertvorstellung stärker entlarven, als durch eine Duellabsage seine burschenschaftlichen Pflichten zu verletzen. Um Menzel, der den in der *Vorrede* mehrfach hingeworfenen Fehdehandschuh nicht aufgegriffen hat, noch weiter zu reizen und durch Nichthandeln zu desavouieren, ließ Heine im Oktober 1837 und im Januar 1838 planmäßig drei fingierte Korrespondenzartikel mit Erinnerungen an die Duellforderungen veröffentlichen (B 9, 43 ff.), ja, im *Schwabenspiegel* hat der immer noch vergebens wartende Autor die Tapferkeit der schwäbischen Hausfrau gegen die Feigheit ihres Gatten ausgespielt und Menzel damit vollends verspottet (s. S. 332). In der Erwartung einer sicheren Absage (Menzel hatte schon auf Gutzkows Forderung einen Rückzieher gemacht) hat Heine in der *Vorrede* 1837 durch schärfste Antithetik einen »germanischen Helden« parodistisch vorgeführt, dem es lieber ist, »in seinem Klatschblatte, wie ein altes Weib zu keifen, statt auf der Wahlstätte der Ehre wie ein Mann sich zu schlagen« (B 9, 36).

Menzel ließ es beim Federkrieg bewenden und gab seinem Herausforderer zu verstehen, daß er nicht gewillt war, das »literarische Schlachtfeld« zu verlassen (B 7, 106). Damit signalisierte er auf seine Weise dem entschlossenen Gegner, dem es nicht um persönliche, sondern um allgemeine Interessen ging und der kein Risiko scheute, daß er in der für die antifeudale Opposition stillen, d. h. kritischen

Zeit nur einen Stellvertreter-Krieg zu führen vermochte. Heine wollte seinem Denunzianten mit dem Duell drohen, wenn nicht körperlich bestrafen, und mit seiner Aufforderung an Cotta, sich von seinem Redakteur zu trennen, ökonomisch gefährden (vgl. B 9, 30, 40 u. 45, ebenso Brief an Cotta vom 8. November 1837). Weiter läßt Heines Ausdrucksweise keinen Zweifel daran aufkommen, daß er einem als ekelhaft und schmutzig verachteten Gegenspieler an den Kragen wollte. Aber mit seinen totalitär klingenden Absichten muß er zugleich seine Ohnmacht erkennen, teilte er doch Laube am 23. November 1835 militant und angewidert mit: »Wenn man Stricke schreiben könnte, so hinge er [Menzel] längst. Es ist eine gemeine Natur, ein gemeiner Mensch, dem man Tritte in den Hintern geben sollte, daß ihm unsre Fußspitze zum Halse herauskäme« (Menzel hatte in seiner *Wally*-Rezension dem Jungen Deutschland herrisch angekündigt, »es bis zur Vernichtung zu bekämpfen« und »den Kopf der Schlange [zu] zertreten, die im Miste der Wollust sich wärmt«). In Jahren politischer Rückschläge, in denen sich ehemalige Kampfgefährten denunzieren, »literarische Bürgerkriege« ausbrechen und ökonomische Rivalitäten die Gegensätze verschärfen (dazu I. u. G. Oesterle), zeugen »Stricke«, die man nicht schreiben kann, und Duelle, die nicht stattfinden, für ausweglose Verhältnisse, auf jeden Fall für anachronistische Zustände.

Lit.: Klaus Briegleb: *Schriftstellernöte und literarische Produktivität. Zum Exempel Heinrich Heine,* in: Jürgen Kolbe (Hrsg.): *Neue Ansichten einer künftigen Germanistik,* München 1973, 121–159 [dort: 142 ff.]; Klaus Briegleb 1975 (s. o.); Ingrid und Günter Oesterle (s. o).

Zur Genealogie des ›deutschen Verräters‹

An Menzel konnte Heine den vielleicht schwersten Fall von ›Verrat‹ eines deutschen Intellektuellen entlarven, denn er entlarvte den »unerbittlichen Sittenwart von Stuttgart« als ›falschen‹ Liberalen, der sich offen und erfolgreich der staatlichen Repression angedient hatte, und nicht als ›echten‹ Konservativen, der sich mehr oder weniger bewußt regressiven Ideen verschrieben hatte. An dem opportunistischen Umfaller Menzel, der noch 1831 als liberales Mitglied der württembergischen Kammer auf seiten der Opposition gestanden hatte und auch für Judenemanzipation eingetreten war, ließ sich das historisch unreife Verhalten eines Teils der antifeudalen Opposition beispielhaft aufzeigen. Des-

halb können die »Menzeliaden« von 1837 und 1840 als frühe Beiträge zur Kritik einer Entwicklung angesehen werden, die Heines schlimmste Voraussagen bewahrheitet hat.

In *Ludwig Börne,* wo er die Wandlung oppositioneller »Deutschtümler« zu revolutionären Juli-Liberalen warnend behandelt, hat Heine im Kontext noch einmal dargestellt, innerhalb dessen Menzels Verhalten für ihn symptomatische Bedeutung besitzt (»Ja, im Heere der deutschen Revolutionsmänner wimmelte es von ehemaligen Deutschtümlern, die mit sauren Lippen die moderne Parole nachlallten und sogar die Marseillaise sangen«, B 7, 90; vgl. den Brief an Varnhagen vom 1. April 1831). Wie wenig ernsthaft diese Opponenten einzuschätzen waren, zeigen Prosatexte aus den frühen 30er Jahren, die den Rückschritt der liberalen Sache beklagen (z. B. *Vorrede* zu *Salon* I, B 5, 9 ff.). Maßstab der Beurteilung war das Festhalten, oder nicht, an den Freiheitsidealen der französischen Revolutionen von 1789 und 1830, und dieser Maßstab läßt den Abfall des Teutomanen Menzel in aller Schärfe hervortreten, der 1835 zum vaterländischen Kreuzzug gegen »neufranzösischen«, sittlich-religiösen Verfall geblasen hat. Heine, der als echter Patriot vor der populären Verwechslung von Franzosen*haß* und Vaterlands*liebe* warnt und die in Schutz nimmt, die »eine Freundschaft zwischen Frankreich und Deutschland zu vermitteln suchen«, hält Menzel unmißverständlich entgegen: »Wer dieses nicht einsieht, ist ein Dummkopf, wer dieses einsieht und dagegen handelt, ist ein Verräter« (B 9, 40). Hatte der Fremden- und Franzosenhaß 1813 für den Ankläger des nationalistischen Syndroms noch einen gewissen Sinn (»staatsnützlich«), so ist er längst zur Lüge und zum Mittel geworden, mit dem die Herrschenden das deutsche Volk um seine wahren Interessen betrügen. Menzels Verrat, d. h. seine Wandlung vom National-Liberalen zum Nationalisten, erhält erst sein ganzes Gewicht, wenn man an jene Prognose erinnert, die Heine zehn Jahre nach jener falschen Waffenbrüderschaft zwischen Liberalen und »regenerierten Deutschtümlern« gestellt hat: »Ich will hiermit andeuten, daß jene Repräsentanten der Nationalität im deutschen Boden weit tiefer wurzeln als die Repräsentanten des Kosmopolitismus, und daß letztere im Kampfe mit jenen wahrscheinlich den Kürzeren ziehen« (B 7, 91). Das Scheitern der Revolution von 1848 sollte diese Prognose bestätigen.

Der Kritiker des Verräters und Denunzianten

versteht sich zugleich als Genealoge, denn er versucht ausdrücklich »die Keime und Ursprünge seiner [Menzels] Teutomanie nachzuweisen« (B 9, 38). Das gelingt ihm durch die Hervorhebung der romantisch-retrograden, altdeutsch-patriotischen Einstellung des aktiven Turnvater-Jahn-Anhängers und Burschenschafters. *Ueber den Denunzianten* geht nun insofern einen Schritt über die Kritik der Deutschen Ideologie, die Heine in Auseinandersetzung mit der Romantik und dem konservativen Denken entwickelt hat, hinaus, als er in der Deutschtümelei der sogenannten ›Befreiungskriege‹ die Keimzelle jener verhängnisvollen Trias entdeckt, die in der Vormärzzeit bereits konkrete Gestalt angenommen und sein Exil besiegelt hat: deutsche Nationalität, Rassenmäkelei und Antisemitismus (vgl. B 9, 33 u. 38; vgl. B 7, 88 ff. u. 108 u. B 11, 455).

Dieser Ansatz drängt die Frage auf, ob Menzel überhaupt zum Verräter werden konnte und nicht vielmehr *schon immer* ein Scheinrevolutionär gewesen ist. Das unterstellt bereits die Menzel-Rezension von 1828 (dazu Klaus Briegleb 1975, 119 ff., der überzeugend das »Ende im Anfang« nachweist); das behauptet später die Börne-Schrift, die Menzels »scheinbare Abtrünnigkeit« eingehend analysiert hat (B 7, 104 ff.). Im Gegenatz zu Börne, der den »Franzosenfresser« als »Über*schleicher*« gegeißelt hat, stellt Heine nicht den »Renegaten«, sondern den echten »Teutschtümler« an den Pranger, der 1830 in »liberaler Vermummung« aufgetreten ist und dann beim politischen Klimawechsel »mit Lust wieder in die alten Ideenkreise zurückturnte«. Er bekämpft in Menzel nicht voller Zorn (wie Börne) einen »umgewandelten Gesinnungsgenossen«, sondern reißt einem verkleideten Liberalen die Maske herunter, um dessen wahres Gesicht zu zeigen. Dabei treten dann die Widersprüche der in den 30er Jahren von den restaurativen Staaten erfolgreich unterdrückten Opposition zutage, einer Opposition, die später den von Menzel vorgezeichneten Weg gehen, d. h. Deutschlands Einheit politischer Freiheit vorziehen wird.

Lit.: Klaus Briegleb 1975 (s. o.); Ingrid und Günter Oesterle (s. o.), 179 ff.

Aufnahme und Wirkung

Die *Vorrede* hat ihre Ziele nicht, oder nur zum Teil erreicht: Preußen und Österreich haben keine gegen Heine ergriffene Maßnahme zurückgenommen; in Bayern wurde die Flugschrift (zusammen mit *Salon* III) konfisziert; Menzels Ruf war in der kritischen Öffentlichkeit zwar stark erschüttert, aber der Redakteur ›überlebte‹ den »Bürgerkrieg« unangefochten in seiner weiter einflußreichen Stellung (und konnte sich sogar jetzt und später der Zustimmung eines Freiligrath, Gotthelf oder Conrad Ferdinand Meyer erfreuen, s. Becker, 32 ff.); privat wurde Heine sowohl großer publizistischer Erfolg wie frostige Aufnahme gemeldet (Briefe Lewalds und Campes vom 31. August und 22. Oktober 1837).

In den Rezensionen, die bald nach der Veröffentlichung der Menzel-Schrift erschienen, mischten sich Zustimmung und Ablehnung, wenn man nicht das späte Datum bedauerte. Der Rezensent »9.« lobte in der »Zeitung für die elegante Welt« den »beißenden Witz« der Schrift, in der er eine andere Stimme »ein Muster von Witz und kräftiger Rede« erkannte (DHA 11, 833). Karl Gutzkow, Menzels Hauptopfer und Gegenspieler sowie späterer Börne-Biograph, verteidigte Heine in einer ausführlichen Rezension nur halbherzig: Er mokierte sich über den Berufsschriftsteller, der seine Marktchancen nach dem Verbot seiner Schriften erörtert, lobte aber den Dichter in poesiefeindlicher Zeit und den Schriftsteller, der die Misere der aktuellen Literatur aufgedeckt hat (B 12, 424 ff.). Brinckmeier, Redakteur der »Mitternachtszeitung«, rechtfertigte in seiner längeren Besprechung Heines Vorgehen gegen den Denunzianten. Der gänzlich negativ eingestellte Kritiker der »Literarischen und Kritischen Blätter der Börsen-Halle« faßte dagegen Heines Schrift als Ausdruck der ganzen Erbärmlichkeit ihres Autors auf und warf diesem, im Gegensatz zu Gutzkow, die augenscheinliche Wirkungslosigkeit seiner Kritik an den deutschen Zuständen vor.

Lit.: B 12, 423 ff. u. B 10, 678; DHA 11, 833 f.; Eva Becker (s. o.).

Einleitung [zu Cervantes]

Zwei Dichter-Porträts, und keineswegs von unbedeutenden Autoren, verdanken ihre Entstehung Heines damals drängenden finanziellen Problemen. Obwohl die beiden Arbeiten über Cervantes und Shakespeare wichtige ästhetische und theoretische Aussagen enthalten, sind sie bisher meist stief-

mütterlich behandelt worden – so als sei eine gut
bezahlte Gelegenheitsarbeit ein Grund, sie zu
übergehen. – Als sich Adolf Fritz Hvass, Geschäftsführer der Brodhagschen Buchhandlung,
die an einer Gesamtausgabe von Heines Werken
interessiert war, im Winter 1836/37 zu Verhandlungen in Paris aufhielt, kam es zu einer Absprache
über ein anderes Projekt: Heine sollte eine Einleitung zu einer deutschen Ausgabe des *Don Quixote*
schreiben, die von Tony Johannot illustriert wurde.
Der grippekranke Dichter schrieb die Einleitung
im Februar 1837 (»im Carneval 1837«) und schickte
am 24. des Monats das Manuskript ab. Die Ausgabe erschien im Herbst 1837. In den wenigen Rezensionen, die erschienen, sprach ein Kritiker Heine
Kompetenz und richtige Einstellung zu einer solchen Arbeit ab. Sie ist bis heute so gut wie unbeach-
tet geblieben, mit Ausnahme von Fritz Mende, der
von »einer ästhetischen Programmschrift« gesprochen hat, die »stellenweise sogar zu einem poetischen Manifest wird«.

Folgender *Druck* war der einzige zu Heines Lebzeiten:
  *Der sinnreiche Junker Don Quixote von la Mancha. Von
  Miguel Cervantes de Saavedra. Aus dem Spanischen übersetzt;
  mit dem Leben von Miguel Cervantes nach Viardot, und einer
  Einleitung von Heinrich Heine. Erster Band. Stuttgart 1837.
  Verlag der Classiker.* (Heines Einleitung: XLV–LXVI.)

Text: B 7, 149–170.

Lit.: Fritz Mende: *Bekenntnis 1837. Heinrich Heines »Einleitung zum Don Quixote«,* in: HJb 1967, 48–66; Manfred Windfuhr: *Heinrich Heine,* 2. Aufl. 1976, 168 ff.: Cervantes und
Shakespeare.

Kann ein Protestant
einen »katholischen Dichter« lieben?

Heine hat wohl nie aufgehört, *Don Quixote* zu
lesen: Das Leben des spanischen Hidalgo hat den
Knaben im »verständigen« Alter, wahrscheinlich
den 13jährigen, gefesselt und den Erwachsenen
nicht mehr losgelassen; ja, der erwachsene Heine
hat sein eigenes Leben im Spiegel des Manchaners,
sogar in dessen Schatten erlebt, wie er den autobiographischen Beginn – ein Selbstzitat – kommentiert
(der Anfang ist das leicht veränderte Kapitel XVI
der *Stadt Lucca*). Der 40jährige Heine vermag sich
weiter sowohl mit *Don Quixote* zu identifizieren
wie mit dessen Autor (was B 7, 154 und 158, in der
damals streng kontrollierten Öffentlichkeit kräfti-
ge Seitenhiebe auf die republikanischen Gegner
erlaubt; Ludwig Börne war am 12. Februar 1837

gestorben). Cervantes lebt in Heines Vorstellung
als »großer Held« und »schöner, kräftiger Mann«,
auch als sinnenfroher Mensch, mit dem er auch ein
gleiches Schicksal teilt: Der Spanier mußte eine
erniedrigende Gefangenschaft erleiden, wie er selber ein Exil mit bitteren Anfeindungen erdulden
mußte.

Der Dichter des *Don Quixote* ist für Heine ein
Modell gewesen: Zusammen mit Shakespeare und
Goethe bildet Cervantes »das Dichtertriumvirat,
das in den drei Gattungen poetischer Darstellung,
im Epischen, Dramatischen und Lyrischen, das
Höchste hervorgebracht« (Heinz Brüggemann betont, wie sehr Heine sich dem Cervantes-Bild Herders und der Früh- bzw. Spätromantik angeschlossen hat, d. h. der Gebrüder Schlegel und Tieck;
nach Tiecks Übertragung von 1799–1801, 4 Bd.e,
zitiert Heine in der *Stadt Lucca*). 1837 feiert der
Autor der *Reisebilder* Cervantes als den Schöpfer
des modernen Romans, der die Form »der Reisebeschreibung« erneuert hat, die »von jeher die na-
türlichste Form für diese Dichtungsart« gewesen ist
(B 7, 165; vgl. Windfuhr 1967, 24 ff., zum Einfluß
des spanischen Schelmenromans). Als revolutionärer Dichter vermag er außerdem an der Problematik des Romanhelden, d. h. an der völligen Unzeit-
gemäßheit eines Lebensplanes, seine eigene Stellung zur Zeit zu erfassen, allerdings aus spiegelbildlich verkehrter Perspektive: Nach den Kämpfen
der 30er Jahre weiß Heine, »daß es eine eben so
undankbare Tollheit ist, wenn man die Zukunft
allzu frühzeitig in die Gegenwart einführen will«
und nur unzureichend gerüstet ist.

Aber trotz allen Identifikationsmöglichkeiten
verkörpert Cervantes ein Dichtertum, das Heine
eher zurückweisen müßte: Der große Erzähler war
ein guter Katholik und treuer Diener eines absolutistischen Königs, der als Soldat für die »katholischen Interessen persönlich gekämpft« hat (B 7,
156 und 159). Heine geht sogar soweit, katholisches
Dichtertum zu loben, weil Cervantes ihm »jene
große epische Seelenruhe« verdankt, »die, wie ein
Kristallhimmel, seine bunten Dichtungen über-
wölbt: nirgends eine Spalte des Zweifels« (B 7,
162 f.). Hinzu kommt noch, daß Don Quixote als
hagerer, asketischer Junker einen Menschentypus
repräsentiert, der Heine doppelt unsympathisch
sein müßte. Lange Zeit hat sich Heine denn auch
gefragt, ob der Vorsatz des Romans nicht restaura-
tiv-romantisch ist. Zwar gilt Don Quixote in der
Lucca-Prosa als das Urbild der Begeisterung und
»Donquixoterie« als das »Preisenswerteste des Le-

bens, ja das Leben selbst« (im Gegensatz zum Konformismus); aber Don Quixote wird auch als Restaurator des Mittelalters gesehen, dem sich Heine entschieden entgegenstellt (der Manchaner »wollte die untergehende Ritterzeit wieder herstellen, ich hingegen will alles, was aus jener Zeit noch übrig geblieben ist, jetzt vollends vernichten«, B 3, 521 und 525 f.; vgl. B 5, 430). An Cervantes richtet sich dann die Frage aus der *Romantischen Schule,* die sich erneut mit dem Spanier auseinandersetzt: »Hat er wirklich in seinem langen, dürren Ritter die idealische Begeisterung überhaupt, und in dessen dicken Schildknappen den realen Verstand parodieren wollen?« Ist Cervantes also ein Romantiker und/oder ein Skeptiker?

1837 hat sich Heines Cervantes-Bild gefestigt: Der Vater der modernen Epik wollte die damals grassierende spanische Ritterromantik nicht erneuern, sondern beenden; gleichzeitig hat er »die größte Satire gegen die menschliche Begeisterung« geschrieben. Wie sich selber, sieht Heine Cervantes jetzt als »destructeur initiateur« (B 12, 171, *Aveux d'un poète;* 1837 rechnet sich der Dichter des Zyklus *Verschiedene* aus den *Neuen Gedichten* »eine heilsame Reaktion gegen den einseitigen Idealismus im deutschen Liede« zugute; B 7, 163). Cervantes wird jetzt als großer Dialektiker auf eine Weise gewürdigt, die Heines Faszination durch den Donquixotismus erkennbar werden läßt: »So pflegen immer große Poeten zu verfahren: sie begründen zugleich etwas Neues, indem sie das Alte zerstören; sie negieren nie, ohne etwas zu bejahen. Cervantes stiftete den modernen Roman, indem er in den Ritterroman die getreue Schilderung der niederen Klassen einführte, indem er ihm das Volksleben beimischte« (B 7, 160). Das Neue an *Don Quixote,* das war das »demokratische Element«, das Volk, das in einer Fülle von Gestalten in die Literatur eintrat und sich neben die bis dahin klar dominierenden Adelsträger stellte. Diesen Vorgang beobachtet Heine auch in der Malerei eines Murillo, der schöne Madonnen und einen schmutzigen Betteljungen »mit derselben Liebe« konterfeite. Was Heine an dieser Kunst, speziell am Schelmenroman, besonders auffiel, wirft ein Licht auf seine eigene schriftstellerische Praxis: Er nennt es den »Reiz des Kontrastes«. Neben der episodischen Erzähltechnik des Pikaroromans läßt dieser »Reiz« die Wahlverwandtschaft spürbar werden, die zwischen Cervantes und Heine besteht, denn Kontraste charakterisieren die Grundstruktur von Heines Schreibweise. So prägen Kon-

traste auch den Essay, der von einem Roman handelt, welcher selber voller Kontraste steckt: Der autobiographische Anfang wird durch den Gegensatz von »schöner Maitag« und »trüber« Herbsttag strukturiert; fürstlicher Stil wird mit »Gleichheit des Stils« konfrontiert (B 7, 158, vgl. B 9, 213); Cervantes wird gegen Scott ausgespielt wie sich Heine selber gegen die Schwabendichter ausspielt.

Lit.: Erich Loewenthal: *Studien zu Heines »Reisebildern«,* Berlin und München 1922 [Reprint New York 1967], 22 ff. [untersucht Einfluß von Cervantes]; Werner Brüggemann: *Cervantes und die Figur des Don Quijote in Kunstanschauung und Dichtung der deutschen Romantik,* Münster/Westf. 1958, 244–255 [zu Heine]; Fritz Mende (s. o.); Manfred Windfuhr: *Heines Fragment eines Schelmenromans,* in: HJb 1967, 21–39 [zu Schnabelewopski]; Ulrich Stadler: *Literarischer Donquichottismus. Der Gegensatz von Schönheit und Wahrheit bei Heinrich Heine,* in: HJb 1981, 9–21.

Kontrastästhetik (Kontrastkomik und Weltironie)

Die beiden Dichter-Porträts von 1837/38 streifen ästhetische Fragen mehr als daß sie diese erörtern, sprechen aber zweimal von Ästhetik, einmal sogar von »jener neuen Ästhetik, die noch nicht geschrieben ist« (B 7, 194 und 164). Was darunter neben dem in beiden Arbeiten präsenten Grundzug des Kontrastes zu verstehen ist (zu Shakespeare vgl. z. B. noch B 7, 212, 218, 243 oder 263), das reflektieren zwei Passagen im Cervantes-Essay, die programmatischen Charakter besitzen: »er [Cervantes] vermischt nur das Ideale mit dem Gemeinen, das Eine dient dem Andern zur Abschattung oder zur Beleuchtung« (B 7, 161). Vermischen, Abschatten und Beleuchten, das hat Cervantes für Heine auf exemplarische Weise durch seinen Haupteinfall, der »Doppelfigur« Don Quixote und Sancho Pansa, vorführen können, die sich durch ihre Physiognomie, durch ihr Sprechen und ihr Verhalten »beständig parodieren und doch so wunderbar ergänzen«, ja, sogar ihre Tiere, Pferd und Esel, parodieren sich. Das wird hier »ironischer Parallelismus« genannt (B 7, 167).

Für einen Schriftsteller wie Heine, der ebenfalls in einer Übergangsgesellschaft lebt, in der sich das Neue mit dem Alten mischt, hat der Ansatz zu dem, was als Kontrastästhetik zu definieren wäre, unbedingt paradigmatische Bedeutung. In den ersten Jahrzehnten des 19. Jahrhunderts, in denen die moderne, antagonistische Entwicklung als Zerrissenheit ins Bewußtsein der fortgeschrittensten

Schriftsteller dringt, werden Vermischungen und Kontraste – Kontraste jeglicher Art – zur Signatur der Epoche. Heines antithetisches Weltbild, das sich in polarer Begrifflichkeit bekundet, hat seine ästhetische Äquivalenz in einer ausgefeilten Kontrasttechnik gefunden, in der es von komplementären Gegensätzen, eben von Gegensätzen, die sich abschatten oder beleuchten, nur so wimmelt (darauf hat das Handbuch immer wieder hingewiesen; das haben in der Forschung Dierk Möller, 95–120, und Ursula Lehmann, 108 ff., herausgestellt). Ohne einzelne Beispiele zu wiederholen, sei hier nur an die Kompositionstechnik in Lyrik und Prosa erinnert; an den Wechsel der Töne (z. B. *Ideen* und *Buch der Lieder*); an die Figur des Oxymorons und an Aufzählung von Heterogenem; an dissonante Verfahrensweisen (die sog. ›Stilbrüche‹ durch Pointen und bestimmte Reime, durch montierte Zitate und durch eingeblendete Realitätssplitter); erwähnt seien ferner zeitliche (»einst«/»jetzt«) und geographische Kontraste (Berlin–München, Hamburg–Leiden), nationale Kontrastvergleiche (Frankreich/Deutschland) oder völkerpsychologische Gegensätze (»der« Engländer – »der« Franzose bzw. »der« Deutsche). Immer geht es darum, Brüche, Risse und Mißverhältnisse in der gesellschaftlichen Entwicklung plastisch darzustellen und bewußt zu machen. Dazu mußte die Kontrasttechnik aus dem Bereich des Allgemein-Menschlichen auf den Boden der politischen Wirklichkeit der Zeit geholt werden. Vermischung von »Idealem« und »Gemeinem«, wie es im berühmtesten Pikaroroman der Zeit vorgeprägt war, gehört auch zum Programm der Frühromantiker, die Cervantes im wesentlichen »entdeckt« haben: In der politisch subversiven Form, welche diese unterschiedlich benannte Dialektik nun durch Heine erhält, gibt es allerdings keine Versöhnung oder echte Harmonie mehr zwischen den auseinanderstrebenden Elementen. Die erkenntnisfördernde Funktion seiner Schreibweise hat Heine, wie an anderer Stelle bereits erwähnt (S. 61), in seinem Brief an Immermann vom 10. Juni 1823 herausgestellt: »Alle Dinge sind uns ja nur durch ihren Gegensatz erkennbar, es gäbe für uns gar keine Poesie, wenn wir nicht überall auch das Gemeine und Triviale sehen könnten.« Aus dieser Perspektive ließe sich bei Heines kontrastiver Schreibweise durchaus von K-Effekten sprechen, im Anschluß an Bertolt Brechts Begriff der Verfremdung (Jan Knopf, *Brecht-Handbuch Theater,* Stuttgart 1980, 378 ff.). Bei Heine hieße das: dem Bekannten den Charakter

des Vertraut-Harmonischen nehmen, um den »Weltriß« hervorzutreiben.

Mischung von Konträrem, nach dem bekanntesten Beispiel von Erhabenem und Gemeinem (*Ideen,* s. d.), kennzeichnet Heines ästhetische Theorie und Praxis. So gelten ihm Kontraste als Voraussetzung für die französische Komödie (B 5, 293); *Troilus und Cressida* wird 1838 als »Shakespeares eigentümlichste Schöpfung« bezeichnet, weil dort Lust- und Trauerspiel gemischt sind (B 7, 194). Seine Schreibweise macht sich nun Kontraste zunutze, um Komik und Lachen zu erzeugen – eine Technik, die sich auffallend von Cervantes' parodistischem »Doppelpaar« ableiten läßt. Dem spanischen Urmodell verdanken nicht allein Markese Gumpelino und Hirsch Hyazinth mit vertauschter Physiognomie ihr komisches Profil. Von Kontrastkomik leben zahlreiche Paare in Heines Werk, reale wie Napoleon und Wellington oder Novalis und E. T. A. Hoffmann oder Weber und Spontini, fiktive wie Mathilde und Franscheska aus der Lucca-Prosa oder der dicke Driksen und der schmächtige Simson aus dem *Schnabelewopski* und viele andere Dicke und Dünne; komische Paare bilden auch der Rabbi von Bacherach und Don Issak oder die Herzogin und Helena *(Der Doktor Faust)* oder die Chatelaine und die Göttin Diana. Ein sich gegenseitig abschattendes Paar, aber mehr im tragischen als im komischen Kontext, bilden auch Börne und Heine. Wie paradigmatisch Don Quixote und Sancho Pansa, der Dünne und der Dicke, der Asket und der Genießer für den Kritiker des Spiritualismus sind, das hat die *Romantische Schule* klar erkennen lassen: Dort erscheint das cervantinische Paar als Allegorie des säkularen Gegensatzes von Geist und Leib bzw. Materie, wobei typischerweise der »arme, materielle Sancho für die spirituellen Don Quixoterien sehr viel leiden muß« (B 5, 431).

Als letzter Punkt soll hier die erstaunliche Wahlverwandtschaft der großen Ironiker der Weltliteratur diskutiert werden. Wird Ironie als Mittel zur Distanzierung allgemein durch den Kontrast von Gesagtem und Gemeintem signalisiert (dazu Lehmann, 156), so ist für Heines Ironie-Begriff ferner typisch, daß er sich aus objektiven Zusammenhängen herleitet. In der *Romantischen Schule* wird »humoristische Ironie« oder »ironischer Humor« als Symptom von politischer Unfreiheit und Zensur diskutiert: In Epochen, in denen »Geisteszwang aller Art« herrscht, bleibt der »Ehrlichkeit« als einziger Ausweg nur »ironische und humoristische Form« bzw. die »humoristisch ironische Verstellung« (B 5, 429). Deshalb besteht das »Dichter-triumvirat« der modernen Literatur aus lauter Verstellungs-Künstlern: Cervantes mußte sich vor der Inquisition tarnen; Shakespeare bringt mit Hamlet einen Ironiker auf die Bühne, den der dänische Königshof zur Selbst-Verstellung gezwungen hat; und Goethes Ironie ist die eines Staatsministers, der sich sonst nicht frei auszusprechen wagte. En passant sei daran erinnert, daß Heine seinen Lehrer Hegel gleichfalls als Ironiker angesehen hat, der im Schatten von Karlsbad maskiert vorgehen mußte, und über sein eigenes maskiertes Vorgehen gibt die *Préface* zur *Lutezia* genaue Auskunft. Auch der zweite Aspekt führt auf Cervantes zurück. Für den Don-Quixote-Leser Heine hat Ironie mit Komik gemeinsam, daß sie in einer disharmonischen, kontrastiven Welt ›objektiv‹ existieren: So betont Heine, daß Junker und Knappe nicht allein in der Kunst, sondern auch im Leben vorkommen (man muß nur »das Wesentliche, die geistige Signatur« ins Auge fassen; B 7, 166); weiter ist für ihn Ironie kein reines Stilphänomen, sondern eine von Gott »in die Welt« hineingeschaffene Widersprüchlichkeit, »Weltironie« genannt, die der große Cervantes nur nachgeahmt hat (B 7, 151; zum Ironie-Begriff s. Lehmann, 86 ff. und 141 ff.). Wenn man nach den Vorbildern von Heines Ironie fragt, darf man den Einen nicht vergessen, der für ihn der größte war, weil Er für die schärfsten Kontraste im Weltgeschehen zuständig ist! Jedenfalls wurde Er vom größten deutschen Ironiker des 19. Jahrhunderts als »ein noch größerer Ironiker« anerkannt (Brief an Friedrich Merckel vom 24. August 1832).

Lit.: Zu Kontrasttechnik und Ironie: Wolfgang Preisendanz: *Ironie bei Heine*, in: *Ironie und Dichtung*, Sechs Essays, hrsg. von Albert Schaefer, München 1970, 85–112; Vera Debluë: *Anima naturaliter ironica – Die Ironie in Wesen und Werk Heinrich Heines*, Bern 1970; Dierk Möller: *Heinrich Heine: Episodik und Werkeinheit*, Wiesbaden und Frankfurt a. M. 1973, 95–120; Ursula Lehmann: *Popularisierung und Ironie im Werk Heinrich Heines*, Frankfurt a. M. und Bern 1976 (wie Debluë Europäische Hochschulschriften).
  – zu Humor und Witz: Erich Eckertz: *Heine und sein Witz*, Berlin 1908 [Reprint Nendeln/Liechtenstein 1976]; Wolfgang Preisendanz: *Die umgebuchte Schreibart: Heines literarischer Humor/ . . . /* und Wulf Wülfing: *Skandalöser ›Witz‹. Untersuchungen zu Heines Rhetorik*, beide in: Wolfgang Kuttenkeuler (Hrsg.): *Heinrich Heine*, Stuttgart 1977, 1–21 und 43–65.
  – allgemein zu Komik, Ironie, Witz und Humor: Wolfgang Preisendanz: *Humor als dichterische Einbildungskraft*, München 1963; Ernst Behler: *Klassische Ironie, Romantische Ironie, Tragische Ironie*, Darmstadt 1972; *Das Komische*, hrsg. von Wolfgang Preisendanz und Rainer Warning, München 1976 (= Poetik und Hermeneutik); Lutz Röhrig: *Der Witz*, Stuttgart 1976; Ingrid Strohschneider-Kohrs: *Die ro-*

mantische Ironie in Theorie und Gestaltung, Tübingen 1976, 2. Aufl. (= Hermaea N. F.); Dieter Hörhammer: *Die Formation des literarischen Humors*, München 1984 [212–234: Heines Ideen. Das Buch Le Grand].

Über die französische Bühne

Entstehung, Druck, Text

Vertraute Briefe an August Lewald lautet der Untertitel: Der Schriftsteller, Theaterleiter und Redakteur Lewald, der Heine seit 1829 kannte und ihn bei seinem Studienaufenthalt in Paris 1831/1832 aufgesucht hatte, ist nicht nur Adressat, sondern auch Initiator des dritten Werks über Frankreich (zur Karriere des heute vergessenen Heine-Freundes s. DHA 12/2, 1072 ff.). Im Auftrag Cottas betreute Lewald seit 1835 die »Allgemeine Theater-Revue«, zu deren Programm die Erneuerung der Theaterkritik sowie Berichte über alle europäischen Bühnen gehörten. Im Frühjahr 1836 reiste er erneut nach Paris und konnte im April Heines Mitarbeit, von der er sich große Wirkung versprach, sicherstellen. Lewald mußte noch ein gutes Jahr auf die Manuskriptsendung drängen, bevor Heine Ende Mai 1837 in Granville mit der Niederschrift begann, die Ende August in Le Havre abgeschlossen wurde (in Le Coudray, einem Dorf zwischen Corbeil-Essonnes und Melun, jenem »Dorfe bei Paris«, das der Zusatz zum Untertitel nennt, hatte Heine sich im Mai und in der zweiten Juli-Hälfte 1836 aufgehalten). Die doppelte Manuskriptlieferung Ende Juli und Ende August umfaßte wohl einmal die Briefe 1–8 und dann die Briefe 9 und 10. Heine zog den Titel *Über die französische Bühne* jenem von Lewald nach einem Briefzitat des Autors bereits öffentlich angekündigten Titel »Über die letzten Gründe der Verschiedenheit des deutschen und französischen Theaters« vor: Der lockerere Titel, der essayistische Prosa ankündigt, scheint außerdem dem *De la France*-Projekt besser angepaßt. Bei der Drucklegung beschwerte sich Heine darüber, daß Cotta das Hundegebet am Ende des dritten Briefs gestrichen hatte. Die Theaterbriefe erschienen Ende Dezember im dritten Jahrgang der »Theater-Revue« (für das Jahr 1838).

Nicht ganz drei Jahre nach der Niederschrift, im April 1840, begann die Überarbeitung der Theaterbriefe für den vierten Band des *Salon*, wo sie im November 1840 als Schlußteil nach dem *Rabbi von Bacherach* und *Gedichten* erneut erschienen. Die Revision vom Sommer 1840 bestand neben stilisti-

schen Verbesserungen im wesentlichen aus zum
Teil umfangreichen Kürzungen der Journalfassung
(B 6, 822–830, DHA 12/1, 483–485, 486–488 und
502–504). Das Hundegebet wurde ergänzt.

*Zeitschriftendruck: Über die französische Bühne. Vertraute
Briefe an August Lewald (Geschrieben im Mai 1837, auf einem
Dorfe bei Paris)* erschien zuerst in: »›Allgemeine Theater-
Revue‹. Herausgegeben von August Lewald. Dritter Jahr-
gang. Für 1838, Stuttgart und Tübingen. Verlag der J. G.
Cotta'schen Buchhandlung. 1837.« S. 155–248.
Buchdruck: Ein zweiter gekürzter Buchdruck erfolgte in *Der
Salon von H. Heine. Vierter Band. Hamburg, bei Hoffmann
und Campe. 1840.* S. 151–342.
Französische Übersetzungen: In der Übersetzung vermutlich
von Pierre Alexandre Specht druckte die »Revue du dix-
neuvième siècle« (Nr. 8–10 vom 25. 2., 4. und 25. 3. 1838) die
*Lettres confidentielles, écrites pendant le printemps de l'année
passée, et adressées à M. Auguste Lewald, directeur de la Revue
dramaturgique à Stuttgardt.* Die Übersetzung der Briefe 9 und
10, die in diesem Druck fehlen, erschien zuerst in der »Revue
et Gazette Musicale de Paris 1838« (Nr. 3 vom 21. Januar und
Nr. 5 vom 4. Februar 1838), unter dem Titel *Lettres confidentielles. I., II.*
  – Im Rahmen der *Œuvres complètes de Henri Heine* (Paris, Michel Lévy frères) wurden die ersten 8 Theaterbriefe
1857 in die 2. Auflage von *De la France* auf den S. 236–323
integriert – gekürzt um die Hugo-Passagen (DHA 12/1, 486). –
Ein Zweitdruck der Briefe 9 und 10 erfolgte 1867 im
Sammelband *De tout un peu,* S. 265–289 und 291–312.

Texte: B 5, 281–354 (Druck nach Walzel, der den *Salon* IV
zugrunde legte) und B 6, 822 ff.; DHA 12/1, 227–290 und
483 ff., 502 ff.; den Text der Erstfassung druckt: *Heinrich Hei-
ne Über die französische Bühne und andere Schriften zum
Theater,* hrsg. und eingeleitet von Christoph Trilse, Berlin
(Ost), 1971, 43–126.
  Übersetzungen: DHA 12/1, 390–423 und HSA 18, 139–176
(Text nach *De la France* von 1857) und DHA 12/1, 488 ff. und
HSA 18, 179 ff. (Text der Briefe 9 und 10 nach Journalfassung
von 1838).

Lit.: B 6, 808–814; DHA 12/2, 1072–1086 und 1235 f.

Analyse und Deutung

»Geschriebene Wildnis«

Heine und das Theater: Das scheint auf den ersten
Blick ein Nebenaspekt zu sein, den die Forschung
deshalb völlig vernachlässigt hat. Doch dieser Blick
täuscht. Heine, der intensive Theaterbesucher, der
Kenner deutscher, französischer und englischer
Bühnen, hat nicht nur für das Theater gearbeitet
(zwei Jugendtragödien und zwei Ballette in der
späteren Zeit), er hat sich auch in seinem ganzen
Werk, in zahlreichen verstreuten sowie an einigen
zentralen Stellen, mit dem Theater beschäftigt und
kritisch auseinandergesetzt (diesen Aspekt hat
Trilse mit seiner Textausgabe deutlich herausge-

stellt). Davon zeugen frühe Kritiken ebenso wie
Korrespondenzberichte aus den 30er und 40er Jahren, kurze Bemerkungen und ausführlichere Stellungnahmen von den *Briefen aus Berlin* bis zur
Lutezia, von einzelnen Briefen ganz zu schweigen
(s. Trilse). Davon zeugen vor allem, neben dem
Essay *Shakespeares Mädchen und Frauen,* die
Theaterbriefe von 1837, die auf unsystematische
Weise, aber aus den verschiedensten Perspektiven
das französische Theater als Ganzes behandeln.
Der Titel zeigt bereits zutreffend an, daß das Theater nicht unabhängig von der »Bühne«, d. h. von
der Aufführung und ihrer Wirkung gesehen werden soll – was Heines Theaterkritik gegenüber derjenigen seiner Zeit, mit Ausnahme z. B. von Wilhelm von Humboldt und Ludwig Börne, auszeichnet.

  Heine übernimmt die im Biedermeier beliebte,
von ihm bereits in der Berlin-Prosa praktizierte
literarische Form des Briefes und läßt im Konversa-
tionston die Pariser Theater- und Musikwelt vor
dem geistigen Auge seines Adressaten Revue pas-
sieren. Die zehn, bis auf den vorletzten meist
gleichlangen Briefe orientieren sich locker an Gattungen (1. und 2. am Lustspiel, 3. und 4. an der
Tragödie), an einem bestimmten Stoff (Napoleon
im 5.), an Dramatikern (Hugo, Dumas im 6.), an
Schauspielern, an Gestus und Sprechweise (6. und
7.) oder an einer spezifischen Pariser Einrichtung
(den kleinen Theatern der Boulevards im 8.). Danach wenden sie sich dem Musiktheater zu, das
Heine zur französischen »Bühne« rechnet, und
charakterisieren die Musik von Meyerbeer und
Rossini (9. Brief), bevor sie Konzerte bzw. Darbie-
tungen von Berlioz, Liszt, Thalberg und Chopin
beschreiben (10. Brief). Gleichzeitig weichen die
Briefe immer wieder weit vom Thema ab, indem sie
Aspekte aufgreifen, die nichts mit dem Theater zu
tun haben: Zahlreiche Anekdoten und Digressionen, mehrere Träume und autobiographische Ein-
schübe, Bourgeoisiekritik und Reflexionen über
die Stellung der Frau in der Gesellschaft lassen in
der Tat eine »geschriebene Wildnis« entstehen, in
die auch gut deutsches Sauerkraut und französisches Menschenrecht passen (B 5, 297; der Brief an
Detmold vom 14. Juni 1837 spricht von Beiträgen
»humoristisch reflektierenden Inhalts«). Als Rahmen dient bis zum 8. Brief eine fiktionale Dorfku-
lisse mit Frühlingslandschaft (aus dieser Dorfszene
wird sogar ein Nachbar auf die Bühne gestellt). Zur
Grundstruktur gehört schließlich die Zwiesprache
des Absenders, eines politisch verfolgten, an der

Exilsituation leidenden Deutschen (mit dem Autor identisch), mit dem Empfänger, einem deutschen Dramaturgen und Theatermann, der die französische Bühne selbst gut kennt (B 5, 297, mit Lewald identisch; der Stellenkommentar der Düsseldorfer Ausgabe weist ausgiebig Übereinstimmungen und Abweichungen zu Lewalds Buch *Album aus Paris,* 1832, das die Erfahrungen des Paris-Aufenthaltes zusammenfaßt, nach). Der ganz dem Zeitgeschmack entsprechende freundschaftlich-vertraute (s. Untertitel) und zuweilen spielerische Umgang des Briefschreibers mit dem Adressaten, in den ihr reales Verhältnis hineinspielen mag, »privatisiert« die literarische Korrespondenz zusätzlich und »dichtet« sie im Gegensatz zu früheren und späteren Korrespondenzberichten scheinbar gegen Politik ab, um die es gehen soll, aber nicht gehen darf.

Lit.: Christoph Trilse 1971 (s. o.), 11–42: Heine und das Theater; Christoph Trilse: *Heinrich Heine als Literatur- und Theaterkritiker,* in: IWK 1972, 341–349.

Zur Soziologie des Theaters

Die Theater-Briefe sind in einer für Heine äußerst schwierigen Situation entstanden: Die Literaturpolitik des Deutschen Bundes hatte ihn 1836/1837 zu einer Neuorientierung seines kritischen Schriftstelleramtes gezwungen; Selbstzensur war der unvermeidliche Preis für dessen Fortführung; Politik und Religion gehörten zwangsläufig zu den verbotenen Themen. An dieses Tabu erinnert der zweite Brief direkt (»Scheu vor der Politik«, »Furcht vor der Theologie« und »demütigste Bittschriften«, die der Selbstrechtfertigung dienen sollten, B 5, 291 f.). An das Verbot rühren die Briefe jedoch insgesamt: In einer verschärften Zensursituation machen sich die Briefe diejenige Strategie zunutze, die alle Frankreich-Schriften kennzeichnet, d. h. wie die *Maler* und die *Zustände* denunzieren sie die deutsche Zurückgebliebenheit vor der Folie moderner, konstitutioneller Verhältnisse. So wird ganz im Stil der ersten Frankreich-Korrespondenzen als ›normal‹ erwähnt, was im obrigkeitshörigen Deutschland besonders schockieren muß: Die »alte Religion« gilt als »erloschen«, die alte Moral habe dadurch »alle ihre Lebenswurzeln verloren« und innerhalb der französischen Familie seien »alle Autoritäten niedergebrochen« (B 5, 298 und 294; vgl. *Maler* B 5, 29 und 56, *Zustände* B 5, 214 f.). Die Briefe zeichnen sich nun dadurch aus, daß sie die ständige, kontrastiv ins Bild gesetzte Reflexion über die unterschiedliche Entwicklung der beiden

Länder einer soziologischen Theorie zugrunde legen, die für die deutsche Theaterliteratur neuartig war. Während diese Tradition von der Aufklärung bis Hebbel vornehmlich poetologische und dramaturgische Probleme behandelte (Windfuhr), geht Heine erstmals von gesellschaftlichen Fragestellungen aus. Hinter diesem Tarnmantel vermag er gleichzeitig die aufgezwungenen Tabus zu durchbrechen.

Der soziologische Ansatz erweist sich besonders geeignet, die Analyse der ausführlich behandelten volkstümlichen Gattungen (Lustspiel, Vaudeville), aber auch diejenige der Tragödie zu erneuern. Im Gegensatz zu bekannten Auffassungen führt der zweite Brief die Überlegenheit der französischen Komödie weder auf einen naturgegebenen heiteren Nationalcharakter noch auf größere politische Freiheit, sondern auf den »sozialen Zustand« zurück, der ausdrücklich durch die Krisensituation des modernen Frankreichs definiert wird (»sozialer Zustand« bezeichnet »die Sitten und Gebräuche, das Tun und Lassen, das ganze öffentliche wie häusliche Treiben des Volks, insofern sich die herrschende Lebensansicht darin ausspricht«, B 5, 292 f., 304 und 6, 822). Der französische Lustspieldichter vermag deshalb seine Komik und seine Motive aus den »Kontrasten« und Brüchen, aus den Scherben und Trümmern der bis in ihre Fundamente gründlich umgestürzten Gesellschaft zu beziehen. Das zeigt sich besonders an der Lockerung aller Familien-Bande, an der veränderten, d. h. emanzipierten Stellung von Mann und Frau, so daß Libertinage, Ehebruch und »Geschlechtskriege« unweigerlich die Bühne erobern mußten, zum Hohn und Spott der alten Moral, die laut drittem Brief als ausgehöhlte Konvenienz-Moral überlebt. Die besondere soziale Stellung der Französin, der man im Gegensatz zur Deutschen erst als verheirateter Frau »die größtmöglichste Freiheit« gestattet, erklärt wiederum ihren zentralen Platz in der französischen Tragödie (der in der deutschen nur »Jungfrauen« zukommt, B 5, 298 f.). Angesichts dieser Gattung gewinnt die soziale Hauptthese jedoch erst dann ihr volles Gewicht, wenn behauptet wird, daß der aktuelle politische Zustand Frankreichs das Entstehen von Tragödien geradezu unmöglich macht: Der Tragiker, so Heine, »bedarf eines Glaubens an Heldentum, der ganz unmöglich ist in einem Lande, wo Preßfreiheit, repräsentative Verfassung und Bourgeoisie herrschen«; der geschäftemachenden Bourgeoisie verdanke man die »Verkleinlichung aller Größen und radikale Vernichtung des Heroismus« (B 6, 823 f.). Sieben Jahre nach der Julirevolution bietet die Verlagerung der Analyse auf die gesamt-gesellschaftliche Entwicklung Gelegenheit zu einer brisanten Abrechnung mit dem bürgerlichen System und den bourgeoisen »Geldaristokraten«, in der die deformierende Wirkung der modernen Gesellschaft nicht »nur« im Hinblick auf die Tragödie illusions- und schonungslos gezeigt wird (diese bis dahin schärfste Frankreich-Kritik wurde 1840 in der *Salon*-Publikation ausgeschieden). Der für die Produktion von Tragödien notwendige heroische Stoff muß deshalb nicht in der nüchternen bürgerlichen Gegenwart, sondern in der kaiserlichen Vergangenheit gesucht werden: Aber, wie der fünfte Brief feststellt, bisher haben nur die kleinen Vaudevillen (Singspiele) die Bedeutung des großen Napoleonstoffs erfaßt und auf die Bühne der populären Boulevardtheater gebracht (den Gegensatz von heroischer Kaiser- und krämerhafter Bürgerzeit haben zuerst die *Zustände* bei der Analyse des Juste-Milieu verarbeitet). Theatersoziologie und Zeitkritik verbinden sich schließlich unmittelbar, wenn die für die französische Tragödie charakteristischen Leidenschaften mit revolutionärem Tatendrang und die für die deutsche Form charakteristischen Träumereien mit geduldiger Unterwerfung gleichgesetzt werden (der erinnerungs- und ahnungssüchtige Deutsche hat eben »nur ein Gestern und ein Morgen, aber kein Heute« ... »in der Liebe wie in der Politik«, B 5, 302).

Auf ästhetischer Ebene hat die soziologische und volkscharakteristische Unterschiede verarbeitende Betrachtungsweise – verhältnismäßig stärker als zu Beginn der 30er Jahre – Anlaß zu Kontrast-Vergleichen und zu Kontrast-Bildern geboten (ein derbes Beispiel: Deutsche Schauspielerinnen pflegen bei sentimentalen Stellen »in ein wäßriges Gesinge [zu] zerschmelzen«, »sie p-ss-n mit dem Herzen«, B 5, 325 und 6, 827). Das Porträt Victor Hugos wird allerdings zeigen, daß die französisch-deutsche Konfrontation nicht automatisch zugunsten ›des Französischen‹ ausgehen muß.

Lit.: Manfred Windfuhr: *Heinrich Heine. Revolution und Reflexion,* Stuttgart 1969, 1976, 2. Aufl., 140 ff.

Dichterkollegen: Heine und Hugo

Vieles verbindet den Dichter der *Reisebilder* mit dem liberalen, antiklassizistischen Schulhaupt der französischen Romantik. Die Forderung nach Stil-

mischung bzw. die Theorie des Grotesken aus der *Préface* zu *Cromwell* (1827) steht, wie erwähnt, ganz in der Nähe der Komiktheorie aus den *Ideen;* das Postulat »La liberté dans l'art, la liberté dans la société« aus der *Préface* zu *Hernani* (1830) trifft sich mit Heines Anschauungen. Der Franzose und der Deutsche teilen 1830 den Juli-Enthusiasmus. Paris-Beschreibungen und Berichte über den Republikaneraufstand aus den *Zuständen* lassen sich mit Kapiteln aus *Notre Dame de Paris* (1831) und *Les Misérables* (1862) vergleichen. Heine, der spätestens seit November 1832 in persönlichen Beziehungen mit Hugo stand (wahrscheinlich über ihren gemeinsamen Verleger Eugène Renduel), beteuert dem Franzosen seine Bewunderung in einem Widmungsexemplar der *Reisebilder, Tableaux de voyage* (1834) und in einem Empfehlungsschreiben 1835. In einem Parallelporträt, wie es die Kunstberichte 1831 in der Gegenüberstellung von Robert und Delaroche sowie die AZ-Korrespondenzen 1832 in derjenigen von Périer und Canning gepflegt haben, feiert Heine dann im sechsten Theaterbrief Victor Hugo und Alexandre Dumas als »die besten Tragödiendichter der Franzosen«, Hugo allein als den »größten Dichter Frankreichs« (B 5, 316 ff.). Zwischen beiden muß Wesensverwandtschaft herrschen, wenn Heine an Hugos Meisterwerken die »Autonomie der Kunst« gegenüber jeglicher moralischen Beurteilung und den »Sinn für das Plastische« wiedererkennt (wodurch er auf eine Stufe mit Goethe gestellt wird).

Aber das Hugo-Porträt von 1837 fällt durch seine Zwiespältigkeit auf, in der sich Lob und Tadel gleichgewichtig mischen (trotz seiner ambivalenten Haltung zögerte Heine jedoch nicht, in den Streit um Hugo auf Seiten seines Kollegen einzugreifen und ihn gegen die französische Kritik, jene »klägliche Kritikasterei« und »politische Parteisucht«, zu verteidigen). So lobt er den Dichter insgesamt auf Kosten des Lyrikers (er »kommandiert die Poesie in jeder Form«), den Poeten auf Kosten des Dramatikers (»auf dem Theater wirkt mehr das Rhetorische als das Poetische«). Vor allem schlägt er zwei Fliegen mit einer Klappe, wenn er den Franzosen ironisch aufgrund seines ›Deutschtums‹ lobt (»Mangel an Takt« und an Harmonie des Geistes, »geschmacklose Auswüchse« und »deutsche Unbeholfenheit«). So wundert es schließlich nicht mehr, wenn er Dumas auf Kosten Hugos lobt, weil Dumas »mehr Franzose« und außerdem ein »geborener Bühnendichter« ist.

Welche persönlichen Gegensätze auch immer

zum Zerwürfnis zwischen Heine und Hugo geführt haben mögen – bereits 1837 zeichnet sich ab, daß der Deutsche den Franzosen aus französischer Sicht wegen seiner latenten ›deutschen‹ Maßlosigkeit und aus deutscher Sicht wegen seiner französisch romantischen Einstellung kritisiert (im Gegensatz zu der von Heine vertretenen soziologischen Dramentheorie spielen Hugos Stücke wie z. B. *Cromwell*, 1827, *Marion Delorme*, 1829, *Hernani*, 1830 und *Lucrèce Borgia*, 1833 allesamt in der frühen Neuzeit). Dieser Aspekt tritt im *Shakespeare*-Essay (1838) trotz aller Anerkennung (»ein Genius von erster Größe«) deutlich hervor, wenn Hugos vergangenheitsselige Muse, neben ihrer »Häßlichkeitssucht«, als etwas »Verstorbenes, Unheimliches, Spukhaftes« erscheint (B 7, 282 f.). Fünf Jahre später, nach der Aufführung der *Burgraves* (Die Burggrafen) macht Heine den Bruch publik: Das für ihn unverdauliche, regressive Deutschland-Stück wird als »Abhub unserer romantischen Küche, versifiziertes Sauerkraut« vernichtend abqualifiziert (Hugos kalte »erlogene Leidenschaft« wird als »gebratenes Eis« verspottet, *Lutezia* LV, B 9, 434). Die »Spätere Notiz« zu *Lutezia* V faßt dann 1854 alle ästhetischen Vorbehalte gegen den Barbaren und »Wilden« im französischen Porzellanladen zusammen und zögert nicht, den eiskalten Egoisten und angeblich verwachsenen Autor des Quasimodo persönlich zu denunzieren: durch Wortkreuzung als »Hugoist« und durch Unterstellung als Höckerigen, im Geiste wie am Leibe (B 9, 266; vgl. dazu Espagne, der die Ausarbeitung des Höcker-Motives als Beitrag zu einer Ästhetik des Häßlichen deutet). Als sei das an einem Widerruf früheren Lobes und an Polemik gegen den Anti-Bonapartisten (*Napoléon le Petit*, 1852, *Les Châtiments*, 1853) nicht genug, wird in der Neuausgabe der *Lettres confidentielles* (1857) alles Positive über den ehemals »größten Dichter Frankreichs« einfach ausgestrichen, besser, wegzensiert wie eine unangenehme Erinnerung.

Lit.: Fritz Mende: *Prüfstein und Gegenbild. Heinrich Heines Auseinandersetzung mit Victor Hugo*, in: Weimarer Beiträge 11/1981, 114–129; Michel Espagne: *La bosse de Victor Hugo*, in: Romanistische Zeitschrift für Literaturgeschichte 19/1982, 322–337; Abraham Avni: *Heine und Hugo: the biblical connection*, in: Neophilologus 68, 1984, 405–420.

Giacomo Meyerbeer und Fiascomo Beeren-Meyer

Die beiden Musikbriefe 9 und 10 scheinen von besonders politikfernen und zensursicheren Gegenständen zu handeln. In Wirklichkeit hat Heine, der nicht zwischen Bühne und Oper unterscheidet, die Musik- fast noch stärker als die Theater-Berichte in ein Reflexionsmedium zu Grundfragen einer modernen, engagierten Kunst umgewandelt. Wie »neutral« für ihn 1837 gerade Fragen der Musik waren, geht aus dem ironischen Lob des musikalischen Unverständnisses »mancher nordischen Behörde« hervor, die sonst in Meyerbeers *Hugenotten* »nicht bloß einen Parteikampf zwischen Protestanten und Katholiken erblicken« würden (B 5, 341).

Heine, der als Begründer des musikalischen Feuilletons gilt (Mann), hat sich überraschend umfangreich mit Musik beschäftigt, und zwar auf doppelte Weise: einmal musikästhetisch in der Florentiner Novelle und in den Träumereien der Italien-Reise, zum andern kritisch in den Referaten aus der frühen Zeit, den Besprechungen zu Hiller und Meyerbeer aus der mittleren Zeit und den großen AZ-Berichten über die Pariser »Musikalische Saison« aus den 40er Jahren (Überblick dazu bei Mann, 12 f. und Textausgabe 1964). In der musikkritischen Auseinandersetzung stellen die Briefe von 1837 zweifellos einen Höhepunkt dar und überragen die vergleichbare Musikkritik der *Briefe aus Berlin* deutlich: Hatte Heine 1822 den mehr politischen als künstlerischen Weber-Spontini-Streit bereits als repräsentativ für den Berliner Zeitgeist hervorgehoben, so erkennt er jetzt in dem Gegensatz Rossini–Meyerbeer zwei Repräsentanten verschiedener Lebens- und Kunstanschauungen.

Das psychologisch, künstlerisch und politisch zugespitzte Parallelporträt, das keinen von beiden »auf Unkosten des anderen« »lieben« will, geht auf Heines ureigenen, unlöslichen Konflikt zwischen privatem Bedürfnis nach individuellem, träumerischem Lebensgenuß und öffentlichem Auftrag des Zeitschriftstellers zurück, das hier exemplarisch als historisches Wechselspiel aufgefaßt wird. Seiner privaten Neigung »zu einem gewissen Dolce far niente« entsprechend fühlt er sich von Rossinis melodischer Musik stärker angezogen, denn »auf den Wogen Rossinischer Musik schaukeln sich am behaglichsten die individuellen Freuden und Leiden des Menschen« (B 5, 335; vgl. in *Maler* B 5, 69 den Gegensatz zwischen der »melodischen Geschichte der Menschheit« und dem »mißtönenden Lärm der Weltgeschichte«). Aber in der zerrissenen Gegenwart, in der das Individuelle vom Sozialen beherrscht wird, müssen die »legitimen Rechte« des einzelnen im »Gesamtgefühl eines ganzen Volkes«

untergehen; Der einzelne muß sich von seiner isolierten »Ichheit« losreißen und »von den Leiden
und Freuden des ganzen Menschengeschlechts« begeistert mitreißen lassen (B 5, 335, vgl. 339, 341
und 344). Deshalb wird Rossini auch als Repräsentant einer vergangenen Zeit, der Restauration, angesehen, während Meyerbeers Musik ausdrücklich
als »eine menschheitlich bewegte, gesellschaftlich
moderne Musik« erscheint. Dem Primat des Politischen koordiniert Heine musikalisch die »Ober-
herrschaft der Harmonie« über die Melodie, der
Chöre über Einzelgesänge zu. In gewisser Weise
nimmt Meyerbeers neueste Oper _Les Huguenots_
(1836 uraufgeführt), deren musikalisch-techni-
schen Fortschritt Heine als außerordentlich gegenüber der das Juste-Milieu symbolisierenden Erfolgsoper _Robert le Diable_ feiert, eine Überwindung
des Dualismus musikalisch vorweg: Heine betont
die gekonnte Integration der Melodien sowie seine
Voliebe für den idyllischen 2., nicht für den stürmi-
schen 4. Akt, dem eigentlichen Höhepunkt. In der
Besprechung der _Huguenots_ hatte er den Kunstsinn
des Maestro sogar mit demjenigen Goethes verglichen (B 9, 141; vgl. AZ-Bericht 1841, B 10, 1010).

In das Parallelporträt spielt der für das 19. Jahrhundert typische Konflikt zwischen italienischer
und deutscher Musik hinein (Mann, 151; vgl.
F. Hillers Konzert B 9, 125). Im Zusammenhang
mit der Deutschland-Kritik der Theaterbriefe erlaubt wiederum auch das Porträt eines kosmopolitischen deutschen Musikers, der sich ausdrücklich an
»das junge, großmütige, weltfreie Deutschland«
angeschlossen hat, den überholten Zuständen einen kritischen Spiegel vorzuhalten.

So hoch Heine den Musiker Meyerbeer gestellt
hat (»der größte jetzt lebende Kontrapunktist, der
größte Künstler in der Musik«, B 9, 140), so tief ließ
er den Menschen fallen, – aus Gründen, in denen
wohl Privates mit Politischem verquickt war. Auf
dem Höhepunkt ihrer Beziehungen scheut sich
Heine nicht, dem Porträt des Maestro typisch
zwangsneurotische Züge einzuzeichnen (extreme
Angst vor Kritik, die Meyerbeer deshalb zu beeinflussen suche, ängstliche Erwartungshaltung,
Kunstfetischismus, Geiz und Askese; an diese wunden Punkte werden die 1854 verschärften AZ-Berichte rühren – _Lutezia_ XXXIII; B 9, 362 ff. –, die
ebenfalls im nachhinein einen Plagiats-Verdacht
erheben – _Lutezia_ XII; B 9, 293 ff.). Schwerer wiegt
dann, daß Heine Meyerbeer seine Berliner Stellung eines Generalmusikdirektors als Abfall von
seinen früheren progressiven Überzeugungen bzw.

als politischen Fehltritt nicht verzeihen kann
(»Hofcharge« wird 1854 in »servile Hofcharge«
verschärft; B 9, 540). Obwohl Meyerbeer zweimal,
1838 und dann noch einmal 1845, in wichtigen
Geldfragen erfolgreich als Vermittler gegenüber
Salomon Heine und dessen Sohn Carl eingesprun-
gen ist, kommt es Ende 1845 zum Bruch. Heine,
der jetzt seine früheren Huldigungen zurückneh-
men will, geißelt 1847 in der AZ die Opern des
Maestro als symptomatisch verkommene Mach-
werke des modernen Musikbetriebes, in denen alles künstlich, kostspielig und mit »Kalkül« auf Effekte, auf prunkvolle Ausstattung und Unterhaltung angelegt sei (B 9, 166 f.; diese Anschauung
über den Verfall der Kunst im bürgerlichen Kultur-
betrieb ließe sich mit dem vergleichen, was Horkheimer und Adorno 1947 »Kulturindustrie« genannt haben (s. S. 397 f.). Dem egozentrischen
Selbst-Reklamemacher wird 1847 in Paris als einer
»aufgelösten Scharade« jegliches ernsthafte Interesse abgesprochen. Persönliche Ruhmsucht, politische Servilität und künstlerisches Fiasko des zum
»Beeren-Meyer« und »maestro Fiascomo« heruntergekommenen Meyerbeer haben späte Gedichte
mehrfach verspottet (B 11, 275 und 295 ff.; das
Festgedicht war 1849 erschienen). – Der Epilog zu
dieser Pariser Freundschaft sieht kurz folgendermaßen aus: Alles endete in den 50er Jahren damit,
daß sich der eine Maestro vom anderen verfolgt
fühlte. Heine, der Meyerbeer als treibende Seele
hinter einigen Intrigen vermutete, hat sich, als dieser sich auch noch in der »Satanella«-Affäre indifferent verhielt (s. Mann 1971), durch die »Meyer-
beeriana« in der _Lutezia_ gerächt (Brief an Michael
Schloss vom 4. Mai 1854). Meyerbeer, der nach der
Lutezia weitere Kritik in den drohenden _Memoiren_
fürchtete, ließ dementsprechend in Paris vorsorgen
und versuchte noch danach, sich von Angriffen
freizukaufen (s. B. 12, 316 ff.).

Texte: Heinrich Heines Zeitungsberichte über Musik und Male-
rei, hrsg. von Michael Mann, Frankfurt a. M. 1964.

Lit.: Friedrich Hirth: _Heinrich Heine. Bausteine zu einer Bio-_
graphie, Mainz 1950, 59–80; Michael Mann: _Heinrich Heines_
Musikkritiken, Hamburg 1971, 58 ff., 101–107 [untersucht
113–127 Heines Verhältnis zur französischen Presse und
134–157 die »kunstphilosophischen Hintergründe« seiner Mu-
sikkritiken]; Heinz Becker: ›_Der Fall Heine-Meyerbeer_‹, Berlin 1958 [untersucht die Anschuldigung, Meyerbeer habe Heine bestochen]; Bernd W. Wessling: _Meyerbeer, Wagners Beu-_
te – Heines Geisel, Düsseldorf 1984.

Aufnahme und Wirkung

Die Theaterbriefe haben nur eine sehr schwache Resonanz gefunden. Die Kritik am Börne-Buch überdeckte 1840 das Interesse am Buchdruck völlig. Die Reaktionen auf die Zeitschriftenfassung zeichnen sich 1838 (negativ) dadurch aus, daß sie an Heines eigentlicher Thematik vorbeigehen und sich durch die Deutschland-Kritik genauso wenig provozieren lassen, wenn sie sich nicht, wie der Kritiker Hermann Marggraff in den »Blättern für literarische Unterhaltung«, über Heines chaotische Schreibweise aufregen. Bemerkenswert ist allenfalls das Interesse der Musikkritik (Überblick über Nachdrucke und Besprechungen bei Mann, 35 f.). U. a. werden Heines Verdienste um Meyerbeers Ruhm unterschiedlich bewertet, z. B. durch den Musikschriftsteller und Volksliedsammler Anton Wilhelm Florentin Zuccalmaglio, der unter dem Pseudonym »G. Wendel« in der »Neuen Zeitschrift für Musik« an Meyerbeer nicht »das mindeste Eigentümliche« findet. In seiner ausführlichen Besprechung wendet er sich dann gegen die Darstellung der Klaviervirtuosen Liszt, Thalberg und Chopin, da er diese Reihenfolge im 10. Brief als Rangfolge auffaßt. Methodisch wirft er Heine vor, sein Urteil zu sehr von der Persönlichkeit der Künstler abzuleiten und darüber die Analyse des Werkes zu vernachlässigen, d. h. nicht musikwissenschaftlich vorzugehen (wie man den Gemäldeberichten vorgeworfen hatte, die malerischen Qualitäten verkannt zu haben).

Lit.: B 6, 814–822; DHA 12/2, 1086 ff.; Michael Mann 1971 (s. o.), 34 ff.

Shakespeares Mädchen und Frauen

Entstehung, Aufnahme, Druck, Text

Heines wenig beachtetes Shakespeare-Buch ist 1838 als finanziell interessante Auftragsarbeit entstanden (4000 Franken). Im April des Jahres schloß er mit dem Pariser Verlag Delloye, Désiré & Cie einen Vertrag über einen deutschen Text zu einer in England gestochenen Sammlung 45 modischer, idealisierter Porträts Shakespearescher Frauengestalten. Die Stahlstiche englischer Künstler waren kurz zuvor ohne erläuternden Begleittext von

Charles Heath in London herausgegeben worden und auch in Berlin erschienen (*The Shakespeare Gallery* [1836–37] bzw. *Shakespeares Frauenbilder*, 1836–38). Die Arbeit begann im Juni, mußte aus Krankheitsgründen diktiert werden und war Ende Juli abgeschlossen. Der Pariser Verlag versprach sich mit Heine als Zugpferd auch auf dem deutschen Markt gute Chancen. Das Buch konnte ohne Zensur gedruckt werden (obwohl es, wie Heine am 19. Dezember 1838 Campe mitteilte, »voll der schrecklichsten Stellen in Betreff der Politik und der Religion« war). Die Auflage, die Ende November 1838 mit der Jahreszahl 1839 erschien, wurde von der Leipziger Firma Brockhaus und Avenarius vertrieben und war bald vergriffen.

In die Erläuterungen ist eine große Masse unterschiedlicher Zitate integriert (und dadurch »versilbert«) worden. Der Werkteil besteht zu ca. einem Drittel aus Shakespeareschen Verszitaten vornehmlich nach der Schlegel-Tieckschen Übersetzung (es gibt auch Prosazitate). Außerdem enthält dieser Teil noch längere Zitate des Historikers Jules Michelet, des Kommentators Franz Horn, einer Arbeit von Mrs. Anna Jameson und aus Privatbriefen (laut B 8, 890 wahrscheinlich von Rahel Varnhagen); hinzu kommt im Schlußteil ein Zitat des Historikers und Politikers François-Pierre-Guillaume Guizot. Dadurch besteht der Gesamttext zu fast einem Drittel aus Fremdtext. Für Heines Arbeitsweise ist mindestens eine Texttransplantation typisch. In den Abschnitt »Constanze« ist der ursprüngliche Anfang von *Zur Geschichte der Religion und Philosophie in Deutschland* eingegangen (DHA 8/1, 443 ff.). Die Mäuseparabel, in der sich die fatalistische, skeptische und spiritualistische Auffassung zur Weltgeschichte ausspricht, wurde dazu 1838 überarbeitet (das hat Michel Espagne aufgezeigt; Walter Wadepuhl nimmt noch einen weiteren Rückgriff auf früheres Material an).

Nach der Arbeit schrieb Heine am 23. August 1838 an Gutzkow: »unlängst las ich den ganzen Shakspear«. Angesichts dieser offensichtlichen Übertreibung stellt sich die Frage, wieweit Heine vorbereitet war, als er den Vertrag unterschrieb. Nach Wadepuhls Übersicht, 115 ff., ist Heine wahrscheinlich als Bonner Student von seinem Lehrer A. W. Schlegel mit dem englischen Dramatiker vertraut gemacht worden; als Autor zweier Dramen hat er sich wohl intensiver mit Shakespeare auseinandergesetzt; in Berlin konnte er Shakespeare-Aufführungen beiwohnen; damals las er auch Teile aus Franz Horns Kommentar *Shake-*

speare's Schauspiele erläutert; in die Studentenzeit fällt noch die Lektüre des Sommernachtstraums und die Beschäftigung mit König Lear, bevor Heine dann während seines Englandaufenthaltes den berühmten Schauspieler Kean als Othello, Shylock, Richard III. und Macbeth erleben konnte. Nach dem augenblicklichen Stand der Forschung kannte Heine 1838 also zumindest fünf Stücke durch eigene Lektüre *(Hamlet, Romeo und Julia, Sommernachtstraum, König Lear* und *Heinrich IV.)* und fünf weitere durch Aufführungen *(Kaufmann von Venedig, Richard III., Macbeth, Othello* und *Was ihr wollt).* Die mangelnde Kenntnis der Komödien erklärt wahrscheinlich die Zitat-Montage, um das erforderliche Umfangsvolumen zu erreichen. An Literatur kannte Heine neben den erwähnten Arbeiten noch die wichtigsten Abhandlungen über Shakespeare von Tieck und A. W. Schlegel. An seinen Darstellungen ist ferner der Einfluß von William Hazlitts *Characters of Shakespeare's Plays* spürbar (zuerst 1817). – Später, anläßlich des Plans zur Werkausgabe von 1852, wollte Heine den unbefriedigenden Zustand des Komödien-Teils durch Streichung beseitigen, was aufgrund der verlorengegangenen Stahlplatten gut möglich gewesen wäre. 1854 nahm sich der Dichter – vergeblich – vor, den ganzen Text umzuarbeiten. Deshalb ist der erste Druck der einzig authentische geblieben.

Die Aufnahme war zunächst positiv. Ein Leipziger Rezensent bescheinigt Kompetenz und gute philologische Arbeit (»Blätter für die literarische Unterhaltung« von Dezember 1838). Das bestritt aber dann die Besprechung, die Anfang Juli 1839 in den junghegelianischen »Hallischen Jahrbüchern« erschien: Heine gilt jetzt als inkompetenter Anekdotenerzähler (»Überall verrät sich die Hohlheit seiner Manier, die Unwahrheit seines Wesens«) und muß sich wegen der Shylock-Darstellung antisemitische Anspielungen gefallen lassen.

Druck: Der einzige Druck zu Heines Lebzeiten erfolgte unter dem Titel: *Shakspeares Maedchen und Frauen mit Erlaeuterungen von H. Heine, Paris, H. Delloye – Brockhaus & Avenarius; Leipzig, Brockhaus & Avenarius, MDCCCXXXIX/* [1839]; der Druck fand in Paris statt.

Text: B 7, 171–293 (enthält die Stahlstiche).

Lit.: B 8, 879 ff.; Walter Wadepuhl: *»Shakespeares Mädchen und Frauen«. Heine und Shakespeare,* in: ders.: *Heine-Studien, Weimar 1956,* 114–134 [leicht verändert erneut in: ders.: *Heinrich Heine. Sein Leben und seine Werke,* Köln–Wien 1974, 225–239]; Volkmar Hansen: *Heines Shakespeare-Buch,* in: Heinrich Heine: *Shakespeares Mädchen und Frauen,* hrsg. von Volkmar Hansen, Frankfurt a. M. 1981, 217–243; Michel

Espagne: *La parabole des souris,* in: Jahrbuch für Internationale Germanistik, Reihe A, Bd. 11: Edition und Interpretation, Bern 1981. 202–212.

Analyse und Deutung

Ein Gang durch die Shakespeare-Galerie

Die Abhandlung gliedert sich in vier Teile, wobei der erste Teil mit allgemeiner Epochen- und Shakespeare-Charakteristik sowie mit englischer und deutscher Shakespeare-Rezeption und der vierte Teil mit der französischen Rezeption eine Art Rahmen bilden. Von den Bildbeschreibungen, die in »Tragödien« und »Komödien« unterschieden sind, ist der Hauptteil wiederum nach einem chronologischen Plan angelegt: Je nach Ursprung des Stoffes werden Frauengestalten der griechischen, römischen und englischen Welt vergegenwärtigt, während die Heldinnen aus Tragödien mit legendären Stoffen oder fiktiven Gestalten den Schluß bilden. Heines künstlerischer Einfall besteht nun darin, daß er sich in der Rolle des »Pförtners« einführt, der seinem Publikum eine imaginäre Galerie mit der Porträtsammlung aufschließt und die Führung übernimmt. Den Zeigegestus der Bildtexte präsentiert z. B. folgende Einführung: »Diese ist die schöne Helena, deren Geschichte ich Euch nicht ganz erzählen und erklären kann« (B 7, 190 und 195; diese fiktionale Struktur der Texte hat sich im Juni 1983 eine Aufführung in Heilbronn zunutze gemacht, in der ein Schauspieler als Heine tatsächlich eine solche Führung durch das Foyer des Stadttheaters vornahm und die gespielten Porträts vorstellte). Wenn der Cicerone vor den Komödien seine Führung abbricht, dann hat er bei dem Rundgang die Freiheiten seiner Rolle voll ausgeschöpft und den imaginierten Besuchern die buntesten Arabesken vorgeführt (Heine erklärt, er wolle »die Bildnisse der Frauen, die aus jenen Dichtungen hervorblühen, mit einigen Wortarabesken verzieren«; B 7, 218). Wohl kein anderes Werk Heines hat die Möglichkeiten der offenen, arabesken Komposition so wahrzunehmen gewußt wie das Shakespeare-Buch, das im Hauptteil aus 24 einzelnen Bildbeschreibungen besteht, an denen sich die unterschiedlichsten Themen entlang ranken. Die Beschreibungen, die dem Werkcharakter allgemein Rechnung tragen, beginnen mit Gattungsfragen und erörtern durch die Nichtbeachtung des Unterschieds von Trauerspiel und Komödie die Voraussetzungen einer »neuen Ästhetik«. An markanter

Stelle, im »Constanze«-Abschnitt, diskutiert die Mäuseparabel auf relativistische Weise geschichtsphilosophische Fragen. Exkurse aller Art, z. B. über eheliche Treue, stehen neben Seitenhieben auf Dramatiker wie Raupach (die Literaturpolemik kommt vor allem im ersten und vierten Teil gegen Schlegel und Tieck sowie gegen die französischen Romantiker, in erster Linie gegen den häßlichkeitssüchtigen Victor Hugo zum Zuge, auch gegen Alexandre Dumas père, Alfred de Vigny und Alfred de Musset). Der Erzähler-Führer bringt auch eine ganze Reihe Stationen seiner Biographie ins Spiel, die Düsseldorfer und Berliner Zeit, die Reisen nach England und Venedig (auf die Theaterbesuche in England ist *Französische Bühne* näher eingegangen). An einzelnen Gestalten wie z. B. Cleopatra entsteht ein spezifisches Bild der Frau, das sich aus Verrat und Lüge, Betrug und Gift zusammensetzt und die Züge der ›femme fatale‹ trägt (wie im *Buch der Lieder* und in den *Neuen Gedichten* mit dem Zyklus *Verschiedene*, in dessen Nähe die Porträts stehen). Die Vorstellungen des Erzählers über Liebe und Frauen wären eine Untersuchung wert; hier sei nur an die triadische Typologie der Liebe am Schluß des Textes erinnert, in der Miranda für Idealität steht, Julia für eine Synthese aus Mittelalter und Renaissance und Cleopatra für eine »schon erkrankte Zivilisation«). – Abschluß und zugleich Höhepunkt des Mittelteils ist ohne Zweifel die Shylock-Deutung anläßlich der Porträts von Jessika und Portia aus dem *Kaufmann von Venedig*. Heine stellt zuerst die einmaligen kulturgeschichtlichen Verdienste des jüdischen Volkes heraus (Spiritualismus, Kosmopolitismus) und entwickelt die »innige Wahlverwandtschaft«, die »zwischen den beiden Völkern der Sittlichkeit, den Juden und Germanen, herrscht« (B 7, 257; das Thema werden die *Geständnisse* aufgreifen). Dann gibt er eine moderne Erklärung des Judenhasses, die von den wirtschaftlichen Zuständen Europas ausgeht und den spezifisch christlichen Antisemitismus hinter sich läßt.

Daß der Gang durch die Porträt-Galerie sich als Gang durch die Zeitgeschichte versteht, beweisen die Aktualisierungen. Heine beruft sich auf Friedrich Schlegels Wort, nach dem der Dichter ein »in die Vergangenheit schauender Prophet« ist, um in den Stücken des Engländers »Steckbriefe« zu gekrönten Zeitgenossen zu entdecken. So findet er in *Heinrich IV.* einen »Steckbrief« Ludwig Philipps. Andererseits präfigurieren für ihn die Parteikämpfe der Patrizier und Plebejer, welche *Coriolan* im alten Rom schildert, die Kämpfe der Tories und der Radikalen im modernen England. So wird die deutsche, tatenlose Mentalität kritisiert, weil der Deutsche »im Wissen seine Lust befriedigt, nicht im Leben« und so erscheint Cleopatra, das »launische, lustsüchtige, wetterwendische, fieberhaft kokette Weib«, als »antike Pariserin« (B 7, 230, 198, 196 und 210).

Lit.: Karl Josef Höltgen: *Über »Shakespeares Mädchen und Frauen«*, in: IHK 1972, 464–488; Hans Henning: *Heines Buch über Shakespeares Mädchen und Frauen*, in: Shakespeare Jahrbuch, Bd. 113/1977, 103–117; Volkmar Hansen (s. o.), 230 ff.

Der alte und der neue Puritanismus

In der staatlich stillgestellten zweiten Hälfte der 30er Jahre, als nach dem Bundestagsverbot von 1835 kritischen Schriftstellern strengste Selbstzensur aufgezwungen wurde, benutzt Heine das harmlos erscheinende Thema »Shakespeares Mädchen und Frauen« sowie das Medium Gravurbeschreibung, um neben zeitkritischen weltanschauliche Fragen aufzuwerfen. In dem Porträt der elisabethanischen Zeit, die Shakespeare hervorgebracht hat, ergreift Heine als Dichter und Geschichtsdialektiker Partei gegen den heraufziehenden Puritanismus, der »wie eine graue Nebeldecke, jenen öden Trübsinn« über das ganze Land ausbreiten wird, und »zu einem lauwarmen, greinenden, dünnschläfrigen Pietismus sich verwässerte« (B 7, 174; dieses Bild weist Karl Josef Höltgen als einseitig zurück). An der Grenzscheide zur modernen Zeit sieht Heine mit der Hinrichtung Karls I., des »großen, wahren, letzten Königs«, »auch alle Poesie aus den Adern Englands« fließen (s. *Romanzero*-Gedicht *Karl I.*). Die ästhetisch bestimmte Dialektik zwischen gutem Alten und schlechtem Neuen kommt auch dort zur Sprache, wo der Sieg Englands über Frankreich bei Crécy als Triumph der modernen Prosa über die alte Poesie dargestellt wird (B 7, 228). Wenn Heine nun die »nivellierende Puritanerzeit« und den puritanischen Ikonoklasmus angreift, wird erkennbar, daß er hier an die Auseinandersetzung mit dem Republikanismus, speziell mit den deutschen Republikanern um Börne anknüpft, die er in den *Zuständen* begonnen hat und in *Ludwig Börne* auf ihren Höhepunkt treiben wird. Die »kunstfeindliche« Einstellung, die auch in der Konfrontation mit den Kommunisten wesentlich ist, wird 1838 auf der Höhe von Prinzipien diskutiert, die auf die Psychologie der Denkschrift vorausweist und den Platz des Shakespeare-Buches in Heines intellektueller Entwicklung erkennen läßt. Anschaulicher als die *Elementargeister* und historisch konkreter führt die Schrift von 1838 die puritanische Abneigung gegen das Theater auf jene »Feindschaft« zurück, »die seit achtzehn Jahrhunderten zwischen zwei ganz heterogenen Weltanschauungen waltet, und wovon die eine dem dürren Boden Judäas, die andere dem blühenden Griechenland entsprossen ist«. Die Genealogie des Antagonismus von Nazarener und Hellene wird spürbar, wenn der Text fortfährt: »Ja, schon seit achtzehn Jahrhunderten dauert der Groll zwischen Jerusalem und Athen, zwischen dem heiligen Grab und der Wiege der Kunst, zwischen dem Leben im Geiste und dem Geist im Leben«. Weiter zeichnet sich die individualpsychologische Konkretisation des Antagonismus ab, wenn das Nazarenertum mit »Ranküne«, »Eifersucht«, »Glaubenseifer« und »Fanatismus« in Verbindung gebracht wird, um den puritanischen »Haß gegen die altenglische Bühne« verständlich zu machen. Der zeitkritische Ansatz dieser Abhandlungen findet sich schließlich im »Portia«-Abschnitt wieder, der den, wie es heißt, in der Gegenwart falsch aufgestellten Gegensatz von Demokratie und Königtum erörtert. Heine spielt Cäsars Sieg über die römische Aristokratie in Shakespeares Stück und seine Alleinherrschaft gegen den »Geist des Republikanismus« aus, den er auf »engbrüstige Eifersucht« und auf einen »gewissen Zwergneid, der allem Emporragenden abhold ist«, zurückführt (B 7, 201). Sogar die physiognomische Verkörperung seiner Anschauungen sieht er bei Shakespeare vorgeprägt, wenn dieser seinen Helden ahnungsvoll gegenüber dem asketischen Menschentypus sagen läßt: »Laßt wohlbeleibte Männer um mich sein, / Mit glatten Köpfen, und die Nachts gut schlafen«. –

Lit.: Karl Josef Höltgen (s. o.).

Shakespeare, der poetische Historiker

Heines Bewunderung für Shakespeares Genie ist grenzenlos. Für ihn ist Shakespeare der Dramatiker schlechthin. Die Narrengestalten des Engländers haben seine Komikkonzeption mitgeprägt (*Reisebilder* II). Und die *Börne*-Schrift hat das Menschentum, das er repräsentiert, ins Außerordentliche erhöht, indem sie ihn, der »zu gleicher Zeit Jude und Grieche« war, als vorweggenommenes Modell des ganzheitlichen Menschen der zerris-

senen modernen Zeit entgegengestellt hat (B 7, 47).

1838 entwirft Heine ein Bild des Shakespeareschen Genius, das auf einer ästhetischen Konzeption beruht, mit der er sich selber identifiziert hat und die seiner eigenen Praxis zugrunde liegt. Kapitel VII der Italienreise hatte den Dichter über den Historiker gestellt, weil er durch fiktive Gestalten den Sinn der Geschichte treuer wiedergibt, als der Kollege vom Fach mit dem Bericht »nackter Tatsachen«. Der Anfangsteil der Shakespeare-Schrift würdigt nun den großen Geschichtsdramatiker, der eben »nicht bloß Dichter, sondern auch Historiker« war, weil er sich nicht sosehr vom Ideal einer unerreichbaren Objektivität leiten ließ, als von der Vorstellung, das Vergangene »im Geiste seiner eigenen Zeit« wiederzugeben (zur geschichtlichen Wahrheit sind »nicht bloß die genauen Angaben des Faktums, sondern auch gewisse Mitteilungen über den Eindruck, den jenes Faktum auf seine Zeitgenossen hervorgebracht hat, notwendig«; B 7, 179). Deshalb betonen die Bildbeschreibungen das »divinatorische Auge« des Dichters von z. B. *König Heinrich VI.* Das »divinatorische« Genie feiert Heine parallel dazu, aber in einer für ihn originaleren Konzeption, angesichts von Shakespeares Stellung zur Natur (vgl. ebenfalls Italienreise und Klaus Pabel, *Heines »Reisebilder«,* München 1977, 185 ff.). Nach Heines antimimetischer Ästhetik ist der Dichter mit der Fähigkeit begabt, aus einem Fragment, das die äußere Welt liefert, eine Totalität konstruieren zu können. Das nennt er den »wunderbaren Prozeß der Weltergänzung«, den der Dramatiker Shakespeare praktiziert hat (laut Höltgen, 468, repräsentiert Heine ein zwar glänzend formuliertes, aber »noch romantisch geprägtes und im ganzen überholtes Shakespearebild« mit einigen richtigen Einsichten). An Shakespeare exemplifiziert er seine Ansicht, nach der dem Dichtergeiste ein synthetisches Bild der Natur eingeboren sei, so daß ihm »jeder Teil der äußern Erscheinungswelt gleich in seinem ganzen Zusammenhang begreifbar [ist]: denn er trägt ja ein Gleichbild des Ganzen in seinem Geiste«. In einer Zeit, in der die Kunst immer mehr auf die Nachahmung der Wirklichkeit eingeschworen zu werden droht, greift Heine, der »Supernaturalist« (B 5, 46), auf die idealistische These eines rein intuitiven Geistes, wohl auch auf Hegels Dialektik, zurück, um seine ästhetische Theorie durch den bekannten Vergleich zu vergegenwärtigen: »Und wie der Mathematiker, wenn man ihm nur das kleinste Fragment eines

Kreises gibt, unverzüglich den ganzen Kreis und den Mittelpunkt desselben angeben kann: so auch der Dichter, wenn seiner Anschauung nur das kleinste Bruchstück der Erscheinungswelt von außen geboten wird, offenbart sich ihm gleich der ganze universelle Zusammenhang dieses Bruchstücks; er kennt gleichsam Zirkulatur und Zentrum aller Dinge; er begreift die Dinge in ihrem weitesten Umfang und tiefsten Mittelpunkt.« Auf Hegel war hier zu verweisen, weil es sich für Heine nicht nur um Naturanschauung, losgelöst vom Befreiungsprozeß der Menschheit, handeln kann.

Lit.: Siegbert Prawer: *Heine's Shakespeare*, Oxford 1970 [untersucht Heines Beziehung zu Shakespeare im Gesamtwerk]; Karl Josef Höltgen (s. o.).

Der Schwabenspiegel

Entstehung, Druck, Text

Der Essay ist in einer Zeit entstanden, in der Rückschläge der revolutionären Bewegung mit dem Anstieg literaturpolitischer Kämpfe, die übergroße Bedeutung gewannnen, einhergingen. Behördliche Maßnahmen, die kritische Literatur grundsätzlich infrage stellten, zwangen Autoren wie Heine weiter zu strenger Selbstzensur. Im März 1838 scheiterte das seit 1832 konzipierte und seit 1835 konkret als moderne Korrespondenz- und Annoncen-Zeitung geplante Projekt der »Deutschen Zeitung«, da die preußischen Behörden eine Verbreitungslizenz verweigerten (B 9, 50 ff.; B 10, 632 ff. u. Ros). In dieser Phase sah sich der in Deutschland durch eine Art Rufmordkampagne bedrohte Heine mit der erstarkenden Deutschen Ideologie konfrontiert, die sich nicht allein aus der »Teutomanie« des Denunzianten Menzel speiste, sondern auch aus dem wertkonservativen Liberalismus der schwäbischen Dichter, die in dem umschwenkenden Jungdeutschen Gutzkow einen Alliierten fanden. Im Einklang damit zeichnete sich weiter ein neuer Abschnitt in der Rezeption von Heines Werk ab, so daß sich der durch Gutzkow warnend eingeweihte Dichter angesichts der gewandelten Lesebedürfnisse und neuen Erwartungen 1839 sogar gezwungen sah, auf die Herausgabe einer neuen Lyriksammlung mit Vor- und Nachwort zu verzichten. Die durch Marktzwänge bedingte Rücknahme von Lyrik, die der Forderung umfassender Emanzipation gewidmet war, aber als ›frivol‹ abgelehnt wurde,

bildet das Vorspiel des *Schwabenspiegels,* während sich das Nachspiel, die Offenlegung von dessen Druckgeschichte, in den *Schriftstellernöten* niedergeschlagen hat.

Die Entstehungsgeschichte des *Schwabenspiegels* überkreuzt sich also mit dem Plan einer separaten Herausgabe neuer Gedichte, den Heine seinem Verleger am 19. (oder 23.) Dezember 1837 mitteilte (und als Titel »Anhang zum Buch der Lieder« vorschlug). Als er Campe am 30. März 1838 detailliert mit der Komposition des Buches bekannt machte, erwähnte er als sechsten Text »eine sehr große Vorrede, worin ich wichtige Dinge zu sagen habe«. Knapp einen Monat später war das Versmanuskript abgeschickt, aber die Niederschrift der vorkonzipierten »Nachrede« stand noch aus (»Ein bedeutender literarischer Skandal soll entstehen«, schrieb Heine am 27. April 1838 an Campe). Der Prosatext wurde dann in der ersten Maihälfte redigiert und abgeschickt. Das Schicksal des Manuskriptes, das zu schweren persönlichen Konflikten geführt hat, bedarf unten noch weiterer Angaben.

Als äußerer Anlaß des *Schwabenspiegels* ist die kritische Uhland-Darstellung aus der *Romantischen Schule* anzusehen, die 1836 ein Boykott des von Adalbert von Chamisso und Gustav Schwab herausgegebenen »Deutschen Musenalmanachs« durch den schwäbischen Dichterkreis nach sich zog, als der 8. Jahrgang (für 1837) mit einem Titelporträt Heines erscheinen sollte (s. B 10, 674 u. B 12, 448 ff.). Ein direkterer Anlaß ergab sich für den um eine ästhetische Neuorientierung seiner Arbeit bemühten Dichter durch die Notwendigkeit, seine kritische Lyrik deutlichst von der Schwabenpoesie zu distanzieren, die nach seiner Meinung den ins Konservative abgleitenden liberalen Zeitgeist repräsentierte. Der Vor- oder Nachreden-Plan veränderte sich dann unter der Wirkung der symptomatischen Kritik, die aus dem schwäbischen Kreise erfolgt war. In Heft 1 der neu gegründeten, bei Cotta erscheinenden »Deutschen Viertel-Jahrsschrift« hatte Gustav Pfizer im Januar 1838 in einem umfangreichen Aufsatz mit dem bezeichnenden Titel *Heines Schriften und Tendenz* den Dichter vom Politiker getrennt und den früheren Poeten gegen den aktuellen Prosaiker ausgespielt (Auszüge B 12, 452 ff.). In der philiströsen Art Menzels, des Mitbegründers der Zeitschrift, griff er die »frivole« Gesinnung von Heines Schriften an: Die *Verschiedene*-Lyrik las er als Dirnen-Poesie und die Deutschland-Prosa verabscheute er als »Brühe«, die über alles Edle und Hohe gegossen werde. Pfizer warnte seine Zeitgenossen nicht nur vor Heines Nihilismus (»Heine ist der wahre Repräsentant des literarischen Egoismus, [...] der *gegen Alles* kämpft – *für Nichts*«), sondern behandelte auch ausführlich Heines »Religionshaß« im Zusammenhang mit seiner jüdischen Abstammung, ohne die Gelegenheit zu verpassen, den Juden allgemein (deren Emanzipation er sogar befürwortete) von Polemik gegen das Christentum dringlich abzuraten (B 12, 463 f.). Über diese Kritik, die zum gleichen Zeitpunkt erschien wie Ruges Abrechnung mit Heines frivoler »Witz- und Pointenpoesie« und seiner französischen »politischen Aufwallung« (*Heinrich Heine, charakterisiert nach seinen Schriften*, in: »Hallische Jahrbücher«, Jg. 1838), war Heine seit Februar 1838 informiert.

Das Schicksal des ganzen Manuskriptes, über das Heine nach Absendung längere Zeit nichts erfuhr, wurde in mehreren Etappen besiegelt. In einer Notiz des »Telegraph für Deutschland«, den Campe seit Anfang 1838 unter der Redaktion von Gutzkow in seinen Verlag übernommen hatte, wurde im Juni eigenmächtig angekündigt, die Lyriksammlung werde ohne die *Verschiedene*-Zyklen erscheinen und Pfizer könne sich auf »entschiedene Abfertigungen« gefaßt machen (B 12, 466). In dieser Phase berichtete Campe, das Manuskript der Nachrede sei ihm von Gutzkow und Wihl »abgenommen und censirt« worden. Am 6. August weihte der zum Liberal-Konservativen gewandelte Gutzkow Heine brieflich in die veränderte Geschmacks- und Marktsituation in Deutschland ein und warnte Heine unter diesen Bedingungen ausdrücklich vor der geplanten Publikation (Text B 12, 469 ff.). Aus rezeptionsgeschichtlicher Sicht versuchte er Heine klarzumachen, daß die *Verschiedene*-Lyrik nach den Kritiken von Menzel, Pfizer und Ruge nur der Front der Gegner Munition liefern (»Die Deutschen sind aber gute Hausväter, gute Ehemänner, Pedanten, und was ihr Bestes ist, Idealisten«), die Stellung des Dichters »ruiniren« und seine Freunde entmutigen würde. Auf diese Warnung hin schob Heine den Plan seiner Lyriksammlung auf, schlug aber Campe am 18. August einen gesonderten Druck der Nachrede vor, so daß die Einheit des neuen Buches jetzt auseinanderbrach. Gutzkows normative Einwände wies er in seinem Antwortschreiben vom 23. August 1838, einem wichtigen Dokument zu Heines ästhetischem Denken, eindeutig zurück, indem er die »Autonomie der Kunst« gegen »die Moralbedürfnisse irgend eines verheuratheten Bürgers in einem Win-

kel Deutschlands« verteidigte. Am 10. September erklärte sich Heine mit Campes Vorschlag einverstanden, die Schwaben-Prosa in dem durch die gemeinsame Initiative von Campe und Gutzkow geschaffenen »Jahrbuch der Literatur« erscheinen zu lassen. Statt eines geplanten Zusatzes von ein bis zwei Bogen schickte er aber nur noch eine mit »im Spätherbst 1838« datierte »Vorbemerkung« (ein Entwurf aus dieser Arbeitsphase ist erhalten). Mit Heines Porträt auf der Titelseite und dem verstümmelten *Schwabenspiegel* erschien das »Jahrbuch« Mitte November 1838 (Jahresangabe 1839; ein vorbereiteter, zweiter Band konnte laut Houben wegen der Heine-Gutzkow-Polemik nicht mehr erscheinen). War die Lyriksammlung an moralischen Rücksichten und aus Solidarität mit Gutzkow gescheitert, so erkannte sich der Autor der zensierten Prosa ausgerechnet als Opfer seiner Freunde: Der empörte Heine klagte wegen der für ihn offenbaren, verlagsinternen Zensur am 19. Dezember 1838 Campe brieflich an (»meine theuersten Interessen [sind] den kläglichsten Rücksichten, wo nicht gar dem leichtsinnigsten Privatwillen, aufgeopfert«) und warnte den Verleger mit den Worten: »dergleichen habe ich zum letzten male erduldet, ich werde schon meine Maßregeln nehmen daß dergleichen nicht mehr vorfällt« (diese Äußerungen gehören bereits in die Entstehungsgeschichte der *Schriftstellernöten*). In seiner *Erklärung* vom 21. Januar 1839, die zuerst die »Zeitung für die elegante Welt« am 8. Februar 1839 veröffentlichte, lehnte Heine öffentlich die »Autorschaft« des Essays ab, der, wie er andeutet, »im Interesse der darin besprochenen Personagen, durch die heimliche Betriebsamkeit ihrer Wahlverwandten« verstümmelt worden ist (B 9, 70). Der Streit, den diese Erklärung entfachte, markierte den Bruch mit Gutzkow, der Heine im Eröffnungsaufsatz des »Jahrbuchs«, *Vergangenheit und Gegenwart. 1830–1838*, in sachlicher Übereinstimmung mit den ideologischen Vorstellungen eines Menzel und Pfizer desavouiert hat und im Januar 1839 im »Telegraph« Heines Urteil über die Schwabendichter als »unwahr« bezeichnet hat (B 10, 670 und B 12, 475). Der geplante vollständige Druck des *Schwabenspiegels* fand nicht mehr statt. Ein weiterer Anlauf, den zweiten Lyrikband (ohne *Schwabenspiegel*) gereinigt herauszugeben, scheiterte im April 1839 an den schweren Verstümmelungen des Manuskriptes durch den Zensor in Grimma, wohin es Campe zum Druck geschickt hatte (DHA 2, 226 ff.).

Druck: Der *Schwabenspiegel* erschien zensurverstümmelt als letzter Beitrag in: »Jahrbuch der Literatur. Erster Jahrgang. 1839. Mit H. Heines Bildniß. Hamburg, Hoffmann und Campe 1839«, S. 335–362. – Da das Manuskript verschollen ist, lassen sich Umfang und Art der Eingriffe nur aus Heines Äußerungen B 9, 77 f. und aus dem Brief an Campe vom 19. Dezember 1838 vage erschließen. Einen Entwurf aus dem Nachlaß druckte Galley 1966 im »Heine Jahrbuch«, S. 13.

Text: B 9, 56–70

Lit.: B 10, 655–672 u. Dokumente B 12, 448 ff.; Heinrich Hubert Houben: *Heines ›Schwabenspiegel‹ und das ›Jahrbuch der Literatur‹,* in: *Jungdeutscher Sturm und Drang,* Leipzig 1911, 139–174; Eberhard Galley: *Heine im literarischen Streit mit Gutzkow. Mit unbekannten Manuskripten aus Heines Nachlaß,* in: HJb 1966, 3–40; Guido Ros: *Heinrich Heine und die »Pariser Zeitung« von 1838,* in: Publizistik, 15. Jg. 1970, 216–228; Hartmut Kircher: *Heinrich Heine und das Judentum,* Bonn 1973, 130 ff. [zu antisemitischen Verleumdungen].

Analyse und Deutung
Die Schwäbische Schule oder Gelbveiglein und Maikäfer

Als »schwäbische Schule« verspottet Heine eine Gruppe seiner Meinung nach zeit- und weltfremder Natur- und Liebeslyriker, zu deren Provinzialität er sich in schärfstem Gegensatz stellt. Nach Rangfolge rechnet er zur Schule Gustav Schwab, Justinus Kerner, Karl Mayer, den »Ungarn« Nikolaus Lenau, der durch einen »wahren Schwabenstreich« ebenso dazu gehört wie der »Kaschube« Wolfgang Menzel und schließlich Gustav Pfizer. Den Namen des ebenfalls dazugerechneten Eduard Mörike ersetzte der Autor auf Anraten von Campe und Wihl durch drei Sternchen. Ludwig Uhland, das eigentliche Schulhaupt dieser aus spätromantischem Geist hervorgegangenen bürgerlichen Gruppierung stellt einen Sonderfall dar: Dem verstummten Dichter wird ein Ehrenplatz reserviert, da er die »schwäbischen Dichterlinge« zu weit überragt (Heines Literaturgeschichte hatte den hoch geschätzten, demokratisch eingestellten Liederdichter ausführlich als spätes »Kind« der romantischen und nicht als »Vater« seiner eigenen Schule behandelt, B 5, 483 ff.).

Der Kritiker der »lieben Kleinen von der schwäbischen Dichterschule« (B 9, 57) führt 1838 seine Auseinandersetzung mit der aktuellen deutschen Literatur fort. Wenn er nun gegen die apolitische, durch ihre wertkonservative Einstellung aber herausfordernde Schulgesinnung polemisiert, vermag er sowohl an Goethe wie an Gutzkow anzuknüpfen. Goethe hatte in seinem 1834 veröffentlichten Briefwechsel mit Zelter am 5. Oktober 1931 im Zusammenhang mit Pfizers Gedichtband von

einem »gewissen *sittig–religiös–poetischen Bettlermantel*«, den sich die schwäbischen Dichter umzuschlagen wüßten, gesprochen. Heine kannte diese Ansicht und hat sie in *Ludwig Börne* abgewandelt zitiert (B 7, 109). Zuvor konnte er sie in Gutzkows »Phönix«-Beitrag *Goethe, Uhland und Prometheus* (1835) zusammen mit den Symbolen »Maikäfer«, »Bienchen« und »Gelbveigelein« auffinden, die den apolitischen Geist der schwäbischen Lyriker indizieren sollen (Gutzkow, 75 ff.; vgl. Doerksen). Von Gutzkow hat Heine dann sehr wahrscheinlich den im Sommer 1838 brieflich vorgeschlagenen Titel *Schwabenspiegel* übernommen, der auf die Rechtsbücher aus dem 13. Jahrhundert zurückgeht (Sachsenspiegel, Schwabenspiegel). Dem Juristen Heine mußte dieser Titel zusagen, konnte er doch hinter der parodistischen Anspielung auf die ehrwürdigen Darstellungen des Gewohnheitsrechtes den Schwaben ein modernes Sündenregister eröffnen (zu untersuchen wäre ebenfalls, ob die formal lockere Tradition des »Speculum« von Bedeutung gewesen ist).

Um den harmlosen und geringfügigen Charakter der Schule im einzelnen zu verhöhnen, benutzt die Schwaben-Prosa Arglosigkeit suggerierende Diminutiva (»Leutchen« oder »Schulstübchen«) und ironische Töne (in der Denunzianten-Broschüre z. B. die bloße, dreifache Aufzählung der besungenen Themen »die Frühlingssonne, die Maienwonne, die Gelbveiglein, und die Quetschenbäume«, B 9, 27 u. 29; oder die Latinisierung Karl Mayers zu »Carolus Magnus«, B 9, 60). Ihre Zwergwüchsigkeit wird vor allem durch ironische und satirische Mittel verlacht. So werden die Namen der großen Schwaben, der »Rieseneichen« Schiller, Schelling, Hegel und Strauß aufgeboten, um ihr ›nur‹ europäisches gegen ein echt schwäbisches Renommee auszuspielen. Der Autor macht dann auch seine eigenen revolutionären Überzeugungen deutlich, wenn er den »Kosmopolitismus« dieser »großen Männer« in höhnischen Kontrast zu dem Verhalten der Idylliker setzt, die »hübsch patriotisch und gemütlich zu Hause bleiben bei den Gelbveiglein und Metzelsuppen des teuren Schwabenlandes« (ähnlich hatte die Denunzianten-Schrift die »Kleindichter in Schwaben« mit einem konfrontiert, der »über die Bestimmung des Menschengeschlechts« nachdenkt, B 9, 26 f.). Die reduzierenden Vergleiche aus der Botanik werden schließlich noch durch Tiersatire ergänzt. So wird Schwab als »Hering«, Mayer als »matte Fliege« oder Pfizer als »reflektierende Fledermaus« verspottet. Wer sich nicht wie Mörike damit begnügt, »bloß Maikäfer« zu besingen, besingt dann »sogar Lerchen und Wachteln«! Der anekdotenfreudige Autor stellt sich seinerseits gegenüber dem »Hundelärm« seiner kläffenden Kritiker einfach taub. Das für die Polemik zentrale Element der Tiersatire wurde Heine freilich von Pfizer förmlich aufgedrängt, der 1838 den frühen Heine mit einer »honigsammelnden Biene« und den späteren mit einer »Wespe« verglichen hat (B 12, 454). Der Dichter des *Atta Troll* wird dann in Caput XXII das Tiermotiv mit dem der Sittenstrenge so verbinden, daß er einen »armen Schwabendichter«, der wegen heroischer sexueller Abstinenz in einen Mops verwandelt worden ist, herumlamentieren läßt.

Text: Karl Gutzkow: *Liberale Energie. Eine Sammlung seiner kritischen Schriften*, hrsg. von Peter Demetz, Frankfurt a. M. 1974.

Lit.: Victor G. Doerksen: *June-Bugs and Hornets: A Contextual Consideration of Heine's »Schwabenspiegel«*, in: *Heinrich Heine. Dimension seines Wirkens*, hrsg. von Raymond Immerwahr und Hanna Spencer, Bonn 1979, 34-35 [will Gerechtigkeit für Pfizer].
   – zur Schwäbischen Schule: Gerhard Storz: *Schwäbische Romantik*, Stuttgart 1967.

Der schwäbische Sündenfall

Doch die biedermeierliche Idylle trügt. Durch die heile Schwabenwelt geht ein Riß. In ihrer Mitte wächst nach den unruhigen Jahren zu Beginn des Jahrzehnts nämlich jener Geist heran, der in Verbindung mit den restaurativen Mächten zu einer immer stärkeren Gefahr für die kritische Literatur geworden ist. Verdeckt von Gelbveiglein, Maikäfern und Lerchen gedeiht die Trias der Anschuldigungen prächtig, gegen die dem Autor nur mit einem »Knebel im Munde« sich zu verteidigen erlaubt ist: »Immoralität«, »irreligiöse Frivolität« und »politische Inkonsequenz« (B 9, 64).
   Der Geist dieser Anschuldigungen, Ferment und Symptom der deutsch-nationalen Ideologie, bedroht Heines Auffassung seines Schriftstelleramtes politisch, während er ästhetisch die Autonomie der Kunst gegenüber Moral und Religion gefährdet (s. o. Brief an Gutzkow, allgemein *Atta Troll*). In der polemischen Auseinandersetzung mit persönlichen Feinden wie Menzel, Schwab und Pfizer wird das Sündenregister jener liberalen Oppositionellen erstellt, deren konservative Grundhaltung die Ziele der revolutionären Partei wesentlich infrage stellt. Deshalb bezeichnet Heine in *Ludwig Börne* schließlich nicht den nur schlecht liberal

maskierten Menzel als schlimmste Gefahr, sondern »einige schwäbische Kammersänger der Freiheit, deren liberale Triller immer leiser und leiser verklingen, und die bald wieder mit der alten Bierstimme die Weisen von Anno 13 und 14 anstimmen werden« (B 7, 106; von den schwäbischen Dichtern hat der früher liberale Kerner dann tatsächlich 1848/49 die demokratische Partei bekämpft). Als solchen »Kammersänger« stellt der *Schwabenspiegel* vor allem Pfizer bloß, für Heine neben Menzel der repräsentative Vertreter des schwäbischen Schulgeistes. Die wahre Gesinnung des Denunzianten von 1835 und des denunziatorischen Autors der jüngsten, großen Anti-Heine-Polemik wird nun mit ›tödlichen‹ Anekdoten, die tatsächlich auf ein letales Ende anspielen, ans Licht geholt. Die Memmen- statt »Mannhaftigkeit« des »Ritters der Vaterlandsliebe« wird durch das genüßlich erzählte, groteske Gerücht entblößt, sein verzweifeltes Weib wolle sich an seiner Stelle duellieren (s. *Über den Denunzianten*). Pfizer muß auf seine Weise dran glauben: Der sittenstrenge Kritiker jeglichen leichtfertigen Umgangs mit den deutschen Idealen, der Heine »frivole Halbbildung« vorgeworfen hat, wird als Betrüger und Fälscher gebrandmarkt, welcher nicht nur durch einen »wohlbekannten Kniff«, d. h. durch willkürliche Zitatmontagen, den Sinn von Heines Schriften bewußt ins Gegenteil zu verkehren gesucht, sondern sogar Fälschungen der Worte selbst vorgenommen hat (Beispiele B 9, 66). Ein »falsches Zitat« bei außerliterarischen Gegenständen, z. B. bei einem Wechsel, so erinnert sich nun warnend der Londontourist, wird in anderen Ländern mit »einem Halsband aus Hanf belohnt« (vgl. B 3, 555 ff.). Im Falle des Falles wäre Heine auch bereit, dem Opfer einen letzten traditionellen »Liebesdienst« zu erweisen –, nämlich ihn kräftig an den Beinen zu ziehen, um seine Todesqual abzukürzen!
   In Zeiten nachlassender politischer Bewegung, in denen die Opposition sich auf sich selbst zurückgeworfen sieht und sich in Richtungskämpfen auseinanderdividiert, sollen die polemischen ›Hinrichtungen‹ von bestimmten, gegenrevolutionären Sozialcharakteren wie Fälscher und Denunziant eine kontrollierte Öffentlichkeit mit den Schwierigkeiten bekannt machen, auf die eine ungebrochen emanzipatorisch eingestellte Literatur trifft. Spott und Hohn lassen zunächst den Abstand deutlich werden, der authentische von schwäbischer Lyrik bzw. Pariser von Stuttgarter Ästhetik trennt. Unabhängig von persönlichen Querelen und frei vom

aufgezwungenen Maskenspiel geht es dann in der Sache um ein neuartiges Phänomen: Heine, der Ideologiekritiker und ›Agent‹ Frankreichs, versucht die süddeutschen Dichter, Agenten der Restauration, für die Rolle haftbar zu machen, die sie neben den Behörden einzunehmen sich berufen fühlen. Nach der Menzelschrift thematisiert der *Schwabenspiegel* die bürgerlich-ideologische »Zensurmentalität« (B 10, 656).

Aufnahme und Wirkung

Statt einen »Skandal« auszulösen, erntete Heine bittere Lektionen skandalisierter Kritiker, die die Partei der Schwaben (vor allem Uhlands, auch Menzels) ergriffen. Mehrere hielten den Aufsatz für überflüssig, da die Polemik seit der Schrift *Über den Denunzianten* ja bekannt sei. Dem setzte der mit Heine befreundete Hamburger Maler Johann Peter Theodor Lyser, der zumindest das poetische Genie des Dichters nicht infrage stellte, noch eins drauf, als er den Aufsatz nicht nur als »kindisch«, sondern auch als »eine Mißgeburt der verletzten Heineschen *Eitelkeit*« abqualifizierte (B 12, 479). Gutzkow und Wihl, die beiden Mitarbeiter Campes, die Heine ihr Wohlwollen noch im Sommer 1838 brieflich bestätigt hatten, reagierten im »Telegraphen« und im »Hamburgischen Correspondenten« mit unverhohlener Sympathie für die Opfer der Satire. Beide griffen wortspielerisch den Titel auf, um Heine zu kritisieren. Gutzkow verglich den Schwabenspiegel mit einem »Toilettenspiegel«, »angenehm für die, die er trifft, unangenehm für die, die etwas nicht etwa Witzigeres, sondern Wahreres und Tieferes erwartet hätten«. Wihl sprach von einem »Vexierspiegel«, der diejenigen Dichter, »deren Namen wir mit Achtung und Liebe im Munde führen«, »auf die possierlichste Weise« vorführt (B 12, 475 f.). In seinem Aufsatz *Herr Heine und sein Schwabenspiegel*, den der »Telegraph« im Mai veröffentlichte, sollte Gutzkow Heines Text als »unwürdig« für das Jahrbuch bezeichnen und erneut die penetrante Frage aufwerfen: »aber wer konnte von Herrn Heine Wahrheit verlangen?« (B 12, 485 f.; Gutzkow, 151 ff.; dieser Beitrag reagierte bereits auf *Schriftstellernöten*).

Lit.: B 12, 475 ff. u. 485 f.; Karl Gutzkow (s. o.); Eberhard Galley (s. o.) [zum Streit mit Gutzkow].

Schriftstellernöten

Der verstümmelte Druck des *Schwabenspiegel* konfrontierte Heine mit einer für ihn bisher unbekannten Art von Zensur, die sehr viel schwieriger greif- und angreifbar war, als die offizielle: die verlagsinterne Zensur. Zur Aufklärung und Publikmachung dieser Vorgänge entstand, wie der Untertitel lautet, ein *Offener Brief des Dr. Heine an Herrn Julius Campe*, der laut Heine-Forscher Houben »in seiner aristophanischen Grobheit wohl der schlimmste Streich ist, den je ein Autor seinem Verleger gespielt hat« (Houben, 140). In diesem Protestbrief kulminiert die jahrelange Auseinandersetzung mit der Zensur, die nach dem Druck der *Vorrede* und den *Französischen Zuständen* begonnen hatte und in deren Verlauf das Verhältnis des Autors zum Verleger bereits schweren Prüfungen unterworfen worden war. – Hier soll nun zweierlei untersucht werden: Einmal gilt es den exemplarischen Charakter des offenen Briefes, der Campe einen schlimmen, aber der Entwicklung des modernen Schriftstellerbewußtseins nutzbringenden »Streich« gespielt hat, darzulegen; zum anderen soll die von Klaus Briegleb erstmals editorisch und theoretisch herausgestellte Textgattung »Schriftstellernöten« in ihren wesentlichen Zügen diskutiert werden.

Anlaß, Entstehung, Druck und Text

Den Anlaß bildeten öffentliche Erklärungen Heines und Campes mit Andeutungen und Zurückweisungen. Heine, der sich angesichts des Drucks seiner Schwaben-Polemik »wieder verkauft und verrathen« vorkam, äußerte Campe gegenüber am 19. Dezember 1838 seinen Verdacht, nicht Opfer der behördlichen, sondern privater Zensur zu sein (s. auch *Schwabenspiegel*). Diesen Verdacht machte er mit einer am 8. Februar 1839 in der »Zeitung für die elegante Welt« veröffentlichten *Erklärung* vom 21. Januar 1839 publik und lehnte die Autorschaft des Textes ab (B 9, 69 f.). Der von den Anschuldigungen schwer getroffene Campe, der alle Schuld allein dem Zensor des »Jahrbuches« anlastete (und als Beweis Anfang Januar den Zensurbogen des *Schwabenspiegel* Heine übersandt hatte), ließ dann am 15. Februar im verlagseigenen »Telegraph für Deutschland« eine Heine desavouierende Gegenerklärung erscheinen, in der er antwortete, daß die Verstümmelungen »*lediglich*

nur der *Sächsischen Zensur*, der das Jahrbuch unterworfen war, *zur Last fallen*. Wir bemerken dies
deswegen, um den Gegnern Heinrich Heines deutlich zu machen, *was* sie unter ›der heimlichen Betriebsamkeit ihrer Wahlverwandten‹ zu verstehen
haben« (B 10, 688 f.). Wie beim Druck des *Schwabenspiegel* beschuldigte Heine wegen dieser Erklärung nicht in erster Linie Campe, sondern dessen
intrigante Mitarbeiter, den »Rattenkönig« Gutzkow und den Giftmischer Wihl (»der letzte Wahn-
sinnsgrund jener Erklärung«, schrieb er Campe am
12. April 1839, »ist aber nirgends anders zu suchen,
als in der giftmischerischen Dummheit jenes klägli-
chen Wihls«; vgl. Briefe an Kühne am 7. April sowie an Laube vom 7. Januar 1839). Aber er war
entschlossen, Campe, von dessen Unschuld er
nicht überzeugt war, seine Erwiderung büßen zu
lassen und durch einen ausführlichen offenen Brief
seine eigene, persönliche Glaubwürdigkeit wiederherzustellen. Wahrscheinlich in der zweiten März-
hälfte entstand dann der auf den 3. April 1839 datierte Brief, der in gemäßigtem Ton verfaßt wurde,
einmal um der Zensur keinen Anlaß zu Eingriffen
zu geben, zum andern, um die künftigen Verlagsbeziehungen nicht gänzlich zu gefährden (wie er
Campe in einem Brief erklärte, in dem er ihm die
Prügel für die »schauderhafte Anzeige« und den
»Frevel« ankündigte). Genau an dem Tag, an dem
der Druck des offenen Briefes begann, beteuerte
Campe in seinem Antwortschreiben (vom
18. April) seine Unschuld und verteidigte die
»*Reinheit* des *Institutes*«; überhaupt sei er das »ewige Erklären« satt: »Wir sind Freunde und verstehen uns, warum *dieser* Trödel!« Als der »Trödel«
erschienen war, wurden die Freunde erst einmal zu
richtigen Feinden.

*Druck: Schriftstellernöthen. Offener Brief des Dr. Heine an
Herren Julius Campe, Inhaber der Hoffmann und Campeschen
Buchhandlung zu Hamburg* erschien vom 18. bis 20. April
1839 mit Zensureingriffen in der »Zeitung für die elegante
Welt«.

Text: B 9, 71-83; DHA 11, 172-182.

Lit.: B 10, 688 ff.; DHA 11, 863 ff.; Heinrich Hubert Houben:
Heines »Schwabenspiegel« und das »Jahrbuch der Literatur«,
in: ders.: *Jungdeutscher Sturm und Drang*, Leipzig 1911, 139-
174 [Nachdruck Hildesheim 1974].

Analyse und Deutung

Die ideologischen »Wahlverwandten«

Die *Erklärung* vom 21. Januar 1839 deutet repressive Gemeinsamkeiten zweier Personenkreise an,
die von den Zeitgenossen, besonders nach Menzels
Angriffen auf die Jungdeutschen, als deutliche Gegensätze empfunden wurden: die wertkonservativen süddeutschen und die fortschrittlichen norddeutschen Dichtergruppen. Nach dem parodistischen *Schwabenspiegel* soll der ganz anders geartete ›Hanseatenspiegel‹, aber wiederum ad personam, nachweisen, daß die bisher unerkannte Kom-
plizität durch einen Akt von Redaktionszensur besiegelt worden ist, welcher der gemeinsamen Abwehr politisch engagierter Literatur gilt.

Die chronologische Rekonstruktion der durch
die Zensur- und Verbotspolitik der 30er Jahre her-
aufbeschworenen »Schriftstellernöte«, von der
Vorrede zu den *Zuständen* bis zum *Schwabenspiegel*, versucht, Campe die Berechtigung zu seiner
Erklärung abzusprechen und den Verdacht des privaten ›Hanseatenstreichs‹ zu erhärten. In vierfa-
cher Wiederholung wird die Januar-These, nach
der der *Schwabenspiegel* »im Interesse der darin
besprochenen Personagen, durch die heimlichen
Umtriebe ihrer Wahlverwandten« verstümmelt
worden ist, so entfaltet, daß den ideologischen
Zensoren aus Stuttgart, als den eigentlichen Anstif-
tern, die Hauptverantwortung für die neuesten Nöte zufällt (der offene Brief spricht von »Umtrieben«
statt von »Betriebsamkeit«). Die Schwaben sind
auch die wahren ›Interessenten‹ oder Nutznießer
der Verstümmelungen (mit »Redakteure«, B 9, 81,
sind wohl Menzel, Pfizer und Schwab gemeint).

Der »liebste Campe«, Adressat des Aufklä-
rungsversuches, wird nun mehr als Opfer fremder
Interessen denn als Täter angeklagt. Er, der bei
dem erwiesenen Zusammenspiel zwischen den
»Wahlverwandten« Menzel und Adrian, zwischen
dem Denunzianten und dem Zensor, noch zu listigen Abwehrmaßnahmen bereit war, wird jetzt be-
schuldigt, den »schwäbischen Wahlverwandten«
»unbewußt als Werkzeug« zu dienen bzw. »fremdem Einfluß« zu unterliegen (B 9, 82 f.). Gutzkow
trifft dann der Vorwurf »levissima culpa« (geringe
Verfehlung), d. h. die Verstümmelung geduldet zu
haben. Als tatsächlicher Vollstrecker und Fälscher
kommt aber schließlich nur der Schriftsteller und
Publizist Ludwig Wihl infrage, den die ganze
Wucht der Anklage trifft. In Wihl sieht Heine denjenigen, der die ›Wahlverwandschaft‹ auch prak-

tisch pflegt: Er stehe in »beständiger Klatsch-
korrespondenz« mit Stuttgart, schrieb Heine am
7. April an Kühne und äußerte sogar die Vermutung, daß dieser Intrigant auch »Gutzkow mit den
Schwaben (wo nicht gar am Ende mit Menzel) versöhnt hat – auf meine Kosten«.

Über Umfang und Art der Verstümmelungen
läßt sich allerdings heute nichts Genaues mehr ermitteln, da die Handschrift des Textes verschollen
ist. Allein Heines Brief an Campe vom 19. Dezember 1838 sowie der offene Brief bieten geringen
Aufschluß über böse Eingriffe stilistischer Art, so
daß der Autor sein »artistisches Ansehen« geschädigt sieht (»Verfälschung der Beiwörter, Ausmer-
zung der Übergänge und sonstige Entstellung der
Form«; B 9, 77). Aus demselben Grund läßt sich
auch die Frage nicht mehr endgültig klären, ob
Gutzkow tatsächlich den *Schwabenspiegel* zensiert
(hingenommen) hat. Dementsprechend schwankt
die Forschung zwischen völliger Ablehnung von
Heines These (Houben) und bedingter Zustimmung (Briegleb 10, 691 ff., der die Reaktionen der
Angegriffenen untersucht; Galley hält dagegen
Streichungen durch Gutzkow für unwahrschein-
lich; DHA bezieht in der Frage keine abschließende Stellung).

Lit.: Heinrich Hubert Houben (s. o.); Eberhard Galley: *Heine
im literarischen Streit mit Gutzkow. Mit unbekannten Manuskripten aus Heines Nachlaß*, in: HJb 1966, 3-40.

Ein offener Brief und seine Folgen

Dem Autor des offenen Briefes geht es in erster
Linie nicht um Querelen mit persönlichen Feinden,
sondern um seine, d. h. um die Glaubwürdigkeit
des öffentlichen Sprechers, dem die Artikulations-
möglichkeiten durch normative Kritik beschnitten
wird. Unmißverständlich gibt er sofort zu erkennen, daß der Brief von einem geschrieben worden
ist, der sich gegen Verleumdungen wehren will,
»die das Ansehen [s]eines Wortes und also auch
jene heiligen Interessen, denen [s]ein Wort gewidmet ist, gefährden können« (B 9, 71). Das ist das
eigentliche Motiv des offenen Briefes. Mit Pathos
werden die allgemeinen, »heiligen Interessen« von
den partikularen, schäbigen »Interessen« abgegrenzt, in deren Namen die Verstümmelungen vorgenommen worden sind. Diese Auffassung des öffentlichen »Sprechamts« verbot außerdem, daß
Zeitungen und Jahrbücher, die im Hause des Verlegers erschienen, persönliche Angriffe druckten.

Zur Wiederherstellung seiner Glaubwürdigkeit

hat Heine eine Form gewählt, die damaligen Ge-
pflogenheiten einen Schlag versetzen mußte. Die
Restaurationszeit ist allgemein als eine Zeit mit
hoher Briefkunst bekannt, in welcher der literarische Rang dieses sehr beliebten Genres unbestritten war. Im Hinblick auf Publizistik, Satire usw.
betont Friedrich Sengle, »daß der Brief eine der
beliebtesten Einkleidungsformen der Biedermeierzeit ist«. Neben den Sammlungen wichtiger Origi-
nalbriefe (als Höhepunkt gilt der *Briefwechsel zwischen Schiller und Goethe*, 1828/29) erschienen fingierte Briefe unterschiedlichster Art, wissenschaftliche und politische Briefe (z. B. Börnes *Briefe aus
Paris*, 1832-34), Erlebnisbriefe und Briefwerke
(z. B. Gutzkows *Briefe eines Narren an eine Närrin*,
1831), Korrespondenz- und Reisebriefe (z. B.
Pückler-Muskaus *Briefe eines Verstorbenen*, 1830/
32). Kaum ein Jungdeutscher, der nicht »Briefe«
im Titel eines Werkes geführt hätte. Frauen veröffentlichten Briefe, die zum Bildungsgut der Zeit
gehörten: 1833/34 erregten Rahel von Varnhagens
Briefe (*Rahel. Ein Buch des Andenkens für ihre
Freunde*) großes Aufsehen, und seit 1835 stritt man
über Bettina von Arnims *Goethe's Briefwechsel mit
einem Kinde*.

In Berlin und in Paris hat Heine die am wenig-
sten geschlossene Form als Rahmen seiner litera-
risch-politischen Berichterstattung mustergültig zu
nutzen gewußt (*Briefe aus Berlin* von 1822 und
Theater-Briefe von 1838; vgl. die bruchstückhaften
Deutschland-Briefe von 1844). Was nun aber wenig
beachtet wird, ist, daß der Schreiber des *Offenen
Briefes* einem neuen Prosagenre Eingang verschafft hat, das bekanntlich seit Zolas *Lettre á
M. Felix Faure, Président de la République* zur
wichtigsten Kommunikationsform des protestie-
renden modernen Schriftstellers geworden ist.
Nicht zuletzt deshalb wird im Handbuch die These
vertreten, daß die öffentlichen Protestschreiben
Heines, mit seinen offenen Briefen *An eine Hohe
Bundesversammlung* und an Campe als formal innovatorischen Paukenschlägen, zur Genese eines
bestimmten, neuen Typus von Intellektuellen gehören.

Der öffentliche Charakter des Briefes wird
durch den Untertitel bekräftigt, der nicht nur
Schreiber und Empfänger nennt, sondern auch den
akademischen Titel des ersten und den zivilen
Stand des zweiten (1836 hatte Heine sogar mit genauer Adresse und »Heinrich Heine, beider Rechte Doktor« signiert). Wenn sich der Gattungscha-
rakter des privaten Briefes durch den Bezug auf

einen bestimmten Partner auszeichnet, so benutzt der *Offene Brief* die Ansprache und den vertrauten Umgang mit dem Adressaten dazu, Campe die bittere Pille etwas zu versüßen. Heine, der »Vernünftigere«, geht nicht grob und leidenschaftlich, sondern milde und gemäßigt mit Campe um: Er will nicht den Bruch mit dem Verleger erreichen, sondern unbedingte Loyalität. »Mein liebster Campe!« lautet die Anrede, und der »liebste« oder »liebe Campe« bzw. »Freund« wird ein dutzendmal vertraut und versöhnlich beschworen, um ihm gleichzeitig alle Verlegersünden in Erinnerung zu rufen, welche die literarische Produktion mehrmals regelrecht paralysiert haben. »Wir brouillierten uns damals, und versöhnten uns wieder«, heißt es, als wenn die Anklagen jetzt nichts gravierend Neues vorbrächten. »[W]ir sind die besten Freunde«, schreibt Heine am Schluß –, nachdem er Campe als Spielball seiner Umgebung hingestellt hat! – Ein offener Brief beansprucht keine Vollendung; seine Argumentation muß nicht bis ins letzte ausgefeilt sein. An den *Schriftstellernöten* sticht jedoch eine formale Abrundung hervor, die in ihrem judizialen Aufbau begründet ist. Der Jurist Heine versucht die Hintergründe der Verstümmelungen aufzudekken, indem er der Reihe nach alle Zensurnöte vorbringt, alle Fakten anführt und einen Präzedenzfall erwähnt, um dann die einzelnen Schuldzuschreibungen vorzunehmen (der Fachbegriff »levissima culpa« weist ebenfalls auf den ausgebildeten Juristen hin). Die Beweisführung stützt sich auf zahlreiche, suggestive Fragen an Campe, dessen Glaubwürdigkeit erschüttert werden soll, und die an ein Plädoyer erinnern (»Wer hat«, »Wer schrieb«, »Warum«, »Hegten Sie etwa«, gefolgt von mehrfachem »Oder«; B 9, 80 ff.). Der Vortrag endet schließlich mit der polemisch zugespitzten Wiederholung der Hauptklage. Das wichtigste Beweisstück der Indizienkette besteht nun aus einer Montage von Briefzitaten, die Privat-Persönliches ans Licht zerrt, um das öffentliche Auftreten Campes und seiner »Wahlverwandten« bloßzustellen. Heine zitiert ausführlich (aber nicht immer korrekt, sondern mit Abweichungen) aus sechs privaten Briefen des Verlegers, um ihm sein widersprüchliches Verhalten gegenüber Gutzkow und Wihl unter die Nase zu reiben und letzteren dem Spott zu überliefern (so zitiert er genüßlich Campes Äußerung: »Wihl ist der *klebrigste und eitelste* Mensch den ich kenne)«. Wie in allen Polemiken setzt der ›Materialist‹ Heine, der die Person als Erscheinung eines Geistigen ansieht (vgl. B 3, 450),

das private in scharfen Kontrast zum öffentlichen Verhalten seiner Gegner, um deren Unwahrhaftigkeit vorzuführen. Wenn er im *Offenen Brief* unter deutlicher Verletzung des Tabus der Privatsphäre gegen die »Klatsche« Wihl (Campe) vorgeht, dann um den Sozialcharakter eines Fälschers zu enthüllen (den er auch als persönlichen Feind angesehen hat; vgl. Michael Werner, der die Veröffentlichung von Privatem als Umkehrung einer Grundtendenz des Metternichschen Systems auffaßt, »welches gerade Öffentliches privatisieren« wollte, um es zu neutralisieren). Letztlich ›prügelt‹ Heine Wihl, um Gutzkow zu treffen, für ihn der aktuelle, typische Vertreter des moralischen Normen verpflichteten Denunziantentums in der liberalen Öffentlichkeit und Literatur. Was der offene Brief (noch) verschweigt, hat ein privater mit wünschenswerter Klarheit ausgesprochen. Ende der 30er Jahre, im *Schwabenspiegel* und in den *Schriftstellernöten*, nimmt der literaturpolitische Kampf Heines die »Anfälligkeit kritischer Autoren für den Geist der Denunziation« aufs Korn (B 10, 669; vgl. 662). Seinem Freund Laube vertraut Heine am 7. Januar 1839 an, als er sicher ist, Gutzkows ganzen Charakter durchschaut zu haben: »Er [Gutzkow] ist besessen von einem Dämon, der mir wohl bekannt ist.« Dieser »Dämon« ist identisch mit dem Geist des Denunziantentums, das in seiner erschreckenden Kontinuität als die große Versuchung der deutschen Intelligentsia angeprangert wird. Der Brief fährt fort: »Ich erinnere mich daß ich vor diesem Dämon immer Angst hatte. Es ist vielleicht ein Galgenmännlein – zuerst hatte ihn Kotzebue, der überlieferte ihn dem Müllner, dieser dem Menzel, dieser wieder dem Gutzkow.« Gutzkow erscheint hier als Erbe Menzels, der Heine nicht loben konnte, ohne ihn »mit dem alten Menzelschen Koth«, d. h. mit dem »Judenthume« zu beschmieren. Indem Heine Verfolger und Opfer, den früheren scheinliberalen Denunzianten und den früher aufrechten Liberalen und Libertin Gutzkow als Glieder einer, der antisemitischen Tradition erkennt, macht er (privat) das Syndrom bewußt, das eine Konstante der Anti-Heine-Front sein wird. Der deshalb unvermeidliche Bruch mit Gutzkow (s. u.), den Heine als vielversprechendes Talent gelobt (B 5, 469) und den er nach Menzels Angriffen unterstützt und verteidigt hatte, kündigt sich in den *Schriftstellernöten* an. Damit signalisierte der *Offene Brief* auch das Auseinanderbrechen der jungdeutschen Front gegen Menzel.

Lit.: Friedrich Sengle: *Biedermeierzeit*, Bd. II: Die Formenwelt, Stuttgart 1972, 199-214; Michael Werner: *Imagepflege. Heines Presselenkung zur Propagierung seines Persönlichkeitsbildes*, in: *Heinrich Heine. Artistik und Engagement*, hrsg. von Wolfgang Kuttenkeuler, Stuttgart 1977, 267-283, dort 275 f.

Aufnahme und Wirkung

Nach der Veröffentlichung des *Offenen Briefes* sank die Beziehung zu Campe auf einen Tiefpunkt, die Kontakte wurden sehr spärlich. Am 22. Mai 1839 schrieb Campe tief gekränkt: »Es ist von Ihnen ein *Verrath* an meiner *Freundschaft*, an meinem *Vertrauen* geübt, der Ihnen [...] die Indignation von allen Deutschen sichert.« Er warf Heine vor, völlig wirklichkeitsfremd gegenüber der deutschen Zensur gehandelt zu haben. Um des gebotenen und notwendigen ›lieben Friedens‹ willen aber verzichtete Campe, der sich von Heine »mit der geballten Faust öffentlich ins Gesicht« geschlagen fühlte, darauf, Heine »mit ein paar gutgeladenen Pistolen zur Rechenschaft« zu ziehen. Heine reagierte darauf erst am 30. September. In diesem Brief verwahrte er sich gegen persönliche Schmähungen in einem von Campes Firma verlegten Produkt. Heine erreichte in der ganzen Angelegenheit zumindest, daß Campe mit Wihl brach, sich mit Gutzkow zerstritt und dann sogar dessen fertige Börne-Biographie zurückstellte. Der Verleger deutete seine Bereitschaft an, den Konflikt beizulegen (ohne ihn ausgetragen zu haben), als er Heine am 18. November 1839 aussagekräftig (weil Geschäftliches und Affektives verbindend) fragte, warum sie sich »ernstlicher entzweien sollten, wo unsere Interessen von jeher so eng – wie zwischen Frau und Mann – verbunden waren«. Mit der Planung des Börne-Buches gingen sie dann im nächsten Frühjahr wieder zur Tagesordnung über.

In der relativ großen öffentlichen Resonanz beherrschte, wie bei anderen vergleichbaren Schriften, das personale bei weitem das sachliche Interesse, das durch Wihls und Gutzkows Reaktionen weiter gesteigert wurde. Die Rezensenten der polemischen Konstellation Heine-Gutzkow-Wihl nahmen eindeutig gegen Heine Partei. Zu den üblichen Klagen über den ausgebrannten und charakterlosen Dichter gesellte sich der Vorwurf, das Briefgeheimnis verletzt zu haben.

Lit.: DHA 11, 866 ff.

Gutzkow, Heine und eine »Gutzkowyade«

Anfang Mai druckte der »Telegraph für Deutschland« Gutzkows Gegenartikel *Herr Heine und sein Schwabenspiegel*, der belustigt, aber entschieden alle Angriffe auf den Redakteur (und auf Wihl) als »Farce« und »schmutzigsten Skandal« weit zurückweist (Gutzkow, 151 ff.; interessanterweise vermag Gutzkow aus dem Gedächtnis eine vom Zensor gestrichene Stelle zu zitieren). Obwohl Gutzkow die öffentlichen Erklärungen Heines als deutliches Symptom erloschener Schöpferkraft hinstellt, bekundet er seine »Achtung vor dem *Schriftsteller*« Heine, aber nur, um den »*Menschen* Heine« dann desto besser als Lügner und Komiker diffamieren zu können – als einen, der seine Freunde statt seine Feinde angreift, der »mit dem deutschen Vaterlande Komödie spielt« und »durch Mystifikationen unterhalten« will. Als Beweis seiner Glaubwürdigkeit, aber auch um den indiskreten Umgang mit Briefen richtig als »Skandal« erscheinen zu lassen, veröffentlichte er seinen Brief an Heine am 6. August 1838 gleich mit.

Heine plante offensichtlich eine Antwort auf diesen Angriff, nicht um die Schmähungen seiner Person, sondern die verfälschende Benutzung unzugänglicher Dokumente abzuwehren. Aber er brach diese »Gutzkowyade« ebenso ab wie eine weitere aus dem Sommer 1839 –, wohl wegen der besseren publizistischen Situation des »Telegraph«-Redakteurs (Fragmente bei Galley, 19 f. u. 23 f.; Gutzkow erscheint dort als abgefeimtes »Oberhaupt« einer Bande von »literarischen Buschkleppern«). Damit war die Auseinandersetzung aber noch nicht beendet, trat sie doch 1840 mit den konkurrierenden Börne-Projekten in eine neue Phase. Während Gutzkow im Vorwort von *Börnes Leben* blind gegen den Menschen und Schriftsteller Heine anrannte (s. B 8, 685 f.), hat sich Heine nur noch vereinzelt über seinen Gegenspieler geäußert (s. dazu Galley, 29 ff.). Dem Bruch mit Gutzkow war sofort Distanz gefolgt (vgl. S. 358).

Über die eine Zeitlang guten, aber schwer rekonstruierbaren Beziehungen zwischen den beiden Schriftstellern sei nachgetragen, daß der 14 Jahre jüngere Gutzkow sich von 1832 (*Briefe eines Narren an eine Närrin*) bis 1840 intensiv mit Heine auseinanderzusetzen gezwungen sah. 1835 hat er als Heine-Apologet das sozialrevolutionäre Programm des *Salon* II trotz einiger national-politischer Vorbehalte gelobt und gegen Börnes Angrif-

fe aus dem »Réformateur« verteidigt (Texte: Gutzkow, 140 ff. u. 144 ff.; B 8, 676 ff. u. B 6, 916 ff.).
Noch 1837 hat er sich gesträubt, den Verfasser der
Denunzianten-Schrift als »charakterlos« zu bezeichnen. – Aus Heines vereinzelten und versteckten Äußerungen aus den Jahren 1835 bis 1839
spricht Anerkennung des zeitnahen, modernen
Schriftstellers und Kritikers (_Romantische Schule_ –
B 5, 469 – und Brief an Campe vom 23. Dezember
1837: »das größte Talent, das sich seit der Juliusrevolution aufgethan«). Unter weiteren literaturpolitischen Rücksichten auf Gutzkow veränderte sich
das Verhältnis dann 1838 spürbar während der
Druckgeschichte des _Schwabenspiegels_ und zerbrach im nächsten Jahr (s. B 10, 661 ff.).

Lit. u. Dokumentation: B 10, 661 ff., 693 ff., 717 ff. u. B 12,
485 f. u. 487 ff.; Heinrich Hubert Houben (s. o.); Eberhard
Galley (s. o.); Karl Gutzkow: _Liberale Energie_. Eine Sammlung seiner kritischen Schriften, hrsg. von Peter Demetz,
Frankfurt a. M. 1974, 140-171.

Wihls Reaktion und seine Abfertigung durch »Hektor«

Wihls mit Gutzkow abgesprochener _Erklärung_ gegen die _Schriftstellernöten_, die am 8. Mai 1839 als
bezahlte Anzeige in der »Staats- und Gelehrten
Zeitung« erschien, ging ein Vorspiel voraus und
sollte ein Nachspiel haben. – Wihl hatte Heine
während seines Parisaufenthaltes (Oktober 1837
bis Mai 1838) kennengelernt und in seinem größeren Aufsatz _H. Heine in Paris_, den der »Telegraph«
im Juli 1838 druckte, einige biographische Notizen
gemacht, mit denen Heine öffentlichen Druck auf
seinen Onkel Salomon Heine ausüben wollte, um
diesen zu bewegen, eine Pension zu zahlen (Text:
Werner I, 353 f., 355 f., 360 ff., 363 ff.; Auszug B
12, 480 f.). Aber die Artikel-Folge enthielt dann in
Wirklichkeit, neben positiv gemeinten Richtigstel-
lungen, Einzelheiten über die ärmliche Wohnung
und vor allem Indiskretionen über Mathilde, die
isolierte Stellung des Dichters in Paris und sein
Heimweh. Heine fühlte sich durch diese Insinuationen stark kompromittiert und ließ am 28. August
1838 in der »Allgemeinen Zeitung« eine anonyme
Notiz erscheinen, um Wihl als einen eitlen, _»obskuren Dichterling«_ und als »zudringliche Klette« in
die Schranken der Unbedeutendheit zu verweisen
(Text B 9, 70; dazu Werner, 273 ff.). Wihl sollte
keine Chance der Erwiderung erhalten, da er in
Heines Augen keine Auseinandersetzung wert
war. Heines Verachtung gegenüber Wihl brachten

dann die _Schriftstellernöten_ zum Ausdruck, die den
»Wahlverwandten« der Schwaben mit einem servilen Hund verglichen. Auf ›animalischer‹ Ebene
fertigte er dann den unwürdigen Gegner ab, als die
»Zeitung für die elegante Welt« Wihls _Erklärung_
vom 8. Mai zusammen mit Heines parodistischer
Gegenerklärung veröffentlichte (am 19. Mai geschrieben und am 28. Mai 1839 gedruckt; Text: B 9,
83 ff.). Es ist ein unterzeichnender »Hektor, Jagd-
hund bei Hoffmann u. Campe in Hamburg«, der
Wihls empörte Zurechtweisungen Heines und
Campes dem Spott überliefert –, und allen, die es
noch nicht bemerkt hatten, suggeriert, daß die eigentlichen »Wahlverwandten« der Schwaben in
Wirklichkeit nicht zwei, sondern vier Beine haben.
Als wollten sie das bestätigen, haben Wihl und
Gutzkow auch noch weitergebellt (s. B 12, 487 f.).

Lit. u. Dokumentation: B 10, 682 ff., 693 ff. u. 705 ff.; B 12,
480 f. u. 487 ff.; Heinrich Hubert Houben (s. o.), 154 ff.; Michael Werner (s. o.).

»Schriftstellernöte«

Zu den unbestreitbaren Verdiensten der Werkausgabe von Klaus Briegleb gehört, erstmals das ganze
Ausmaß dessen, was Heine in seinem Brief an Johann Friedrich v. Cotta »die Nöthen eines armen
Schriftstellers« (1. Januar 1833) genannt hat, aufgezeigt zu haben. Die Textedition der öffentlichen
Erklärungen läßt anders und stärker als die Hauptschriften die kämpferische Praxis eines erkennen,
der in der Übergangsgesellschaft an wechselnden,
aber immer geschlosseneren Fronten die Freiheit
seiner »Feder« zäh verteidigt hat. Kommentar und
Dokumentation geben ein konkretes Bild von dem
außerordentlichen Umfang, in dem der seines
»Amtes« waltende Schriftsteller in Tageskämpfe
und persönliche Querelen verstrickt gewesen ist.
Der Kampf ist schließlich nur von Teilerfolgen ge-
krönt worden, mußte aber mit einem hohen Auf-
wand an moralischer, intellektueller und körperli-
cher Energie geführt werden. Der Leidenstribut
hat dann in der zweiten Hälfte der 40er Jahre wesentlich zum physischen Zusammenbruch beigetragen.

Die Klage über die »Nöthen« fiel 1833 anläßlich
einer »desavouirenden Erklärung« im Zusammenhang mit dem verstümmelten Druck eines Textes,
der im Handbuch als Geburtsstunde des modernen
Intellektuellen angesehen worden ist, und der die
nachfolgenden »Schriftstellernöte« auslösen sollte:

die *Vorrede* zu den *Französischen Zuständen*. Im Hinblick auf diese These läßt sich nun die ununterbrochene Kette von öffentlichen Erklärungen als die für diese aktuelle Gestalt konstitutive *Praxis* auffassen, die seitdem präzise darin besteht, öffentlichen Protest zu erheben und Ärgernis auszulösen. Bis in die 50er Jahre sah sich Heine, dessen Werk und Person 1833 bereits seit zehn Jahren im Zentrum kontroverser Debatten stand, gezwungen, gegen Angriffe und Verleumdungen zu protestieren, die immer auf die Freiheit, die er meinte, abzielten. Wie kein anderer vergleichbarer Schriftsteller seiner Zeit mußte er, Gestalt allgemeinen Interesses und Repräsentant kritischer Literatur, vor die Schranken des Tribunals der Öffentlichkeit treten, um sein Recht auf Kritik einzuklagen, das von überholten Mächten unterdrückt und von Vertretern des erstarkenden Bürgertums bereits gefährdet wurde, bevor Pressefreiheit institutionell verwirklicht worden war. Es ist der »aufrechte Gang«, den der Autor der *Vorrede* 1832 eingeübt hat, der sich hier ungeschützt bewähren mußte. Es ist jenes sozialrevolutionäre Programm, das die Deutschland-Schriften formuliert haben, das es durchzuhalten galt.

Edition, Gattung. – Heines Ausgabenpläne haben eine geschlossene Sammlung aller kleinen Tageskampftexte nicht berücksichtigt. Der Plan von 1852 sieht lediglich *Über den Denunzianten* und *Der Schwabenspiegel* in Band VI vor; was zum »Kuddelmuddel« des Band XV gehören sollte, wurde nicht näher festgelegt (s. B 2, 626 ff.). Heine-Ausgaben haben bisher die Texte jeweils nur verstreut, zusammenhanglos und unvollständig gedruckt –, laut Klaus Briegleb, weil sie entweder über keinen Begriff politischer Literatur oder über keine Gattungsvorstellung verfügten (B 10, 573 ff.). Im Gegensatz dazu geht Brieglebs geschlossene, chronologische Edition von insgesamt (mit Nachträgen) 53 öffentlichen Erklärungen aus den Jahren 1832-1855 sowohl von dem Begriff »politischer, eingreifender Literatur«, mit Heine als einem seiner »prominentesten Begründer«, aus, als auch von einem neuartigen Gattungsbegriff, bei dem als Kriterium nicht der Text allein, sondern die Einheit von »Rede und Gegenrede, Kampf und Gegenkampf« dient. Um diesen Zusammenhang klarzumachen, bedurfte die aus Werk, Nachlese und Briefen zusammengestellte Edition von Texten unterschiedlichsten Umfangs (die Länge schwankt zwischen ein paar Zeilen und sechzehneinhalb Seiten) eines ausführlichen Kommentars

zum historischen Kontext und einer Dokumentation der wichtigsten Zeugnisse (geht man über den von Briegleb angesetzten zeitlichen Rahmen hinaus, müßte man z. B. noch die Erklärung vom 3. Mai 1822 zu den »Schriftstellernöten« rechnen; B 4, 701). Der Kommentar, der des öfteren über das angemessene Maß hinaus detailliert ausgefallen ist, rekonstruiert die stufenweise verschärften Schreibvoraussetzungen und Heines Reaktionen so, daß letztere als soziale »Lerngeschichte« erscheinen können (vgl. dazu auch Briegleb 1973). Klaus Brieglebs editorische Entscheidung wird von der Düsseldorfer Ausgabe nicht geteilt: In den bisher erschienenen Bänden werden einzelne Texte entweder im Zusammenhang mit kleineren autobiographischen oder politischen Schriften wieder verstreut gedruckt (Bd. 11 und 15). Das Handbuch verfährt so, daß drei zentrale Texte einzeln analysiert werden (*Über den Denunzianten, Der Schwabenspiegel* und *Schriftstellernöten*), während die übrigen Texte bei der Darstellung von Entstehungs- und Wirkungsgeschichte der einzelnen Werke, soweit sie diese betreffen, Erwähnung finden (*Französische Zustände,* Deutschland-Schriften, *Ludwig Börne,* französische Reisebilder-Ausgabe, *Geständnisse, Lutezia* und *Memoiren*).

Texte, Kommentare u. Dokumentation: B 9, 7-121 u. 551-570; B 10, 579-884; B 12, 339-602; DHA 11, 146-187 u. 15, 101-117.

Lit.: B 10, 573 ff.; Klaus Briegleb: *Schriftstellernöte und literarische Produktivität – Zum Exempel Heinrich Heine,* in: *Neue Ansichten einer künftigen Germanistik,* hrsg. von Jürgen Kolbe, München 1973, 121-159, speziell 140 ff.

Chronologischer, thematischer Überblick. – Um Wiederholungen gegenüber den Darstellungen anläßlich der Hauptschriften zu vermeiden, sollen hier nur einige weitere Hinweise zu Thematik, formalen Eigenschaften und Strategie der »Schriftstellernöte« gegeben werden. – In der ganzen Pariser Zeit muß Heine die Glaubwürdigkeit seiner sozialrevolutionären Gesinnung und seiner »pacifiken Mission« gegen eine doppelte Front: gegen Diffamationen von rechter und Insinuationen von linker Seite verteidigen (genaue thematische Aufschlüsselung aller »Nöte« und Kämpfe: B 10, 576 f.). Aber neben der Abwehr der feindlichen Wirkungsgeschichte gehört der Kampf des freien Berufsschriftstellers um seine ökonomische Existenzsicherung, die auf mehrfache Weise bedroht war, zu den Hauptthemen. Alle Widerstände nun, gegen die Heine ankämpft, lassen sich global, wie es Klaus Briegleb getan hat, unter dem Begriff »Zensur«, die von staatlichen Behörden, von bürgerlichen Normvorstellungen und von der eigenen Familie ausging, zusammenfassen und in folgende Hauptabschnitte unterteilen. Bis 1837 richtet sich der Protest in erster Linie gegen die offiziellen Zensurverstümmelungen, denen Heines fortschrittliche und emanzipatorische Überzeugungen so zum Opfer gefallen sind, daß seine Gegner daraus leicht Munition beziehen konnten. Das Bundestagsedikt von 1835 fordert den (gemäßigten) Protest eines heraus, der sich mit Berufsverbot bedroht sieht. In den Jahren 1838/39 wendet sich der Streit gegen Zensoren, die Heines Kritik bürgerlicher Normen denunzieren und sogar verlagsintern bekämpfen. Ihre personellen Verleumdungen sollen Heine als Deserteur der nationalen Sache brandmarken und als Randfigur – als Juden und Flüchtling – ausbürgern. Nach 1840 gilt es, Intrigen, Infamien und Pressekampagnen der Börne-Partei, die die Wirkung einer Schrift neutralisieren wollen, in der ein angeblich ›Abtrünniger‹ und Serviler sich gegen einen achtjährigen Kleinkrieg, gegen rufschädigende Insinuationen und Verleumdungen gerechtfertigt hat. Das Zusammenspiel von Klatsch, Lügen und Pressemißbrauch kann erst ein Pistolenknall unterbinden. 1845/46, während des Erbschaftsstreites mit seinem Vetter Carl Heine, wird der Dichter, der um die Sicherung seiner vollen, 1838 bewilligten Jahrespension kämpft, mit »Familienzensur« (B 9, 97) konfrontiert (B 10, 750 ff., 766 ff. u. 772 ff.). Der »Kampf des Genius mit dem Geldsak« (Brief an Ferdinand Lassalle vom 27. Februar 1846) dreht sich um einen demütigenden Tauschhandel: Volle Rente nur gegen Verzicht auf jedes verletzende Wort über den verstorbenen Multimillionär Salomon Heine, d. h. Verzicht auf Bourgeoisiekritik in den geplanten *Memoiren*. Diesen Angriff auf seine schriftstellerische Freiheit beantwortet der mit 0,05 v. H. der Erbmasse abgespeiste Dichter mit Prozeßdrohungen (»Ich will mein Recht«) und moralischem Druck auf den Vetter durch Mobilisierung der öffentlichen Meinung. Der unter der Beteiligung von u. a. Detmold, Campe, Meyerbeer, Lassalle, Varnhagen und Pückler-Muskau abgesprochene Feldzug kommt nur teilweise zum Austrag und scheitert. So bleibt eine zur öffentlichen Widerlegung bestimmte Selbstanklage (*Memoire*) ungedruckt, die alle Anti-Heine-Klischees aufspießt und parallel dazu die bürgerlichen Wertvorstellungen verspottet. Nach 1848/49, nach der gescheiterten Revolution und dem körperlichen Zusammenbruch, erfolgt dann der Rücktritt vom demokratischen »Sprechamt«. In der Matrat-

zengruft muß sich der Dichter allerdings weiter mit den bekannten, persönlichen Verleumdungen herumschlagen: Mit republikanischen Anspielungen auf seine angebliche Bestechlichkeit (im Zusammenhang mit der 1840 gewährten, 1848 aber eingestellten französischen Staatspension), mit republikanischen Gesinnungsprozessen (durch den nationalistischen Umfaller Venedey) und, auf der rechten Seite, mit Schmäh eines Interimsredakteurs der »Augsburger Zeitung« sowie mit echtem Wiener Schmäh während der Dessauer-Affäre. Aber im Vordergrund der »Schriftstellernöte« aus der Spätzeit steht die materielle Existenzsicherung. Der durch die Krankheit bedingten Ausgabensteigerung stehen Einnahmeverluste gegenüber (nach der Staatspension auch Aktienverluste). Die Erklärungen, die nur zum Teil gedruckt worden sind, stellen die ungelöste Frage des Urheberschutzes unter bürgerlichen Produktionsbedingungen zur allgemeinen Diskussion. So protestiert der in seinen Rechten geschädigte Autor gegen den französischen Nachdruck der *Tableaux de voyage* sowie gegen die deutschen Raubübersetzungen von *Les dieux en exil* und *Aveux d'un poète* durch deutsche Korrespondenten. Der todkranke Heine, der generell öffentliche Erörterungen seiner Nöte abwehrt, wird in einer Entwicklungsphase des Buchhandels zum Vorkämpfer des literarischen Eigentums, in der Großverlage die Konkurrenz kleiner Nachdrucker weiter nicht verhindern können (vgl. B 10, 825).

Waffen und Taktiken. – Die Feldzüge zur Verteidigung der Schreibfreiheit wurden mit literarischen, aber in einem Fall auch mit scharfen Waffen geführt (Duellaffäre mit Strauß). Insgesamt folgen sie einer Doppelstrategie: einer öffentlichen und einer privaten. Formal gesehen bedienen sie sich teils zahlreicher öffentlicher Protestschreiben (Erklärungen, Erörterungen, Berichtigungen), größtenteils aber einer ausgefeilten »Briefdiplomatie« (nach dem Ausdruck von Briegleb), mit so unterschiedlichen Adressaten wie eine Bundesbehörde, ein Verleger, mehrere Redakteure deutscher oder französischer Zeitungen und Privatpersonen (Freunde, Bruder, Bekannte; im Zusammenhang mit dem Projekt »Deutsche Zeitung« sollen diplomatische – nicht erhaltene – Briefe an den preußischen Außenminister Werther für Erfolg sorgen). Die private Diplomatie ist, wie beim Erbschaftsstreit, Teil einer großangelegten, die öffentliche Meinung einschließenden Offensive gegen die um ihre bürgerlichen Ehrentitel verlegene Familie.

Zur Mobilisierung der Öffentlichkeit steuert Heine selber anonyme Anklagen und Selbstanklagen bei (letztere ein großer Versuch ideologiekritischer Analyse). Anonyme Korrespondenzbriefe waren bereits ein erprobtes Mittel, mit dem Heine in den 30er Jahren gegen Menzel und Wihl vorgegangen ist. (– Wollte man jetzt über formale Beschreibungen hinausgehen, wären stilistische Untersuchungen vonnöten – die nicht vorliegen –; z. B. könnte man sich Aufschluß von einer Studie erwarten, die sich mit der rhetorischen Grundstruktur der Erklärungen und der »Briefdiplomatie« befaßte. Was also aussteht, ist eine Analyse der fiktionalen Strategien dieser spezifischen Textgattung.)

Strategie des Literaturkampfes. – Was hat nun der ständige, aufopferungsvolle Schritt an die Öffentlichkeit erreicht? Als einer, der wesentlicher als andere Betroffener war, konnte Heine allgemeine Nöte und Mißstände der Übergangsgesellschaft thematisieren und anprangern. Sein politischer Protest denunzierte in erster Linie die überholten Formen der Unterdrückung; die ökonomische Argumentation des ›freien‹ Berufsschriftstellers brachte die Widersprüche der heraufziehenden Gesellschaft ans Licht. Andererseits zeigten die von ihm und gegen ihn lancierten Pressekampagnen, wenn es sich um partikulare Interessen handelte wie bei den unermüdlichen Feinden des frivolen Exilanten, welcher Riß durch das liberale Öffentlichkeitsmodell ging, das in Deutschland noch erst gegen den staatlichen Widerstand durchgesetzt werden mußte (diesen Widerspruch hat Michael Werner unter dem Gesichtspunkt »Imagepflege« eingehend untersucht). Im einzelnen konnte Heine für sich eigentlich nur einen realen Erfolg verbuchen: Nach 1839 gelang es immer, die Vorzensur zu umgehen, so daß den Behörden ›nur‹ das nachträgliche Bücherverbot zur Verfügung stand. Das hatte Heine auf dem Höhepunkt des Konfliktes mit Campe mit einer selbstbewußten Warnung gefordert und erreicht (»ich laß mir nichts mehr verstümmeln«, Brief an Campe vom 12. April 1839; vgl. Brief vom 19. Dezember 1838). Aber im Kampf mit seinen publizistisch mächtigen Gegnern war Heine ebenso macht- und erfolglos wie gegenüber strukturellen Problemen: Diffamatorische Anti-Heine-Kampagnen verschonten den Dichter nicht einmal auf seinem Totenbett; der Kampf um die Urheberrechte führte lediglich in Paris zu einem Kompromiß. Und im Erbschaftsstreit, aus dem Heine gebrochen hervorgegangen ist (»das hat mir die Knochen im Herzen gebrochen«, so an Campe vom

1. September 1846), vermochte er verbesserte materielle Voraussetzungen und »Federfreiheit« nur durch Verzicht auf die *Memoiren* in der geplanten Form zu sichern.

Der Erfolg im Kampf gegen die Zensur verdankt sich letztlich jedoch einem bitteren Lernprozeß: Heine, exemplarisches Opfer und Opponent der restaurativen »Schriftstellernöte«, hat fortan seine Werke so strenger Selbstzensur unterworfen, daß sie gegen zensorische Eingriffe abgedichtet waren. Diese artistische Strategie, die nicht nur alle Haupttexte orientiert, sondern auch das spezifische Vorgehen der Kampftexte prägt, hat bezeichnenderweise den Protest gegen den Fälscher Pfizer und die ›sachverständige‹ Zensur der schwäbischen »Wahlverwandten« heraufbeschworen: Der Kritiker der Stuttgarter Schule empfindet sich in der Tat als einer, der mit überlegener »Strategie«, aber mit wechselnder Taktik »für die Sache der europäischen Freiheit kämpft«, denn die immer neuen Zeitumstände erfordern, daß die »Taktik allen möglichen Veränderungen unterworfen« bleibt (B 9, 65). Das nutzten seine offiziellen und privaten Zensoren aus, die diese Strategie durch Streichung nur *eines* Wortes oder durch aus dem Zusammenhang gerissene Zitate wirkungsvoll bekämpfen konnten.

Wenn sich die ersten beiden von Walter Benjamins Thesen zur »Technik des Kritikers« auf einen frühen Vorläufer anwenden lassen, dann auf den Autor der »Schriftstellernöte«: »I. Der Kritiker ist Stratege im Literaturkampf. II. Wer nicht Partei ergreifen kann, der hat zu schweigen« (*Einbahnstraße*). Der, den man zum Schweigen bringen wollte, hat unaufhörlich Partei ergriffen, *für* Vernunft und Kosmopolitismus, *gegen* Nationalismus und Franzosenhaß (was die Hauptschriften grundlegend festhalten, kommt auch wiederholt in den »Schriftstellernöten« zum Ausdruck, z. B. B 9, 10 f., 17 f., 39 f., 55, 59, 73 oder 87). Schließlich lassen die Proteste auch keinen Zweifel darüber aufkommen, daß der bedrängte Volksschriftsteller keineswegs in eigenem, sondern ausdrücklich in allgemeinem Interesse Partei ergreift; zur Abwehr jeglicher Mißverständnisse wird diese Auffassung immer wieder ins Gedächtnis gerufen (z. B. B 9, 9-»Bürgerpflicht«-; 15; 26-»Gemeinwohl«-; 90-»Interessen der deutschen Journalistik«-; 96-»der deutsche Dichter«- oder 107-»höhere Interessen«).

Lit.: Michael Werner: *Imagepflege. Heines Presselenkung zur Propagierung seines Persönlichkeitsbildes,* in: Wolfgang Kuttenkeuler (Hrsg.): *Heinrich Heine. Artistik und Engagement,* Stuttgart 1977, 267-283.

– zur Unterstützung durch die Familie, zum Erbschaftsstreit und zur Staatspension: Michael Werner: *Genius und Geldsack*, Hamburg 1978 (= Heine-Studien), 120-132; Ludwig Rosenthal: *Heinrich Heines Erbschaftsstreit*, Bonn 1982; Lucienne Netter: *Un scandale en 1848 à propos de la pension touchée par Heine*, in: Revue de littérature comparée 4/1984, 399-415.

Ludwig Börne.
Eine Denkschrift

Entstehung, Druck, Text

Was ist actio, was reactio; was ist Sache, was ›Rache‹, oder: was ist Politik, was Psychologie? Die Julirevolution hat zwei der wichtigsten ihrer frühen Interpreten, den gemäßigten Autor der *Französischen Zustände* und den radikalen Autor der *Briefe aus Paris* (1832-34) in ein solch konfliktreiche Rivalitäts- und Konkurrenzsituation versetzt, daß der Anspruch der Denkschrift, politische Zeitgeschichte und sprachliches Kunstwerk zu sein, nicht nur die interpretatorische, sondern auch die genetische Analyse vor große Schwierigkeiten stellt. Ist die mehr als komplexe Entstehungsgeschichte des Börne-Buches, die sich aus Einflüssen und Faktoren unterschiedlichster Art speist, eingehend untersucht und äußerst umfangreich dokumentiert worden, so konnten wichtige Fragen, wie z. B. die nach Beginn und Absicht, Arbeitsphasen und Anlässen, Motiven und Anstößen nicht endgültig geklärt werden (einen Überblick über die als »synthetisch« bezeichnete, in sechs Arbeitsstufen eingeteilte Entstehungsgeschichte gibt DHA 11, 231 ff.). Vereinfacht lassen sich drei Etappen unterscheiden.

Erste und zweite Etappe. – Ende Juli 1837, fünfeinhalb Monate nach Börnes Tod, faßt Heine, der auf die Angriffe seines Gegenspielers seit 1833 geschwiegen hat, den Entschluß zu einer öffentlichen Rechtfertigung. In der zweiten Hälfte des Jahres ist dann der erste Entwurf zu einer Arbeit über Börne entstanden (Text: DHA 11, 191-194; B 9, 46-50, da als Dokument der »Schriftstellernöten« aufgefaßt). In diesem posthum veröffentlichten Entwurf, der möglicherweise eine Zeitlang als Vorwort geplant war, rechtfertigt Heine seinen Schritt an die Öffentlichkeit mit der für sein ganzes Projekt charakteristischen Erklärung, daß er »nicht aus persönlicher Empfindsamkeit zur Feder greife«, um dem Toten Gleiches mit Gleichem, d. h. Verleumdungen mit Verleumdungen zu vergelten. Die

Ankündigung eines »hübschen Zwischenbüchleins« für das nächste Frühjahr (Brief an Campe vom 23. Dezember 1837) enthält einen wichtigen Hinweis darauf, daß Heine aus dem Memoirenkomplex, an dem er seit Anfang 1837 im Rahmen der geplanten Gesamtausgabe seiner Werke schreibt, das Börne-Projekt abgespalten und vorrangig bearbeitet hat (dazu B 8, 739 ff. u. DHA 11, 245 ff.). Damit wäre die Denkschrift in einer älteren Arbeit, an der das Interesse allmählich erlosch, vorkonzipiert worden, was nicht ohne Bedeutung für die Struktur eines Buches ist, in dessen Mittelpunkt nicht so sehr eine Persönlichkeit, sondern die Zeitgeschichte stehen soll. – Eine zweite Phase beginnt, als Heine seinem Verleger am 12. April 1839 für den Herbst »nur ein einziges kostbares Büchlein, betitelt *Ludwig Börne*«, ankündigt. Zu diesem Zeitpunkt liegt ihm daran, sein eigenes, inzwischen fortgeschrittenes Projekt deutlich von Gutzkows Konkurrenzunternehmen, über das Campe ihn im August 1838 unterrichtet hatte (»Gutzkow wird mir Börnes Leben schreiben«), abzugrenzen; deshalb betont er, er wolle »keine Biographie«, sondern »nur die Schilderung persönlicher Berührungen in Sturm und Noth, und eigentlich ein Bild dieser Sturm- und Nothzeit« geben, wobei ihm »ein ganz anderes Material, durch Persön*lichen* Umgang und pariser Selbsterlebnisse, zu Geboth« stünde. Der Brief läßt darauf schließen, daß jetzt das erste, dritte und (teilweise) vierte Buch der Börne-Schrift, die sich also an einer Verbindung von Biographie und Zeitanalyse orientiert, vorliegen. Bis zum Herbst 1839 dürfte die Arbeit an Buch IV und V abgeschlossen sein, meldet Heine doch Campe am 30. September: »Meine zwey außerordentlichsten Bücher, der Börne und die Juliusrevoluzion liegen, unabgeschrieben«. Die druckfertige Abschrift ist dann spätestens Anfang Februar 1840 vorhanden. Da Campe das Manuskript wegen der Honorarforderung von 2000 Mark Banco (nach heutigem Werk etwa 24 000.– DM) zurückschickt, erklärt sich Heine zu einer Vermehrung des Inhalts um fünf bis sechs Druckbogen bereit, ohne weiteres Honorar zu verlangen, und zwar hat er sich entschlossen, aus seinen Tagebüchern, einem »integrirenden Theil« der Memoiren, »eine schöne Partie, welche die Enthusiasmusperiode von 1830 schildert«, herauszulösen und zwischen erstem und zweiten Buch einzuschalten (Brief vom 18. Februar; über die Einarbeitung ·der Helgoland-Briefe s. u.). Nach der Einigung in der Honorarfrage (Campe zahlt 1000 Mark Banco sofort und soll den

Rest bei der zweiten Auflage, die aber nicht zustande kam, zahlen) geht das Manuskript am 18. April 1840 mit Forderung von zensurfreiem Druck (und vertraulicher Behandlung gegenüber dem »Intriganten Gutzkow«) an den Verleger zurück. Heine gesteht jetzt, er habe die Selbstzensur bis zur Selbstverleugnung getrieben und auf eine eindeutige, positive Darstellung seiner politischen Ideen verzichtet (»Ich habe auf die Gefahr hin, verkannt zu werden alle eigne Doctrin im Buche ausgelassen«). Ein fatales Mißverständnis bei der Titelgebung sollte die Aufnahme zusätzlich schwer präjudizieren. Heine, der im Mai erneut den Titel »Ludwig Börne, eine Denkschrift von H. Heine« vorgeschlagen hat, wird von der raschen Fertigstellung Ende Juni, Anfang Juli überrumpelt und muß Ende Juli, als er die entsprechenden Druckbogen erhält, feststellen, daß Campe, der die Konkurrenzsituation der beiden Autoren im Vordergrund sah, mit dem sehr mißverständlichen Titel »Heinrich Heine über Ludwig Börne« hat drucken lassen. Für Heine, der – wie er am 24. Juli richtigstellt – »nicht eigentlich eine Schrift über Börne geschrieben [hat], sondern über den Zeitkreis worinn er sich zunächst bewegte«, kann der Titel nur so lauten und aussehen:

Ludwig Börne.
Eine Denkschrift
von
H. Heine.

Der wichtige Untertitel, der auf die Memoiren-Arbeit verweist und den Memoirencharakter der Schrift betont, sollte jeden Anflug von Selbstüberhebung dementieren. Dieser im 19. Jahrhundert geläufige Titel (DHA 11, 405 f.) macht sich den Sinn (im Singular) des französischen ›mémoire‹ zunutze: etwa Erklärung, Gesuch, Eingabe, eben Denkschrift, und knüpft man an die juristische Bedeutung an, so könnte das für Heine heißen: Gesuch in fremder und eigener Sache vor dem Tribunal der Zeit und der Zukunft. In diesem prozessualen Sinn hat er eine im Zusammenhang mit dem Erbschaftsstreit verfaßte Erklärung gegen seine eigene Familie »Denkschrift« genannt (B 9, 102). Heines Protest und Richtigstellung kommen wohl aufgrund der konfliktgeladenen Beziehungen zwischen Autor, Verleger und Gutzkow zu spät (DHA 11, 292; die vorgesehene Widmung »Seinem geliebten Freunde Heinrich Laube« konnte dann im 4. Band des *Salon* erscheinen). Die Denkschrift kommt am 8. August 1840 ohne Zensureingriffe heraus. Eine zweite Auflage wurde wegen des publizistischen Mißerfolgs nicht mehr nötig.

Dritte Etappe: Das Zweite Buch (Helgoländer Briefe). – Entstehung und Datierung dieser Schlüsseltexte, die 1840 in einem letzten Arbeitsgang in die Denkschrift integriert worden sind, stellen die Forschung vor große Probleme. Fest steht, daß Heine zwar den Sommer 1830 vom 25. Juni bis etwa 19. August auf Helgoland verbracht, aber keine brieflichen Äußerungen mit Berührungspunkten zu den Texten hinterlassen hat. Die ältere Forschung hat lange Zeit Heines Angaben von 1855, welche die Authentizität der Datierung, d. h. kurz vor und nach der Julirevolution unterstreichen, Glauben geschenkt (*Réveil de la vie politique*; B 7, 146 ff.; DHA 11, 194 ff. u. 212 ff.). Diese Ansicht zurückgewiesen haben zuerst Eliza M. Butler, durch den Nachweis des unbestreitbaren, saint-simonistischen Einflusses, und Hanna Spencer, die die Unvereinbarkeit des meisterhaften gedanklichen Aufbaus und der leitmotivischen Verknüpfung der Texte mit chronologisch zufälligen Aufzeichnungen betont hat. Heute geht Helmut Koopmann in dem von ihm herausgegebenen Band der Gesamtausgabe davon aus, daß die Helgoländer Briefe nicht auf Helgoland, sondern, wenn überhaupt in dieser Zeit, dann wahrscheinlich im Oktober 1830 konzipiert worden sind (DHA 11, 251 ff.). Hinweise auf zeitgeschichtliche Ereignisse (Hamburger Revolution, vgl. Bruchstück DHA 11, 215 ff.) sowie Querverbindungen zu Briefen (z. B. an Varnhagen vom 19. November 1830) lassen darauf schließen, daß Heine sich erst im Herbst mit der Julirevolution beschäftigt hat, die Arbeit aber bald zugunsten neuer, umfangreicherer Schriften, die außerdem den deutschen Rahmen sprengten, aufgab (DHA 11, 225 f.; im Herbst plante Heine Bücher über französische Revolutionsgeschichte und Saint-Simonismus; die politische »Enthusiasmusperiode« war beendet). Für dieses frühe Entstehungsdatum sprechen weiter eine Reihe von Parallelstellen, thematische Beziehungen, Wiederkehr von Metaphern und Bildern aus Werken, die ebenfalls in den frühen 30er Jahren entstanden sind (s. DHA 11, 256 ff.). Nicht zuletzt muß der durchgängige Enthusiasmusstil mit seinen abgebrochenen Sätzen erwähnt werden, der das Zweite Buch als Fremdkörper im Werkganzen erscheinen läßt (DHA 11, 275). – Unklar ist nun, inwieweit die Helgoländer Briefe, die ihrer Grundkonzeption nach nicht in das Börne-Buch gehören, 1838/40 noch einmal um- und überarbeitet worden sind. Die Idee, diese durch spärliche Hinweise auf einen Empfänger nur notdürftig als Briefe ausgewiesenen und im Zusatz so genannten Texte (wahrscheinlich hat es sich ursprünglich um Tagebuchnotizen gehandelt), scheint nicht von Heine, sondern von Laube zu stammen, der sich von Ende Mai 1839 bis Anfang Februar 1840 größtenteils in Paris aufhielt. Um drohende Mißverständnisse, die durch das Verkennen des politischen Anliegens der Schrift entstehen mußten, im voraus zu vermeiden, schlug der mit dem Manuskript vertraute Laube – wie er 1846 schrieb – vor, »einen Berg« zu errichten, der alles, was die ununterdrückbare »persönliche Feindschaft« verriet, neutralisieren sollte, indem er es als »eine Konsequenz« erscheinen ließ (Werner I, 417). Als Laube aber dann die eingeschobenen Helgoländer Briefe las, an denen Heine einige Zeit gearbeitet hatte, stellte er enttäuscht fest, daß der erwartete »Berg« aus einem ›Tal‹ bestand, d. h. zu wenig theoretisch und noch zu persönlich ausgefallen war (zu den gegenüber 1830 vorgenommenen gedanklichen Erweiterungen und formalen Überarbeitungen, die als gering gelten, s. DHA 11, 273 ff.). Daß Heine eine Auswahl aus einer größeren Textmasse getroffen und außerdem politisch anstößige Stellen ausgemerzt hat, geht aus dem Hinweis des Zusatzes *Neun Jahre später* hervor, in den folgenden, unterdrückten Briefen sei der »zeitliche Freiheitsrausch allzuungestüm über alle Polizeiverordnungen« hinausgetaumelt (B 7, 60).

Druck: – Heines Denkschrift erschien unverstümmelt am 8. August 1840 unter dem von Campe gewählten Titel *Heinrich Heine über Ludwig Börne. Hamburg, bei Hoffmann und Campe. 1840.* Die 5 Bücher der Schrift stehen auf den Seiten 1-74, 75-145, 147-221, 223-313 u. 315-376. – Erst spätere Herausgeber haben Heines Titelwunsch respektiert.
Französische Übersetzungen: »Le Constitutionnel«, Organ der Regierungspresse, veröffentlichte am 11. Oktober 1840 einen unvollständigen Druck des Zweiten Buches in einer hauptsächlich von Ferdinand Wolff besorgten Übersetzung mit dem Titel *Lettres de Helgoland, par Henri Heine. Traduites le l'allemand.* – 7 Tage später, am 18. Oktober, erschienen in »La France littéraire« von Alfred Michiels übersetzte Stücke aus dem 1., 3. und 4. Buch (die der »Constitutionnel« am 8. November nachdruckte), denen am 29. November unter der Überschrift *La fête de Hambach* der Schluß des 3. Buches folgte (zu Einzelheiten s. DHA 11, 666).
– als Buchdruck ist zu Heines Lebzeiten nur das Zweite Buch in der von ihm zusammen mit Richard Reinhardt bearbeiteten Übersetzung unter dem Titel *Réveil de la vie politique* erschienen, und zwar als »Sixième partie« im 2. Band von *De l'Allemagne* (im Rahmen der *Œuvres complètes* bei Michel Lévy frères, Paris 1855, auf den Seiten 1-40). Die Briefe werden durch die Vorrede von 1855 eingeleitet, während der Zusatz *Neun Jahre später* fehlt (Vorrede in dt. Version: B 7, 146-148 und DHA 11, 212-214).

Text: B 7, 7-143 und 146-148; DHA 11, 9-132, 191ff. und 212-222 (der Anhang enthält den *Ersten Entwurf*, ausgeschiedene Stük-

ke, selbständige Notizen aus den 30er Jahren, das Bruchstück *Revolution in Hamburg,* Bruchstücke zur Übersetzung von 1855 und den Laube-Brief von 1840); Übersetzung des Zweiten Buches: DHA 11, 194-212; HSA 17, 11-32 (Text von 1855).

Lit.: B 8, 739 ff. u. 750 ff.; DHA 11, 231-251 u. 276-307.
– speziell zum Zweiten Buch: B 8, 713 ff. u. 731 ff.; DHA 11, 251-276 u. 659 ff.; Eliza M. Butler: *Heine and the Saint-Simonians. The Date of the Letters from Helgoland,* in: The Modern Language Review, vol. 18, 1923, 68-85; Hanna Spencer: *Heines »Briefe aus Helgoland«-synchronische Chronik?* in: dies.: *Dichter, Denker, Journalist,* Bern 1977, 118-129 [zuerst 1972]; Helmut Koopmann: *Heines politische Metaphorik,* in: *Heinrich Heine. Dimensionen seines Wirkens,* hrsg. von Raymond Immerwahr und Hanna Spencer, Bonn 1979, 68-83 [grundsätzlich zur Revolutionsmetaphorik um 1830].

Voraussetzungen

Republikanischer Radikalismus, Kinderkrankheit der antifeudalen Opposition

Die Denkschrift war, das hat die Entstehungsgeschichte deutlich werden lassen, mehr als Zeit- und weniger als Börneporträt konzipiert worden; nicht die Person Börnes sollte im Mittelpunkt stehen, sondern wie er in seine Zeit eingebettet lag. So kommt Börne im Zweiten Buch gar nicht vor, und im Dritten Buch ist nicht die Darstellung seines Lebens zentral, sondern diejenige verschiedener revolutionärer Bewegungen, die ihn so sehr beeinflußt haben, daß seine Schriften, wie der Geschichtsschreiber behauptet, »nicht als das Produkt eines Einzelnen, sondern als Dokument unserer politischen Sturm- und Drangperiode betrachtet werden müssen« (B 7, 77). Vor dem Hintergrund des vergangenen Jahrzehnts werden Fragen von grundsätzlicher Bedeutung, deren Lösung 1840 weiter aussteht, diskutiert. Angelpunkt der Auseinandersetzung ist die revolutionäre Ungeduld der deutschen Republikaner, die im Anschluß an die Umwälzungen und Aufstände von 1830/31 in Europa das Überspringen des revolutionären Funkens auf ganz Deutschland kurzfristig und fieberhaft erwarteten sowie eine Republik nach jakobinischem Modell als Lösung aller Probleme befürworteten. Die Darstellung der vergangenen Zustände ist so angelegt, daß sie vermittels einer als illusionär gekennzeichneten politischen Strategie dichotomisch die Kluft sichtbar werden läßt, die eine verhängnis- von einer verheißungsvollen Auffassung der zukünftigen Revolution trennt. Tatsachen sollen zur Sprache kommen: Auch das gehört zur Rolle einer Denkschrift (laut »Petit Robert« ist »mémoire« sinnverwandt mit »factum«, was etwa

Exposé eines umstrittenen Tatbestandes und, zu Beginn des 19. Jahrhunderts, Pamphlet bedeutet). Drei »Zeitkreise«, die im Dritten Buch eingehend geschildert werden, sind es nun, welche die historischen Voraussetzungen zu den unvereinbaren Positionen eines Börne und Heine konkret vor Augen führen, indem sie die Gefahr betonen, die Revolutionäre für die Revolution darstellen: 1) der Pariser Kreis zeigt die subjektiv-psychologische Unreife der radikalen Republikaner, 2) der polnische Kreis ihre ideologisch-politische Schwäche und 3) der rheinbayrische Kreis ihre praktisch-politische Ohnmacht.

1. – Im Dritten Buch beschreibt Heine die politisch aktiven unter den damals zu Tausenden in Paris lebenden deutschen Emigranten (s. Grandjonc, 166), die um Börne einen Kreis gebildet hatten, als neue Stürmer und Dränger, als Wirrköpfe und exaltierte Phantasten, die fanatisch, aber beschränkt sind, tugendhaft, aber harmlos, leidenschaftlich, aber kurzsichtig. Gemeinsam bilden sie einen regelrechten »Kreis« des »politischen Wahnsinns« (B 7, 67 und 71), wodurch sie als pathologisches Phänomen hingestellt werden. Aus dem rohen und wilden Haufen, mit einer »Menagerie von Menschen« verglichen, ragen Leute heraus wie der Buchhändler Friedrich Gottlieb Franckh, ein schwärmerischer Jakobiner, oder Joseph Heinrich Garnier und Hermann Wolfrum, führende Mitglieder des »Vaterlandsvereins zur Unterstützung der freien Presse«, der im Februar 1832 von den radikalen Pfälzer Publizisten Johann Georg August Wirth (»Deutsche Tribüne«) und Philipp Jakob Siebenpfeiffer (»Rheinbayern«) sowie von der radikalen Gruppe der Zweibrücker Advokaten Schüler, Savoye und Geib gegründet worden war (s. Faber, 148 u. ff. und die ausführlichen Kommentare der Düsseldorfer und der Hanser-Ausgabe). Der Vaterlandsverein, dessen Sitz sich in Zweibrücken, von Heine Hort der »deutschen Revolution« und »Bethlehem« der »jungen Freiheit« genannt (B 7, 82), befand, forderte Pressefreiheit als Voraussetzung für die Verwirklichung der nationalen Einheit unter einer demokratisch-republikanischen Verfassung. Ende Februar war in Paris eine lokale Sektion mit dem späteren Namen »Deutscher Volksverein«, der den organisatorischen Rahmen der Republikaner bildete, gegründet worden (1834 in den geheimen »Bund der Geächteten« umgewandelt, aus dem durch Spaltung 1838 der »Bund der Gerechten«, der ersten »genuin-sozialistischen« Organisation der deutschen Arbeiterbewe-

gung – Faber, 152 –, hervorgehen sollte, wie denn die Organisation der Emigranten in der Schweiz, Frankreich und England zu den Anfängen der sozialistischen Bewegung gehören; zur Entwicklung in Paris s. Ruckhäberle). Der von der Preßvereinsbewegung stark beeindruckte Börne wurde aktives Mitglied der Pariser Filiale. Über Heines wenig couragierte Rolle herrscht dagegen mangels direkter Aussagen Unsicherheit. Die Denkschrift berichtet über Zusammenkünfte deutschsprachiger Handwerker in einem Saale der Passage Saumon, vor allem von einer, an der Börne gesprochen hat (B 7, 73 f.: »Es war das erste und letzte Mal, daß ich der Volksversammlung beiwohnte«). Nach Börnes 77. Brief der *Briefe aus Paris* vom 27. Februar 1832 könnte es sich um das »patriotische Essen« des Vortages gehandelt haben, an dem Heine möglicherweise teilgenommen hat und eventuell die ausliegende Subskriptionsliste zur Unterstützung der deutschen Sektion unterschrieben hat (S. Sch. 3, 575 f.; DHA 11, 517, 520; B 8, 834 ff.). Am 5. März, nach einem gemeinsamen Essen, schreibt Börne an Jeanette Wohl, daß Heine das »Treiben der Deutschen, die Assoziation« »lächerlich« vorkomme und nach eigenen Angaben nur aus »Feigheit« vor Angriffen der Patrioten unterschrieben habe (S. Sch. 5, 191 f.). Dennoch wurde Heine, was er in seinem Buch verschweigt, an demselben Tag in ein zehnköpfiges Interimskomitee gewählt. Möglicherweise hat er noch im Dezember 1833 bei der Gründung einer Redaktionskommission zur formalen Verbesserung der Zeitschriften des Vereins mitgewirkt (DHA 11, 529). Aufschluß über Heines distanzierte bis ablehnende Einstellung zur Preßvereinsbewegung bietet sein Brief an Cotta vom 1. März 1832, in dem er sich einmal darüber beschwert, mit seinem Namen »als Lockvogel« benutzt zu werden, und zum andern bekannte, der »Republikanismus der Tribünenleute ist mir fatal«. Diese Äußerung bringt einen doppelten Gegensatz zu den deutschen Republikanern zur Sprache, der Anfang 1832 aufgebrochen und in den *Französischen Zuständen* bereits erörtert worden war, der aber noch 1839 nachwirkt und in der für die deutsche Opposition kritischen Phase zu einer erneuten Darstellung zwingt. Der Brief vom 1. März verrät einerseits den Niederschlag der gespannten *persönlichen* Erfahrungen im Umgang mit der Börne-Partei, die Heine seit Erscheinen von Artikel I der *Zustände* durch bestimmte Maßnahmen herausforderte und auf eine Pro- oder Contra-Entscheidung festnageln wollte (die »Manöver« der

Jakobiner, mit Börne als Hintermann und »Rän-ke«-Schmied, weist der sich eingekeilt und tief verletzt fühlende Heine ebenfalls in den Briefen an Cotta vom 20. Januar sowie an Varnhagen von Mitte Mai und vom 16. Juli 1833 entschieden zu-rück). In der Zwischennote zu Artikel IX der *Zu-stände* ist Heine als Gemäßigter den Aktivitäten der »Enragés« öffentlich entgegengetreten, ohne den verfolgten Revolutionären seine Solidarität zu verweigern (*Vorrede* und *Vorrede zur Vorrede*). Andererseits läßt der Brief an Cotta die *politi-schen* Überzeugungen eines erkennen, dem die Frage der Staatsform in dieser absolut gestellten Art im Augenblick nicht die entscheidende ist und dem die Errichtung einer radikalen »deutschen Republik« jetzt eine verblendete Forderung dünkt (Artikel IX).

2. – Die sehr spezifische Situation der emigrier-ten Patrioten wurde noch von außen durch zwei politische Ereignisse: durch die Vorgänge in Polen und in Rheinbayern, weiter angeheizt, was die »Gärung bis zur kochenden Sud steigerte« (B 7, 77) und die Gegensätze schärfer hervortrieb. Der zu-nächst siegreiche polnische Aufstand von 1830/31 hatte bei den fortschrittlichen Kräften in Deutsch-land, die in der Erhebung einen verwandten Kampf um nationale und liberale Ziele erkannten, durch Solidaritätsveranstaltungen, Geldsammlungen und andere Mittel begeisterte Unterstützung gefunden. Platen, Grillparzer und Lenau sangen »Polenlie-der«; Börne setzte sich als Publizist enthusiastisch für die Sache der Polen ein, in der er ein Ereignis von europäischer Bedeutung sah (vgl. DHA 11, 522 ff.). Nach ihrer Niederlage im September 1831 durch die russische Armee waren die besiegten, als Helden verehrten Freiheitskämpfer unter Gewäh-rung freien Geleites nach West- und Südeuropa gezogen und hatten zahlreiche, überregional orga-nisierte Unterstützungsvereine ins Leben gerufen. Mit zeitlichem Abstand setzt sich nun Heine, der in den *Französischen Malern* und in der *Vorrede* zu den *Zuständen* die preußische Verantwortung für das »ermordete Polen« schneidend angegriffen hat-te, in deutlichen Gegensatz zum Polen-Fieber Bör-nes und der Republikaner: In der Denkschrift be-handelt er den Aufstand als warnendes Beispiel einer Revolution, die in politisch und ideologisch unzureichend entwickelten Verhältnissen ausge-brochen ist und deshalb zum Scheitern verurteilt war (in einer Variante zeigt er mit dem Finger auf die polnische »Geistesbeschränktheit in politischen Dingen«, B 8, 757). Der Angelpunkt seiner Kritik

besteht darin, daß die revolutionäre Taktik der Emeute als unbrauchbar und illusorisch für Deutschland gilt (B 7, 80; vgl. oben S. 146).

3. – Für noch größere Aufregung innerhalb des Börne-Kreises hat dann laut Denkschrift die spe-zielle Entwicklung der einerseits unter fortschritt-lich französischer Gesetzgebung und andererseits unter bayrischer Verwaltung stehenden Pfalz mit ihrer wirtschaftlichen und sozialen Notlage gesorgt (B 7, 81 ff.; s. Faber). Als Folge der Julirevolution hatte sich die politische Opposition in den Kam-mern der konstitutionellen Staaten Süddeutsch-lands radikalisiert und in einen liberalen bzw. in einen radikal-demokratischen Flügel aufgespalten. Dieser in der deutschen Geschichte der Zeit einzig-artige Vorgang, nämlich die Entstehung einer au-ßerparlamentarischen Protestbewegung in der bay-rischen Pfalz, in Baden und in Rheinhessen, besaß auch in Heines Augen tatsächlich revolutionären Sprengstoff. Höhepunkt der Bewegung war das Fest, das ca. 30 000 Teilnehmer (Bauern, Hand-werker, Abgeordnete, Studenten, Delegationen aus den größeren Städten) am 27. Mai in der Ruine des Hambacher Schlosses bei Neustadt an der Haardt gefeiert haben – ein Fest, dessen Bedeu-tung für Deutschland ein Zeitgenosse mit derjeni-gen der Julirevolution für Frankreich verglichen hat (vgl. Obermann). Börne, der nach Hambach gereist war, wurde als populärer und berühmter Autor der *Briefe aus Paris* gefeiert (das Dritte Buch läßt ihn dazu ausführlich zu Worte kommen; B 7, 84 ff.). Der Zeithistoriker Heine rechnet das Fest »zu den merkwürdigsten Ereignissen der deutschen Geschichte«, dessen moderner und kosmopoliti-scher Geist ihr den Weg vorgezeichnet hat, denn auf Hambach hielt, wie er ausdrücklich zugesteht, »der französische Liberalismus seine trunkensten Bergpredigten, und sprach man auch viel Unver-nünftiges, so ward doch die Vernunft selber aner-kannt als jene höchste Autorität die da bindet und löset und den Gesetzen ihre Gesetze vorschreibt« (B 7, 88). In scharfem Kontrast dazu, und als War-nung vor der Virulenz des Geistes der »Altdeut-schen«, wird von dem Wartburgfest ein Bild ge-zeichnet, nach dem im Oktober 1817 der »be-schränkte Teutomanismus« mit Fremdenhaß, Ignoranz und Intoleranz herrschte. Mai 1832, Zeit des Hambacher Festes bedeutet für Heine sogar die seitdem letzte Aussicht auf eine erfolgreiche »allge-meine Umwälzung in Deutschland« (eine Diagno-se, die Heine 1832 nicht vertreten hat – vgl. B 5, 210 – und die von der Forschung so nicht bestätigt wird;

vgl. B 8, 849 und dagegen DHA 11, 536 u. f.). Um so schärfer verurteilt er 1839/40 das Scheitern der tatsächlich für das deutsche Volk repräsentativen Patrioten in der »Frage der Kompetenz«, die verlangt hätte, als kompetente Vertreter der deutschen Länder dem Bundestag entgegenzutreten und eine Revolution zu beginnen. Die praktische Ohnmacht der deutschen Revolutionäre erregt noch Jahre später Hohn und Spott des Geschichtsschreibers, der sein dreifaches »O Schilda, mein Vaterland!« hervorstößt. Das Zurückschrecken vor der Tat garantierte nach seiner Ansicht den deutschen Fürsten ruhigen Schlaf über Jahre.

Das kritische, teils satirische, teils ironische Bild, das im Dritten Buch von der psychologischen, ideologischen und praktischen Unreife der Republikaner um Börne entworfen wird, zielt schließlich über die Fragen von Personen und divergierenden Situationseinschätzungen hinaus auf die Sache selbst ab, und das ist für Heine das falsche, einseitige und kurzfristige Revolutionsverständnis, über das ihn sein Rückzug aus der Tagespolitik in den 30er Jahren hinausgeführt hat. Rückblickend läßt sich feststellen, daß die geschichtliche Entwicklung Heines Kritik am Republikanismus seiner Zeit ›Recht‹ gegeben hat. Mit Verboten, Zensur und Verhaftungen war es dem Bundestag gelungen, den Preßverein schnell zu unterdrücken. Nach dem aufsehenerregenden Landauer Schwurgericht gegen die Hauptverantwortlichen der Bewegung und nach dem Scheitern des schlecht vorbereiteten und verratenen Sturms auf die Frankfurter Wache am 3. April 1833 war der Hambacher Radikalismus beendet. In Frankreich war, um daran zu erinnern, die Existenz der republikanischen Partei gegen 1835 erloschen. Die radikale Opposition mußte im Untergrund überleben.

Lit.: Wolfgang Schieder: *Anfänge der deutschen Arbeiterbewegung,* Stuttgart 1963; Jacques Grandjonc: *Die deutschen Emigranten in Paris. Ihr Verhältnis zu Heine,* in: IHK 1972, 165-177; Karl Obermann: *Deutschland 1815-1849,* Berlin (Ost) 1976, 4. Aufl., 69-109; Hans-Joachim Ruckhäberle (Hrsg.): *Frühproletarische Literatur. Die Flugschriften der deutschen Handwerksgesellenvereine in Paris 1832-1839,* Kronberg/Ts., 1977; Karl-Georg Faber: *Deutsche Geschichte im 19. Jahrhundert,* Wiesbaden 1979 (Handbuch der Deutschen Geschichte Bd. 3/I, 2. Teil), 136-152; Cornelia Foerster: *Der Preß- und Vaterlandsverein von 1832/1833,* Trier 1982.
– zum Hambacher Fest [dessen 150. Wiederkehr 1982 gefeiert worden ist]: Hellmut G. Haasis: *Volksfest, sozialer Protest und Verschwörung – 150 Jahre Hambacher Fest,* Heidelberg 1981.

Waffenbrüder, aber Kriegsfeinde (Heines Verhältnis zu Börne)

Der »Zeitkreis«-geschichtliche Ansatz der Denkschrift scheint eine Darstellung von Heines persönlichen Erfahrungen mit Börne überflüssig zu machen, wenn nicht zu verbieten. Dennoch darf die Bedeutung dieses Verhältnisses für die Entstehungsgeschichte bei einer so komplexen Situation wie der des Börne-Buches nicht unterschätzt werden, gehören doch Leben, Wirken und Tod Börnes zu den Voraussetzungen der Schrift. Das verwickelte und konfliktreiche Verhältnis der beiden Antipoden ist in allen Einzelheiten und Phasen durch die Kommentare der Briegleb-Ausgabe und des Koopmann-Bandes sowie in weiteren Studien eingehend untersucht worden und soll deshalb hier nur in großen Zügen nachgezeichnet werden.

»Börne und Heine« – »Heine und Börne«: Die zu einer operablen Einheit verschmolzenem Namen haben in der öffentlichen Meinung der 30er Jahre eine derartige Wirkung und Faszination ausgeübt, daß Theodor Mundt 1840 ihre Bedeutung für die neue Zeit mit derjenigen von »Schiller und Goethe« für die klassische Epoche vergleichen konnte (s. Oellers). Aber paradoxerweise ist das Bild von dem alles überstrahlenden Doppelgestirn – Symbolfiguren der entweder begrüßten oder bekämpften politischen und literarischen Avantgarde – zu einem Zeitpunkt entstanden, an dem es durch die wirklichen persönlichen Beziehungen der beiden führenden Oppositionsschriftsteller kräftig dementiert wurde, ja man kann berechtigt fragen, ob dem Bild persönlich jemals etwas entsprochen hat. Ein Briefwechsel ist nicht vorhanden. In den für die Denkschrift inhaltlich wichtigen letzten Jahren bestanden keine persönlichen Beziehungen mehr. Die gegenseitige Auseinandersetzung verlief völlig disproportional: Während sich Börne an zahlreichen Stellen öffentlich und privat über Heine geäußert hat, sind von Heine vor 1840 nur wenige briefliche Erwähnungen vorhanden, bei denen es sich ab Juli 1833 hauptsächlich um zensurbedingte Rivalitätsgefühle handelt, die in Anklagen an Campe, den »Verleger von Börneschen Briefen«, durchbrechen. Im Gegensatz zu Börne ließ Heine, wie er 1840 gesteht, seinen Widersacher »durch das kalte Schweigen [büßen], das ich allen seinen Verketzerungen und Nücken entgegensetzte« (B 7, 101), es sei denn, man verweise auf die Figur Simsons aus dem *Schnabelewopski,* eine allerdings verschlüsselte Auseinandersetzung mit Börne (s. d.).

Eine erste flüchtige Begegnung fand am 9. September 1815 in Frankfurt statt, als der 18jährige Volontär Heine den 29jährigen Polizeiaktuar Juda Löw Baruch, dessen Beamtenlaufbahn nach der Rückgängigmachung seiner Bürgerrechte gerade beendet worden war, im Lesekabinett der »Loge à l'Aurore naissante« sah. So kurz die Begegnung war, hat sie doch auf Heine einen unvergeßlichen Eindruck gemacht (vgl. Anfang des Ersten Buches). – In den 20er Jahren, als der »Zeitschriftsteller« Börne, der sich 1818 von einem lutherischen Pfarrer taufen lassen und den Namen Carl Ludwig Börne angenommen hatte, einen engagierten, aber isolierten Kampf gegen das Metternichsche Deutschland ausfocht, häufte Heine Zeichen der Anerkennung gegenüber dem älteren Waffenbruder und auch stilistischem Vorbild (die *Harzreise* enthält ein Börne-Zitat als Motto; *Reisebilder* I und II sowie das *Buch der Lieder* werden Börne und seiner Freundin Jeanette Wohl mit freundlichen Widmungen übersandt bzw. übergeben; zum Einfluß Börnes s. Santkin). In dieser Zeit schätzte Börne seinen einzigen Kampfgefährten in der Karlsbader Reaktionsperiode auch sehr hoch ein (er schrieb 1831: »Ich sprach so allein in dieser Zeit, und Heine hat mir geantwortet«, S. Sch. 3, 170; vgl. S. Sch. 5, 718 f.).

Vom 12. bis 15. November 1827 hielt sich Heine dann auf der Durchreise in Frankfurt auf, wo er drei durch nichts getrübte Tage mit Börne und Jeanette Wohl verbrachte – Augenblicke des größten Einverständnisses, die beide Schriftsteller als »inséparable«, als unzertrennliches Paar erlebten (Brief an Varnhagen vom 28. November 1827). Im Ersten Buch, in dem die Begegnung ausführlich behandelt wird, schränkt Heine die Harmonie allerdings auf das »Gebiete der Politik« ein (B 7, 33). Scheinen damals die Voraussetzungen zu einem dauernden Kampfbündnis vorhanden gewesen zu sein, so war in Wirklichkeit der Konflikt vorprogrammiert, der bei ihrem Wiedersehen in Paris zum baldigen Ende ihrer Beziehungen führte: Im September 1831 sahen sich die beiden Schriftsteller wieder und begegneten sich sehr oft in den folgenden Monaten; durch Börnes Abwesenheit trat 1832 eine längere Pause ein, nach Januar 1833 lassen sich keine Begegnungen mehr nachweisen. Die wachsende Entfremdung der beiden in der Öffentlichkeit als »Dioskuren« und untrennbare Tribune gefeierten Männer bezeugt sich in Börnes Briefen an Jeanette Wohl. Börne, der noch im Februar 1831 den vierten Band der *Reisebilder* kräftig gelobt und

einen Journal-Plan mit Heine entwickelt hatte (S. Sch. 3, 169 f. u. 4, 1299 f.), schrieb kurz nach der ersten Pariser Begegnung enttäuscht über die Absage zur Zusammenarbeit und befremdet über Heines Person: »Heine gefällt mir *nicht*«. Er traut Heine keine Seele zu; empfindet seinen Ernst »immer affektiert«; hält ihn für »grenzenlos eitel«; wirft ihm vor, ohne Glauben zu sein und an der Wahrheit »nur das Schöne« zu lieben. Nur vier Tage später faßte er seine Vorbehalte mit einem Begriff zusammen, von dem er angeblich immer schon »eine Ahndung« gehabt hat und der zum Hauptargument der Heine-Gegner werden sollte: »Charakterschwäche« (S. Sch. 5, 11 ff. u. 18 ff.). Außerdem stand für Börne bereits damals ein weiteres, folgenreiches Stereotyp fest: käuflicher Opportunismus. Börne, der eine gewisse Eifersucht und Neid nicht ganz verbergen konnte, wurde schnell zu einem mißtrauischen, argwöhnischen und lauernden Verfolger Heines, der ihn als das strafende Gewissen zu hassen begann (vgl. Bock, 344). Der revolutionäre, in Deutschland großes Aufsehen erregende Autor der *Briefe aus Paris*, der sich unter dem Eindruck der Julirevolution vom konstitutionellen Monarchisten zum radikalen Republikaner gewandelt hatte, war sich jetzt nicht zu schade, seine als unvermeidlich angesehene Konfrontation mit Heine wie ein kleinlicher Buchhalter zu planen: Er führt »Buch und Rechnung über Heine«, indem er alles, was er über ihn hört und was er selbst erlebt, sammelt und in seinen Briefen an Madame Wohl abrufbar archiviert (S. Sch. 5, 35; Mitte März 1833 hat er tatsächlich um Abschrift oder Rückgabe der Briefe gebeten). In der Sprache des Unmenschen teilt der Moralist Börne mit, er habe vor, Heine, den Mann mit dem »lüderlichen« Lebenswandel, dessen Charakter er als »zu morsch« und welk bezeichnet, »chemisch« einfach zu zersetzen (S. Sch. 5, 51 f. u. 56 f.; Auszüge aus den unveröffentlichten Briefen Börnes wurden 1840 anonym von Jeanette Wohl-Strauß und Maximilian Reinganum, einem Freund Börnes, unter dem Titel *Ludwig Börnes Urtheil über H. Heine* herausgegeben; s. B 8, 741 ff.).

In der Öffentlichkeit hat sich Börne lange mit seiner Kritik zurückgehalten. Während er im vierten Band der *Briefe aus Paris*, der im Januar 1833 erschien, unter dem Datum 10. Februar 1832 den Verdacht der Bestechlichkeit aufkommen ließ, ging er ein Jahr später zum Angriff über und rechnete im 109. Brief vom 25. Februar 1833, in Band 6 1834 veröffentlicht, erbarmungslos mit Heine und den *Französischen Zuständen* ab (im Fünften Buch der Denkschrift vollständig abgedruckt; B 7, 132-138; vgl. S. Sch. 3, 809-815). In diesem vernichtenden Brief wird Heines Integrität radikal infrage gestellt: Politisch wird er des Opportunismus und des Ästhetizismus angeklagt (»Wem, wie ihm, die Form das Höchste ist, dem muß sie auch das Einzige bleiben«); religiös und moralisch gilt er als Atheist und gerissener Diplomat; dem Schriftsteller Heine wird vorgehalten, die »Wirksamkeit einzelner Menschen« wider besseres Wissen völlig zu überschätzen, während dem angeblich zwischen den Parteien operierenden Intellektuellen Heine Prügel von beiden Seiten, von den Demokraten und den Aristokraten, angekündigt werden. – In seiner Rezension von *De l'Allemagne*, die am 30. und 31. Mai 1835 in der republikanischen Oppositionszeitung »Le Réformateur« erschien, ging Börne grundsätzlicher vor, indem er ausdrücklich die Gesinnung, den »esprit de l'auteur en général«, untersuchte und Heine genau den Stempel aufdrückte, den dieser gegen die deutsch-nationale Intelligentsia verwandt hatte, mit dem er aber selber schon von Börnes Parteigängern gebrandmarkt worden war: den des ›Verräters‹ (*Vorrede* zu *Zustände*). Als Warnung an alle Republikaner denunzierte Börne aus politischer und ideologischer Sicht die prinzipienlose Einstellung des deutsch-französischen Missionars Heine; aus weltanschaulicher Sicht entlarvte er dessen Anschauungen zu Philosophie und Wahrheit; im junghegelianischen Sinn bekämpfte er die Religionsvorstellungen eines glaubens- und zügellosen Sensualisten (mit Anspielung auf den Hurenbock; S. Sch. 2, 885-903; Auszüge B 8, 709 ff.). Gift und Galle dieser sofort übersetzten Kritik haben in der deutschen Publizistik, die bestimmte Züge des Verräter-Porträts bereitwillig aufgriff, in der zweiten Hälfte der 30er Jahre gewirkt (während die breite Öffentlichkeit weiter an das Bündnis der beiden Dioskuren glaubte). In Schwarzweißmanier wurde das Verhältnis Börne-Heine von national-liberal und republikanisch gesonnenen Heine-Gegnern als Gegensatz von »Talent-Charakter« oder als Widerspruch von »Frivolität-Sittlichkeit« und »Französelei-Patriotismus« durchgespielt (B 8, 671 und ff.).

Mit seiner Antwort auf Börnes einseitige Kriegserklärungen konnte Heine jahrelang warten – bis zu Börnes Tod. Was ihn 1837 getroffen und was die Arbeit an der Denkschrift dann nicht unbeeinflußt gelassen hat, war die öffentliche Hochschätzung Börnes bzw. seine eigene, permanente

Herabsetzung zugunsten Börnes (an Detmold schrieb er am 29. Juli 1837: »Börne scheint wirklich jetzt von den Deutschen kanonisirt zu werden«). Die Spur, die Börnes mündliche und schriftliche »Insinuationen« und »Verleumdungen« hinterlassen haben, ist 1837 im Ersten Entwurf zum *Ludwig Börne* noch deutlich sichtbar (vgl. B 9, 46).

Text: Ludwig Börne Sämtliche Schriften, hrsg. von Inge und Peter Rippmann, 5 Bd.e, Dreieich 1977 (zuerst Düsseldorf und Darmstadt 1964/1968), zitiert: S. Sch. plus Band- und Seitenzahl.

Lit.: B 8, 651-684, 697 ff. u. 741 ff.; DHA 11, 307 ff.; Paul Santkin: *Ludwig Börnes Einfluß auf Heinrich Heine*, Diss. Bonn 1913; Barthélemy Ott: *La Querelle de Heine et de Börne*, Lyon 1935; Friedrich Hirth: *Heinrich Heine. Bausteine zu einer Biographie*, Mainz 1950, 25-43; Helmut Bock: *Ludwig Börne. Vom Gettojuden zum Nationalschriftsteller*, Berlin (Ost) 1962, 338-350; Norbert Oellers: *Die zerstrittenen Dioskuren. Aspekte der Auseinandersetzung Heines mit Börne*, in: Zeitschrift für deutsche Philologie 91, 1972, Sonderheft, 66-90; Rutger Booß: *Ansichten der Revolution. Paris-Berichte deutscher Schriftsteller nach der Juli-Revolution 1930: Heine, Börne u. a.*, Köln 1977; Michael Werner: *Frères d'armes ou frères ennemis? Heine et Boerne à Paris (1830-1940)*, in: Francia Bd. 7 (1979), 1980, 251-270; Joseph A. Kruse: *Der große Judenschmerz. Zu einigen Parallelen wie Differenzen bei Börne und Heine*, in: *Ludwig Börne: 1786-1837*, bearbeitet von Alfred Estermann, Frankfurt a. M. 1986 (Ausstellungskatalog), 189-197.
– zu Börne: Helmut Bock (s. o.); Wolfgang Labuhn: *Die Ludwig Börne-Forschung seit 1945 (Mit Bibliographie)*, in: Zeitschrift für deutsche Philologie 96, 1977, 269-286; Wolfgang Labuhn: *Literatur und Öffentlichkeit im Vormärz. Das Beispiel Ludwig Börne*, Königstein/Ts. 1980.
– Hans Magnus Enzensberger hat alle öffentlichen und privaten Äußerungen Börnes über Heine und Heines über Börne zusammen mit Rezensionen und Äußerungen der Mitwelt sowie Zeugnissen der Nachwelt in dem Band editiert: *Ludwig Börne und Heinrich Heine. Ein deutsches Zerwürfnis.* Nördlingen 1986 (= Die Andere Bibliothek).

Analyse und Deutung
Ein ›face à face‹ von Ich und Zeit

Das Irritierende und Provokative, das lange Zeit trotz Thomas Manns bekannter *Notiz über Heine* aus dem Jahre 1908 von der Börne-Prosa ausging, ist heute in Bewunderung umgeschlagen: Jetzt gilt das Buch, das dem Memoirenprojekt nicht nur genetisch nahesteht, als eines der am kunstreichsten gearbeiteten Werke Heines. Methodische Grundlage dieser Prosa ist der produktive Einsatz einer Subjektivität, die sich nicht psychologisch oder narzistisch, sondern historisch und funktional versteht. Das an Goethe geschulte, in den *Reisebildern (Ideen. Das Buch Le Grand)* praktizierte Verfahren, Selbst- und Zeitbiographie, Subjektiv-Persönliches und Objektiv-Geschichtliches zu verknüpfen, konnte in der Denkschrift zur vollen Entfaltung gelangen (vgl. Kaufmann, Spencer und Bollacher). So verzichtet die Zeitdarstellung an keiner Stelle auf Selbstdarstellung; Selbst- und Fremdanalyse sind eng miteinander verwoben; Beobachter und Beobachtetes scheinen untrennbar ineinander verflochten (Manfred Windfuhr hat interessanterweise auf die methodische Nähe zur Relativitätstheorie hingewiesen). Außerdem verwandelt sich die von Heine oftmals erprobte Form des Doppelporträts zu einem permanenten, kontrastharmonischen Spiel von Porträt und Selbstporträt, von Bild und Gegenbild, so daß aus den Zügen des einen differenzierend die Züge des anderen hervortreten und sich abheben, wie ein Positiv von einem Negativ, mit dem es nicht übereinstimmt. Durch diese Technik ständiger Selbstrelativierung und -reflektion wird jegliches Abgleiten in reinen ›Objektivismus‹ oder reinen ›Subjektivismus‹ vermieden: Hans Kaufmann hat das vorwärtsweisende Geschichtsbild des vergangenen Dezenniums »ein Beispiel eingreifender Geschichtsschreibung« genannt.

Heine, der sich der »kältesten Unparteilichkeit bewußt« ist und der, wie er dreimal wiederholt, »weder eine Apologie noch eine Kritik« schreiben, sondern ein naturgetreues »ikonisches Standbild« liefern will, beglaubigt und authentifiziert sein Vorgehen, indem er seinen eigenen Blickwinkel mitreflektiert, um ihn aufzudecken: Er zeichnet Börnes Bild, »mit genauer Angabe des Ortes und der Zeit, wo er mir saß. Zugleich verhehle ich nicht, welche günstige oder ungünstige Stimmung mich während der Sitzung beherrschte« (B 7, 128, vgl. 102 und 138; vgl. ebenfalls B 3, 450 zum Platen-Porträt). Dieses »beständige Konstatieren meiner Persönlichkeit« erscheint nun dem Autor als »das geeignetste Mittel, ein Selbsturteil des Lesers zu fördern«, d. h. sein in der öffentlichen Meinung durch ständige Kontrastvergleiche mit Börne bis zur Unkenntlichkeit deformiertes »Tichten und Trachten« wieder erkennbar zu machen (vgl. Spencer zum vehikulären Einsatz des Porträts bei Heine). Die kritisch gemeinte Instrumentalisierung der Subjektivität überragt in der Denkschrift deutlich ihre andere: formal-integrative Funktion, die für Heines Prosa allgemein kennzeichnend ist und darin besteht, daß sie die Einheit der ganz unterschiedlichen, meist in scharfem Kontrast zueinander stehenden Formelemente organisiert (Gespräche, Briefe und mythologische Bilder, Zitate – s. u. –

und Träume, Dokumentarisches und Autobiographisches, authentische und fingierte Anekdoten, Satirisches und Melancholisches; vgl. Kaufmann, 182, der »journalistische Stilmittel« hervorhebt).

Der schreibtechnische Ansatz findet sich in dem fünfteiligen, zeitlich fortlaufenden, aber nicht chronologischen Aufbau der Schrift wieder. Das Erste Buch schildert die Zeit vor 1830 am Leitfaden der beiden Frankfurter Begegnungen, die alle wichtigen Motive von Fremd- und Selbstporträt im voraus ankündigen, so daß die spätere politische und weltanschauliche Konfrontation als unvermeidlich erscheint. Der enthusiastische, autobiographische Bericht über den Ausbruch der Julirevolution läßt einerseits im Zweiten Buch das politische Profil des Verfahrens plastisch hervortreten und nennt das wahre Anliegen der Denkschrift; andererseits offenbart der Kontrast von Revolutionsschwärmerei und Ernüchterung den Gegensatz zu Börnes ungebrochenem Revolutionarismus. Das Dritte Buch, das vor dem zeitgeschichtlichen Hintergrund über die Begegnungen der beiden Männer zwischen September 1831 und Anfang 1833 berichtet, zeigt die Unversöhnlichkeit ihrer Standpunkte und Anschauungen in aller Schärfe auf. Das Vierte (und längste) sowie das Fünfte (und kürzeste) Buch lösen sich aus dem zeitgeschichtlichen bzw. tagespolitischen Rahmen, bringen wenig neue historische Fakten (Börnes Tod) und verlagern den Konflikt mehr ins Grundsätzliche und Allgemeine. Zuerst wird Börnes Persönlichkeit weltanschaulich, künstlerisch und religiös gewürdigt, wobei der persönliche Abstand deutlich zutage tritt. Das letzte Buch behandelt die Beziehung dann bereits als historische: Börnes Kritik wird nicht zur überlegenen Widerlegung zitiert, sondern um dem Leser die Möglichkeit zu geben, die Verurteilung zu überprüfen und die Wahrheit herauszufinden. Zukunftsvision und Skepsis (wie am Ende vom Zweiten Buch) betonen schließlich den epochalen Gegensatz zweier Revolutionsvorstellungen, von denen die eine, die überholte, die Aufbruchsstimmung zu Beginn der 30er und die andere, die vorausweisende, die Situation der Opposition am Ende der 30er Jahre widerspiegelt.

Das Widerspiel von Subjektivität und Objektivität hat auch die hervorstechendste formale Eigenschaft der Denkschrift geprägt. Wie wenige andere Bücher Heines besteht die Börne-Prosa aus einer Montage von Zitaten –, hauptsächlich Gesprächszitaten, ebenfalls aus Bildungs- und Selbstzitaten sowie aus Äußerungen Dritter (gesamt ca.

31 Seiten, das ist gut ein Viertel des Textes!). Börne wird auf ca. 26 Seiten das Wort erteilt (davon sind knapp neun Seiten direkte Zitate aus dem 44., 85. und 109. der *Briefe aus Paris*; B 7, 76 f., 115 ff. u. 132 ff.). Aus *De l'Allemagne* werden zu Beginn des Fünften Buches knapp zwei Seiten zitiert. Dieses äußerst umfangreiche Zitat-Material soll den geplanten dokumentarischen Charakter der Schrift unterstreichen (in einem Brief an Campe betont Heine am 18. Februar 1840 selbstbewußt, daß sein neues Werk, »neben dem Reitz eines humoristischen Unterhaltungsbuchs, noch außerdem einen dauerhaft historischen Werth haben« wird). Die Gespräche lassen ebenso ein authentisches, lebhaftes und plastisches (Selbst-)Porträt Börnes entstehen wie sie auf eindringliche Weise den Zeitgeist kennzeichnen. Was aber Authentizität bewirken soll, ist nur zum Teil authentisch: Der Eindruck der Objektivität beruht auf einer subjektiven Auswahl und gekonnten Montage Heines. Abgesehen von den ›objektiven‹ Textzitaten handelt es sich, wie die Forschung inzwischen nachweisen konnte, bei den Gesprächszitaten um Wiedergaben, die in der Tendenz und im Tenor völlig stimmen, deren Komposition aber auf Lektüren und Gespräche, auf Äußerungen Börnes und wiederholt auf Heines persönliche Eindrücke zurückgehen (vgl. B 8, 775 f.; DHA 11, 410 u. 426 betont Mischung aus Authentizität und Fiktion bzw. den »synthetischen« Charakter der Gespräche). Wie sehr Heine schließlich eigene Erfahrungen Börne in den Mund legt, zeigt die Porzellan-Parabel, die ein zehn Jahre altes, unveröffentlichtes Bruchstück aus der Lucca-Prosa umgearbeitet aufnimmt (B 7, 14 ff. und B 3, 626 ff.; vgl. Fassungsvergleich B 8, 778 ff.). An anderer Stelle unterschiebt er Börne eigene Liebes-Gefühle (B 7, 19 f. und B 11, 666 f.; vgl. DHA 11, 656). Die Montage der Redezitate nutzt andererseits die Möglichkeit, den unvermeidlichen Konflikt der beiden Schriftsteller zusätzlich aufzuladen: Einmal durch die revolutionaristischen Reden, mit denen der völlig veränderte Börne beim Wiedersehen in Paris über Heine herfällt (und die der idyllischen Atmosphäre der Frankfurter Begegnung gänzlich zuwiderlaufen); zum andern durch die schneidende Unterbrechung »Ich glaube, Deutschland ist gar nicht schwanger«, mit der Heine seine völlig konträre Einschätzung der Situation ins Spiel bringt (B 7, 64). Die Kontraststruktur der Redesituation erlaubt allerdings dem Ich auch wieder, den Andern Dinge sagen zu lassen, die es nicht auf die eigene Kappe nehmen, aber dokumentieren will.

Lit.: Jeffrey L. Sammons: *Heinrich Heine, The Elusive Poet,* New Haven u. London, 1969, 261 ff.; Norbert Oellers (s. o.); Hans Kaufmann: *Die Denkschrift »Ludwig Börne«,* in: IHK 1972, 178-189; Dierk Möller: *Heinrich Heine: Episodik und Werkeinheit,* Wiesbaden/Frankfurt a. M. 1973, 199-239 [zum Zitat, hier spez. 234 ff.]; Inge Rippmann: *Heine Denkschrift über Börne,* in: HJb 1973, 41-70; Manfred Windfuhr: *Heinrich Heine,* Stuttgart 1976, 2. Aufl. 178 ff.; Rutter Booß (s. o.), 225 ff. [zum Zweiten Buch]; Hanna Spencer (s. o.) 101-149 [strukturelle Analyse speziell des Zweiten Buches]; Martin Bollacher: *Die Pariser Prosa: Frankreich und Deutschland,* in: *Heinrich Heine. Epoche-Werk-Wirkung,* hrsg. von Jürgen Brummack, München 1980, 196 ff.

Weltpsychologie
(Nazarener- und Hellenentum)

Thomas Mann hat das Börne-Buch nicht allein und nicht ausdrücklich wegen seiner ausgeprägten Leitmotivtechnik »die genialste deutsche Prosa bis Nietzsche« genannt, notierte er doch 1908 über Heine: »Er war als Schriftsteller und Weltpsychologe nie mehr auf der Höhe, nie weiter voraus als in diesem Buch und namentlich in den eingeschobenen Briefen aus Helgoland. Seine Psychologie des Nazarener-Typs antizipiert Nietzsche« (*Reden und Aufsätze* II, 680; vgl. dazu Hansen, 126 ff.). – Die Rekonstruktion der Zeit und des Geistes ihrer Protagonisten erfolgt in der Tat im Rahmen eines ›weltpsychologischen‹ Gegensatzes, der Börne extrem negativ kennzeichnet und Heines Selbstverständnis überlegen positiv auf den Begriff bringt: Er geht aus jenem triebstrukturell verankerten »Hader« hervor, »welcher, alt wie die Welt, sich in allen Geschichten des Menschengeschlechts kund gibt und am grellsten hervortrat in dem Zweikampf, welchen der judäische Spiritualismus gegen hellenische Lebensherrlichkeit führte, ein Zweikampfe, der noch immer nicht entschieden ist und vielleicht nie ausgekämpft wird« (B 7, 17). Diese weltgeschichtlich-psychologische und dualistische Perspektive legt gleich eingangs die Fronten fest: Börne, der »kleine Nazarener«, erscheint als typischer Repräsentant des »jüdischen Spiritualismus«, während sich Heine, der Nachfolger des »großen Griechen« Goethe, als heiterer Hellene versteht. Zwischen den beiden Menschentypen darf Haß herrschen.

Der sowohl kulturgeschichtliche wie typologische Gegensatz von Nazarenertum und Hellenismus, der vielleicht schon in dem selbstanalytischen Brief an Moser vom 1. Juli 1825 anklingt, begrifflich aber erst in der zweiten Hälfte der 30er Jahre entwickelt wird, ist aus dem Dualismus von Spiritualismus und Sensualismus hervorgegangen, dessen pantheistische Synthese (oder Monismus) seit den Deutschland-Schriften praktisch identisch ist mit dem Programm einer demokratischen, sozialen, religiösen, erotischen und ästhetischen Befreiung. In dem 1836 entstandenen zweiten Abschnitt der *Elementargeister* treten sich erstmals der »übergeistige Judäismus der Nazarener«, der das Christentum umfaßt, und die »hellenische Heiterkeit« antagonistisch gegenüber (B 5, 685, vgl. *Shakespeares Mädchen und Frauen*, B 7, 175, zum weltanschaulich lokalisierten »Groll zwischen Jerusalem und Athen«). In der Denkschrift werden die als »sinnverwandte Worte« geltenden Begriffe »Juden« und »Christen« zu einer Einheit verschmolzen und den »Hellenen«, die für Heine »kein bestimmtes Volk, sondern eine sowohl angeborene als angebildete Geistesrichtung und Anschauungsweise« bezeichnen, antithetisch entgegengesetzt. In der Konsequenz liegt dann folgende allgemeine alternative und idealtypische Einteilung aller Menschen aller Zeiten: »alle Menschen sind entweder Juden oder Hellenen, Menschen mit ascetischen, bildfeindlichen, vergeistigungssüchtigen Trieben, oder Menschen von lebensheiterem, entfaltungsstolzem und realistischem Wesen« (B 7, 18). Zur weiter verschärften Handhabung wird dieser metahistorische Gegensatz noch nach ästhetischer ›Gesetzlichkeit‹ aufs Physiologische und Charakterologische ausgedehnt, so daß sich der Genießer Heine nicht nur äußerlich von Börne unterscheiden, sondern auch des Asketen innere an seiner äußeren Veränderung aufzeigen kann: »Es gibt im Grunde nur zwei Menschensorten, die mageren und die fetten, oder vielmehr Menschen, die immer dünner werden, und solche, die aus schmächtigen Anfängen allmählig zur ründlichsten Korpulenz übergehen« (B 7, 33). Das dualistische Denken des Cervantes-Verehrers Heine, dessen kontrastharmonische Porträtkunst bereits seit den Reisebildern nach dieser Maxime verfährt, hat sich 1839 den Bereich der Körpercharaktere sowohl ›einverleibt‹ wie auch in dem Widerstreit der beiden Dioskuren exemplarisch ›verkörpert‹ (s. u.)

Die Denkschrift erschöpft sich nun nicht im Aufrichten von Gegensätzen und Antagonismen, stellt doch der »heimliche Hellene«, der in den Helgoländer Briefen über die Trennung von Geist und Materie meditiert, die zentrale, anti-dualistische Frage: »Wann wird wieder die Harmonie eintreten, wann wird die Welt wieder gesunden von dem einseitigen Streben nach Vergeistigung, dem

tollen Irrtume, wodurch sowohl Seele wie Körper erkrankten!« (B 7, 41). Dieses zukunftsfrohe Vorausgreifen auf das Ende der Krankheitsperiode, die mit der Herrschaft des Nazarenertums begonnen hat, ergänzt sich mit der Frage nach den gegenwärtigen Aufgaben, die lautet: »Ist vielleicht solche harmonische Vermischung der beiden Elemente [Spiritualismus und Kunst] die Aufgabe der ganzen europäischen Zivilisation?« (B 7, 47) Wenn die Briefe »ein großes Heilmittel« in Politik, d. h. in Revolution und in Kunst erblicken, so gelten jetzt doch vornehmlich die Künstler, über die Politiker hinaus, als Hoffnungsträger des in die Zukunft projizierten Harmonie- und Versöhnungsdenkens: Shakespeare, der nach der neuen Begrifflichkeit »zu gleicher Zeit Jude und Grieche« war, und Goethe, der Anti-Nazarener par excellence, signalisieren zuversichtlich den Weg einer vollständigen Überwindung der Welt-Krankheit. Kunst, nicht allein Politik soll den Genesungsprozeß einleiten.

Heine spielt die Idee einer wesentlich durch Kunst vermittelten *und* politisch relevanten »höheren« Ganzheit gegen Börne aus, der an seinem Widersacher nur aristokratisches Ästhetentum, Symptom der Abtrünnigkeit, zu erkennen vermochte. Das Zweite Buch läßt in poetisch-verschlüsselter Form den Widerspruch zweier ganz unterschiedlicher Therapien spürbar werden. So kollidieren in der Abkehr vom »Guerillakrieg« bzw. von »Tagesinteressen« und in erneuter, durch religiöse Reflexion gestärkter Hingabe an die Revolution eine eingeschränkte und eine authentische Konzeption. Der im Medium des Zeitkontrastes (»Neun Jahre später«) akzentuierte Gegensatz von Enthusiasmus und Ernüchterung warnt vor strategischen Illusionen, die auf einer undialektischen Deutung der Julirevolution beruhen. Im Motiv der See, die verheißungsvoll »nach frischgebackenem Kuchen« riecht (B 7, 48, 50 f. u. 53; vgl. die Torten-Passion in den Reisebildern B 3, 216 u. 262), kündigt sich die Sehnsucht nach einer umfassenden Befreiung an, die in saint-simonistischer Auffassung materielle Genüsse für jedermann verlangt. Weitere Kontrast- und Leitmotive bekräftigen die anti-nazarenische Polemik. Das Gespräch über die Dreieinigkeit, das mit einer als unmöglich bezeichneten Unterscheidung zwischen »Kabiljau, Laberdan und Stockfisch« konterkariert wird, übt drastische Kritik an überholten Dogmen einer Entsagungs-Religion. Über diese Ebene geht die leitmotivisch wiederkehrende Frage oder Feststellung »Ist der große Pan tot?« oder »Pan ist tot« weit hinaus, denn sie nimmt Nietzsches Wort vom Tod Gottes vorweg (B 7, 45 f., 50, 53 u. 56; dazu Spencer). Die Ankündigung des Endes des christlichen Deismus' (»ein neuer Todesgenosse«) erneuert die utopische Hoffnung auf ein Leben ohne Jenseits oder auf ein Diesseits ohne Sünde, das die »Götter der Zukunft«, die neuen Menschen-Götter ankündigen (B 7, 35). Das geheimnisvoll angedeutete Fernziel: Ein neues, befreites Menschengeschlecht erweist sich deshalb als unvereinbar mit einer auf Nahziele eingestellten Strategie (Ende von Buch I) und erfordert andere als bürgerlich-politische Revolutionsvorstellungen (Ende von Buch II).

Text: Thomas Mann: *Notiz über Heine,* in: ders.: *Reden und Aufsätze II* (Stockholmer Gesamtausgabe), S. Fischer Verlag, Oldenburg 1965, 680.

Lit.: Dolf Sternberger: *Heinrich Heine und die Abschaffung der Sünde,* Hamburg u. Düsseldorf 1972, 150 ff. u. 160 ff. [in Verbindung mit Heines Judentum und dem *Rabbi*-Fragment]; Hans Kaufmann (s. o.), 183 ff.; Walter Hinderer: *Nazarener oder Hellene,* in: Monatshefte, Vol. 66, No. 4, 1974, 355-365; Volmar Hansen: *Thomas Manns Heine-Rezeption,* Hamburg 1975 (= Heine-Studien), 126 ff.; Hanna Spencer [s. o.; der Nietzsche-Beitrag, 65-100, erschien zuerst 1972]; Robert C. Holub: *Heinrich Heine's Reception of German Grecophilia,* Heidelberg 1981, 133-158.

Das »Rätsel Börne«
und sein nazarenischer Kern

De mortuis nihil nise bene: Im Fall Börne hat sich Heine nicht an dieses Gebot gehalten. Der objektivierend wirkende Gegensatz von Nazarenertum und Hellenismus, der die Grundstruktur des Buches hervortreten läßt, vermag nicht zu verdecken, daß die *Denk*schrift auch eine *Streit*schrift ist, die Börne vernichtend treffen wollte und die ihn, was die Diskussion seiner Schriften bis heute zeigt, spürbar getroffen hat. Die Lösung des »Rätsels« (B 7, 76) stellt sich so dar, daß parallel zu Börnes politischer Radikalisierung das Bild eines Mannes entsteht, dessen persönliche, geistige und intellektuelle Autonomie zusehends auseinanderfällt. Das Erste Buch exponiert Motive und Gesichtspunkte, die alle in einem Punkt zusammenlaufen, so daß am Pariser Börne mit großer Stringenz die verschiedenen Züge des von ihm verkörperten Nazarenertums in ihrer ganzen Fatalität zutage treten –, als handele es sich um den lebensgeschichtlichen Beweis einer These.

Börnes Aufstieg zum politischen Führer, der in Wirklichkeit einem unaufhaltsamen Absturz gleichkommt, vollzieht sich in drei Phasen, die an seiner äußeren Erscheinung deutlich ablesbar sind. Die erste Begegnung hinterläßt den Eindruck eines vornehmen, eleganten und hochmütigen Mannes, der seine Kleidung mit »einer wohlhabenden Nachlässigkeit« trägt und dessen Auftreten »etwas Sicheres, Bestimmtes, Charaktervolles« hat. Zwölf Jahre später hat sich Börne in ein gemütliches, harmloses, zuvorkommendes »zufriedenes Männchen« verwandelt, »sehr schmächtig, aber nicht krank«, das »im Zenith des Wohlbehagens« steht. Gut ein halb dutzend Mal wird auf sein naives, kindliches Gemüt hingewiesen, aber auch auf sein puritanisches Naturell: In Gegenwart von Mädchen errötet er, ist verklemmt und »lüstern« (B 7, 19, 21 u. 33). Aber unter dieser harmlosen Oberfläche brodelt es: Immer wieder ist von seinem leidenschaftlichen Naturell die Rede, das nur Haß zuläßt (auf seine politischen und persönlichen Gegner wie Metternich, Rothschild, die judenfeindliche Gesellschaft oder Goethe) oder Liebe (»Geistesrausch«, »Bacchanten des Gedankens«, B 7, 11; vgl. 21: »krankhaften Zuständen«). Radikalität und Kunstfeindlichkeit kündigt sich in der aggressiven, schneidelustigen »gewetzten Kritik« an, mit welcher der spätere »große politische Operateur« die Komödianten hinrichtet. Kurz, Fanatismus, »politische Exaltation« und eifernder Moralismus sind durch sein asketisches Naturell begründet und harren des auslösenden Moments. Ahnungslos wird am Ende des Ersten Buches das unabwendbare Verhängnis im Bild des Schiffbruchs beschworen (»Ich sah, wie der Mast brach, wie die Winde das Tauwerk zerrissen«), das kontrastierend an den ersten Eindruck erinnert: War Börne zunächst wie das »moralische Gewitter« erschienen, so geht er jetzt in Gewitter und Sturm »zu Grunde«. Im Herbst 1831 ist der Schiffbruch manifest: Börne ist jetzt vollends vom Fleische gefallen und krank. Durch seine »terroristische Selbstkur« wird er noch seinen ganzen Körper ruinieren und seinen Tod beschleunigen (B 7, 101). Aus seinen Reden ist jetzt jegliche Mäßigung verschwunden, die »terroristischen Expektorationen« des radikalen Republikaners kreisen um Blut, »Amputationen« und »Operation« an Haupt und Gliedern. Dieser erschreckende »Sanskülottismus des Gedankens und des Ausdrucks«, der mit den früheren Börne-Bildern vollkommen bricht, wird leitmotivisch auf kollektiven und naturbedingten Wahnsinn zurückgeführt. Börne ist jetzt nicht mehr er selber, sondern nur noch Werkzeug und Organ von öffentlichen und privaten Leidenschaften, Sprachrohr und

Symptom eines wahnsinnigen Kreises, Opfer von Einflüssen und Zuständen (B 7, 71, 77, 93, 94, 95; auf Börnes und seines Kreises Wahnsinn wird im Dritten Buch nicht weniger als elfmal angespielt). Das Abdriften des »Rattenkönigs« in eine Wahnwelt wird durch die Flucht in den Katholizismus, »Selbstmord der nazarenischen Religion« genannt, perfekt gemacht: Sein politisches Scheitern läßt Börne vollends dorthin sinken, wohin er immer schon geneigt hat (B 7, 18 u. 111).

Ausbruch des »Wahnsinns« und »Überschnappen« in den Katholizismus eines, der an der Wirklichkeit verzweifelt bzw. der die frustrierende Wirklichkeit durch eine Wunschwelt ersetzt, verleihen der Religionskritik Heines am Beispiel Börnes eine bis dahin unbekannte Radikalität und Dynamik: Hatte er in den *Reisebildern* sowie in der *Romantischen Schule* sowohl die ideologische wie die psychologische Funktion des römischen Katholizismus bekämpft: einmal als »Gift« und zum andern als »Trost«, d. h. als Illusion, so denunziert er in einer Phase verschärfter Auseinandersetzung mit dem Christentum dessen Ersatzfunktion als Droge, als »geistiges Opium« (»Für Menschen, denen die Erde nichts mehr bietet, ward der Himmel erfunden«). Diese metaphorische Lösung des »Rätsels Börne«, die den pathologischen Befund zusammenfaßt, konnte dann Karl Marx in seiner berühmt gewordenen Formulierung: Religion »ist das *Opium* des Volks« aufgreifen (*Zur Kritik der Hegelschen Rechtsphilosophie,* 1844).

Was Heine am Beispiel von Börnes Nazarenertum vor allem bekämpft, das sind die unmittelbar praktischen Konsequenzen, die aus der widernatürlichen »Verbindung der beiden Fanatismen, des religiösen und des politischen« hervorgehen (B 7, 112). Das im Ersten Buch verurteilte Bündnis, das Börne 1834 mit dem »Pfaffen Lamennais« einging (als er die *Paroles d'un croyant* La Mennais', Vertreter eines sozialistischen Katholizismus, übersetzte), deutet er als Wahnsinnstat »verzweifelnder Republikaner«, die nicht nur eine Gefahr für die kommende Revolution, sondern auch für die Kunst mit sich bringt. Dem stellt sich auf höherer Ebene einmal die Messias-Vision am Schluß des Vierten Buches entgegen, die eine verschlüsselte Warnung vor jeder Revolution, die »zu frühe, zur unrechten Stunde« kommt, ausspricht, und zum andern die pessimistische Vision vom Sieg der puritanischen Republikaner am Ende des Fünften Buches. Da die Radikalen als »Quacksalber« noch nicht über »das große Heilmittel« verfügen, verschreiben sie »eine

Radikalkur«, die »nur äußerlich wirkt« und genau das Übel verschärft, das sie heilen soll. Aus künstlerisch-individualistischer Sicht wird vor den Konsequenzen gewarnt: Die »Hausmittelchen« würden einmal die »letzten Spuren von Schönheit« tilgen und zum andern ein Weiterleben »in der häßlichen Spitaltracht, in dem aschgrauen Gleichheitskostüm« bescheren; alle Poesie würde verschwinden und es gäbe nichts mehr »als die Rumfordsche Suppe der Nützlichkeit«. Was sich hier als negative Fortschrittskritik artikuliert, die klarsichtig jene in Europa heraufziehende »öde Werkeltagsgesinnung der modernen Puritaner« denunziert, mündet schließlich in ein utopisches »Nachtgesichte« voller Verzweiflung, Trauer und Resignation: Die Nymphen des Bacchus-Kultus, allegorische Bilder von Schönheit und sinnlich befreiter Menschheit, sehen sich gezwungen, vor dem »Geschrei von rohen Pöbelstimmen« und dem Kichern des »katholischen Mettenglöckchens« zu fliehen, hinter denen sich, wie die Lesarten zeigen, die Republikaner und Lamennais verbergen (B 8, 758; DHA 11, 403). Verhäßlichung und Verödung der Welt lassen nur schwachen Trost aufkommen: Grell, zu grell ist der Kontrast zwischen dem »Mettenglöckchen« der falschen Revolution und der »Sturmglocke« der zeitgemäßen, sozialen Revolution, auf die es hoffnungsvoll zurückverweist (B 7, 143 u. 60).

Der hier in aller Schärfe hervortretende Konflikt zwischen dem Taktiker und dem Strategen, dem Agitator und dem Emanzipator, hatte sich Börne und seinen Anhängern unter völliger Verkennung von Heines künstlerischen Intentionen reduziert als derjenige zwischen dem gesinnungsstarken Charakter und dem talentierten Nur-Dichter dargestellt (über den oft diskutierten Gegensatz von Charakter und Talent vor und bei Heine, s. DHA 11, 620 ff.). Wenn Heine Börne Ende des Jahrzehnts als Revolutionär wegen seines Voluntarismus verabschieden will, muß daran erinnert werden, daß Börne Heine am Anfang des Jahrzehnts als Politiker wegen seines charakterlosen Künstlertums den Laufpaß zu geben versucht hat. Die Nachwirkung der wechselseitig verzerrten Darstellungen, nach denen der eine »Kein Talent, doch ein Charakter« (vgl. B 7, 563: die zusammengesetzte Figur des sittlich-religiösen Tendenzbären Troll enthält auch Züge Börnes), der andere ein Talent, doch kein Charakter ist, geht in Heines Fall tiefer, denn sein – wie er es als Chiasmus zusammenfaßt – »charakterloses Poetentum« und »poetische Charakterlosigkeit« hat wesentlich das Bild des abtrünnigen, unzuverlässigen und verräterischen Dichters geprägt (vgl. z. B. Raddatz, 103 ff., der mit Börne gegen Heines politische »Unzuverlässigkeit« und »Ambivalenz« vorgeht). Heine ist Börnes Kritik, die sein Dichtertum als »gar nichts« einfach liquidiert, als Künstler und Artist entgegengetreten und hat, nicht ohne künstlerische Erhebung, Charakter einfach als moralisches Vorurteil der inkompetenten, »bornierten Menge« gegenüber »[m]inder begabten Menschen« abgewertet (B 7, 130; unter Charakter versteht er Selbstidentifikation, früher auch »Selbstunterjochung« durch Grundsätze – B 3, 83 –, oder, antithetisch zu Talent, Triumph der »Gesinnung« – B 7, 494 f.). Ästhetisch gesehen dreht er nun den Spieß um und behauptet, daß die vom Charakter geforderte Einheit von »Denken und Fühlen« nur auf Kosten der Kunst zu erreichen ist (»Mangel an Bildnerruhe, an Kunst«). Buffons berühmtes Wort von 1753: »Le style est l'homme même«, läßt Heine allenfalls bei dem Nicht-Stilisten Börne gelten, dessen leidenschaftliches Naturell aller formalen Vollendung zuwiderläuft: »In seiner subjektiven Befangenheit begriff er nicht die objektive Freiheit, die Goethische Weise«, heißt es zu Beginn des Ersten Buches. Ans klassische, plastische Stilideal knüpft der »›Nur Dichter‹« Heine in Auseinandersetzung mit dem ›Nur Charakter‹ Börne an, wenn er den bewußten Artisten gegen den Inspirationen unterworfenen Charakter ausspielt, denn Artisten sind für ihn ausdrücklich »Meister des Wortes, handhaben es zu jedem beliebigen Zwecke, prägen es nach Willkür, schreiben objektiv, und ihr Charakter verrät sich nicht in ihrem Stil«. So gereicht Heine Börnes Kritik sogar zum Selbstlob.

Lit.: Peter Meinhold: ›*Opium des Volkes*‹? *Zur Religionskritik von Heinrich Heine und Karl Marx*, in: Monatsschrift für Pastoraltheologie 49, 1960, 161–176; Hanns G. Reissner: *Heinrich Heine's Tale of the* »*Captive Messiah*«, in: *Der Friede.* Festgabe für Adolf Leschnitzer, Heidelberg 1961, 327–340; Paolo Chiarini: *Heine contra Börne ovvero critica dell'impazienza revoluzionaria*, in: Studi Germanici 10, 1972, 355–392 (auch Bari 1973); Fritz J. Raddatz: *Heine. Ein deutsches Märchen*, Hamburg 1977; Peter Uwe Hohendahl: *Talent oder Charakter: Die Börne-Heine-Fehde und ihre Nachgeschichte*, in: Modern Language Notes, Vol. 95, no. 3, 1980, 609–626; Robert C. Holub: *Spiritual Opium and Consolotary Medicine. A Note on the Origine of* ›*Opium des Volks*‹, in: HJb 1980, 222–226.

Zur Genealogie eines Moralisten

Die Äußerungen über Börnes Verhältnis zu Jeanette Wohl haben bei den Zeitgenossen Empörung und Entrüstung, in der Forschung lange Zeit Ablehnung und Distanzierung ausgelöst: Man sah darin eine unverzeihliche Taktlosigkeit an einem Toten oder ein infames Rühren an Privatem, allzu Privatem, das die Charakterlosigkeit des Autors nur noch weiter unter Beweis gestellt habe (Hans Kaufmann, 180, spricht von »Perfidien über Börnes Privatleben« und Inge Rippmann, 42, von »fragwürdigen Partien im vierten Buch«).

Zur Definition des Nazareners gehört nun auch Verleugnung der Sinnlichkeit: Es fehlt ihm nämlich »die Majestät der Genußseligkeit, die nur bei bewußten Göttern gefunden wird«. (B 7, 18) Sein Naturell verurteilt ihn dazu, seine Triebansprüche durch Verdrängung zu bekämpfen, mit der Konsequenz, daß er seine Sexualität regressiv und unfrei erlebt. Börnes Lüsternheit, so betont Heine unter Vorwegnahme tiefenpsychologischer Erkenntnisse, liefert dafür ein gutes Beispiel, wird der asketische Mann in seinen Gefühlen doch als »ein Sklave der nazarenischen Abstinenz« gesehen; die Folge, welche er im Vergleich mit denjenigen, »die zwar die sinnliche Enthaltsamkeit als höchste Tugend anerkennen, aber nicht vollständig ausüben können«, verallgemeinernd unterstreicht, hat er genau beobachtet: »so wagte er es nur im Verborgenen, zitternd und errötend, wie ein genäschiger Knabe, von Evas verbotenen Äpfeln zu kosten« (B 7, 33). Diese für Heine rückständige Sexualmoral sah er nun im Privatleben des unfreiwilligen Platonikers Börne, der mit dem Ehepaar Strauß-Wohl zusammenlebte, vollauf verwirklicht (er hat diese Grenze hier ebenso wenig wie im Fall Platens oder des älteren Schlegel respektiert, um Verborgenes aufzudecken). Er zeigt sich öffentlich über die »Immoralität« der ›menage à trois‹ deshalb so angewidert, weil er in der arbeitsteiligen Bedürfnisbefriedigung den epochalen Dualismus erneuert sieht: Dem »idealischen Freunde« steht »nur das reine, schöne Gemüt« der Madame, die das »bittere Fleisch« ihres Esels von Ehemann genießt, zur Verfügung, während dieser »die nicht sehr schöne und nicht sehr reinliche Hülle« seiner Frau konsumieren darf (B 7, 97). »Lüge« und »Heuchelei« dieses Haushalts werden von einem denunziert, der freie Liebe und körperliche Schönheit als eine göttliche »Offenbarung« erlebt.

Was aber Heines Kritik unfreier Sinnlichkeit in den Augen der Zeitgenossen so anstößig gemacht hat, ist die Rückführung von spiritualistischer Religion und Moral auf psychologische Quellen. Für den Nachfolger Goethes und Vorläufer Nietzsches

entspringt Börnes moralischer Rigorismus ebenso
wie seine »republikanische Tugend« und sein »angeborenes Christentum« einer und derselben Quelle: den asketischen »Trieben« bzw. dem nazare-
nisch »schroffen Ascetismus« (B 7, 18), eine Quelle, die im Ansatz auf Nietzsches These von den
»asketischen Idealen« vorausweist (*Zur Genealogie der Moral,* 1887, Dritte Abhandlung). Diese
Ansicht wird dadurch bekräftigt, daß Heine hinter
Börnes aggressiver Beziehung zu ihm, auch zu
Goethe, das vermutet, was Nietzsche in *Jenseits
von Gut und Böse* erkannt und in der *Genealogie,*
Erste Abhandlung, »Ressentiment« genannt hat (s.
Spencer, 84 u. 116; Sternberger, 156 ff u. 302).
Heine durchschaut nun Börnes Verleumdungen als
symptomatischen Ausdruck eines deformierten
Naturells, das er mit »argwöhnischem Kleingeist«,
»lauerndem Mißtrauen« und schließlich mit »ge-
heimem Neid« beschreibt (B 7, 93 f.; vgl. 20): »alle
seine Anfeindungen waren am Ende nichts anders,
als der kleine Neid, den der kleine Tambour-Maît-
re gegen den großen Tambour-Major empfindet«.
Dieses Ressentiment findet er auch in Börnes Haß-
Beziehung zu Goethe wieder (B 7, 17; zum Motiv
des Tambour-Majors s. DHA 11, 558). In seinem
Fall unterstellt er ganz offen nicht nur künstlerischen, sondern auch erotischen Neid, wenn er behauptet, Börne habe ihn »ob der Liebesblicke, die
mir die jungen Dirnen zuwerfen«, beneidet, während dem Nazarener nur die Rolle des eifersüchtigen und schmachtenden Liebhabers übrig geblieben sei. – Diese so als Klatsch hingestellte Erhebung des Dichters und Beaux' über den Schriftsteller und Schwächling könnte sich nun zu ihrer Entlastung, was Briefe an Jeanette Wohl beweisen, auf
Börnes tatsächliches Verhalten berufen. Börne hat
nicht nur voller Argwohn Material gegen seinen
Widersacher gesammelt (s. o.), sondern auch ausdrücklich Neid gegenüber dem erotisch erfolg-
reicheren und vor allem jüngeren Rivalen empfunden (S. Sch. 5, 13 u. 68: »manchmal beneide ich
ihn«; diesen psychologischen Sachverhalt hat die
neuere Forschung aufgeklärt, z. B. Oellers, 82 f.).
Was den ästhetischen Neid betrifft, so brauchte
Heine sich nur als Stärke zuzuschreiben, was Börne, der seine stilistische Brillanz nie leugnete, als
Verrat angeprangert hatte. – Aber war es nicht
ebenfalls ästhetischer Neid, der, wie er in der *Romantischen Schule* gestand, seine Opposition gegen
Goethe motiviert hatte und den er 1839 Börne unterstellte (vgl. Rippmann, 46).

Lit.: Norbert Oellers (s. o); Dolf Sternberger (s. o.); Hans
Kaufmann (s. o.); Inge Rippmann (s. o.); Hanna Spencer
(s. o.).

Börne, Heines alter ego

Man hat Heine und Börne immer wieder als Künstler und Tribun, als Poeten und Publizisten auseinanderdividiert, um den einen als Vorkämpfer sozialer Emanzipation gelten zu lassen und den anderen als Verfechter tagespolitischer Nahziele (zu
Heines Unterscheidung zwischen Schriftsteller und
Tribun s. B 5, 215). Die fortschrittlichere und über-
legenere Stellung Heines gegenüber dem – nach
marxistischer Auffassung – Vertreter einer »radikalen kleinbürgerlichen Demokratie« wird sowohl
von der Börne- wie von der Heine-Forschung bestätigt (Bock, 340 ff.; Oellers, 87, 90; gegen die
marxistische These von Börnes kleinbürgerlichem
Standpunkt protestiert Labuhn 1977, 279). Dennoch muß die problematische Stellung dessen mitreflektiert werden, der die Zwänge tagespolitischer
Kämpfe im Namen einer höheren Politik abwertet;
der patriotische Zusammenkünfte als zoologischen
Garten, als »Menagerie von Menschen« wahrnimmt; der einen verwachsenen Schustergesellen
als Argument gegen die Behauptung anführt, »alle
Menschen seien gleich«; der Waschzwang empfindet, wenn ihm das »Volk die Hand gedrückt« hat
(B 7, 74 f., vgl. B 8, 758) und der sich ohne das
»Königtum« von »Schönheit und Genie«, ohne
»Autoritätsglauben« keine große Dichtung mehr
vorstellen kann (B 7, 141). Schließlich: Geht nicht
einen Schritt über seine Artistik hinaus, wer persönliche Angriffe mit der Frage rechtfertigt: »Aber
ist's nicht schön ausgedrückt?« (Werner I, 417)
Gleichwohl kommt das Elitäre des einen nicht dem
Demokratismus des anderen zu Gute: Börne, der
wie Heine 1830 den Machtantritt einer »neuen Aristokratie« erkannte, der wie Heine den »Krieg der
Armen gegen die Reichen« beginnen sah und eine
»neue Revolution« als unvermeidlich begrüßte (S.
Sch. 3, 67, 371 u. 61), hat die grundlegende Bedeutung der sozialen Frage nicht erfaßt. Er, dem die
gewaltsam zu errichtende Republik *alles* und die
saint-simonistische Revolutionsvorstellung *wenig*
war, mußte sich zu Recht vorhalten lassen, nur das
Äußere, nicht die »innere Fäulnis« kurieren zu wollen (B 7, 140; vgl. Brief an Laube vom 10. Juli
1833).

An der neueren Diskussion der weiter faszinie-
renden Beziehung zwischen den beiden Dioskuren

fällt auf, daß man nicht mehr das Trennende, sondern das Gemeinsame ins Zentrum gerückt hat, sowohl aus historischer wie philosophischer und psychologischer Sicht. So wird auf die gemeinsamen Interessen und Gegnerschaften hingewiesen (»Deutschtümler« und »Franzosenfresser«, Jarcke und Menzel, vgl. dazu Werner 1980); ebenso wird gemeinsames Synthese-Denken und gemeinsamer Messianismus betont (zum frühen Börne s. Rippmann). Außerdem sieht man Börne nicht als ›reinen‹ Nazarener (Oellers) und Heine aufgrund seiner Doppelnatur nicht als ›reinen‹ Hellenen (Hinderer). Zusätzlich könnte man fragen, ob Heine nicht selber versucht hat, die Gegensätze einzuebnen, als er den Patrioten Börne rühmte und den Schriftsteller lobte, vor allem, als er das gemeinsame ›mal allemand‹, das Leiden der deutschen Juden und Emigranten an Deutschland hervorhob (B 7, 102, 113 ff. u. 121 ff.). Sogar in der verabsolutierten Frage der Staatsform scheiden sich die Geister nicht unbedingt, wenn der Republikanismus trotz aller sensualistischen Einwände (wie in *Französische Zustände*) als »eine nothwendige Uebergangsform« angesehen wird (Bruchstück DHA 11, 217).

Je mehr die Bilder der beiden Kontrahenten angenähert werden und je mehr ihre Einstellungen sich zu überlagern beginnen, um so stärker drängt sich der Eindruck eines Identitätskonfliktes auf, den Heine zu lösen versuchte, indem er die Widersprüche seiner eigenen Natur auf eine andere, als gänzlich konträr empfundene Person projizierte (Inge Rippmann geht von »Übertragung« aus; Walter Hinderer und Michael Werner 1980 sprechen von »Projektion«). Was nun 1839 durch Projektion *abgewehrt* wird, könnte die Börne angelastete Rolle des Tribunen sein, in der sich Heine Anfang der 30er Jahre tatsächlich wiedererkannt hat (s. *Vorrede* zu *Salon* I, B 5, 10) und von der er sich nur durch äußeren Druck hat entfernen lassen (Brief an Varnhagen Mitte Mai 1832). Bei seinem ›face à face‹ mit dem Bergprediger Börne gesteht er 1840 dem »lieben Leser«, daß er schon in seiner Jugendzeit davon geträumt habe, »ein großer Redner« zu werden, und daß es ausgerechnet die »großen Volksredner«, nicht die »großen Dichter« waren, die er »immer beneidete«(!) und denen er nacheiferte, um bei einer Revolution »als deutscher Volksredner auftreten zu können« (B 7, 74). Was sich also unabhängig von Psychologie sowie unberührt von Schriftstellermisere, »Journalistengezänk« und Emigrantenhändel – allesamt Symptome einer erschlafften Zeit (Kaufmann) – in der

Denkschrift artikuliert, scheint die für die Identität des modernen Schriftstellers und Intellektuellen problematische Einheit von Denken und Handeln zu sein, die hier atmosphärisch in zwei spannungsvolle Richtungen auseinanderstrebt: in den Tabaksqualm der Volksversammlungen und in die saubere Luft des Arbeitszimmers. Deshalb tritt derjenige, der sich parteipolitisch engagiert und sich irren kann, in permanenten Konflikt mit einem, der seine Worte als seine Taten ansieht und sich im Namen universeller Werte engagiert, – einer, der wie Heine nach der Leier verlangt, damit er »ein Schlachtlied singe«, dessen »Worte gleich flammenden Sternen« seine Feinde verbrennen oder »gleich blanken Wurfspeeren« seine Gegner treffen soll (B 7, 53).

Lit.: Helmut Bock (s. o.); Jeffrey L. Sammons (s. o.), 265 ff.; Norbert Oellers (s. o.); Inge Rippman (s. o.); Hans Kaufmann (s. o.); Walter Hinderer (s. o.); Wolfgang Labuhn 1977 (s. o.); Michael Werner 1980 (s. o.); Joseph A. Kruse (s. o.).

Aufnahme und Wirkung

Die Denkschrift, künstlerischer Höhepunkt in der Auseinandersetzung mit dem Deutschland-Stoff, geriet zu einem wirkungsgeschichtlichen Tiefpunkt. Das Meisterwerk von Heines Prosaschriftstellerei, formal kühner Versuch der Zeithistoriographie und inhaltlich gewagtes Glanzstück seiner Porträtkunst, wurde von einem Sturm der Entrüstung hinweggefegt. Von Anfang August 1840 bis Ende des Jahres gingen zahlreiche Anzeigen und Rezensionen erbarmungslos mit einem Autor ins Gericht, der politisch fast völlig alleine dastand und der von keiner eindeutig positiven Stimme verteidigt wurde. Während Heines liberale Freunde schwiegen, oder sich gezwungen sahen, ihn zu verleugnen, rückten Börnes Freunde und ehemalige Feinde zusammen und beherrschten die öffentliche Meinung. Zur publizistischen Ablehnung kam ein bisher unbekanntes wirtschaftliches Fiasko hinzu, das 1841 bei nur 30 bis 40 verkauften Exemplaren anhielt. Campe, der sich im Sommer und Herbst 1840 zum Barometer der Stimmung machte (DHA 11, 313 ff.), sah in seinem Brief vom 14. August in der außerordentlichen Popularität Börnes den Grund der vehementen Abfuhr richtig voraus (»alle sehen in ihm [Börne] einen seltenen Charakter, – man *liebt* und *verehrt* ihn – *allgemein!* – Nun kommen Sie, greifen den Haus-Götzen an. Schänden ihn, setzen ihn herunter«). Als Indiz für das Klima der Ablehnung mag der Tenor jener Sammlung

von Kritiken dienen, die im Oktober 1840 als Anhang der von Jeanette Wohl und Maximilian
Reinganum herausgegebenen Anti-Heine-Schrift
erschienen (*Ludwig Börne's Urtheil über H. Heine*): Heine wird als das kleine Talent abgeschmet-
tert, das sich an dem großen Denkmal deutscher
Freiheit (und damit am deutschen Wesen überhaupt) vergriffen hat; er, der charakterlose
Klatschliterat, hat die Erinnerung eines edlen Toten besudelt (Auszüge B 8, 684 ff.).

Die Frontstellung der liberalen Opposition gegen Heine hat zusammen mit moralisch-nationaler
Entrüstung über eine Skandalschrift die Wirkungslosigkeit eines Werkes besiegelt, dem die Zensurbedingungen (s. Entstehungsgeschichte) nicht erlaubt hatten, durch eine unverschlüsselte Darstellung der eigenen Absichten ein unmißverständli-
ches, positives Gegengewicht zur negativen Kritik
zu setzen, die außerdem durch persönliche Angriffe auf eine Kultfigur in den Ruch des Klatsches
kommen mußte. Im nationalen Fieber von 1840
setzten sich die Kräfte jener Koalition durch, vor
deren Erfolg das Vierte Buch gewarnt hatte.

Von großer Bedeutung für Ton und Tendenz
der Rezeption sollte eine Besprechung Karl Gutzkows werden, die zuerst bereits am 10. August 1840
im »Telegraph für Deutschland« und dann als
»Vorrede« zu seiner Biographie *Börne's Leben*
(1840) erschien. Der ehemalige Jungdeutsche, der
sich als berufener Verteidiger Börnes empfand,
warf seinem Konkurrenten aufgrund des Titels
»Selbstüberhebung« vor, wies aus der Sicht einer
neuen Epoche den Inhalt des Buches als anachronistisch ab und empörte sich über die Mißhandlung
von Jeanette Wohl. Resumee: Das Buch zeige Heine »vollkommen in seiner moralischen Auflösung«. Dieser richtungweisenden Besprechung
folgten teilweise noch schärfere Verurteilungen
von Heines Persönlichkeit und Talent, das als endgültig erloschen angesehen wurde. Als einer der
wenigen versuchte Laube in einer längeren Rezension, die am 5. u. 6. September in der »Allgemeinen Zeitung« erschien, trotz aller kritischen Vorbehalte gegenzusteuern, indem er betonte, Heine habe »nie etwas Besseres geschrieben« und Börne sei
»nie so treffend geschildert« worden (B 12, 511).
Auch Heines Freund vermochte nichts gegen den
in den 40er Jahren anhaltenden negativen Trend
zur Börne-Schrift auszurichten.

Hochschätzung Börnes und Ablehnung Heines
herrschten auch im Lager der Linkshegelianer (Arnold Ruge spielt den Gesinnungsstarken gegen den

Substanzlosen aus) und radikalen Demokraten vor
(Hohendahl, 617 ff.). Nach Ansicht des 22jährigen
Friedrich Engels ist Heines Buch »das Nichtswür-
digste, was jemals in deutscher Sprache geschrieben wurde« (MEW 1, 441, Jung-Rezension). – Der
Liberale und Hegelianer Robert Prutz lobte 1847 in
seinen *Vorlesungen über die deutsche Literatur der
Gegenwart* den männlichen, zeitgemäßen Börne
auf Kosten des weibischen, überholten Heine. –
1846, auf einer anderen Entwicklungsstufe des
Frühkommunismus, reagierte Marx, der sowohl
Börne wie Gutzkow verurteilte, in seinem Brief an
Heine vom 5. April 1846 ganz entgegengesetzt,
denn er behauptet: »Eine tölpelhaftere Behandlung, als dies Buch von den christlich-germanischen
Eseln erfahren hat, ist kaum in irgendeiner Literaturperiode aufzuweisen« (MEW 27, 441 u. B 8,
696 f.). Seine angekündigte »ausführliche Kritik«
zur Denkschrift ist, wenn sie geschrieben wurde,
nicht aufgefunden worden. – Aus den frühsozialistischen Kreisen veröffentlichte allein Karl Grün
eine klare Verteidigung von Heines Standpunkt
gegenüber dem »fanatischen, dürren Republikanismus« (*Die soziale Bewegung in Frankreich und
Belgien,* 1845, – DHA 11, 337). Von Moses Heß,
um das hier noch zu erwähnen, ist ein erst 1965
gedruckter Dialog zwischen Heine und Börne über
die deutsche Frage, der 1866 geschrieben wurde,
überliefert (Espagne, 92 f.).

An Heines Reaktionen auf die vernichtende
Kritik von 1840 (s. DHA 11, 338 ff.) verdient seine
erneute Auseinandersetzung mit Gutzkow und
dessen Intrigen gegen die Denkschrift, die Campe
zunächst der Biographie vorgezogen hatte, Erwähnung. Ende August hat sich Heine zu einer Kampagne entschlossen, um den anonymen und ver-
leumderischen »Preßmißbrauch Gutzkows et Con-
sorten« zu enthüllen (Brief an Laube vom 9. September 1840; Text des zur Veröffentlichung bestimmten Briefes vom 26. August 1840: B 9,
551 ff.). Doch die Stärke seiner Gegner ließ ihn
bald von diesem Feldzug absehen. Im Sommer
1841 bot sich dann Gelegenheit, die Kampagne
seiner Gegner mit einer personellen Konfrontation
zu beenden.

Duell mit Salomon Strauß

Die von der Börne-Partei in Paris und in Deutschland auf breiter Front gegen Heines Person betrie-
bene Verleumdungskampagne, die sich an dem
Spott über Börnes ›menage à trois‹ mit Jeanette

Wohl und Salomon Strauß festgebissen hatte, kulminierte in einer Affäre, in deren Verlauf es Heine tatsächlich gelang, die Kritik an seinem angeblich mangelnden Charakter durch die Tat zu entkräften (DHA 11, 343 ff.). – Am 14. Juni 1841 kam es zum »Skandal«, als Strauß seinen Verleumder in Paris auf offener Straße (wahrscheinlich) in einen heftigen Wortwechsel verwickeln konnte, der von Redaktionen der Pariser Korrespondenten aber als ›weitschallende‹ Ohrfeige für Heine nach Deutschland gemeldet wurde (zum Echo s. B 10, 731 u. 12, 513 ff.). Der im Pyrenäen-Bad Cauterets rasch informierte Sommerfrischler teilte am 3. Juli seinem Freund Gustav Kolb empört seine Darstellung des Vorfalls mit, um »vorläufiges Dementieren der Lügen« bittend. Dieser Brief erschien fast vollständig in der »Augsburger Allgemeinen Zeitung« vom 15. Juli (Text B 9, 87 ff.). In einer am 7. Juli verfaßten *Vorläufigen Erklärung,* die am 17. Juli zuerst in Hamburg und dann von einer Reihe anderer Zeitungen gedruckt bzw. nachgedruckt wurde, wollte Heine mit einem praktischen Vorschlag die denunziatorische Benutzung der Presse zu persönlichen Verleumdungen anonymer Art verhindern (Text B 9, 90 f.; DHA 11, 183 f.; zu Einzelheiten s. Kommentare der Ausgabe). Nachdem drei Gewährsmänner Strauß' die »Tatsächlichkeit« des Vorfalls bestätigt hatten (B 12, 519), entkräftete Heine in einer *Mitteilung* vom 12. August die Aussage eines der angeblichen Augenzeugen (Text B 9, 92; DHA 11, 185). Am 14. August teilte Heine Strauß direkt Einzelheiten über seine Duell-Forderung auf Pistolen mit. Bei dem Duell, das am 7. September stattfand, wurde er leicht verletzt. Im Herbst 1841 lassen dann die Moralpredigten gegen seinen Charakter auffällig nach und der Autor der Börne-Schrift konnte Sympathien zurückgewinnen (z. B. durch einen Artikel von Ferdinand Lassalle, B 12, 530 ff.).

Vier Jahre später kam es noch zu einer Wende in der Wohl-Strauß-Affäre, als Heine am 22. Dezember 1845 seinem Arzt Leopold Wertheim, der auch Kontakt zu Jeanette Wohl hatte, brieflich gestand, daß seine Ansichten über »die Ehrenhaftigkeit der Madame Strauß« bedauerliches Unrecht gewesen seien und seine »Anzüglichkeiten« »auf ganz *irrigen* und *grundlosen* Annahmen« beruht hätten. Die »Allgemeine Zeitung« druckte diese Ehrenerklärung am 3. Januar 1846 (Text B 9, 97; DHA 11, 186). Die versprochene Streichung der für Madame Wohl ehrenrührigen Stellen in der geplanten Gesamtausgabe konnte Heine jedoch selber nicht mehr vornehmen.

Lit.: B 8, 684 ff., 690 ff. u. 891 ff.; B 12, 509 ff.; DHA 11, 313–343; Norbert Oellers (s. o.), 75 ff.; Peter Uwe Hohendahl (s. o.), 616 ff.; Michel Espagne: *Heinrich Heine und Moses Heß,* in: *Heinrich Heine 1797–1856,* Trier 1981 (Schriften aus dem Karl-Marx-Haus), 80–97; Johannes Weber: *Libertin und Charakter. Heinrich Heine und Ludwig Börne im Werturteil deutscher Literaturgeschichtsschreibung 1840–1918,* Heidelberg 1984 [Spezialuntersuchung auf breiter empirischer Grundlage
– speziell zur Affäre Wohl-Strauß: B 10, 716 ff., 734 ff., 746 u. 764 ff.; B 12, 513 ff.; DHA 11, 343 ff., 885 ff., 894 ff., 899 ff. u. 903 f.

Der Rabbi von Bacherach. Ein Fragment

Entstehung, Druck, Text

Die Entstehungsgeschichte stand von Anfang an im Mittelpunkt der ansonsten bis auf die jüngste Zeit wenig ergiebigen Rabbi-Forschung (z. B. Lion Feuchtwangers Dissertation von 1907). Dieser Ansatz sollte die offensichtlichen inneren Widersprüche des Romanfragments, das deshalb allgemein als gescheitert angesehen wurde, aufdecken. Heines Taufe und seine konfliktgeladene jüdische Existenz sowie seine gewandelte Einstellung zu jüdischen Reformbestrebungen wurden ebenso für das Scheitern verantwortlich gemacht wie unlösbare strukturelle Spannungen (z. B. Sammons). In der Tat vermöchte eine genaue, entstehungsgeschichtliche Rekonstruktion vor einer Reihe von falschen Schlüssen (und vorschnellen Verurteilungen) bewahren, aber das scheint heute nicht mehr möglich. So bleibt weiter umstritten, welche präzise Textmasse in den beiden, sechzehn Jahre auseinanderliegenden Phasen entstanden ist, d. h. ob der Schwerpunkt der Arbeit in die Jahre 1824–1826 (Briegleb) oder in das Jahr 1840 fällt (z. B. Finke und Kircher).

Anregungen und Pläne zu einer großen Arbeit über das Schicksal des jüdischen Volkes in der Verbannung – über den »tausendjährigen Schmerz« (B 1, 271) – gehen auf die Berliner Zeit zurück, als der in religiösen Anschauungen indifferente Dichter aktives Mitglied des »Vereins für Cultur und Wissenschaft der Juden« war. Im Kreise jüdischer Intellektueller und Hegel-Schüler, die den Verein in Reaktion auf die 1819 wieder ausgebrochenen Judenverfolgungen gegründet hatten, konnte Heine seine problematische Identität als »ein jüdischer Dichter« entwickeln (Brief an Moses Moser vom

23. Mai 1823; den Antisemitismus der Zeit dokumentiert Kircher in seiner *Rabbi*-Ausgabe auf den Seiten 50–59). Der Keim zum *Rabbi* wurde wahrscheinlich während eines Berlin-Aufenthaltes im April 1824 gelegt, als der Göttinger Student mit seinen Freunden zusammentraf; außerdem nahm er am 12. oder 13. April an dem Sederabend des Passahfestes teil. Seit der Rückkehr nach Göttingen läßt sich die »sehr sauer« anlassende Arbeit an »einer großen Novelle« nachweisen (Brief an Rudolf Christiani vom 24. Mai 1824). Über das gleichzeitige intensive Chronikenstudium zur Historia judaica schrieb Heine gut einen Monat später an Moser, seinem engsten Berliner Vertrauten und Sekretär des »Kulturvereins«: »Der Geist der jüdischen Geschichte offenbart sich mir immer mehr und mehr, und diese geistige Rüstung wird mir gewiß in der Folge sehr zu statten kommen. An meinem Rabbi habe ich erst ⅓ geschrieben« (25. Juni 1824). Seine Schreibschwierigkeiten führt er auf sein mangelndes »Talent des Erzählens« zurück –, wenn es nicht »bloß die Sprödigkeit des Stoffes« ist. Moser unterstützte die Arbeit mit Materialien zu Quellenstudien sowie mit Übersetzungen aus dem Hebräischen, während Leopold Zunz, ein weiterer Vereinsgründer, Hinweise zur jüdischen Geschichte lieferte. Die trotz aller Schwierigkeiten mit »unsäglicher Liebe« fortgesetzte Ausarbeitung des erweiterten Entwurfs scheint bis Oktober 1824 nicht wesentlich vorangekommen zu sein. Das Manuskript dürfte jetzt Kap. 1 und auch Teile von Kap. 2 umfaßt haben. Briefe des folgenden Jahres dokumentieren das harte Ringen mit dem Stoff und lassen die intakte, aber schließlich scheiternde Hoffnung auf einen baldigen Abschluß erkennen. – Im Hamburger Winter und Frühjahr 1826 plante Heine dann eine fragmentarische Veröffentlichung des *Rabbi* im Zweiten Band der *Reisebilder*. – Sechs Jahre später sollte das Romanprojekt – ebenso vergeblich – in den ersten Band des *Salon* ›hineingeschmissen‹ werden (Brief an Merckel vom 24. August 1832).

Erst 1840 kam es zur Ausarbeitung einer Druckfassung. Als äußerer Anlaß dazu diente die Ritualmordaffäre von Damaskus, die ein von der Weltpresse verurteiltes und von Heine denunziertes Judenpogrom ausgelöst hatte (Heines Berichte aus der »Augsburger Allgemeinen Zeitung« von 1840 = *Lutezia* VI, IX, XI und XIV, druckt Kircher in seiner Ausgabe gesondert, 59–67). Ungeklärt ist nun, in welchem Umfang Heine das Romanfragment, dessen vollendetes Manuskript nach seinen eigenen Angaben 1833 durch den Brand in Hamburg zerstört worden ist, überarbeitet und, wie er Campe am 17. oder 18. Juli mittteilte, »nothdürftigst« ergänzt hat (vgl. Brief an Campe vom 21. Juli 1840. Die Verlustmeldung, auf die auch der Schluß des Textes anspielt (»Der Schluß und die folgenden Kapitel sind, ohne Verschulden des Autors, verloren gegangen«, B 1, 501), wird von der Forschung als Fiktion bezeichnet, die den Fragmentcharakter des Textes entschuldigen soll (vgl. Kircher, *Nachwort*, 76 f.; ganz anders dagegen Briegleb B 2, 831 f. und 835 f.). Unter der von Heine angekündigten Textergänzung hat man bisher nur das kurze Kap. 3 verstanden und angenommen, daß die aus der früheren Phase vorhandenen Kap. 1 und 2 lediglich überarbeitet bzw. im wesentlichen aufrechterhalten worden seien (Loewenthal, 13 f.; Rosenthal, 209). Franz Finke und nach ihm Hartmut Kircher, 1973, gehen jedoch davon aus, daß mehr als die Hälfte des *Rabbi* erst 1840 geschrieben wurde, das heißt, daß Kap. 2 und 3 erst 1840 ihre letzte Gestalt erhalten haben. – Als Heine am 24. Juli 1840 das Manuskript abschickte, war das *Rabbi*-Projekt endgültig gescheitert (über die mit der inneren Entstehungsgeschichte zusammenhängenden Gründe des Scheiterns s. u.). Mit der Widmung an seinen jungdeutschen Freund Heinrich Laube, dem ursprünglich die *Börne*-Schrift gewidmet werden sollte, erschien das Fragment im Oktober 1840.

Druck: Der Rabbi von Bacherach. Ein Fragment erschien Ende Oktober 1840 in: *Der Salon von H. Heine. Vierter Band. Hamburg, bei Hoffmann und Campe* als erster Text auf den S. 1–109; ein weiterer Druck von Wert ist nicht vorhanden; eine französische Übersetzung erschien erst 1864 in dem Sammelband *Drames et fantaisies* der Werkausgabe bei Michel Lévy frères, Paris, 299–382.
Texte: B 1, 459–501 (Druck nach der Ausgabe von Erich Loewenthal, Berlin 1937); Ausgabe von Hartmut Kircher (s. u.), 3–46 (Druck nach Werkausgabe von Oskar Walzel, Leipzig, 1914).
Lit.: B 2, 827–841; Lion Feuchtwanger: *Heinrich Heines »Rabbi von Bacherach«,* München 1907 [Neudruck Frankfurt a. M. 1985, dort 9–31]; Erich Loewenthal: *Der Rabbi von Bacherach,* in: HJb 1964, 3–16 [zuerst 1937]); Jeffrey L. Sammons: *Heine's ›Rabbi von Bacherach‹: The Unresolved Tensions,* in: The German Quarterly, vol. XXXVII, Nr. 1 1964, 26–38; Franz Finke: *Zur Datierung des »Rabbi von Bacherach«,* in: HJb 1965, 26–32; Ludwig Rosenthal: *Heinrich Heine als Jude,* Berlin 1973, 165–182, 202–211; Hartmut Kircher: *Heinrich Heine und das Judentum,* Bonn 1973, 200–210; Hartmut Kircher (Hrsg.): *Heinrich Heine: Der Rabbi von Bacherach,* Stuttgart 1983, Nachwort 70–87; Rainer Feldmann: *Heinrich Heine. Der Rabbi von Bacherach,* Diss. Paderborn 1984, 44–60 [betont 58 ff. entstehungsgeschichtliche Nähe von Kap. 2 und 3 zum 1. Buch der *Börne*-Schrift];

– zum Berliner »Kulturverein«: Ludwig Rosenthal (s. o.), 118–146; Hartmut Kircher 1973 (s. o.), 54–62, 106–112; Hartmut Kircher 1983 (s. o.), 70–73 (als Einführung).

Quellen

Durch die Göttinger Universitätsbibliothek und seine Berliner Freunde vom »Kulturverein« konnte sich Heine in sehr umfangreichen Quellenstudien mit der jüdischen Geschichte und Religion, mit jüdischen Gebräuchen und Traditionen vertraut machen, um sie als Stoff fiktional in seinem Text zu verarbeiten. Das Ausleihejournal der Bibliothek sowie die Korrespondenz mit Moser zeigen, wie intensiv sich Heine mit dem 15bändigen Standardwerk von Jacques Basnage *L'Histoire des Juifs depuis Jésus Christ jusqu'a présent* beschäftigt hat (La Haye 1716 in zweiter, vermehrter Auflage; zuerst 1706–1707 in sechs Bänden). Das Material wurde in mühseliger Kleinarbeit gesammelt. Aufzeichnungen und Exzerpte aus Basnages *Histoire,* die ausführlich über die mittelalterlichen Judenverfolgungen berichtet und die das Kernmotiv des *Rabbi:* die Ritualmordlegende geliefert hat, sowie Notizen zu weiteren Quellen, wie z. B. zu Johann Jacob Schudts *Jüdische Merckwürdigkeiten,* die reiches Material für das 2. Kap. anbieten, sind erhalten (Einzelheiten siehe bei Rosenthal, 182 ff.; B 2, 841 f. und Kircher 1983, 68, geben Übersicht zu den wichtigsten Quellen). Aus Geschichtswerken, Chroniken und Handbüchern hat sich Heine Lokalkenntnisse und Material besorgt, um das Bacharacher Milieu und die Stadt Frankfurt mit dem Ghetto anschaulicher schildern zu können. Allerdings ist er frei mit den Quellen umgegangen: So hat es z. B. während der Berichtszeit in Bacharach kein Pogrom gegeben; in die Darstellung des Gottesdienstes in der Synagoge haben sich Fehler eingeschlichen. Das Leben im Frankfurter Ghetto hatte Heine 1815 als Volontär im Bankhaus Rindskopf und 1827 in Begleitung von Ludwig Börne selber kennengelernt (vgl. den Gang durchs Ghetto in *Ludwig Börne; B 7,* 21 ff.). Textzitate des *Rabbi* sind der liturgischen Sammlung der Haggada und der *Limburger Chronik* entnommen. Ein wichtiger Teil der Studien und Nachforschungen galt Leben und Werk des bedeutenden jüdischen Staatsmannes und Gelehrten Isaak Abrabanel (Abravanel) (1437–1508), dem historischen Modell des Don Isaak Abarbanel (so Heines Schreibweise) aus Kap. 3. Im Zusammenhang damit lernte Heine das glanzvolle kulturelle Leben der spanischen Juden sowie das Milieu des italienischen Humanismus kennen (Loewenthal, 7 ff., Rosenthal 1973, 178 ff., 212 ff.). Diese Vorstudien wären vermutlich bei der Fortsetzung des *Rabbi* verarbeitet worden.

Lit.: Lion Feuchtwanger (s. o.), 32–67; Erich Loewenthal (s. o.), 4–11; Ludwig Rosenthal: *Einige Glossen zu dem Notizblatt Heines für den »Rabbi« von Bacharach* [...], in: HJb 1971, 20–25; Ludwig Rosenthal (s. o.), 178–200, 212–218; Kiugo Kimoto und Hiroshi Kiba: *Die Quellen von Heines »Rabbi von Bacharach« I.* In: Heine-Studien III. Hrsg. von Kenzo Kazugo Suzuki, Tokio 1980, 168–233 [dt. Zus.fassung 399–401].

Analyse und Deutung

Eine Nacht im Leben des frommen Rabbi Abraham

Die Erzählfiktion, die durch den perspektivischen Gegensatz von »einst« und »heute«, »damals« und »jetzt« strukturiert wird, ist auf einen Frühlingstag des Jahres 1489 verlegt. Sie umfaßt drei Schauplätze, aber zeitlich nicht mehr als ca. sechzehn Stunden. Die Fiktionales und Faktisches verbindende Exposition nennt zugleich mit den Ursachen der großen, mittelalterlichen Judenverfolgung das Kernmotiv der Romanhandlung: Durch Einschmuggeln von Kinderleichen konnte die jüdische Gemeinde bezichtigt werden, Christenblut beim Passahfest benutzt zu haben. Grauenhafte Pogrome waren die unmittelbare Folge. So hat die Hauptfigur des Romans, der vorbildliche, orthodoxe, gottesgefällige und gelehrte Rabbi Abraham am Sederabend, der Feier am ersten Abend des achttägigen Passahfestes, seine Bacharacher Anverwandten und Freunde zur rituellen Feier um sich versammelt. Plötzlich merkt er, daß zwei hinzugekommene Fremdlinge, die im Text anonym bleiben, einen blutigen Kinderleichnam unter den Tisch geschmuggelt haben. In einem günstigen Augenblick ergreift er mit seiner Frau Sara die rettende Flucht und überläßt seine Gemeinde dem sicheren Tod (nur »wegen Lebensgefahr« hatte sein Vater ihm erlaubt, Bacharach zu verlassen; B 1, 463). Das Paar flieht in der Nacht per Kahn nach Frankfurt, durchquert am Morgen die bunte, von Menschen wimmelnde, verkehrsreiche Handelsstadt, in der am Vorabend in Gegenwart von König Maximilian ein Turnierstechen stattgefunden hat, und gelangt in das Judenghetto. Dort nehmen sie in der Synagoge am Festtags-Gottesdienst teil, treffen danach einen alten Freund aus der spanischen Zeit des Rabbi wieder und begeben sich zu dritt in heiterer Stimmung zum Mittagessen in eine Garküche. Damit bricht das Fragment abrupt ab. Über den Fortgang der Handlung, die möglicherweise aus einem jahrelangen Umherirren in Spanien bestanden hätte, läßt sich nur spekulieren (vgl. Kircher 1983, *Nachwort*).

Was als »düstres Martyrerlied« (B 1, 271) beginnt, endet, als sei nichts geschehen, in einem fröhlichen Genrebild am Mittagstisch: Wenn auch scharfe Gegensätze den *Rabbi* nicht nur auf pragmatischer, sondern auch auf stilistischer Ebene kennzeichnen, so läßt die streng aufgebaute Fabel doch auf beispielhafte Weise das Schicksal des jüdischen Volkes in der Diaspora sichtbar werden. Um dem sicheren Tod zu entgehen, bleibt dem Rabbi, der durchaus keine Idealfigur ist und Schuld auf sich lädt, keine andere Wahl, als in das »sichere« Ghetto zu flüchten, das in der antisemitischen, christlichen Gesellschaft auch nur einen aufgeschobenen Tod bedeuten kann. Die Ritualmordlegende veranschaulicht, in welcher ständigen Lebensgefahr die Juden gerade während des Passahfestes leben müssen. Begehen sie nämlich das Fest »zum ewigen Gedächtnisse ihrer Befreiung aus ägyptischer Knechtschaft« (B 1, 464 f.), so zeigt die Handlung des *Rabbi,* daß willkürliche Manipulation von typischerweise anonymen Judengegnern sie in der Gegenwart zu neuer Flucht in neue Knechtschaft zwingt. Wiederholt sich die Haggada-Legende schicksalhaft in der Handlung des Romanfragments, so endet der Exodus 1489 im Ghetto der antithetisch so benannten »weltberühmten freien Reichs- und Handelsstadt Frankfurt am Main«, und das heißt: provisorische ›Rettung‹ bis zur nächsten »Judenschlacht«, Überleben zum Preise von Verkrüppelung an »Leib und Seele« (B 1, 479 und 486).

Das Fragment ist voller Mitgefühl und Sympathie für das Leben des jüdischen Volkes geschrieben. So verrät sich subjektive Anteilnahme hinter dem objektiven, historischen Erzählen, wenn das Passahfest als ein »uraltes, wunderbares Fest« dargestellt wird, dessen (oxymoraler) Charakter »[w]ehmütig heiter, ernsthaft spielend und märchenhaft geheimnisvoll ist«, und durch dessen Verlauf auch ungläubige Juden »im tiefsten Herzen erschüttert werden, wenn ihnen die alten, wohlbekannten Paschaklänge zufällig ins Ohr dringen« (B 1, 464 f.). Der *Rabbi* ist auch voller Anklage und Solidarität mit dem »tausendjährigen Martyrtum«

des jüdischen Volkes geschrieben (B 1, 488). Er klagt z. B. das »läppische, in Chroniken und Legenden bis zum Ekel oft wiederholte Märchen« des Ritualmordes scharf an. Das Schlußlied der Haggada (Chad gadja) endet unversöhnlich damit, daß »der Engel des Todes den Schlächter schlachten wird« – Rache für ein anderes ›Schlachten‹. Der Hinweis auf die für Pogrome verantwortlichen Flagellanten und den »Christenpöbel« läßt keinen Zweifel an der Schuld der christlich-feudalen Gesellschaft aufkommen. So hält schließlich die »erste Ghettoerzählung in deutscher Sprache« (Loewenthal, 3), deren Handlung drei Jahre vor der Judenvertreibung aus Spanien spielt und die im Jahr der Damaszener Ritualmord-Affäre erschienen ist, auch einer Gegenwart, die nicht zuletzt im Jahre 1819 die »Hep-Hep-Bewegung« (»Hep, hep, Jud verreck'«) erlebt hatte, einen kritischen Spiegel vor. Hinter der Maske des im Biedermeier beliebten historischen Erzählens, das sich der Romantechnik Walter Scotts und dem von den Romantikern erneuerten Interesse für das Mittelalter verpflichtet weiß, läßt der *Rabbi* deutlich werden, wie die Vergangenheit in die Gegenwart, in jede Gegenwart ragt bzw. wie gegenwärtig die unbewältigte Vergangenheit sein kann (im Hinblick auf den kritischen Gehalt des *Rabbi* sei zum Vergleich noch daran erinnert, daß 1827 Wilhelm Hauffs Novelle *Jud Süß* und Carl Spindlers Roman *Der Jude* sowie 1842 Annette von Droste-Hülshoffs bedeutsame Erzählung *Die Judenbuche* erschienen sind).

Lit.: Erich Loewenthal (s. o.); Hartmut Kircher 1973 (s. o.), 210–231; Margaret A. Rose: *Über die strukturelle Einheit von Heines Fragment »Der Rabbi von Bacherach«*, in: HJb 1976, 38–51; Hartmut Kircher, *Nachwort* (s. o.), 79–87.

›Stilbruch‹ oder Kontrastharmonie?

In der Forschung, die dem historischen Roman Heines ebenso wenig Interesse entgegen gebracht hat wie der übrigen Erzählprosa, gilt der *Rabbi* als zwiespältiges und, an seinem Anspruch gemessen, gescheitertes Werk eines impotenten Erzählers. Dabei hat man in entstehungsgeschichtlich falscher Zuordnung allein Kap. 3 als spätere Ergänzung aufgefaßt und einen mit Kap. 2 beginnenden, mit Kap. 3 vollzogenen »Stilwechsel« bzw. »Bruch« kritisiert (Loewenthal; mit nuancierter Beurteilung hat Grubačić neuerdings die mangelnde »Stileinheit« detailliert untersucht). Heine erscheint als Autor, der – wie es Hartmut Kircher 1972 treffend zusammengefaßt hat – unfähig gewesen sei, »im

Rahmen einer größeren Romankonzeption einen bestimmten Erzählstil über eine längere Strecke hinweg beizubehalten«. In der Tat ändern sich Ton, Stil und schließlich auch Weltanschauung, aber nicht erst in Kap. 3, sondern bereits in Kap. 2: Damit ist jedoch ebenso wenig (negativ) über die ästhetische Qualität wie (positiv) über die Gründe des Bruches entschieden.

Im Stil historischer Romane (immer wieder wird Walter Scott als Vorbild genannt – dazu Feldmann, 63–69) herrscht in Bacherach, das als »finstre, uralte Stadt« vorgestellt und mit einer »schaurigen Sage der Vorzeit« verglichen wird, sowie auf der nächtlichen Flucht eine angsterfüllte Atmosphäre aus Grauen, Entsetzen und Tod, in die (auf romantische Weise) die anthropomorphisierte Natur miteinbezogen ist. Das Kolorit der spätmittelalterlichen Zeit wird stilistisch durch archaisierende Formen (»Bacherach« statt Bacharach, »verheuratet«, »nachreuten«), durch Wiederholungen und Inversionen (»Denn überaus rein, fromm und ernst war...«, und mit anthropomorphisiertem Attribut: »Leichenhaft dufteten die Blumen«), durch Allegorisierung (»der alte, gutherzige Vater Rhein«) und durch ungewohnte Wortwahl beschworen (»knoperten«, »spreitet«). Sagen und Legenden (vgl. Widmung an Laube) sind ebenfalls in den durchaus realistischen Bericht verwoben. Antipsychologische, entindividualisierende Namen wie »schöne Sara« und »stummer Wilhelm« evozieren eine vergangene Welt. Biblisch sind die Namen der beiden Hauptfiguren. Biblisch klingt eine Wendung wie »Da kam die Zeit wo«. Allgemein für den *Rabbi* läßt sich feststellen, daß die zahlreichen langen Satzperioden auf gliedernde Konjunktionen ganz verzichten und nicht kausal, final oder konsekutiv gebunden sind, sondern durch wiederholte, reihende und neutrale »und«, »wie« bzw. durch trennende Semikola. Allgemein gilt ebenfalls, daß die vorherrschende Erzählperspektive Saras dem Fragment größere Anschaulichkeit verleiht.

Auf das düstere Stadt- und das bedrohliche Naturbild folgt in Kap. 2, bei strahlendem Sonnenschein, das lustige, laute und festliche Porträt der rettenden Messestadt am Main, die alles Vorherige vergessen läßt (diese Funktion erfüllt sogar erfolgreich die ebenfalls anthropomorphisierte, sprechende Waren- und Modewelt). – Über einen »unbewohnten, wüsten Platz« wird dann der dritte Schauplatz erreicht, das Ghetto, wo die Juden »in Druck und Angst« leben. Kontrastiert jedoch die

sinnenfrohe Handelsstadt sowohl mit dem schaurigen Bacherach wie mit dem menschenunwürdigen Ghetto, so wird jetzt das unironische Erzählen des ersten Kapitels durch komisch-witziges abgelöst. Komik entsteht durch Figuren wie Trommelhans (ein Nichtjude), Nasenstern, Veitel Rindskopf (1816 hat Heine im Bankhaus Rindskopf volontiert) und Jäkel der Narr; komisch wirken die Namen Hündchen Reiß (eine Person, die sich auch noch »gleich einem lauernden Tiere« bewegt!), Vögele Ochs und (Kap. 3) Aaron Hirschkuh; komisch platzt die Klatsch- und Tratschszene auf der Synagogen-Galerie mit der »Vorklatscherin« in die feierliche Stimmung des Gottesdienstes, mit dem »Vorsänger« (von der erschütternden Wirkung des symmetrisch dazu angelegten Sederabends ist nicht viel übrig geblieben). Komik erzeugen auch so ungewohnte Aktivitäten wie »ruddeln«, »dröneln« und »überschluppern«. Komik läßt sich nun sowohl als Symptom des Verhaltens der »an Leib und Seele« verkrüppelten Ghettobewohner wie als Ausdruck der veränderten Einstellung des Autors gegenüber dem Judentum deuten, was die Szene am Ghettotor deutlich macht. An dieser Nahtstelle zweier sich im wörtlichen Sinne ausschließender Welten stehen auf der einen Seite ein bornierter christlicher, antisemitischer Landsknecht und auf der anderen jüdische Wächter, von denen einer seine zur ›Zweiten Natur‹ gewordene Existenzangst in einem stereotypen »ich bin ein einzelner Mensch« bekundet, während der andere seine Narrheit zum Spott über jüdische Eigenschaften nutzt. Hartmut Kircher, dem wir eine genaue Analyse der komplexen Struktur dieser Szene und ihres doppelt kritischen Gehalts verdanken, hat gezeigt, daß sich hinter den unfreiwilligen, tiefsinnigen Witzen Nasensterns, der schon durch seine lange Juden-Nase als komische Figur ausgezeichnet ist, wesentliche Züge des jüdischen Schicksals verbergen. An Jäckel, dem Narren, der sich über jüdische Angst und über jüdisches Brauchtum mokiert, werde sichtbar, daß Juden nur mit Narrheit ihre gegenwärtige Situation bewältigen könnten, – während der Autor Heine durch Witz und Selbstironie sein eigenes Judentum bei aller Kritik zu erkennen gebe (1972, 44–52; vgl. dazu Grubačić, der die Torhüterszene als »räumliche Chiffre des Schicksals« deutet). – Erinnert das Ende des zweiten Kapitels noch einmal an die Tragik der Bacheracher Nacht, so zeigt sich die veränderte Haltung des Autors vollends in dem ironischen, witzigen dritten Kapitel, das sich außerdem parodistisch zum Sederabend verhält. Auf die unbewußt hintergründigen Witze Nasensterns folgen jetzt die bewußt vordergründigen eines »spanischen Ritters«: Dessen übertriebener, hoher Redestil, der in der Art eines Cervantes höfische Formen der Galanterie parodiert (Grubačić), setzt deutliche Ironiesignale (wenn er schwört, dann »bei dem Gott, der auf der Himmelsdecke sitzt«, und wenn er »Verkehr mit dem Volke Gottes« im Ghetto sucht, dann nicht um »hier zu beten, sondern um zu essen«). Der blasphemische Spott steigert sich zu einer regelrechten Parodie der Bacheracher Abendmahlzeit: Verbreiteten dort heilige Geschichten und symbolische Speisen eine wehmütige Stimmung, so kitzeln jetzt ganz alltägliche, ›reelle‹ Düfte aus Schnapper-Elles ganz weltlicher Garküche die Nase und wecken nostalgische Erinnerungen an die »Väter«, »als sie zurückdachten an die Fleischtöpfe Ägyptens«, oder sie lassen »wohlschmeckende Jugenderinnerungen« aufsteigen (vgl. Rose, 47 ff., die in Kap. 3 eine Parodie der früheren *Handlung* erkennt). Welten trennen jetzt das lukullische Mittagsmahl vom rituellen Abendmahl. Hat der Geist konvertiert – so ließe sich der Kontrast (›Stilbruch‹) zusammenfassen –, ist dennoch die Nase »nicht abtrünnig geworden«.

Lit.: Hartmut Kircher: *»Wie schlecht beschützt ist Israel...«. Zur Szene am Frankfurter Ghetto-Tor /.../*, in: HJb 1972, 38–55; Hartmut Kircher 1973 (s. o.), 231–260; Slobodan Grubačić: *Heines Erzählprosa*, Stuttgart etc., 1975, 114–132; Joachim Müller: *Heines Prosakunst*, Berlin (Ost) 1975 (2. Aufl. 1977), 21–34; Margaret A. Rose (s. o.) [weist Einheit durch Analyse der Oberflächenstruktur nach]; Hartmut Kircher: *Heinrich Heine: Der Rabbi von Bacherach (1840)*, in: *Romane und Erzählungen zwischen Romantik und Realismus*, hrsg. von Paul Michael Lützeler, Stuttgart 1983, 295–314, [dort 301–310]; Rainer Feldmann (s. o.).

Don Isaak Abarbanel, der Renegat

In der Gestalt des weltoffenen spanischen ›Converso‹, »Neffe des großen Rabbi«, d. h. des gleichnamigen Don Isaac Abrabanel aus Portugal, zeichnet sich eine ganz andere Form jüdischen Schicksals ab, die Heines eigene problematische Entwicklung und Wandlung erkennbar werden läßt. Darauf beruht auch zuletzt der immer wieder kritisierte gehaltliche und stilistische ›Bruch‹ des Fragments (vgl. Grubačić, 129 f.). Die historische Gestalt Don Isaaks repräsentiert das assimilierte Judentum des blühenden spanisch-arabischen Kulturkreises (allerdings kurz vor dem Abschluß der Reconquista), während die fiktionale Gestalt des Rabbi Abraham

das spätmittelalterliche deutsche Ghettojudentum vorstellt. Mit dem zum Christentum übergetretenen Ritter hat sich tausendjähriges Leiden in modernen Lebensgenuß gewandelt. Der Dualismus von Lebensbejahung und Lebensverneinung, von Genuß und Askese, der sich in Kap. 2 bereits durch den Gegensatz von provozierenden, barbusigen Prostituierten und traurigen, »barfüßigen« Mönchen angekündigt hatte, kommt in dem knappen Schlußkapitel zu polemischer Entfaltung (die Hälfte von Kap. 1, ein Drittel von Kap. 2). Don Isaak, dessen Beziehung zum Judentum sozusagen nur noch durch Nase und Gaumen geht (»ich liebe Eure Küche weit mehr als Euren Glauben; es fehlt ihm die rechte Sauce«), lehnt die spiritualistische Religion des asketischen Rabbi mit Worten ab, die an Heines damalige Auseinandersetzung mit Börne, d. h. mit dem psychologischen Typus des vergeistigungssüchtigen Nazareners anknüpfen. Der finster als »Götzendiener« gebrandmarkte Don Isaak gesteht: »Ja, ich bin ein Heide, und eben so zuwider wie die dürren, freudlosen Hebräer sind mir die trüben, qualsüchtigen Nazarener.« Seine sinnenfrohe, heidnische Genußreligion tritt nun selbstparodistisch in Erscheinung, denn nicht nur seine ›religiöse‹ Bindung ans Judentum, sondern auch sein ganzes Denken und Empfinden ist kulinarisch-erotisch bestimmt: Don Isaak schwört bei »Zwiebeln, Erbsensuppen«; sein verliebtes Herz wird »um so weicher je länger es von den Flammenstrahlen Eurer [Schnapper-Elles] Augen gekocht wird«, und der Busen der wahrhaft ›Angebeteten‹ entlockt ihm die schmachtendsten Tiraden.

Die sensualistische Kritik am christlich-jüdischen Spiritualismus läßt neben der ungeklärten »äußeren« Entstehungsgeschichte des Fragments den inneren Abstand von dem ursprünglichen Projekt deutlich spürbar werden, so daß der zweizeitige Ansatz ganz unterschiedlichen Voraussetzungen entspricht, die für die inneren Widersprüche des Textes sowie für das Abbrechen der Arbeit wesentlich verantwortlich sind. Nach Promotion und Taufe, nach Auflösung des »Kulturvereins« (1825) hatte Heine unter veränderten Bedingungen in neuartiger Prosa sein menschheitliches, über das rein jüdische hinausgehende Engagement entwickelt, während seine religiösen Vorstellungen nach 1830 zu einem sensualistischen Pantheismus übergegangen waren. Doch die größere innere Entfernung vom Judentum hielt ihn 1840 nicht davon ab, unter dem Eindruck der Damaszener Affäre seine Solidarität mit dem jüdischen Volk zu zeigen und vor einem immer drohenden Rückfall in mittelalterliche Verhältnisse zu warnen. Der sympathisch gezeichnete, mit autobiographischen Zügen versehene reuelose Renegat Don Isaak ist sinnlicher Ausdruck des im Zeitraum von sechzehn Jahren vollzogenen Gesinnungswandels. Die autobiographische Einstellung scheint 1824/25 jedoch insofern stärker gewesen zu sein, als Heine, der seine Taufe bereut hat, seine Romangestalt ebenfalls ihre Konversion bereuen lassen wollte (vgl. dazu Rosenthal). 1840 ist dagegen von Reue keine Spur mehr vorhanden: Heine versteht sich, wie Abarbanel, als sinnenfroher »Hellene«, der seine jüdische Identität keineswegs verleugnet. – Diese Haltung läßt andererseits die Veränderung erkennen, die in der Problematik des Renegatentums vorgegangen ist. 1825 hatte Heine in scharfen Versen Eduard Gans, den konvertierten Mitbegründer des Berliner »Kulturvereins«, zum Typus des Renegaten abgestempelt (*Einem Abtrünnigen;* B 1, 266). Inzwischen hat die Problematik über ihren religiösen Ursprung hinaus eine umfassende, zeitsymptomatische Gestalt angenommen: Abfall oder Gesinnungstreue war zum entscheidenden Maßstab geworden, an dem Heine die *politische* Haltung seiner Zeitgenossen beurteilte. Abschließend sei hier noch daran erinnert, daß sich Heine in der kurz vor dem *Rabbi* erschienenen *Börne*-Schrift selber gezwungen gesehen hatte, sich gegen den Vorwurf der politischen Abtrünnigkeit zu verteidigen.

Lit.: Ludwig Rosenthal 1973 (s. o.); Hartmut Kircher 1973 (s. o.); Slobodan Grubačić (s. o.); Hartmut Kircher, *Nachwort* (s. o.).

Aufnahme und Wirkung

Über die Aufnahme des in einem Sammelband erschienen *Rabbi von Bacherach* ist bisher nichts bekannt geworden. Dagegen sind einige »Fernwirkungen« zu verzeichnen, denn der Fragmentcharakter hat einen Tragödienautor und einen Prosaschriftsteller zur Fortsetzung bzw. Vollendung gereizt (Kircher, *Nachwort*). 1894 hat Karl Weise seine Bearbeitung unter dem Titel *Rabbi David* veröffentlicht und aufführen lassen. 1913 erschien der von Max Viola ausdrücklich als Fortsetzung gekennzeichnete *Rabbi von Bacherach*. Beide Arbeiten gelten als künstlerisch wertlos. Das trifft jedoch nicht auf einen ganz anderen *Rabbi*-Nachfolger zu: 1923 wurde eine Textausgabe mit 17 als »kongenial« bezeichneten Lithographien Max Liebermanns publiziert, die 1971 in einer Neuausgabe erschienen ist.

Lit.: Hartmut Kircher 1983, *Nachwort* (s. o.).

Heine kein Erzähler, oder doch?

Diese Frage drängt sich angesichts der lückenhaften Forschungslage umso stärker auf, als Heines drei fiktionale Prosaversuche bisher wenig beachtet worden sind. Eine eingehende Behandlung oder verständnisvolle Beantwortung der Frage fehlt ebenso, wie monographische Darstellungen neueren Datums zu *Memoiren des Herren von Schnabelewopski, Florentinische Nächte* und *Der Rabbi von Bacherach* nicht vorliegen. Gegenüber den *Reisebildern* gelten sie als zweitrangig (auch Jürgen Brummack, der vor Geringschätzung warnt und die Nähe zu den *Reisebildern* betont, berücksichtigt die Prosastücke nicht in dem von ihm herausgegebenen, allerdings keine Vollständigkeit anstrebenden Arbeitsbuch *Heinrich Heine. Epoche-Werk-Wirkung,* München 1980, vgl. S. 113). Die Tendenz der meisten Einzelanalysen zu allen drei Fragmenten muß bis auf die jüngste Zeit als negativ bzw. ambivalent bezeichnet werden. Heines subjektiver Witzstil wird immer wieder für sein Scheitern in den traditionellen Prosagattungen verantwortlich gemacht: Im Vergleich mit den überkommenen Gattungsnormen kreidete man seinen Fragmenten mangelnde Abrundung, fehlende Integration und kompositorische Schwäche an, kurz, erzählerische Impotenz, so daß man sich eine genauere ästhetische Würdigung der realisierten Stücke ersparen konnte (in einem Fall gesellt sich zu dieser Kritik noch der Vorwurf der politischen Harmlosigkeit). So faßt z. B. (um ein deutliches Beispiel zu nennen) Jeffrey L. Sammons, der Heines »genius« auch auf diesem Gebiet ausdrücklich anerkennt, seine Analyse der »Elusive Novel« in dem vernichtenden Urteil zusammen: »In *Der Rabbi von Bacherach,* he [Heine] set himself a most ambitious task that, frankly, was beyond his powers. *Schnabelewopski* is a case of an experiment gone away. The weaknesses of *Florentinische Nächte* are to a considerable extent conditioned by external circumstances. In all three cases, however, there are failures in controlling the fictive persona« (Sammons, 302). Die Kritik weist strukturelle Brüche, kompositorisches Auseinanderfallen und Unfähigkeit, eine »persona« aufzubauen, nach, ohne zu überzeugen.

Heines Versuche mit fiktionaler Prosa erstrecken sich über den beachtlichen Zeitraum von ca. sechzehn Jahren, von Mitte der 20er Jahre bis 1840, aber trotz der kontinuierlichen Arbeit erscheint das

Ergebnis kaum mehr als eine ›quantité negligeable‹: gut 150 Seiten in der Ausgabe von Klaus Briegleb. Novellen- bzw. Romanpläne, die Heine mit Campe brieflich diskutierte, kamen ebenso wenig zur Ausführung wie das Projekt »eines größeren Reiseromans« (siehe *Die Bäder von Lucca*). Wichtiger für die Vernachlässigung dieses Werkteils mögen Heines unzufriedene Selbsturteile gewesen sein. Eine immer wieder zitierte und verwendete Äußerung ist im Zusammenhang mit der Arbeit am *Rabbi* gefallen; am 25. Juni 1824 gesteht Heine Moses Moser: »Bey dieser Gelegenheit merkte ich auch daß mir das Talent des Erzählens ganz fehlt; vielleicht thue ich mir auch Unrecht und es ist bloß die Sprödigkeit des Stoffes.« Über die geplante Publikation des als »mißglückt« angesehenen *Schnabelewopski* äußert er sich am 24. August 1832 abschätzig, und die unter erschwerten Zensurbedingungen entstandenen *Nächte* spielt er selber als eine populäre und harmlose Novelle herunter.

Während sich die negativen Kritiker zumeist an den Normen der klassisch-romantischen Ästhetik oder des poetischen Realismus zu orientieren scheinen, wenn sie mangelnde organische Integration hervorkehren, muß zunächst festgehalten werden, daß sich Heine bei seinen Versuchen mit so unterschiedlichen Gattungen wie dem historischen Roman, dem Pikaroroman und der Konversationsnovelle nur äußerlich an etablierte Normen gehalten hat. So parodieren die *Nächte* offensichtlich bestimmte Novellenvorstellungen; so experimentiert der *Schnabelewopski* mit dem alten Schelmenroman und so parodiert der Schluß des *Rabbi* den im Stile eines historischen Romans geschriebenen Anfang. Weiter bleibt anzumerken, daß die beiden modischen und das dritte, ungewöhnliche Genre zu zeitkritischen Aussagen umfunktioniert worden sind: Alle drei Texte kritisieren christliche Moral- und Religionsvorstellungen, der *Rabbi* außerdem christlichen Antisemitismus. Drittens kommt hinzu, daß zwar alle drei Prosastücke als Fragmente gekennzeichnet sind, aber, was neuere Untersuchungen gezeigt haben, durchaus nicht einer inneren Abgeschlossenheit entbehren: Das trifft nicht nur auf die durch das Ende der Liebes- oder Leidensgeschichte ›abgerundeten‹ *Nächte* und *Schnabelewopski* zu, sondern auch in gewisser Weise auf den *Rabbi* wegen seiner thematischen Rückbezüge. Wesentlicher erscheint jedoch, daß der unkonventionelle, fiktionale *Reisebilder*-Autor der *Ideen* und der *Bäder* auch im konventionellen Genre fiktional erfolgreich zu erzählen vermochte: Das beweisen unironisch konzipierte Textstücke wie das Passahfest, die Sage vom Fliegenden Holländer oder die Florentiner Musik- bzw. Tanzpassagen; davon zeugen ebenfalls die satirisch-witzig angelegten Figuren des Nasensterns, Jäckel des Narren oder die Klatschweiber aus dem Ghetto; das zeigt schließlich die groteske Artistengruppe aus London oder der Leidener Theologenzirkel mit dem »kleinen Simson« an der Spitze. Gehören Witzstil und Kontrastästhetik zu den Haupteigenschaften von Heines innovatorischer Prosa, so haben sie auch Erzählhaltung und Struktur der bisher stiefmütterlich behandelten Prosafragmente (bis auf Kap. 1 des *Rabbi*) geprägt. Zwar hat man oft die Nähe dieser Prosa zu den *Reisebildern* betont, aber erstaunlicherweise daraus keinen Ansatz zu einer ästhetischen Neubewertung in (bzw. trotz) ihrer aktuellen Form gewonnen. Heine hatte jedenfalls keine allzu großen Bedenken, den *Schnabelewopski* und die *Nächte* in die französische Ausgabe der *Reisebilder* aufzunehmen!

Reisebilder und Prosafragmente berühren sich schließlich in einigen weiteren Punkten. Entstehungsgeschichtlich haben alle drei Fragmente eine deutsche und eine französische Phase (was beim *Schnabelewopski* jedoch umstritten ist). Außerdem gehören sie in den Umkreis der *Memoiren*-Arbeit, aus der auch die *Ideen. Das Buch Le Grand* hervorgegangen sind (vgl. B 2, 855 f.). Kompositorisch knüpft die episodische Struktur des *Schnabelewopski* an diejenige der *Harzreise* an, Reisefiktion miteingeschlossen, während die ebenfalls episodisch angelegten *Nächte* wesentliche Motive der italienischen Reisebilder weiterentwickeln. In allen drei Texten finden sich die für Heines Schreibweise typischen Einlagen in Form von Träumen, Vers- und Prosazitaten (nicht in *Nächte*). Für Reise- und Erzählprosa ist ebenfalls derselbe ideologische Rahmen, der auf dem Dualismus von Sensualismus und Spiritualismus beruht, konstitutiv. Er bestimmt in allen Texten die Selektion signifikanter Einzelheiten.

Zuletzt ist noch erwähnenswert, inwiefern sich die drei Fragmente untereinander berühren. Alle drei werden durch einen deutlichen Ort- und/oder Zeitwechsel strukturiert (Bacharach/ Frankfurt, Polen/ Hamburg/ Leiden, Florenz/ Hamburg bzw. London/ Paris). Von den Städtebildern sind nur Frankfurt und Florenz (ausgeschiedener Text) sympathisch gezeichnet, während Hamburg bzw. Hamburger Bourgeosie (wie in *Reisebilder* II und III) satirisch dargestellt werden. Thematisch und motivisch spielt in allen Texten der sensualistisch ausgezeichnete Bereich Essen bzw. Leiblichkeit eine wichtige Rolle, wodurch an die Komik der *Reisebilder* angeknüpft wird. Außerdem sollen – um Einzelnes zu nennen – die sterbende Maria und der sterbende Simson durch Erzählen bzw. Vorlesen ruhig gehalten werden; zugleich erinnert der »Champion des Deismus« an den orthodoxen Rabbi, – die beide gegen weltanschaulich überlegene Kontrastfiguren ausgespielt werden.

Heine (k)ein Erzähler? Die Antwort auf diese Frage wird schießlich davon abhängen, ob man die Fragmente am bekannten Maßstab ›epischer Integration‹ oder an der in den *Reisebildern* ausgebildeten Ästhetik des kleinformatigen »Lappenwerks« mißt, das mit diskontinuierlichen, dissoziierenden und disproportionalen Mitteln seine nicht-epische ›Integration‹ sicherstellt.

*Lit.:*Jeffrey L. Sammons: *Heinrich Heine, The Elusive Poet*, New Haven und London, 1969, 301–334; ,Manfred Windfuhr: *Heinrich Heine. Revolution und Reflexion*, Stuttgart 1969, 1976 2. Aufl., 186–202; Dierk Möller: *Heinrich Heine: Episodik und Werkeinheit*, Wiesbaden und Frankfurt a. M. 1973, 157–198 [hauptsächlich zu *Schnabelewopski*]; Joachim Müller: *Heines Prosakunst*, Berlin (Ost) 1975, 1977 2. Aufl., 5 f. u. 172 ff.

Ludwig Marcus. Denkworte

Entstehung, Druck, Text

Der Nekrolog auf den Orientalisten Ludwig Markus (1798–1843) ist Anfang April 1844, ein Dreivierteljahr nach dem Tod des ehemaligen Mitglieds des Berliner »Vereins für Cultur und Wissenschaft der Juden« entstanden und in einer für Heine unklaren Zensursituation gedruckt worden. Der Text, den Heine seinem Freund Gustav Kolb als »einen der größten und besten Aufsätze«, die er für die AZ verfaßt habe, anpries, lag am 12. April abgeschrieben vor; mit dem Datum 22. April erschien er dann Anfang Mai als Journaldruck (zu Streichungen s. B 10, 912). Nach Klaus Brieglebs Rekonstruktion der komplizierten Druckgeschichte, die bisher nicht endgültig geklärt werden konnte, ist die Fassung von April wahrscheinlich bereits unter strenger Selbstzensur geschrieben und dann vor dem Druck an drei weiteren Stellen gestrichen worden (B 10, 909 ff. und Kommentar; vgl. Walter Wadepuhl, der 1956 den angeblich »authentischen

Text« gedruckt hat, in: *Heine-Studien,* Weimar, 135 ff., Text 141–151; Jean-Pierre Lefebvre verdanken wir eine Analyse der Handschriften). – Zehn Jahre später – in einer zweiten Phase – wollte Heine den stilistisch überarbeiteten Nachruf durch Rückgriffe auf die frühere Fassung (im Brief an Campe vom 19. März 1854 »altes Brouillon« genannt) in einer gegenüber dem Journaldruck restituierten Form veröffentlichen. Zur rechten Würdigung des wiederhergestellten Textes empfiehlt er seinem Verleger, der ihn in die *Vermischten Schriften* I zusammen mit einer Nachbemerkung (*Spätere Note,* auf März 1854 datiert) einfügen soll: »Wenn Sie diese Denkrede lesen, so lassen Sie sich vorher von Ihrer Frau ein Kissen geben und lesen Sie das Werk knieend, denn Sie werden nicht alle Tage Gelegenheit finden, einen so guten Styl anzubeten.« Aber der Druck des Textes kam in seiner geplanten, vervollständigten Form nicht zustande. Er ist bis heute nur in einer philologisch anfechtbaren Weise bekannt (vgl. B 12, 869 f.).

Druck: Am 2. und 3. Mai 1844 druckte die »Augsburger Allgemeine Zeitung« Nr. 123 und 124 jeweils in der Beilage *Ludwig Marcus. Paris, 22. April* in verstümmelter Form. – Mit dem endgültigen Titel *Ludwig Marcus. Denkworte. (Geschrieben zu Paris den 22. April 1844)* erschien der Text erneut unvollständig in: *Vermischte Schriften von Heinrich Heine. Hamburg. Hoffmann und Campe. 1854.* zusammen mit *Spätere Note* als letzter Text auf den S. 291–322 von Bd. I.

Text: B 9, 175–191 (als Vorlage diente der zitierte, umstrittene Druck von Walter Wadepuhl; eine endgültige Textedition steht noch aus).

Lit. B 10, 909 ff.; Walter Wadepuhl: *Heine-Studien,* Weimar 1956 (=Beiträge zur deutschen Klassik), 135–151: Heines Nachruf für Ludwig Markus; Jean-Pierre Lefebvre: *Parcours libre sur le manuscript de »Ludwig Marcus«*, in: Cahier Heine 3, 1984, 13–27.
 – zu Heines Judentum: Ludwig Rosenthal: *Heinrich Heine als Jude,* Frankfurt a. M. etc. 1973; Hartmut Kircher: *Heinrich Heine und das Judentum*, Bonn 1973; Ruth L. Jacobi: *Heinrich Heines jüdisches Erbe,* Bonn 1978.

Analyse und Deutung

Der König von Abyssinien

Es fällt dem Autor des stilistisch so »anbetungswürdigen« Nachrufs offensichtlich nicht nur schwer, etwas Zusammenhängendes über die Person des längst Verstorbenen, sondern auch etwas Positives zu schreiben. Reflexionen über das Thema Wahnsinn und Exil rahmen den Nekrolog ein, in dessen Mitte sich Porträts der führenden Mitglieder des Berliner »Vereins« und vor allem Erörterungen über seine Hauptzwecke befinden. Dreimal muß sich der Autor regelrecht zur Ordnung rufen, um die bittere Geschichte eines gescheiterten Gelehrten zu erzählen. Persönliche Erinnerungen aus der gemeinsamen Berliner Zeit und aus späteren Begegnungen in Paris lassen das mit Sympathie, aber auch mit Ironie gezeichnete Bild eines kleinen, schmächtigen Mannes entstehen, dessen Antlitz schon früh von »Greisenhaftigkeit« geprägt war; beim späteren Wiedersehen ist er schon zu einer Karikatur zusammengeschrumpft (»Er glich so ziemlich jenen breitköpfigen Figuren mit dünnem Leibchen und kurzen Beinchen, die wir auf den Glasscheiben eines chinesischen Schattenspiels sehen«, B 9, 187). Aber in deutlichem Gegensatz zu seiner physiognomischen Erscheinung verfügte der zwergwüchsige Mann über eine »große« und »schöne Seele«, die ihn antrieb, sich unbeugsam für die Sache seiner unterdrückten jüdischen Glaubensgenossen einzusetzen. Sein Großmut sollte den Professor im französischen Exil jedoch schließlich soweit bringen, daß er durch den unsinnigen Verzicht auf die Ausbeutung »fremder Arbeit« sein materielles und letztlich sein existentielles Schicksal besiegelt hat. – An dem wissenschaftlichen Werk, das ein Torso blieb, läßt der Nekrolog kein gutes Haar. Zwar werden wieder die edlen Absichten gelobt, aber die Resultate, vor allem ihre ganz unkünstlerische Darbietung, fallen der Kritik anheim; ein Satz wie folgender zieht die Summe eines Gelehrtenlebens, das darin bestand, ganze Bibliotheken zu verschlingen: »Alles, was Marcus wußte, wußte er nicht lebendig organisch, sondern als tote Geschichtlichkeit, die ganze Natur versteinerte sich ihm, und er kannte im Grunde nur Fossilien und Mumien« (B 9, 177). Der große Spezialist von Abessinien, der auch die Beschneidung der Abessinierinnen nicht auslassen wollte, wird schließlich als »König von Abyssinien« ebenso verspottet wie ›verewigt‹.

Lit.: Michel Espagne: *Der König von Abyssinien. Leben und Werk des »kleinen Marcus«,* in: HJb 1986, 112–138.

Nachruf auf eine »längst verlorene Sache«

Der Nachruf auf Markus bietet Heine 1844 Gelegenheit, einen »Nekrolog des Vereins« zu schreiben, an dessen Sitzungen – wie an anderer Stelle dargestellt worden ist – er 1822/1823 teilgenommen hatte. Trotz des zeitlichen Abstandes von gut zwanzig Jahren erinnert sich das ehemalige Mitglied sehr gut an den »esoterischen Zweck« des Vereins, der

nichts anderes war »als eine Vermittlung des historischen Judentums mit der modernen Wissenschaft« (B 9, 183). Die Erforschung der jüdischen Geschichte und Kultur im Geist der Aufklärung sollte die Integration in die christlich-bürgerliche Gesellschaft fördern, trieb aber die jüdischen Intellektuellen in unlösbare Konflikte mit ihrem jüdischen Glauben; deshalb wird die Sache des Vereins eine »hochfliegend große, aber unausführbare Idee« genannt. Individuelle Beispiele verdeutlichen auf unterschiedliche Weise die Dilemmata und Identitätskonflikte derjenigen, die sich durch Bildung an einen Staat assimilieren wollten, der ihnen aber offiziell die Taufe abverlangte. So will Bendavid, der »eingefleischte Kantianer« (für den die Hegelsche Philosophie schon »Aberglaube« war), skeptische und agnostische Philosophie mit seinem mosaischen Glauben vermitteln. Anders der Hegelianer und Jurist Eduard Gans, damals Vorsitzender des »Kulturvereins«, der zum Christentum übertrat, um seine Karriere als Hochschullehrer zu sichern: Diesen Schritt hat Heine schon 1825, kurz nach seiner eigenen Taufe, als Verrat gebrandmarkt (»Und du bist zu Kreuz gekrochen,/ Zu dem Kreuz, das du verachtest,/ Das du noch vor wenig Wochen/ In den Staub zu treten dachtest!« B 1, 266; zu dieser zwiespältigen Kritik bzw. zu diesem Zwiespalt s. Prawer). 1844 stellt Heine die Verdienste des Gelehrten und Lehrers, der gegen den gemeinsamen Gegner gekämpft hat, heraus, läßt ihn aber als Menschen umso tiefer stürzen; durch seinen Abfall hat der ehemalige Vorsitzende sich die »unverzeihlichste Felonie zuschulden kommen« lassen (»Sein Abfall war um so widerwärtiger, da er die Rolle eines Agitators gespielt und bestimmte Präsidialpflichten übernommen hatte«). Im Rückblick wird Gans persönlicher Opportunismus für den Untergang des damals schon aufgelösten »Vereins« verantwortlich gemacht (auch als Kontrastbild zum Schicksal Ludwig Marcus, der durch persönliche *Treue* seine *eigene* Misere verschuldet hat).

Vier Jahre vor der Märzrevolution von 1848 geht es dem Dichter des *Wintermärchens* und der *Zeitgedichte,* der im Kreise der Junghegelianer und Frühsozialisten verkehrte, längst nicht mehr allein um rechtliche Gleichstellung einer Minderheit, denn Gleichstellung hatte mit Religion nichts zu tun; es ging vielmehr um den gemeinsamen Kampf der Juden *und* Christen, um soziale Emanzipation aller. In den Augen des radikalen Dichters läßt die »überwuchernde Macht des Kapitals« bzw. »die

Ausbeutung der Armen durch die Reichen« Ziele, wie sie der »Verein« verfolgte, als anachronistisch erscheinen. Karl Marx, mit dem Heine damals freundschaftlich zusammenarbeitete, hatte übrigens gerade Bruno Bauers Broschüre *Die Judenfrage* in den »Deutsch-Französischen Jahrbüchern« rezensiert! Wie überholt der spezifisch jüdischchristliche Gegensatz ist, zeigt eine prophetische Kampfansage an die Adresse der gemeinsamen Gegner, die antisemitischen deutschen Nationalisten, »die nur Rasse und Vollblut und dergleichen Roßkammgedanken im Kopfe tragen«; dieses Kernstück des Nachrufs wurde sowohl im Journal- wie im Buchdruck eliminiert und lautet: »Ich spreche hier namentlich von jener Verbrüderung der Arbeiter in allen Ländern, von dem wilden Heer des Proletariats, das alles Nationalitätenwesen vertilgen will, um einen gemeinschaftlichen Zweck in ganz Europa zu verfolgen, die Verwirklichung der wahren Demokratie.« (B 9, 185) 1844 ist Heine von der Erfüllung seiner Voraussage überzeugt (»Ja, die Emanzipation wird früh oder spät bewilligt werden müssen«); sechs Jahre nach der Revolution von 1848 verarbeitet er den Rückschlag im Kampf um allgemeine Emanzipation mit ungebrochen demokratischer Überzeugung; es lohnt, die Stelle aus der *Späteren Note* zu zitieren, weil sie die Kontinuität im politischen Denken des todkranken Dichters beweist: »Die Juden dürften endlich zur Einsicht gelangen, daß sie erst dann wahrhaft emanzipiert werden können, wenn auch die Emanzipation der Christen vollständig erkämpft und sichergestellt worden. Ihre Sache ist identisch mit der des deutschen Volks, und sie dürfen nicht als Juden begehren, was ihnen als Deutschen längst gebührte« (B 9, 189).

Lit.: Siegbert Prawer: *Der Komet als Licht des Exils. Heines Porträt seines Zeitgenossen Eduard Gans,* in: *Goethezeit.* Festschrift für Stuart Atkins, hrsg. von Gerhart Hoffmeister, Berlin und München 1981, 347–367; Catherine Creecy: *Eulogy of a Lost Cause: Heine's Essay »Ludwig Marcus«,* in: HJb 1983, 83–95.

Briefe über Deutschland [Bruchstücke]

Entstehung

Es gibt kein Werk mit diesem Titel, sondern nur Entwürfe, die aus dem Nachlaß bekannt geworden sind. Das erste Bruchstück hat Adolf Strodtmann 1869 unvollständig herausgegeben und im Rückgriff auf einen Brief des Dichters in der seitdem verbreiteten Weise betitelt (*Letzte Gedichte und Gedanken von Heinrich Heine,* 316–328; leicht veränderter Druck auch in Loewenthals Nachlaßedition 1925). Die Veröffentlichung des zweiten Bruchstückes besorgte Ernst Elster 1931 in der »Vossischen Zeitung« (*Heine, Herwegh und die Gräfin d'Agoult. Mit einem ungedruckten Aufsatz Heines;* neu ediert von Eberhard Galley).

Aber es gibt den Plan zu einer Prosa-Arbeit, den Heine nach Abschluß der zweiten schärferen Fassung des *Wintermärchens* im April 1844 diskutiert hat. Dem radikalen Deutschland-Kritiker schwebte vor, die Erfahrungen seiner Reise von 1843 zusammen mit denen des geplanten neuen Aufenthaltes in Hamburg zu einem seiner »bedeutendsten Werke« zu verarbeiten. In seinem Brief an Campe vom 17. April 1844 erwähnt er eine Reihe von Porträts der seit 1831 verstorbenen Dichter und Denker wie Hegel, Gans, Immermann, Arnim, Chamisso, Fouqué, Rahel und Grabbe, ein Plan, der einen möglichen Grundriß erkennen läßt. Neun Monate später, am 19. Dezember, weihte er Campe in eine Publikation ein, »die sehr dringend ich muß nehmlich eine Reihe Briefe über Deutschland publiziren voll der wichtigsten Polemik«. Die Veröffentlichung der sogenannten »Briefe über Deutschland« war gleichzeitig in Frankreich und Deutschland geplant. Die Entwürfe sind in der Tat als »eine Reihe von Briefen« abgefaßt, die sich an einen männlichen Partner richten, der in Wirklichkeit eine Frau war (B 9, 191, vgl. 199).

Anlaß zu den Briefentwürfen gab eine Reihe von vier Artikeln, die Marie d'Agoult (1805–1876) unter dem Pseudonym Daniel Stern 1843 in »La Presse« und 1844 in der »Revue des Deux Mondes« über Georg Herwegh und die Hegelianer, über Bettina von Arnim sowie über Freiligrath und Heine veröffentlicht hatte (Einzelheiten, auch zum Verhältnis Heine – Madame d'Agoult, DHA 15, 799 f.; die Gräfin, deren Salon Heine ab 1832 frequentiert hatte, war seit 1841 publizistisch tätig und lebte bis ca. 1844 mit Franz Liszt zusammen; ihre Tochter Cosima wurde die spätere Frau Richard Wagners). Das Madame de Staël verpflichtete Deutschland-Bild dieser Artikel forderte den Autor von *De l'Allemagne,* dem in seiner Berichterstattung eine Konkurrenz mit entgegengesetzten Interessen erwachsen war, zu einer Antwort heraus; er mußte erkennen, daß sein Versuch, Madame de Staëls Vorstellungen umzuwerten, ohne Erfolg geblieben war: *De l'Allemagne* von 1813 hatte sich in Frankreich längst durchgesetzt. Das erste Bruchstück ist frühestens nach Juli entstanden, das zweite im Dezember 1844. Bedingt durch Erbschaftsstreit und Krankheit blieb das Manuskript dann bis 1853, bis zur Arbeit an den *Geständnissen,* in denen es verwertet wurde, liegen.

Klaus Briegleb hat die Bruchstücke, die sachlich gesehen als Vorstufe der *Geständnisse* angesehen werden müssen, chronologisch in den Kontext der Schriften aus den 40er Jahren eingefügt (sein Text folgt den philologisch unzureichenden Nachlaß-Editionen, vor allem der willkürlichen Textordnung, die auf Strodtmann zurückgeht). Die Düsseldorfer Ausgabe ist einen ganz anderen Weg gegangen und hat die Bruchstücke zwei verschiedenen Bänden zugeordnet: Das erste Bruchstück befindet sich im Anhang von Bd. 15, den Gerd Heinemann bearbeitet hat (*Geständnisse, Memoiren und Kleinere autobiographische Schriften*), und wird als Vorstufe der ersteren Prosaarbeit angesehen; das zweite Bruchstück druckt Helmut Koopmann in dem von ihm bearbeiteten Bd. 11 (*Ludwig Börne. Eine Denkschrift* und Kleinere politische Schriften) und ist in den Anhang der letzteren eingefügt worden. – Das Handbuch folgt der Entscheidung von Klaus Briegleb, um eine entwicklungsgeschichtlich besonders markante Phase in Heines Denken umrißhaft festzuhalten.

Texte: B 9, 191–202; DHA 15, 167–173 (und weitere Fragmente), DHA 11, 226–228.

Lit.: B 10, 972 ff.; DHA 15, 232 ff. u. 798 ff.; DHA 11, 914 f.; Eberhard Galley: *Heines »Briefe über Deutschland« und die »Geständnisse«,* in: HJb 1963, 60–84, Text 65–68.

Philosophie und Revolution

»Für die beiden Nachbarvölker ist nichts wichtiger, als sich zu kennen. Irrtümer können hier die blutigsten Folgen haben«: In der Konkurrenzsituation mit Madame d'Agoult fühlt sich Heine genötigt, an die Prinzipien seiner »pacifiken Mission« zu erin-

nern, um die Franzosen vor gefährlichen Deutschland-Bildern zu warnen und über Irrtümer in der Berichterstattung aufzuklären. Die Zurechtweisung von d'Agoults Ansichten, die sich in Wirklichkeit gegen Madame de Staëls Werk richtet, führt Heine im ersten Briefentwurf dazu, an seine revolutionäre Interpretation der deutschen Philosophie, und an seine diesbezügliche Urheberschaft zu erinnern; im zweiten Bruchstück steht Madame d'Agoult direkt in der Schußlinie, weil sie unsinnigerweise Georg Herwegh zusammen mit Strauß, Bruno Bauer, Feuerbach, Ruge und Marx zur »jeune école hégélienne« gerechnet hatte, deren Absicht die Zerstörung jeder Form von Gesellschaft sei. Die Selbstinterpretation von *De l'Allemagne* ist nun 1844, als Heine mit den »neuen Genossen« in Paris verkehrte, einerseits deutlicher ausgefallen als in den *Geständnissen* und geht andererseits über Thesen der Philosophie-Schrift hinaus. So betont er jetzt im Rückblick auf letztere, er habe seinerzeit den Franzosen »unumwunden das Schulgeheimnis ausgeplaudert, das nur den Schülern der ersten Klasse bekannt war« (B 9, 195). Aber Heine, dem 1844 nicht der Atheismus an sich, sondern nur der fanatische problematisch ist, sagt sehr viel selbstbewußter und zukunftsfreudiger als 1854, um was es sich handelt, wenn er seine Ausführung mit den Worten schließt: »Ja, nicht bloß die protestantischen Rationalisten, sondern sogar die Deisten sind in Deutschland geschlagen, indem die Philosophie eben gegen den Begriff ›Gott‹ alle ihre Katapulte richtete, wie ich eben in meinem Buche ›De l'Allemagne‹ gezeigt habe«. Eindeutig legt Heine auch 1844 seine Vorläuferschaft als Enthüller des atheistischen »Schulgeheimnisses« bloß: »ich«, sagte er, und nicht die Junghegelianer, riß den Vorhang »von dem deutschen Himmel« und zeigte jedem, daß dort nichts anderes als die Notwendigkeit vorhanden sei (1854: »Sie«, d. h. die »modernsten Philosophen«, »rissen schonungslos [. . .]«). Im Zusammenhang mit der unweigerlich anti-christlichen Haupttendenz der deutschen Philosophie zitieren die sog. *Briefe über Deutschland* nun ausdrücklich Feuerbach und dessen atheistische Religionskritik. Dieser Hinweis, und auch die Polemik gegen d'Agoults Ansicht, nach der Strauß, Bauer, Feuerbach, Marx und Ruge eine Gruppe um das Zentrum Herwegh bildeten, läßt darauf schließen, daß sich Heine Anfang der 40er Jahre intensiv mit dem Junghegelianismus auseinandergesetzt hat (in seiner Nachlaßbibliothek befindet sich Feuerbachs Schrift von 1839 *Ueber Philosophie und Christen-*

tum, die Heine offenbar aufmerksam gelesen hat; s. Lefebvre, der außerdem den Spuren der damaligen Hegel-Lektüre – 2. Aufl. 1840 der *Vorlesungen über die Philosophie der Geschichte* – und der Auseinandersetzung mit dem Hegelianer Rosenkranz nachgeht). Bemerkenswert ist weiter die Nähe zur Religionskritik, die Karl Marx in *Zur Kritik der Hegelschen Rechtsphilosophie. Einleitung* geübt hat. Heine, der gerade in Caput I des *Wintermärchens* gegen das »alte Entsagungslied, / Das Eiapopeia vom Himmel« angesungen hatte, erklärt jetzt in Prosa: »In der Theorie ist die heutige Religion eben so aufs Haupt geschlagen, sie ist in der Idee getötet«; Marx hatte seinen Beitrag, der im März 1844 in den »Deutsch-Französischen Jahrbüchern« erschienen war, mit der These eröffnet: »Für Deutschland ist die *Kritik der Religion* im wesentlichen beendigt, und die Kritik der Religion ist die Voraussetzung aller Kritik« (MEW 1, 378).

Die *Briefe* dokumentieren auch Heines größte Annäherung an Hegel, der als Urheber der inzwischen populären atheistischen »Musik« erscheint. Die Servilitäts-These ist jetzt zugunsten einer Schülerschaft aufgegeben, die sich auf eine vom Meister persönlich überlieferte revolutionäre Deutung seiner umstrittenen Rechtsphilosophie beruft und die den vertraulichen Umgang mit dem »Maëstro« durch Anekdoten zu untermauern weiß. Zugleich erinnert Heine jetzt daran, daß er sich vor zehn Jahren das Hegelsche Erbe auf ziemlich junghegelianische Weise angeeignet hat, wenn er folgende praktische Konsequenz aus der Theorie zieht: »Die Vernichtung des Glaubens an den Himmel hat nicht bloß eine moralische, sondern auch eine politische Wichtigkeit: die Massen tragen nicht mehr mit christlicher Geduld ihr irdisches Elend, und lechzen nach Glückseligkeit auf Erden« (B 9, 197). Marx hat bekanntlich in den »Jahrbüchern« mit seiner Kritik »des *illusorischen* Glücks des Volkes« und der Forderung des »*wirklichen* Glücks« nichts anderes behauptet (MEW 1, 379). Heine geht nun einen klaren Schritt über seinen Junghegelianismus hinaus und stellt sich in unmittelbare Nachbarschaft zur vielzitierten Marxschen These, nach der der »Kopf« der zukünftigen Emanzipation des Deutschen »die *Philosophie*« ist, »ihr *Herz* das *Proletariat*« (MEW 1, 391). Was der Dichter in seiner Verssatire über Deutschland nicht gesagt hat, das bringen die sog. *Briefe über Deutschland* zur Sprache: »Der Kommunismus ist eine natürliche Folge dieser veränderten Weltanschauung, und er ver-

breitet sich über ganz Deutschland. Es ist eine ebenso natürliche Erscheinung, daß die Proletarier in ihrem Ankampf gegen das Bestehende die fortgeschrittensten Geister, die Philosophen der großen Schule, als Führer besitzen; diese gehen über von der Doktrin zur Tat, dem letzten Zweck alles Denkens, und formulieren das Programm«. Die Aussicht auf eine Verbindung des sich allmählich als Partei formierenden Kommunismus mit der Philosophie sollte als positives Korrektiv neben dem rein negativ verfahrenden *Wintermärchen* nicht übergangen werden. Den geplanten Zusammenhang zwischen Vers und Prosa in der zweiten Jahreshälfte 1844 stellt das *Vorwort* zum *Wintermärchen* her, das die Behandlung des revolutionären »Patriotismus« »in einem nächsten Buche« ankündigt (B 7, 575).

Das zweite Moment, das entwicklungsgeschichtlich festzuhalten wäre, ist von anderer Bedeutung und von anderem Gewicht. 1844 hat die polemische Auseinandersetzung mit Madame de Staël, die in den *Geständnissen* kulminieren wird, ein gegenüber den 30er Jahren neues Stadium erreicht. Während Heine seine *Romantische Schule* noch »als Fortsetzung« von Madame de Staëls *De l'Allemagne* angekündigt hatte (B 5, 360), verraten Fragmente aus den Jahren 1834/35 bereits eine polemischere Einstellung (DHA 15, 165 ff., B 11, 637 f.). In den sog. *Briefen* gesteht Heine, er, »Prussien libéré«, habe gleich nach seiner Libération nichts anderes vorgehabt, als »dem herrschenden Buche der Frau von Staël den Krieg zu machen« (B 9, 194). Der Krieg galt der siegreichen Napoleon-Gegnerin, die mit ihren spiritualistischen Deutschland-Vorstellungen in Frankreich die politische Reaktion gestärkt hatte. Diese gefährlichen und falschen Ideen sieht Heine in den jüngsten Artikeln über Deutschland weiter- bzw. aufleben (»Ja, die Weiber sind gefährlich«; »unsere wahrhaft gefährlichen Feinde sind jene Familiaren der europäischen Aristokratie, die unter allerlei Vermummungen, sogar in Weiberröcken, uns überall nachschleichen«). Im Kampf gegen antidemokratische Ideen ist der Napoleon-treue Autor offener Briefe entschlossen, einen wahren Geschlechterkrieg zu führen, in dem das hypothetische Kausalitätsverhältnis von physiognomischer Erscheinung und psychischer Struktur in spezifischen Fällen als Waffe gegen weibliche Genialität gilt, wenn diese als Madame de Staël (oder als Madame d'Agoult) auftritt.

Lit.: Nigel Reeves: _Heine and the Young Marx,_ in: Oxford German Studies, Vol. 7, 1972/73, 44–97; Jean Pierre Lefebvre: _Der gute Trommler. Heines Beziehung zu Hegel,_ Hamburg 1986 (=Heine-Studien), 52 ff. [als Aufsatz zuerst in: Cahier Heine 2, 1981].

Der Doktor Faust. Ein Tanzpoem

Entstehung

Aus den Kontakten zu dem Londoner Operndirektor Benjamin Lumley sind zwei Ballettszenarios hervorgegangen, deren Entstehung nicht weit auseinanderliegt. Der Plan zu einem Faust-Ballett taucht erstmals im Februar 1846 bei der Übersendung der Skizze _Die Göttin Diana_ auf. Nach mündlichen Verhandlungen zwischen dem Dichter und Lumley im November 1846 ist das Werkchen wahrscheinlich in diesem Monat schnell niedergeschrieben worden. Als der Engländer eine Abschrift erhielt, bestellte er sogleich »Erläuterungen«, die Heine zwischen Dezember 1846 und Februar 1847 fertigstellte (s. dazu Gerhard Weiß, der die Entstehungsgeschichte rekonstruiert und aufgrund von Handschriften die einzelnen Fassungen verglichen hat). Den _Erläuterungen_ gab Heine die Form eines offenen Briefes, so daß das Faust-Projekt eigentlich aus zwei verschiedenen Texten besteht. Im Februar 1847, als der Zusatztext nach London abgegangen war, ließ Heine durch August Gathy eine französische Übersetzung des Balletts anfertigen, in die er jetzt (oder später) mehrfach eingegriffen hat (Weiß, 45). Um seine Autorenrechte nach der erwarteten Londoner Aufführung zu sichern, organisierte Heine im April 1847 einen Privatdruck in Paris, ohne die ebenfalls übersetzten _Erläuterungen._ Dieser französische Erstdruck weicht nach Weiß an vielen Stellen vom späteren deutschen Erstdruck ab. Alle weiteren Pläne zerschlugen sich zunächst: Durch künstlerische und technische Schwierigkeiten kam die Londoner Aufführung 1847, von der sich Heine einen großen Erfolg erwartet hatte, nicht zustande (noch 1852 wandte sich Heine an Lumley, um eine Aufführung zu erreichen); 1850 bemühte sich Heines Freund Laube in Wien und Berlin vergeblich darum, das Ballett auf die Bühne zu bringen; Campe hatte sich 1847 nicht an einem Druck interessiert gezeigt. Erst im Sommer 1851 konnten sich Heine und Campe bei ihrem Pariser Wiedersehen über den Druck des um mehrere Bogen vermehrten Manuskriptes verständi-

gen. In dieser zweiten Arbeitsphase – August und September 1851 – wurde das Ballettszenario einerseits gekürzt, aber andererseits über den ursprünglichen Umfang hinaus erweitert. Von den Korrekturen und den Erweiterungen profitierten jetzt vor allem die _Erläuterungen._ Als neuer Text entstand die auf den 1. Oktober vordatierte _Einleitende Bemerkung,_ die als letzter am 12. September nach Hamburg abging. Wegen der »Stänkereien« schlug Campe vor, _Doktor Faust_ nicht – wie ausgemacht – zusammen mit dem _Romanzero,_ sondern getrennt zu veröffentlichen, was Heine annahm. Anfang November kam das Werk in zwei parallelen Ausgaben auf den Markt (die Abweichungen der Fassungen vergleicht Heinz Moenkemeyer). Ein weiterer deutscher Druck fand nicht statt. In Paris fertigte Saint-René Taillandier eine stilistisch abweichende Neuübersetzung an, die im Februar 1852 als Journaldruck erschien und 1855 fast ohne Änderung in die Neuausgabe von _De l'Allemagne_ aufgenommen wurde. Das vielfach gedruckte, aber nie aufgeführte Ballettszenario bedeutete, so Weiß, 52, »das beste Geschäft in Heines gesamter literarischer Laufbahn.«

Druck: Der Erstdruck des Balletts ohne Erläuterungen erfolgte 1847 unter dem Titel: _La Légende du docteur Jean Faust par Henri Heine_ (Paris, Gerdès); die von Saint-René Taillandier besorgte Übersetzung erschien mit dem neuen Titel _Méphistophéla et la légende de Faust_ am 15. Februar 1852 in der »Revue des Deux Mondes«; mit wiederum neuen Titel (_La Légende de Faust_) wurde diese Übersetzung in _De l'Allemagne,_ Bd. 2 als _Huitième partie_ auf den S. 119–179 abgedruckt (Paris, Michel Lévy frères, 1855, _Œuvres complètes de Henri Heine)._
– der deutsche Erstdruck erschien an den beiden Druckorten Wandsbeck bei Hamburg und Kassel unter dem Titel: _Der Doktor Faust. Ein Tanzpoem, nebst kuriosen Berichten über Teufel, Hexen und Dichtkunst von Heinrich Heine._ Hamburg. Hoffmann und Campe. 1851.

Text: B 11, 351–396 (als Druckvorlage diente der Kasseler Text von 1851); Nachdruck der Erstauflage Hildesheim 1978;
– HSA 17 _De l'Allemagne II,_ 79–110 (Text von 1855).

Lit.: B 12, 101 ff.; Gerhard Weiß: _Die Entstehung von Heines »Doktor Faust«_ und Heinz Moenkemeyer: _Die deutschen Erstdrucke von Heines »Doktor Faust«,_ beide in: HJb 1966, 41–57 und 58–67.

Analyse und Deutung

Faust III oder die Höllenfahrt

Die Zeiten und Räume vermischenden fünf Akte mit ihrer Fülle an grellen Figuren und plastischen Bildern produzieren ein äußerst dynamisches Tanzspektakel, dessen Grundriß das Bemühen um formale Abrundung erkennen läßt. Dramatischer

Mittel- und Höhepunkt ist ein wüster Hexensabbat, bei dem ein schwarzer Bock, der durch Küsse auf seine Rückseite verehrt wird, mit seiner Leibmätresse den »Nationaltanz Sodomas« tanzt (nach *Erläuterungen*), just nachdem diese sich mit Faust auf der »Höhe ihres Liebestaumels« hinter Bäumen verloren hatte. Diesem 3. Akt sind kontrastiv zwei Akte zugeordnet: Der 2. spielt auf einem Schloß in einer steifen Hofgesellschaft; der 4. auf einer griechischen Insel mit ihrer sonnenüberfluteten »idealen Landschaft«. Den Anfang bildet das in »gotischem Stil« eingerichtete Studierzimmer Fausts, den Schluß ein Platz vor einer Kathedrale mit gotischem Portal. Getanzt wird nicht das Drama des Geistes, sondern das des Fleisches, denn das Handlungsmotiv ist weniger der Wissens- als der Liebesdrang. Nach der zeitkritisch verstandenen These des Autors besteht die »eigentliche Idee der Faustsage« in der »Revolte der realistischen, sensualistischen Lebenslust gegen die spiritualistisch altkatholische Aszese« (B 11, 384). Vier völlig konträre Frauengestalten bestimmen nun den Schicksalsweg des neuen Don Juan Faust, der »für zeitliche irdische Genüsse« seine Seele der Teufelin Mephistophela verkauft hat. Zuerst verliebt sich Faust in eine üppige Herzogin, die sich aber als Hexenbraut erweist und deren Geilheit ihn anekelt, so daß er sich »nach dem Reinschönen, nach griechischer Harmonie« sehnt. Diese begegnet ihm vor einem Venus-Tempel in Gestalt der Helena, Königin »der stillen Insel des Glücks«. Dieser erste Teil des 4. Aktes ist deshalb so bedeutungsvoll, weil der Harmonie-Gedanke, auf den Heines dualistische Weltanschauung hinausläuft und der seine Zeitkritik motiviert, kaum an einer anderen Stelle seines Werkes so plastisch vergegenwärtigt wird wie hier. Die Synthese, die bisher an einzelnen Gestalten wie Shakespeare oder Goethe festgemacht und in der Börne-Schrift entwickelt worden ist, blitzt konkret auf, wenn die Anweisung lautet: »Alles atmet hier griechische Heiterkeit, ambrosischen Götterfrieden, klassische Ruhe. Nichts erinnert an ein nebliges Jenseits, an mystische Wollust- und Angstschauer, an überirdische Ekstase eines Geistes, der sich von der Körperlichkeit emanzipiert: hier ist alles reale plastische Seligkeit ohne retrospektive Wehmut, ohne ahnende leere Sehnsucht.« Aber Fausts Glück mit Helena ist nur von kurzer Dauer, denn die vor Eifersucht rasende Herzogin verwandelt die Utopie in eine fürchterliche Götterdämmerung. Im letzten Akt, einem niederländischen Genrebild, freit Faust eine blond-

lockige Bürgermeisterstochter und hat »endlich im bescheiden süßen Stilleben das Hausglück gefunden, welches die Seele befriedigt.« Aber der Gang zum Traualter vereitelt jetzt Mephistophela mit einer neuen, letzten Katastrophe: Sie erdrosselt Faust und zusammen mit anderen Höllengestalten versinken sie »unter Flammengeprassel in die Erde«, während Glockengeläute »zu frommen, christlichen Gebeten« auffordert.

Mit seinem antichristlichen Hohn und Spott läßt dieses Finale erkennen, in welchem Maß sich das *Tanzpoem* als Gegenentwurf zu Goethes *Faust* versteht: Hier gibt es kein »Ist gerettet« noch »Ewig-Weibliches«, das uns hinanzieht, sondern nur Ewig-Teuflisches, das uns hinabzieht – und das ist szenisch dargestellt! Die versittlichende Kraft der Liebe ist in diesem »Faust« ohnmächtig gegenüber der zerstörerischen Gegenkraft: Zweimal wird ein beglückendes Erlebnis durch weibliche Teufel vernichtet. Im *Tanzpoem* sind die dominierenden Frauengestalten aller Humanität entkleidet. Mephistophela, die als das eigentlich handelnde Prinzip in ihrer zentralen Stellung noch hervorgehoben wird, trägt alle Züge einer ›femme fatale‹, die ihr Opfer »mit allen Grimassen der Verhöhnung« umtänzelt, bevor sie es vernichtet. Diese Teufelskonzeption ist in den *Elementargeistern* mit anderen Vorzeichen angelegt: In der ersten mythologischen Schrift erscheint der Teufel in der positiven Gestalt des Verführers *und* des Vernunftmenschen. Als weibliche Gestalt bedeutet er gut zehn Jahre später nichts als fatale Verlockung, der Faust, jetzt Repräsentant unteuflischer Vernunft, erliegt. In der Idee einer teuflischen Tänzerin bzw. eines tanzenden Teufels, die erst diese Pantomime hervorgebracht hat, erhält Tanz, für Heine grundsätzlich Protest und Ausdruck von »Lebenslust«, wahrhaft dämonische und unhellenische Züge, so daß das zweite Ballett völlig pessimistisch endet (die Glorie der Vernichtung steht konträr zur »Glorie der Verklärung«, mit der *Die Göttin Diana* abschließt). Es ist bemerkenswert, daß Faust mit Helena keinen Pas-de-deux getanzt hat, sondern nur zusammen mit Mephistophela einen »mythologischen Dreitanz«.

Lit.: Carl Enders: *Heinrich Heines Faustdichtungen*, in: Zeitschrift für deutsche Philologie, Bd. 74/H. 4, 1955, 364–392; A. I. Sandor: *The Exile of Gods*, The Hague-Paris 1967, 31 ff.; Robert E. Stiefel: *Heine's Ballet Scenarios. An Interpretation*, in: The Germanic Review, vol. XLIV, 1969, 186–198; Manfred Windfuhr: *Heinrich Heine*, Stuttgart 1976 2. Aufl., 259 ff.
– zum Thema Tanz: s. *Die Göttin Diana*.

Mephistophelas mythologische Authentizität

»[J]eder Mensch sollte einen Faust schreiben«: Die Gespräche, die Eduard Wedekind in seinem Tagebuch 1824 festgehalten hat (Werner I, 103 und 111 f., 113), und Briefe bezeugen, daß Heine zwischen 1824 und 1826 an einem Faustdrama gearbeitet hat, das wohl schon als zeitsatirischer Gegenentwurf zu Goethes *Faust* konzipiert war.

Als er seine Pantomime schrieb, trat er bewußt »rivalisierend mit dem großen Wolfgang Goethe« auf und stellte *Erläuterungen* zusammen, die seine Originalität hervorkehren sollten. Den Franzosen hatte er zwar in den 30er Jahren Goethes Genie in der Behandlung des Fauststoffes bekanntgemacht, aber der für ihn revolutionären National-Sage sehr viel mehr Platz gewidmet (B 5, 400 ff.; diese Deutung greifen die *Erläuterungen* B 11, 377 f. auf). 1846/47 tritt er Goethe als Mythenforscher entgegen, der den Geist der Quellen, d. h. der Volksbücher, sehr viel authentischer verarbeitet hat. Deshalb hält er Goethe vor: »in seinem Faustgedichte nämlich vermissen wir durchgängig das treue Festhalten an der wirklichen Sage, die Ehrfurcht vor ihrem wahrhaftigen Geiste, die Pietät für ihre innere Seele« (B 11, 374). Er wirft Goethe »Willkür« und »Versündigung« vor. An *Faust* II hebt er die Helena-Gestalt hervor (»die kostbarste Statue, welche jemals das Goethesche Atelier verlassen«, B 11, 387), aber urteilt sonst vernichtend über den versöhnlichen Schluß: »das schauerliche Teufelsbündnis, das unsern Vätern so viel haarsträubendes Entsetzen einflößte, endigt wie eine frivole Farce, – ich hätte fast gesagt wie ein Ballett« (B 11, 374). Heine erörtert nun genau seine Quellen, um *seine* Faust-Auffassung abzusichern (zusätzlich zu den in den *Elementargeistern* benutzten Quellen wurde jetzt vor allem die mehrbändige Volksbuchsammlung *Das Kloster* wichtig, die Johannes Scheible herausgegeben hat). Ariane Neuhaus-Koch, die Heines umfangreiches Studium jetzt auch alter Quellen untersucht hat, konnte bestätigen, daß »Heines Arbeit am Mythos« in der von ihm behaupteten Form zutrifft (55 f. gibt eine Zusammenfassung der verschiedenen Arten des Umgangs mit dem Quellenmaterial). Die Goethe gegenüber wesentlichste Neuerung, die weibliche Teufelsgestalt, läßt sich von volkstümlichen Traditionen ableiten; Heine zitiert eine Quelle, nach der der Teufel als schöne Frau auftritt, die mit Faust Unzucht treibt. Neuhaus-Koch betont jedoch, daß die »Rückführung der weiblichen Teufelsgestalt auf bestimmte

Quelleneinflüsse« nicht als durchführbar erscheint. Mephistophelas Doppelnatur: Das Nebeneinander von verführerischer Sinnlichkeit und von »existentiell-zerstörerischen Verführungskräften« liegt nach Neuhaus-Koch in der »Summe« verschiedener Überlieferungen begründet. Ebenso ist Heines Auffassung der Helena-Gestalt als positiver Versinnbildlichung der »realistischen, sensualistischen Lebenslust« (B 11, 384) in älteren Faustvolksbüchern angelegt.

Der bewußte Gegensatz zu Goethe und dessen opus magnum hat Heines *Faust*, eine Gelegenheitsschrift, lange Zeit geschadet. Man hat ihm seinen einseitigen Ansatz vorgeworfen (ohne sich zu fragen, wie die Wissenstragödie mit den Mitteln des Balletts zu veranschaulichen gewesen wäre). Inzwischen ist das *Tanzpoem* als eigenständige und originelle Leistung anerkannt worden. Dem soll noch hinzugefügt werden, daß der Szenarist Heine bei seiner modernen Faustversion die Möglichkeiten des Balletts voll genutzt hat (choreographische Einfälle; unterschiedliche Tänze und Figuren wie Pas-de-deux, Dreitanz, Quadrille, Ronde, Polka, Menuett, Großvatertanz; auffallend sind ferner die parodistisch angelegten Quadrillen). Dennoch scheint er den literarischen Wert seines Faust höher eingeschätzt zu haben als den choreographischen; Campe gegenüber bezeichnete er seine Arbeit am 20. Juni 1847 als »ein Gedicht welches vom Ballet nur die Form hat, sonst aber eine meiner größten und hochpoetischsten Produkzionen ist«. Wie literarisch er sein Szenario konzipiert hat, zeigen in der Tat zahlreiche, undramatisierbare Vergleiche (vor seiner Hochzeit strahlt Faust »wie der vergoldete Hahn eines Kirchturms«), Kommentare (»eine ungeheuerliche Arabeske«), Wortspiele (Mephistophela zeigt ihrem Tanzschüler Faust nicht alle »Handgriffe«, sondern »vielmehr Fußgriffe des Metiers«) oder Spöttereien (angesichts der Schlußkatastrophe will sich Faust ausgerechnet »in den Schoß der Kirche flüchten«).

Lit.: Oskar Walzel: *Heines Tanzpoem »Der Doktor Faust«,* Weimar 1917 [Nachdruck Hildesheim 1978]; Ariane Neuhaus-Koch: *Heines Arbeit am Mythos,* in: Wilhelm Gössmann/Joseph A. Kruse (Hrsg.): *Der späte Heine 1848–1856,* Hamburg 1982 (= Heine-Studien), 45–57.

Aufnahme und Wirkung

Nach der Frustration durch die vergeblichen Bemühungen um eine Aufführung mußte Heine noch den Ärger einer Affäre und das Echo der gespaltenen Reaktionen verkraften. Im Frühjahr 1852 wurde in Berlin das Ballett *Satanella* mit einem weiblichen Teufel aufgeführt, so daß Heine Ideendiebstahl durch den Choreographen Taglioni vermutete. 1854 bemühte er sich über den Musikverleger Michael Schloss und über Meyerbeer vergeblich um eine Aufklärung des Sachverhaltes (B 12, 115 f.). – In der größeren Heine-Würdigung, die der Schriftsteller und Graphiker Hauenschild (Zeichner der Titelgraphik des Buchdruckes) im November 1851 in den »Blättern für literarische Unterhaltung« erscheinen ließ, wird das pantomimische Talent Heines hervorgehoben, aber der Kenner der Faustsage kritisiert die *Erläuterungen.* Der Philosophieprofessor Philipp Moritz Carrière bescheinigt Heine in der »Augsburger Allgemeinen« Ideenreichtum und Brillanz, hält aber das Medium Tanz für unangemessen (»Und doch wie wenig vermag ein getanzter Faust die tiefsinnige Idee der Sage entsprechend zu veranschaulichen«). Nach Meinung des Literaturhistorikers und Dichters Robert Prutz sind diese »völlig geschmack- wie inhaltlosen Blätter« eine Publikumsbeleidigung, »nichtsnutziger Buchmacherei« so ähnlich »wie ein Ei dem anderen«. – Es blieb Werner Egk vorbehalten, hundert Jahre nach Heines Londoner Projekt *Der Doktor Faust* wiederzuentdecken und bei seinem Faustballett *Abraxas* (1948) zu verarbeiten. Carl Enders, 381 ff., hat gezeigt, was Egk Heine verdankt.

Lit.: B 12, 106 ff.; Carl Enders (s. o.); Max Niehaus: *Himmel, Hölle und Trikot. Heinrich Heine und das Ballett,* München 1959, 54 f. u. 56 ff.

Vorwort [zu: Alexandre Weill: Sittengemälde 1847]

»Diesen Morgen hab ich, obschon im ekelhaftesten Zustand, mir die Weilsche Vorrede vom Halse geschrieben«: Das ließ der bereits schwerkranke Heine Laube am Karsamstag, den 3. April 1847, zusammen mit Gedanken an Freitod wissen, offenbar nur Stunden, nachdem er in dem kleinen Text eine selten bilderreiche Vision der Zukunft beschworen hatte!

Das *Vorwort* ist ein Freundschaftsdienst für den deutsch-französischen Schriftsteller und Journalisten, mit dem er seit 1839 bekannt war und inzwischen engen Umgang hatte (Weill war 1839 mit

seinem Artikel *Heinrich Heine* dem bedrängten Dichter zu Hilfe gekommen; Textauszug: Werner I, 409 ff.; Weills *Souvenirs intimes de Henri Heine,* Paris 1883, ist auch einer der wichtigsten Quellentexte für Michael Werners Sammlung). Nach Gesprächszeugnissen fühlte sich Heine zu dem *Vorwort* gewissermaßen gezwungen, weil der geldbedürftige und heiratswillige Freund 'damit leichter die 2. Auflage seiner Novellen verkaufen konnte (Werner II, 151 f.; vgl. 271). Auf den Inhalt des Buches, die Dorfnovellen, geht Heine nicht ein; er spricht sich positiv über den realistischen Erzähler aus, setzt aber, trotz grundsätzlicher Sympathie, dem engagierten Demokraten einen Dämpfer auf, indem er dessen enthusiastische und ziellose Zukunftsorientierung kritisiert: Weill erscheint ihm als der »zerrissene, europamüde Sohn der Bewegung, der die Unbehagnisse und Ekeltümer unserer heutigen Weltordnung nicht mehr zu ertragen weiß, und hinausgaloppiert in die Zukunft, auf dem Rücken einer Idee«. Die assoziative Veranschaulichung dieser Zukunftstrunkenheit liefert das Stichwort »Götter« und die Frage: »Wer sind jene Götter?«, – für Heine Gelegenheit, ein Jahr vor seinem endgültigen Zusammenbruch dem Denken seines damals 36jährigen Freundes eindringlich Richtung und Ziel zu weisen.

Die neuen Götter

Dem Entstehungsdatum des *Vorworts* ist eine wichtige, symbolische Funktion zugefallen, denn Heine signiert mit: »Geschrieben zu Paris am Charfreitage 1847« – nicht mit Karsamstag, was nach dem zitierten Brief richtiger wäre. In größtem Gegensatz zum Freitagsgeschehen des christlichen Glaubens malt Heine kurz vor der religiösen Wende von 1848 seine Vision einer Menschheit aus, die 2000 Jahre Kasteiung, Genußverzicht und Demut endgültig abgeworfen hat. Die »Götter«, oder wie es in der Börne-Schrift heißt, »die Götter der Zukunft« (B 7, 35), deren Ankunft er den Weg bereitet, deren Zeit aber noch nicht gekommen ist und deren Identität nicht zu früh enthüllt werden darf, das sind Menschen-Götter oder Menschen, die sich ihrer Göttlichkeit bewußt sind; das ist ein »neues Geschlecht« (von dem das *Wintermärchen,* B 7, 642, spricht), das in Sündelosigkeit und Schönheit heranwächst (zum »Geheimnis«-Motiv, das Klaus Briegleb herausstellt, s. z. B. B 8, 730 und 753 f.) Auf eine derart befreite Menschheit richtet sich die Zukunftserwartung des *Vorworts* von 1847, das hoffnungsvoll verkündet: »unsere gesünderen Nachkommen werden in freudigster Ruhe ihre Göttlichkeit betrachten, bekennen und behaupten.« Für den bereits kranken Dichter fängt aber dieser Glaube an, ins Wanken zu geraten.

Der kleine, ganz antithetisch aufgebaute Vorwort-Text erhält sein Gewicht einmal dadurch, daß er Heines spezifische Stellung zwischen Altem und Neuem, zwischen Krankem und Gesundem, zwischen Deformiertem und Schönem festschreibt. Heine bezeichnet sich ausdrücklich als einen, den seine Vision erschreckt, weil er ach! »noch ein Kind der Vergangenheit« ist und »noch nicht geheilt« ist. Zum andern verdient die Karfreitagsarbeit Beachtung, weil sie zu den wenigen Texten gehört, die Heines häufige Prophezeiungen eines befriedeten, sündelosen Lebens utopisch ausmalen (das hat Dolf Sternberger, 233 ff., betont, der von »futurischer Ausmalung vergöttlichten Menschendaseins« spricht und die Beschreibung des Bildes »Die Schnitter« aus den *Französischen Malern* hinzuzieht; zu erwähnen wären ebenfalls *Der Doktor Faust* und *Die Götter im Exil*). Durch das Mittel des imaginierten Rückblicks erscheint die karfreitagshafte Gegenwart als etwas Unbegreifliches, völlig Überholtes und als eine märchenhafte Zeit (das unterstreichen Tempuswahl und zeitliche Kontraste wie »weiland« oder »einst«). Dagegen erstrahlt die futurische Welt in Freude, Schönheit und Glück. In diese Vision einer erneuerten Menschheit mischt sich schließlich auch Spott über den Kern des katholischen Glaubens, wenn vorgestellt wird, daß einer aus der »freudigen Götterversammlung«, die um einen sich selbst geweihten Altar sitzt, erzählt, »daß es ein Zeitalter gab, in welchem ein Toter als Gott angebetet und durch ein schauerliches Leichenmahl gefeiert ward, wo man sich einbildete, das Brot, welches man esse, sei sein Fleisch, und der Wein, den man trinke, sei sein Blut.« – Um diese Parodie zu unterstreichen, mußte das *Vorwort* an einem »Charfreitage« geschrieben worden sein!

Druck: Alexander Weill: *Sittengemälde aus dem elsässischen Volksleben. Novellen. Mit einem Vorwort von Heinrich Heine.* 2. vermehrte Aufl., Stuttgart 1847 (1. Aufl. Stuttgart 1843, 2 Bd.e); Vorwort: S. 4–7;

Text: B 9, 205–207;

Lit.: B 10, 789 ff.; Dolf Sternberger: *Heinrich Heine und die Abschaffung der Sünde*, Hamburg und Düsseldorf 1972, 219–240 [zuerst als Aufsatz *Heinrich Heines Götter* 1970].
– Joë Friedemann: *Alexandre Weill, écrivain contestataire et historien engagé, Strasbourg-Paris 1980.*

Über die Februarrevolution

Vorbemerkung

Die Entwicklung Frankreichs nach der Julirevolution hatte dem Korrespondenten der »Allgemeinen Zeitung« die Erkenntnis vermittelt, daß eine neue Revolution unvermeidlich war. Mit gebührendem Abstand hatte der Börne-Kritiker dem 1830 besiegten Volk prophezeit: »Aber seid überzeugt, wenn wieder die Sturmglocke geläutet wird und das Volk zur Flinte greift, diesmal kämpft es für sich selber und verlangt den wohlverdienten Lohn« (B 7, 60). Zu Beginn der 40er Jahre hatte der politische Korrespondent seine deutschen Leser mit den Protagonisten der neuen sozialen Revolution bekannt gemacht, den Untergang der Julimonarchie angekündigt und die Errichtung einer Republik als unvermeidlich erklärt. Beim Ausbruch der Revolution 1848 mußte sich Heine, wie Michael Werner schreibt, in der »Situation des Propheten« vorkommen, der alles schon seit Jahren vorausgesagt hatte. Aber der 22. Februar 1848 traf dann auf einen schwerkranken Mann, der schon seit Wochen in einer Heilanstalt lebte. Dennoch griff Heine seine politische Korrespondententätigkeit für die AZ, die er im Sommer 1843 unterbrochen hatte, wieder auf, um über das wichtigste Ereignis seiner zweiten Lebenshälfte zu berichten. Im März 1848 entstanden vier Artikel, die auf den 3., 10., 14. und 22. März datiert sind, von denen aber nur der erste in der AZ erschien. Die Reihe bricht in dem Augenblick ab, in dem die Revolution (bis auf England und Rußland) fast alle europäischen Länder zu erfassen begann. Mitte Mai bittet Heine den Redakteur Gustav Kolb um Rücksendung der ungedruckten drei Artikel, »die, überflügelt von den Ereignissen, nichts mehr werth sind«. Über das Ende der Reihe lassen sich nur Vermutungen anstellen. Es bestand keine Absprache mit Kolb über eine größere Folge. Die Revolution in Wien und Berlin mußte neue Informationsschwerpunkte schaffen. Die anonyme Enthüllung in der AZ über die Jahrespension, die Heine von der gestürzten Regierung gezahlt und die jetzt eingestellt worden war, hatte dem Leumund des Dichters schwer geschadet (Heine reagierte mit der *Erklärung* vom 15. Mai 1848, B 9, 106 ff.; vgl. *Retrospektive Aufklärung* von 1854, B 9, 462 ff. und die Kommentare). Entscheidend war wohl der körperliche Zusammenbruch im Mai, der auch eine Tätigkeit wie 1832 oder 1840–43 kaum zugelassen hätte.

Mit dem allein gedruckten Artikel war Heines Tätigkeit als politischer Korrespondent endgültig beendet. Er hat die französische Entwicklung zwar weiter verfolgt, was neben Briefen und Gesprächszeugnissen vor allem das *Waterloo. Fragment* aus dem Kontext der *Geständnisse* ebenso bezeugt wie die zitierte Aufklärung. Mit den nachrevolutionären deutschen Zuständen setzen sich eine ganze Reihe von Gedichten auseinander. Aber die Revolution von 1848 hat dem todkranken Heine nichts mit den *Zuständen* oder der *Lutezia* im entferntesten Vergleichbares entlockt und auch gar nicht entlocken können.

Klaus Briegleb hat den Titel nach Adolf Strodtmann gebildet, der den ersten Artikel 1869 in *Letzte Gedichte und Gedanken von Heinrich Heine*, 329 ff., mit der Überschrift »Die Februarrevolution« gedruckt hat (die drei anderen wurden zuerst 1887 in der Zeitschrift »Deutsche Dichtung« veröffentlicht). Mit diesen Bruchstücken tritt Heine, wie Briegleb hervorhebt, »von der Bühne der politischen Literatur« definitiv zurück (B 10, 933, vgl. 789 ff.; vgl. im Handbuch *Romanzero*). Körperliche Lähmungen haben das »Amt« beendet. – Um das zu dokumentieren, berücksichtigt das Handbuch die Fragmente von 1848 im Kontext der Werkanalysen.

Text: B 9, 207–215.

1848, französischer Februar

Als Heine seinen Artikel vom 3. März schrieb, war er noch ganz betäubt vom Lärm »der großen Februartage« (»Beständig Getrommel, Schießen und Marseillaise«). Zur Überraschung der Zeitgenossen war die Julimonarchie mit ihrer Machtkonstellation aus König, Finanz- und Großbourgeoisie, Parlament und Staatsapparat innerhalb weniger Stunden zusammengebrochen. Nach dem Historiker Gilbert Ziebura, 138, lag der tiefere Grund, »wie oft in der Geschichte«, »in der unerträglich werdenden Diskrepanz zwischen der Arroganz, Selbstsicherheit und Reformfeindlichkeit der herrschenden Klasse einerseits und den sich tatsächlich verschärfenden Krisen in Wirtschaft, Gesellschaft und Staat andererseits«. Ziebura, der die seit 1846 einsetzende Agrar-, Industrie- und Finanzkrise darstellt, betont, daß es sich »zum ersten Mal *auch* um eine *Krise der kapitalistischen Produktionsweise* (neben den traditionellen Elementen) handelte«. Das Wachstumsmodell der Julimonarchie war Mit-

te der 40er Jahre an seine Grenze gestoßen. Reformerische, sozialistische und kommunistische Sozialtheoretiker hatten alternative Wirtschafts- und Gesellschaftsmodelle entwickelt; sozialkritischen Schriftstellerkollegen und -kolleginnen wie Hugo, Balzac, Stendhal und George Sand war es gelungen, bürgerliche Wertvorstellungen wirksam zu untergraben. Von den jeweils vielbändigen Revolutionsdarstellungen, die 1847 (bzw. ab 1847) erschienen und den revolutionären »Geist von 1848« mitvorbereiten halfen, erwähnt Heine die *Histoire des Girondins* von Alphonse de Lamartine, die er mit Begeisterung gelesen hat und deren »Popularität ans Fabelhafte« streift (B 9, 211 f.; vgl. Stump). Neben Wirtschaftskrise und ideologischer Vorbereitung hatte die breite politische Kampagne zur Änderung des Wahlrechts die Grundlagen für den Umsturz gelegt. Als Auslöser der Revolution diente am 22. Februar 1848 eine verbotene Demonstration radikaler Oppositioneller und Studenten, die sich mit der Nationalgarde verbunden hatten und sich hinter Barrikaden verschanzten. Am 23. entließ der König den unpopulären Guizot und dessen Ministerium. Nachdem die Armee das Feuer eröffnet und fünfzig Demonstranten getötet hatte, verwandelte sich die Massenversammlung in einen Aufstand. Am 24. Februar dankte Ludwig Philipp ab und ging ins Exil nach England. Unter dem Druck der Massen bildete Ledru-Rollin die Provisorische Regierung.

Heines März-Korrespondenzen geben keine Chronik der Ereignisse, sondern behandeln ohne Abstand verschiedene Aspekte der Februarrevolution. Der erste Artikel erkennt sofort den sozialen Charakter der Revolution: Er würdigt die Tapferkeit und die »Todesverachtung«, mit der »die französischen Ouvriers gefochten haben«, und feiert die moralische Reife der »armen Leute in Kittel und Lumpen«. Die Reichen, die für »ihre Geldkasten« zitterten, mußten erstaunt feststellen – so wird hervorgehoben–, »daß die armen Hungerleider, die während drei Tage in Paris herrschten, sich doch nie an fremdem Eigentum vergriffen«. Der Artikel vom 10. März setzt der Person des Königs ein kleines Denkmal (Ludwig-Philipp »hatte alle bürgerlichen Tugenden und kein einziges adliches Laster«) und nimmt distanziert zur Umwandlung der Staatsreform Stellung (die Republik wurde am 4. Mai offiziell ausgerufen, nach allgemeiner Wahl und Zusammentritt der Nationalversammlung). Die Republik wird zwar als historischer Fortschritt begrüßt (die Franzosen wollten Ludwig Philipp, den »einzig möglichen König«, nicht mehr ertragen), aber auch als das geringere Übel bezeichnet: Die Franzosen »*haben* sie jetzt [die Republik], und wenn man einmal so etwas hat, so hat man es, wie man einen Leistenbruch hat [. . .], oder sonst ein Gebreste. Die Franzosen sind jetzt kondemniert, Republikaner zu sein, à perpétuité«. Die zwiespältige Haltung gegenüber der Republik, die in Kontinuität zu Heines früher diskutierten Ansichten steht, äußert sich deutlich im Bruchstück vom 14. März, das zwar die Richtigkeit von Carnots, des Erziehungsministers, Appell an die Volksschullehrer, um sie zur Kandidatur für die Parlamentswahlen zu ermuntern, anerkennt, aber das gleichzeitig als Bedrohung des guten Stils ironisiert (»In einer Republik braucht kein Bürger besser zu schreiben wie der andre. Nicht bloß die Freiheit der Presse, sondern auch die Gleichheit des Stils muß dekretiert werden von einer wahrhaft demokratischen Regierung«; s. dazu Werner, 127 f.). Das Werk der bis zum 4. Mai amtierenden Provisorischen Regierung wird nicht erörtert (neben allgemeinem Wahlrecht, Presse- und Versammlungsfreiheit vor allem die staatlich geförderten »Nationalwerkstätten« zur Bekämpfung der Arbeitslosigkeit, die sich in Wirklichkeit aber als Mittel erwiesen, das revolutionäre Potential zu absorbieren). Vielmehr wird diese Regierung selber – drittens – trotz ihrer zufälligen Entstehung als demokratischer Glückswurf ausdrücklich begrüßt: »Das Volk, das große Waisenkind, hat dieses Mal sehr gute Nummern aus dem Glückstopfe gezogen. Lauter Treffer! Welch ein schöner Verein von wackern und begabten Männern, alle durchglüht von weltbürgerlicher Menschenliebe!« Wenn auch Außenminister Lamartine, Symbolfigur der Regierung und Repräsentant des »Geistes von 1848«, als ein »wahrhafter Prophet« und als Haupt ʼeiner Tafelrunde von »wahren Rittern der Humanität« gefeiert wird, dann insistiert doch der letzte Artikel auf einen entscheidenden Widerspruch, der die Widersprüchlichkeit der Februarrevolution anzeigt: Die fehlende »innere Wahlverwandtschaft«, der »Mangel an Homogenität« der Provisorischen Regierung. In der Tat standen die rein zahlenmäßig dominierenden gemäßigten Vertreter der Mittel- und Kleinbourgeoisie in unversöhnlichem Interessengegensatz zu den Vertretern der Arbeiterschaft, deren Forderungen einen Bruch mit der bürgerlichen Ordnung bedeuteten. Der Kompromiß vom Februar sollte vier Monate später zu einer blutigen Entscheidungsschlacht führen.

Lit.: Maurice Agulhon: *1848 ou l'apprentissage de la république 1848–1852*, Paris 1973 (= Nouvelle histoire de la France contemporaine, Bd. 8); Guy Palmade (Hrsg.): *Das bürgerliche Zeitalter*, Frankfurt a. M. 1974, 9–67; Gilbert Ziebura: *Frankreich 1789–1870*, 134–156 [mit detaillierter Bibliographie]; *Histoire de la France contemporaine*, Paris 1979, Tome III: 1835–1871.

Wolfgang Stump: *Heines journalistische und literarische Texte zur Februar-Revolution von 1848 in Frankreich;* Michael Werner: *Heine und die französische Revolution von 1848;* Walter Grab: *Heine und die deutsche Revolution von 1848*, alle in dem für Heines Spätwerk maßgeblichen Sammelband: *Der späte Heine 1848–1856*, hrsg. von Wilhelm Gössmann und Joseph A. Kruse, Hamburg 1982 (= Heine-Studien), jeweils 97–111, 113–132, 147–173.

Hat die Revolution von 1848 einen Sinn? (Heines dialektischer Revolutionsbegriff)

Mit dem Fortschritt der Ereignisse in Frankreich und (seit März) in Europa mußte der ehemalige Prophet erkennen, daß die Februarrevolution nicht *seine* Revolution und die Februarrevolutionäre nicht *seine* Revolutionäre waren. Das bezeugen die Briefe, die Heine von März ab an seine Mutter, an Alfred Meißner, an Campe und an seine Schwester schrieb: Er fühlt sich durch das »Spektakel« »physisch und moralisch sehr heruntergebracht« (3o. März 1848); er sei nie Republikaner gewesen und auch jetzt keiner geworden, gesteht er am 12. April, bevor er hinzufügt: »Was die Welt jetzt treibt und hofft, ist meinem Herzen völlig fremd«. Im Juni reagiert der Bettlägerige knapp auf die Schlacht, vielmehr auf das regelrechte Abschlachten, das durch den unbewältigten Gegensatz von liberaler und sozialer Revolution unumgänglich geworden war. Ohne das Problem der Verelendung gelöst zu haben, holte die seit dem 4. Mai amtierende Exekutiv-Kommission am 21. Juni zum Schlag gegen die Nationalwerkstätten aus und verhängte Demonstrationsverbot. Am 23. Juni brach ein schlecht vorbereiteter, dreitägiger Aufstand des Pariser Proletariats aus, dem sich alle entschlossen entgegenstellten: Groß- und Kleinbourgeoisie, Nationalgarde, Mobilgarde und Armee. Am 25. hat Kriegsminister General Cavaignac der Republik und der Ordnung mit allen bewaffneten Einheiten und mit Kanonen zum Triumph verholfen: Mehrere Tausend Tote (mindestens 3000, die Zahlen schwanken) und 15 000 Gefangene im Lager der Aufständischen, ca. 1000 Tote aufseiten der Armee waren erforderlich, um den Sieg der republikanischen Bourgeoisie zu garantieren. (Dieser neuen

Herrschaft erteilten dann die Wähler am 10. Dezember 1848 eine Absage, als sie ganz überraschend Louis Napoleon zum Präsidenten erkoren). Einen Tag nach Beendigung des Massakers, das er ein »großes Blutbad« und »die drey schrecklichen Tage« nennt, beeilte sich Heine, seiner Mutter ein Lebenszeichen zu geben und schloß mit den Worten: »Die Welt ist voll Unglück und man vergißt sogar sich selbst« (26. Juni 1848).

1853 hat sich dann das Bild von der Februarrevolution nahezu spiegelbildlich ins Gegenteil verkehrt. In dem *Waterloo. Fragment* genannten Text, der 1854 aus den *Geständnissen* ausgegliedert wurde, gilt die Februarrevolution »als ein beklagenswertes Ereignis«, das »unsäglich viel Unheil über die Welt brachte«, obwohl sie – was positiv vermerkt wird – das Nationalgefühl hob und für die Sache der Demokratie »eine große Genugtuung« bedeutete (B 11, 504). Im Gegensatz zu seinen früheren Korrespondenzen fällt Heine jetzt über die »ungetreuen Mandatare des Volkes«, jene »kleinen Menschen« her, die durch mangelnde Reife und unentschlossenes Handeln in den unvermeidlichen »Schiffbruch« getaumelt sind: »Nie hat das Volk, das große Waisenkind«, notiert Heine jetzt, als wolle er sich völlig wiedersprechen, »aus dem Glückstopf der Revolution miserablere Nieten gezogen, als die Personen waren, welche jene Provisorische Regierung bildeten«. Die Revolutionäre erscheinen als »Komödianten« und Spieler, die eben nur Provisorisches und nichts Endgültiges wollten. Aus Lamartine, dem »Gonfaloniere mit dem dreifarbigen Banner« (B 9, 212), ist jetzt ein »provisorischer Löwe«, ein »Chamäleon« und ein »ministre étranger aux affaires« geworden, der die europäischen Fürsten nur belustigt hat (1848 galt die berühmte Zirkularnote vom 4. März noch als »Manifest« und Meisterwerk). Louis Blanc, linker Flügelmann, der in den 48er Artikeln keine Rolle gespielt hat, wird als sentimentaler und unwissender Wicht hingestellt. Nicht anders springt auch die *Retrospektive Aufklärung* mit den verrücktspielenden bzw. tollen »Tageshelden« von 1848 um (B 9, 462 f.). Es ist wahr, daß Heine 1853 die Februarhelden an Napoleon I. und an Napoleon III. mißt und sie als zu klein empfindet (s. *Geständnisse*; Heines Bonapartismus hat Volkmar Hansen untersucht).

Heines zunächst gespaltene und dann negative Einstellung zur Februarrevolution verliert etwas an ihrer Widersprüchlichkeit, wenn man in Rechnung stellt, daß er eine *soziale* Revolution erwartet hatte, aber eine *liberale* erlebte (im ersten Artikel erscheint ihm auch 1848 als Wiederholung von 1830). Was der Kritiker des Republikanismus seit Beginn der 30er Jahre als sekundäre Frage angesehen hatte, war jetzt vorrangig geworden: Man hatte die Staatsform gewechselt, aber nicht die soziale Frage gelöst. Michael Werner hat die nicht ganz auflösbaren Widersprüche Heines 1848 in das Licht zweier weiterführender Begriffe gerückt, wenn er die Geschichtsdialektik untersucht und eine Krise von Heines Revolutionsbegriff sowie eine Krise von seiner Geschichtsauffassung herausstellt (120 ff. und 123 ff.). In dem »dionysischen Revolutionsbegriff« (Werner), der sich in Heines Beschreibung von Lamartines *Histoire des Girondins* offenbart, ist beides, Befreiung und Zerstörung, Aufbau und Unglück, Begeisterung und Schrecken angelegt – und die »Trunkenheit« vom Februar mündete dann tatsächlich in die Tragödie vom Juni. Kurz vor der Schlacht bezeichnet Heine in einem Brief die negative Kraft, die in der Revolution aufbrechen kann, »Weltrevoluzionsgepolter«. Was Heine später den Akteuren vom Februar ankreiden wird, das ist nun das Zurückschrecken vor konsequentem Gebrauch revolutionärer Gewalt, die ihm aber zugleich Grauen einflößt. Diese Spannung zwischen *Bejahung* der Notwendigkeit der Revolution und *Grauen* vor ihrem wirklichen Ausbrechen bezeichnet Werner als »Janusnatur der Revolution« bei Heine. – Der zweite Punkt hängt mit der aufkommenden Skepsis an der Vernunft in der Geschichte zusammen. So stellt der letzte Artikel von 1848 die bezeichnende Frage: »Werden die Angelegenheiten dieser Welt wirklich gelenkt von einem vernünftigen Gedanken, von der denkenden Vernunft? Oder regiert sie nur ein lachender Gamin, der Gott-Zufall?« (B 9, 214) Die Antwort, die im März noch ›vernünftiger Zufall‹ lautet, fällt dann bald im Brief an Campe vom 9. Juli offenbar anti-hegelianisch aus: »Ueber die Zeitereignisse sage ich nichts; das ist Universalanarchie, Weltkuddelmuddel, sichtbar gewordener Gotteswahnsinn! -- Der Alte muß eingesperrt werden, wenn das so fort geht«. Aber nicht ganz anti-hegelianisch: Denn die herrschende Unvernunft, die ein toll gewordener Gott zu verantworten hat, wird im Namen der Vernunft auch wiederum kritisiert (Werner betont, daß Heines Deismus – s. *Geständnisse* und »religiöse Wende« – seinen Hegelianismus nicht infrage stellt). Die Dialektik von Vernunft und Zufall, die 1848 an einem epochalen Ereignis so markant auftritt, ist nicht neu im Geschichtsdenken eines Dichters, für den es keinen Fortschritt ohne Rückschritt, keine Progression ohne Opfer gibt (um hier abschließend daran zu erinnern). Denn der Autor der *Reisebilder* vertrat keinen einseitigen und gradlinigen, sondern einen widersprüchlichen Fortschrittsbegriff: Für Heine haben Hegels göttliche Vernunft *und* Dionysos' Unvernunft nebeneinander Bestand, oder logische Notwendigkeit *und* tolle »Traumgebilde« eines »weinberauschten Gottes« (*Ideen*, B 3, 253). 1848 haben sich allerdings die Waagschalen verschoben, vom Optimismus zur Skepsis, ohne daß eine Seite endgültig das Übergewicht bekommen hätte.

Lit.: Leslie Bodi: *Heine und die Revolution*, in: *Dichtung, Sprache, Gesellschaft*, hrsg. von Victor Lange und Hans-Gert Roloff, Frankfurt a. M. 1971, 169–177; Hans Kaufmann: *Heinrich Heines literaturgeschichtliche Stellung*, in: IWK 1972, 18–39, spez. 29 ff.; Leslie Bodi: *Heinrich Heine: the poet as ›frondeur‹*, in: *Intellectuals and Revolution, Socialism and the Experience of 1848*, Edited by Eugene Kamenka and F. B. Smith, London 1979, 43–60 [vgl. Leslie Bodi: *Kopflos*, in: IHK 1972, 227–244]; Volkmar Hansen: *Johannes der Täufer. Heines bedingter Bonapartismus*, in: *Der späte Heine* (s. o.), 69–96; Michael Werner (s. o.).

1848, deutscher März

Der größte Vormärz-Dichter, der Heine unbestreitbar war, hat die deutsche Märzrevolution genausowenig als seine Revolution anerkannt wie die französische Februarrevolution. Hatte in Paris keine anti-bourgeoise Revolution stattgefunden, so in Deutschland nicht einmal eine anti-aristokratische. Die im ganzen gesehen spärlichen Briefzeugnisse lassen von Anfang an eine große Distanz erkennen. Die zuerst siegreichen Aufstände in Wien und Berlin, der Sturz Metternichs und die Erklärung der Pressefreiheit oder die Eröffnung der Verfassunggebenden Nationalversammlung haben Heine keine anderen Äußerungen entlocken können als die mit den französischen Ereignissen verbundene Klage über das Durcheinander in der Welt (»Die Ereignisse in Deutschland wirken sehr unangenehm auf meine Gemüthsstimmung. Welche ekelhafte Misère«, vertraut er am 3. Dezember 1848 seinem Bruder Max an). Deutlicher ist der Brief an den französischen Historiker François Mignet, in dem Deutschland unter dem Gesichtspunkt des komischen Weltgeschehens die Krone zuerkannt wird: »l'Allemagne l'emporte sur la France en bacchanales politiques« (17. Januar 1849). Während die Verkündung der Grundrechte durch das Frankfurter Parlament unerwähnt bleibt, wird die oktroyierte preußische Verfassung vom 5. Dezember mit dem Widerwillen eines kommentiert, der in einem gro-

ßen Kuchen Gift vermutet! Anerkennung fand nur der ungarische Aufstand, dessen blutige Niederschlagung durch österreichische und russische Truppen das *Romanzero*-Gedicht *Im Oktober 1849* mit dem Untergang der Nibelungen vergleicht. Dieses Gedicht, »ein wahres Tagesgedicht«, schickte Heine am 16. November 1849 mit der Bitte an Campe, es schnell drucken zu lassen, damit »es ins Publikum kömmt«.

Das im Exil miterlebte Scheitern der deutschen Revolution haben eine ganze Reihe später Gedichte polemisch verarbeitet (neben den beiden Sammlungen vor allem der Nachlaß). Der Spott auf das Paulskirchenparlament und auf einzelne Revolutionäre läßt die Gründe deutlich werden, die Heine zur Ablehnung der deutschen Revolution geführt haben (s. dazu Walter Grabs Darstellung). Gegenüber der Kritik an der französischen Entwicklung weicht die Verurteilung der deutschen Revolution – in der Republikaner eine kleine Minderheit bildeten – in einem von drei Punkten ab. Heine kreidet nämlich dem Frankfurter Parlament an, den Ausbruch deutschen Nationalismus zugelassen zu haben. Bereits am 29. August 1848 ist er alarmiert durch Nachrichten aus Deutschland und teilt dem Verleger Jacques-Julien Dubochet mit: »Nos ennemis ont le dessus en Allemagne. Le parti soi-disant ›national‹, les Teutomanes se prelassent dans leur outrecuidance aussi ridicule que brutale; leurs rodomontades sont incroyables.« Damit meint er kriegerische Gebietsansprüche, z. B. auf Elsaß und Lothringen. Besonders enttäuscht zeigt sich Heine über ehemalige Freunde Frankreichs, die jetzt vor dem »envahissement de l'esprit national« kapituliert haben und die Farben des Deutschen Reiches hochhalten. Das Nachlaß-Gedicht *Michel nach dem März* nennt Roß und Reiter: Als sein Ich-Sprecher Arndt, Jahn und frühere Burschenschafter, als er die schwarz-rot-goldene Fahne auftauchen sieht, da vernimmt er von »deutscher Freiheit« »Die schlimmste Hiobszeitung« (B 11, 271). Die »Hiobszeitung« richtet sich gegen jene, die den Wunsch nach nationaler Einheit über die Forderung nach Freiheit stellten. Der zweite Punkt trifft dann die Kompromißbereitschaft der Frankfurter Parlamentarier, die niemals begriffen haben, wie Walter Grab, 161, schreibt, daß »der Sieg noch nicht errungen war, solange die konservativen Machtträger noch über stehende Heere verfügten, die zum geeigneten Zeitpunkt die Revolution abwürgen konnten«. Sein Spott richtet sich gegen jene mehrheitlichen Liberalen, die mit dem Präsidenten Heinrich von Gagern an der Spitze, zu einer Verständigung mit dem herrschenden Adel bereit waren (die Wahl des Erzherzogs Johann von Österreich zum Reichsverweser verspottet das Gedicht *Hans ohne Land;* vgl. *Die Wahl-Esel).* Was zu tun gewesen wäre, das zeigt die Verherrlichung der Ungarn, die ihre junge Freiheit militärisch verteidigt haben. Das Ungarn-Gedicht spricht auch den dritten Punkt an, indem es mit dem Loblied auf die heldenhaften ungarischen Kämpfer den kleinmütigen deutschen Revolutionären einen Spiegel vorhält. Nach Heines Ansicht, die bereits bei der Analyse der französischen Februarrevolution vorherrschend geworden war, mußte die Revolution an der Mittelmäßigkeit und Dummheit ihrer Akteure scheitern. Hier soll nicht auf die Personalsatiren eingegangen, sondern nur daran erinnert werden, daß Heine in den revolutionären Parlamenten in Paris und Frankfurt täppische Tiere am Werk sah (*Waterloo. Fragment* und Nachlese-Gedichte). An Main und Seine vermißt der Bonapartist Heine die großen Persönlichkeiten oder die Tatmenschen, die in der Lage gewesen wären, durch radikales Handeln die Revolution zum Siege zu führen. – Wie ernst es Heine mit seiner Verurteilung der kleinmütigen deutschen Revolutionäre war – das hier zum Abschluß – zeigt sich daran, daß er den Bruch mit seinem Freund Laube riskierte, um den Autor des Buches *Das erste deutsche Parlament* (Leipzig 1849) des »Verbrechens« anzuklagen, weil er die demokratische Linke kritisiert und sich zum »Lobpreiser jener Schlechtern und noch Mittelmäßigeren« gemacht hatte, »die sich resumiren in dem Edlen von Gagern« (Brief vom 12. Oktober 1850); gegenüber seinem Bruder Gustav sprach Heine am 15. November von Laubes »Verrath an der Sache der Vernunft und der Wahrheit«.

Lit.: Karl Georg Faber: *Deutsche Geschichte im 19. Jahrhundert,* Wiesbaden 1979 (= Handbuch der Deutschen Geschichte, Bd. 3/I, 2. Teil, 208–283; Karl Obermann: *Deutschland von 1815 bis 1849,* Berlin (Ost) 1976 4. Aufl., 245–425; Thomas Nipperdey: *Deutsche Geschichte 1800–1866,* München 1983, 595–673; Walter Grab (s. o.).

Die Götter im Exil

Entstehung, Übersetzung, Druck, Text

Die erste selbständige, kleine Prosaschrift, die nach langer, durch Korrespondententätigkeit aus-

gefüllter Zeit erschien, behandelt zum letzten Mal »ein altes Lieblingsthema«, wie Heine am 22. März 1853 seinem Freund Gustav Kolb schrieb. Die angekündigte Fortsetzung (B 11, 423 und 12, 121) kam nicht zustande; der in Briefen erwogene Buchplan blieb im Ansatz stecken. – Aufgrund seiner guten Kontakte zu François Buloz, dem Herausgeber der »Revue des Deux Mondes«, stellte Heine in den beiden ersten Monaten des Jahres 1853 eine Druckvorlage für die angesehene Pariser Zeitschrift zusammen, die *Les dieux en exil* am 1. April in der Übersetzung von Saint-René Taillandier herausbrachte. In einer *Vorbemerkung* (B 12, 121 u. B 6, 1022) erklärte Heine, daß er den neuen Text mit dem zweiten Teil der *Elementargeister* aus dem *Salon*-Druck von 1837 eröffnet, in dem, wie erwähnt, die beiden Tannhäuserlieder jetzt ihre Plätze getauscht haben und mit neuen Zwischentexten versehen worden sind (Übersicht über die verquickte Drucksituation: B 12, 122; neue Zwischentexte B 6, 1023 ff.). Der Titel *Les dieux en exil* findet sich in dem zitierten Brief an Kolb. Um sein literarisches Eigentum gegen unberechtigte, vorschnelle Rückübersetzungen zu sichern, war der Autor um eine rasche deutsche Publikation bemüht und hatte bei Brockhaus, dem er am 7. April das Manuskript mit einer kleinen *Vorbemerkung* (B 11, 399) nach Leipzig schickte, Erfolg: Der Verleger wies in einer Notiz vom 17. April auf den französischen und auf den baldigen deutschen Abdruck hin und veröffentlichte *Die Götter im Elend* am 30. April in den »Blättern für literarische Unterhaltung«. Der Dichter hatte aber den Kampf um seine Urheberrechte verloren: Zwischen dem 7. und 20. April war in Hamburg eine unautorisierte Übersetzung als Journaldruck erschienen *(Die verbannten Götter)* und am 25. April brachte der Berliner Gustav Hempel mit demselben Titel einen Buchdruck heraus (Übersetzer Ludwig Buhl; zu Heines Kampf um sein literarisches Eigentum s. *Schriftstellernöte* B 9, 110 ff., 564 und Kommentare). Von dem sensationellen Interesse, das Heines jüngste Prosaschrift in Deutschland sofort erregte, profitierten noch weitere unberechtigte Nachdrucker im In- und Ausland (B 12, 128 f.). Die gegenüber der französischen Fassung an einigen Stellen gekürzte deutsche Fassung konnte gut ein Jahr später im ersten Band der *Vermischten Schriften* unter dem endgültigen Titel *Die Götter im Exil* erscheinen, mit einem neuen, im März 1854 entstandenen Anfang (B 11, 400–401, Z. 15). Durch einen Änderungswunsch Heines ist in der Druckvorlage die so bezeichnende Charakterisierung seiner neuartigen Schreibart weggefallen (»mein Verbrechen war nicht der Gedanke, sondern die Schreibart, der Stil«, B 12, 123). Ein zweiter französischer Druck erfolgte dann 1855 in der Neuausgabe von *De l'Allemagne,* die die Vorbemerkung der Journalfassung gekürzt bringt. – Ob Heine neue Quellen verarbeitet hat, ist bisher nicht untersucht worden. – Das außerordentliche Publikumsinteresse hat die Rezensenten nicht erfaßt. Die wenigen bekannten Reaktionen beschränkten sich auf die Erörterung der literarischen Eigentumsrechte (B 12, 130 ff.).

Druck: – Unter dem Titel *Les dieux en exil* wurde Heines mythologische Schrift zuerst in der »Revue des Deux Mondes« am 1. April 1853, S. 5–38, zusammen mit dem 2. Teil der *Elementargeister* veröffentlicht; wiederum als Teil erschien die Übersetzung als *Neuvième partie. Les dieux en exil* im zweiten Band von *De l'Allemagne* auf den S. 181–242 (Paris, Michel Lévy frères 1855, *Œuvres complètes*).
– der deutsche Erstdruck erfolgte mit dem vorläufigen Titel *Die Götter im Elend* auf den S. 409–417 in »Blätter für literarische Unterhaltung« am 30. April 1853 in Nr. 18; mit dem endgültigen Titel erschienen *Die Götter im Exil* als Buchdruck in: *Vermischte Schriften von Heinrich Heine. Erster Band. Hamburg. Hoffmann und Campe. 1854, S. 215–267.*

Text: B 11, 397–423 (Text nach *Vermischten Schriften* mit *Vorbemerkung* vom Journaldruck); HSA 17 *De l'Allemagne II,* 128, Z. 19–146.

Lit.: B 10, 832 ff.; B 12, 121 ff.

Analyse und Deutung

Bürgerliche Emigrantenschicksale

Im *Nachwort* zum *Romanzero* hat der todkranke Dichter 1851 eingehend erzählt, wie er sich von seinen »alten Heidengöttern« abgewendet hat, »aber scheidend in Liebe und Freundschaft«, um zum Glauben an einen »persönlichen Gotte« zurückzukehren (B 11, 184). Dennoch haben die Heidengötter den zum Mythenforscher avancierten Heine nicht losgelassen, und unter anderen Umständen wären auch *Die Götter im Exil* nicht sein letztes Wort gewesen. – Der Beitrag spinnt die alte These von der »Umwandlung« und »Verteufelung der Götter« durch das Christentum, die in den *Elementargeistern* näher ausgeführt worden war, in lockerer, episodischer Form weiter: Unter dem jetzt pointierten Titel wird das Exil-Schicksal von zehn griechischen Gottheiten und Satyren so erzählt, daß sich weitere Götter-Schicksale leicht hätten anknüpfen lassen. Die abschließende Geschichte eines Gottes, der eigentlich spurlos ver-

schwunden ist, schweift mit ihren Erzählungen von Walfischen und Ratten sowie von der Kanincheninsel weit vom Thema ab, macht aber im Prinzip den Weg dafür frei, diesen Stoff unbeschränkt weiter verfolgen zu können. Ein Reihenschema läßt Heine selber erkennen, wenn er die Ausführungen zu seiner These als »Illustrationen«, als »Radierungen und Holzschnitte« bezeichnet (B 11, 399).

Über das Weiterleben der griechischen Emigranten, die im 3. Jahrhundert vor dem siegreichen neuen Glauben fliehen mußten, ist der Erzähler 1853 trotz größerer mythologischer Forschungen unterschiedlich ›informiert‹: Von Apollo und Mars weiß er nur zu berichten, daß sich der eine in Niederösterreich als Viehhirt verdingt hat und der andere als Landsknecht durch Italien zieht (wenn er nicht – so eine Variante B 12, 123 ff. – als Henker in venezianischen Diensten steht); zwei, Pluto und Neptunus, sind für ihn gar keine echten Emigranten. Aber bei drei Heidengöttern ist er fündig geworden, und was er über Merkur, Jupiter und Bacchus zu erzählen weiß, läßt durchblicken, daß ihn ihr Schicksal etwas angeht, weil es die Gesellschaft, in der sie gemeinsam leben, betrifft.

Die Heidengötter leben jetzt im zeitgenössischen Exil und haben sich in der modernen, christlichen Welt auf verschiedene Weise eingerichtet. Wenn sie auch bürgerlicher geworden sind, so haben sie als vorchristliche Götter in der populären Vorstellung nicht alle Kraft als Symbole von Widerstand und Protest verloren. – Merkur, »zu gleicher Zeit der Gott der Diebe und der Kaufleute«, hatte es am leichtesten, sich im modernen Exil einzurichten: Er mußte nur begreifen, daß der »Handelsstand« in der öffentlichen Meinung der bürgerlichen Gesellschaft den »Diebesstand« weit überragt, um sich zu einem »holländischen Kaufmann« zu mausern (Kommentar des Erzählers: »dieses ist eigentlich ein Pleonasmus, da jeder Holländer Kaufmann ist«, B 11, 410). Als Landsmann und Handelskollege des Sklavenhändlers Mynher van Koek (*Das Sklavenschiff,* B 1, 194 ff.) kann Merkur mit Geld umgehen und ist zum erfolgreichen Spediteur von Toten Seelen aufgestiegen. Seine Karriere, die auf der Verbindung von Kapitalismus und Christentum beruht, versteht sich als Kritik des merkantilen Geistes der modernen Gesellschaft, deren heuchlerische Moral in der Bacchus-Erzählung scharf angeprangert wird. Bacchus lebt nach der Legende ausgerechnet als Superior in einem Tiroler Kloster zusammen mit zwei ebenfalls vermummten Fratres, dem geilen Priapus und dem dickwanstigen Silenus. Jedes Jahr brechen sie heimlich auf, um an einer Orgie teilzunehmen, deren Erzählung, die aus der Sicht eines unbescholtenen jungen Fischers erfolgt, alles das hervorkehrt, was durch die christliche Moral zu Tabu und Teufelswerk herabgesetzt worden ist. In dem Bacchanal feiern antike Sinnenlust und Schönheit eine rauschende Wiederkehr: Entsetzt sieht der Fischer junge Männer und bildschöne Frauen, die bekränzt und entfesselt dem Siegeswagen folgen, auf dem Bacchus in »wünderschöner Jünglingsgestalt« thront, während ihm Priapus mit dem Riesenphallus zur Seite schreitet. Der Protest gegen die herrschende Moral wird szenisch eindringlich präsent, wenn der Fischer in Panik davonstürzt, als er im Satyrzug »eine entblößte und wollüstig strahlende junge Frau« erblickt, »die auf einer hohen Stange das berüchtigte ägyptische Symbol umhertrug« (B 12, 126 französischer Text). Was eigentlich ins Exil abgedrängt worden ist – und was die Heidengötter zu »unsterblichen« Symbolen macht –, das vergegenwärtigt dieses Bild so plastisch wie kaum ein anderes in Heines mythologischen Schriften und wie kein anderes in einem Werk, das befreite Sinnlichkeit und Schönheit zu unverzichtbaren Teilen seines politischen Programms erkoren hat. – Religionskritik dringt auch in der Jupiter-Erzählung durch. Wenn Mönch Bacchus »das fromme schmutzige Gewand nebst Kreuz und Rosenkranz mit Ekel von sich warf«, als er den Ort des Festes erreichte, dann empfindet Jupiter, der einsam und außerhalb der Gesellschaft auf der fernen Kanincheninsel lebt, »boshafte Freude«, als er erfährt, daß »von den Zinnen der Türme der griechischen Städte das Kreuz abgebrochen worden« ist (B 11, 420). Spott wird in dem grotesken Bericht über die angeblich betenden Walfische anschaulich (eine Variante des französischen Textes lautet: »Nur unter den Tieren von mittelmäßiger Statur findet man Religion«; B 12, 128). Das schmähliche Schicksal des Einsiedlers, der seine unmittelbarsten Bedürfnisse vom Handel mit Kaninchenfellen decken muß, läßt schließlich den Weg, den alles Große auf dieser Welt geht, sinnfällig werden; in der Melancholie des *Romanzero*, der dieses Thema behandelt hat, rundet der Erzähler seinen Bericht mit den abschließenden Worten ab: »uns erschüttert der Anblick gefallener Größe, und wir widmen ihr unser frömmigstes Mitleid.« Das ist das Mitleid eines, der selber eine »gefallene Größe« geworden war.

Lit.: Manfred Windfuhr: *Heinrich Heine,* Stuttgart 1976, 2. Aufl., 264 f.; Gerhard Goebel: *Apoll in Hameln. Ein Nachtrag zu den »Göttern im Exil«,* in: Germanisch-Romanische Monatsschrift, NF Bd. 32, 1982, 286–299.

Ein Gott im Exil

Verglichen mit früher erzählten und dramatisierten Mythen fällt auf, daß sich die Situation der Götter 1853 nicht nur grundlegend zum schlechteren verändert hat, sondern auch, daß sie älter, blasser und greisenhafter geworden sind: Merkur wird als »jugendlicher Greis« vorgestellt, Jupiter erscheint als »uralter Greis«, die Mönche haben »eiskalte« Hände und der Superior hat ein »marmorblasses Gesicht«; das ganze Bacchanal wird distanziert als mitternächtlicher »schöner Spuk« einer »bleichen Versammlung« erzählt. Für den religiös gewordenen, todkranken Dichter in der »Matratzengruft« haben die Heidengötter im nordischen Exil im gleichen Maße wie er selber an Göttlichkeit und Farbe verloren, so daß sich der Eindruck von Schicksalsgemeinschaft aufdrängt. Wie seine antiken Ideale war Heine gezwungen worden, ins Exil zu gehen und zu seiner Sicherheit dort zu bleiben; wie sie hatte er als Schriftsteller in verschiedenen »Vermummungen« auftreten müssen; wie sie mußte er sich jetzt den neuen Marktgesetzen anpassen, um seinen Lebensunterhalt bestreiten zu können. Aber als gefallener Gott hat er trotz seiner ausweglosen und trostlosen Situation den ursprünglichen Traum von individuellem Glück weder verabschiedet noch endgültig ausgeträumt. Im Gegenteil, angesichts des Todes hat Heine die verborgene Utopie, die in seinem Interesse an vorchristlicher Mythologie steckt, so positiv ausgemalt wie kaum je zuvor (s. *Der Doktor Faust*). Er weiß, daß er mit dem Bacchus- oder Dionysosfest etwas Unzeitgemäßes erzählt und will nur von dem »völligen Vergessenwerden« bewahren, was unweigerlich dahingeht (»Wir alle gehen dahin, Menschen und Götter, Glauben und Sagen«, stellt die Vorbemerkung von 1853 fest, B 6, 1022). Bei aller erzählerischen Distanz lassen Emphase und Rhetorik etwas von der Faszination spürbar werden, die von Gestalten ausgeht, die einmal im Jahr nachts zusammenkommen, »um den alten fröhlichen Gottesdienst noch einmal zu begehen, um noch einmal mit Spiel und Reigen die Siegesfahrt des göttlichen Befreiers, des Heilandes der Sinnenlust, zu feiern, um noch einmal den Freudentanz des Heidentums, den Cancan der antiken Welt, zu tanzen, ganz ohne hypokritische Verhüllung, ganz ohne Dazwischenkunft der Sergeants-de-ville einer spiritualistischen Moral, ganz mit dem ungebundenen Wahnsinn der alten Tage, jauchzend, tobend, jubelnd: Evoe Bacche!« (B 11, 406). Die sich als überholt darbietende »Apotheke des Poeten« (B 6, 1022) empfiehlt Tanz unverkennbar als Gegenmittel zu kultureller Sexualverdrängung. Mitte der 50er Jahre des 19. Jahrhunderts erlebt hier außerdem ein Gott seine Wiederkehr, der knapp zwanzig Jahre später endgültig aus seinem »Exil« heimkommen sollte; Nietzsche mußte 1872 eigentlich nur die Melancholie, die über dieser Wiederkehr liegt, abstreifen und durch Euphorie ersetzen.

Lit.: A. I. Sandor: *The Exile of Gods,* The Hague-Paris 1967 [Sandor hat das Thema zu einer systematischen Deutung von Heines Werk verarbeitet]; 2 Studien untersuchen die weitere Wirkung des Themas: Oliver Boeck: *Heines Nachwirkung und Heine-Parallelen in der französischen Dichtung,* Göppingen 1972 (= Göppinger Arbeiten zur Germanistik) und: Lia Secci: *Die Götter im Exil – Heine und der europäische Symbolismus,* in: HJb 1976, 96–114.

Die Göttin Diana

Zur Entstehung

Heines erste Ballett-Arbeit geht auf eine Anregung Benjamin Lumleys, des Direktors von »Her Majesty's Theatre« in London, zurück. Lumley hatte 1842 schon das von Heines erster mythologischer Schrift inspirierte Ballett *Giselle ou les Wilis* aufgeführt und machte bei seinem Parisaufenthalt im Winter 1845/46 Heines Bekanntschaft (Januar 1846). Aus finanziellen Gründen war der damals in den Erbschaftsstreit verwickelte Dichter schnell bereit, ein Szenario zu entwerfen. Das ist nach seinen eigenen Worten im Januar 1846 »in zwei Morgenstunden« geschehen (Brief an Ferdinand Lasalle vom 27. Februar 1846). Wahrscheinlich Anfang Februar wurde der Text nach London geschickt. Die versprochene Aufführung hat nie stattgefunden. 1854 ließ Heine die Skizze mit einer Vorbemerkung in den *Vermischten Schriften* veröffentlichen.

Tanz ist für Heine bekanntlich eine symbolische Ausdrucksform von grundlegender Bedeutung. Die zahlreichen Tänzerinnen in seinem Werk verkörpern eine sensualistische Weltanschauung; das oftmals verwendete Tanzmotiv signalisiert sinnliche Unmittelbarkeit (s. dazu Barker Fairley und Benno von Wiese). Die Gelegenheitsarbeit für Lumley wirkte so reizvoll, weil Librettisten zu Beginn der 40er Jahre seine Stoffe pantomimisch erprobt hatten, während Wagner, wie andernorts erwähnt, 1843 und 1845 Mythen, die er erzählt hatte, auf der Opernbühne verwenden konnte (Heines Beziehung zum Ballett hat bisher nur – unbefriedigend – Max Niehaus untersucht). – Der Entwurf konnte nun seinerseits auf die *Elementargeister* zurückgreifen: Dort ist die zuerst noch spannungsvolle Liebe zwischen Venus und Tannhäuser im Venusberg ausführlich erzählt worden; dort – aber nicht nur dort – kommt das Motiv der Statuenliebe vor; dort werden vier Kategorien Elementargeister behandelt, und dort ist die Rede von »der Teufelin Diana« und »der Erzteufelin Venus«. Eine Umdeutung der Diana, der keuschen antiken Göttin, in eine verführerische Gestalt von unwiderstehlich erotischem Zauber hatte bereits in *Atta Troll* stattgefunden: Hier erscheint sie als Göttin, in der »die Wollust« erwacht ist und in deren Augen es brennt »Wie ein wahrer Höllenbrand« (B 7, 541).

Druck: Die Göttin Diana. (Nachtrag zu den Göttern im Exil). erschien in: *Vermischte Schriften von Heinrich Heine. Erster Band. Hamburg. Hoffmann und Campe.* 1854. als 4. von 5 Texten auf den S. 269–290.

Text: B 11, 425–436.

Lit.: B 12, 138 f.; Max Niehaus: *Himmel, Hölle und Trikot. Heinrich Heine und das Ballett,* München 1959, 7 ff. u. 63 ff. [zu *Göttin Diana*]; Barker Fairley: *Heinrich Heine,* Stuttgart 1965, 26–48; Benno von Wiese: *Signaturen. Zu Heinrich Heine und seinem Werk,* Berlin 1976, 67–133; Lia Secci: *Die dionysische Sprache des Tanzes im Werk Heines,* in: *Zu Heinrich Heine,* hrsg. von Luciano Zagari und Paolo Chiarini, Stuttgart 1981 (= LGW), 89–101.

Analyse und Deutung

Mythologie und Pantomime

Wenn Benjamin Lumley »Ballettsujets« wünschte, »die zu einer großen Entfaltung von Pracht in Dekorationen und Kostümen Gelegenheit bieten könnten«, dann wurde er von Heine gut bedient (Vorbemerkung, B 11, 427). Die pittoreske Bühnenausstattung der vier Tableaux ist so eingerichtet, daß sie die antithetische Struktur des Balletts zum Ausdruck bringen; das bestärken ebenfalls die gegenübergestellten Figuren und Figurengruppen, die außerdem durch unterschiedliche Tänze charakterisiert werden (was von Vertrautheit mit dem Ballett zeugt). Für das Erste Tableau ist ein uralter, gut erhaltener Dianatempel mit einer Statue der Göttin vorgesehen; die herumkauernden Nym-

phen tanzen antike Tänze und bereiten ein Tempel-
fest vor. Die Musen, die mit Apollo auftreten, tanzen einen »schönen, gemessenen Reigen«, während die von Bacchus angeführten Satyren und
Bacchanten tolle »ausgelassene Tänze« vorführen.
Das zweite Bild zeigt eine krasse Gegenwelt: Eine
gotische Ritterburg mit der Hauptfigur, einem Ritter, der brütend dasitzt; eine Gattin, die »durch
ehrsam gemessene Pas ihre eheliche Zärtlichkeit«
ausdrückt; ein verrückt umherspringender Narr sowie steife Ritter und affektierte Fräulein. Zur
Eröffnung des Balls wird ein »Gravitätisch germa-
nischer Walzer« getanzt, gefolgt von dem steifen
»bekannten Fackeltanz«. Erneut im Gegensatz dazu präsentiert das Dritte Tableau eine wilde Gebirgslandschaft am Fuße des Venusberges; die
Bühne wird von Wasser-, Luft-, Erd- und Feuergei-
stern belebt, deren Gegengewicht der täppische,
alte und weißbärtige treue Eckart bildet. Das letzte
Tableau spielt im Venusberg, der im Geschmack
der Renaissance üppig ausgestattet ist; jeweils im
Kostüm der Zeit geben sich die berühmten Schönen aus Antike und Mittelalter zusammen mit den
Helden und Poeten (auch Goethe fehlt nicht) dem
»süßesten dolce far niente« hin. Frau Venus tanzt
mit Tannhäuser ein »sehr sinnliches Pas-de-deux,
welches schier an die verbotensten Tänze der Neuzeit erinnert«.

In diesem Rahmen tanzen die beiden Hauptfiguren, Göttin Diana und ein junger deutscher Ritter, das Drama von heidnisch-sinnlicher und christ-
lich-asketischer Liebe vor. Im ersten Bild fliehen,
suchen und finden sich die Verliebten: Die antike
Göttin rettet den zum kultischen Opfertod bereiten Ritter, und die beiden tanzen schließlich einen
»Zweitanz der trunkensten Lebenslust«. Dann
wirbeln die antiken Götterzüge die sittsame Ritterwelt durcheinander, wobei es Diana im Kampf
mit der Chatelaine gelingt, deren Ehemann erneut
zu verführen und ihn mit der Aussicht auf ein
Wiedertreffen im Venusberg von ihr zu locken.
Der umherirrende Ritter findet den Venusberg,
wird aber vor seinem Eintritt von dem treuen Ek-
kart, der des Diana-Hörigen Seele retten will, im
Zweikampf getötet. Im Venusberg tanzt Diana
dann »ihren entsetzlichen Verzweiflungstanz« um
die Leiche des Geliebten, den weder Venus noch
Apollo ins Leben zurückzubringen vermögen.
Das aber schafft Bacchus, der »Gott der Lebenslust«, mit Tanz, Wein und Musik, so daß alle zusammen in einem rauschenden Finale »in wieder
fortgesetzten Quadrillen das Fest der Auferste-

hung« feiern. Letzte Anweisung: »Glorie der
Verklärung«.

Lit.: A. I. Sandor: *The Exile of Gods,* The Hague-Paris 1967,
37 ff.; Robert E. Stiefel: *Heine's Ballet Scenarios. An Interpretation,* in: The Germanic Review, vol. XLIV 1969, 186–198.

Getanzte Erlösung

In den *Vermischten Schriften* folgt das Ballett, das
vor dem endgültigen Zusammenbruch entstanden
ist, auf *Die Götter im Exil* und läßt dadurch noch
einmal Heines ganze antispiritualistische Polemik
aufleben. Der ungebrochene Glaube an die Kraft
dionysischer Lebenslust und apollinischer Schönheit – und in dieser für den späteren Dionysoskult
so bezeichnenden Reihenfolge – zeigt sich daran,
daß ausgerechnet Bacchus über die Macht der Auf-
erweckung eines Toten: eines toten Christen verfügt, während Apollo nur kurzfristiges Aufwachen
aus dem Schlafe erreichen konnte. Diese Götter
sind keine, die im christlichen Exil versauern, sondern die stärker als die siegreiche Religion sind. In
der blasphemischen Rolle eines »Heilandes derSin-
nenlust« tritt Bacchus auch noch in den *Göttern im
Exil* auf, aber mehr als Spuk (B 11, 406). Das
Ballett strotzt von utopischer Hoffnung auf ein
göttliches Leben im Diesseits, was in extremer
Spannung zu der realen Situation des Autors steht,
als der Text 1854 veröffentlicht wurde. Bemerkenswert ist außerdem, daß die Handlung des Balletts
bürgerlicher Ehemoral eine deutliche Absage erteilt, wenn sich der Ritter dorthin gezogen fühlt, wo
der Volksglaube irdisches Glück zu lokalisieren
vermeint. Die antichristliche und antibürgerliche
Einstellung des Szenaristen soll der dramatische
Zwei-, besser Zwietanz von Chatelaine und Diana
veranschaulichen, denn die weltanschaulich aufge-
ladene choreographische Anweisung lautet: »Die
Burgfrau läßt endlich in den tollsten Sprüngen ihrem Zorn und ihrer Entrüstung freien Lauf, und
wir sehen ein Pas-de-deux, wo griechisch heidnische Götterlust mit der germanisch spiritualistischen Haustugend einen Zweikampf tanzt.« Die
Grundidee des Textes gibt eine Vorstellung von
dem, was Heine am Ballett gereizt haben muß: Die
Möglichkeit, eine dynamische Lebenseinstellung in
einem dynamischen Medium, das außerdem lange
vom christlichen Glauben verpönt worden ist, so
darzustellen, daß die Eigengesetzlichkeit des Tanzes zur Geltung gelangt.

Lutezia

Entstehung, Übersetzung, Druck, Text

»[I]n meinem Geiste formirt sich ein Buch, welches
Blüthe und Frucht, die ganze Ausbeute meiner
Forschungen während einem Vierteljahrhundert in
Paris sein wird und wo nicht als Geschichtsbuch,
doch gewiß als eine Chrestomathie guter publicisti-
scher Prosa, sich in der deutschen Literatur erhalten wird.« So stellte sich Heine in seinem Brief an
Campe vom 7. Juni 1852 sein Paris-Buch vor, das er
nach dem alten lateinischen Namen der Stadt benennen wird. *Lutezia,* Hauptwerk des politischen
Publizisten und Vermächtnis des »pacifiken« Missionars Heine, bietet sich in einer Fülle bunter Mo-
saiksteine dar, die zwischen 1840 und 1854 entstanden sind. Die ›Steine‹, die in der französischen
Gegenwart die deutsche Zukunft aufsuchen und
ersterer wiederum einen Spiegel vorhalten, sind
auf einem chronologischen Grundriß mit großer
Sorgfalt zu einem geschlossenen, künstlerischen
Ganzen geordnet worden. Mit seinem umfangreichsten Werk, das bis in die Gegenwart schließlich aber wenig beachtet worden ist, wollte Heine
der Mit- und noch mehr der Nachwelt letztmals in
der Einheit von Zeithistoriker und Prosakünstler
gegenüber treten.

Nun hat aber auch umgekehrt die Zeitgeschichte der Textüberlieferung ihren Stempel aufgedrückt. Die Zensurbedingungen haben den Druck
der Originalfassungen nur verstümmelt zugelassen;
in die Buchfassung hat sich das gewandelte Bewußtsein des todkranken Dichters, der das Ende
der Julimonarchie, das Scheitern der Revolutionen
in Frankreich und Deutschland sowie die Entstehung eines neuen Kaiserreiches erlebt hatte, einge-
schrieben und einen Textstand fixiert, der vom früheren Druck z. T. erheblich abweicht, welcher seinerseits nur schwer in seiner ursprünglichen Form
restituierbar ist.

Die Journaldrucke in der AZ (1840 ff.)

Als Heine nach achtjähriger Unterbrechung seine
journalistische Tätigkeit für die »Augsburger Allgemeine Zeitung« wieder aufnahm, vermutete er,
am Beginn eines sehr bewegten Jahrzehnts zu stehen. Den französischen Wahlen von März 1839, die
der Regierung eine Niederlage bereitet hatten,

folgte eine Phase ministerieller Instabilität, die bis
zum 1. März 1840, dem Machtantritt Louis-Adol-
phe Thiers, andauerte. Am 12. Mai 1839 hatte die
revolutionäre Société des saisons einen von Barbès
und Blanqui organisierten Aufstand gewagt. 1840
breiteten sich soziale Unruhen in Paris aus. Zusammen mit sozialreformerischen Theorien wurden
kommunistische Ideen bekannt. Am 6. August
1840 scheiterte Louis Napoleon mit einem Staatsstreich. Außenpolitisch brachte die sog. Orientfrage England, Rußland, Österreich und Preußen in
eine Front gegen Frankreich, die eine Kriegsgefahr
in Europa heraufbeschwor. Relative Stabilität trat
erst ein, als nach Thiers' Scheitern am 29. Oktober
1840 ein von François Guizot beherrschtes Ministerium gebildet wurde, das sich im wesentlichen bis
1848 behaupten konnte (ab 1847 mit Guizot als
Ministerpräsident). – Auch in Deutschland war
1840 eine ruhige Periode zuende gegangen, als
durch den preußischen Thronwechsel und durch
die Rheinkrise, die Thiers' nationalistische Politik
ausgelöst hatte, die liberale Bewegung erstarkte.

In dieser Krisensituation schickte Heine im Februar 1840 fünf Artikel mit politischem Inhalt und
unterschiedlichem Umfang nach Augsburg, von
denen aber nur zwei gedruckt wurden (darunter
der spätere Artikel I). Der mit Heine seit 1828 befreundete Redakteur Gustav Kolb schob in seinem
Absagebrief vom 27. Februar 1840 dem Augsburger Zensor die Schuld zu und machte seinem Pariser Korrespondenten klar, was ihm vorschwebte:
»Am liebsten wärn mir streng abgeschloßene Cha-
rakterbilder, Portraits, Gemälde in engem Rahmen, wo Sie die Person, den Gegenstand *aus sich
heraus* erklären, von Innen jedem Zuge Leben geben, mit möglichster Vermeidung blos äußerlich
hinzukommender *Ketzereien*.« (Am 15. September
1832 hatte Kolb schon statt Politik Berichte über
»französisches Leben« angefordert.)

Von den 26 vorwiegend politischen Themen ge-
widmeten Artikeln, die Heine zwischen dem
1. März und Ende 1840 redigierte, konnten dann
zwei weitere nicht erscheinen; der spätere Artikel
XI wurde vermutlich nicht abgeschickt, Nr. XXV
von Kolb zurückbehalten (die Entstehungsgeschichte der Artikel von 1840 bis 1848 hat Lucienne
Netter 1980 genau untersucht, ebenso die Informa-
tionsquellen Heines). Mehrere Artikel engagieren
sich mutig für die verfolgten Juden in Syrien. – In
dem ruhigeren Jahr 1841 erschienen elf Artikel; der
spätere Artikel XXX über die orientalische Frage
wurde abgelehnt; nur zwei entfernen sich von Hei-

nes politischer Leitlinie *(Musikalische Saison in Paris; Mignet. Cousin. Guizot);* drei Beiträge vom Dezember thematisieren die zukünftige soziale Krise, in der die Kommunisten eine Rolle spielen werden. Unter den 18 Artikeln, die 1842 abgeschickt wurden (es erschienen 15), treten politische gegen kulturelle Themen insgesamt etwas zurück. Aber die Beiträge vom 20. Juni, 12. Juli und 17. September *(Engländer, Fabrikarbeiter, Chartisten* konnten nur nach Schwierigkeiten und dann verstümmelt publiziert werden) lassen Heines sozialrevolutionäres Engagement an die deutsche Öffentlichkeit dringen. 1843 häuften sich die Konflikte mit der Redaktion: Insgesamt wurden nur noch vier Artikel von der AZ gedruckt, vier abgelehnt; es kam zum Abbruch der Serie in der ursprünglich geplanten Form. So erschien der Artikel vom 21. März (von Heine willkürlich auf den 6. Mai datiert) nicht, der die Guizotsche Korruption behandelt. Die »communistische Grundlage« (Kolb) in dem Artikel über den Sozialisten Pierre Leroux ist dann erst recht nicht mehr akzeptabel. Zusammen mit einem weiteren Artikel (über den Streit zwischen Universität und Kirche in Unterrichtsfragen) schickte ihn Kolb an Laube nach Leipzig, der sie am 19. Juli und am 6. September in der »Zeitschrift für die elegante Welt« druckte (unter dem Titel *Kampf und Kämpfer* I und II, später als *Kommunismus, Philosophie und Klerisei* I und II im Anhang der *Lutezia;* Teil III ist Anfang eines Artikels, der 1844 in der AZ erschienen war und auf Juli 1843 vordatiert worden ist; zur Genese und junghegelianischen Deutung dieses Textes s. Michel Espagne). Am 15. Juli ließ Kolb noch einen Beitrag über den Universitätsstreit drucken, in katholischen Ländern ein heißes Eisen wegen des antiklerikalen Inhalts *(Michelet und Edgar Quinet,* später Nr. LX). Das Ende der regelmäßigen, politischen Beiträge ist 1843 durch den neuen Augsburger Zensor Lufft mitbewirkt worden. Bei der weiteren, sporadisch fortgesetzten Tätigkeit gab es 1844 erneut Schwierigkeiten wegen Musik-Berichten. Danach schrieb Heine noch über *Gefängnisreform und Strafgesetzgebung* (auf Juli 1843 vordatiert, aber vermutlich zurückbehalten). Im Sommer 1846 berichtete Heine aus seinem Badeurlaub in den Pyrenäen. 1847 folgte noch ein Musik-Beitrag, bevor die Artikel über die französische Revolution 1848 die Korrespondententätigkeit endgültig zum Erliegen brachten *(Über die Februarrevolution).* Insgesamt sind laut Michael Werner 1975 acht Artikel von der Redaktion, die zwischen den Anforderungen von

Zensor, Verleger und Autor taktieren mußte, ganz abgelehnt worden, zwei wurden vermutlich zurückgewiesen und in zwei Fällen wurde der Großteil eines Artikels zurückbehalten. Werner, der aufgrund von Reinschriften und Entwurfsmanuskripten die Fremdeingriffe der Redaktion aufzeigen konnte, hat im wesentlichen fünf Themen ausfindig gemacht, die mit der Linie der AZ unvereinbar waren und zu Ablehnungen bzw. zu Streichungen führten: Ludwig Philipp; Prognosen über die bürgerliche Gesellschaft und über die zukünftige Rolle der kommunistischen Opposition; England und Engländer; Kirche und Religion und schließlich persönliche Angriffe (vgl. Netter 1980, 223 ff.)

Der Buchdruck *(Vermischte Schriften)*

Ähnlich wie bei den *Französischen Zuständen* plante Heine beim Auslaufen der politischen Korrespondenzen, seine »besseren Artikel späterhin gesammelt und unverkürzt« herauszugeben (Brief an Kolb vom 22. Juni 1843). Erst knapp acht Jahre später ging er an die Ausführung des Plans und forderte am 21. April 1851 von Kolb alle Artikel, die in der AZ erschienen waren, sowie die ungedruckten Vorlagen zurück, da er keine Kopien zurückbehalten hatte (erst im Februar oder März 1852 schickte Kolb nur einen Teil der gewünschten Artikel). Im März informierte Heine seinen Hamburger Verleger über die Absicht, in seiner Gesamtausgabe die AZ-Beiträge zu berücksichtigen; am 7. Juni versuchte er dann, Campe für das Projekt eines größeren, formvollendeten und glänzenden Prosa-Werkes zu gewinnen, das die Pariser Erfahrungen enthalten sollte. Aber in dieser Entstehungsphase zog sich die Ausarbeitung des Manuskriptes zu zwei Bänden Pariser »Tagesberichte«, an dem Heine im Sommer 1852 arbeitete und das er bis zum Herbst 1852 abschließen wollte, noch gut eineinhalb Jahre in die Länge, da sich Autor und Verleger nicht über die Honorarforderung verständigen konnten (Heine, der Geld benötigte, verlangte 6000 Mark Banco, 1975 ein Gegenwert von ca. 72 000,– DM). Zusammen mit inhaltlichen Vorstellungen lassen die zähen Verhandlungen, in denen auch Heines Brüder Max und Gustav eine erfolglose Rolle spielten, jetzt die Konturen der *Vermischten Schriften,* mit den *Geständnissen,* erkennen. Im Oktober 1853 teilte Heine Campe verärgert mit, daß der ursprüngliche Buchplan nicht mehr existiere (»ich habe es [das Buch] nicht fertig gemacht, wie ich es machen konnte und wollte, und die Materialien dienen mir nun zu einem Buche von weiterer Entfaltung«). Erst Ende Januar, Anfang Februar 1854 kam es zu einem Kompromiß, als Heine vorschlug, für die geforderte Summe die doppelte Textmasse zu geben (*Vermischte Schriften* in zwei großen Bänden). Am 7. März schickte Heine das Manuskript zu Teil 1 und sah die AZ-Berichte von 1840 bis 1843 als Teil 2 mit dem Titel »Briefe und Berichte aus der Glanz Periode des parlamentarischen Regimentes« vor (»Berichte über schöne Künste, Theater, Salons, musikalische Saisons, Tanzböden, Volksleben, untermischt mit vielen Portraits, das Alles, gottlob reichlich mit Witz gepfeffert, raubt der Politik ihre Monotonie«). Die intensive Arbeit am Druckmanuskript, das in dieser letzten Phase ab April 1854 fertiggestellt wurde, bestätigt der Brief an Campe vom 15. April, in dem der Dichter über sein »Geschichtsbuch«, »das den heutigen Tag anspricht und in der Zukunft fortleben wird«, schreibt: »Tag und Nacht beschäftigte mich diese Hundearbeit des Umarbeitens, des Hinzuschmiedens von etwa 8 bis 10 Bogen, Alles um das Werk artistisch vollendet und mit den Zeitfragen im Einklang erscheinen zu lassen. Sie dürfen aber bey Leibe nicht verrathen daß ich von alten Berichten oft kaum 1/10 stehen ließ und meinen tollsten Humor in neugeschmiedeten Briefen ausließ. Wer das Handwerk versteht verräth den Meister nicht.« Die komplexe und z. T. verwirrende »Hundearbeit des Umarbeitens« ist bisher noch nicht in allen Einzelheiten rekonstituiert worden. Bei der Auswahl und Zusammenstellung von 61 Artikeln aus der Zeit von Februar 1840 bis Juni 1843 hat Heine auf zensiert gedruckte und ungedruckte Artikel zurückgegriffen, die er z. T. umdatierte, aufteilte, neu komponierte, kürzte oder verlängerte (Streichungen gegenüber den AZ-Drucken s. B 10, 999 ff.). Die Zusätze bzw. »Späteren Noten« sind z. T. kenntlich gemacht (V, XI, LVIII-*Retrospektive Aufklärung*), z. T. nicht, ebensowenig wie die Umarbeiten (z. B. in V, XII, XX, XXXII, XXXIII, XXXVIII, LVI, LVII oder LIX). Titel, soweit vorhanden, fallen weg. Der Anhang enthält die beiden Artikel aus der »Zeitschrift für die elegante Welt« (um einen AZ-Artikel vermehrt als *Kommunismus, Philosophie und Klerisei* gedruckt), ferner gedruckte Beiträge aus den Jahren 1844, 1846 und 1847 sowie den unveröffentlicht gebliebenen Aufsatz über *Gefängnisreform und Strafgesetzgebung*. Bedeutungsvoll ist nun, daß Heine, der über keine Kopien, aber über einige alte Brouillons verfügte, nicht hinter den

AZ-Druck zurückgegriffen und bis »auf drei oder vier Ausnahmen« (Werner, 1975) die Zensurlücken im Gegensatz zu seinem Brief an Campe vom 12. August 1852 *nicht* restituiert hat (vgl. Vorrede B 9, 236). Heine hat also 1854 *unzensierte* und durch die *Doppelzensur* von Redaktion und Zensor gegangene Berichte gemischt und den Druck der letzteren damit autorisiert (diesen verwickelten Sachverhalt hat Michael Werner aufgrund der vorhandenen Handschriften und Entwurfsmanuskripte aufzuklären versucht; zu Handschriften, die weder in der AZ noch im Buchdruck verwendet worden sind, s. B 10, 992 ff.). Angesichts der schwer lösbaren Editionsprobleme hat sich HSA dazu entschlossen, neben dem Druck der *Vermischten Schriften* die Pariser Berichte 1840–1848 gesondert zu publizieren (vgl. Werner 1975 64 f. und Hansen 1982, 70 f.). Michael Mann konnte eine Textrekonstruktion der Musikberichte vorlegen, die dadurch in ihrer ursprünglichen Form zugänglich sind. – Bei der »Hundearbeit« merkte Heine bald, daß das angeschwollene Manuskript nicht einen, sondern zwei Bände füllen würde (zum finanziellen Vorteil für Campe). Nach mehreren Änderungen und Vorschlägen entschloß sich Heine im Mai, die beiden Bände einfach und einprägsam *Lutezia* zu nennen, mit dem Untertitel »Tagesberichte (oder Berichte) über Politik, Kunst und Volksleben«. Nach Wochen angestrengter Arbeit konnte das Gesamtmanuskript bis auf die Vorrede und einige Blätter zum zweiten Teil am 26. Juni 1854 abgeschickt werden (»das Ganze liest sich wie ein Roman, während es zugleich ein historisches Aktenstück ist, und mein prägnantester Styl sich darin kund gibt«). Ende Juli folgten letzte Manuskripte, am 21. August die Vorrede in Form eines Zueignungsbriefes (*Zueignungsbrief. An Seine Durchlaucht, den Fürsten Pückler-Muskau*). Am 11. Oktober wurden die drei Bände der *Vermischten Schriften* ausgegeben.

Die französische Übersetzung

Die seit September, Oktober 1854 geplante französische Ausgabe schien Heine geeignet, seine »europäische Reputation« bestätigt zu sehen. Zusammen mit seinem Sekretär Richard Reinhardt, dem die Hauptarbeit zufiel, stellte Heine Ende 1854, Anfang 1855 eine Übersetzung her, die seinen stilistischen Anforderungen entsprach. Diese Fassung ist um gut ein Zehntel gekürzt und weicht an zahlreichen Stellen vom deutschen Text ab (s. B 10, 1028 ff. zu inhaltlich bedeutsamen Abweichungen). Gegen eine verbreitete Ansicht konnte Michael Werner 1984 nachweisen, daß die Frankreich-Kritik keineswegs abgeschwächt, sondern zum Bonapartismus sogar verstärkt worden ist. Artikel VII und LVIII mit *Retrospektiver Aufklärung* fehlen (ebenso der Artikel über die *Gefängnisreform* und der Pyrenäen-Beitrag aus dem Anhang, der jetzt nur aus *Saison musicale* I und II mit *Note postérieure* besteht). *Kommunismus, Philosophie und Klerisei* I und II beschließen als LX und LXI den Haupttext. Als neuer Text kam die auf den 30. März 1855 datierte *Préface* hinzu, die als Heines politisches Vermächtnis angesehen wird (der erst 1958 edierte deutsche Entwurf zur *Préface* befindet sich B 9, 227 ff.). *Lutèce* erschien am 13. April 1855 bei Michel Lévy frères im Rahmen der Werkausgabe. Bereits im Juli erfolgte ein zweiter Druck. Die Übersetzung, die zur Freude des todkranken Autors sofort großen Anklang in Paris fand, erlebte bis 1871 neun Auflagen, mehr als die anderen französischen Werke Heines!

Druck: Lutezia. Berichte über Politik, Kunst und Volksleben von Heinrich Heine. Erster Theil. und *Zweiter Theil* erschien in: *Vermischte Schriften von Heinrich Heine. Zweiter Band./ Dritter Band. Hamburg. Hoffmann und Campe. 1854.* (Teil I enthält die ersten 42 Artikel).
   – die einbändige Übersetzung wurde unter dem Titel veröffentlicht: *Lutèce. Lettres sur la vie politique, artistique et sociale de la France par Henri Heine, Paris, Michel Lévy frères 1855.*

Text: B 9, 217–548 (als Druckvorlage diente die Ausgabe von Oskar Walzel; weitere Korrespondenzberichte 1840 ff. befinden sich B 9, 143 ff.); HSA 10 druckt chronologisch alle veröffentlichten und unveröffentlichten Pariser Berichte 1840–1848;
   – HSA 19 *Lutèce,* 9–236 (gefolgt vom deutschen Entwurf zur *Préface* und weiteren ungedruckten Übersetzungen).

Lit.: B 10, 940–964; Heinrich Heine: *Zeitungsberichte über Musik und Malerei,* hrsg. von Michael Mann, Frankfurt a.M. 1964 [Text nach Zeitungsdrucken und Kommentar; enthält alle Kunstbeiträge]; Michael Mann: *Heinrich Heines Musikkritiken,* Hamburg 1971 (= Heine-Studien) [untersucht im 2. Teil Handschriften, AZ- und Buchdruck]; Lucienne Netter: *La genèse des articles LX et XXV de ›Lutezia‹ ou les anachronismes de Heine,* in: Etudes germaniques 29, 1974, 83–88; Michael Werner: *Das »Augsburger Prokrustesbett«. Heines Berichte aus Paris 1840–1847 (Lutezia) und die Zensur,* in: Cahier Heine [1] 1975, 42–65; Lucienne Netter: *Heine et la peinture de la civilisation parisienne 1840–1848,* Frankfurt a.M. 1980 (= Europäische Hochschulschriften), 21–74; Michel Espagne: *La recherche du pontifex maximus (les manuscripts de »Kommunismus, Philosophie und Klerisei« de H. Heine,* in: Recherches germaniques 11/1981, 62–86; Volkmar Hansen: *Der Wolf, der Kreide frißt. Lüge und Wahrheit in Heines politischer Publizistik der vierziger Jahre als Editionsproblem,* in: Zeitschrift für deutsche Philologie, Bd. 101 Sonderheft 1982, 64–79; Michael Werner: *Heines französische Bearbeitung der »Lutezia« und das Problem des Zielpublikums,* in: Cahier Heine 3, 1984, 117–135.

Analyse und Deutung

Lutezia 1840: Mythos und »Vorschule« zur Revolution

Mit wachsender Distanz zur Julirevolution und mit schwindendem Abstand zur Februarrevolution entwerfen die Korrespondenzberichte ein nahezu vollständiges Bild der Julimonarchie im Scheitelpunkt ihrer Existenz. Der Untertitel: »Berichte über Politik, Kunst und Volksleben« gibt nur eine grobe Orientierung über die Vielfalt der behandelten Themen und Aspekte des sich in seinem ganzen Glanz darbietenden modernen Frankreich. Die Berichte machen die AZ-Leser eingehend mit der Rolle des Königs und mit dem Vorgehen der wichtigsten Politiker des Juste-Milieu bekannt; sie berichten über die verschiedenen Aspekte der französischen Außen- und Innenpolitik; sie schildern das glanzvolle kulturelle Leben in der Hauptstadt des 19. Jahrhunderts, ohne die sich ankündigenden sozialen Konflikte zu vergessen. Berichtet wird von unterschiedlichen Stand-Orten aus, wie Parlament, Akademien, Salons, Konzertsälen, Theater, Kunstgalerien, Ballsälen, Hörsälen des Collège de France, Gerichtssälen, Cafés und Passagen, aber auch aus Vorstädten und Gassen. Berichtsort ist nicht immer Paris, sondern auch die Provinz, wie Normandie und Pyrenäen. Dem deutschen Leser werden Essays, Porträts, Geschichten, Kunstfeuilletons, Anekdoten, Rezensionen, Berichte oder ›news‹ geboten (den Essay-Charakter unterstreichen die Titel einzelner AZ-Fassungen, die nur hier auftauchen). Im Mittelpunkt steht, wie in den *Französischen Zuständen,* der König Ludwig Philipp, der seine Macht auf die Unterstützung der Großbourgeoisie sowie auf ein konservatives, loyales Parlament und auf ein stabiles, schließlich reformfeindliches Ministerium aufgebaut und abgesichert hat (Heines Einstellung zum König, zu den wichtigsten Persönlichkeiten und politischen Parteien bzw. Bewegungen hat Lucienne Netter 1980 detailliert dargestellt).

   Der Chronist der politischen, gesellschaftlichen, wirtschaftlichen und kulturellen Modernität, der seinen Anteil zum Paris-Mythos geliefert hat, ist aber Dialektiker genug, um unter der glänzenden Oberfläche die subversive Kraft der wirtschaftlichen Expansion wahrzunehmen. Auf der einen Seite erkennt er die Julimonarchie als historisch notwendige Phase in der Entwicklung der bürgerlichen Gesellschaft an, sieht aber auf der anderen, daß sie hohe, schließlich zu hohe soziale Kosten fordert. Artikel LVIII stellt in aller Deutlichkeit die Fortschritte von Ludwig Philipps Friedenspolitik (»Napoleon des Friedens«, B 9, 323) und Guizots Regierungsarbeit in biologischer Metaphorik heraus: »Die Saat der liberalen Prinzipien ist erst grünlich abstrakt emporgeschossen, und das muß erst ruhig einwachsen in die konkret knorrigste Wirklichkeit« (B 9, 461). Heine, der sich nach einer handschriftlichen Variante bei Guizots Verteidigung seiner Politik an Hegel erinnert fühlte (B 10, 998), begrüßt die aktuelle französische Entwicklung aus der Sicht des Berliner Dialektikers und seiner Schüler, wenn er fortfährt: »Die Freiheit, die bisher nur hie und da Mensch geworden, muß auch in die Massen selbst, in die untersten Schichten der Gesellschaft, übergehen und Volk werden. Diese Volkwerdung der Freiheit, dieser geheimnisvolle Prozeß, der, wie jede Geburt, wie jede Frucht, als notwendige Bedingnis Zeit und Ruhe begehrt, ist gewiß nicht minder wichtig, als es jene Verkündigung der Prinzipien war, womit sich unsre Vorgänger beschäftigt haben. Das Wort wird Fleisch, und das Fleisch blutet«. Aber »Zeit und Ruhe«, Wachsen und Dauer, die hier beschworen werden, sind durch die der Entwicklung innewohnende Widersprüchlichkeit gefährdet, denn Guizot, der Mann des »enrichissez-vous«, ist nicht Vertreter des Volkes, sondern Repräsentant der herrschenden Klasse, die unweigerlich ihr Grab schaufelt. In der Übergangsphase, in der sich Frankreich zu Beginn der 40er Jahre befindet, hat der Außenminister die Aufgabe zu erfüllen, die Herrschaft der kapitalistischen Bourgeoisie, die er gewollt hat, nach rechts und links zu verteidigen (»Sein eigentliches Geschäft ist die tatsächliche Erhaltung jenes Regiments der Bourgeoisie, das von den marodierenden Nachzüglern der Vergangenheit ebenso grimmig bedroht wird, wie von der plünderungssüchtigen Avantgarde der Zukunft«, B 9, 367; vgl. 336, 387, 431). Jedoch können weder König noch Minister die Herrschaft einer Bourgeoisie retten, »die durch den Geist der Industrie emporblüht, aber auch untergehen wird« (Artikel XXVII; zu Heines Einsicht in die Dynamik der ökonomischen Entwicklung s. Schmitz und Rubini).

Der Held der *Lutezia* – wie Heine seinem Verleger am 24. August 1852 anvertraut hat – »der wahre Held de[r]selben ist die sociale Bewegung«, die unaufhaltsam auf die Revolution von 1848 zuläuft, und die Berichte verstehen sich deshalb als deren »Vorschule«. Heine zeichnet dem restaurati-ven Deutschland das Bild eines Staates und einer Gesellschaft, in denen der Eindruck der Ruhe, den die politische Szene vermittelt, eine Täuschung ist, denn er erweist sich als Ruhe vor dem Sturm oder als die Stille, die »eine geladene Kanone« verbreitet (B 9, 148). In diesem Bild wird das gedeihliche Aufgehen der liberalen »Saat« durch »ein düster heraufziehendes Weltgewitter« oder durch eine ganz andere, durch die rote »Saat« bedroht, die in den Vorstädten aufgeht (B 9, 461 und 251). Zur Wetter- und Sturm-Metaphorik hält Heine im Rückblick fest: »Ich habe nicht das Gewitter, sondern die Wetterwolken beschrieben, die es in ihrem Schoße trugen und schauerlich düster heranzogen« (*Zueignungsbrief* B 9, 238; vgl. 322 oder 333). Trotz der zensurbedingten Pflicht zur Mäßigung zeigen die Berichte die Haltlosigkeit des Regimes unmißverständlich auf. Der König, Repräsentant der Geldherrschaft, erscheint gleich im ersten Artikel als gerissener Schauspieler, der seine Herrschaft auf »angeerbter Verstellungskunst«, auf Täuschung und Maske etabliert hat (B 9, 241 f., vgl. 246 und 330; siehe dazu weiter unten). Dem fügt der abgelehnte Artikel LIV offen hinzu, das ganze Juste-Milieu-System tauge »keinen Schuß Pulver«, weil Ludwig Philipp sich auf die Mehrheit eines Parlaments stützt, das er irrtümlich für die Repräsentation Frankreichs hält. Was es mit der nach dem Zensuswahlrecht gewählten, von Notabeln und hohen Beamten beherrschten Kammer auf sich hat, enthüllt der ebenfalls abgelehnte Artikel LVIII: Es sind die Privatinteressen, die »Suppenkessel-Interessen« der »konstitutionellen Janitscharen«, welche die Minister im Griff halten und Frankreich »eigentlich regieren« (B 9, 458; vgl. *Zueignungsbrief* B 9, 236 f., der die »parlamentarische Periode«, deren »getreues Gemälde« die Berichte bilden, näher beschreibt). Diese Machtkonstellation wird innerhalb des Systems durch jene Klasse gefährdet, die durch den Eisenbahnbau profitiert hat und überstark repräsentiert ist: die »Geldaristokratie«. Sarkastisch hält Artikel LVII (1854 erweitert) die Verbindung von Ökonomie und Politik im Hinblick auf die Großbourgeoisie fest: »Jene Leute werden bald nicht sowohl das comité de surveillance der Eisenbahnsozietät, sondern auch das comité de surveillance unserer ganzen bürgerlichen Gesellschaft bilden«. Ihr Repräsentant ist Baron James von Rothschild, der »Prophet« der herrschenden Geldreligion (B 9, 355 f. und 451 ff.). Der Baron, ein moderner Ludwig-XIV., hat sich alle Welt untertan gemacht; umgeben vom »Hausfreund« Rossini und »Hofmaler« Ary Scheffer lebt er in einem Palast, der an einen antiken Tempel erinnert, und wird von allen, Großen und Kleinen, nahezu religiös verehrt (das führt eine satirische Anekdote ad absurdum, nach der ein Börsenspekulant ehrfurchtsvoll den Hut abgezogen hat, als ein Bediensteter das Nachtgeschirr des Barons vorbeitrug). Voll bitterer Ironie beschreibt Heine den Bankier, in dessen Haus er verkehrt hat, als einen Überreichen, der an einem ganz neuen Elend leidet: Dem »Geldelend«, das noch quälender sein soll als Armut und zu dessen Heilung etwas unternommen werden müsse (s. »Kamelfrage«, B 9, 453); mit der gleichen Verstellung werden nach dem Versailler Eisenbahnunglück die Bankiers, deren Aktien dadurch gefallen sind, beklagt. Einer Bourgeoisie, die allein von materiellen Interessen beherrscht wird, moralisch völlig haltlos und ohne jeden »Point d'honneur«, erscheint der *Lutezia* letztlich als ›Garant‹ des Umsturzes; in den aufsteigenden »Stürmen«, sieht Artikel XXVII voraus, werden Hände, die mehr »zum Geldzählen und Buchführen« geeignet sind, das Staatsruder ängstlich fahren lassen.

Lit.: Gerhard Schmitz: *Über die ökonomischen Anschauungen in Heines Werken,* Weimar 1960; Lucienne Netter 1980 (s. o.); Ugo Rubini: *Il mondo economico e industriale nell'opera di Heinrich Heine,* Bari 1982; Fritz Mende: *Heinrich Heine. Studien zu seinem Leben und Werk,* Berlin (Ost) 1983, 63–74: Heine und die »Volkwerdung der Freiheit« [zuerst 1966]; Françoise Bech: *Heines Pariser Exil zwischen Spätromantik und Wirklichkeit,* Frankfurt a. M. 1983 (=Europäische Hochschulschriften), 167–214; Ugo Rubini: *Wirtschaft und Industrie im Werk Heinrich Heines,* in: HJb 1986, 27–41; Jochanaan Christoph Trilse: *Antikapitalismus bei Heinrich Heine und Richard Wagner,* in: *Heinrich Heine und das neunzehnte Jahrhundert,* Berlin 1986, Argument-Sonderband, 162–190 [betont Anregung durch Proudhon]; Wolfgang Hädecke: *Heinrich Heine und der Industrialismus,* in: Scheidewege Jg. 16, 1986/87, 277–295.

Der Tanz auf dem Vulkan und der Tanz der Dinge

Die »Vorschule« hat sich den revolutionären Prozeß so zueigen gemacht, daß sie die erwähnten »Wetterwolken« sozusagen in den Text eingearbeitet hat: Sie beweist ihren künstlerischen Rang dadurch, daß sie ständig schürt, untergräbt und aufrührt; daß sie stößt, was fällt und dem zum Ausdruck verhilft, das nach Befreiung und Revolution verlangt. Während der Pariser Korrespondent in einem Augenblick »großer Stille« dem AZ-Redakteur und -Leser versichert, das »Verständnis der

Dinge und Menschen« unter Wahrung »der größten Unparteilichkeit« befördern zu wollen (B 10, 1011), zeigt seine Schreibweise, daß es ihm weder um Ruhe noch um Neutralität geht. Angetrieben von der Dynamik der Entwicklung kann im Lande eines Volkes, dem »Handeln«, »Tätigkeit« und »Bewegung« ein großes Bedürfnis sind, nichts still stehen (B 9, 423; vgl. 411, 457 und 510; dazu Netter, 75 ff.). Diese Dynamik – »zeitliche Signatur« der Verhältnisse (was Wolfgang Preisendanz und Otto W. Johnston herausgearbeitet haben) – wird auf unterschiedliche Weise erreicht. So unterminiert die Parabel vom Obelisken – mit der Guizot gemeint ist – eindrucksvoll den Glauben an die »Festigkeit der Dinge«, indem sie genau das stößt, was vermeintlich Dauer hat, aber in Wirklichkeit schon wackelt (XXXVIII). Die 1841 und 1854 ausgelassene Pointe macht klar, daß die Standfestigkeit des Obelisken nicht so sehr durch die wetterwendische Lutetia von oben bedroht wird, sondern von unten, durch die »schlechte Basis«, d. h. durch die mangelnde demokratische Basis (Werner 1975). Die Instabilität suggerierende Parabel wird durch insistierend wiederkehrende Fragen noch verstärkt, die den Glauben an »Dauer« ruinieren sollen, wie: »Wird sich Guizot halten?«, »Wird er sich halten?«, »Steht sie [die Säule] sicher?«, »Eine ganz feste? [Stütze] Nein, hier in Frankreich steht nichts ganz fest.« Fragen, nichts als Fragen, aber Unruhe stiftende Fragen ziehen sich durch alle Texte und werden zu einer drohenden Gefahr für die Standfestigkeit des Regimes sowie seiner Repräsentanten. Alle und alles wird durch gezielte Fragen, durch verstellt bange und durch offen frohlockende Fragen destabilisiert: Ludwig Philipp (z. B. B 9, 324 und 415: »Aber wie lange [. . .]«); Thiers (B 9, 248 und 255), Guizot und Soult (B 9, 325); das Regime (B 9, 347: die Befestigungspolitik des Königs, Symptom der Angst vor der eigenen Dauer, wird mit der typischen Frage erschüttert: »Werden die Bauten vor dem Gewitter schützen, oder werden sie die Blitze noch verderblicher anziehen?« vgl. 385 f.) oder die Regierung (B 9, 404; Fragen rühren auch am Erfolg von Musik und Musikern: B 9, 357, 362 und 400). Fragen beschwören schließlich vor allem die Revolutions-»Gefahr« herauf, wenn sie Zweifel an der Widerstandskraft der Bourgeoisie anmelden (B 9, 333), an die Unabgeschlossenheit des revolutionären Prozesses erinnern (B 9, 319) oder wenn die bourgeoise Angst um das Eigentum als »die Stütze aller Dinge« gilt, worauf unmittelbar folgt: »Wird diese Furcht noch auf lange Zeit vorhalten?« (B 9, 414; vgl. 422 das ungemein plastische und dialektische Bild, das sich hierauf bezieht: »Je heftiger die Stützen zittern, desto weniger schwankt der Thron«).

Die Fragen wirken subversiv, weil sie das Phänomen Zeitlichkeit im Sinne von Wechsel und Veränderung ins Spiel bringen und dadurch die Relativität des Augenblicklichen hervorkehren (dazu Preisendanz, der die künstlerische Qualität der Berichte entdeckt hat; vgl. Nikolaus Miller, 100 ff., der eine »Poetik der Dokumentarliteratur« zu entwerfen versucht). In einer Phase wirtschaftlicher Expansion, die alles umzustürzen beginnt, hat der Eisenbahnbau – wie an anderer Stelle dargestellt – die menschliche Wahrnehmung von Zeit und Raum selber verändert. Artikel LVII, der die Industrielle Revolution mit ihren Auswirkungen schildert, gibt präzise den Takt der neuen Zeit an: »Aber die Zeit rollt rasch vorwärts, unaufhaltsam, auf rauchenden Dampfwagen« (B 9, 448).

Auch diese Mobilität hat sich auf die Korrespondenzen übertragen, die immer wieder das Gestern mit dem unsicheren Heute oder das Heute mit dem ungewissen Morgen konfrontieren (z. B. B 9, 387 oder 10, 1007), die alles im Fluß sehen (B 9, 243 oder 272). So beginnt Artikel II, der über die neue Regierung berichtet, mit dem fulminanten Satz: »Thiers steht heute im vollen Lichte seines Tages. Ich sage heute, ich verbürge mich nicht für morgen.« Oder so teilen sich die steigenden Aufregungen, die die Orientkrise hervorgerufen hat, direkt mit, wenn der Reporter zwei aufeinander folgenden Artikeln Zeitstempel aufdrückt wie: »Seit gestern abend herrscht hier eine Aufregung die alle Begriffe übersteigt«; vier Tage später: »Stündlich steigt die Aufregung der Gemüter« (Artikel XXI und XXII). Und welchen Sprengstoff auch noch das Gegenteil von Bewegung, der dem Regime unentbehrliche politische Stillstand, anzuhäufen vermag, das hält Artikel LII in einem weiteren dialektischen und anklagenden Bild einprägsam fest, das in seinem ganzen Umfang zitiert werden soll: »Hier in Frankreich herrscht gegenwärtig die größte Ruhe. Ein abgematteter, schläfriger, gähnender Friede. Es ist alles still, wie in einer verschneiten Winternacht. Nur ein leiser, monotoner Tropfenfall. Das sind die Zinsen, die fortlaufend hinabträufeln in die Kapitalien, welche beständig anschwellen; man hört ordentlich wie sie wachsen, die Reichtümer der Reichen. Dazwischen das leise Schluchzen der Armut. Manchmal auch klirrt etwas, wie ein Messer das gewetzt wird« (B 9, 425).

Ein Bild der Ruhe, das eine ungeheure Dynamik ankündigt.

»Wir tanzen hier auf einem Vulkan‹ – aber wir tanzen.« Mit diesem Zitat beginnt Artikel XLII, der die Erfahrung der Julimonarchie auf ihrem Höhepunkt wohl am eindringlichsten veranschaulicht (an diesem bekannten Bild hat Klaus Briegleb 1986, 347 ff., den Aspekt des Trauerns als Distanz des Künstlers zum Volk gedeutet). Der Autor der *Elementargeister* und zweier Ballette braucht gar nicht zu beschreiben, was *unter* der glänzenden Oberfläche, d. h. .»in dem Vulkan gärt, kocht und brauset«, um die Labilität der Zustände zu suggerieren. Er braucht nur den populären, amoralischen Volkstanz gegen das mumifizierte Ballett und gegen den »Scheintanz« der Grandes Soirées auszuspielen, um seinen Lesern klarzumachen, welche Dynamik die Misere des Pariser Volkes erzeugt hat. Er braucht nur die Polizei als »Bewachung der Volkslust« ins Spiel zu bringen, um zu zeigen, wie vergeblich der Staat die revolutionäre Kraft des Volkes zu kontrollieren versucht. In einer Verbotssituation wird Tanz, für Heine Protest gegen die herrschende Moral, zu einem pantomimischen Tribunal: »allerlei ironische Entrechats und übertreibende Anstandsgesten« schlagen den Aufsehern ein Schnippchen und verurteilen das Bestehende. Das entfesselte, »satanische« Schlußbild, auf das der Artikel zuläuft, sagt unmißverständlich, wie ansteckend der getanzte Protest wirken kann, so daß der Vulkan jederzeit in die Luft fliegen könnte.

Lit.: Wolfgang Preisendanz: *Heinrich Heine,* München 1973, 69–98: Der Sinn der Schreibart [...] [zuerst 1972]; Otto W. Johnston: *Signatura Temporis in Heine's ›Lutezia‹,* in: The German Quarterly 47/1974, 215–232; Michael Werner 1975 (s. o.); Lucienne Netter 1980 (s. o.); Nikolaus Miller: *Prolegomena zu einer Poetik der Dokumentarliteratur,* München 1982; Klaus Briegleb: *Opfer Heine? Versuche über Schriftzüge der Revolution,* Frankfurt a. M. 1986, 339 ff. und 347–372.

Konterbande Kommunismus
(Zensur und Selbstzensur)

Trotz aller Qualen durfte sich Heine deshalb relativ unbeschwert ins gefürchtete »Augsburgische Prokrustesbett« (B 9, 235) legen, weil er über die Mittel verfügte, um sich zwar verstümmelt, aber dennoch in erkennbarer Größe wieder herauswinden zu können. Der Autor anonymer Korrespondenzen hat sich 1840 aus wirkungspraktischen Gründen der Augsburger Doppelzensur unterworfen, weil es sein politisches Schriftstelleramt erforderte,

d. h. weil seine schlimme »Selbsttortur« durch den Kreis von 50 000 möglichen Lesern kompensiert wurde. Er hat alle Mißverständnisse, die gemäßigtes und maskiertes Vorgehen hervorrufen (wie das der Servilität), umso leichter auf sich genommen, als er dem Redakteur Kolb grenzenloses Vertrauen entgegenbrachte. Am 22. Juni 1843, als die beiden ersten Artikel über *Kommunismus, Philosophie und Klerisei* nicht mehr in der AZ erscheinen konnten, hat Heine seinem Freund eine Generalvollmacht erteilt (»Da ich, theurer Kolb, Ihr ganzes zuverlässiges Herz kenne und auch Ihre Geschicklichkeit erprobt, so gebe ich Ihnen *ein für alle mahl* die Erlaubniß, meine Artikel ganz unerbittlich zusammen zu schneiden und zurecht zu fügen wie es Ihre Censur- und Lokalbedürfnisse erfordern«; vgl. den Zusatz von 1854, B 9, 287 ff.). Heine fühlte sich zum Kampf mit jedem modernen Prokrustes gewappnet, weil er das Vorgehen seiner Gegenspieler mit einer überlegenen Strategie der Verstellung und List zu konterkarieren vermochte. Als wolle Heine, das – wie erwähnt – exemplarische Opfer der Vormärz-Zensur, seinen Zensoren noch eins auswischen, hat er 1855 in der *Préface* seine taktischen Mittel enthüllt, mit denen er jahrelang – sein Leben lang – die Gegenspieler in Amtsstuben oder Redaktionen überlistet hat, um einer geknebelten öffentlichen Meinung die Wahrheit über die Herrschenden mitzuteilen, freilich in der Hoffnung, daß diese selber aktiv genug wäre, hinter dem Gesagten das Gemeinte zu erkennen. Seine Strategie der List, die Bodo Morawe jetzt unter dem Gesichtspunkt der »Gegenlist« untersucht hat (und die an Bertolt Brechts Kampfschrift *Fünf Schwierigkeiten beim Schreiben der Wahrheit* erinnert), mußte Heine schon allein deshalb legitim vorkommen, weil er sie im Gesicht der Macht in reifer Gestalt vorgeprägt gefunden hat: Artikel I handelt an markanter Stelle nicht zufällig von »simulatio und dissimulatio« als Grundelementen der königlichen Herrschaft. Dadurch wird einmal das auf Begriffe gebracht, was die *Zustände* und der Nachtrag zu den *Malern* bereits entdeckt haben (B 5, 108 f., 153 f. und B 9, 135 f. – wo präzise von »Verstellungskunst« die Rede ist –; B 5, 81 f.; s.o. 208 f.); zum andern wird der Hauptgestus von Heines artistischer Schreibweise definiert. Die *Préface* von 1855 hat die »Maske« (*Préface*: »déguisement«) etwas gelüftet und die eigene Verstellungskunst durch nautische Metaphorik anschaulich zu erkennen gegeben; der berühmte Text lautet im deutschen Entwurf: »Ich mußte das Schiff meines

Gedankens oft mit Flaggen bewimpeln, deren Embleme nicht eben der rechte Ausdruck meiner Gesinnung waren. Aber den publizistischen Freibeuter kümmerte es wenig, von welcher Farbe der Lappen war, der am Mastbaum seines Fahrzeugs hing und womit die Winde ihr luftiges Spiel trieben: ich dachte nur an die gute Ladung, die ich an Bord hatte und in den Hafen der öffentlichen Meinung hineinschmuggeln wollte.« (B 9, 230) Ganz ähnlich hatte Heine im *Schwabenspiegel* eine »Strategie« zu erkennen gegeben, die mit einer wechselnden »Taktik« operiert (B 9, 65). Im einzelnen klärt der Stratege und Verstellungskünstler 1855 seine Feinde (die immer schnell an der Kontinuität seiner Gesinnung zweifelten) und Freunde über zwei Taktiken der »simulatio und dissimulatio« auf: die Einkleidung von Ereignis und Meinung »in die Form des Faktums« und die differente »Tonart«, die erlaubt, »das Verfänglichste zu referieren«. Auffallend an der publizistischen Freibeuterei, deren Form und Inhalt näher untersucht werden sollen, ist, daß sie die Sprache der modernen Psychologie spricht. Politische und Traum-Zensur stimmen nach Freuds dynamischer Theorie des Unbewußten soweit überein, daß sie etwas Verpöntes nur unter ›falscher Flagge‹ durchlassen. Es wäre deshalb eine weitere Untersuchung wert, um das zu vergleichen, was Heine Verstellung (dissimulatio) und Freud »Entstellung« (als Mittel der Verstellung) nennt, oder was der Dichter als Schmuggel und der Psychologe als »Verschiebung« (Modifikation, Umgruppierung) bezeichnet.

Die Überlistung der Zensur durch Vortäuschen eines Faktums meint ein Zweifaches. Zunächst wird die eigene Meinung einer fremden Person in den Mund gelegt und dadurch als solche nicht mehr erkennbar (Beispiele: die Äußerung über die deutsche Polizei, B 9, 504; die Rede der Arbeiter in Artikel LI oder die Blasphemie B 9, 254; s. dazu Werner, 59 f.). Außerdem können persönliche Ansichten in Geschichten verkleidet werden, die von den Kritikern gern als Klatsch verkannt wurden, wie z. B. der Spott über Meyerbeer aus dem Munde Spontinis (B 9, 293 ff.). Wirkungsvoller ist dann die Einkleidung der Kritik in eine Parabel wie die (erwähnte) vom Obelisken oder die vom Pianoforte, dem modernen geistlosen »Marterinstrument«, das die bürgerliche Gesellschaft symbolisiert, aber auch – wie eine dann doch gestrichene Variante zeigt – ihr Ende durch sich selber ankündigt (B 9, 435 und 10, 997).

Entscheidendes Mittel ist jedoch die »Tonart«,

denn durch Akzentuierung von Nebensächlichem, Banalisierung des Umfeldes, Vorschieben von Impressionen oder Äußerung von Unbehagen konnte Wichtiges durchgeschmuggelt werden. Dieser Taktik verdankt schließlich der Kommunismus seine publizistische Entstehung. Als Triumph über die Zensoren verbucht die *Préface,* das »fürchterliche Thema« in der AZ besprochen und dem Kommunismus »eine höllische Reklame« gemacht zu haben (»Durch die Allg. Ztg. erhielten die zerstreuten Kommunistengemeinden authentische Nachrichten über die täglichen Fortschritte ihrer Sache, sie vernahmen zu ihrer Verwunderung, daß sie keineswegs ein schwaches Häuflein, sondern die stärkste aller Parteien, daß ihr Tag noch nicht gekommen, daß aber ruhiges Warten kein Zeitverlust sei für Leute denen die Zukunft gehört«; B 9, 231 f.). In der Tat gewinnt auf den Pariser Bildern, die Heine »Daguerreotypen« nennt (»meine Berichte sind ein daguerreotypisches Geschichtsbuch«, B 9, 239), versteckt und verkleidet eine Gestalt allmählich Kontur, die zum welthistorischen Antagonisten der herrschenden Bourgeoisie geworden ist. Da ist in Artikel IV die Rede von einem Besuch einiger Ateliers im Faubourg Saint-Marceau, wo Ouvriers Schriften lasen, »die wie nach Blut rochen« und Lieder mit »dämonischen Tönen« sangen, »die in der Hölle gedichtet zu sein scheinen« (vgl. Briegleb 1986, 333 ff.). Im Gegensatz dazu beschreibt Artikel XXXVII vom 11. Dezember 1841 aus der Perspektive des »müßigen Flaneurs« einen Bummel durch das vorweihnachtliche Paris, das vor Luxuswaren starrt. Der Flaneur bemerkt im »Kontrast« zu den glänzenden Waren die verbitterten Gesichter des Pariser Volkes und teilt dann en passant seine Überzeugung mit, »daß früh oder spät die ganze Bürgerkomödie in Frankreich mitsamt ihren parlamentarischen Heldenspielern und Komparsen ein ausgezischt schreckliches Ende nimmt und ein Nachspiel aufgeführt wird, welches das Kommunistenregiment heißt! Von langer Dauer freilich kann dieses Nachspiel nicht sein; aber es wird um so gewaltiger die Gemüter erschüttern und reinigen: es wird eine echte Tragödie sein.« Dann ist von einem Prozeß die Rede (zum Kontext s. Netter 196 ff.), von Guizot, von der unwiderstehlichen »Propaganda des Kommunismus«, bevor sich dieser Artikel, der den AZ-Lesern am 17. Dezember 1841 unter dem Titel *Volks- und Kunstleben in Paris* erstmals die Existenz des Schreckgespenstes untergejubelt hat, wieder »heitern Gegenständen« zuwendet und sich ausführlich einem Kupferstich

widmet. Drittes Bild, das dann mit der Linie der AZ nicht mehr vereinbar war: Der abgelehnte Artikel über Leroux und Cousin vergleicht eingangs die kleine, aber propagandastarke Gemeinde der Kommunisten mit dem »obskuren Häuflein« der frühen Christen in Rom, das Legion ward und die Welt eroberte; der Schluß prophezeit dann der modernen Gesellschaft ein ähnliches Schicksal wie der antiken (B 9, 496 f. und 506). Grauen suggerierend (»Tonart«) und als Konzession an die Zensoren gemeint, ist immer von dunklen Dämonen, »düstern Gesellen« und Höllengestalten die Rede, wenn über das Proletariat bzw. über die untersten Schichten der Gesellschaft berichtet wird (übrigens hat auch Karl Marx noch am 16. Oktober 1842 in der »Rheinischen Zeitung« die Kraft der neuen kommunistischen Ideen mit der von »Dämonen« verglichen; MEW 1, 108). Die beiden unheilschwangeren kurzen Wahlberichte vom 20. Juni und 12. Juli haben nun den neuen Helden, den Kommunismus, der »in verborgenen Dachstuben auf seinem elenden Strohlager hinlungert«, aufgestöbert und auf die Bühne der Weltgeschichte gestoßen (Artikel XLV hat 1854 den »furchtbaren Antagonisten« mit dem »schrecklichen Inkognito« noch zusätzlich eingeschwärzt; hier ist daran zu erinnern, daß im September 1842 Lorenz von Steins Buch *Der Socialismus und Communismus des heutigen Frankreichs* erschienen war, also ungefähr zeitgleich mit Heines berühmten Beschreibungen des zukünftigen Klassenkampfes). Der erste Akt der »modernen Tragödie«, die Artikel XLVI einer breiteren deutschen Öffentlichkeit bewußt gemacht hat, würde aus einem französisch-deutschen Krieg bestehen; der »zweite Akt ist die europäische, die Weltrevolution [AZ: »Welterschütterung«], der große Zweikampf der Besitzlosen mit der Aristokratie des Besitzes« (B 9, 406). Die ›bangen‹ Fragen, die sich anschließen, vermögen nicht über die Einstellung des Korrespondenten zu seiner Prophezeiung einer proletarischen Revolution hinwegzutäuschen: Nach Heines dialektischer Geschichtskonzeption wurde die Napoleonische Heldenzeit durch die »Bürgerkomödie«, mit einem Schauspieler und Verstellungskünstler an der Spitze, abgelöst (B 9, 374 und 457; vgl. *Zustände*); dieser für den Schüler Hegels substanzlosen Übergangszeit folgt mit dem Auftreten des Proletariats eine ganz neue geschichtliche Phase, die er deshalb als tragisch auffaßt und kontrastiv hervorhebt.

In einem Punkt hat aber der Zensor über den Freibeuter triumphiert, ohne daß dieser es 1854 rückgängig gemacht hätte. Für den Autor der *Lutezia* kann kein Regime von endgültiger Dauer sein, weder das bourgeoise, noch das bonapartistische, noch das republikanische; allen prognostiziert er eine transitorische Existenz. Das bescheinigen nun die AZ-Artikel XXXVII und XLV auch dem »Kommunistenregiment« – nicht laut Heine, sondern laut Kolb: dieser hat wahrscheinlich die Dauer des »Nachspiels« reduziert und sicher die Aussage: »Held, dem eine große Rolle beschieden in der modernen Tragödie« in: »düstren Held, dem eine große wenn auch nur vorübergehende Rolle beschieden«, verwandelt (Werner 1975, 43).

Lit.: Michael Werner 1975 (s. o); Lucienne Netter 1980 (s. o.), 196 ff. und 235 ff.; Volkmar Hansen (s. o.); Klaus Briegleb (s. o.), 152 ff., 258 ff., 333 ff. und 377 ff.; Bodo Morawe: *List und Gegenlist. Heinrich Heine als politischer Schriftsteller*, in: Jörg Schönert/Harro Segeberg (Hrsg.): *Zur Theorie, Geschichte und Wirkung der Literatur*, Frankfurt a. M. 1987 (im Erscheinen).

Ästhetischer (Anti-)Kommunismus

»Dieses Geständnis, daß den Kommunisten die Zukunft gehört, machte ich im Tone der größten Angst und Besorgnis, und ach! diese Tonart war keineswegs eine Maske!« Das Geständnis hat der todkranke Dichter (und Dämonologe, wenn es sein mußte) schriftlich und mündlich mehrfach abgelegt, am vernehmlichsten vor seinem französischen Publikum in *Aveux d'un poète* und in der *Préface* von 1855 – sechs und sieben Jahre nach dem Junimassaker und trotz Pressedekret vom Februar 1852. Sein »Geständnis« ist nun so ausgefallen, daß sich keine eindeutig positive Stellung zum kommunistischen Machtantritt herausfiltern läßt, so daß diese Frage zu den umstrittensten der Forschung und Diskussion gehört. Der nach dem Kommunisten-Passus der *Geständnisse* zentrale Text schließt sich unmittelbar an obiges Zitat der *Préface* an und lautet in extenso: »In der Tat, nur mit Grauen und Schrecken denke ich an die Zeit wo jene dunklen Ikonoklasten zur Herrschaft gelangen werden: mit ihren rohen Fäusten zerschlagen sie alsdann alle Marmorbilder meiner geliebten Kunstwelt, sie zertrümmern alle jene phantastischen Schnurrpfeifereien, die dem Poeten so lieb waren; sie hacken mir meine Lorbeerwälder um, und pflanzen darauf Kartoffeln; die Lilien, welche nicht spannen und arbeiteten, und doch so schön gekleidet waren wie König Salomon, werden ausgerauft aus dem Boden der Gesellschaft, wenn sie nicht etwa zur Spindel

greifen wollen; den Rosen, den müßigen Nachtigallbräuten, geht es nicht besser; die Nachtigallen, die unnützen Sänger, werden fortgejagt, und ach! mein ›Buch der Lieder‹ wird der Krautkrämer zu Tüten verwenden, um Kaffee oder Schnupftabak darin zu schütten für die alten Weiber der Zukunft – Ach! das sehe ich alles voraus, und eine unsägliche Betrübnis ergreift mich, wenn ich an den Untergang denke, womit meine Gedichte und die ganze alte Weltordnung von dem Kommunismus bedroht ist«. Nun erinnert das erste Zitat direkt daran, daß »Ton« und »Tonart« zur wichtigsten Taktik von Heines Verstellungskunst gehören und wenn das »Geständnis« mit der »größten Angst und Besorgnis« bzw. »mit Grauen und Schrecken« erfolgt ist, dann ist es offenbar schlecht erfolgt (wie doppelbödig und taktisch dieser Passus ist, das hat Dolf Oehler 1977 präzise herausgehört, der von einer »virtuosen Eulenspiegelei« spricht). Hier soll Heines gespaltene Einstellung zur proletarischen Zukunftsvision aus der Perspektive eines ästhetischen »Anti-Kommunismus« erörtert werden, der sich selber desavouiert (vgl. *Geständnisse*).

Heines kritische Auseinandersetzung mit dem Kommunismus setzt auf drei Ebenen an: Als unorthodoxer Sozialrevolutionär, für den die Rechte großer Individuen unantastbar sind, kritisiert er in den AZ-Berichten proletarischen Egalitarismus und Ikonoklasmus (Art. XXVIII, vgl. IV, XXV – die Auseinandersetzung mit Louis Blanc in dem abgelehnten Artikel ist wahrscheinlich 1854 verschärft worden – und XLVII). Atheismus spielt hier noch keine so wichtige Rolle (etwa XLVII) wie zehn Jahre später. Heine verarbeitet in seinen Korrespondenzen Erfahrungen mit dem französischen Frühsozialismus und Frühkommunismus, die 1840 als politische Kräfte in Erscheinung getreten sind (die Kritik der Gottlosigkeit – in den *Briefen über Deutschland* nur leise vernehmbar – entwickelt sich dann in Auseinandersetzung mit den deutschen Junghegelianern und Frühsozialisten). Nachdem Leo Kreutzer in einem maßgeblichen Vortrag richtiggestellt hat, daß unter Kommunismus 1842/43 Neo-Babouvismus und nicht Marxismus zu verstehen ist, konnte Michael Werner weiter differenzieren und nachweisen, daß in Heines »Kommunismus«-Vorstellung die Auseinandersetzung mit französischen Sozialisten eingegangen ist (Heine gebrauchte, schreibt Werner 1982, 103, »den Begriff ›Sozialisten‹ für einige Sozialtheoretiker wie Saint-Simon, Fourier oder auch Leroux, nie aber für eine politische Bewegung, wie es dann der ›Kommunismus‹ war«). 1843 sieht Heine die frühsozialistischen Theoretiker unweigerlich »zu dem wachsenden Heere des Kommunismus übergehen« (B 9, 497). Bis auf Proudhon haben die Korrespondenzen die wichtigsten Vertreter des französischen Sozialismus und Kommunismus mit deren Schriften behandelt oder zumindest erwähnt (Proudhons sofort berühmte These: »La propriété c'est le vol!«, hat Caput X des *Atta Troll,* das 1842 entstanden ist, parodistisch verarbeitet). Ausführlich wird der Sozialist Louis Blanc als tiefer Denker und als Mann mit »großer Zukunft« vorgestellt (B 10, 1000 und der nichtgedruckte Artikel XXV). Den ehemaligen Saint-Simonisten Pierre Leroux würdigt Anhang I als generösen, humanistischen Denker und »fühlenden Philosophen«, dessen ganzes Leben »der Verbesserung des moralischen und materiellen Zustandes der untern Klassen gewidmet« ist. Artikel IV erwähnt Schriften des Kommunisten Etienne Cabet, von Louis-Marie de Cormenin und Philippe Buonarrotis weitverbreitete Babeuf-Darstellung (*Conspiration pour l'Egalité de Babeuf,* 1828). Die *Retrospektive Aufkärung* nennt Auguste Blanqui, den Heine schon in den *Zuständen* porträtiert hat, und der dann eine führende Rolle in der neo-babouvistischen Bewegung spielen sollte. (Artikel LI behandelt die englische Krise von 1842 und die Chartisten-Bewegung).

Heines »Angst und Besorgnis« vor dem Sieg des Kommunismus ist nicht die des Bourgeois: In Artikel L und LI zittert sich nicht der Korrespondent aus Angst um die bestehende Eigentumsordnung zur »Stütze aller Dinge« empor (vgl. unten S. 403). In der *Préface* gibt sich die Angst – übertrieben – als die des Künstlers zu erkennen, die sich aber hier ebensowenig wie in der Autobiographie als stichhaltig erweist (obwohl Babouvisten und auch Weitling den Künsten tatsächlich nur eine sekundäre Rolle zugedacht hatten). Zwei »Stimmen« in der Brust des Schriftstellers – jetzt hat der Dämon die Seiten gewechselt – sprechen in der Tat eine Sprache, gegen die das »Grauen« des Poeten um seine »Schnurrpfeifereien« nicht bestehen kann. Da ist einmal die Stimme der »Logik«, die an der sozialen Revolution (»daß alle Menschen das Recht haben, zu essen«) nicht vorbeikommt und schließlich den »Krautkrämer«, den »épicier« rehabilitieren muß (Logik ist laut *Aveux* bekanntlich die unwiderstehliche revolutionäre Kraft der deutschen Kommunisten, DHA 15, 143; den französischen Kommunisten wird hier auffallend keine ähnlich große Zukunft prophezeit). Die Stimme der Logik erstickt

1855 einfach die Stimme der »unsäglichen Betrübnis« und erzwingt eine vollständige Revision, die lautet: »gesegnet sei der Krautkrämer, der einst aus meinen Gedichten Tüten verfertigt, worin er Kaffee und Schnupftabak schüttet für die armen alten Mütterchen, die in unsrer heutigen Welt der Ungerechtigkeit vielleicht eine solche Labung entbehren mußten – *fiat justitia, pereat mundus!«* (B 9. 233; zum »épicier« und zum Anathem s. Oehler 1985). – Da ist zweitens die noch gewaltigere Stimme des »Hasses«. Der lebenslange Kampf gegen den deutschen Nationalismus läßt den menschheitlich denkenden Franzosenfreund erkennen, daß er mit den Kommunisten den gleichen deutschen Gegner bekämpft und deshalb an ihre Seite gehört (»Aus Haß gegen die Nationalisten könnte ich schier die Kommunisten lieben«). Angesichts der gemeinsamen Gegnerschaft erscheinen die Fehler der Kommunisten, wie z. B. ihr Atheismus, eindeutig als das geringere Übel, denn in ihren »obersten Prinzipien huldigen sie«, wie der Künstler Heine, »einem Kosmopolitismus, einer allgemeinen Völkerliebe, einem Weltbürgertum aller Menschen, welches ganz übereinstimmend ist mit dem Grunddogma des Christentums, so daß sie in Wesen und Wahrheit viel christlicher sind als unsre deutschen Maulchristen, die das Gegenteil predigen und üben«. Auch den Franzosen muß sich außerdem jedes Vorurteil in Bereitschaft zum Bündnis verkehren, wenn Heine die Zuversicht äußert, daß die Kommunisten die Teutomanen, ihrer aller Feind, wie »eine Kröte« zertreten werden. Zweieinhalb Jahre nach dem Kölner Kommunistenprozeß und nicht ein Jahr nach der Anordnung des Bundestages, in allen Staaten die bestehenden Arbeitervereine zu unterdrücken, zögert der vom Tod gezeichnete Heine nicht, sein Vermächtnis in Form eines publizistischen Fußtrittes zu formulieren; in einer Zeit aufblühenden Nationalismus und 16 Jahre vor dem ausgerechnet in Versailles proklamierten Deutschen Reich verabschiedet er sich von seinem Publikum mit einer letzten, schließlich fruchtlosen »höllischen Reklame«: »heute geben diese Vaterlandsretter wieder in Deutschland den Ton an, und brüllen mit allerhöchster Erlaubnis. Brüllt nur immerfort, der Tag wird kommen, wo der fatale Fußtritt Euch zermalmt. Ich darf mich ohne Sorge zur Ruhe begeben«. Da irrte der Logiker gewaltig: Er durfte nicht.

Lit.: Helmut Bock: *Die ökonomisch-politischen Auffassungen Heinrich Heines* [...], in: Zeitschrift für Geschichtswissenschaft 1957/4, 826–835; Ulrich Geisler: *Die sozialen Anschauungen des revolutionären Demokraten Heinrich Heine,* in: Wissenschaftliche Zeitschrift der Karl-Marx-Universität Leipzig, 14. Jg. 1965, 7–15; Leo Kreutzer: *Heine und der Kommunismus,* Göttingen 1970; Dolf Oehler: *Heines Genauigkeit,* in: Diskussion Deutsch, 1977/35, 250–271; Lucienne Netter 1980 (s. o.); Wolfgang Schieder: *Heinrich Heine und der »Kommunismus«,* in: *Heinrich Heine 1797–1856,* Schriften aus dem Karl-Marx-Haus, Trier 1981, 120–131; Michael Werner: *Heine und die französischen Frühsozialisten,* in: Internationales Archiv für Sozialgeschichte der deutschen Literatur, Bd. 7 1982, 88–107; Fritz Mende: *Heinrich Heine* (s. o.), 75–88; Heinrich Heine: Kommunist? [zuerst 1971]; Dolf Oehler: *Heines Frömmigkeit als List der Vernunft,* in: Merkur Nr. 441, 1985/11, 968–979.

– Karl Grün: *Die soziale Bewegung in Frankreich und Belgien,* Darmstadt 1845; Lorenz von Stein: *Geschichte der sozialen Bewegung in Frankreich von 1789 bis auf unsere Tage,* 1850 [Nachdruck der Ausgabe von 1921: Hildesheim 1959, dort Bd. 2]; Wolfgang Schieder: *Anfänge der deutschen Arbeiterbewegung* (=Industrielle Welt, Bd. 3), Stuttgart 1963; Jacques Grandjonc: *Communisme/Kommunismus/Communism,* Schriften aus dem Karl-Marx-Haus, Trier 1982.

Kulturindustrie

Die Herrschaft des Kapitals ist Mittelpunkt der *Lutezia,* der in alle Teile ausstrahlt. Nicht allein die Berichte über Staat und Gesellschaft, Politik und Presse (Artikel XI!), sondern auch die Artikel über Musik und Kunst, Theater und Literatur illustrieren im Ganzen oder an Symptomen die These: »das Geld ist der Gott unserer Zeit« (B 9, 355, vgl. 274 und 524). Als Beobachter der Pariser Kulturszene zu Beginn der 40er Jahre muß Heine feststellen, daß im Gegensatz zu seiner früheren Ansicht das industrielle Zeitalter keine neue Kunst hervorgebracht, sondern die alte Kunst vermarktet oder gefesselt hat (*Französische Maler*; Peter Uwe Hohendahl thematisiert eine »Kehre« in Heines ästhetischer Theorie, speziell 225 ff.). Erkennt Heine, daß in der Musik der Kommerz zu dominieren beginnt, so stellt er angesichts der für ihn diffusen Kunstszene (»Anarchie in goldnen Rahmen«) die bezeichnende Frage: »Hat vielleicht der Geist der Bourgeoisie, der Industrialismus, der jetzt das ganze soziale Leben Frankreichs durchdringt, auch schon in den zeichnenden Künsten sich dergestalt geltend gemacht, daß allen heutigen Gemälden das Wappen dieser neuen Herrschaft aufgedrückt ist?« (Artikel LIX war zuerst mit Artikel LVII – dieser in anderer Form – unter dem Titel *Industrie und Kunst* in der AZ erschienen).

In der AZ von 1843/44 gewinnen Kunst- und Bühnenberichte an Bedeutung – zwei Aspekte, die

De la France noch gesondert behandelt hat. Die musikalischen Feuilletons, die z. T. 1854 im Hinblick auf polemische Auseinandersetzungen wie mit Meyerbeer oder Dessauer verändert worden sind, erörtern die Kommerzialisierung der Kunst durch Anpassung an den bürgerlichen Betrieb und werfen die Frage nach ihrer Autonomie gegenüber der Vereinnahmung auf. Heine, der markterfahrene »freie« Schriftsteller, erkennt den Verfall der Kunst durch das Kalkül bestimmter Effekte bzw. durch die Unterwerfung unter den Geschmack eines nicht-mehr-gebildeten Publikums (dazu Hohendahl 220 ff.). Die Musiker-Satiren spießen immer wieder den Kontext von Virtuosentum (»Lisztomanie«; B 9, 532), Manipulation und Kommerz auf. An Meyerbeer macht Heine deutlich, daß jetzt alles käuflich ist (sein Verhältnis zu diesem Komponisten ist an anderer Stelle skizziert worden; zu den Musikberichten s. die Arbeiten von Michael Mann). Der Opernkomponist wird sowohl als einer vorgeführt, der sich vom preußischen König kaufen läßt, wie auch als einer, der sich von fremden Musikern Kompositionen kauft. Zusammen mit Liszt excelliert der Millionär darin, seinen Ruhm zu organisieren bzw. zu dirigieren (Giacomo, der »Kapellenmeister des Meyerbeerschen Ruhmes«; B 9, 363). Die Verdinglichung dieses Prozesses verspottet ein AZ-Artikel von 1847 ziemlich genau, in dem der Korrespondent gesteht, »daß der Meyerbeersche Ruhm, diese ebenso künstliche als kostspielige Maschine, etwas in Stockung geraten. Ist in dem feinen Getriebe irgendeine Schraube oder ein Stiftchen losgegangen?« (B 9, 166). Für diese Art von Selbstvermarktung bietet sich Paris, wo jeder seine eigene »Reklame« kaufen kann und wo die Presse materiellen Interessen offen ist, als ideales Terrain dar, was z. B. Artikel XXXIII zum besten hält: »Die Zahl der Konzertgeber während der diesjährigen Saison war Legion, und an mittelmäßigen Pianisten fehlte es nicht, die in öffentlichen Blättern als Mirakel gepriesen wurden. Die meisten sind junge Leute, die in bescheiden eigner Person jene Lobeserhebungen in die Presse fördern. Die Selbstvergötterungen dieser Art, die sogenannten Reklamen, bilden eine sehr ergötzliche Lektüre«. Aus der anderen Sicht, der der marktgerechten Produktion, führt *Musikalische Saison von 1844,* II, den Librettisten Eugène Scribe als sprechendes Beispiel an, bei dem – wie Hohendahl betont – die »reale Konsumtion« »restlos die Weise der Produktion« determiniert (»Er ist der Mann des Geldes, des klingenden Realismus, der sich nie versteigt in die Romantik einer unfruchtbaren Wolkenwelt, und sich festklammert an der irdischen Wirklichkeit der Vernunftheirat, des industriellen Bürgertums und der Tantième«; in der AZ begann der Passus: »Ich will beileibe hiermit keinen filzigen Geldgeiz andeuten«).

Gut zehn Jahre nach seinem ersten Salon-Bericht stellt Heine wieder die Frage der sozialen Signifikanz der Malerei, d. h. er fragt nach der »zeitlichen Signatur« (Artikel LIX). Zwei historische Beispiele erläutern, wie die Korrelation von Kunst und Zeitgeschichte aufgefaßt wird: In den Motiven eines Watteau »spiegelt« sich der Geist des Ancien régime; die Gemälde eines David sind dagegen »das farbige Echo der republikanischen Tugendperiode, die in den imperialistischen Kriegsruhm überschlägt, und wir sehen hier eine forcierte Begeisterung für das marmorne Modell, einen abstrakten frostigen Verstandesrausch, die Zeichnung korrekt, streng, schroff, die Farbe trüb, hart, unverdaulich: Spartanersuppen«. Unter der materialistischen, areligiösen Julimonarchie springt Heine die »zeitliche Signatur« – soweit sie überhaupt erkennbar ist – ausgerechnet an den Heiligenbildern des letzten Salon ins Auge: Die Hauptfigur eines Bildes, das eine Geißelung darstellt, gemahnt ihn nämlich an den »Direktor einer verunglückten Aktiengesellschaft«, »der vor seinen Aktionären steht und Rechnung ablegen soll«. Wie weit der Geist der industriellen Bürgerepoche bereits die Malerei geprägt hat, offenbaren ihm die historischen Bilder mit mittelalterlichen Motiven: Deren Gesichter »erinnern ebenfalls an Kramladen, Börsenspekulation, Merkantilismus, Spießbürgerlichkeit«. Bei den Porträts ist die Zuordnung noch direkter: Die Porträtierten sehen aus wie jemand, der während der Sitzung »immer an das Geld dachte, welches ihn das Porträt kosten werde«. An dem herausragenden Horace Vernet, dessen Heiligenbild »Juda und Thamar« Heine auf seine zeitgemäße Behandlung hin genau untersucht und positiv beurteilt (dazu Werner/Espagne), parodiert er die »im Galopp« hergestellte Serienproduktion von »Schlachtstücken«. Die von den Schinken aufgebotenen Armeen von geschätzt insgesamt 100 000 Soldaten (!) bilden ein Argument, das jeden Kritiker ›entwaffnen‹ muß (einen Zusammenhang mit bürgerlich-militärischem Eroberungsgeist erkennen Michael Werner/Michel Espagne; die beiden Autoren erörtern auch die Frage, inwiefern die von Artikel LV behauptete »Freiheit des Geistes« mit einer Ästhetik vereinbar ist, die sich an

der »zeitlichen Signatur« orientiert; s. *Atta Troll* und *Neue Gedichte*).

Kritik der Kommerzialisierung und »Signaturen« des Epochengeistes wie »Kramladen«, »Spießbürgerlichkeit«, »Butikenthum«, »Zucker- oder Runkelrübenfragen« (handschriftliche Varianten nach Werner/Espagne, 6) fordern schließlich dazu auf, die Kunstberichte in einen Zusammenhang mit der Ikonoklasmus-Kritik und dem angeblich barbarischen »Krautkrämer« der *Préface* zu bringen. Sie scheinen eine realistische Antwort auf die dort geäußerten Ängste des Ästheten zu geben: In der warenproduzierenden Gesellschaft wird die Kunst zwar keineswegs vernichtet, aber ver-wertet, d. h. um ihre ursprünglich emanzipatorische Bestimmung gebracht.

Lit.: Michael Mann 1964 u. 1971 (s. o.); Wolfgang Preisendanz (s. o.), 88 ff.; Peter Uwe Hohendahl: *Kunsturteil und Tagesbericht. Zur ästhetischen Theorie des späten Heine*, in: Wolfgang Kuttenkeuler (Hrsg.): *Heinrich Heine*, Stuttgart 1977, 207–241; Michael Werner/Michel Espagne: *Horace Vernet und die Tendenzdichter*, in: Text + Kritik 18/19, *Heinrich Heine*, 4. Auflage 1982, 2–15.

Aufnahme und Wirkung

Deutscher Sprachraum

Heines Werk blieb der erhoffte publizistische und kommerzielle Erfolg versagt. Wenn der Dichter am 18. Juli 1854 nach Hamburg geschrieben hatte: »Die ›Lutezia‹ enthält einen geistigen Schatz für die Erwecker des politischen Lebens in Deutschland«, so zeigen die Reaktionen, daß in der nach 1848 gewandelten Situation kein »Erwecker« mehr vorhanden war, der diesen »Schatz« hätte heben wollen, sondern eher Einschläferer, die sich bemühten, ihn zu versenken. Unter dem gut einem Dutzend Rezensionen, die 1854/55 zu den *Vermischten Schriften* erschienen sind, hat Klaus Briegleb drei ausgewählt, die zwar den witzigen Dichter loben und schätzen, ihn aber einer vergangenen Zeit zuschlagen und als politischen Schriftsteller längst verabschiedet haben (B 10, 964 ff.). So amüsieren den Kritiker der »Grenzboten. Blätter für Deutschland und Belgien« die Korrespondenzen, »obgleich die Gegenstände längst in Vergessenheit geraten sind«; er erfreut sich an Heines »stilistischer Eleganz«, um hinzuzufügen: »aber von politischer Einsicht, von politischer Gesinnung und Überzeugung ist bei ihm durchaus keine Rede.« In seiner umfangreichen Besprechung der *Vermischten Schriften,* die die »Blätter für literarische Unterhaltung« am 14. Dezember 1854 druckten, stellt sich Hermann Marggraff, Historiker der jungdeutschen Literatur, als »›Kern- oder Eicheldeutscher‹« (eine Anspielung auf den *Zueignungsbrief*) vor und verhält sich dementsprechend nationalpatriotisch, antisemitisch und antifeministisch. Heines Personalbeschreibungen widern ihn an; seine »Klatschsucht« passe zu seiner »weibischen Natur« (»Vielleicht die Hälfte dieser drei Bände besteht aus bloßem Klatsch«). Wenn Heine von seiner angeblich »maßlosen Selbstvergötterung« mal absieht, entdeckt Marggraff zutreffende und feine Bemerkungen zur französischen Politik. *Daß* Heine den »Kommunisten die Wahrheit sagt«, findet der Patriot in Ordnung, aber das *wie*, die Ausdrücke, das verletzt nach ihm »den guten Ton, den man, wenn nicht den Kommunisten, doch dem Leser und dem Stil schuldig ist.«

Frankreich

Das alte Lutetia hat ihrem Verehrer einen so aufsehenerregenden »Empfang« bereitet, daß schon am 20. April 1855, nur eine Woche nach Erscheinen der Übersetzung, ein AZ-Korrespondent nicht ohnehin konnte, darüber zu berichten (in der AZ vom 26. April). Am 12. Oktober des Jahres sollte ein weiterer Erfolgsbericht aus Paris in der AZ folgen. Dieser Volltreffer in der Publizistik und beim Publikum, der bisher noch nicht detailliert untersucht worden ist, hat Heines schriftstellerischen Ruhm in Frankreich wesentlich mitbefördert. Reagierten die Pariser Kritiker zunächst widersprüchlich auf die *Vermischten Schriften* (F. Goldschmidt negativ in »Le Moniteur universel« und Victor de Mars zustimmend in der »Revue des Deux Mondes«, B 10, 976 ff.), so geriet das unmittelbare Echo auf *Lutèce* zum Triumph, wobei die drei maßgeblichen Rezenten überraschenderweise zum katholischen Lager gehörten (der Schriftsteller Jules Barbey d'Aurevilly und der Kritiker Armand de Pontmartin) oder zur konservativen Seite gerechnet werden (der Schriftsteller Alfred-Auguste Cuvillier-Fleury, der wie Pontmartin auch *De l'Allemagne* rezensierte). Laut AZ-Bericht wird Heine von diesen Kritikern als genialer Schriftsteller und profunder Denker gefeiert; Cuvillier-Fleury, der Prinzenerzieher am Hofe von Ludwig Philipp war, muß die Porträts hoch geschätzt haben, die der »Sozialist Heine« vom König sowie von Thiers und Guizot entworfen hat. Die Besprechung, die im Mai 1855 in der »Bibliothèque universelle de Ge-

nève« veröffentlicht wurde, läßt erkennen, daß Heines Erfolg nicht allein auf seinem immer wieder angeführten Voltaireschen Esprit beruhte, sondern auch auf seinen politischen Prognosen, die durch das Ende der Julimonarchie oder durch die damals aktuelle Orientfrage als erfüllt angesehen wurden. Das Heine-Bild, das Leon de Wailly, Spezialist für englische Literatur, am 6. Oktober 1855 im »Athenaeum français« entwarf, stellt Heines Wandlungen, ganz im Gegensatz zur deutschen Kritik, als Stärke eines echten Künstlers heraus. Kritik übte de Wailly allerdings an der Art, Indiskretionen in Porträts, wie z. B. das von George Sand, einzuarbeiten.

Lit.: B 10, 964–989; zu einem speziellen Aspekt: Ronald D. Nabrotzky: *Heines Prophezeiung vom Sieg des Kommunismus: Zur Rezeption der französischen »Lutezia«-Vorrede in der DDR,* in: Modern Language Notes 93, 1978, 483–492.

Geständnisse

Entstehung, Druck, Text

Mit tödlicher Krankheit geschlagen und genervt von Gerüchten, empfand Heine das Bedürfnis, noch einmal vor sein französisches und deutsches Publikum zu treten, um die Einheitlichkeit seines Werkes mit einer intellektuellen Autobiographie klarzumachen. Zwei Jahre nach seiner endgültigen körperlichen Lähmung haben sich unterschiedliche Motive, Themen und Ansätze zu dem Plan verdichtet, die Vor- und Nachgeschichte seines Buches *De l'Allemagne* zusammen mit seiner Lebensgeschichte erzählerisch zu verarbeiten. Der Wandel seiner philosophischen und religiösen Einstellung, den das *Nachwort* zum *Romanzero* 1851 und die *Vorrede* zur 2. Auflage des *Salon* II 1852 behandelt hatten, legten eine größere öffentliche Rechtfertigung nahe (DHA 15, 224 und 252 ff.). Außerdem wollte er mit einem besonderen Vorwort, das die 2. Auflage von *De l'Allemagne* – über die seit 1852 diskutiert wurde – erforderlich machte, einem neuen französischen Publikum, an das sich die *Geständnisse* zuerst wenden, ein zwanzig Jahre altes Projekt darlegen. Drittens plante er, in Auseinandersetzung mit Napoleon I. und Napoleon III. den Bogen zum aktuellen Tagesgeschehen im zweiten Kaiserreich zu spannen (die Arbeit an diesem Strang bezeugt schon ein Bruchstück vom Januar 1852, DHA 15, 180 f.; aus dieser Sicht überkreuzen sich auch die *Geständnisse* mit der *Lutezia*-Planung). Briefe aus dem Herbst 1852 lassen das Reifen der Gesamtkonzeption erkennen.

Erste Phase. – Ab Ende 1852 bzw. in den ersten Monaten des Jahres 1853 entstand die Urfassung, die das französische Publikum über *De l'Allemagne* aufklären soll (von DHA 15, 258 ff. durch Auswertung von Handschriften so genau wie möglich rekonstruiert). Diese Fassung greift auf die sog. *Briefe über Deutschland* von 1844 zurück, wobei die Polemik gegen Madame d'Agoult auf Madame de Staël übertragen wird, während das Anti-de-Staël-Motiv die Verbindung mit Napoleon ermöglicht. Der Rückgriff auf die Bruchstücke von 1844 erlebt aber charakteristische Umformulierungen der veränderten Stellung zur Philosophie (DHA 15, 264 ff.). In dieser Phase entstand ein erster Entwurf zu *Waterloo. Fragment.* Umfänglich reicht diese Urfassung bis zum Selbstzitat B 11, 477.

Zweite Phase. – Zwischen Herbst 1853 und Februar 1854 wurde die erste Fassung ausgeweitet und vertieft (DHA 15, 267 ff.; am 1. Februar 1854 erhielt Campe genauere Angaben über die *Vermischten Schriften,* in denen »Bekenntnisse« erscheinen sollen). In dem Manuskript, das jetzt in *Bekenntnisse. Eine Ergänzung meines Buches »De l'Allemagne«* umbenannt ist, wird in das Teilstück *Waterloo. Fragment* die Darstellung von Ludwig Philipp und der Provisorischen Regierung eingefügt, danach ein relativierender Text angeschlossen (B 11, 502 ff. und 510 ff.; DHA 15, 187 ff. und 181 ff.). Große Sorgfalt gilt dem Einschub über Atheismus und Kommunismus.

Dritte Phase. – Zwischen Februarbeginn und 9. März 1854 kam als neuer Schlußtext (ab Zitat B 11, 479) ein Teil hinzu, der – was die jüngste Forschung herausgefunden hat – ursprünglich den Anfang der *Memoiren*-Handschrift bildete (DHA 15, 272 ff.). Die Stellungnahme zu Glaubensfragen verleiht dem Text jetzt mehr den Charakter von *Geständnissen,* dem der endgültige Titel Rechnung trägt (ein Brief nach Hamburg spricht am 14. April 1854 von »religiösen ›Geständnissen‹«). Am 9. März schickte Heine zusammen mit der Druckvorlage zum ersten Band der *Vermischten Schriften* das Manuskript der *Geständnisse* ab. *Waterloo. Fragment* ist jetzt aus dem autobiographischen Werk herausgenommen und soll als vierter Text des Sammelbandes selbständig erscheinen. Aber Campe, der wegen der zu offenen Franzosenfreundlichkeit und Deutschenfeindlichkeit Einspruch erhob, zwang den Autor im April, diesen

letzten Text zurückzunehmen (der größere Teil des Bruchstücks wurde 1869 von Adolf Strodtmann in *Letzte Gedichte und Gedanken von Heinrich Heine* und der kleinere Teil 1963 von Eberhard Galley veröffentlicht). – Durch die schlecht arbeitende Druckerei zog sich der Druck über den ganzen Sommer hin. Ende September waren die gebundenen Exemplare fertig (Auflagenhöhe 3500), aber die Auslieferung erfolgt erst – mit fatalen Folgen für Heines Arbeit – am 11. Oktober, weil Campe, der einen durchschlagenden Erfolg im Sinne hatte, alle drei Bände der *Vermischten Schriften* gleichzeitig herausbringen wollte (Band 2 und 3 enthalten *Lutezia*).

Aveux de l'auteur. – Mit dem Jahreswechsel 1852/53 waren die Voraussetzungen gegeben, die langgeplante Neuausgabe von *De l'Allemagne* im Rahmen der mit Michel Lévy abgesprochenen Gesamtausgabe herauszubringen (DHA 15, 551 ff.; die Verhandlungen konnten im September 1854 abgeschlossen werden). Außerdem hatte das französische Echo auf dem *Romanzero* und auf die gewandelten Ansichten seines Dichters Heine nahezu herausgefordert, seinen Standpunkt zu verdeutlichen (z. B. Taillandiers Rezension vom 1. April 1852). – Die Übersetzung für den Journaldruck entstand in zwei Phasen, in denen Richard Reinhardt eine Grundübersetzung herstellte, die Heine dann bis ins Detail stilistisch und inhaltlich überarbeitete und verbesserte. Durch die Ausrichtung auf das französische Publikum kam dabei ein von der deutschen Fassung abweichender Text mit relativer Eigenständigkeit zustande (im französischen Text befinden sich Ergänzungen, die im deutschen fehlen). Zeitlich parallel zur zweiten deutschen Arbeitsphase übersetzte Reinhardt zuerst den Text bis Mitte B 11, 469. Das Stück *Waterloo. Fragment* ist noch darin enthalten, das der zweiten Phase (Februar bis September 1854), als der Rest fertiggestellt und der erste Teil überarbeitet wurde, dann zum Opfer fiel (Beispiele zu Verbesserungen und Ausweitungen DHA 15, 787 ff. und in Auswahl der Varianten B 12, 171 ff.). Im September 1854, drei Wochen vor der deutschen Buchausgabe, druckte die »Revue des Deux Mondes« die im Titel veränderte und unvollständige Übersetzung (in der Inhaltsgabe taucht sogar der Titel *Aveux d'un poète de la nouvelle Allemagne* auf; die *Préambule* ist gekürzt, B 10, 853 ff. – Heines Note: B 9, 565 –; Einleitung und Zwischentext der Redaktion DHA 15, 558 ff.). – Bis zum Abschluß der Vorbereitungen für den Neudruck von

De l'Allemagne, d. h. zwischen September 1854 und Januar 1855, erfuhr die Übersetzung nochmals Veränderungen (DHA 15, 562 f.). In der Neuausgabe erschienen die *Aveux d'un poète* als letzter Text, werden aber von Heine im *Avant-Propos* ausdrücklich als Einstieg empfohlen.

Druck: Les aveux d'un poète wurden am 15. September 1854 in der »Revue des Deux Mondes« lückenhaft erstgedruckt, S. 1169–1206; der 2. französische Druck erfolgte als *Dixième partie- Aveux de l'auteur* in *De l'Allemagne,* Bd. 2, Paris, Michel Lévy frères, 1855, S. 243–340 *(Œuvres complètes).*
   – Heines Autobiographie erschien unter dem Titel *Geständnisse. Geschrieben im Winter 1854.* in: *Vermischte Schriften von Heinrich Heine. Erster Band. Hamburg. Hoffmann und Campe. 1854.* auf den S. 1–122.

Text: B 11, 443–513 (mit *Waterloo. Fragment* als Nachlese; Text nach Walzel mit Abweichungen an 2 Stellen); DHA 15, 11–57 und 121–199 mit 36 Bruchstücken aus den verschiedenen Text- und Arbeitsphasen seit 1834).
   Übersetzung: HSA 17 *De l'Allemagne,* 147–196; DHA 15, 121–165;

Lit.: B 12, 191 ff.; DHA 15, 223–280, 551 ff. u. 907 ff.; Eberhard Galley: *Heines »Briefe über Deutschland« und die »Geständnisse«,* in: HJb 1963, 60–84; Claude Porcell: *Genèse d'un silence. Henri Heine et ses »Aveux«,* in: Littérature, no. 28, 1977, 63–76; Michel Espagne: *»Autor und Schrift paßten nicht mehr zusammen«. Heines Selbstauslegung in den deutschen Manuskripten der »Geständnisse«,* in: HJb 1981, 147–157.

Analyse und Deutung

Grundriß und Gattung (Hinweise)

Zur Enttäuschung vieler Zeitgenossen bot Heines letztes selbständiges Prosawerk keine Geständnisse einer reuigen Seele auf dem Totenbett. Im Gegenteil, ein souveräner Ich-Erzähler entledigt sich der Aufgabe, »hier nachträglich die Entstehung dieses Buches *[De l'Allemagne]* und die philosophischen und religiösen Variationen, die seit seiner Abfassung im Geiste des Autors vorgefallen, zu beschreiben« (B 11, 449). Die erste Partie des zweizeitigen Ansatzes der »Genesis«, wie der erste Werkteil auch genannt wird (B 11, 465), behandelt die Vorgeschichte der *Romantischen Schule,* wobei der Genealoge seine Stellung zur Romantik abschließend klärt (»romantique défroqué«) und seine grundsätzlich polemische Haltung gegenüber Madame des Staëls Deutschland-Buch offenlegt (im »Gefolge« der antithetisch aufeinander bezogenen Paris-Einmärsche von Madame de Staël und Heine befindet sich einmal die Restauration und zum andern die moderne Zeit). Die zweite Partie der »Genesis« bezieht Stellung zu philosophischen

und religiösen Fragen, während sich der zweite Werkteil (ab Selbstzitat B 11, 479) ganz dem gewandelten »religiösen Gefühl« des geständnisvollen Autobiographen zuwendet und in der Matratzengruft endet: Der Erzähler, der in Paris wie Tannhäuser in den Venusberg einzog, ist zum Schluß der Heimgesuchte, der nicht mehr den wohltuenden Lärm der Metropole, sondern die »knarrenden Töne der Lazarus-Klapper« hört. Dadurch lassen die *Geständnisse* auch einen chronologischen Grundriß erkennen: Der Einzug der Napoleon-Gegnerin 1814 eröffnet die Restaurationszeit; der Napoleon-Freund zieht 1831 in Paris ein und startet seine ideologischen Feldzüge der 30er und 40er Jahre (vgl. *Briefe über Deutschland*); 1848 erfolgen tiefgreifende Veränderungen, die das jetzige Schicksal des Autors besiegelt haben (vgl. DHA 15, 916).

In den *Geständnissen* spiegelt sich die Autobiographie eines Dichters und Denkers in der Genealogie eines Hauptwerkes, bevor die inneren Gründe der erzählten Wandlung aufgedeckt werden. Dieser Ansatz versteht sich als Reaktion auf das als unmöglich erkannte Genre der »Selbstcharakteristik«, was gleich eingangs die Kritik der *Confessiones* des Augustinus und der *Confessions* des Jean-Jacques Rousseau verdeutlicht (letztere gelten als »eine brillante Lüge«, was den grundsätzlichen Zweifel an der Glaubwürdigkeit von Selbstdarstellungen unterstreicht). Dabei schließt sich Heine, was Gerd Heinemann in der Düsseldorfer Ausgabe betont, in zwei Punkten an die Autobiographik des 18. Jahrhunderts an: Die »Künstler- und Gelehrtenautobiographie«, die sich auf die Entstehung der eigenen Werke konzentriert, und die »religiöse Autobiographie« (DHA 15, 224, vgl. 456 f.; zur Problematik der Autobiographie s. auch Jürgen Brummack). Beide Typen mischen sich im zweiten Teil der Schrift (»Mischung von religiöser Bekehrungsgeschichte und Gelehrtenautobiographie« nennt das DHA). Auch enthält die Autobiographie keine Schuldbekenntnisse, sondern eben »Variationen« unter Einschluß eines Irrtums.

Lit.: Friedrich Sengle: *Biedermeierzeit,* Stuttgart 1972, Bd. II, 219–237 [zur autobiographischen Literatur]; Ernst Loeb: *Heinrich Heine. Weltbild und geistige Gestalt,* Bonn 1975, 58–78: *Geständnisse:* Heine à Dieu; Klaus Briegleb B 12, 201 ff. [interpretiert *Geständnisse* als wichtigen Schlüsseltext zu Heines Werk]; *Heinrich Heine. Epoche-Werk-Wirkung,* hrsg. von Jürgen Brummack, München 1980, 286 ff. [Beitrag von Jürgen Brummack zu den autobiographischen Schriften].

Philosophisch-soziale »Variationen«

Heines Autobiographie kreist um die Rücknahme
der Atheismus-These, die der Dichter als das
»Schulgeheimnis« der deutschen Philosophie bezeichnet, das er »unumwunden« »ausgeplaudert«
habe. Er fügt schnell hinzu, es sei nicht seine
»Schuld«, daß die deutsche Philosophie immer das
Gegenteil von »Frömmigkeit und Gottesfurcht«
gewesen sei, »und daß unsre modernsten Philosophen den vollständigsten Atheismus als das letzte
Wort unsrer deutschen Philosophie proklamierten« (B 11, 466). Nun hatte für den Autor von *De
l'Allemagne* 1835 die innere Konsequenz der deutschen Philosophie nicht zum Atheismus, sondern
zur Beseitigung des Deismus und zur Erneuerung
des Pantheismus geführt (»die verborgene Religion
Deutschlands«; B 5, 571). Außerdem war die erste
Enthüllung speziell des »Schulgeheimnisses« – d. h.
die Gegenthese zu der damals in Frankreich herrschenden idealistischen These, die Madame de Staël verbreitet hatte – 1844 in den sog. *Briefen über
Deutschland* sehr viel deutlicher ausgefallen, auch
was die eigenen Verdienste angeht. Wenn jetzt der
Widerruf der früheren These in Form einer Absage
an Hegel, der »mit seinem fast komisch ernsthaften
Gesichte als Bruthenne auf den fatalen Eiern saß«,
erfolgt und wenn Ekel vor »Jan Hagel«, der in
plumper Sprache »die Existenz Gottes zu leugnen«
sich unterfing, geltend gemacht wird, dann muß
nach Gründen und Hintergründen des Widerrufs
gefragt werden. Und wenn Heine an das olfaktori-
sche Argument anschließt: »mit meinem Atheismus hatte es, gottlob! ein Ende«, dann ist Vorsicht
geboten, denn Heine hat sich im wesentlichen als
religiöser, d. h. pantheistischer, nicht als atheistischer Widersacher des herrschenden Deismus verstanden.

Heine stellt sich 1854 als einen dar, der nur
deshalb der abstrakten, systematischen und ver-
klausulierten Philosophie Hegels auf den Leim gegangen ist, weil die Folgerungen dieser Doktrin
seiner »Eitelkeit schmeichelten«. Er zeigt mit dem
Finger auf den wahren Urheber seiner eigenen
Gottlosigkeit und den der ganzen modernen Schule, wenn er gesteht: »Ich war jung und stolz, und es
tat meinem Hochmut wohl, als ich von Hegel erfuhr, daß nicht, wie meine Großmutter meinte, der
liebe Gott, der im Himmel residiert, sondern ich
selbst hier auf Erden der liebe Gott sei«. Damit ist
Hegel der ›Sündenbock‹, und das ›Sündenbekennt-
nis‹ des ehemaligen Schülers besteht darin, daß er

sich selber als »die Unsittlichkeit«, als »unsündbar«
und als »die inkarnierte Reinheit« angesehen hat
(B 11, 474). Nun soll hier nur kurz daran erinnert
werden, daß das onto-theologische Philosophieren
des Dialektikers Hegel zwar traditionelle Gottes-
vorstellungen aufgelöst hat, aber schwer als ›gott-
los‹ bzw. atheistisch bezeichnet werden kann (z. B.
heißt es in der *Enzyklopädie* § 564 – »Die geoffen-
barte Religion« in der Abteilung »Der absolute
Geist« –: »Gott ist nur Gott, insofern er sich selber
weiß; sein Sich-wissen ist ferner ein Selbstbewußtsein im Menschen und das Wissen des Menschen
von Gott, das fortgeht zum Sich-wissen des Menschen *in* Gott«). Atheistische Konsequenzen haben
dann in der Tat die Junghegelianer gezogen, was
1844 betont und auch in den 50er Jahren noch
bekräftigt wird (vgl. DHA 15, 237). In der 52er
Vorrede zu *Salon* II, aus der in den *Geständnissen*
zitiert wird, nennt Heine die Junghegelianer Ruge,
Marx, Feuerbach und Bruno Bauer; in der französischen Fassung der *Geständnisse* erneuert er den
Verweis auf Feuerbach, »Le plus conséquent de ces
enfants terribles de la philosophie«, der zusammen
mit seinen Freunden »le plus radical athéisme« pro-
klamiert hat (DHA 15, 140). Die Entstehungsgeschichte hat aufgrund der Handschriftenanalyse ergeben, daß Heine zuerst mehr die Junghegelianer
als die Urheber des Atheismus angesehen hat, während der deutsche Endtext dann Hegels Verantwortlichkeit durch autobiographische Erinnerungen herausstellt (Sternen-Anekdote). Dieses
Schwanken läßt sich auch in den öffentlichen Erklärungen wie in der *Berichtigung* vom 15. April
1849 und im *Nachwort* zum *Romanzero* vom
30. September 1851 feststellen: Zuerst gilt Hegel
als der Urheber der Vorstellung, nach der der
Mensch ein »zweibeinichter Gott« ist, danach gesteht Heine seine Rückkehr von den Hegelianern,
wo er sich in schlechter Gesellschaft herumgetrieben hat (B 9, 109 und 11, 182). Die *Geständnisse*
besiegeln die Absage an den Atheismus durch eine
Absage an den Philosophielehrer: Das führt das
Autodafé des großen Hegel-Kommentars, der *De
l'Allemagne*-Leser als Einführung dienen sollte,
plastisch vor Augen (wahrscheinlich auf die Jahres-
wende 1849/50 zu datieren, DHA 15, 513). Der
Sache nach richtet sich die Absage, wie Manfred
Windfuhr, 279, unterstrichen hat, mehr an die
Linkshegelianer als an Hegel (»Aus einer perspektivischen Verschiebung lastet er [Heine] Hegel an,
was eine bestimmte Konsequenz der Hegelschule
war«; vgl. dagegen Dolf Sternberger, 259 ff., der

eine radikale »Absage an die Adresse Hegels« gerade in dem Augenblick sieht, in dem Hegel für Heine eine wichtige Rolle spielt). Die *religiös* motivierte Absage an Hegel bedeutet außerdem nicht, daß im Spätwerk jede Beziehung zwischen Philosophie und Geschichte aufgekündigt worden wäre.

Im Februar 1848, so erzählt Heine voller Ironie, ist sein zweibeiniges Gottestum durch den doppelten Verlust von Geld und Gesundheit, den unerläßlichen »Requisiten« für jeden, der seine Rolle »mit Anstand« spielen will, schlagartig beendet worden (B 11, 474 f.). Die Abkehr hatte der Konflikt vorbereitet, in den der demokratische Anhänger des Gott-Menschentums kommen mußte, als er sah, wie »der Atheismus anfing, sehr stark nach Käse, Branntwein und Tabak zu stinken«, und daß er »ein mehr oder minder geheimes Bündnis geschlossen mit dem schauderhaft nacktesten, ganz feigenblattlosen, kommunen Kommunismus« (B 11, 467). Nun erweist sich der religiös begründete Anti-Kommunismus der *Geständnisse* – neben der *Préface* der *Lutezia* das letzte Wort in dieser Frage – als noch spezieller als ihr Anti-Hegelianismus, denn Heine präzisiert sofort, daß seine »Scheu« nichts mit der von bourgeoisen Anti-Kommunisten zu tun hat, die für ihre »Kapitalien« zittern und »in ihren Ausbeutungsgeschäften gehemmt zu werden fürchten«. Was ihn 1853/54 beklemmt, das ist vielmehr »die geheime Angst des Künstlers und des Gelehrten« vor einem kulturellen Rückschritt beim Sieg des Kommunismus. »Ganz besonders empfindet der Dichter ein unheimliches Grauen vor dem Regierungsantritt dieses täppischen Souveräns«, lautet die vielzitierte, so reaktionär klingende Schlüsselpassage in diesem Zusammenhang. Die Begegnung mit dem respektlosen, atheistischen Schneider Wilhelm Weitling, jener vor Marx und dessen Kreis dominierenden Gestalt des deutschen Frühkommunismus, soll diese »Angst« und dieses »Grauen« ad personam demonstrieren (die Begegnung kann nur im August 1844 in Hamburg stattgefunden haben; in diesem Sommer entstand auch wohl das erste Bruchstück der *Briefe über Deutschland*). Im Rückblick auf das Zusammentreffen mit dem gerade von Gefängnisketten befreiten Revolutionär rümpft Heine aber nicht sein feines und so empfindsames Näschen, sondern kehrt die Kraft des deutschen Handwerker- und Arbeiterkommunismus hervor (»diese Partei ist zu dieser Stunde unstreitig eine der mächtigsten jenseits des Rheines«, wegen ihrer konsequenten Doktrin, zu der der »krasseste Atheismus« gehört). Die französi-

sche Fassung betont ferner unzweideutig, daß die Überlegenheit der deutschen Kommunisten im Vergleich mit den englischen Chartisten oder mit Egalitaristen anderer Länder darauf beruht, daß ihre Führer »de grands logiciens« sind, die aus Hegels Schule stammen: »Ces docteurs en révolution et leurs disciples impitoyablement déterminés sont les seuls hommes en Allemagne qui aient vie, et c'est à eux qu'appartient l'avenir«; DHA 15, 143). Die ganze Passage über das Volk als »täppischen Souverän«, über Weitling und die Zukunft der Kommunisten ist nachträglich eingeschoben worden (Entstehung und Kommentar von DHA). Man kann sie als Heines Versuch lesen, sich seine »geheime Angst« oder seine Berührungsangst mit dem Volk auszureden, so daß sich ein – in der modischen Schreibweise (s. o. S. 395 f.) – spezieller, ästhetischer (Anti-)Kommunismus zu erkennen gibt, der nicht ganz quer zu der proklamierten »Emanzipation des Volkes« steht. Denn Heine widerlegt jetzt im Gegenzug Punkt für Punkt linke Volksverherrlichung so, daß sich sein offenbar rechtes Vorurteil gegen den »Händedruck« durch das »souveräne Volk« selbst desavouiert (vgl. hierzu die Analyse von Dolf Oehler). Die einzeln aufgeführten Forderungen nach einer demokratischen Gesundheits-, Sozial- und Bildungspolitik entwickeln ein ganzes Programm, das die »große rohe Masse« in einen wirklichen Souverän verwandeln soll. Nicht von elitärer Volksverachtung, sondern von Volksbefreiung spricht, wer folgendes träumt: »Vielleicht wird dasselbe [das Volk] am Ende noch so gebildet, so geistreich, so witzig sein, wie wir es sind, nämlich wie ich und du, mein teurer Leser.« Dadurch wird die Projektionsgestalt Jan Hagel sogar zum Hoffnungsträger!.

Lit.: Leo Kreutzer: *Heine und der Kommunismus*, Göttingen 1970; Dolf Sternberger: *Heinrich Heine und die Abschaffung der Sünde*, Hamburg und Düsseldorf 1972; Manfred Windfuhr: *Heine und Hegel*, in: IHK 1972, 261–280; Dolf Oehler: *Heines Genauigkeit. Und zwei komplementäre Stereotypen über das Wesen der proletarischen Massen*, in: Diskussion Deutsch, H. 35, 1977, 250–271; Mazzino Montinari: *Heines ›Geständnisse‹ als politisches, philosophisches, religiöses und poetisches Testament*, in: *Zu Heinrich Heine*, hrsg. von Luciano Zagari und Paolo Chiarini, Stuttgart 1981 (= LGW), 102–111.

Religiös-politische »Variationen«

Der Schlußteil der *Geständnisse* weist ebenso wie das *Nachwort* zum *Romanzero* die Alternative zurück, »daß man wählen müsse zwischen der Reli-

gion und der Philosophie, zwischen dem geoffen-
barten Dogma des Glaubens und der letzten Konsequenz des Denkens, zwischen dem absoluten Bi-
belgott und dem Atheismus« (B 11, 183; vgl. auch
den Brief an Georg Weerth vom 5. November
1851). Die Rückkehr des 50jährigen Dichters zu
einem persönlichen Gott hat aus ihm keinen Renegaten gemacht, der Denkfreiheit zugunsten irgend-
eines Glaubensdogmas oder demokratische Prinzipien zugunsten von Vertröstungsideen aufgegeben
hätte.

Die theologische Revision Heines beruht auf
keinem Bekehrungserlebnis, sondern – was er
schon in der 52er *Vorrede* zum *Salon* II klarge-
macht hat – auf der »Lektüre der Bibel«, die zu
nichts mehr und zu nichts weniger als zur »Wiedererweckung [s]eines religiösen Gefühls« geführt hat
(B 11, 479 f.; die Phasen dieser Revision dokumentieren B 12, 219 ff. und DHA 15, 242 ff.; zu Heines
Bibellektüre s. Jacobi, 26–40). Daß die Bibel, das
»Buch der Bücher«, eine solche Bedeutung für
Heine gewinnen konnte, überrascht niemanden,
der z. B. das Zweite Buch der *Börne*-Schrift gelesen hat. Der wiedererweckte Glaube an Gott bedeutet aber, daß die Hauptthese der Philosophiegeschichte nicht mehr stimmt: Gott ist *nicht*
gestorben und der »21. Januar des Deismus« hat
nicht stattgefunden (B 5, 590 f.). Dennoch stellt
sich die Frage, ob die theologische Revision eine
Rehabilitierung des Deismus beinhaltet. Wenn
man dabei an eine ferne, außerweltliche Gottesvorstellung denkt, kann die Antwort nur negativ sein.
»Mensch und Gott treten sich als Partner gegenüber«, schreibt Gerd Heinemann über Heines Got-
tesglauben und fährt fort: »Ebenso wie Gott als
persönliches Wesen erscheint, bringt auch der
Mensch in dieses Verhältnis alle Aspekte seiner
Persönlichkeit ein« (DHA 15, 245). Manfred
Windfuhr spricht hier von »Synkretismus«, Wilhelm Gössmann 1982 aber von »säkularisiertem
Christentum« (Hermann Lübbe diskutiert das Problem der »Religion nach der Aufklärung« und betont, daß Heine als religiöser Autor keine religions-
kritische Position des 18. Jahrhunderts zurückgenommen hat). Ein ganz pragmatisches Argument
gibt schließlich den Ausschlag: Der Krüppel in der
Matratzengruft hätte mit dem fernen Gott des
Deismus auch nichts anfangen können, denn er
brauchte einen menschennahen Gott, dem er seine
Leiden mitteilen durfte und der Trost spendete –
mit dem er auch über den Sinn seiner Leiden streiten konnte. Der Dichter, der sich am Schluß der

Geständnisse mit Hiob identifiziert, erkennt zwar
demütig seine Unterlegenheit an, hat aber an keiner Stelle das Opfer seines Spottes oder seiner Ironie gebracht. (Die Hiob- und Lazarus-Gestalt ist in
Gedichte. 1853 und 1854 näher dargestellt worden.)

Fasziniert den Dichter am Katholizismus die
Symbolik des Kultus, am Protestantismus die Geistesfreiheit, dann am Judentum – das nicht länger
mit Asketismus gleich- und dem Hellenentum entgegengesetzt wird – das emanzipatorische Beispiel.
Die *Geständnisse* beschreiben das von Moses, dem
»großen Künstler«, umgewandelte Hirtenvolk als
»ein großes, ewiges, heiliges Volk, ein Volk Gottes, das allen andern Völkern als Muster, ja der
ganzen Menschheit als Prototyp dienen konnte« (B
11, 481). Die veränderte Einstellung gegenüber
dem Judentum zeigt sich daran, daß das Volk Gottes aufgrund seiner Freiheitsliebe und seiner sittlichen Kraft zum Ursprung der europäischen Zivilisation erklärt wird (in seiner Vorbildlichkeit löst
der Typus des Nazareners jetzt den Hellenen ab:
»die Griechen waren nur schöne Jünglinge, die Juden aber waren immer Männer, gewaltige, unbeug-
same Männer.«). Denn im Gegensatz zu ihren
Nachbarvölkern kannten die Juden eine hohe Sittlichkeit; im Gegensatz zu den Griechen besaßen sie
eine exemplarische Sklavengesetzgebung und im
Gegensatz zu den Römern verfügten sie über eine
vorbildliche Eigentumsordnung (durch die Einführung des »Jubeljahrs« fiel der Grundbesitz nach
fünfzig Jahren wieder an die ursprünglichen Eigentümer oder dessen Erben zurück, während die
»Verjährung« den faktischen Besitzer zum legitimen Eigentümer machte). Der rechtskundige Bi-
belleser Heine muß sich im Ausdruck seiner Bewunderung regelrecht bremsen, um die Bibel bei
den christlichen Machthabern seiner Zeit nicht »zu
kompromittieren«. Dennoch teilt er folgende,
neue Erkenntnis mit: »Es gibt wahrhaftig keinen
Sozialisten, der terroristischer wäre als unser Herr
und Heiland, und bereits Moses war ein solcher
Sozialist« (B 11, 487). Heines spätes Moses-Bild
läßt den Wandel in der Kontinuität spürbar werden, den das wiedererweckte »religiöse Gefühl«
hervorgerufen hat. Die »Riesengestalt« Moses erscheint als ein Sozialreformer, der die »Moralisa-
tion« des Eigentums, nicht seine Abschaffung, angestrebt hat, ja, er wollte, daß »niemand durch
Armut ein Knecht mit knechtischer Gesinnung
sei«. Heine zeigt die ganze politische Aktualität
dieses Mannes auf, wenn er fortfährt: »Freiheit war
immer des großen Emanzipators letzter Gedanke,

und dieser atmet und flammt in allen seinen Gesetzen, die den Pauperismus betreffen.«

Dieses letzte der »Geständnisse« eines theologischen Revisionisten zeigt präzise, was den früheren Kritiker des Spiritualismus in der Tat vom jetzigen Gläubigen trennt: In *Die Stadt Lucca* wurde das Volk, das aus Ägypten kam, für die Entstehung von »»Menschenmäkelei‹« und »Glaubenszwang« verantwortlich gemacht; in den *Geständnissen* repräsentiert es die Hoffnung der Menschheit auf wahre Demokratie.

Lit.: Wilhelm Gössmann: *Die theologische Revision Heines in der Spätzeit,* in: IHK 1972, 320–335; Manfred Windfuhr: *Heinrich Heine,* Stuttgart 1976, 2. Aufl., 277 ff.; Klaus Briegleb B 12, 217 ff. [»Hiob blickt zurück auf Hegel«]; Ruth L. Jacobi: *Heinrich Heines jüdisches Erbe,* Bonn 1978; Mazzino Montinari (s. o.); Wilhelm Gössmann: *Lazarus oder Apollo-Gott. Religion und Religiosität im Spätwerk,* und Hermann Lübbe: *Heinrich Heine und die Religion nach der Aufklärung,* beide in: Wilhelm Gössmann/Joseph A. Kruse (Hrsg.): *Der späte Heine 1848–1856,* Hamburg 1982 (= Heine-Studien), 175–204 und 205–218.

»Antezedentien« in Sachen Bonapartismus

Marx und Heine, die beide mit Hegels Geschichtsphilosophie, speziell mit dem Gedanken der Wiederholung in der Geschichte vertraut waren, sind zu ganz unterschiedlichen Einschätzungen von Louis-Napoleons Staatsstreich gekommen. Marx war überzeugt, daß er am 2. Dezember 1851 eine »lumpige Farce« erlebt hatte (*Der achtzehte Brumaire des Louis Bonaparte,* 1852, und in der Erstfassung: »Der achtzehnte Brumaire des Idioten für den achtzehnten Brumaire des Genies!«). In einem Bruchstück von Januar 1852, dessen Entstehung also genau in die Zeit fällt, in der Marx an seiner Schrift arbeitete, erinnert Heine daran, daß er der »Iniziator des Napoleonismus in Deutschland« gewesen sei, und aufgrund dieser »Antezedenzien« könne er sich wohl über den Staatsstreich und »ihren erlauchten Urhebern« nicht »mit gehöriger Unpartheyligkeit« aussprechen, geschweige denn, ein »strenges Urtheil« fällen (DHA 15, 181). Es bedurfte aber nicht allein dieser »Antezedentien (B 11, 511), um in Louis Napoleons Herrschaftsmodell, einer Wohlfahrtsdiktatur auf plebiszitärer Massenbasis, einen Fortschritt zu sehen: Die Desillusion über den Verlauf der Februar- und Märzrevolution in Frankreich und Deutschland hatte Heine in der Überzeugung bestärkt, daß eine Revolution nur durch entschlossene, konsequente Machtausübung siegen könnte. Die Wiederbelebung des »Napoleonismus« der *Reisebilder*-Zeit nährte 1852 seine Sympathien für den Neffen des Kaisers, dem er zutraute, die bei Waterloo 1815 verlorene Ehre Frankreichs wiederherzustellen, was den Revolutionären von 1848 nicht gelungen war. Aber der von Marx satirisierte Glaube an eine positive Wiederholung in der Geschichte hat Heine nicht in einen blinden Bonapartismus gestürzt, vertraute er doch am 13. Februar 1852, gut zwei Monate nach dem Staatsstreich, seinem Freund Gustav Kolb an: »Aber mein Herz blutete dennoch, und mein alter Bonapartismus hält nicht Stich gegen den Kummer, der mich überwältigte, als ich die Folgen jenes Ereignisses übersah. Die schönen Ideale von politischer Sittlichkeit, Gesetzlichkeit, Bürgertugend, Freyheit und Gleichheit, [. . .] – da liegen sie nun zu unseren Füßen, zertrümmert, zerschlagen.«

Waterloo. Fragment und das daran anschließende Bruchstück sollten 1853/54 die *Geständnisse* einer Auseinandersetzung mit den neuesten französischen Zuständen öffnen, hatten sich aber zu weit von Struktur und Thematik der Autobiographie entfernt, um problemlos integriert werden zu können (den selbständigen Druck verhinderte, wie erwähnt, Campes Warnung vor dem zu »heißen Eisen«). Der erste Text feiert Heine Napoleon I. als »Gonfaloniere der Demokratie«, der für die bürgerlichen Ideale des 18. Jahrhunderts kämpfte und bei Waterloo besiegt wurde (von dem historischen, auch gegenrevolutionären Napoleon ist jetzt nicht mehr die Rede). Der Mann mit den »Antezedentien«, der in schlaffer Zeit mit Napoleon »den Kultus des Genies« rehabilitiert hat, begrüßt nun im zweiten Kaiser die Kontinuität einer Herrschaftsfamilie und eines Regierungssystems (»Es ist nicht ein neuer Mann, der jetzt auf dem französischen Thron sitzt, sondern derselbe Napoleon Bonaparte ist es, den die Heilige Allianz in die Acht erklärt hat«; B 11, 509 f.). Außenpolitisch rechnet er Napoleon III. hoch an, das »französische Nationalgefühl« wieder versöhnt zu haben. Durch den beständigen Haß seiner »teutomanischen Feinde« fühlt sich der lebenslange Panegyriker des ersten Kaisers kurz vor seinem Tode beflügelt, den siegreichen Bonapartismus zumindest nach außen zu verteidigen (zum Bonapartismus s. Hansen). Aber jeder Anflug von Schmeichelei der Person des neuen Kaisers verfliegt schnell angesichts seiner Einstellung zur innenpolitischen Situation (als Heine den Brief an Kolb schrieb, waren die Führer der republikanischen Opposition, darunter Victor Hugo, gerade ausgewiesen worden und im Februar 1852 wurden Dekrete gegen die Meinungs- und Pressefreiheit erlassen). Heine, der um seine Sicherheit fürchten mußte (und der in *Lutezia* Aussagen über den Bonapartismus zurückgenommen hat), erkennt klar, daß unter einem »Belagerungszustand des Gedankens« *Lob* immer »ungeziemend« ist, da *Kritik* unterdrückt wird (B 11, 512). Solange »der freie Geistesverkehr« nicht wieder hergestellt ist, verbietet er sich deshalb eine offen positive Parteinahme für den Bonapartismus, in dem er immerhin die »Erfüllung [s]einer Jugendträume« begrüßen könnte!

In Heines spätem Bonapartismus lebt sein problematischer Kult der großen welthistorischen Persönlichkeit auf. In der Forschung wurde dem vorsichtigen und rücksichtsvollen Autor von *Lutezia* bzw. *Lutèce* Umkehr und ›Abfall‹ vorgeworfen. Dieser Kritik hat Volkmar Hansen jetzt eins aufgesetzt, als er seiner Deutung von »Heines bedingtem Bonapartismus« eine mündlich überlieferte Stellungnahme des Dichters zugrunde legte. Fanny Lewald hält aus dem Herbst 1855 fest: »›Es hilft Alles nichts‹, sagte er einmal, ›die Zukunft gehört *unseren Feinden,* den Communisten, und Louis Napoleon ist nur ihr Johannes.‹« (Werner II, 440) Für Hansen war nun Heines Bonapartismus »ein integraler – nicht bloß instrumentaler – Teil seines Sozialismus«. Napoleon III. als Johannes der Täufer des Sozialismus, das wäre die »List der Vernunft« in der Geschichte im Denken eines, der doch dem Berliner Dialektiker eigentlich abgeschworen hat!

Lit.: Paul Holzhausen: *Heinrich Heine und Napoleon I.,* Frankfurt a. M. 1903; Volkmar Hansen: *Johannes der Täufer. Heines bedingter Bonapartismus,* in: Wilhelm Gössmann/Joseph A. Kruse (Hrsg.): *Der späte Heine 1848–1856,* Hamburg 1982 (= Heine-Studien), 69–96; DHA 15, 228 ff..

Aufnahme und Wirkung

Klaus Briegleb rechnet die *Geständnisse* zu den Werken Heines, »über die wir nur eine Geschichte der Nichtwirkung schreiben könnten« (B 12, 201). In der Tat, Campe hatte gute Werbung betrieben (wenn auch nicht so aufwendig wie beim *Romanzero*) und ein Zirkular verschickt; Heine hatte den Pariser Vorabdruck als Anreiz für das deutsche Publikum eingeplant; aber in der vergleichsweise mittleren Rezeption überwogen schließlich die negativen Stellungnahmen (DHA 15, 281). Das beruht zunächst auf dem neuen Epochengefühl mit zunehmender Hinwendung zu einer programmatisch realistischen Literatur, die Heines Schreibart

als überholt erscheinen ließ. Großen Schaden hatte aber dann die unautorisierte und negativ kommentierte Rückübersetzung angerichtet, die in der AZ vor Erscheinen des deutschen Buchdruckes veröffentlicht wurde. Wie bei *Die Götter im Exil* hatten Raubdrucker eine Rechtslücke ausnutzen können, denn Heines französisch erschienenen Werke wurden als Übersetzungen aufgefaßt, die man straflos rückübersetzen durfte. Unmittelbar nach dem französischen Journaldruck (und durch Reaktionen in Paris angeheizt) erschienen in Prag, Leipzig und Augsburg Rückübersetzungen (die AZ druckte vom 21.–26. September die wortgetreue, aber schulmäßige Übersetzung von Hermann Orges, die der Redakteur Oskar Ferdinand Peschel, in Abwesenheit von Gustav Kolb, mit böswilligen Kommentaren garnierte s. DHA 15, 289 ff.; B 10, 835 ff. u. B 12, 156 ff.). In seiner Schlußbemerkung leistet sich Peschel, der bereits eine ambivalente Rezension zum *Romanzero* geschrieben hatte, einen religiösen und rassistischen Antisemitismus und kann sich Ausfälle nicht verkneifen wie »Coketterie der Impotenz«, »Aussatz des Geistes« oder »frivole Paradoxa und blasirte Weltanschauung«. Hinzu kam das Argument, Heine sei unzeitgemäß geworden. Damit war die weitere Rezeption, in der Peschels Kritik als Maßstab diente, entscheidend präjudiziert (negativ auf den französischen Journaldruck reagierten auch Sebastian Brunner, Redakteur der »Wiener Kirchenzeitung«, der Literarhistoriker Julian Schmidt und Hermann Marggraff, Historiker der jungdeutschen Literatur). Heine plante eine Pressekampagne an die Adresse der AZ als Gegenstrategie (s. B 9, 113 ff. sowie Kommentar und Dokumente). Aber lediglich eine Erklärung Campes wurde publiziert.

An der Rezeption der *Geständnisse* in den *Vermischten Schriften* fällt auf, daß Vertreter liberaler und demokratischer Gruppen irritiert schwiegen, während die öffentlichen Reaktionen Ende 1854 vornehmlich die theologischen Fragen diskutierten (DHA 15, 302 ff.). Die religiöse Thematik wurde eigentlich nur durch den Rabbiner Philippson in der »Allgemeinen Zeitung des Judenthums« ernst genommen. Ansonsten wurden die *Geständnisse* aus dieser Perspektive als unernst, mutwillig, oberflächlich oder unglaubwürdig abgetan (letzteres betont z. B. der Schriftsteller Levin Schücking). Unter den antisemitischen Stimmen ragt die des Anonymus der Leipziger »Jahrbücher für Wissenschaft und Kunst« heraus, die Heine, der als Jude nicht anders als berechnen und schachern könne, unterstellt, er habe sich auch noch seine Rückkehr zum Glauben zusammengeschachert. – Aus politischer Sicht traf den frankophilen Heine, wie im Vormärz, die volle Ablehnung deutsch-nationaler Kritiker. – Unter ästhetischen Gesichtspunkten wurde Heine (wahrscheinlich) von Ignaz Kuranda, mit dem er seit 1840 befreundet war, verteidigt, wenn auch sein Witzstil nicht mehr ganz als zeitgemäß galt. In diese Kerbe schlugen weitere Rezensenten. – Erwähnenswert ist allerdings die positive Aufnahme der *Geständnisse* aus englischer Sicht, die vermutlich von George Eliot stammt (DHA 15, 311 f.).

In Frankreich war Heine längst ein »europäischer Dichter von Weltrang« (DHA 15, 563), den nationalistische und rassistische Vorbehalte nicht belangen konnten. In der zweiseitigen Rezeption meldete sich nach dem Journaldruck – zu Heines Vergnügen – Philibert Audebrand zu Worte, um die *Aveux* aus der Flut der Memoirenliteratur hervorzuheben sowie um Stil und politische Bedeutung der Autobiographie zu betonen (B 12, 166 ff.). – Weil das Deutschland-Bild Heines allgemein positiv aufgenommen wurde, hatten 1855 einige Rezensenten von *De l'Allemagne* Schwierigkeiten, den Widerruf zu vermitteln, wodurch das Echo auf die *Aveux* vergleichsweise schwächer als auf die Philosophie-Schrift ausfiel (DHA 15, 562 ff., vgl. DHA 8, 1503 ff.). Mehrere Rezensenten erkannten den Schriftsteller und Künstler Heine an und verglichen ihn – wie gehabt – mit Voltaire. Die selbstkritischen Erörterungen religiöser Fragen – um nur diesen Aspekt aufzugreifen – wurden vorwiegend ernst genommen, aber unterschiedlich zu erklären versucht. (1858, zwei Jahre nach Heines Tod, wird der Sozialphilosoph Pierre-Joseph Proudhon die *Aveux* als Paradebeispiel für die Abtrünnigkeit eines ehemaligen Demokraten und Atheisten hinstellen, *De la Justice et de la Révolution dans l'Eglise*; diese Einstellung gilt laut DHA 15, 567, als »symptomatisch für eine Reihe Philosophen, die Heines Haltung in den *Aveux* als Verrat eines ehemaligen Verbündeten verstanden«.)

Lit.: B 12, 153 ff. u. 201 ff.; DHA 15, 280–312 u. 562 ff.

Memoiren

Der Memoiren-Mythos

An keinem Werk hat Heine so lange und schließlich so vergeblich gearbeitet wie an seinen *Memoiren*. Von der Struktur der Schreibweise her war er der »geborene« Autobiographist; Memoiren gehörten zu seinen ersten Buchplänen und Memoiren sollten sein letztes Projekt sein. Aber was nach dem mehr als 30jährigen Ringen um dieses Vorhaben posthum veröffentlicht werden konnte, ist ein vergleichsweise bescheidenes Manuskript, um das sich schon zu Heines Lebzeiten Legenden gebildet haben, die bis in die jüngste Zeit lebendig geblieben sind. Aufgrund von Handschriftenanalysen ist es Gerd Heinemann (1977, 1982 und Kommentar der DHA) und Michael Werner gelungen, Heine selber als den »Urheber des Memoiren-Mythos« (DHA 15, 1018) ausfindig zu machen, weil er Familienmitglieder, Zeitgenossen und Nachwelt in dem Glauben beließ, er verfüge über ein größeres Manuskript – 1840 war schon die Rede von vier Bänden –, jedenfalls über ein sehr viel umfangreicheres Manuskript, als dann ediert wurde. Das hat auch wegen Heines taktischem Umgang mit seinen Memoiren zu Vermutungen und Hypothesen geführt, die sich jetzt nicht mehr halten lassen (z. B. Wadepuhl). So geht Klaus Briegleb noch von der inzwischen zurückgewiesenen Annahme aus: »Der Text ist ein kleines Bruchstück aus einer Manuskriptmasse, die in mehreren Vernichtungsstufen der *Zensur* zum Opfer gefallen ist [...]. Das Gewaltverhältnis, das Heine im Schoße seiner Familie erfahren hat, die ›Familienzensur‹, hat die Geschichte der Textvernichtung im wesentlichen ausgelöst.« (B 12, 296) Briegleb beruft sich, neben den beiden Autodafés von 1847 und 1849/50, auf Maximilian Heine, der 1867 während seines Besuches bei Mathilde das Manuskript bis auf einen Rest zerstört haben soll (B 12, 305 ff. u. 319 f.). Dagegen gilt jetzt als sicher, daß weder nach dem Erbschaftsstreit noch später fertige Manuskripte vernichtet worden sind, und daß die Lücken der Handschrift auf Heines Eingriffen beruhen. – Die jüngste Rekonstruktion der Planungs- und Arbeitsphasen – über die man sich bis auf zeitliche Abweichungen im Großen und Ganzen einig war – demystifiziert endgültig den »Memoiren-Mythos« und gewährt Einblick in das, was dem Memoirenschreiber vorgeschwebt hat. Dabei wird erkennbar, wie sich Grundstruktur, Motive, Stoffe und Themen im

Laufe der Jahre und Jahrzehnte verändert haben. So schwankt z. B. Heines Verständnis der Memoiren, wie Heinemann betont, »zwischen Erinnerungsschrift als autobiographischem Bekenntnis und dem damals üblicheren Begriff von Zeitdarstellung im Medium des einzelnen« (DHA 15, 1017, vgl. 223 zu *Geständnisse*). Erst in der Endphase, 1853/54, wird Heine zwischen zwei Arten von Selbstdarstellungen unterscheiden: zwischen der Autobiographie (Bekenntnisse, Geständnisse) und eben Memoiren, die sich auf das persönliche Erleben von Zeit und Zeitgenossen konzentrieren (vgl. Sengle).

Pläne, Ansätze und Niederschrift

Erste Phase (1823–1826). In den ab 1823 brieflich und gesprächsweise überlieferten Äußerungen taucht bereits das Motiv auf, das Heines Memoirenprojekt prägen wird: Rache und Abrechnung, hier zuerst mit Hamburg und Hamburgern (DHA 15, 1019 ff.). Der Plan dieser Phase, ein »selbstbiographisches Fragment« getrennt zu veröffentlichen, führte dann 1826/27 zu dessen teilweiser Integration in das *Buch Le Grand* (darauf lassen Düsseldorfer Jugendzeit mit Napoleonbegegnung und wahrscheinlich die Verarbeitung des Amalienerlebnisses im Rollenspiel des Erzählers schließen).

Zweite Phase (1837–1840). – Ein neuer Anstoß ging von den Verhandlungen über eine Gesamtausgabe aus (zuerst mit dem Stuttgarter Verleger Scheible, dann mit Campe), die nach den Gewohnheiten der Zeit mit einer Biographie eröffnet werden sollte. Am 1. März 1837 versuchte Heine, seinen Hamburger Verleger mit einem verlockenden Plan zu ködern, den er nicht wieder so ausführlich beschrieben hat; danach sollte »ein großes Buch, vielleicht mehre Bände« den Schluß der Ausgabe bilden, »und die ganze Zeitgeschichte, die ich in ihren größten Momenten mitgelebt, umfasse[n], sammt den markantesten Personen meiner Zeit, ganz Europa, das ganze moderne Leben, deutsche Zustände bis zur Juliusrevoluzion, die Resultate meines Auffenthalts im Foyer der politischen und socialen Revoluzion, das Resultat meiner kostspieligsten und schmerzlichsten Studien«. Dieser Plan verspricht keine Autobiographie mehr, sondern wirklich zeitgeschichtliche Memoiren, die den früheren regionalen Rahmen deutlich sprengen und europäische Zustände ins Auge fassen. Das sollte das nächste Buch sein, aber man erfährt wenig über die konkrete Niederschrift dieses Riesenprojektes,

das auf dem Höhepunkt der Mystifikation auf vier Bände angewachsen sein soll (Brief vom 14. September 1840). Richtig ist, daß ab 1837 umkonzipierte Zeiterinnerungen in das Börne-Buch eingegangen sind. – 1837 nahm auch das Rache-Motiv nähere Form an. Seit 1836 stand Heine wegen finanzieller Probleme in Konflikt mit seinem Onkel Salomon. In einem Brief vom 5. August 1837 beklagt er sich gegenüber seinem Bruder Max über Ungerechtigkeiten des Onkels und bringt skandalträchtige Memoiren ins Spiel. Seinen Onkel ließ er am 1. September in einem versöhnlichen Brief die Macht seiner Feder wissen (was den Dichter gegen alle Feinde aufrecht hält, ist »der Stolz der geistigen Obermacht, die mir angeboren ist, und das Bewußtseyn, daß kein Mensch in der Welt, mit wenigen Federstrichen, sich gewaltiger rächen könnte als ich, für alle offene und geheime Unbill, die man mir zufügt«). 1838 tauchten dann erste Pressemeldungen über Heines Memoirenpläne auf.

Dritte Phase (1844–1846). – Letzterer, der strategische Aspekt der Memoiren, in denen das Familienthema zentral war, wurde dann während des Erbschaftsstreits, den der Tod Salomon Heines ausgelöst hatte, dominierend (DHA 15, 1026 ff.; vgl. Texte 106 ff. und Kommentare bzw. B 9, 94 ff., 99 ff. und Kommentare; außerdem Rosenthal; ferner im Handbuch *Schriftstellernöten*). Carl Heine wollte die von seinem Vater gezahlte Pension nur fortsetzen, wenn sich Heine schriftlich bereit erklärte, seine Veröffentlichung einer privaten Familienzensur zu unterwerfen. Eine von Heines verschiedenen Strategien sollte, wie mehrfach erwogen, darin bestehen, den Vetter durch bloße Ankündigung der Memoiren unter Druck zu halten. Schließlich gab Heine aber die verlangte schriftliche Zusage und verzichtete auf familienkritische Memoiren. Über den Arbeitsstand in dieser Phase ist nichts Gesichertes auszumachen. Manuskripte sind nicht überliefert, auch weil Heine wahrscheinlich bei den Autodafés 1847 und 1851, als er Familienkorrespondenz posthumer Verwendung entziehen wollte, alle verfänglichen Unterlagen vernichtet hat (in DHA 15, 1032 f. ist nicht von Manuskripten oder gar Büchern die Rede).

Vierte Phase (1853/54: die Niederschrift des Fragments). – Für die Jahre nach 1847 gibt es zwar vereinzelte Äußerungen zum Memoiren-Projekt, aber ernste Pläne dürften erst wieder in die Jahre 1851/52 fallen. Die Niederschrift des heute bekannten Fragments erfolgte dann im Herbst 1853, Anfang 1854 ohne Verbindung zu Vorformen und parallel zur Arbeit an den *Geständnissen* (DHA 15, 1035 ff.). Ein Teilstück des Textes wurde etwas später in die *Geständnisse* übernommen. Die »Vorrede« entstand ebenfalls in dieser Zeit, in der die beiden Konzeptionen noch nicht getrennt waren. Nach Gerd Heinemanns Erläuterungen darf das Fragment kompositorisch sogar als abgerundet angesehen werden (kein Abbruch, sondern »natürliches Ende«). Verwandtenzensur ist auszuschließen. Die angebliche Lücke besteht aus dem in die *Geständnisse* eingearbeiteten Stück; die Unterbrechung B 11, 579 geht auch auf Heine zurück. – Als im Februar 1854 die Trennung zwischen den beiden Selbstdarstellungen erfolgt war, lassen einzelne Äußerungen und Auskünfte auf Pläne zur Fortsetzung der Memoiren schließen – auch zur Veröffentlichung zu Lebzeiten –, kamen aber nicht mehr zustande. (Über weitere Umstände, verlagsrechtliche Regelungen, Pressemeldungen, Nachlaßprobleme bis zum Erstdruck, der ein Jahr nach Mathilde Heines Tod – dem Hauptmotiv der Verzögerung – erfolgen konnte, informiert DHA).

Druck: Das von Heine nicht betitelte Fragment wurde 1884 zuerst von Eduard Engel in philologisch unzureichender Form in der »Gartenlaube«, Nr. 6–17, veröffentlicht, bevor es im selben Jahr als Supplementband bei Hoffmann und Campe im Rahmen der Gesamtausgabe erschien *(Heinrich Heines Memoiren und neugesammelte Gedichte, Prosa und Briefe).*

Text: B 11, 553–610 (als Druckvorlage diente der Text von Engel; revidierter Text bei Neuauflage 1985 von Bd. 6(1) der *Sämtlichen Schriften;* 2 Varianten B 12, 324 ff.); DHA 15, 59–100 <*Memoiren*>, unterteilt in <*Vorrede*> und <*Fragment*>.

Lit.: B 12, 295–326; DHA 15, 1017–1059; Walter Wadepuhl: *Heine-Studien,* Weimar 1956, 152–173; Gerd Heinemann: *Zur Entstehungsgeschichte und Datierung der »Memoiren« Heinrich Heines,* in: Etudes Germaniques 32, 1977, 441–444; Michael Werner: *Les »Mémoires« de Heine,* in: Cahier Heine 2, Paris 1981, 39–59; Gerd Heinemann: *Memoiren – Stufen eines Lebensthemas,* in: Wilhelm/Gössmann/Joseph A. Kruse (Hrsg.): *Der später Heine 1848–1856,* Hamburg 1982 (= Heine-Studien), 25–44; Ludwig Rosenthal: *Heinrich Heines Erbschaftsstreit,* Bonn 1982;
– zu Gattungsfragen: Friedrich Sengle: *Biedermeierzeit,* Bd. II, Stuttgart 1972, 210–237; Klaus-Detlef Müller: *Autobiographie und Roman. Studien zur literarischen Autobiographie der Goethezeit,* Tübingen 1976.

Analyse und Deutung

Werdegang eines frühreifen Geistes

Die *Memoiren* beschränken sich im wesentlichen auf die Düsseldorfer Kinder- und Jugendzeit bis zum Abschluß des Schulaufenthalts (mit der Ausnahme des Grabbe-Exkurses, der in die Berliner Studentenzeit fällt). Im Unterschied zum *Buch Le Grand,* das dieselbe Epoche darstellt, werden nur private Erlebnisse erzählt. Deshalb trifft die Ankündigung aus der »Vorrede« (die in den Kontext der *Geständnisse* gehört) nicht ganz zu, nach der »die Wechselwirkung äußerer Begebenheiten und innerer Seelenereignisse« »die Signatura meines Seins und Wesens« offenbaren werde (B 11, 556). Die Erzählweise der *Memoiren* ist vielmehr von der Vorstellung geprägt, daß die Mitteilung der frühesten, persönlichen Erlebnisse Erklärungen für späteres Denken und Handeln geben wird. Alle Erzählungen sollen »auf den geistigen Prozeß Bezug haben, den ich später durchmachen mußte«. Die Erzählkonzeption steckt in der allgemeinen Erkenntnis: »Aus den frühesten Anfängen erklären sich die spätesten Erscheinungen« (B 11, 557).

Der Ich-Erzähler, der nur in der »Vorrede« eine »teure Dame« anredet, knüpft seine Erinnerungen in lockerer Episodenfolge aneinander, die sich an einzelnen Personen ausrichtet, und zwar zuerst an den Mitgliedern der Familie mütterlicherseits und dann an denen der väterlichen Familie (zu Eltern und Familienmitgliedern s. Heine-Biographien, Joseph A. Kruse und Kommentar von DHA). Die van Gelderns, eine angesehene, einfluß- und traditionsreiche Familie, deren Vorfahren als jüdische Hoffaktoren und Ärzte in kurfürstlichen Diensten standen, erhalten durch den Einfluß, den sie auf die »geistige Bildung« des jungen Heine ausgeübt haben, ein deutliches Übergewicht. Die wichtigste Rolle erkennt Heine seiner Mutter, geborene Peira (Betty) van Geldern, zu, die »große, hochfliegende Dinge« mit ihrem Sprößling im Sinn hatte und die ganze Erziehung darauf abgestellt hat. »Sie spielte die Hauptrolle in meiner Entwickelungsgeschichte, sie machte die Programme aller meiner Studien«, erinnert sich der Sohn, der schließlich seinem »Naturell« folgte und etwas anderes wurde als vorgesehen. Nach Mutters ehrgeizigen Plänen sollte Heine nacheinander zum Höfling Napoleons, Bankier und Jurist ausgebildet werden, bevor die Frau mit Bedauern einsah, daß sie vielleicht doch besser dem Rat von Heines Philosophielehrer, dem zur rheinischen Aufklärung zählenden Aegidius Jacob Schallmayer, gefolgt wäre, der für seinen Schüler eine geistliche Karriere vorgesehen hatte (letztes haben die *Geständnisse,* B 11, 495 ff., ausgesponnen, die auch des Rektors von Heines Lyceum gedenken; zur Person Schallmayers s. DHA 15, 537 ff.; zur »philosophischen Classe«, an der Heine 1812/13 teilnahm, s. DHA 8,

521 f.). Ohne den Namen des Lehrers zu nennen, lenken die *Memoiren* noch einmal die Aufmerksamkeit auf Schallmeyer zurück, wenn sie eingangs das Geständnis machen: »Es ist gewiß bedeutsam, daß mir bereits in meinem dreizehnten Lebensjahr alle Systeme der freien Denker vorgetragen wurden, [...], so daß ich hier frühe sah, wie ohne Heuchelei Religion und Zweifel ruhig nebeneinander gingen, woraus nicht bloß in mir der Unglauben, sondern auch die toleranteste Gleichgültigkeit entstand.« – Nach den letztlich fruchtlosen Bildungsplänen der Mutter, die Heines Stellung als gesellschaftlichen Außenseiter mitbestimmt haben, wird der Einfluß geschildert, den Simon van Geldern, Bruder der Mutter, auf Heines Bildung ausgeübt hat: Er hat die »Lust zu schriftlichen Versuchen« angeregt (B 11, 568). In dessen Dachboden-Bibliothek fand Heine dann ein Notizbuch aus der Hand des Bruders seines Großvaters, Simon van Geldern, genannt der »Chevalier« oder der »Morgenländer«. Die legendäre Gestalt dieses interessantesten seiner Vorfahren, ein Globetrotter, Abenteurer, Glücksspieler, Hofgünstling und Autor eines 1773 gedruckten Oratoriums, hat »die Einbildungskraft des Knaben außerordentlich beschäftigt«, wie im Rückblick betont wird (Ludwig Rosenthal hat diesem schillernden Mann eine Biographie gewidmet). Ein Jahr lang, so erinnert sich Heine, hat er sich in Tag- und Nachtträumen bis zur Selbstentfremdung, bis zur Entzweiung seines Selbstbewußtseins mit dem Großoheim, seinem »morgenländischen Doppelgänger«, identifiziert. Als »Nachwirkungen aus jener Traumzeit« empfindet Heine 1853/54 noch eigentümliche Neigungen, die wider seine Natur sind, »ja sogar manche Handlungen, die im Widerspruch mit meiner Denkweise sind« (Gewicht und Ausmaß dieses Stückes Selbstanalyse sind bis heute kaum erfaßt worden). – Bei der väterlichen Familie, in der sich ebenfalls Hoffaktoren unter den relativ wohlhabenden und strenggläubigen jüdischen Vorfahren finden, geht der Memoralist umgekehrt vor. Über den Großvater Heymann Heine weiß er nicht viel zu berichten. Die Hamburger Familie wird nur kurz und ganz ohne ›Enthüllungen‹ erwähnt (vgl. jedoch Lesarten DHA 15, 1107), – sie »stirbt« in Schönheit. Den größten und erzählerisch reichsten Teil der Erinnerungen nimmt dann der Vater Samson Heine ein, ein zugereister, schließlich erfolgloser Kaufmann – seine Firma wurde 1819 durch das Handelsgericht geschlossen –, der sich als Unterleutnant der Bürgermiliz und als Verwalter einer Armenstiftung gut

in die Düsseldorfer Bürgerschaft integrieren konnte. In Heines Erinnerungen taucht das Bild eines besonders schönen, aber auch geckenhaften Mannes auf, der schmucke Uniformen und Soldatenwesen liebte; als wachhabender Offizier war er eher eine Gefahr als ein Schutz für die Stadt; aber als Armenpfleger zeigte er sich verantwortungsvoll und mitfühlend. Güte und Milde dieses »großen Kindes« sind dem Sohn unvergeßlich geblieben.

Außerhalb der Familie hat die volksliederkundige, schöne und verführerische Tochter eines Scharfrichters, die rothaarige Josepha, genannt das »rote Sefchen«, den Jugendlichen, der bald seine frühen *Traumbilder* dichten sollte, am nachhaltigsten beeinflußt (Sefchen hat den Sinn für Volkslieder geweckt und dadurch »gewiß den größten Einfluß auf den erwachenden Poeten« ausgeübt, B 11, 601). Nicht minder bedeutsam muß das Liebeserlebnis des 16jährigen mit diesem Mädchen gewesen sein, das zu den Außenseitern der Gesellschaft gehörte, in die Heines eigene Integration auch bald scheitern wird. Nach vierzig Jahren denkt Heine an seinen ersten Kuß als eine soziale Tat zurück: »Ich küßte sie nicht bloß aus zärtlicher Neigung«, erzählt er, »sondern auch aus Hohn gegen die alte Gesellschaft und alle ihre dunklen Vorurteile«, ja, auf seinem Totenbett vermischen sich Individuelles und Allgemeines auf charakteristische Weise, wenn er gesteht, in diesem Augenblick seien erstmals jene »zwei Passionen« aufgelodert, »welchen mein späteres Leben gewidmet blieb: die Liebe für schöne Frauen und die Liebe für die französische Revolution, den modernen furor francese«.

Zusammen mit dem erwachenden politischen Bewußtsein schließt das erste Liebeserlebnis einen Zyklus von Jugenderinnerungen ab (ein neuer, ganz anders strukturierter Zyklus, in dessen Mitte dann mehr die »Wechselwirkung« äußeren und inneren Erlebens hätte stehen müssen, könnte folgen). Das Fragment schließt nun so, daß sein Ende gedanklich auf den Anfang zurückkommt und dadurch das Thema der Erzählungen, die Stationen des späteren geistigen Reifeprozesses zu schildern, eine Art Rahmen bildet: Am Schluß hält der Vater dem Sohn eine Standpauke, weil er hinter dem Philosophieunterricht atheistische Tendenzen vermutet (die für ihn ruf- und geschäftsschädigend wären); am Anfang hat sich schon der Memoirenerzähler als Sohn des »skeptischen achtzehnten Jahrhunderts« eingeführt, der in seiner Kindheit neben fortschrittlicher Philosophie »französischen Geist« und französische politische Errungenschaften kennengelernt hatte. Die Standpauke zeigt jetzt die ersten Auswirkungen dieses »Geistes«. – (Zu Heines Geburtsjahr, über das er selber abweichende Auskünfte gegeben und das so viele Kommentare hervorgerufen hat, s. kurz und bündig DHA 15, 1247 f.).

Lit.: Joseph A. Kruse: *Heines Hamburger Zeit*, Hamburg 1972 (=Heine-Studien); Dierk Möller: *Heinrich Heine: Episodik und Werkeinheit*, Wiesbaden und Frankfurt a. M. 1973, 133 ff. u. 272 ff.; Eberhard Galley: *Das rote Sefchen und ihr Lied von der Otilje*, in: HJb 1975, 77–92; Hans-Christian Kirsch: *. . . und küßte des Scharfrichters Tochter. Heinrich Heines erste Liebe*, Frankfurt a. M. 1978 [eine Romanfiktion, die auf Heine-Texten und Forschung beruht]; Ludwig Rosenthal: *Heinrich Heines Großoheim Simon von Geldern*, Kastellaun 1978 [zu diesem Thema vorher 2 Aufsätze in HJb 1973 und 1975]; Jeffrey L. Sammons: *Heinrich Heine. A Modern Biography*, Princeton, New Jersey 1979; Manfred Schneider: *Die kranke schöne Seele der Revolution. Heine, Börne, das »junge Deutschland«, Marx und Engels*, Frankfurt a. M. 1980, 27–86; Franz Futterknecht: *Heinrich Heine. Ein Versuch*, Tübingen 1985; Wolfgang Hädecke: *Heinrich Heine. Eine Biographie*, München 1985; Gerhart Söhn: *Der rheinische Europäer Heinrich Heine aus Düsseldorf*, Düsseldorf 1986.

Vater- und Mutterimago

Kurz vor seinem Tod entwirft Heine Porträts seiner damals noch lebenden Mutter und seines bereits 1828 verstorbenen Vaters, die sicher stilisiert und außerdem mehrfach antithetisch aufeinander bezogen sind. Einprägsam schildert Heine, der sich seiner Mutter lebenslang affektiv verbunden gefühlt hat den Charakter der gebildeten, kultivierten und pragmatischen Frau. Sie ist ein Mensch des 18. Jahrhunderts, Schülerin Rousseaus, dessen *Emile* sie gelesen hat; ihr Glaube war »ein strenger Deismus, der ihrer vorwaltenden Vernunftrichtung ganz angemessen«. Mit Rousseau verknüpft Heine aber eigentlich keine positiven Eigenschaften, sondern Charakter- und Sittenstrenge, Spiritualismus und Radikalismus, die politisch gesehen unerbittliche Republikaner wie Robespierre oder die Börneaner verkörpert haben. Diese Werte, die der Sensualist Heine in den 30er und 40er Jahren unaufhörlich als gefährlich bekämpft hat, finden sich auch im Verhalten seiner Mutter wieder: Für die ökonomisch denkende Frau ist Dichtung etwas Unproduktives (fast möchte man sagen: Sie ist bildfeindlich wie moderne Republikaner); sie hatte »eine Angst vor Poesie«, erinnert sich der Poet, »entriß mir jeden Roman, den sie in meinen Händen fand, erlaubte mir keinen Besuch des Schauspiels, versagte mir alle Teilnahme an Volksspielen, überwachte meinen Umgang, schalt die Mägde, welche

in meiner Gegenwart Gespenstergeschichten erzählten, kurz, sie tat alles mögliche, um Aberglauben und Poesie von mir zu entfernen« (B 11, 562 f.). Das hat aber gerade das rote Sefchen, weibliches Gegenbild der Mutter, Heine nahegebracht! Und wenn der Sohn die gescheiterten Versuche seiner beruflichen Integration der »Unfruchtbarkeit« der mütterlichen Erziehungspläne anlastet (B 11, 559), so erscheint seine dichterische Karriere als eine deutliche Absage an das, was seine Mutter repräsentiert und gelebt hat. – In den *Memoiren* ist dem eher männlichen Bild der Mutter das eher weibliche des Vaters entgegengestellt. Auf die Charakterstrenge antwortet die Erscheinung des Vaters, die ausdrücklich etwas »Charakterloses, fast Weibliches« besitzt, und das gepuderte Porträt wirkt wie eine richtige Feminisierung (B 11, 581 f.). Auf einer anderen Ebene erscheint das Bild des Vaters ebenfalls als klares Gegenstück: Er ist zwar auch ein typisches Kind des 18. Jahrhunderts, aber nicht des naturnahen und strengen Rousseauismus, sondern des geselligen verspielten Rokoko. Das ist allerdings nicht ohne Kritik erzählt, denn von dem erwähnten Porträt sagt er, es »trug vielmehr ganz den Charakter einer Zeit, die eben keinen Charakter besaß«. Aber aus der Sicht des Sohnes enthält der Gegensatz des Elternbildes noch schärfere, nämlich typologische Konturen, wenn er mit offensichtlicher Sympathie dem willensstarken Vernunftmenschen den lebensfrohen Genießer entgegenstellt: »Eine grenzenlose Lebenslust war ein Hauptzug im Charakter meines Vaters, er war genußsüchtig, frohsinnig, rosenlaunig. In seinem Gemüte war beständig Kirmes.[. . .] Immer himmelblaue Heiterkeit und Fanfaren des Leichtsinns« (B 11, 583 f.). Diese Beschreibung verleiht dem Vater ohne Zweifel Züge des hellenischen Ideals, das Heine nach 1848 aufgeben mußte, das aber in seinen Erinnerungen in der Vater-Imago seine wohl früheste Verkörperung gefunden hat. Wie antithetisch er das elterliche Verhältnis 1853/54 sieht, geht daraus hervor, daß er die Mutter zwar als aufopferungsvoll und schenkfreudig, aber für sich selbst als »sparsam« bezeichnet, während er bei den Wachdiensten des Vaters den Alkohol in Strömen fließen läßt. Und wie konfliktreich es war, zeigt sich an Erinnerungen, nach denen die Mutter dem Vater seine »bedenklichen Liebhabereien« ausgetrieben hat, wie Lust zu »hohem Spiel« und Faible für Schauspielerinnen, Passion für Pferde und Hunde (B 11, 581). Bei dem Opfer der ersteren Liebhabereien fühlt sich der Sohn mit dem Vater solidarisch.

Die Eltern-Porträts sind offenbar auch nach einem typologischen Modell angelegt, das für den sensualistischen Dichter von grundlegender Bedeutung war und dem der todkranke Memoralist jetzt eine überraschende Genealogie zuerkennt: die Eltern-Imago. Wie sehr das Modell-Denken der 30er Jahre noch den zum Glauben zurückgekehrten Lazarus beschäftigt, macht das späte, das letzte Gedicht klar (»Für die Mouche«). – Auf einer anderen Ebene gibt sich nun Heines Vaterbeziehung als posthume Identifikation zu erkennen. Sohnesliebe bekundet sich deutlich spürbar viel offener gegenüber dem Vater als gegenüber der Mutter. So bleibt das Bild der Mutter, ihr Aussehen, ihre körperliche Erscheinung, überraschend konturlos, während Heine seinen Vater in seiner physiognomischen Erscheinung plastisch zu vergegenwärtigen weiß: Der Vater ist von großer, überweicher Schönheit; auf einem Gemälde sieht der Sohn den 18jährigen gepudert und mit Haarbeutel dargestellt, ja er erinnert sich sogar ganz konkret an die »schöne, feingeschnittene, vornehme Hand, die er immer mit Mandelklei wusch« und die er seinem Sohn zum Kuß hinreichte (B11, 586). Diese so unterschiedlichen Erinnerungen an die Eltern sind um so bemerkenswerter, als das Ich der frühen Lyrik (um daran zu erinnern) gerade in der Nähe zur Mutter, und nur hier, Erfüllung und Geborgenheit gefunden hat. In Heines Leben war, wie Wolfgang Hädecke, 42, betont, »das Verhältnis zu seiner Mutter die sicherste und unerschütterlichste Beziehung«, die er je zu einer Frau gehabt hat. Das muß schließlich berücksichtigen, wer nach den lebensgeschichtlichen Voraussetzungen des ambivalenten Frauenbildes fragt, das sich in den poetischen Fiktionen des Dichters manifestiert hat.

Lit.: Wolfgang Hädecke (s.o.), 38ff.; Franz Futterknecht (s.o.), 52ff. u. 71ff.

»Kuddelmuddel« (Kleine Prosaarbeiten und Fragmente)

Jede Werkausgabe hat einen Rest, genannt Anhang oder Nachlese. Das trifft auch für das Handbuch zu, das in Anleihe an Heines Ausgabenplan von März 1852 unter der Bezeichnung »Kuddelmuddel« (Heine erwähnt auch »Rumpelkammer«, B 2, 628) summarisch kleine Prosaarbeiten beschreibend erfaßt, die bei den Werkanalysen auf der Strecke geblieben sind. Es handelt sich um Rezensionen, Korrespondenzen, Notizen, Anekdoten *(Der Tee)* und – aus Heines letztem Lebensjahr – um veröffentlichte oder zur Veröffentlichung bestimmte Bruchstücke (B 1, 401 ff.; B 3, 641 ff.; B 9, 125 ff. u. 140 ff. und B 11, 517 ff.). Da sind zunächst die Rezensionen, die der junge Student und Schüler von August Wilhelm Schlegel über ein Drama von Wilhelm Smets – ein Anlaß, um Gattungsfragen zu diskutieren – oder über Lyriksammlungen veröffentlicht hat. Da sind die Arbeiten des Münchner Redakteurs der »Neuen allgemeinen politischen Annalen«, der in einem aus dem Nachlaß publizierten Aufsatz Partei für den damals öffentlich erbittert umkämpften Wit von Dörring ergreift (in seinem Brief vom 12. Dezember 1827 an den früheren radikalen Burschenschafter, der nach 1827 als politischer Schriftsteller hervorgetreten war, bescheinigt Heine ihm sogar, daß ihn alle, wenn seine »Feder einer bessern Sache diente«, als den »besten politischen Schriftsteller unserer Zeit in Deutschland« anerkennen würden). Da gibt es ferner kleine Korrespondenzberichte, in denen Heine Musikern wie Albert Methfessel (1823), Ferdinand Hiller (1831) und Giacomo Meyerbeer (1836) Freundschaftsdienste leistet, im letzten Fall ist eine Huldigung daraus geworden. Jahre später veröffentlicht die Augsburger AZ ein ironisches Porträt des Bruders Maximilian (*Maximilian Heine in Paris,* 1852, B 9, 179 ff.). Wichtige autobiographische Dokumente sind schließlich dann die Testamente, die Heine zwischen 1843 und 1856 abgefaßt hat (mit Entwürfen B 11, 533 ff.).

Größere Beachtung könnten die Fragmente und Aphorismen verdienen, die Adolf Strodtmann 1869 erstmals aus dem Nachlaß unter dem Titel »Gedanken und Einfälle« in *Letzte Gedichte und Gedanken* ediert hat (B 11, 611–669). Helmut Koopmann hat sich um eine Neubewertung dieser ca. 360 Paralipomena bemüht (HJb 1981, 90–107). Aber dazu wird es schwerlich kommen, denn die Editionspraxis z. B. der Düsseldorfer Ausgabe löst die willkürlich zusammengestellten Notizen und Skizzen auf und veröffentlicht sie im Anhang zu den Werken, in deren Kontext sie wahrscheinlich entstanden sind.

Anhang und Register

Vorbemerkung

Die *Zeittafel* gibt einen Überblick über die wichtigsten Daten und Ereignisse von Heines Leben. Die biographischen Angaben sind der zweiten, erweiterten Heine-Chronik von Fritz Mende entnommen *(Heinrich Heine. Chronik seines Lebens und Werkes,* Stuttgart 1981). Sternchen (*) kennzeichnen Datierungen, die als ungesichert gelten.

Das *Literaturverzeichnis* erfaßt einmal die wichtigsten wissenschaftlichen Hilfsmittel und dokumentiert zum andern Heines Wirkungsgeschichte in Deutschland und in Frankreich; letztere versteht sich als Ergänzung zur unmittelbaren Rezeption, die jeweils an den einzelnen Werken dargestellt worden ist.

Das *Werkregister* verzeichnet erstens die Prosa- und Lyrikwerke zusammen mit wichtigen Vorreden und Einleitungen; die französischen Werktitel wurden nicht berücksichtigt. Zweitens erfaßt es in alphabetischer Reihenfolge die einzelnen Gedichte nach Titeln oder nach Anfangsversen.

Das *Sachregister* listet die wichtigsten Begriffe und spezifischen Kategorien auf, die im Handbuch verwendet werden. Die in sich abgeschlossen angelegten Werkanalysen führten zu wiederholten Nennungen. Ferner sind mehrfache Erfassungen möglich.

Das *Namenregister* führt alphabetisch alle genannten Personen auf, mit Ausnahme der Einleitung, der Zeittafel und der bibliographischen Teile, die leicht überschaubar angeordnet sind.

Zeittafel

1797   13. Dezember: Heinrich (Geburtsname Harry) Heine wird in Düsseldorf im elterlichen Haus Bolkerstraße 275 (später 53) als ältester Sohn des jüdischen Kaufmanns Samson Heine (1764–1828) und seiner Ehefrau Betty, geb. van Geldern (1771–1859), geboren.

1798   Februar: Beschneidung und Eintragung ins Register der jüdischen Gemeinde.

1800   18. Oktober: Geburt der einzigen Schwester Charlotte / 1823 mit dem Hamburger Kaufmann Moritz Embden verheiratet.
*September: Aufnahme in die »Kinderschule« der Frau Hindermanns.

1803   Heine wird in die israelitische Privatschule Rintelsohns aufgenommen.

1804   1. August: Aufnahme in die Normalschule im älteren ehemaligen Franziskanerkloster; der Religionsunterricht in der israelitischen Privatschule wird fortgesetzt.

1805   *18. Juni: Heines jüngerer Bruder Gustav geboren.

1806   24. März: Joachim Murat, von Napoleon zum Herzog von Berg ernannt, zieht in Düsseldorf ein; durch die französische Besatzung wird in Heines Elternhaus ein Tambour einquartiert, wahrscheinlich Le Grands Modell in *Reisebilder* II.
15. Oktober: Geburt des jüngsten Bruders Maximilian.

1807   Heine erhält wahrscheinlich vorübergehend Zeichen-, Violin- und Tanzunterricht.
September: Eintritt in die Vorbereitungsklasse des Lyzeums (Rektor: Schallmayer), das im ehemaligen Franziskanerkloster untergebracht ist und 1808 nach französischem Muster umgeformt wird.

1809   Heine erhält privaten Französischunterricht.
Ende November: Umzug der Familie in das gegenüberliegende Haus Bolkerstraße 655 (später: 42).

1810   Zeichenunterricht bei Lambert Cornelius und Bekanntschaft mit dessen Bruder Peter.
April: Aufnahme in die untere Klasse des Düsseldorfer Lyzeums (im Oktober mittlere Klasse).

1811   Oktober: Heine tritt in die obere Klasse des Lyzeums ein, da er eine neu eingerichtete Mittelklasse überspringen darf.
3. November: Heine sieht Napoleon bei dessen Ritt durch den Hofgarten.

1812   Heine befindet sich bis 1813 in der höchsten Klasse, der »Philosophischen Classe«, in der Schallmayer unterrichtet.

1814   29. September: Heine verläßt das Gymnasium ohne Reifezeugnis.
Oktober: Besuch der Handelsschule von Vahrenkampf, da Heine zum Kaufmann ausgebildet werden soll.

1815   September: Heine begleitet seinen Vater zum Besuch der Frankfurter Messe und beginnt im Bankhaus Rindskopf eine kaufmännische Lehre. Zwei Monate später Rückkehr nach Düsseldorf.

1816   Anfang Juni: Abreise nach Hamburg und neue Lehrzeit im Kontor des Bankhauses von Onkel Salomon Heine. Heine hält sich in Ottensen, im Landhaus seines Onkels auf und verliebt sich in seine Cousine Amalie.

1818   Mai: Salomon Heine richtet seinem Neffen ein Manufakturwarengeschäft ein (»Harry Heine & Comp.«), das im März wegen drohenden Bankrotts liquidiert wird. Heines Onkel gewährt finanzielle Mittel für ein Jurastudium.

18.19   Juni: Rückreise nach Düsseldorf und Vorbereitung auf das Studium.
*Ende September: Reise nach Bonn. Anfang Dezember Immatrikulation an der Universität und Beginn des Studiums der Rechts- und Kameralwissenschaften (insgesamt zwei Semester in Bonn).

1820   September: Nach eintägigem (letztem) Besuch in Düsseldorf Wanderung durch Westfalen und Weiterreise nach Göttingen.
Oktober: Immatrikulation an der Universität und Aufnahme des Wintersemesters.
Dezember: Wegen einer Duellforderung Verhandlung vor dem Universitätsgericht.
*Ende Dezember: Ausschluß aus der Burschenschaft.

1821   23. Januar: »consilium abeundi« von der Universität für ein halbes Jahr. Heine verläßt Göttingen Anfang Februar.
20. März: Ankunft in Berlin. Im April Immatrikulation und Beginn des Sommerse-

mesters (insgesamt vier volle Berliner Semester bis Mitte 1823).

1822 4. August: Aufnahme in den »Verein für Kultur und Wissenschaft der Juden«.
August/September: Reise nach Polen auf Einladung eines polnischen Studienfreundes.
Ende Oktober: Besuch bei Hegel, mit dem sich Heine wahrscheinlich über Philosophie unterhält.

1823 19. Mai: Abreise von Berlin nach Lüneburg, wo die Eltern seit Ende April 1821 wohnen.
Sommer und Herbst: Erneuter Aufenthalt in Hamburg; Badereise nach Cuxhaven und Ritzebüttel sowie zweiter Aufenthalt in Lüneburg.

1824 24. Januar: Ankunft in Göttingen zur Fortsetzung des Studiums, das Heine am 20. Juli 1825 mit der Promotion zum Dr. jur. beendet.
Mitte September: Fußreise durch den Harz; Besuch bei Goethe in Weimar und Rückkehr nach Göttingen (*11. Oktober).

1825 Juni: Religionsunterricht in Heiligenstadt; am 28. Übertritt zum evangelischen Glauben und Taufe durch Pfarrer Grimm.
Sommer und Herbst: Anfang August reist Heine von Göttingen zum Sommerurlaub nach Norderney; nach einem weiteren Lüneburg-Aufenthalt Übersiedlung nach Hamburg mit der Absicht, sich als Advokat niederzulassen.

1827 12. April: Während *Reisebilder* II erscheinen, fährt Heine von Hamburg nach England und kehrt erst Mitte September über Holland in die Hansestadt zurück.
Oktober: Nach der Veröffentlichung des *Buchs der Lieder* reist Heine über Kassel, Frankfurt (wo er mit Börne zusammentrifft), Heidelberg und Stuttgart nach München, um die »Neuen allgemeinen politischen Annalen« herauszugeben (erste Hälfte 1828).

1828 August bis November: Italienreise über Mailand, Genua, Lucca, Florenz und Venedig.
2. Dezember: Tod des Vaters in Hamburg, von dem Heine erst am 27. in Würzburg erfährt.

1830 Ende Juni bis Ende August: In den Helgoland-Urlaub platzt die Nachricht von der Pariser Julirevolution.

1831 März: Ohne Aussicht auf berufliche Anstellung entschließt sich Heine endgültig, als freier Berufsschriftsteller nach Paris überzusiedeln.
1. Mai: Heine verläßt Hamburg und reist über Frankfurt und Straßburg nach Paris, wo er am 19. Mai eintrifft.
August: Erster der nun regelmäßigen Sommeraufenthalte an der Kanalküste bzw. in der Normandie (1841 und 1846 Badereisen in die Pyrenäen).
Ende Oktober: Beginn der intensiven Korrespondententätigkeit für deutsche Zeitungen und Zeitschriften. Im »Morgenblatt für gebildete Stände« erscheinen Kunstberichte (später: *Französische Maler*).

1832 Januar: Heine besucht Versammlungen der Saint-Simonisten und verkehrt in deren Kreisen. Die »Augsburger Allgemeine Zeitung« veröffentlicht die ersten von acht politischen Korrespondenzberichten (*Französische Zustände*).

1833 1. März: Die Mitarbeit an französischen Zeitschriften beginnt mit einer literaturgeschichtlichen Artikelfolge im »L'Europe littéraire« (später: *Die romantische Schule*).

1834 1. März: Die Zeitschrift »Revue des Deux Mondes« druckt den ersten von drei großen Essays über deutsche Geistesgeschichte (später: *Zur Geschichte der Religion und Philosophie*).
Oktober 1834: Bekanntschaft mit Crescence Eugénie Mirat (Mathilde), die Heine am 31. August 1841 heiratet (Trauung in der Pariser Kirche Saint Sulpice).

1835 April: Im Rahmen einer ersten französischen Werkausgabe erscheint *De l'Allemagne*.
10. Dezember: Bundestagsbeschluß gegen das Junge Deutschland (Heine, Gutzkow, Laube, Mundt, Wienbarg), der Publikationsverbot bedeutet.
11. Dezember: Verbot sämtlicher Schriften Heines in Preußen.

1836 Ende September: Reise nach Südfrankreich, in die Provence, von der Heine Ende Dezember nach Paris zurückkehrt.

1840 10. Februar: Die »Allgemeine Zeitung« fängt mit dem Druck der umfangreichsten Folge von Korrespondenzartikeln an (später: *Lutezia*).

1841 7. September: Im Zusammenhang mit der Wirkungsgeschichte der Denkschrift über Ludwig Börne kommt es zum Duell mit Salomon Strauß, dem Gatten von Jeanette Wohl-Strauß, Börnes Lebensgefährtin.

1843 21. Oktober bis 16. Dezember: Reise nach Hamburg, die erste Deutschlandreise seit 1831. Nach der Rückkehr Bekanntschaft mit Karl Marx.

1844 16. April: Anfang einer Kette von Grenzhaftbefehlen und Ausweisungsanträgen gegen die Pariser Mitarbeiter der »Deutsch-Französischen Jahrbücher« und des »Vorwärts«, in denen Heine *Zeitgedichte* und das *Wintermärchen* veröffentlicht hat.

*19. Juli bis 16. Oktober: In Begleitung von Mathilde (und per Schiff) zweiter Hamburg-Aufenthalt.

23. Dezember: Tod Salomon Heines und Beginn des langwierigen Kampfes um die Weiterzahlung der Jahresrente (Erbschaftsstreit).

1848 Februar: Zeitweise Übersiedlung in eine Heilanstalt wegen fortschreitender Lähmungserscheinungen.

23. Februar: Nach einem Besuch in seiner Wohnung wird Heine Zeuge von Straßenkämpfen im revolutionären Paris.

Mitte Mai: Zusammenbruch im Louvre, wahrscheinlich vor der Venus von Milo.

September: Heine ist ständig bettlägerig und kann seine »Matratzengruft« nicht mehr verlassen.

1851 Juli: Bei seinem Besuch in Paris schließt Campe mit dem todkranken Dichter einen Vertrag über einen neuen Lyrikband (*Romanzero*).

1854 Dezember: Heine beginnt die Arbeit an den ersten Bänden seiner französischen Gesamtausgabe (*Oeuvres complètes*).

1855 Seit Juni besucht Elise Krinitz, von Heine »Mouche« genannt, häufig den sterbenden Dichter in seiner letzten »Matratzengruft«: 3, Avenue Matignon.

1856 17. Februar: Tod Heines.

20. Februar: Beerdigung auf dem Friedhof Montmartre. An der Beerdigung nehmen u. a. die Schriftsteller Théophile Gautier, Alexandre Dumas und Alexandre Weill sowie der Historiker François-Auguste Mignet teil.

Literaturhinweise

Bibliographien

Gottfried Wilhelm/Eberhard Galley: *Heine Bibliographie*, 2 Bde., Weimar 1960, Teil I. *Primärliteratur 1817–1953*, Teil II: *Sekundärliteratur 1822–1953*

Siegfried Seifert: *Heine-Bibliographie 1954–1964*, Berlin und Weimar 1968

Siegfried Seifert/Albina A. Volgina: *Heine-Bibliographie 1965–1982*, Berlin und Weimar 1986

Jeffrey L. Sammons: *Heinrich Heine. A Selected Critical Bibliography of Secondary Literature, 1965–1980*, New York & London 1982

Heine-Jahrbuch [mit fortlaufenden Bibliographien]

Forschungsberichte

Eva D. Decker: *Heinrich Heine. Ein Forschungsbericht 1945–1965* (zuerst 1966), in: *Heinrich Heine*, hrsg. von Helmut Koopmann, Darmstadt 1975, 377–403 (Wege der Forschung)

Jeffrey L. Sammons: *Phases of Heine Scholarship, 1957–1971*, in: The German quarterly, vol. 46, 1973, 56–88

Jost Hermand: *Streitobjekt Heine. Ein Forschungsbericht 1945–1975*, Frankfurt a. M. 1975

Werner Feudel: *Positionen und Tendenzen in der Heine-Forschung der BRD*, in: *Streitpunkt Vormärz*, hrsg. von der Akademie der Wissenschaften der DDR, Berlin (Ost) 1977, 183–218

Michael Werner: *Sozialgeschichtliche Heine-Forschung 1970 bis 1978*, in: Internationales Archiv für Sozialgeschichte der deutschen Literatur, Bd. 5 1980, 234–250

Almuth Grésillon/Michael Werner: *Dossier HEINE*, in: romantisme 30, 1980, 83–99 [u. a. Überblick und Forschung]

zur französischen Forschung:

Beatrix Müller: *Die französische Heine-Forschung 1945–1975*, Meisenheim am Glan 1977 (Hochschulschriften Literaturwissenschaft)

Michael Werner: *Heine-Forschung in Frankreich 1975–1982*, in: Interferenzen: Deutschland und Frankreich, Düsseldorf 1983, 80–91

Dokumentationen zu Leben und Werk; allgemeine Hilfsmittel

Norbert Altenhofer: *Dichter über ihre Dichtungen. Heinrich Heine*, 3 Bd.e, München 1971 [Sammlung von Heines Äußerungen über sein Werk]

Fritz Mende: *Heinrich Heine. Chronik seines Lebens und Werkes*, Zweite, bearbeitete und erweiterte Auflage 1981, Stuttgart etc. 1981 [zuerst Berlin (Ost) 1970; als Taschenbuchausgabe München 1975]

Werner Vordtriede / Uwe Schweikert: *Heine-Kommentar*, 2 Bde., München 1970, Bd. I: *Zu den Dichtungen*, Bd. II: *Zu den Schriften zur Literatur und Politik*

Eberhard Galley: *Heinrich Heine*, 4. Aufl. Stuttgart 1976 (Sammlung Metzler)

Bildbände

Ludwig Marcuse: *Heinrich Heine in Selbstzeugnissen und Bilddokumenten*, Reinbek bei Hamburg 1960 u. ö.

Eberhard Galley: *Heinrich Heine. Lebensbericht mit Bildern und Dokumenten*, Kassel 1973

Heinrich Heine und seine Zeit 1797–1856, hrsg. von Joseph A. Kruse, Düsseldorf 1980 (Katalog zur Heine-Ausstellung im Museum des Heinrich-Heine-Instituts)

Heinrich Heine. Dargestellt von Herbert Schnierle und Christoph Wetzel unter Mitarbeit von Reinhold Erz und Roland Ottenbreit. Salzburg 1980 (= Die großen Klassiker. Literatur der Welt in Bildern, Texten, Daten)

Heine in Paris 1831–1856, hrsg. von Joseph A. Kruse und Michael Werner, Düsseldorf 1981 [zu einer Ausstellung in Düsseldorf und Paris]

Joseph A. Kruse: *Heinrich Heine. Leben und Werk in Daten und Bildern*, Frankfurt a. M. 1983

Sammlungen und Reihen

[zusätzlich zu HJb., IHK 1972 und IWK 1972]

Heine-Studien, Hamburg 1971 ff. [1971–1976 hrsg. von Manfred Windfuhr, seitdem von Joseph A. Kruse]

Heinrich Heine, TEXT + KRITIK 18/19 1971 2. Aufl.; 4., völlig veränderte Aufl. 1982

Heinrich Heine zu Ehren, Tribüne 11. Jg., Heft 43, 1972

Heine und seine Zeit, Zeitschrift für deutsche Philologie, Bd. 91, 1972 Sonderheft

Cahier Heine, Redaktion Michael Werner, Paris, 1:1975, 2:1981, 3:1984

Heinrich Heine, hrsg. von Helmut Koopmann, Darmstadt 1975 (Wege der Forschung)

Heinrich Heine, Diskussion Deutsch, Heft 35, 1977

Wolfgang Kuttenkeuler (Hrsg.): *Heinrich Heine. Artistik und Engagement*, Stuttgart 1977

Wilhelm Gössmann (Hrsg.): *Heine im Deutschunterricht. Ein literaturdidaktisches Konzept*, Düsseldorf 1978

Heinrich Heine. Dimensionen seines Wirkens. Ein internationales Heine-Symposium, hrsg. von Raymond Immerwahr und Hanna Spencer, Bonn 1979 (Studien zur Literatur der Moderne)

Heinrich Heine und die Zeitgenossen, hrsg. von der Akademie der Wissenschaften der DDR, Berlin und Weimar 1979

Heinrich Heine. Epoche-Werk-Wirkung, hrsg. von Jürgen Brummack, München 1980

Zu Heinrich Heine, hrsg. von Luciano Zagari und Paolo Chiarini, Stuttgart 1981 (Literaturwissenschaft-Gesellschaftswissenschaft) [zuerst: Annali XXIII,1 Studi tedeschi, 1980]

Heinrich Heine, Monatshefte, Vol. 73, No 4, 1981

Heinrich Heine 1797–1856. Internationaler Veranstaltungszyklus zum 125. Todesjahr 1981, Trier 1981 (Schriften aus dem Karl-Marx-Haus)

Der späte Heine 1848–1856, hrsg. von Wilhelm Gössmann und Joseph A. Kruse, Hamburg 1982 (=Heine-Studien)

Heinrich Heine und das neunzehnte Jahrhundert: SIGNATUREN, hrsg. von Rolf Hosfeld, Berlin 1986, Argument-Sonderband (=Literatur im historischen Prozeß, N. F.)

Literaturdidaktische Ausgaben, Modellanalysen und Untersuchungen

Gesellschaftskritik im Werk Heinrich Heines. Ein Heine-Lesebuch, hrsg. von Hedwig Walwei-Wiegelmann, Paderborn 1974

Wilhelm Gössmann/Winfried Woesler: *Politische Dichtung im Unterricht: »Deutschland. Ein*

Wintermärchen«, Düsseldorf 1974 (=Fach: Deutsch)

Heinrich Heine. Ein Arbeitsbuch mit Primärtexten und Materialien zur Rezeptionsgeschichte, hrsg. von Gerd Heinemann, Frankfurt a. M. 1976 (Texte und Materialien zum Literaturunterricht)

Karl-Heinz Fingerhut (Hrsg.): *Heinrich Heine: Deutschland. Ein Wintermärchen* 2 Bd.e, Frankfurt a. M. etc. 1976, 2. Aufl. 1980, Bd. I: *Unterrichtsmodelle*, Bd. II: *Modellanalysen* (Literatur und Geschichte)

Wilhelm Gössmann (Hrsg.): *Heine im Deutschunterricht. Ein literaturdidaktisches Konzept*, Düsseldorf 1978 (=Fach: Deutsch)

Gerd Heinemann: *Heinrich Heine Reisebilder. Interpretationshinweise*, München 1981 (=Interpretationen für Schule und Studium)

Fritz Mende: *Heinrich Heine im Literaturunterricht*, Berlin 1962, 2. Aufl. 1965 (=Beiträge zur Methodik des Deutschunterrichts)

Kurt Abels: *Heinrich Heine in Lesebüchern für die Sekundarstufe I: Forschungs-Bericht*, in: Literatur in Wissenschaft und Unterricht, Jg. 9, 1976, H. 3, 189–203

Ursula Lehmann: *Heine im Literaturunterricht. Kritische Bestandsaufnahme von Neuerscheinungen*, in: HJb 1977, 143–150

Valentin Merkelbach: *Heinrich Heine in Lesebüchern der Bundesrepublik*, in: Diskussion Deutsch 35, 1977, 317–332

Peter Hasubeck: *Ausbürgerung – Einbürgerung? Heinrich Heine als Schullektüre. Ein Beitrag zur Rezeptionsgeschichte*, in: Wolfgang Kuttenkeuler (Hrsg.): *Heinrich Heine. Artistik und Engagement*, Stuttgart 1977, 305–332

Wilhelm Gössmann: *Heine als Promotor der Literaturdidaktik*, in: TEXT + KRITIK 18/19, 1982, 129–158

Wirkungsgeschichte in Deutschland bis zur Gegenwart

Quellen und Materialiensammlungen

Karl Hotz (Hrsg.): *Heinrich Heine: Wirkungsgeschichte als Wirkungskritik. Materialien zur Rezeptions- und Wirkungsgeschichte Heines*, Stuttgart 1975 (=Literaturwissenschaft-Gesellschaftswissenschaft)

Heinrich Heine. Ein Arbeitsbuch mit Primärtexten und Materialien zur Rezeptionsgeschichte, hrsg. von Gerd Heinemann, Frankfurt a. M. 1976 (Texte und Materialien zum Literaturunterricht)

Heine in Deutschland. Dokumente seiner Rezeption 1834–1956, hrsg. von Karl Theodor Kleinknecht, Tübingen 1976 (=Deutsche Texte)

Heinrich Heines Werk im Urteil seiner Zeitgenossen, hrsg. von Eberhard Galley und Alfred Estermann, Hamburg 1981 ff. (=Heine-Studien), Bd. 1:1821 bis 1831, Bd. 2:1830 bis 1834 [im Handbuch als Galley/Estermann zitiert, s. Siglenverzeichnis]

Forschungsliteratur und Dokumentationen

Erika Schmohl: *Der Streit um Heinrich Heine. Darstellung und Kritik der bisherigen Heine-Wertung*, Diss. masch. Marburg 1956

Eberhard Galley: *Heinrich Heine in Widerstreit der Meinungen 1825–1956*, Düsseldorf 1967 (=Schriften der Heinrich-Heine-Gesellschaft)

Alexander Schweickert: *Heinrich Heines Einflüsse auf die deutsche Lyrik 1830–1900*, Bonn 1969 (=Abhandlungen zur Kunst-, Musik- und Literaturwissenschaft) [Einflüsse u. a. auf Herwegh, Weerth, Storm, Keller, Scheffel, Vischer, Busch und Wedekind]

Alexander Schweickert: *Notizen zu den Einflüssen Heinrich Heines auf die Lyrik von Kerr, Klabund, Tucholsky und Erich Kästner*, in: HJb 1969, 69–107

Und alle lieben Heinrich Heine... Bürgerinitiative Heinrich-Heine-Universität Düsseldorf 1968 bis 1972, hrsg. von Otto Schönfeldt, Köln 1972

Hans-Georg Werner: *Zur Wirkung von Heines literarischem Werk*, in: Weimarer Beiträge 9/1973, 35–73 [auch IWK 1972]

Helmut Koopmann: *Heinrich Heine in Deutschland. Aspekte seiner Wirkung im 19. Jahrhundert*, in: ders. (Hrsg.): *Heinrich Heine*, Darmstadt 1975 (=Wege der Forschung) 257–287 [zuerst 1967]

Jost Hermand: *Der frühe Heine. Ein Kommentar zu den »Reisebildern«*, München 1976, 181–199: Die ›Reisebilder‹ in der zeitgenössischen Kritik [zuerst 1970]

Joachim Bark: *Literaturgeschichtsschreibung über Heine. Zur Wirkungsgeschichte im 19. Jahrhundert*, in: Wolfgang Kuttenkeuler (Hrsg.): *Heinrich Heine. Artistik und Engagement*, Stuttgart 1977, 284–304

Manfred Windfuhr: *Heinrich Heine deutsches Publikum (1820–1860). Vom Lieblingsautor des Adels zum Anreger der bürgerlichen Intelligenz*, in: *Literatur in der sozialen Bewegung* [...], hrsg. von Alberto Martino, Tübingen 1977, 260–283

Eberhard Galley: *Dichtung als Provokation: Heine und seine Kritiker (1821–1856)*, in: HJb 1979, 118–138

Walter Reese: *Zur Geschichte der sozialistischen Heine-Rezeption in Deutschland*, Frankfurt a. M. 1979 (=Europäische Hochschulschriften)

Michael Behal: *Heines Wirkung in Deutschland: »Ein Pfahl in unserm Fleische«*, in: *Heinrich Heine. Epoche-Werk-Wirkung*, hrsg. von Jürgen Brummack, München 1980, 293–334

Bernd Füllner: *Heinrich Heine in deutschen Literaturgeschichten. Eine Rezeptionsanalyse*, Frankfurt a. M. 1982 (=Europäische Hochschulschriften)

Johannes Weber: *Libertin und Charakter. Heinrich Heine und Ludwig Börne im Werturteil deutscher Literaturgeschichtsschreibung 1840 bis 1918*, Heidelberg 1984 (=Neue Bremer Beiträge)

Spezialuntersuchungen zur Wirkung und Rezeption durch einzelne Autoren

Georg Büchner: Heinz Fischer: *Heinrich Heine und Georg Büchner. Zu Büchners Heine-Rezeption*, in: HJb 1971, 43–51; Maurice Benn: *Büchner and Heine*, in: Seminar 13, 1977,

215–226; Henri Poschmann: *Heine und Büchner. Zwei Strategien revolutionär-demokratischer Literatur um 1835*, in: *Heinrich Heine und die Zeitgenossen*, hrsg. von der Akademie der Wissenschaften der DDR, Berlin und Weimar 1979, 203–228

Georg Weerth: Lucien Calvié: *Le roman feuilleton »Leben und Taten des berühmten Ritters Schnapphahnski (1848–1849) de Georg Weerth: Modèle littéraire heinéen et réalité sociale et politique*, in: *Roman et Société, Actes du colloque international de Valenciennes. Mai 1983*, Cahiers de l'UER Froissart, No. 8, 1983, 9–59

Gottfried Keller: Martin Stern: *»Poetische Willkür«. Heine im Urteil Gottfried Kellers*, in: HJb 1977, 49–70

Wilhelm Raabe: Dieter Arendt: *Die Heine-Rezeption im Werk Wilhelm Raabes*, in: HJb 1980, 188–221

Theodor Fontane: Hans Otto Horch: *»Das Schlechte... mit demselben Vergnügen wie das Gute.« Über Theodor Fontanes Beziehungen zu Heinrich Heine*, in: HJb 1979, 139–176; Christian Grawe: *Crampas' Lieblingsdichter Heine und einige damit verbundene Motive in Fontanes »Effi Briest«*, in: Jahrbuch der Raabe-Gesellschaft, Jg. 23, 1982, 148–170

Richard Wagner [s. Handbuch S. 280]: Lothar Prox: *Wagner und Heine*, in: Deutsche Vierteljahrsschrift für Literaturwissenschaft und Geistesgeschichte, Jg. 46, 1972, 684–698; Karl Richter: *Heinrich Heine in Richard Wagners autobiographischen Schriften und in den Tagebüchern von Cosima Wagner*, in: HJb 1979, 209–217

Friedrich Nietzsche: Hanna Spencer: *Heine und Nietzsche*, in: HJb 1972, 126–161; Sander Gilman: *Nietzschean Parody. An Introduction to Reading Nietzsche*, Bonn 1976 (=Studien zur Germanistik, Anglistik und Komparatistik), 57–76: Nietzsche and Heine; Reinhold Grimm: *Heine und Nietzsche, Bemerkungen zu seinem lyrischen Pastiche*, in: *Heinrich Heine und das neunzehnte Jahrhundert: SIGNATUREN*, hrsg. von Rolf Hosfeld, Berlin 1986, 98–107 (Argument-Sonderband A5 124)

Karl Kraus: Mechthild Boerrie: *Ein Angriff auf Heinrich Heine. Kritische Betrachtungen zu Karl Kraus*, Stuttgart etc. 1971 (=Studien zur Poetik und Geschichte oder Literatur); Bernd Kämmerling: *Die wahre Richtung des Angriffs. Über Karl Kraus': Heine und die Folgen*, in:

HJb 1972, 162–169; Uta Schaub: *Liliencron und Heine im Urteil von Karl Kraus. Ein Beitrag zum Problem der literarischen Wertung*, in: HJb 1979, 191–201

Heinrich Mann: Galina Snamenskaja: *Die Traditionen von Heinrich Heine im Schaffen Heinrich Manns*, in: IWK 1972, 62–77

Thomas Mann: Volkmar Hansen: *Thomas Manns Erzählung »Das Gesetz« und Heines Moses-Bild*, in: HJb 1974, 132–149; Walter A. Berendsohn: *Thomas Mann und Heinrich Heine*, in: ders.: *Aufsätze und Rezensionen*, Stockholm 1974, 1–13; Volkmar Hansen: *Thomas Manns Heine-Rezeption*, Hamburg 1975 (=Heine-Studien)

Bertolt Brecht: Oliver Boeck: *Beobachtungen zum Thema »Heine und Brecht«*, in: HJb 1973, 208–228; Jost Hermand: *Heine und Brecht: Über die Vergleichbarkeit des Unvergleichlichen*, in: Monatshefte Vol. 73, No 4, 1981, 429–441

Egon Erwin Kisch: Michael E. Geisler: *Die Signatur der Wirklichkeit: Heinrich Heine und Egon Erwin Kisch*, in: HJb 1985, 143–178

Wolf Biermann: Hedwig Walwei-Wiegelmann: *Wolf Biermanns Versepos »Deutschland. Ein Wintermärchen« – in der Nachfolge Heinrich Heines?* in: HJb 1975, 150–166; D. P. Meier-Lenz: *Heinrich Heine – Wolf Biermann. Deutschland. ZWEI Wintermärchen – ein Werkvergleich*, Bonn 1977, 3. Aufl. 1985 (Abhandlungen zur Kunst-, Musik- und Literaturwissenschaft)

Theodor W. Adorno: Gerhard Höhn: *Adorno face à Heine ou le couteau dans la plaie*, in: Revue d'esthétique no. 8, 1985, 137–144

Volker Braun und Günter Kunert: Klaus Werner: *Heine und die »Wasser des Lebens«. Zu Volker Brauns und Günter Kunerts Interesse für Heine* in: *Selbsterfahrung als Welterfahrung. DDR-Literatur in den siebziger Jahren*, hrsg. von Horst Nalewski und Klaus Schumann, Berlin und Weimar 1981, 118–135

Heine im Bewußtsein zeitgenössischer deutschsprachiger Autoren

Theodor W. Adorno; *Die Wunde Heine*, in: Texte und Zeichen 1956, Nr. 3, 291–295; ders.: *Noten zur Literatur*, Frankfurt a. M. 1958, 144–152

Stephan Hermlin: *Über Heine*, Sinn und Form 8, 1956, H. 1–3, 78–90

Walter Höllerer: *Heine als Beginn*, in: Akzente, Jg. 2, 1956, H. 2 116–129

Walter Höllerer: *Zwischen Klassik und Moderne. Lachen und Weinen in der Dichtung einer Übergangszeit*, Stuttgart 1958, 58–99: Heinrich Heine

Hans Mayer: *Die Ausnahme Heinrich Heine*, in: ders.: *Von Lessing bis Thomas Mann*, Pfullingen 1959

Hermann Kesten: *Deutschland. Ein Wintermärchen*, in: ders.: *Der Geist der Unruhe. Literarische Streifzüge*, Köln und Berlin 1959, 62–78 [zuerst 1944]

Peter Rühmkorf: *Heinrich-Heine-Gedenklied*, in: ders.: *Irdisches Vergnügen in g*, Hamburg 1959 [s. Sammlung von Karl Hotz]

Wolf Biermann: *Deutschland. Ein Wintermärchen*, Berlin 1972

Carl Zuckmayer: *Heinrich Heine, der liebe Gott und ich. Ein Dreipersonenspiel*, in: DIE ZEIT Nr. 50, 15. Dezember 1972, 14–15

Günter Kunert: *Kunert und Heine begegnen einander zwischenzeitlich*, in: Neue deutsche Literatur, Jg. 20, 1972, 6–9 [8 Gedichte; Heine-Gedichte auch in: Günter Kunert: *Das kleine Aber. Gedichte*, Berlin und Weimar 1975]

Ich hab ein neues Schiff bestiegen… Heine im Spiegel neuer Poesie und Prosa. Eine Anthologie, hrsg. von Uwe Berger und Werner Neubert, Berlin und Weimar 1972 [Beiträge von 30 Trägern des Heinrich-Heine-Preises, den die DDR seit 1957 jährlich an zwei Autoren vergibt]

Helmut Heißenbüttel: *Zur Tradition der Moderne*, Neuwied, Berlin 1972, 56–69: Materialismus und Phantasmagorie im Gedicht. Anmerkungen zur Lyrik Heinrich Heines

Geständnisse. Heine im Bewußtsein heutiger Autoren, hrsg. von Wilhelm Gössmann, Düsseldorf 1972 [Dokumentation zu Stellungnahmen von 90 Autoren, Schriftstellern und Journalisten]

Hermann Kesten: *Heine lebt*, in: *Und alle lieben Heinrich Heine…* (s. o.), 106–116

Günter Kunert: *Dauermieter im Oberstübchen. Mein Freund, die Menschheit und ich selber*, in: Frankfurter Rundschau Nr. 296, 21. Dezember 1974, S. II, Beilage (auch in: ders.: *Warum schreiben*, München und Wien 1976, 5–15

Volker Braun: *Es genügt nicht die einfache Wahrheit*. Notate, Frankfurt a. M. 1976, 102–104:

Drei ausgelassene Antworten (Zur Heine-Ehrung)

Günter Kunert: *Ein anderer Kunert. Hörspiele*, Berlin und Weimar 1977, 43–81: Ehrenhändel. Ein Hörspiel [zuerst 1973]

Peter Rühmkorf / Thomas Ayck: *Tanzend zwischen Freund Hein und Freund Heine. Gespräch mit dem Lyriker und Essayisten Peter Rühmkorf*, in: Die Horen, Jg. 24 1979, H. 4, 157–162

Wolf Biermann: *Heinrich Heine: Deutschland. Ein Wintermärchen*, in: DIE ZEIT Nr. 43, 19. Oktober 1979 (100 Bücher der ZEIT)

Walter Jens: *»Der Teufel lebt nicht mehr, mein Herr!« Ein Totengespräch zwischen Heine und Lessing*, in: die horen, 25, 1980, Bd. 3, Ausg. 119, 53–64

Peter Bichsel: *Erfreuen Sie sich Ihrer Freiheit, Madame*, in: Frankfurter Rundschau, 18. April 1981, S. II. Beilage

Walter Jens: *Archiv deutscher Gefühle. Heinrich Heine, der Dichter zwischen den Nationen und Religionen*, in: Frankfurter Allgemeine Zeitung, 6. März 1982, Nr. 55 Beilage

Martin Walser: *Heines Tränen*, in: HJb 1982, 206–227 (Rede zur Verleihung der »Heine-Plakette«.) [brosch. Druck auch Düsseldorf 1981]

Helmut Heißenbüttel: *Von fliegenden Fröschen, libidinösen Epen, vaterländischen Romanen, Sprechblasen und Ohrwürmern: 13 Essays*, Stuttgart 1982, 75–86: Karl Kraus und die Folgen. Heinrich Heine als Journalist [zuerst SDR Stuttgart 1979]

Peter Sloterdijk: *Kritik der zynischen Vernunft*, 2 Bde., Frankfurt a. M. 1983 [bemerkenswerter Heine-Bezug: der Satiriker Heine als Repräsentant der kynischen Tradition]

Werner Kraft: *Heine der Dichter*. München 1983. Edition, Text + Kritik

Carl Friedrich von Weizsäcker: *Heine und die Krise der Gegenwart*, in: HJb 1985, 246–254 (Rede zur Verleihung des Heine-Preises der Landeshauptstadt Düsseldorf)

Peter Rühmkorf: *Suppentopf und Guillotine. Zu Heinrich Heines Frauengestalten*, in: HJB 1985, 255–278 (Rede zur Verleihung der Ehrengabe der Heine-Gesellschaft 1984)

Günter Kunert: *Das Fremdsein in der Dichtung*, in: Frankfurter Allgemeine Zeitung vom 21. 12. 1985

Jürgen Habermas: *Heinrich Heine und die Rolle des Intellektuellen* in: Merkur 448, Heft 6/1986, S. 453–468

Wirkungsgeschichte in Frankreich

Untersuchungen, Forschungsliteratur

Louis P. Betz: *Heine in Frankreich. Eine litterarhistorische Untersuchung*, Zürich 1895

Friedrich Hirth: *Heinrich Heine und seine französischen Freunde*, Mainz 1949

Kurt Weinberg: *Henri Heine. »Romantique défroqué. Héraut du symbolisme français*, New Haven (U.S.A.) und Paris 1954

Joseph Dresch: *Heine à Paris (1831–1856) d'après sa correspondance et les témoignages de ses contemporains*, Paris 1956, 145 ff.

Oliver Boeck: *Heines Nachwirkungen und Heine-Parallelen in der französischen Dichtung*, Göppingen 1972 (=Göppinger Arbeiten zur Germanistik) [Beziehungen zu Nerval, Gautier, Banville, Verlaine, Baudelaire, Mallarmé, Laforgue und Apollinaire]

Hans Hörling: *Heinrich Heine im Spiegel der politischen Presse Frankreichs von 1831–1841*, Frankfurt a. M. 1977 etc. (Europäische Hochschulschriften)

Haskell M. Block: *Heine and the French Symbolists*, in: *Creative Encounter. Festschrift for Herman Salinger*, hrsg. von Leland R. Phelps, Chapel Hill 1978 (=North Carolina Studies in the Germanic Languages and Literatures), 25–39 [Beziehungen zu Nerval, Gautier, Banville, Baudelaire, Mallarmé und Laforgue]

Almuth Grésillon/Michael Werner: *Dossier HEINE*, in: romantisme 30, 1980, 83–99

Spezialuntersuchungen zu Einfluß, Rezeption etc.

Alfred de Musset: Louis P. Betz: *H. Heine und Alfred de Musset, eine biographisch-litterarische Parallele*, Zürich 1897

George Sand: Geneviève Bianquis: *Heine et George Sand*, in Etudes Germaniques 11, 1965, 114–121

Victor Cousin: Joseph Dresch: *Heine et Victor Cousin*, in: Etudes Germaniques 2, 1956, 122–132

Jules Michelet: Irène Tieder: *Heine et Michelet*, in: Etudes Germaniques, 29, 1974, 487–494

Gérard de Nerval (zusätzlich zu Boeck und Block): Charles Dédéyan: *Gérard de Nerval et l'Allemagne* I, Paris 1957, 77 ff., 182 ff. u. 324–351; Norma Rinsler: *Gérard de Nerval and Heinrich Heine*, in: Revue de littérature comparée, janvier-mars 1959, 94–102; Pierre Hessmann: *Heinrich Heine und Gérard de Nerval*, in: Studia Germanica Gandensia 5, 1963, 185–206; José Lambert: *Heine, Nerval et un vers d' »El Desdichado«*, in: Les Lettres Romanes 29, 1975, 43–51; Rüdiger von Tiedemann: *Der Tod des großen Pan – Bemerkungen zu einem Thema bei Heinrich Heine und Gérard de Nerval*, in: Arcadia, Sonderheft 1978, 41–55

Charles Baudelaire (zusätzlich zu Weinberg, Boeck und Block): Gerhard R. Kaiser: *Baudelaire pro Heine contra Janin. Text – Kommentar – Analyse*, in: HJb 1983, 135–178; Klaus Briegleb: *Opfer Heine? Versuche über Schriftzüge der Revolution*, Frankfurt a. M. 1986, 125 ff., 149–204

André Gide: Christian Angelet: *Gide, Heine et le Roman Parodique*, in: Les Lettres Romanes 31, 1977, 220–242

Andre Suarès: Anne Freadman: *Le Portrait de Heine par Suarès*, in: La Revue des Lettres Modernes, nr. 484–490, 1976, 77–95

Wirkungsgeschichte im außerdeutschen und außerfranzösischen Sprachraum

Die weltweite Wirkungsgeschichte der letzten Jahrzehnte ist in den zitierten Bibliographien von Seifert (287 ff.) und Seifert/Volgina (341 ff.) verzeichnet. Hermands Forschungsbericht gibt 167 ff. einen Überblick. Leichten Zugang verschafft die Auswahlbibliographie von Sammons, 143 ff., die jedoch z. B. zwei materialreiche Studien über die Aufnahme in Rußland nicht mehr erfassen konnte (German Ritz: *150 Jahre russische Heine-Übersetzung*, Bern etc. 1981, =Slavica Helvetica, und Jakov Il'ič Gordon: *Heine in Rußland 1830–1860*, Hamburg 1982, =Heine Studien). – Bemerkenswert sind Arbeiten zu Heines Wirkung im spanischen Sprachraum: Claude R. Owen: *Heine im spanischen Sprachgebiet. Eine kritische Bibliographie*, Münster 1968 (Spanische Forschungen der Görres-Gesellschaft); Hanna Geldrich: *Heine und der spanisch-amerikanische Modernismo*, Bern und Frankfurt a. M. 1971 (German Studies in America).

Werkregister

Lyrik- und Prosawerke

Protestschreiben, Feuilletons, Prosatexte, Rezensionen

Die einzelnen Gedichte

Gedichte aus durchnumerierten Zyklen, die im Handbuch mit römischen oder arabischen Zahlen zitiert werden, sind durch folgende Siglen gekennzeichnet: Tb (=*Traumbilder*), L (=*Lieder*), Ro (=*Romanzen*), So (=*Sonette*), Ly (=*Lyrisches Intermezzo*), Hk (=*Heimkehr*), Hz (=*Aus der Harzreise. 1824*), N I und II (=*Die Nordsee. Erster Zyklus, Zweiter Zyklus*), – alle aus *Buch der Lieder*; NF (=*Neuer Frühling*), ZG (=*Zeitgedichte*), – beide aus *Neue Gedichte*.

Sachregister

Namenregister